Philippe Bobichon

JUSTIN MARTYR

Dialogue avec Tryphon

Volume I

PARADOSIS

Études de littérature et de théologie anciennes

47/1

FONDÉE PAR
OTHMAR PERLER

ÉDITÉE PAR
OTTO WERMELINGER

En couverture, de gauche à droite :
Le prophète Esdras. Codex Amiatinus, Florence, Bibliothèque Laurentienne
Le poète Virgile et deux Muses, Sousse (Musée du Bardo), Photo G. Mermet
L'Ascension du Christ. Munich, Musée National de Bavière

Cover, from left to right :
The prophet Ezra. Codex Amiatinus, Florence, Biblioteca Medicea-Laurenziana
The poet Virgil and two Muses. Sousse (Bardo Museum). Photo by G. Mermet
Ascension of Christ. Munich, National Museum of Bavaria

Titelseite, von links nach rechts :
Der Prophet Esra. Codex Amiatinus, Florenz, Biblioteca Medicea-Laurenziana
Vergil mit zwei Musen. Suosse (Bardo Museum). Aufnahme G. Mermet
Himmelfahrt Christi. München, Bayerisches National-Museum

Philippe Bobichon

JUSTIN MARTYR

Dialogue avec Tryphon

Édition critique

Volume I

Introduction, Texte grec, Traduction

Département de Patristique et d'Histoire
de l'Eglise de l'Université de Fribourg

Academic Press Fribourg 2003

Conception de la couverture: Corrado Luvisotto, Grafix-Fribourg

Publié avec l'aide du Conseil de l'Université de Fribourg Suisse

Academic Press Fribourg / Editions Saint-Paul Fribourg Suisse
ISBN 2-8271-0958-1
ISSN 1422-4402 (Paradosis Fribg.)

à Zarie

REMERCIEMENTS

Cet ouvrage est la version définitive d'une thèse de doctorat en langues anciennes soutenue à l'Université de Caen, le 17 décembre 1999. Sa publication aurait été impossible sans le concours de tous ceux qui, dès l'origine, m'ont accompagné, conseillé et soutenu dans cette entreprise.

C'est au Professeur Jean-Marie Mathieu que revient l'initiative de cette édition : lorsque je lui soumis, il y a plus de dix ans, mon projet d'une étude en relation avec la controverse judéo-chrétienne, il me signala l'existence du *Dialogue* de Justin, important par la taille et le contenu, souvent édité, mais jamais de façon critique. Le Professeur Jean-Marie Mathieu a depuis lors dirigé mes travaux avec une exigence et une disponibilité pour lesquelles j'ai plaisir à lui exprimer ici ma reconnaissance.

Dans la perspective de recherches sur les controverses religieuses, et plus particulièrement sur celle qui oppose christianisme et judaïsme, une édition du *Dialogue* occupait tout naturellement la première place : le *Dialogue de Jason et Papiscus* – dont Justin s'est peut-être inspiré – étant aujourd'hui perdu, le *Dialogue avec Tryphon* demeure le plus ancien écrit de ce type qui nous soit parvenu. Par le contexte historique qui l'a vu naître, les sujets qui y sont abordés et les questions qu'il pose, ce texte offre une source commune – directe ou indirecte – à tous les écrits de même nature, et un premier cadre pour leur interprétation : même si la dimension diachronique et les particularités propres à chaque tradition ne doivent jamais être négligées – ici comme ailleurs –, la littérature de controverse semble bien constituer un genre à part, avec sa propre cohérence littéraire et historique. Pour des raisons complexes qui sont autant d'éléments d'analyse, cette littérature n'a pas reçu l'attention qu'elle mérite.

Outre l'enrichissement méthodologique et culturel qu'elle a occasionné, cette recherche fut vécue comme une expérience intellectuelle dont le principal enseignement demeure décisif : plutôt déconcertante lors d'un

premier contact, la pensée qui s'exprime dans le *Dialogue* se révèle extrêmement rigoureuse, souvent originale, parfois même séduisante, si l'on se rend accessible à son cheminement propre en s'affranchissant, pour mieux en adopter le cours, de tout préjugé. Fragile équilibre entre empathie et distance critique.

Le *Dialogue avec Tryphon* étant une œuvre complexe, le conseil de tous ceux que j'ai sollicités ou qui m'ont spontanément prêté leur concours fut aussi précieux qu'indispensable. J'exprime ici ma profonde gratitude aux membres du jury de thèse qui m'ont tous suggéré, oralement et par écrit, selon l'éclairage de leurs spécialités respectives, les corrections qu'appelait ce travail : Monique Alexandre, Professeur à l'Université de Paris-Sorbonne, Paris IV (Présidente du Jury) ; Mireille Hadas-Lebel, Professeur à l'Université de Paris-Sorbonne, Paris IV ; Jean-Marie Mathieu, Professeur à l'Université de Caen (Directeur de thèse) ; Bernard Pouderon, Professeur à l'Université de Tours ; Jean Schneider, Professeur à l'Université de Caen.

Plusieurs études, qui complètent cette édition, ont été adressées à des revues scientifiques (voir l'Index bibliographique). La teneur de ces travaux a pu être perfectionnée grâce à ceux qui en ont effectué la lecture critique. Je remercie ces derniers pour leurs remarques et leurs suggestions qui furent toujours vivement appréciées.

Je dois au regretté Charles Touati, puis à Jean-Christophe Attias, Directeurs d'études à l'École Pratique des Hautes Études, l'initiation à une approche scientifique des écrits rabbiniques sans laquelle les références à cette littérature que comporte le *Dialogue* n'auraient pu être prises en compte. Qu'ils soient remerciés pour leur enseignement.

La bibliographie utilisée pour cette édition n'aurait pu être réunie sans le concours de madame Chantal Bouchoux, responsable du prêt-inter à l'Université de Caen, qui s'est toujours efforcée avec efficacité, avec opiniâtreté parfois, de me procurer les articles et les ouvrages nécessaires à cette étude. Le travail d'édition proprement dit – en particulier la vérification des indices – a été grandement favorisé par les admirables ressources de la bibliothèque de l'École Normale Supérieure, de la Bibliothèque byzantine, et de l'Institut d'Études Sémitiques du Collège de France, ainsi que par l'accueil de leurs responsables.

Membre de l'Institut de Recherche et d'Histoire des Textes depuis décembre 2000, j'ai trouvé dans ce nouveau cadre professionnel un

environnement particulièrement favorable à l'achèvement d'un tel travail : la richesse de la bibliothèque, la compétence et la disponibilité de ses responsables, l'érudition de mes collègues – souvent sollicités – et leur affabilité ont constitué une aide précieuse dans cette phase de rédaction et de mise en forme définitives. Que soient tout particulièrement remerciés pour leurs encouragements et leurs conseils bienveillants monsieur Jacques Dalarun, Directeur de l'I. R. H. T., monsieur Paul Géhin, responsable de la Section grecque, et madame Colette Sirat, responsable de la Section hébraïque à laquelle j'appartiens désormais.

Le Professeur Charles Munier, de l'Université de Strasbourg, a recommandé cette édition du *Dialogue* pour une publication aux Éditions universitaires de Fribourg. Je lui suis reconnaissant de cette initiative, et de la cordialité manifestée à l'occasion de nos fréquents échanges épistolaires sur l'œuvre de Justin.

Le Professeur Otto Wermelinger, qui a accepté d'éditer ce travail, en suit l'achèvement depuis plus de deux ans. Je lui exprime ici ma profonde gratitude pour son amitié bienveillante et sa lecture scrupuleuse des dernières épreuves. Cette lecture fut effectuée en collaboration avec Jean-Michel Roessli, que je remercie également. Les opérations de mise en forme n'ont pu être réalisées que grâce aux conseils toujours précis de monsieur Corrado Luvisotto.

Ce travail aurait-il été achevé – aurait-il même été entrepris ? – sans le soutien de celle qui en a accompagné chaque étape, et à qui le livre est dédié ?

Paris, le 4 juin 2003

SOMMAIRE GENERAL

Volume I

Volume II

VOLUME I

(Sommaire)

Silences d'une tradition

Bien qu'il soit, parmi les Apologistes du IIe siècle[1], « celui dont nous connaissons le mieux la vie et les œuvres »[2], Justin demeure un personnage assez mystérieux, et aujourd'hui encore, ses écrits suscitent la controverse.

Les informations dont nous disposons sur sa biographie sont autant de questions non résolues[3] : fils de Priscus, petit-fils de Baccheius, il est né à Flavia Neapolis (antique Sichem), colonie de Syrie-Palestine fondée en 72 par Vespasien[4]. Mais à quelle date[5] ? Toute sa famille était-elle d'origine païenne ? Que signifient exactement les expressions ἀπὸ τοῦ γένους τοῦ ἐμοῦ, λέγω δὲ τῶν Σαμαρέων[6] et ἐν τῷ ἐμῷ ἔθνει[7] que l'Apologiste utilise pour se présenter ? Font-elles référence au lieu de sa naissance, ou aussi à ses origines ? Il n'était pas circoncis[8], et ignorait vraisemblablement

[1] Quadratus, Aristide, Ariston de Pella, Miltiade, Apollinaire d'Hiérapolis, Tatien Athénagore, Théophile d'Antioche, Méliton de Sarde, (Épître à Diognète, Hermias). Sur l'ensemble de ces auteurs et des travaux qui leur ont été consacrés, voir A. WARTELLE, *Bibliographie de Saint Justin et des Apologistes grecs* (1494-1994), Éditions F. Lanore, Paris 2001.

[2] G. BARDY, *art.* « Justin », *DThC* VIII, col. 2228.

[3] L'essentiel de ces informations, invariablement répétées, provient des écrits de Justin (*Dialogue*, *Apologie*), et des Actes de son martyre, texte dont il existe plusieurs recensions (références bibliographiques pour les problèmes critiques le concernant in : U. NEYMEHR, *Die christlichen Lehrer im zweiten Jahrhundert : Ihre Lehrtätigen, ihr Selbstverständnis und ihre Geschichte*, Leyde, E. J. Brill, 1989, n. 97, p. 21). Sur la biographie de Justin, voir en dernier lieu B. BAGATTI, « San Giustino nella sua patria », *Augustinianum* 19 (1979), p. 319-331 et A. G. HAMMAN, « Essai de chronologie de la vie et des œuvres de Justin », *Augustinianum* 35 (1995), p. 231-239.

[4] *I Apol.* 1, 1.

[5] L'entretien avec Tryphon mentionne à deux reprises une récente guerre de Judée, qui est, selon toute vraisemblance, celle de Bar Kokhba (132-135) : *Dial.* 1, 3 (τὸν νῦν γενόμενον πόλεμον) ; 9, 3 (τοῦ κατὰ τὴν Ἰουδαίαν γενομένου πολέμου). Justin ayant alors déjà une certaine expérience (cf. *Dial* 1 s.), on peut penser qu'il était né dans les dernières années du premier siècle, ou les premières du deuxième siècle.

[6] *Dial.* 120, 6.

[7] *II Apol.* 15, 1.

[8] *Dial.* 28, 2 ; cf. 29, 1.3 ; 92, 4.

l'hébreu[9] ; sa connaissance du judaïsme post-biblique est discutable, mais il est incontestablement informé de certaines exégèses rabbiniques, et sa méthode rappelle singulièrement, parfois, celle de ses adversaires...[10] D'après le chapitre II du *Dialogue*, il aurait fréquenté successivement plusieurs écoles philosophiques. Mais quelle est, dans ce récit, la part de convention, et dans quelle mesure Justin était-il familier de la culture grecque[11] ? Sa conversion a peut-être coïncidé avec la guerre de Judée (132-135), et il est fort possible qu'elle ait été favorisée alors par l'attitude courageuse de chrétiens persécutés[12], mais on n'en connaît pas non plus la date ; elle est située « en un lieu peu éloigné de la mer »[13] : s'agit-il des environs de Césarée ? d'Éphèse ? ou d'une autre cité ? Qui est ce Vieillard qui la lui a inspirée[14] ? Où le baptême eut-il lieu ?

Une fois converti, Justin continua de porter le manteau de philosophe[15] : quelle signification accorder à ce détail pour les rapports entre christianisme et philosophie dans son œuvre ? Il ne fut sans doute pas prêtre[16] : fut-il marié[17] ? On sait qu'il effectua plusieurs voyages entre Rome et la Palestine[18] : on en ignore toutefois les dates précises[19], et les motivations. Il

[9] Dans le *Dialogue*, Justin s'appuie toujours sur le texte grec des Écritures, et certaines de ses étymologies sont discutables (cf. *Dial.* 103, 5* : *Satanas* ; 125, 3* : *Israël*). Mais ces observations ne signifient pas nécessairement qu'il ignorait tout de la langue hébraïque.

[10] Cf. ci-dessous, pp. 81-83 (Judaïsme) et 109-128 (Exégèse).

[11] Sur ces questions, voir les notes des premiers chapitres. L'analyse stylistique du *Dialogue* montre que Justin possédait, en dépit de ses protestations (*Dial.* 29, 2 ; 58, 1) et de certaines critiques, une incontestable maîtrise des outils rhétoriques. Cette question a fait l'objet d'une étude à paraître aux *Recherches augustiniennes* (2004).

[12] Cf. *I Apol.* 31, 6 ; *II Apol.* 12, 1.

[13] *Dial.* 3, 1.

[14] Cf. *Dial.* 3, 1* s.

[15] Cf. *Dial.* 1, 2 ; 9, 2 ; EUSEBE, *Hist. eccl.*, IV, 11, 8 ; JEROME, *De vir. ill.*, 23.

[16] Malgré une conjecture de TILLEMONT, *Mémoires*, t. II, p. 355 s.

[17] Cf. *Dial.* 110, 3 : « Et nous cultivons la piété, la justice, l'amour de nos semblables, la foi, l'espérance qui vient du Père lui-même par le crucifié, chacun étant *assis dessous sa* propre *vigne*, je veux dire jouissant de son unique et légitime femme ».

[18] Cf. *Act. mart.*, 3, 3 : « C'est la seconde fois que je m'installe à Rome ». Les derniers instants du *Dialogue* (142, 1-3) évoquent peut être l'un de ces voyages.

[19] A. G. HAMMAN propose la chronologie suivante : premier séjour à Rome (vers 132 / 140-150) ; retour en Samarie (151-155) ; second séjour à Rome (155 ou 156 à 165 ou 166). Le

se présente lui-même comme investi d'une mission, et il semble avoir acquis une grande expérience des débats[20] : mais avec qui ? rabbins ? juifs de langue grecque et peu versés dans leur tradition ? gnostiques ? païens ? judéo-chrétiens ? Ses dernières années furent consacrées à l'enseignement de la doctrine chrétienne, dans une école fondée à Rome[21] : quelles en étaient les méthodes[22] ? On sait qu'il mourut martyr de sa foi, dénoncé par Crescens, philosophe cynique qui enviait sa notoriété[23]. Mais les dates du procès et du martyre restent encore mal déterminées[24].

premier voyage à Rome peut s'expliquer par l'attirance que la capitale de l'empire exerçait sur toutes ses populations ; mais il n'est pas prouvé que le retour en Samarie ait été motivé par le projet d'une confrontation entre christianisme et judaïsme devant aboutir à la rédaction du *Dialogue* (*art. cit.*, p. 235). La situation du *Dialogue* à Éphèse, d'après EUSEBE, *Hist eccl.*, IV, 18, 6 (Καὶ διάλογον δὲ πρὸς Ἰουδαίους συνέταξεν, ὃν ἐπὶ τῆς Ἐφεσίων πόλεως πρὸς Τρύφωνα τῶν τότε Ἑβραίων ἐπιστημότατον πεποίηται), n'a jamais été formellement démontrée. On a encore pensé à Corinthe, Naplouse, ou Césarée. Sur cette question, voir G. ARCHAMBAULT, *Justin. Dialogue avec Tryphon*, Introduction, p. LXVIII-LXIX ; N. HYLDAHL, *Philosophie und Christentum. Eine Interpretation der Einleitung zum Dialog Justins* [Acta Theologica Danica, 9], Copenhague-Munksgaard 1966, pp. 91-92 ; 97-98 ; R. S. MACLENNAN, « Justin, an Apologetic Essay : the Dialogue with Trypho a Jew (c. 160 C.E) », in : *Four Early Christian Texts on Jews and Judaism… Essays in Honor of Marvin Fox*, éd. J. Neusner, Atlanta 1989, chap. II, p. 49-88 (en particulier les p. 54-84 : « Cities as Text »).

[20] Cf. *Dial.* 38, 2 ; 50, 1 ; 58, 1 ; 64, 2 ; 65, 2 ; 68, 9 ; 82, 3 ; 125, 1. EUSEBE, *Hist. eccl.*, IV, 11, 8.

[21] Cf. *Act. mart.*, 2, 3. D'après le même texte (3, 3), il aurait fixé son séjour « près des Thermes de Timiotinos ». Mais ce passage est corrompu.

[22] La longue exégèse du *Ps.* 23 (*Dial.* 97, 3-106, 2) conserve peut-être une trace de cet enseignement. Le tour très didactique qu'il prend alors rappelle la présentation des prophéties messianiques que l'on trouve dans l'*Apologie* (chap. 32 s.). Mais ailleurs dans le *Dialogue*, Justin se montre très elliptique, et adopte parfois un cheminement qui rappelle celui de Socrate (68, 3 s.). On peut donc supposer que son activité prédicatrice prenait des formes diverses en fonction des publics auxquels il s'adressait.

[23] Cf. *II Apol.* 3, 1-2 ; EUSEBE, *Hist. eccl.*, IV, 16, 7 ; TATIEN, *Or. ad Graec.*, 19.

[24] On sait toutefois, d'après les *Actes du martyre* (2, 1 s.), qu'ils eurent lieu alors que Junius Rusticus était préfet de Rome (163-167), sous le règne de Marc-Aurèle. La *Chronique pascale* (*PG* XCII, 629) donne la date de 165 après Jésus-Christ. Depuis la réforme liturgique de 1971, l'Église latine célèbre la fête de saint Justin le 1er juin (et non plus le 14 avril), comme l'Église grecque.

Personne ne remet plus en cause aujourd'hui l'authenticité *du Dialogue avec Tryphon*[25], mais celle du *De resurrectione* est discutée[26]. Certains écrits sont perdus, d'autres probablement apocryphes[27], ce qui rend malaisées la datation de ceux qui nous restent et l'interprétation de leur finalité.

Parmi les œuvres reconnues, le *Dialogue avec Tryphon* n'est pas celle qui suscite le moins d'interrogations : ses sources, ses destinataires, son mode de composition, et la lacune supposée au chap. 74 sont encore discutés. Pour chacun de ces problèmes, la présente édition offre quelques éléments de réponse, mais le champ des recherches demeure étendu.

L'intérêt porté à l'œuvre de Justin, et à sa personne, procède en grande partie de ces incertitudes. A travers elles, un ensemble de questions essentielles pour la connaissance de l'histoire ancienne, mais aussi toujours actuelles, demeurent posées : quels rapports le christianisme naissant

[25] ARCHAMBAULT, *op. cit.*, p. 82, donne quelques références anciennes. Voir également A. Luckyn WILLIAMS, *Justin Martyr. The Dialogue with Trypho. Translation, Introduction and Notes* [Translations of Christian Literature, series I, Greek Texts], Londres 1930, Introduction, p. XI-XIII, et la note mise ici en *Dial.* 78, 10*.

[26] Voir en dernier lieu A WARTELLE, « Saint Justin : De la résurrection », *Bulletin de l'Association Guillaume Budé*, 1993/1, p. 66-82 (traduction française, commentaires) ; texte grec et traduction latine : *PG* VI (1857), 1571-1592 ; Alberto D'ANNA, *Pseudo-Giustino Sulla resurrezione. Discorso cristiano del II secolo*, Brescia, Editrice Morcelliana, 2001 (édition critique des fragments suivie d'une étude d'ensemble sur le texte et son auteur) ; M. HEIMGARTNER, *PseudoJustin – Über die Auferstehung (Text und Studie)* [Patristische Texte und Studien, 54], Berlin – New York, Walter de Gruyter, 2001 (texte, traduction, commentaire). Si l'authenticité du *De resurrectione* n'est pas mise en doute par A. WARTELLE (*art. cit.*, p. 70), elle est en revanche contestée par Martin Heimgartner et Alberto d'Anna qui attribuent respectivement ce texte à Athénagore ou à un disciple de Justin. L'étude stylistique annoncée ci-dessus (note 11) conforte la thèse de ceux qui récusent l'attribution de ce texte à Justin. Sur l'authenticité du *De resurrectione*, voir encore B. POUDERON, « Le contexte polémique du *De Resurrectione* attribué à Justin : destinataires et adversaires », *StudPatr* 31 (1997), p. 143-166 (bibliographie). L'*Apologie* a fait l'objet de plusieurs éditions récentes : A. WARTELLE, *Saint Justin, Apologies. Introduction, texte critique, traduction, commentaire et index* [Études Augustiniennes], Paris 1987 ; Ch. MUNIER, *Saint Justin. Apologie pour les chrétiens*, Édition et traduction [Paradosis XXXIX], Fribourg 1995 ; M. MARKOVICH, *Apologiae pro Christianis Iustini Martyris* [Patristische texte und Studien, 38], Berlin-New York 1994.

[27] Liste et description sommaire de ces écrits in : A. WARTELLE, *op. cit.*, p. 24-28.

entretenait-il avec ses origines[28] et son environnement ? Quelle part accordait-il dans la Révélation aux formes rationnelles de la pensée ? Comment son avenir était-il envisagé ? Plus encore que l'*Apologie*, ou le *De resurrectione*, le *Dialogue* pose de telles questions : la variété des sujets abordés[29], et l'éventail des publics potentiellement concernés[30] font de cette œuvre unique (et de son auteur) le foyer où s'affrontent et se rencontrent parfois tous les courants de pensée contemporains. Sa forme particulière est sans doute à l'image de ce foisonnement.

En dépit de son importance, le *Dialogue avec Tryphon* demeure une œuvre mal connue. Certaines ambiguïtés (tendances subordinatianistes, croyance au Millénaire) expliquent peut-être, à date ancienne, cette relative désaffection[31]. Plus récemment, les lecteurs ont été maintes fois découragés par son apparence volumineuse et peu structurée. Une tradition habituée à d'autres canons n'y reconnaissait pas la marque de l'esprit grec sur la pensée chrétienne.

L'intérêt de cette œuvre, et sa modernité, proviennent précisément de ce qui, en elle, a pu déconcerter : devenu familier des formes éclatées, le lecteur d'aujourd'hui devrait y retrouver une vision du monde affranchie de l'erreur qui consiste à penser que l'ordre seul fait sens ; la longueur du *Dialogue* proscrit l'impatience, et ses nombreux « détours » préservent de l'illusion que son message est simple. Il faudrait, pour bien le lire, accepter de s'y perdre.

[28] Plusieurs thèmes devenus fondamentaux par la suite dans la controverse entre juifs et chrétiens apparaissent dans le *Dialogue* pour la première fois : caducité de la Loi, virginité de Marie, Messianité de Jésus, querelle sur le texte scripturaire authentique et sur son interprétation, substitution ou « verus Israel », etc. Chez Justin comme chez ses successeurs, certains versets (*Gen.* 49, 10 ; *Deut.* 21, 23 ; *Is.* 7, 14 ; *Jér.* 31, 31, etc.), ou certains textes (*Ps.* 21, 109 et surtout *Isaïe*), occupent une place essentielle.

[29] Voir l'Index analytique.

[30] Voir ci-dessous, p. 129-166.

[31] La pauvreté de la tradition manuscrite (cf. ci-dessous p. 167), et la rareté des citations tirées du *Dialogue* chez les auteurs anciens en sont le signe. Sur la vie, l'œuvre, et l'activité de Justin, les informations contenues dans la littérature des premiers siècles semblent être, pour l'essentiel, constituées d'une série d'emprunts (analyse des textes in : G. ARCHAMBAULT, *op. cit.*, p. XXXIII-LXVII).

Les éditions anciennes, qui n'offrent aucun repère, signifient bien cette exigence. Faciliter, par différents outils (titres courants, intertitres, indices), l'accès à une telle œuvre, c'est peut-être contribuer à mieux la faire connaître. Mais l'entreprise est équivoque si en rendant le texte disponible pour le lecteur, elle évite au lecteur de l'être pour le texte.

Manuscrits

A Parisinus gr. 450, a.D. 1363 exaratus, fol. 50r-193r

B Musaei Britannici ... codicis primi apographon (British Library) Ms. Loan 36/13 [olim Claromontanus 82], a.D. 1541 exaratus p. 77-302.

Éditions, Traductions[1]

ESTIENNE, Robert — Imprimeur du Roi, Τοῦ ἁγίου Ἰουστίνου φιλοσόφου καὶ μάρτυρος ... Πρὸς Τρύφωνα Ἰουδαῖον διάλογος, Paris, 1551. *Dialogue*, p. 32-128 (« Locorum qui ... aliter legendi videntur adnotationes », p. 312 s.)
(Reproduction, avec quelques corrections, du Ms. A, récemment acquis à la Bibliothèque Royale de Fontainebleau)

De Maumont, Jan — *Les œuvres de Justin mises de grec en françois*, Paris, Imprimerie Michel de Vascosan, 1554, 1559, (*Dialogue*, p. 43-139)
(Traduction française du texte d'Estienne, très « littéraire »)

PERION, Joachim — *Beati Iustini philosophi et martyris opera omnia quae adhuc inveniri potuerunt, id est quae ex regia Galliae bibliotheca prodierunt*, Ioachino Perionio, Benedicto Cormoeraceno, Paris, Jacques Dupuys, 1554, 1574 (Colon. Agripp.), 1581 (Venet.), 1618 (Colon.), etc. (*Dialogue*, p. 1-104)
(Première traduction latine, avec commentaires, du texte d'Estienne)

[1] Sources principales pour les éditions et les traductions anciennes : MARAN, « Praefatio » in MIGNE, *PG* VI, col. 9-17 ; OTTO, 1876, « Prolegomena », p. XXXIII-LXIII ; ARCHAMBAULT, « Introduction », p. V-XI ; A. WARTELLE, *Bibliographie de Saint Justin...*, 2001, *passim*. Les travaux dont les auteurs sont indiqués en petites capitales sont ceux qui ont contribué à l'établissement du texte et au progrès de ses commentaires. Il est parfois difficile de distinguer éditions et traductions : aussi ont-elles été réunies dans ce classement chronologique.

Gelenius, Sigismond	*Divi Justini philosophi ac martyris opera non ita pridem graece edita nuper vero latine reddita*, interprete Sigismundo Gelenio, Bâle, 1555 ; 1565, 1575. (*Dialogue*, p. 34-144) *(Nouvelle traduction latine du texte d'Estienne)*
LANGE, Johann	*Iustini ... Operum quae exstant omnium* per Ioannem Langum Silesium a Graeco in Latinum sermonem versorum ... tomi III. per Ambrosium et Aurelium Frobenios fratres, Bâle, 1565, 1575 (Paris), 1593 (Heidelberg = éd. Sylburg), 1615 & 1630 (Paris, Morel), 1677 in : Maxima Bibliotheca Patrum, Lyon, t. II, pars. 2. (sans les commentaires), 1686 (Cologne), etc. (*Dialogue*, pp. 3-26 : préface, et 27-279 : texte) *(Nouvelle traduction latine, avec commentaires et indices)*
SYLBURG, Friedrich	*S. Iustini philosophi et martyris, Opera quae undequaque inveniri potuerunt* ... Opera Friderici Sylburgii Veter., ex Typographeio Hieronymi Commelini, Heidelberg 1593, 1615 et 1636 (Paris, Morel). (*Dialogue*, p. 167-291 ; notes, p. 414-24) *(Première édition gréco-latine : réimpression du texte grec de R. Estienne, avec la version de Lange. Retouches, corrections, notes critiques et conjectures, indices)*
Morel = Federic Morel le jeune	*Sancti Iustini Philosophi Martyris Opera*, Paris 1615 ; 1636[2] (= S. Cramoisy, *Tou en agiois patros emon Ioustinou sozomena sancti Ioustini Opera, item Athenagorae, Theophili, Tatiani et Hermiae, tractatus aliquot,* Paris, C. Morellum et S. Cramoisy). (*Dialogue*, p. 217-371) *(Réédition, pour le Dialogue, de l'édition de Sylburg, texte grec et version latine de Lange corrigés)*
Kortholt, Christian	*In Iustinum Martyrem ... Commentarius*, Cologne 1675, 1686. *(Nouvelle réédition de l'édition d'Heidelberg, réputée très fautive)*
JEBB, Samuel	*S. Iustini, Philosophi et Martyris, cum Tryphone Iudaeo Dialogus*, Londres 1719, p. 1-404. *(La première des deux éditions séparées du Dialogue : texte d'Estienne ; traduction latine de Lange, abondamment corrigée, et notes de Sylburg, pour l'essentiel)*

THIRLBY, Styan — *Iustini ... Apologiae duae et Dialogus cum Tryphone Iudaeo*, Richard Sare, Londres 1722 (*Dialogue*, p. 136-438)
(Texte d'Estienne, avec notes abondantes, nombreuses conjectures et corrections ; emprunts fréquents, mais pas toujours explicites, aux travaux des prédécesseurs. Commentaires aux p. 444 s. Version latine de Lange)

MARAN, *Dom* Prudent (Mar.) — *S. P. N. Iustini philosophi et martyris opera quae exstant omnia*, Paris, Ch. Osmont, 1742, 1747 (Venise). (*Dialogue*, p. 99-232)
(Édition publiée par Dom Maran, moine bénédictin de Saint-Maur. Bien supérieure à toutes les précédentes. Texte de Morel, mais riches annotations, corrections et conjectures souvent pertinentes. Traduction latine remaniée. Dissertation en tête de l'ouvrage. Première utilisation du Ms. B, communiqué par les Jésuites du collège de Clermont, et première division du texte en chapitres)

Brown, Henry — *Justin Martyr's Dialogue with Trypho the Jew*, Rivington 1755, 2 vol. 8°, Cantabrig. 1846.
(Dissertation préliminaire, traduction anglaise « littérale et fidèle »[2]*, notes, courte analyse)*

Galland, André — *Bibliotheca graeco-latina veterum Patrum antiquorumque Scriptorum ecclesiasticorum*, Venise 1765 (*Dialogue*, p. 461-594)
(Reproduction, à peine modifiée, de l'édition de Maran)

Prileszky, Iohannes Baptista — *S. Iustini Phil. et Mart. acta et scripta suo ordine digesta et annotationibus historico-theologicis illustrata*, Cassov. 1765 4° (*Dialogue*, p. 261-458)
(Reproduction du texte latin de Maran)

Rössler, Christian Friedrich — *Bibliothek der Kirchen-Väter in Uebersetzungen und Auszügen*, t. I. Lips. 1776 8°, p. 101 s.
(Extraits de l'Apologie et du Dialogue en traduction allemande)

Oberthuer, Franz — *Opera Patrum graecorum*, Würzburg 1777-79 (*Dialogue* : vol. II, p. 1-363) *(Reproduction de l'édition de Maran, sans les notes)*

[2] A. WARTELLE, *op. cit.*, p. 135.

Méthode = R. *P.* Mikhail Alekseevitch Smirnov	*Christomathia, ili vibrannija mesta iz svatago muschenika i filosofa Justina = Chrestomathie, ou passages choisis de saint Justin, Philosophe & Martyr*, Moscoviae 1783 (*Dialogue*, chap. 2-8, p. 96-132) *(Traduction russe qu'Otto présente comme très défectueuse)*
Irinee (Irenaeus) = I. A. Klementievsky	*Svatago mutschenika Justina filosofa Rasgovor s. Tryfonom Judeaninom, o istinje Christianskago zakona, pisanij k. M. Pompeju, preloschens ellinogretscheskago na rossijskij jasyk, Irineem Archiepiskopom Tverskim i Kaschinskim = Dialogue de Saint Justin, Philosophe & Martyr, avec le juif Tryphon*, Sanktpeterburge 1797, Moskow 1836, 1843. *(Traduction russe – ou plus exactement dans une langue proche du vieux slavon –, d'après le grec ancien)*
Galliccioli, Giovanni Battista, *abbé*	*S. Giustino Martire tradotto con alcune riflessioni*, Venezia 1799, 2 vol. 8° *(Traduction italienne)*
von Brunn, Nikolaus	*Justins des Märtyrers, eines christlichen Philosophen aus dem Anfang des zweiten Jahrhunderts, Gespräch von der Wahrheit und Göttlichkeit der christlichen Religion mit dem Juden Tryphon. Aus dem Griechischen übersetzt und mit einer Vorrede nebst dem Leben Justins begleitet*, Basel 1822 8° *(Traduction allemande établie d'après l'édition de Kortholt et la version luthérienne des Écritures)*
Caillau A. B.- Guillon M. N. S.	*Collectio selecta SS. ecclesiae Patrum etc.*, Lipsiae, Parisiis - Bruxellis, 1829, 8° p. 159-476 ; Mediolani 1830, 8° (*Dialogue*, p. 127-380) *(Reproduction de la traduction de Maran, pour certaines œuvres attribuées à Justin, dont le Dialogue)*
Hornemann, Claus Free	*Scripta genuina graeca Patrum Apostolicorum eorumque qui ab horum aetate recentes fuerunt edita a* Cl. Fr. Horneman, Havniae, 1829 *(Publication des 33 premiers chapitres du Dialogue, dépourvue de toute valeur selon Otto*[3] *)*

[3] *CAC*, I^{3}, p. LI, note.

Waitzmann, Johann Georg	*Sammtliche Werke der Kirchen-Väter. Aus dem Urtexte [curante I. G. Waizmann] in das Teutsche übersetzt*, Kempten 1830 8° *(Traduction allemande, établie d'après le texte de Maran. Auteur anonyme)*
Ziegler, Gregor Thomas	*Die sämmtliche Werke der Kirchen-Väter.* Aus dem Urtexte in das Deutsche überzetzt. Mit einer Vorrede von Gregor Thomas Ziegler, Kempten 1831. (*Dialogue*, t. II)
Genoude, Antoine Eugène de	*Pères de l'Église traduits en français*, Paris 1837 (*Dialogue* : t. II, p. 1-195) *(Traduction établie d'après l'édition de Maran)*
OTTO, Johann Karl Theodor *Eques* von	*Justini Philosophi et Martyris Dialogus cum Tryphone Judaeo*, [*Corpus Apologetarum Christianorum Saeculi II*], Pars II, t. I, Vol. II, Iéna, 1843 (*Dialogue*, p. 1-463), 1848 (*Dialogue*, p. 1-469), 1877 (*Dialogue*, p. 1-499), et 1969 (Wiesbaden : reproduction anastatique de l'édition de 1877) *(L'édition de 1842 fut établie d'après une nouvelle collation du ms. 450, de Paris, confiée à C. B. Hase, alors conservateur de la Bibliothèque royale*[4]*. Dans celle de 1877, Otto put utiliser, essentiellement pour des citations scripturaires, quelques variantes – collationnées à son intention par le Révérent David Davies d'Evesham – du ms.* B *qui se trouvait alors dans la Bibliotheca Phillippica, à Middlehill, près de Broadway, en Angleterre. La traduction latine de base est celle de Maran, parfois corrigée. Notes abondantes. Otto s'attribue parfois des corrections empruntées à certains de ses prédécesseurs)*
TROLLOPE, William	*S. Iustini, philosophi et Martyris, cum Tryphone Iudaeo Dialogus.* Edited by Rev. William Trollope. Cambridge-London, 1846-1847, 1849 *(De peu de valeur*[5]*)*
Migne, Jacques-Paul	*PG* VI, Paris, 1857, col. 469-800 *(Reproduction de l'édition de Maran. Leçons tacitement empruntées à Otto)*

[4] OTTO, *CAC* I, 1, *Proleg.*, p. XXIII, et HASE, *Journal des Savants*, 1852, p. 628-630.
[5] M. MARCOVICH, Introduction, p. 7.

Davie, G. J — *A Library of the Fathers of the Holy Catholic Church, anterior to the Division of the East and West. Translated by Membres of the English Church, vol. 40 : The Works now extant of St. Justin the Martyr, translated, with Notes and Indices*, Oxford 1861, 8° (*Dialogue*, p. 70-243) *(Traduction anglaise. Notes rares)*

Preobrajensky, P. — *Pamjatniki drevnej Christianskoj pismennosti v russkom perevode = Les monuments de l'ancienne littérature chrétienne en traduction russe*, Tom. III, Moskow 1862, 1892 (*Dialogue*, p. 141-380)
(Traduction russe, soigneusement établie d'après l'édition d'Otto ; notes critiques et exégétiques)

Reith, George - Dods, Marcus, alii — *Ante-Nicene Christian Library : Translations of the Writings of the Fathers down to A. D. 325. Edited by the Rev. Alexander Roberts, D. D. and James Donaldson, L.L. D., vol* II, *Justin Martyr and Athenagoras,* Edinburg, T. § T. Clark, 1868 = *The Writings of Justin Martyr (p. 1-370) and Athenagoras (p. 371-456). Translated by the Rev. Marcus Dods, A. M., Rev. George Reith, A. M., and Rev. B. P. Pratten*, Edinburg, T. § T. Clark 8°, 1868 = 1969[2] *American Reprint of the Edinburgh Edition, revised and chronologically arranged with brief prefaces and occasional notes, by A.* Cleveland Coxe, W. M. B. Eerdmans Publishing Company, Grand Rapids, Michigan, (*Dialogue*, vol. II, p. 194-270, *trad.* G. Reith)
(Traduction établie d'après les éditions de Trollope et Otto. Notes rarissimes, mais présence d'intertitres utilisés pour la présente édition)

ARCHAMBAULT, Georges — *Justin, Dialogue avec Tryphon.* Texte grec, traduction française, introduction, notes et index [H. Hemmer et P. Lejay, Textes et Documents pour l'étude historique du christianisme]. Tomes I-II, Paris (Librairie Alphonse Picard et fils), 1909, pp. 362 et 396.
(D'après une nouvelle collation du ms. A, celle du ms. B *ayant été considérée comme inutile. Première division des chapitres en paragraphes, adoptée depuis dans toutes les éditions et traductions*[6] *)*

[6] Cf. A. HARNACK, Collation de A effectuée, selon son auteur, en septembre 1887, sur l'édition d'OTTO, et publiée en Appendice (p. 93-96) de « Judentum und Christentum in Justins *Dialog mit Trypho* » [*TU* 39, 1], 1913. HARNACK considère que les lectures d'ARCHAMBAULT ont généralement confirmé les siennes.

GOODSPEED, Edgar Johnson

Die ältesten Apologeten. Texte mit kurzen Einleitungen, herausgegeben von Edgar J. Goodspeed, Göttingen, 1914 (*Dialogue*, p. 90-265) ; 1950 (New York), 1984 (Göttingen)

(Collation minutieuse de A, « respecté même au prix du sens »[7] *)*

Haeuser, Philipp

Ph. Haeuser, *Des heiligen Philosophen und Märtyrers Justinus « Dialog mit dem Juden Tryphon ». Pseudo-Justinus, « Mahnrede an die Hellenen », Aus dem Griechischen übersetzt und mit einer Einleitung versehen,* [Bibl. der Kirchenväter, 33. Bd.], Kempten Kösel, München, 1917 (*Dialogue*, pp. I-XXIII & 1-231)

(Traduction rarement mentionnée, et considérée par ceux qui l'évoquent, comme peu rigoureuse)

Lisiecki, Arcadius

Justinus Martyr, Apologja. Dialog z żydem Tryfonem, Poznań 1926

(Introduction, traduction polonaise à partir du grec, commentaires)

Giordani, Igino

San Giustino Martire. Le Apologie e brani scelti del « Dialogo con Trifone », introd. e trad., Firenze, Edit. Fiorent., 1929

WILLIAMS, Arthur Lukyn

Justin Martyr, The Dialogue with Trypho. Translation, Introduction, and Notes, London – New York – Toronto, 1930 [Translations of Christian Literature, Series, 1 : Greek Texts]

(Traduction souvent proche de celle d'Archambault. Notes sur le judaïsme mieux documentées que dans les éditions et les traductions précédentes, mais intentions apologétiques et missionnaires non dissimulées[8] *)*

Thieme, Karl

Kirche und Synagogue. Zwei urchristliche Dokumente zu einem heutigen Hauptproblem, Olten (Swizerland), 1945

(Extraits de l'Épître de Barnabé et du Dialogue avec Tryphon, en traduction allemande, avec notes)

[7] M. MARCOVICH, Introduction, p. 7.

[8] Introduction, p. VIII.

Ruiz Bueno, Daniel	*Padres Apologistas Griegos (s. II). Introducción, texto griego, versión española y notas* [Biblioteca de Autores Cristianos, 116], Madrid 1954 (*Dialogue*, p. 300-548) *(Texte grec d'Archambault. Introduction. Traduction espagnole sans annotations)*
Anonyme	*IOUSTINOS, Bibliotheke Ellenon Pateron kai Ekklesiastikon Suggrapheion,* Athenes, Ekdosis tes apostolikes diakonias tes ekklesias tes Elladas, 2 vol., 1955 (*Dialogue*, vol. II, p. 209-338) *(Texte grec d'Archambault)*
Hamman, Adalbert Gautier	*La philosophie passe au Christ. L'œuvre de Justin. Textes intégraux,* Paris, Ed. de Paris [Coll. « Ichtus », 3], 1958, 1982 *(Traduction généralement conforme à celle d'Archambault, notes)*
Hanson, Richard Patrick Crossland	*Selections from Justin Martyr's Dialogue with Trypho*, London – New York 1963
Ristow, Helmut	*Die Apologeten.* Ausgewählt und übersetzt von H. Ristow, Berlin 1963. *(Texte de l'éd. d'Otto, trad. allemande des deux Apologies et du Dialogue avec Tryphon)*
HYLDAHL, Niels	*Philosophie und Christentum, Eine interpretation der Einleitung zum Dialogs Justins* [Acta Theologica Danica, 9], Kopenhagen, 1966 *(Traduction commentée du Prologue : chap. 1-9)*
van WINDEN, Jacobus C. M.	*An Early Christian Philosopher : Justin Martyr's Dialogue with Trypho, Chapters One to nine* [Philosophia patrum, 1], Leiden (E. J. Brill), 1971, 1976[2] *(Traduction commentée du Prologue. Critique des interprétations et des conclusions de Hyldahl)*
Chrestos, Panagiotis K.	'Ιουστίνου. 'Απολογίες Α' - Β', Λόγος περὶ 'Αναστάσεως, Διάλογος πρὸς Τρύφωνα. Εἰσαγωγή, κείμενο, μετάφραση ὑπὸ Π. ΧΡΗΣΤΟΣ, Thessalonique 1985 *(Traduction en grec moderne)*

VISONA, Giuseppe	*S. Giustino, Dialogo con Trifone. Introduzione, traduzione e note* di Giuseppe Visonà, Milano (Edizioni Paoline), 1988 *(Traduction italienne, s'appuyant sur le texte grec de Goodspeed, et certaines versions en langue moderne. Les notes et commentaires tiennent compte des travaux les plus importants publiés jusqu'alors sur Justin)*
Robillard, Edmond	*Justin, l'itinéraire philosophique* [Recherches, NS, 23], Bellarmin, Cerf, Montréal-Paris, 1989 *(Traduction commentée du Prologue : chap. 1-9)*
Dubois, Jean Daniel - Gauché, Élisabeth - Hamman, Adalbert Gautier - Barthélemy, Dominique	*Justin Martyr, Œuvres complètes. Grande Apologie, Dialogue avec Tryphon, Requête, Traité de la Résurrection.* Introduction par J. D. Dubois ; traductions de G. Archambault et L. Pautigny, revues et mises à jour par É. Gauché ; « Note sur la chronologie et les œuvres de Justin » par A. G. Hamman ; « Justin et le texte de la Bible » par D. Barthélemy [coll. « Bibliothèque », Migne], Paris 1994 (*Dialogue*, p. 99-315)
MARCOVICH, Miroslav	*Iustini Martyris Dialogus cum Tryphone*, ed. by Miroslav Marcovich, Walter de Gruyter, Berlin-New York, 1997 *(Nouvelle édition du texte grec, mentionnant les principales variantes des éditions antérieures. Apparat scripturaire détaillé. Conjectures et corrections très nombreuses, souvent inspirées par Sylburg et Thirlby. Seul le ms. A est pris en compte dans l'apparat critique. Notes succinctes renvoyant à des passages parallèles chez Justin ou d'autres auteurs, et à certaines références bibliographiques récentes)*
	Une traduction de Justin en finnois par Matti Myllykoski, avec la collaboration de Outi Lehtipuu doit paraître en 2004, sous le titre suivant : Justinos Marttyyrin kirjoitukset, toim. Matti Myllykosky, WSOY, Helsinki, 2004.

PLAN

I - UNE TRADITION PEU ELOGIEUSE

La littérature consacrée à Justin foisonne de jugements réservés sur son aptitude à composer. Ces critiques sont parfois assorties de considérations bienveillantes sur les qualités humaines de l'Apologiste, mais les faiblesses reprochées à l'écrivain, loin d'être ainsi pondérées, n'en paraissent que plus regrettables.

Déjà perceptible chez Photius[1], mais à propos du style, ce jugement se retrouve chez Tillemont, dans un passage souvent cité : « Il faut quelquefois faire attention pour entendre la suite de son discours. Car, comme depuis son baptême il avait plus étudié la vie de Moïse et d'Élie, selon les expressions de saint Basile, que les préceptes d'Isocrate et de Démosthène, il ne prend pas tant garde lorsqu'il a commencé un argument de le pousser jusqu'au bout : il se détourne assez souvent ; et il ne faut quelquefois qu'un mot qu'il aura mis comme en passant pour lui faire faire une digression d'une page ou deux : ensuite de quoy il revient à son premier raisonnement sans en avertir le lecteur qui en peut aisément avoir perdu la mémoire[2]. »

[1] Ἔστι δὲ φιλοσοφίας μὲν ὁ ἀνὴρ τῆς τε καθ' ἡμᾶς καὶ μάλιστά γε τῆς θύραθεν εἰς ἄκρον ἀνηγμένος, πολυμαθίᾳ τε καὶ ἱστοριῶν περιρρεόμενος πλούτῳ · ῥητορικαῖς δὲ τέχναις οὐκ ἔσχε σπουδὴν ἐπιχρῶσαι τὸ ἔμφυτον αὐτοῦ τῆς φιλοσοφίας κάλλος. Διὸ καὶ οἱ λόγοι αὐτοῦ ἄλλως ὄντες δυνατοὶ καὶ τὸ ἐπιστημονικὸν διασῴζοντες, τῶν ἐκεῖθεν οὐκ εἰσὶν ἀποστάζοντες ἡδυσμάτων, οὐδὲ τῷ ἐπαγωγῷ καὶ θελκτηρίῳ τοὺς πολλοὺς τῶν ἀκροατῶν ἐφελκόμενοι. « L'auteur a atteint le plus haut degré dans la connaissance de notre philosophie et surtout de la philosophie profane ; il déborde d'érudition et de connaissances historiques ; quant aux artifices de la rhétorique, il n'a pas eu le souci d'en orner la beauté naturelle de sa philosophie. C'est pourquoi ses écrits, qui par ailleurs ont de la puissance et se maintiennent dans le langage scientifique, ne distillent aucun des agréments empruntés à cet art et ne retiennent pas la masse des lecteurs par leur attrait et leur charme. » (trad. R. HENRY, *Photius, Bibliothèque*, 125, Paris, Belles Lettres, 1991, t. II, p. 97). L'étude stylistique annoncée ci-dessus (n. 11, p. 2) devrait rendre justice, sur ce point, à l'auteur du *Dialogue* : rhétorique et exégèse y entretiennent des liens étroits, et l'expression n'est pas toujours dénuée de recherche.

[2] *Mémoires*, t. II, p. 406-407.

Archambault s'exprime en des termes plus péremptoires encore : « Justin, à n'en pas douter, ne sait pas composer. Peut-être a-t-il esquissé un plan avant d'écrire, mais sa pensée est toujours prête à suivre toutes les idées qui se présentent, et il les suit en effet dans des digressions parfois très enchevêtrées. Cela dans le *Dialogue* comme dans les *Apologies*. Et si la causerie à bâtons rompus est mieux à sa place dans un ouvrage dialogué que dans un discours adressé aux empereurs, on ne doit pas trop cependant en féliciter Justin, puisque chez lui c'est beaucoup plus impuissance qu'intention d'art[3] ».

L'analyse de certains passages conduit P. Prigent à des conclusions similaires : « Nous avons là un exemple très limité et donc très clair des méthodes de composition de notre apologète : souvent incapable de discipliner sa plume et de lui imposer de courir sur un sujet déterminé jusqu'à la fin du développement, il commence vaillamment l'exposition du thème, puis se laisse entraîner par des associations d'idées, enfin, conscient de n'avoir pas mené son dessein primitif à bonne fin, il reprend le thème premier et l'achève non sans être amené à se répéter souvent. Cette habitude de composition est, à mon avis, la clé qui ouvre les portes de l'analyse critique textuelle du *Dialogue*[4] . »

[3] A. PUECH exprimera la même conviction à propos de l'*Apologie* : « L'esprit de Justin n'a ni une très grande vigueur ni beaucoup de finesse. Sa dialectique est lâche et son argumentation a des procédés surprenants pour les modernes... Il n'a aucune prétention à être un écrivain. C'est bien inutilement qu'on s'est évertué à rechercher dans sa grande Apologie l'influence de la rhétorique classique et une conformité générale du plan avec les préceptes qui s'enseignaient dans les écoles. » (*Histoire de la littérature grecque chrétienne depuis les origines jusqu'à la fin du IVe siècle*, t. II, 1928, p. 142). Sur la structure littéraire de cette œuvre, voir en dernier lieu la mise au point de Ch. MUNIER, *L'Apologie de saint Justin Philosophe et Martyr* [« Paradosis » XXXIX], Fribourg 1994, p. 29-40.

[4] *Justin et l'Ancien Testament. L'argumentation scripturaire du traité de Justin contre toutes les hérésies comme source principale du Dialogue avec Tryphon et de la Première Apologie* [coll. Études bibliques], Paris, Gabalda, 1964 (1966[2]), n. 1, p. 211. P. PRIGENT explique l'apparent désordre du *Dialogue* par des emprunts constants au *Syntagme* perdu. M. MARCOVICH élargit cette explication à l'ensemble des sources utilisées par Justin : « My point, however, is this. In his *Dialogue*, Justin is building a huge mosaic or quilt consisting of many commonplaces. Now, in making a selection of such commonplaces from his sources he sometimes so quickly jumps from one topic to another that the reader is at a loss to grasp the relevance and follow the argument. Add to this procedure of συγκάττυσις the fact that Justin's trains of thought is disorganised, repetitious and occasionally rambling, to the extent that his long sentences run a course which

Plus récemment, A. G. Hamman reprenait à son compte cette appréciation :

> Justin n'est pas un littérateur. « Il écrit rudement , écrit Duchesne, dans une langue incorrecte ». Le philosophe ne se soucie que de la doctrine. Son plan est lâche, la marche de son développement, entravée par des digressions et des retours en arrière. L'homme nous émeut plus par la rectitude de son âme que par l'art de sa dialectique ou de sa composition[5].

Tout en déplorant à son tour un certain désordre, A. Wartelle[6] se montre cependant plus nuancé dans son introduction à l'*Apologie* : « Il serait vain de vouloir trouver dans les *Apologies* de saint Justin un plan rigoureux, comme s'il s'agissait d'ouvrages composés selon les règles les plus rigides de la rhétorique. En face de toute œuvre ancienne, s'impose un effort de perspective historique : Justin n'avait pas lu le *Discours de la Méthode*. Eût-il pu le faire qu'il faudrait encore l'aborder avec objectivité, et ne pas le juger en fonction de ce qu'un autre aurait pu écrire à sa place. Sa pensée n'est ni aussi floue, ni sa dialectique aussi lâche qu'on l'a parfois dit. Les *Apologies*, œuvres de circonstance, sans prétendre offrir des modèles de composition, se laissent cependant analyser[7] ».

II - TENTATIVES DE RECONSTITUTION

Ces appréciations demeurent relativement concordantes : on excuse, au mieux, la maladresse de Justin, mais il paraît acquis que ses œuvres sont mal construites. Conviction que consacrent, dans l'édition d'Archambault, les nombreuses « digressions » signalées en guise de titres courants.

meanders worse that the Mississippi River. No wonder then that during the centuries the *Dialogue* has puzzled both scholars and scribes. » (*Iustini Martyris Dialogus cum Tryphone* [Patristische Texte und Studien, 47], W. de Gruyter, Berlin - New York 1997, Préface, p. VII).

[5] *Les Pères de l'Église*, Desclée de Brouwer, 1977, p. 35-36.

[6] « Mais l'auteur suit son plan avec une grande liberté et oublie parfois son schéma, comme s'il se laissait entraîner, par son désir de persuader, à des redites, des digressions, des interventions. » : *Saint Justin, Apologies. Introduction, texte critique, traduction, commentaire et index* [Études Augustiniennes], Paris 1987, p. 35.

[7] *Ibid.*

On convient toutefois que le *Dialogue* comporte de grandes unités : les neuf premiers chapitres sont unanimement tenus pour un prologue[8], mais pour tout ce qui suit le détail des reconstitutions[9] diffère :

OTTO[10]	BONWETSCH[11]	ARCHAMBAULT[12]
1-9 : Prologue **10-47** : l'ancienne Loi **47-108** : la christologie **109-142** : la vocation des païens.	**1-9** : Prologue **10-30** : l'ancienne Loi **31-108** : la christologie **109-142** : la vocation des païens.	**1-10** : Prologue **11-39** : ancienne et nouvelle Alliance **40-42** : ? **43-108** : la préexistence du Christ **109-142** : le vrai peuple de Dieu.
WILLIAMS[13]	**SAGNARD[14]**	**MARCOVICH[15]**
1-9 : prologue **10-47** : Abrogation de la Loi, nouvelle Alliance **48-108** : Jésus est le Messie promis **109-136** : les chrétiens sont le véritable Israël **137-142** : épilogue.	**1-9** : prologue **10-29** : caducité de la Loi ancienne et proclamation de la nouvelle Alliance **30-108** : Le Christ, fils de Dieu **109-141** : Le « peuple nouveau » constitué par le Christ ressuscité **142** : conclusion.	**(1-9** : prologue) **10-47** : Christ, Loi et Alliance nouvelles **48-108** : Preuves de la messianité de Jésus **109-142** : Les chrétiens sont le Nouvel Israël.

[8] Sur les rapport entre ce prologue et le reste de l'œuvre, voir ci-dessous pp. 38-40 (Plan) et 134-135 (Destinataires).

[9] Nous ne donnons ici que les principales divisions. Chacune des ces reconstitutions propose en outre un schéma de détail correspondant aux différentes unités.

[10] *CAC,* I3, p. LXXXV-XC. Il est suivi par O. BARDENHEWER, *Geschichte der altkirchlichen Literatur*, Fribourg 1902-1903, t. I, p. 211.

[11] *Realencyklopädie für protestantische Theologie und Kirche*, de Hauck, art. « Justin », t. IX, Leipzig 1891, p. 645.

[12] Tables des matières : vol. I, p. 361-362 ; vol. II, p. 395-396.

[13] Introduction au *Dialogue*, p. XXXV s.

[14] « Y a-t-il un plan du *Dialogue avec Tryphon* ? », in : *Mélanges J. de Ghellinck* 1 [Museum Lessianum, Section historique, 13], Gembloux, J. Duculot, 1951, p. 171-182.

[15] *Op. cit.*, p. 23-61.

W. Bousset[16] a le premier montré que Justin pouvait avoir utilisé, pour constituer le *Dialogue*, de petits traités antérieurs empruntés à d'autres ou composés par lui-même. Cette théorie a été reprise par P. Prigent qui en a fait le fondement de sa thèse : l'unité du *Dialogue* devrait être recherchée dans le *Syntagme contre toutes les hérésies*, aujourd'hui perdu, que Justin utiliserait constamment en procédant par associations d'idées pour en articuler, dans cette nouvelle structure, les éléments repris. Le P. Sagnard avait auparavant mis en évidence l'importance des citations scripturaires dans la trame de l'œuvre. Mais P. Prigent ne s'attarde pas sur cette hypothèse qu'il considère comme peu convaincante[17].

Les « digressions » et les « répétitions » signalées dans la plupart des analyses auraient pour effet de rendre malaisée, sinon impossible, la restitution d'un plan définitif. Dès qu'ils abordent le détail des différentes parties qu'ils discernent dans l'œuvre, tous les commentateurs font preuve de réserve et de perplexité :

Sur le passage de la première unité à la seconde, Archambault nous fait part des ses hésitations : « On pourrait avec autant de raison voir la deuxième partie annoncée et commencée au chapitre 43. Depuis le chapitre 30 jusqu'au chapitre 48, on ne saurait à la vérité dire quel est le sujet exact de la conversation entre Tryphon et Justin, s'ils parlent des observances juives ou de la génération du Christ ». F. M.-M. Sagnard croit distinguer, pour sa part, dans le chap. 35 (sur les hérésies) « un intermède qui vise à animer et à varier le *Dialogue*, tout en apportant des précisions indispensables »[18] ; ou encore, dans les chap. 63-85 un « tout présenté de façon assez confuse mais marquant tout de même une progression réelle dans l'exposé »[19]. P. Prigent distingue quant à lui « de nombreux retours sur des thèmes et des arguments semblables. Parfois, précise-t-il, il s'agit de véritables doublets, parfois au contraire les passages parallèles se complètent et s'éclairent l'un par l'autre comme si Justin avait utilisé en deux fois ce qui, à l'origine, ne formait qu'un seul morceau »[20].

[16] *Jüdisch-christlicher Schulbetrieb in Alexandria und Rom. Literarische Untersuchungen zu Philo und Clemens von Alexandreia, Justin und Irenaeus,* Göttingen, Vandenhoek und Ruprecht, 1915, p. 282-308.

[17] *Op. cit.*, p. 16-17.

[18] *Art. cit.*, p. 178.

[19] *Ibid.*, p. 180.

[20] *Op. cit.*, p. 10-11.

Ces incertitudes pour le détail de l'œuvre se retrouvent inévitablement dans la formulation des conclusions d'ensemble. Celle du P. Sagnard, qui évoque par ailleurs, à propos du *Dialogue*, la « composition du vitrail »[21], est émaillée de concessions : « Sans doute les trois parties du triptyque sont intimement liées et se superposent parfois dans une même perspective. [...] Sans doute les citations dont Justin fait un usage si abondant mêlent-elles parfois ces trois aspects complémentaires… [...] Sans doute aussi, il faut bien en convenir, l'art de l'écrivain n'a pas été à la hauteur de l'immense valeur de vérité et de vie qui lui était confiée : l'abondance des matériaux divins a quelque peu écrasé l'homme »[22]. Celle de P. Prigent est plus prudente encore, mais également critique : « On me dira que ce n'est pas là un plan, mais une analyse du *Dialogue.* Je l'accorde bien volontiers, persuadé que si le plan de l'ouvrage est si difficile à discerner avec précision, c'est qu'il s'explique seulement dans l'hypothèse d'une constante utilisation du *Syntagma.* Tout ce qu'on peut faire c'est de déterminer dans le *Dialogue*, des sections dans lesquelles Justin s'inspire de chapitres de son traité antérieur. » [...] « On ne peut donc pas parler en termes propres d'un plan du *Dialogue.* Justin a manifestement pris occasion et prétexte du genre littéraire de l'ouvrage projeté pour s'autoriser à cette rédaction lâche qui utilise la matière du *Syntagma* d'une manière non systématique et dont le principe dominant est l'association d'idées[23]. »

Pour rendre compte de l'absence de composition, le P. Sagnard invoque donc une explication de nature théologique, et P. Prigent un ouvrage extérieur dont le contenu exact reste à déterminer[24]. Il n'est pas surprenant

21 *Art. cit.*, p. 174.

22 *Ibid.*, p. 181-182.

23 *Op. cit.*, p. 331.

24 Analyse critique des conclusions de P. PRIGENT in : O. SKARSAUNE, *The Proof from Prophecy. A Study in Justin Martyr's Proof-text Tradition. Text-type, Provenance, Theological Profile* [NT Suppl. 56], Leiden, Brill, 1987, p. 2-6. Voir encore Th. STYLIANOPOULOS, *Justin Martyr and the Mosaic Law* [SBL Dissertation series 20], Missoula, M.T., Society of Biblical Literature and Scholars Press, 1975, n. 34, p. 23, qui cite P. AUDE, *RB* 72 (1965), p. 471 (« Mais qu'est-ce qui nous dit que le *Syntagma* était mieux composé ? »), et résume ainsi les remarques de R. M. GRANT, *JBL* 84 (1965), p. 443 : « Methodologically Prigent's hypothesis assumes that Justin proceeded from order (*Syntagma*) to less order (*Apology*), and finally to relative chaos (*Dialogue*) ». Pour P. NAUTIN (auquel O. SKARSAUNE donne en partie raison), c'est dans un traité de polémique aujourd'hui perdu qu'aurait puisé Justin : « Le dialogue perdu entre Jason et Papiskus : source

que de telles prémisses mènent à des conclusions rappelant singulièrement les critiques rapportées ci-dessus. Bien que négligée par P. Prigent, l'intuition du P. Sagnard (rôle prédominant des citations) était fondée, car elle permet de mettre en évidence un principe de composition demeuré jusqu'alors ignoré et confirmé à chaque instant dans l'œuvre[25]. Il n'est pas exclu, d'autre part, que Justin ait effectivement utilisé, dans le *Dialogue*, des éléments du *Syntagme* perdu. Mais aucune de ces deux explications n'est totalement satisfaisante car l'une et l'autre font intervenir, pour élucider une question qui ressortit avant tout à la critique interne, des causes extérieures ayant pour caractéristique commune d'être invérifiables.

On peut concevoir, sans doute, que Justin n'ait pas eu le don de composition. Mais pourquoi maintenir, dans une œuvre rédigée *avec le recul du temps* et *destinée à convaincre*, une telle désorganisation et autant de redites ? Curieuse faiblesse chez un auteur qui sait faire preuve d'une extrême concision[26] et se dit animé par le souci constant de conduire son public aux vérités chrétiennes. Singulière incurie, qui abandonnerait ces précieuses vérités aux inconséquences et aux insuffisances d'un discours humain négligé, alors que son auteur répète sans cesse que les enseignements du Christ ne sont précisément pas des « enseignements humains ». N'est-il pas préférable d'envisager, pour le *Dialogue*, l'hypothèse d'une composition délibérément choisie, en adoptant, pour tenter d'en appréhender l'unité, la même démarche que son auteur, et en se montrant attentif à ce que lui-même nous en dit ?

Les indices sont nombreux, en effet, qui attestent dans l'œuvre le souci de cohérence de son auteur, et la continuité de son propos. La structure qu'ils dessinent se trouve du reste confirmée par certaines déclarations qui ne laissent guère de doute sur ses intentions.

commune de Justin, Irénée et Tertullien », *Annuaire EPHE*, Ve section (1967-1968), p. 162-167. Mais dans le « faisceau de concordances » (p. 166) que fait apparaître cette étude, la question du plan n'est évoquée que de façon très indirecte.

25 Voir ci-dessous, pp. 26 (§ 9), 30 (§ 8), et 31 (§ 10).

26 Voir ci-dessous, p. 31 (§ 10). Plusieurs remarques prouvent que Justin sait éviter de surcharger son propos : « Mais ce que nous venons de passer en revue me semble suffisant pour le moment. Je poursuis donc, et reprends l'ordre de mon propos. » (42, 4) ; « ... au moyen de ces interrogations je m'efforcerai de mener rapidement la discussion à son terme. » ; « ... je vais encore ajouter une chose à ce que j'ai dit, et je terminerai. » (137, 4).

Parmi ces indices, nous étudierons tour à tour ceux qui sont explicitement donnés par Justin, ceux qui émanent des propos de Tryphon, puis tous ceux qui demeurent implicites, mais contribuent indiscutablement – et à l'encontre de toute une tradition critique – à faire ressortir une méthode rigoureuse mise au service d'un projet précis. Nous nous efforcerons ensuite de restituer les différentes étapes de ce projet à partir de cet ensemble d'indices, et à la lumière des enseignements que fournit l'analyse comparée des interventions attribuées aux deux interlocuteurs.

III - INDICATIONS EXPLICITES

A. Justin

1) Le *Dialogue* est présenté par son auteur comme une « démonstration » : le verbe ἀποδεικνύναι et le mot ἀπόδειξις offrent respectivement, dans cette œuvre, 106 et 25 occurrences réparties sur l'ensemble du texte. Cette omniprésence de termes empruntés au vocabulaire de la didactique[27] (et de la catéchèse doctrinale[28]) est en soi un premier indice de la rationalité des discours tenus.

2) Lorsque le verbe ἀποδεικνύναι est utilisé par Justin et Tryphon, à l'impératif, au futur, au passé ou au présent[29], ces différents emplois déterminent avec précision – et sans aucune erreur[30] – le détail de questions qui doivent être abordées, l'ont déjà été, ou sont en cours de traitement (même emploi pour σημαίνειν[31]).

3) Avec ce verbe ou d'autres expressions analogues, Justin annonce à plusieurs reprises des développements ultérieurs auxquels correspondent

[27] Sur le vocabulaire de la vie intellectuelle chez Justin, voir M. HOFFMANN, « Der Dialog bei den christlichen Schriftstelleren der ersten vier Jahrhunderte », Berlin, Akademie-Verlag, 1966 [*TU* 96], n. 1, p. 26 et R. JOLY, *Christianisme et philosophie*, p. 94-95. Ce que la rhétorique moderne nomme « composition » est étroitement lié à l'argumentation. La *dispositio* antique admet l'*ordo naturalis* aussi bien que l'*ordo artificialis*.

[28] Cf. J. DANIELOU, *Théologie du Judéo-christianisme : Histoire des doctrines chrétiennes avant Nicée I*, Tournai, Desclée & Cie, 1958, 1991^2, p. 410-411.

[29] Impératif : 8 occ. ; passé : 41 occ. ; futur : 9 occ. ; présent 13 occ.

[30] Voir ci-dessous, § 3-9.

[31] Cf. *Dial.* 80, 2 ; 85, 6.

toujours, dans ce qui suit, un ou plusieurs passages plus ou moins éloignés de cette promesse[32].

4) Avec ce même verbe, ou d'autres expressions, Justin mentionne fréquemment des considérations antérieures qui – à l'exception de ce qui semble avoir disparu dans la lacune[33] – existent toutes effectivement dans ce qui précède.

5) Justin signale aussi, en plusieurs endroits, que la citation qui va suivre – diversement justifiée – a déjà été donnée[34]. Lorsque cette répétition est considérée comme superflue, il sait s'en dispenser, et le préciser sans ambiguïté[35] ; lorsqu'une citation ne figure pas dans ce qui précède, il s'en souvient aussi parfaitement[36]. L'importance des répétitions dans l'activité missionnaire est soulignée en 85, 5*.

6) Si Tryphon paraît faire fi de points d'accord antérieurs, Justin n'hésite pas à le lui reprocher et à reprendre, au besoin, la même démonstration, rappelant ainsi sa nécessité pour la suite de l'entretien[37].

7) Il arrive parfois que Justin diffère sa réponse, et propose d'aborder, avant de revenir sur la question posée, un sujet plus urgent[38]. Cette démarche est toujours explicite, justifiée dans le détail, et admise par Tryphon qui en perçoit le sens ; la promesse de réponse, quelquefois rappelée[39], est toujours tenue. Lorsqu'un détour est jugé inutile, Justin sait parfaitement s'en abstenir[40], exprimant ainsi, *a contrario*, le bien fondé de ceux qu'il entreprend. Il n'est pas rare que l'Apologiste signale explicitement, par ailleurs, qu'il « retourne à son propos »[41], soulignant ainsi, par delà les apparentes digressions, la constance de sa démarche.

[32] Voir ci-dessous (t. II, p. 921-941) le tableau synoptique des interventions.

[33] Voir aux p. 49-72 le développement de l'Introduction qui est consacré à cette question.

[34] *Dial.* 41, 2 ; 51, 2 ; 56, 12.14.18 ; 63, 2.4 ; 64, 3.5.7 ; 78, 6 ; 79, 4 ; (80, 2) ; 83, 4 ; 85, 4.6 ; 104, 1 ; 129, 1 ; 137, 3.

[35] *Dial.* 56, 18 ; 78, 6 ; 126, 5 ; 128, 1.

[36] *Dial.* 69, 4 ; 130, 1.

[37] *Dial.* 67, 4.7.11 ; cf. 68, 2.4 ; 137, 4.

[38] *Dial.* 36, 2 ; 39, 8 ; 50, 2 ; 57, 4 ; 68, 4.9 ; 72, 2 ; 77, 2.

[39] *Dial.* 68, 8 ; 71, 3.

[40] *Dial.* 24, 1. Le mot παρέκβασις (« digression ») n'est utilisé qu'une fois dans le *Dialogue* (32, 5).

[41] *Dial.* 39, 8 ; 42, 4 ; 66, 1 ; 116, 1.

8) Il arrive aussi que Justin anticipe à la fois sur une démonstration et sur ses conséquences potentielles : « Si je démontre ... j'aurai également montré que... » ; « Même si je ne démontrais pas que... j'aurais montré que... »[42]. Il y a là une autre preuve de sa capacité à s'appuyer sur ce qui est acquis pour envisager, avec son interlocuteur, les prolongements virtuels de l'entretien.

9) A plusieurs reprises enfin, Justin oppose à une question de Tryphon la réponse suivante : « C'est déjà démontré par les Écritures que j'ai citées »[43]. Les preuves correspondant à chacune de ses propositions sont donc, suggère-t-il ainsi, contenues en germe dans les [longues] citations scripturaires, avant même d'avoir donné lieu à des développements spécifiques. Cette réponse constitue à la fois l'affirmation d'un principe exégétique (les Écritures contiennent leur propre explication[44]), et une indication de méthode : les textes présentés dans un premier temps comme illustration d'une vérité, et parfois commentés, juste après, d'un autre point de vue[45], ne voient pas leur sens épuisé par cette présentation et par ce commentaire. Ils sont également porteurs de données qui les rendent susceptibles d'autres lectures. Si Tryphon savait écouter, répond alors Justin, il prendrait en compte l'ensemble de leur message, et non seulement le contenu qui justifie dans un premier temps leur utilisation : certaines explications deviendraient alors inutiles. Le contenu théologique du *Dialogue* est donc déjà tout entier dans les citations, et l'entretien ne fait que décomposer en un discours analytique, ce qui, dans la Parole divine, se présente comme une vérité indivisible.

B. Tryphon

Comme son interlocuteur, Tryphon manifeste une conscience permanente du progrès de l'entretien. Plusieurs indications, parfois analogues à celles que donne Justin, l'attestent clairement :

1) C'est à sa demande, généralement, que Justin aborde les différents sujets qui structurent l'entretien. Ces requêtes ne sont jamais inutilement répétitives.

[42] *Dial.* 48, 2.3 ; 68, 7.

[43] *Dial.* 39, 8 ; 56, 12.14 ; 63, 2 ; 64, 3.5.7.

[44] Voir ci-dessous, p. 118-119.

[45] Voir ci-dessous, p. 119-120.

2) Lorsque Justin a délibérément choisi de différer une réponse, Tryphon ne manque jamais de lui rappeler, après cette « digression », la question restée en suspens[46].

3) Il arrive que l'interruption soit due à Tryphon lui-même[47]. Elle est, là aussi, toujours acceptée par Justin qui en perçoit la nécessité dans le contexte immédiat comme dans l'ensemble du débat en cours. Pour convaincre l'interlocuteur, il convient en effet de prendre en compte aussi ses propres priorités. Dans l'hypothèse d'un dialogue entièrement fictif, ces interruptions apparaissent d'autant plus délibérées qu'elles ne peuvent être imputées aux aléas caractérisant toute discussion libre.

4) Comme Justin, Tryphon rappelle fréquemment des propos antérieurs (questions, objections, réponses)[48]. Certaines de ces interventions se présentent à l'évidence comme une *somme* de ce qui précède, favorisant l'ouverture à des questions non encore traitées[49]. Elles ont donc un rôle de *transition.* Leur contenu correspond toujours effectivement à des questions déjà traitées et à d'autres qui le seront par la suite. D'autres interventions ont un caractère programmatique évident[50].

5) Les interruptions ou les répétitions de Justin recueillent l'assentiment de Tryphon, car elles sont toujours justifiées[51]. Cet accord manifeste à la fois, chez ce dernier, le souvenir de ce qui a été dit et une perception exacte de la démarche commune.

6) Tryphon oppose aux propos de Justin diverses objections qui font référence à des propos anciens aussi bien que récents[52]. Dans le premier cas,

46 *Dial.* 55, 1 ; 56, 16 (« autre Dieu ») ; 65, 7 ; 77, 1 ; (préexistence du Verbe et naissance virginale).

47 45, 1 (Loi et Salut) ; 71, 4 (Écritures mutilées) ; 79, 1 (chute des anges) ; 80, 1 (Jérusalem rebâtie).

48 *Dial.* 28, 1 (circoncision) ; 46, 2 (sacrifices à Jérusalem seulement) ; 48, 1 (Loi et salut) ; 57, 3 (Messie souffrant) ; 74, 1 (mutilations d'Écritures) ; 89, 1 (nom de Jésus) ; 90, 2 (langage prophétique).

49 *Dial.* 36, 1* ; 39, 7* ; 46, 1* ; 48, 1* ; 60, 3*.

50 *Dial.* 39, 7 ; 50, 1 ; 55, 3 ; 57, 3 ; 63, 1 ; 94, 4 (compagnons de Tryphon).

51 *Dial.* 57, 4 ; 59, 1 ; 123, 8.

52 *Dial.* 27, 1 (sabbat) ; 32, 1 (Messie glorieux) ; 35, 1 (idolothytes) ; 46, 3 (circoncision) ; 47, 2 (Loi et Salut) ; 49, 1 (onction du Messie) ; 49, 6 (transmission de l'Esprit) ; 51, 1 (exégèse d'une prophétie) ; chap. 56 (théophanies) ; 57, 1 (nourriture des anges) ; 60, 1 (théophanie du buisson ardent) ; 64, 1 (Messie et nations) ; 65, 1 (Messie glorieux) ; 68, 5 (génération du Messie) ; 89, 2 (malédiction de la Croix).

il s'agit toujours de relever une *contradiction* entre deux conclusions partielles qui ne se trouvent pas nécessairement réunies dans le cours de la démonstration[53]. De tels rapprochements sont eux aussi la preuve d'une constante vigilance. Tryphon rappelle d'ailleurs parfois que lui-même et ses compagnons gardent en mémoire ce qui vient d'être démontré[54].

On peut s'interroger sur l'attribution à Tryphon de certaines répliques exprimant des croyances parfois contradictoires ou faisant état de concessions peu vraisemblables de sa part[55]. Mais l'ensemble des *questions* abordées à sa demande au cours de l'entretien demeure cohérent, quelle que soit l'authenticité des affirmations qui les accompagnent parfois. Lorsqu'une démonstration antérieure paraît « oubliée », cela est toujours signalé par Justin et admis par Tryphon[56].

IV - INDICATIONS IMPLICITES

Aux remarques explicites témoignant d'une maîtrise commune de l'entretien s'ajoutent un certain nombre d'indices qui contribuent à conforter l'impression d'un discours structuré :

1) Les mêmes termes (ὁδός, ἐπιγενέσθαι, ὁ Χριστὸς τοῦ θεοῦ, εὐδαιμονία), qui correspondent au véritable enjeu du débat, figurent dans son introduction et dans les ultimes propos[57].

2) Plusieurs développements attribués à Justin sont introduits par la conjonction οὖν. Toujours fondés, ces enchaînements soulignent la continuité de son propos[58].

[53] *Dial.* 32, 1 (Messie glorieux et malédiction de la Croix) ; 67, 2 (Loi inutile et Jésus circoncis) ; 87, 2 (baptême du Christ et Messie préexistant).

[54] *Dial.* 28, 1 (circoncision) ; 55, 1 (transmission de l'Esprit).

[55] Voir ci-dessous, p. 84-87.

[56] *Dial.* 68, 1.2.4 ; 123, 7 ; cf. 87, 1.

[57] Cf. *Dial.* 8, 4*.

[58] Commentaire paraphrastique succédant immédiatement à une citation : *Dial.* 10, 4 ; 11, 4 ; 14, 1 ; 17, 3 ; 22, 11 ; 28, 3 ; 35, 4 ; 39, 5 ; 52, 3 ; 56, 8 ; 78, 2.8 ; 80, 2 ; 81, 3 ; 82, 4 ; 83, 3 ; 100, 2.3 ; 122, 2.6 ; 125, 2 ; 135, 3. Commentaire paraphrastique associé à la conclusion d'un raisonnement : 39, 2 ; 92, 4 ; 93, 3 ; 106, 4 ; 112, 5 ; 113, 7 ; 123, 6.9 ; 136, 1 ; 139, 4. Poursuite d'un raisonnement : 56, 12.15.17.19 ; 68, 7 ; 69, 1 ; 75, 4 ; 127, 3. Conclusion partielle, générale, ou reprise d'un raisonnement antérieur : 15, 1.7 ; 16, 3 ; 18, 2 ; 19, 5.6 ; 29, 3 ; 32, 3 ; 36, 5 ; 40, 1 ; 43, 1.3 ; 49, 7 ; 60, 5 ; 64, 3 ; 87, 5 ; 88, 8 ; 92, 1 ; 94, 5 ; 95, 2 ; 103, 2 ; 111, 2.4 ;

3) Certaines interventions de sa part doivent être lues comme une *récapitulation* de ce qui précède : elles délimitent ainsi les unités constitutives de la démarche d'ensemble[59].

4) D'autres interventions ont un caractère programmatique : Justin annonce, généralement avant une citation, le détail de commentaires ultérieurs[60].

5) Toutes les « digressions » que ne motive pas une remarque explicite sont explicables par une référence au contexte immédiat et justifiées dans le contexte plus large du sujet traité : lorsque Tryphon (ou Justin) paraît introduire arbitrairement une question nouvelle, c'est toujours en s'appuyant – clairement ou par allusion – sur une remarque antérieure, des analogies lexicales, ou un verset du texte précédemment cité[61]. Le développement auquel cette apparente rupture donne lieu s'intègre alors parfaitement dans l'ensemble où il se trouve situé, et contribue à son unité. Ces « interruptions » ne sont donc pas aléatoires ou explicables par l'insertion artificielle de considérations extérieures à l'œuvre (P. Prigent).

6) Certaines remarques de Justin, parfois très éloignées de ce qui les motive, doivent être comprises comme des réponses implicites à des questions ou des objections de son interlocuteur, dont elles reprennent parfois la formulation. Il est vraisemblable que ce dernier les interprète ainsi[62]. Au delà de l'échange explicite, il semble qu'une certaine complicité s'établisse entre les deux interlocuteurs, et donc entre Justin et son lecteur.

114, 4 ; 117, 1 ; 119, 6 ; 121, 4 ; 122, 1 ; 125, 3 ; 127, 4 ; 134, 1 ; 137, 2 ; 138, 1.2. Introduction d'un texte scripturaire contribuant à la démonstration en cours : 50, 3 ; 58, 4 ; 78, 4 ; 132, 2.

[59] *Dial.* 42, 4* (valeur typologique des prescriptions du rituel) ; 75, 4* (titres christologiques) ; 76, 2* (naissance virginale) ; 83, 1* (textes appliqués à Ézéchias ou Salomon) ; 92, 1* (circoncision spirituelle) ; 113, 4* (théophanies, Josué, Incarnation) ; 126, 1* (titres christologiques et articles de la foi chrétienne) ; 127, 1 ?* (Dieu transcendant) ; 134, 6* (Christ : « Jacob » et « Israël ») ; 140, 4* (rétribution individuelle).

[60] Cf. *Dial.* 98, 1* ; 106, 1.4 ; 107, 1.

[61] Cf. 16, 3* ; 17, 3* ; 19, 2*.6* ; 20, 4* ; 22, 1*.11 ; 23, 1 ; 24, 2* ; 28, 4* ; 31, 1* ; 33, 2* ; 35, 1* ; 43, 6* ; 45, 3* ; 46, 1* ; 48, 1* .3* ; 49, 2* ; 52, 1* ; 64, 4*.8* ; 65, 4* ; 67, 2* ; 71, 1* ; 76, 3* .7 ; 80, 1* ; 82, 1* ; 87, 1* ; 89, 1* ; 109, 1* ; 111, 1* ; 113, 6* ; 114, 2* ; 115, 1* ; 122, 6* ; 123, 5* ; 124, 3*.

[62] Cf. *Dial.* 8, 2* (philosophie) ; 11, 2* (Loi et salut) ; 12, 2* (mépris de l'Alliance) ; 12, 3* (piété) ; 16, 2* (circoncision donnée « en signe ») ; 23, 4* (circoncision, appartenance à Israël, et Salut) ; 33, 3* (crucifixion) ; 38, 1* (blasphème) ; 54, 2* (nature du Messie) ; 56, 5*

7) Plusieurs thèmes parcourent l'ensemble du *Dialogue*[63]. Même lorsque Justin paraît admettre qu'il se répète, il ne le fait jamais tout à fait, mais reprend, sous un angle différent, et généralement avec plus de précision ce qui demeurait antérieurement elliptique ou incomplet[64]. Certains articles de la foi chrétienne, qui peuvent heurter la foi de Tryphon, sont ainsi abordés de façon très progressive[65]. Pour être menée à bien, l'ἀπόδειξις nécessite également, à chaque étape, l'adhésion de celui à qui on la destine.

8) Les longues citations, situées pour la plupart au début du *Dialogue*, se justifient toutes par la reprise, à un moment ou un autre de l'entretien, de leurs différentes composantes[66]. Justin accorde aux textes scripturaires une valeur de preuve intrinsèque, préexistante à tout commentaire[67] ; il leur reconnaît également une fonction didactique parce que les vérités dont ils sont porteurs sont interdépendantes et doivent être toutes prises en compte, sans oublier l'ensemble dans lequel elle se trouvent originellement insérées. Le *Dialogue* n'est de ce point de vue, qu'une longue exégèse des textes cités. Lorsqu'une citation est jugée inutile, Justin sait s'en abstenir[68].

9) Le commentaire qui suit immédiatement ces citations est souvent constitué d'une *paraphrase* mêlant diverses sources et, à travers elles, le rappel de thèmes déjà abordés à l'annonce implicite de développements ultérieurs[69]. Cette technique demeure discrète (les éditions n'en rendent pas compte), mais la fréquence de son utilisation comme la coïncidence des contenus avec

(théophanie de Mambré) ; 65, 7* (gloire divine) ; 69, 7 (Loi et résurrection) ; 74, 3* (interprétation du *Ps.* 95) ; 82, 4* (exégèses « artificieuses »). Tryphon lui aussi sait faire usage de ces réponses indirectes : 27, 1* (Loi et justification) ; 17, 2* (blasphèmes).

[63] Messie souffrant ; Nom de Jésus ; Salut ; ogdoade ; dons de l'Esprit ; nature et génération du Verbe (pour le détail des références, voir l'Index analytique).

[64] Cf. *Dial.* 71, 1* ; 83, 1* ; 113, 1* ; 118, 4* ; 126, 1* ; 127, 5*.

[65] Cf. *Dial.* 33, 2* (Christ « Grand prêtre ») ; 34, 2* (divinité du Christ) ; 38, 1* (Incarnation et naissance virginale) ; 48, 1* (préexistence, Incarnation, divinité du Christ).

[66] Voir le détail des notes insérées dans ces citations.

[67] Cf. *Dial.* 39, 8* ; 46, 4 ; 56, 12.14 ; 63, 2* ; 64, 3.5.7 ; 68, 3.9 ; 75, 4.

[68] Cf. *Dial.* 42, 2 ; 56, 18 ; 126, 5 ; 128, 1.

[69] Cf. *Dial.* 12, 3* ; 17, 3* ; 21, 1* ; 24, 3* ; 26, 1* ; 28, 3* ; 29, 1* ; 32, 3* ; 36, 5* ; 39, 5* ; 40, 1*.4* ; 43, 3* ; 56, 23* ; 63, 5* ; 69, 6* ; 74, 3* ; lacune* ; 85, 4*.7* ; 102, 5* ; 105, 3* ; 110, 2* ; 116, 3*.

ce qui précède et ce qui suit en prouvent le caractère délibéré. Sans le dire clairement – surtout lorsqu'il aborde des sujets délicats – Justin anticipe[70].

10) Certaines citations sont présentées comme un supplément de preuve[71]. On peut alors s'interroger sur leur nécessité. Or, dans tous les cas, il s'avère que ces citations, tout en contribuant effectivement à illustrer le débat en cours, sont également porteuses d'éléments – non commentés dans un premier temps – qui deviendront essentiels par la suite, et plus particulièrement dans les derniers chapitres. Ici encore, Justin ne surcharge pas inutilement son discours mais dispose intentionnellement, et avec une claire conscience de ce qu'ils promettent, les jalons nécessaires à sa démonstration.

11) Certaines parties de l'entretien prennent la forme d'une argumentation très serrée[72]. La remarque vaut aussi pour le détail de plusieurs passages, fortement structurés par différents outils rhétoriques (parallélismes, chiasmes, balancements, répétitions, synonymies...)[73]. Il est donc inexact d'affirmer que Justin « ne sait pas composer ». Même en retenant l'hypothèse de développements antérieurs repris dans le *Dialogue*, on s'expliquerait mal qu'un même auteur puisse, dans une même œuvre, et avec le recul du temps, manifester simultanément tant de rigueur et tant de faiblesse.

L'analyse de détail des interventions attribuées à Tryphon et Justin rend manifeste leur cohérence, et le rôle structurant qu'elles jouent dans l'œuvre : en dépit de certaines apparences confortées par l'accumulation des jugements négatifs, Justin ne se perd pas en constantes digressions, mais adopte, avec son interlocuteur, une démarche consciente et délibérée. C'est donc en prenant appui sur les indications données dans le texte, et non en

[70] Il le fait aussi à travers de nombreuses remarques qui jalonnent l'entretien et contribuent à sa structuration : 10, 4* (Loi) ; 11, 1* (« autre Dieu ») ; 11, 4* (*Is.* 51, 4 + *Gen.* 49, 10) ; 11, 5* (« race israélite véritable ») ; 12, 3* (*Is.* 1, 16) ; 13, 1* (*id.*) ; 13, 4* (ἄνθρωπος) ; 14, 1* (baptême de pénitence) ; 19, 4* (*Gen.* 19) ; 19, 5* (*Os.* 1, 9-10) ; 24, 2* (Josué) ; 24, 4* (Verus Israel) ; 29, 1* (*Mal.* 1, 11 ; titres christologiques) ; 32, 1* (Messie glorieux) ; 33, 2* (Christ « Grand prêtre ») ; 34, 2* (« ange » ; « pierre ») ; 35, 1* (hérésies) ; 36, 4* (*Ps.* 23) ; 38, 1* (προσκυνητός) ; 39, 6* (péché originel).

[71] *Dial.* 14, 3 ; 36, 2 ; 57, 4 ; 59, 1 ; 61, 1 ; 130, 3 ; 132, 1.

[72] P. ex. les chap. 56 ; 67 ; 68.

[73] Voir, en particulier, *Dial.* 7, 2-3* ; 17, 1* ; 28, 2* ; 33, 2* ; 42, 3* ; 45, 3* ; 49, 7* ; 52, 3* ; 62, 4* ; 87, 5* ; 89, 3* ; 95, 4* ; 116, 3* ; 123, 1* ; 131, 3*.

faisant intervenir des critères extérieurs, que l'on peut espérer reconstituer cette démarche.

L'analyse d'ensemble confirmera le caractère structuré du propos, en mettant en évidence la continuité des préoccupations exprimées par les deux interlocuteurs, et leur complémentarité.

Le tableau donné en appendice (t. II, p. 921-941), et sur lequel s'appuient les considérations qui vont suivre, comporte un relevé exhaustif des interventions de Tryphon (ou de ses compagnons), et, parmi celles qui sont attribuées à Justin, de tout ce qui fait référence à des éléments du discours antérieurs, en cours, ou ultérieurs. Ces interventions étant parfois assez longues, elles sont ici réduites à leur nature (question, objection, rappel, etc.) et à leur contenu essentiel. Leur analyse ne donne pas tout le détail des questions abordées, puisque ce qui les introduit est parfois implicite, mais elle offre des données précieuses pour l'appréhension des grands ensembles qui structurent l'œuvre.

V - UN AUTHENTIQUE DIALOGUE

Abstraction faite des premiers moments de l'entretien, sur lesquels nous reviendrons en conclusion, les interventions de Tryphon portent sur les grandes questions suivantes : *Loi et Salut* ; *identité et nature du Messie* ; *existence d'un « autre Dieu »* ; *paradoxes de la foi chrétienne* (préexistence, Incarnation, génération ineffable et naissance virginale) ; *malédiction de la Croix* ; *prétention des chrétiens à être Israël.*

Au sein de ces grandes unités, il arrive que Tryphon provoque des ruptures, mais c'est toujours en réaction à une remarque (ou une citation) de Justin. Si la question mérite d'être traitée immédiatement (par exemple celle des judéo-chrétiens dans l'ensemble consacré à la Loi, ou encore celle de l'onction du Messie entre la précédente et les développements christologiques), l'interruption est retenue par Justin. Dans le cas contraire (par exemple la naissance virginale prématurément abordée par Tryphon à plusieurs reprises), Justin diffère sa réponse jusqu'au moment ou elle peut effectivement être donnée en prenant appui sur tout ce qui précède. Les motifs secondaires introduits par Tryphon – mais inspirés par Justin – sont ainsi retenus ou reportés selon leur utilité dans le(s) contexte(s) où ils sont évoqués : *prescriptions alimentaires*, *héritage*, *idolothytes*, *transmission de l'Esprit*, *paradoxes christologiques*, *judéo-chrétiens*, *rôle d'Élie*, *repas des anges*, *gloire du Christ*,

mutilations d'Écritures, *chute des anges*, *Millénaire à Jérusalem.* Tous sont directement liés à ce contexte[74], mais seuls certains d'entre eux sont traités sans délai. Les deux interlocuteurs s'accordent sur cette méthode qui satisfait à la fois les préoccupations de Tryphon et le dessein de Justin.

Les interventions de Justin dessinent elles aussi de grands ensembles : *Loi non nécessaire au Salut*, *Christ « Loi nouvelle » et « Alliance nouvelle »* ; *Messianité de Jésus* ; *existence d'un « autre Dieu »* ; *paradoxes christologiques* ; *« malédiction » de la Croix* ; *Verus Israel.*

Les motifs secondaires (*hérésies*, *Parousie*, *Jean le Baptiste* ; *Millénaire*, *serpent d'airain*, *fuite en Égypte*, *commentaire du Ps. 21*, *titres christologiques*, *Jésus Grand prêtre à Babylone*, etc.) sont tous liés, ici encore, au contexte immédiat dans lequel ils figurent.

Les rappels incessants ont une fonction multiple : signaler que certaines choses sont déjà implicitement démontrées ; récapituler un ensemble de données acquises ; s'assurer que Tryphon garde bien en mémoire ces acquis antérieurs et accepte toujours de les prendre en considération ; procéder, dans le cas contraire, à une nouvelle démonstration ; montrer que ces acquis sont lourds de conséquences *dans différents contextes* ; souligner ainsi l'interpénétration des aspects divers du message que contiennent les Écritures.

Dans la seconde partie du *Dialogue* – où Tryphon devient fort discret – tout ce qui avait été débattu le jour précédent est récapitulé à l'intention des nouveaux interlocuteurs, mais aussi abordé dans une autre perspective et inséré dans de nouveaux développements. Il ne s'agit jamais, en fait, de véritables répétitions[75] mais d'une somme de rappels qui mènent à la conclusion générale en *associant* et en *rassemblant* – pour les compléter parfois – les fragments de vérité précédemment acquis. Réels ou fictifs, les compagnons de Tryphon n'ont donc pas pour fonction de justifier d'inutiles redites, mais au contraire de contribuer, par les récapitulations auxquelles leur présence donne lieu, à accélérer, en le confortant, le processus menant à l'ultime affirmation : par leur foi au Christ, *Grand prêtre crucifié* et vainqueur du démon (« *Israël* »), les chrétiens *sont enfants de Dieu*, *peuple de prêtres* et véritable *Israël.*

La coïncidence entre les préoccupations exprimées par Tryphon et les sujets abordés par Justin est frappante. Leur parallélisme sur l'ensemble de

[74] Voir le détail des notes correspondant aux différents passages.

[75] Voir le détail des notes *ad. loc.*

l'œuvre prouve qu'en dépit des ruptures et des « digressions », tous deux adoptent bien un même cheminement. Cette complémentarité renforce l'impression de cohérence déjà sensible à travers l'analyse détaillée de leurs interventions respectives.

Mais on pourrait penser qu'elle est artificielle, Justin attribuant à un interlocuteur purement fictif des remarques qui servent en réalité sa propre démonstration. Il n'en est rien : les interventions de Tryphon correspondent, en effet, précisément à ce qui caractérise ou heurte la foi juive (*respect de la Loi, unité de Dieu, attente du Messie « homme d'entre les hommes », malédiction de la croix, mission d'Israël*) et celles de Justin aux articles fondamentaux de la foi chrétienne (*Christ « Alliance nouvelle », Loi non nécessaire au Salut* ; *Messianité de Jésus* ; *sa nature divine et humaine* ; *victoire sur la Croix* ; *peuple des chrétiens véritable Israël*). Leur complémentarité s'explique donc par leur radicale contradiction.

Une dernière observation vient confirmer la vraisemblance des ensembles ainsi distingués : dans les premiers instants de l'entretien (8, 3-11, 5)[76], Tryphon énumère les griefs adressés aux chrétiens, et Justin les éléments essentiels de sa foi. Ces considérations, réparties sur quelques passages, méritent d'être réunies. Elles présentent en effet une double caractéristique : leurs éléments respectifs sont parfaitement parallèles ; ils correspondent par ailleurs exactement à la structure de l'œuvre que semble dessiner l'analyse des interventions :

TRYPHON	JUSTIN
Discours trompeurs (8, 3)	* « Notre foi en ce qui n'est selon vous qu'opinion erronée » (10, 1)
* Abandon de Dieu (8, 3)	* Pas d'*autre Dieu* pour les chrétiens (11, 1)
* Espoir en un homme (8, 3)	
** Nécessité de la circoncision, et du respect de la Loi (8, 4) ; non respect par les chrétiens (10, 3)	* Respect de la Loi non nécessaire, « Alliance nouvelle » (11, 2-3).
Messie non encore venu, rôle précurseur d'Élie (8, 4)	* Les œuvres de Jésus prouvent qu'il est le Messie (11, 4)

[76] Voir le tableau ci-dessous.

TRYPHON	JUSTIN
* Non respect de la Loi (10, 3)	
* Espoir en un homme crucifié (10, 3)	* Christ crucifié (11, 4.5)
* Circoncision nécessaire pour l'appartenance à Israël (10, 3)	* « Race israélite véritable » (11, 5)

La dissociation des deux propositions présentées par Tryphon à propos du Messie des chrétiens peut paraître, à première vue, répétitive ou maladroite : « ...tu abandonnes Dieu pour placer ton espoir *en un homme* » (8, 3) ; « ...vous placiez vos espoirs *en un homme crucifié* » (10, 4). La suite du débat montre au contraire qu'elle est intentionnelle : les questions ayant trait à la *nature* du Messie et à sa *crucifixion* donneront lieu, en effet, à des développements successifs mais distincts. Jusque dans les moindres détails, Justin manifeste la rigueur de sa démarche.

Par ces interventions programmatiques, Justin et Tryphon indiquent tous les deux, au début du débat, leurs préoccupations respectives et leur commune démarche. Ils le confirment explicitement, dans ces premiers chapitres, par des remarques qui méritent, elles aussi, d'être mises en regard :

> TRYPHON : « Si tu peux te défendre à ce sujet, et démontrer comment, même sans observer la loi, vous pouvez concevoir une quelconque espérance, nous t'écouterons bien volontiers, et nous pourrions ensuite, *selon la même méthode*, *examiner ensemble les autres points.* » (10, 4)

> JUSTIN : « Car la race israélite véritable, spirituelle, celle de Juda, de Jacob, d'Isaac et d'Abraham, lequel dans l'incirconcision, à cause de sa foi, reçut de Dieu témoignage, fut béni, et appelé père de nombreuses nations, c'est nous qui, par ce Christ crucifié, avons été conduits à Dieu, *comme le démontrera la suite de notre entretien.* » (11, 5)

C'est dans l'ensemble de ces propositions concordantes, confirmées par la suite, qu'il convient de chercher le « plan » du *Dialogue*. L'hypothèse d'un

débat fictif ne ferait que renforcer cette conviction, puisque Justin annoncerait alors doublement le plan de son discours.

VI - CONCLUSIONS

Au terme de cette analyse, il apparaît que les réserves sur l'aptitude de Justin à « composer » sont injustifiées. Leur caractère récurrent et leur antiquité ne prouvent en rien leur légitimité. Lorsqu'ils sont motivés – ce qui est rarement le cas – ces jugements se fondent sur des normes esthétiques et logiques dont il reste à montrer qu'elles s'appliquent à Justin[77].

Parmi les commentateurs, seuls ceux qui sont partis de l'œuvre elle-même (W. Bousset, F. M.-M. Sagnard), et non de critères préexistants ou de sources extérieures ont obtenu quelque résultat sur la question du plan. Les autres aboutissent invariablement à des conclusions embarrassées ou explicitement négatives.

L'hypothèse d'un discours aléatoire ne résiste pas à l'examen. Trop d'indices prouvent en effet que les chapitres consacrés à l'entretien de Justin et Tryphon sont bien, dans la forme où ils nous ont été transmis, le fruit d'une démarche délibérée. Celle-ci est constituée par les réponses offertes à quelques grandes questions, sur lesquelles viennent se greffer les motifs secondaires qui contribuent à leur résolution :

* Loi et Salut : Christ, « Loi nouvelle » et « Alliance nouvelle »
* Messianité de Jésus : Messie souffrant, transmission de l'Esprit
* Existence d'un « autre Dieu »

[77] Certaines remarques d'Henri-Irénée MARROU, à propos de saint Augustin, pourraient aisément s'appliquer à l'auteur du *Dialogue*, pourvu, du moins, qu'on veuille bien lire cette œuvre comme elle fut écrite : « Reprocher au rhéteur Augustin 'de ne pas savoir composer', c'est prétendre que Braque ou Picasso n'étaient pas capables de dessiner une guitare selon les lois de la perspective. » [...] « Saint Augustin procède comme un habile musicien qui fait entendre délicatement, *mezza voce*, confiée à une voix secondaire et exécutée par un instrument discret, l'esquisse d'un thème qui va bientôt faire l'objet d'un développement principal. l'auteur n'y prend pas garde, mais quand ce thème réapparaît, éclate au premier plan, loin d'en être surpris, nous nous apercevons que nous le connaissons déjà, nous le reconnaissons... » (*Saint Augustin et la fin de la culture antique. « Retractatio »,* Paris 1949, pp. 665 ; 667).

* Paradoxes christologiques
* Malédiction de la Croix
* Véritable Israël.

Ces grandes unités correspondent,
- au détail des interventions de Tryphon et de Justin
- à l'organisation d'ensemble de ces interventions
- aux principes essentiels de la foi juive
- aux principaux articles de la foi chrétienne
- aux déclarations préliminaires de Tryphon
- aux déclarations préliminaires de Justin.

Les questions sont évidemment liées, parfois entremêlées par anticipation, d'où l'impossibilité de délimiter toujours avec précision le passage de l'une à l'autre[78] : Ainsi l'affirmation d'une « Loi nouvelle » entraîne l'interrogation sur un « autre Dieu » ; la transmission de l'Esprit (baptême du Christ) appelle les considérations sur les paradoxes christologiques (nature humaine et divine du Christ) ; la malédiction de la Croix est l'un de ces paradoxes, etc.[79]. Il est par ailleurs évident qu'elles se présentent selon système de correspondances qui rappelle certaines structures rencontrées dans le détail :
la malédiction de la Croix pose à la fois un problème juridique (Loi) et théologique (nature du Messie, Salut). La réponse apportée complète simultanément les considérations préliminaires sur la Loi, et celles qui ont trait à l'identité du Messie ; les développements sur le véritable Israël (fin du *Dialogue*) font écho aux premiers chapitres de l'entretien, mais aussi à ceux qui précèdent immédiatement (les chrétiens sont le véritable Israël parce que Le Christ est lui-même, sur la Croix, vainqueur du démon – *Isra-ël*) ; l'offrande eucharistique (fin de l'entretien) s'oppose à celles de la Loi (début de l'entretien), mais elle est également le signe du sacrifice consenti sur la Croix. De telles correspondances pourraient être multipliées à l'infini, car elles structurent l'ensemble et le détail de l'œuvre. C'est en elles – et déjà dans les Écritures – que réside la véritable cohérence décomposée dans le *Dialogue*. On comprend que Justin ait hésité à dissocier trop clairement des aspects de la Révélation si intimement liés.

*

[78] Voir cependant, ci-dessous, la liste des intertitres (p. 42-48), et sa présentation (p. 41).

[79] Pour le détail de ces transitions, voir les notes *ad loc.*

Quelle place attribuer au prologue dans une telle organisation ? Cette question a donné lieu a de nombreuses hypothèses[80] qui présentent presque toujours un inconvénient majeur : à ce prologue, diversement délimité, elles accordent de manière explicite ou implicite une importance essentielle, au détriment de ce qui suit (la plus grande partie du texte pourtant !). Ce phénomène s'explique évidemment par la situation de passages dont le rôle apparaît déterminant pour l'ensemble du texte. Mais il semble avoir été accentué par le contraste remarquable entre une « introduction » où l'on retrouve des contenus et des structures connus par ailleurs dans la littérature grecque, et un « dialogue » dont la teneur et la méthode posent problème au point que l'on hésite à s'y aventurer... Aussi les premiers chapitres ont-ils fait l'objet, jusqu'à une période récente, de commentaires suivis assez nombreux[81] tandis que le reste de l'œuvre n'est toujours abordé que de façon partielle ou sporadique.

Les commentateurs s'appuient donc sur une tradition critique déséquilibrée. La signification accordée au prologue se trouve souvent appliquée à tout le texte sans qu'on juge nécessaire d'éprouver la validité d'une telle méthode. L'attention se focalise parfois sur le *passage* du prologue à ce qui lui succède : où situer la transition ? Comment la restituer ? La réponse apportée à ces questions ne prend généralement en compte que le contexte immédiat du lieu retenu pour la transition, et, lorsque le champ d'investigation est élargi, c'est le plus souvent à tout ce qui précède, mais dans tous les cas de manière partielle ou très globale à ce qui suit.

En l'absence d'une analyse détaillée pour les chapitres consacrés à l'entretien de Justin avec Tryphon, c'est donc le prologue qui détermine plus ou moins explicitement, chez les commentateurs, le sens accordé à l'ensemble du texte. C'est presque uniquement dans ce prologue, et non dans l'ensemble du texte, qu'on cherche les éléments susceptibles d'expliquer sa fonction.

L'étude structurelle proposée ci-dessus et celle des destinataires de l'œuvre[82] suggèrent une autre approche :

Selon ces analyses, la question du Salut est apparue essentielle dans le *Dialogue*. C'est elle qui sous-tend le débat entre Justin et Tryphon[83] ; c'est elle

[80] Cf. ci-dessous, p. 149-152.

[81] Voir les analyses utilisées dans les notes accompagnant la traduction du prologue, et une synthèse de ces travaux in S. SANCHEZ., *Justin, Apologiste chrétien*, Paris, Gabalda, 2000.

[82] Cf. ci-dessous, p. 129-166.

aussi qui motive explicitement sa mise en forme[84]. Or le prologue introduit la même thématique à travers une réflexion dont l'importance n'a pas été suffisamment relevée, bien qu'elle occupe l'essentiel des premiers chapitres : la nature de l'âme, son immortalité, et son accessibilité à un jugement divin. Si l'on admet cette lecture, ce n'est donc pas, comme on l'écrit généralement, sur « la philosophie » (et ses rapports avec la foi chrétienne) que porte ce prologue, mais plus précisément sur son aptitude à proposer une conception juste de l'homme, de sa capacité à connaître Dieu, et de son devenir au-delà de la mort. C'est cette perspective qui justifie l'opposition entre philosophes et Prophètes (*Dial.* 7, 1) : seuls ces derniers délivrent sur de telles questions un message authentique et fiable, car celui-ci est d'origine divine et non humaine.

A l'affirmation philosophique d'un jugement divin dissociant l'âme des hommes pieux et celle des méchants (*Dial.* 5, 3), appelant les unes à la vie éternelle et les autres au châtiment (*Dial.* 5, 3 ; 5, 5) font écho, dans l'ensemble du *Dialogue*, des considérations récurrentes (et insuffisamment prises en compte elles aussi) qui correspondent à une même préoccupation : affirmation du libre arbitre* ; espérance de l'héritage* ; évocation du jugement* individuel et eschatologique ; urgence de la conversion*[85]. Ces

[83] Cf. ci-dessus, p. 34 s. Ce thème du Salut encadre le débat, ce qui est un autre signe de sa fonction essentielle : cf. *Dial.* 8, 2 : « Si donc tu as, toi aussi, quelque souci de toi-même, si tu prétends au *Salut* et si tu as foi en Dieu, il est pour toi possible… en ayant reconnu le Christ de Dieu, et une fois achevée ton initiation, d'accéder au bonheur. » (Justin) ; *Dial.* 8, 3 : « Tant que tu demeurais en cette sorte de philosophie, tu pouvais, en menant une vie irréprochable, conserver l'espoir d'une meilleure destinée. Mais si tu abandonnes Dieu pour placer ton espoir en un homme, quelle sorte de *Salut* te reste-t-il ? « (Tryphon) ; « Donc, si tu veux bien m'écouter ... fais-toi tout d'abord circoncire, puis observe, comme cela est prescrit par la Loi, le sabbat, les fêtes et les néoménies de Dieu, accomplis, en un mot, tout ce qui est écrit dans la Loi. Alors, très certainement, tu obtiendras de Dieu *miséricorde.* » (Tryphon) ; « Ce qui nous embarrasse le plus, c'est plutôt que ... vous placiez vos espoirs en un homme crucifié, et espériez néanmoins, sans en observer les commandements, obtenir quelque *bien de Dieu.* » (Tryphon) ; *Dial.* 142, 2 : « ... je vous exhorte à livrer ce suprême combat pour votre propre *Salut*, en ayant soin de préférer à vos didascales le Christ du Dieu tout-puissant. » (Justin) ; « Il n'est pas de meilleure prière que je puisse faire pour vous, mes amis, que de vous voir reconnaître que c'est par cette voie-là qu'à tout homme est donné de trouver le *bonheur*, et croire sans réserve, vous aussi comme nous, que c'est à nous qu'appartient le Christ de Dieu. » (Justin).

[84] Cf. ci-dessous, p. 155-157.

[85] Sur tous ces thèmes, abondamment développés, et souvent entremêlés, voir l'Index analytique.

considérations doivent être lues comme autant d'indices permettant d'appréhender ce qui motive l'activité missionnaire de Justin tout en unissant et en structurant sa mise en forme par écrit. Selon une telle lecture, le *Dialogue avec Tryphon* serait avant tout une réflexion philosophique puis exégétique sur la question du Salut historiquement inscrite dans la perspective imminente d'une seconde parousie. Adressée avant tout aux juifs[86], puisque selon Justin ceux-ci, plus que les nations, rejettent l'enseignement du Christ, cette entreprise de conversion serait, à travers Tryphon[87] – personnage également attaché à la raison (*Dial.* 1, 2-3) et à sa tradition (*Dial.* 8, 4 ; 10, 3-4) –, et ceux qui l'accompagnent[88], destinée à toute l'humanité.

*

La démarche adoptée dans le *Dialogue* tente donc de concilier plusieurs exigences complémentaires et contradictoires à la fois : offrir à l'interlocuteur un exposé construit tout en répondant aux objections ponctuelles que ce discours entraîne ; satisfaire le désir de rationalité de cet interlocuteur sans dénaturer pour autant un message délivré, à l'origine, dans une forme de pensée essentiellement analogique ; respecter l'unité des Écritures et en même temps l'aspect nécessairement analytique de tout discours humain ; transmettre dans le langage des hommes ce qui n'est précisément pas « enseignement humain ». La configuration apparemment désagrégée du *Dialogue* correspond à cette tension multiple.

C'est précisément pour avoir été « à la hauteur de l'immense valeur de vérité et de vie qui lui était confiée » (Sagnard) et non pour s'en être montré indigne, que Justin n'a pas cru bon de réduire le message dont il était porteur à un discours satisfaisant pour la raison. Ce qui fut trop souvent considéré comme une faiblesse est au contraire la marque d'un esprit respectueux de son environnement culturel, de sa formation composite[89], et d'une vérité qui échappe à tout art en exigeant pourtant d'être communiquée.

[86] Voir ci-dessous, p. 156 s..

[87] Personnage composite : voir ci-dessous, p. 92-98.

[88] Voir ci-dessous, p. 135-138.

[89] Constatations qui ne sont évidemment pas sans conséquences pour la question fort débattue des destinataires de l'œuvre (cf. Introduction : p. 129-166).

Par sa nature même le contenu du *Dialogue* semble résister à toute présentation synoptique. Plusieurs essais ont été effectués en ce sens pour la présente édition : ils se sont toujours avérés arbitraires ou peu satisfaisants car dans cette œuvre les enchaînements de détail, comme la composition d'ensemble, se fondent non pas sur une progression rationnelle mais sur un système très complexe d'échos et d'analogies qu'il faut sans doute interpréter comme un appel à une lecture non linéaire.

Les subdivisions en chapitres introduites par Maran et adoptées par la suite dans toutes les éditions n'ont reçu de titres que dans la collection *Ante-Nicene Christian Library* (1868 ; 1969²)[1]. Ces titres sont très souvent imprécis, réducteurs, ou trop peu distincts les uns des autres[2], ce qui traduit vraisemblablement la perplexité de leur auteur.

Ces subdivisions ont été conservées dans la présente édition, mais à chacune d'entre elles est attribué un titre qu'on a voulu aussi représentatif que possible de son contenu et de la place qu'elle occupe dans la démarche d'ensemble. Les citations scripturaires y sont évoquées chaque fois que leur longueur apparaît déterminante pour la constitution du chapitre et pour son articulation avec ce qui précède ou ce qui suit.

A défaut d'un impossible plan synoptique, la liste des intertitres présentée ci-dessous devrait donner au lecteur une vision d'ensemble de l'œuvre et une certaine représentation des étapes qui la structurent. Mais on ne saurait oublier que cette construction correspond à une intervention récente dans la transmission du texte, et n'a donc qu'une valeur indicative. Si elle présente un intérêt pratique indéniable pour le lecteur moderne, elle ne doit en aucune manière être confondue avec la démarche originale qui est adoptée dans le *Dialogue*.

[1] Voir ci-dessus, p. 12.

[2] Par ex. chap. XXXVI : *He proves that Christ is called Lord of hosts* et chap. XXXVII : *The same is proved from other Psalms* ; chap. XLI : *The oblation of fine flour was a figure of the Eucharist* (aucune mention de la circoncision, et du « huitième jour », également évoqués dans ce chapitre) ; chap. XXVIII : *True righteousness is obtained by Christ* et chap. XXX : *Christians possess the true righteousness.*

Liste des intertitres

Chap. I : *Prologue. Rencontre avec Tryphon.*
Chap. II : *Justin retrace son itinéraire philosophique.*
Chap. III : *Justin évoque sa rencontre avec le Vieillard. Quel est le véritable objet de la philosophie ?*
Chap. IV : *L'âme peut-elle « voir Dieu » ?*
Chap. V : *L'âme n'est pas par nature immortelle.*
Chap. VI : *L'âme participe à la vie tant que Dieu veut qu'elle vive.*
Chap. VII : *La connaissance de la vérité ne peut être tirée que des Prophètes.*
Chap. VIII : *Départ du Vieillard. Conversion de Justin. Reproches de Tryphon aux chrétiens.*
Chap. IX : *Début de l'entretien dans le stade central du Xyste.*
Chap. X : *Tryphon ne reproche aux chrétiens que leur refus d'observer la Loi.*
Chap. XI : *Le Christ, « Loi éternelle », met un terme à la « Loi de l'Horeb ». Les chrétiens sont la « race israélite véritable ».*
Chap. XII : *Les juifs ont mal compris la Loi de Moïse et violent la « Loi éternelle ».*
Chap. XIII : *La rémission des péchés ne peut être obtenue que par le sang du Christ. Témoignage d'Isaïe.*
Chap. XIV : *Bain rituel et baptême ; azymes et « nouveau levain ». Prophétie d'Isaïe sur le Nouveau Législateur.*
Chap. XV : *Le « véritable jeûne de Dieu » : Prophétie d'Isaïe.*
Chap. XVI : *La circoncision fut donnée « en signe » pour ceux qui ont « tué le Juste », et persécutent ses disciples.*
Chap. XVII : *Les juifs ont envoyé par toute la terre des émissaires chargés de répandre la calomnies sur les chrétiens. Prophétie d'Isaïe.*
Chap. XVIII : *Les chrétiens observeraient les prescriptions de la Loi s'ils ne connaissaient pas leur sens véritable.*
Chap. XIX : *Avant Abraham, les Justes étaient incirconcis. Depuis Moïse, c'est à cause de ses tendances idolâtres que le peuple est soumis à la Loi.*
Chap. XX : *Les prescriptions alimentaires, consécutives au péché du veau d'or, étaient destinées à préserver le peuple de l'idolâtrie.*
Chap. XXI : *C'est à cause des péchés du peuple que fut institué le sabbat. Témoignage d'Ézéchiel.*
Chap. XXII : *Les offrandes furent prescrites à cause des injustices du peuple et de son idolâtrie. Témoignages d'Amos, de Jérémie et de David.*
Chap. XXIII : *Le même Dieu a prescrit ces diverses ordonnances, et il les annule par le Christ. Sabbat et circoncision ne sont pas œuvres de justice.*
Chap. XXIV : *Seul le sang de la circoncision véritable dispense le Salut et fait entrer les nations dans l'héritage d'Abraham. Témoignages de David, de Jérémie et d'Isaïe.*
Chap. XXV : *Erreur des juifs qui prétendent être « enfants d'Abraham ». Témoignage d'Isaïe.*

Chap. XXVI : *L'héritage sur la « montagne sainte » est réservé à ceux qui, parmi les juifs et les nations, se seront repentis. Témoignages d'Isaïe.*
Chap. XXVII : *Lorsqu'Isaïe célèbre le sabbat prescrit par l'intermédiaire de Moïse, c'est à cause des péchés du peuple. L'institution était provisoire.*
Chap. XXVIII : *Urgence de la conversion. Seule la circoncision véritable, destinée à tous, permet d'accéder au Salut. Témoignages de Jérémie, Malachie, et David.*
Chap. XXIX : *Universalité de la circoncision et du baptême véritables. Incompréhension juive des Prophéties et de la Loi.*
Chap. XXX : *Éternité de la justice divine et puissance rédemptrice de la Passion : le Psaume 18.*
Chap. XXXI : *Passion rédemptrice et Parousie « glorieuse ». Prophétie de Daniel.*
Chap. XXXII : *Christ « sans honneur et sans gloire » d'Isaïe et Messie « glorieux »* de Daniel. *Le Psaume 109, prophétie de l'Ascension et des deux parousies. Les temps eschatologiques.*
Chap. XXXIII : *Le Psaume 109 n'est pas dit d'Ézéchias, mais du Christ, « Prêtre éternel » des incirconcis.*
Chap. XXXIV : *Le Psaume 71 n'est pas dit de Salomon, coupable d'idolâtrie, mais du Christ, « roi » éternel et universel.*
Chap. XXXV : *Les hérésies, prédites par le Christ, confirment son message et la foi des chrétiens authentiques.*
Chap. XXXVI : *Le Psaume 23 n'est pas dit de Salomon, mais du Christ et de son Ascension.*
Chap. XXXVII : *Les Psaumes 46 et 98 se rapportent au Christ.*
Chap. XXXVIII : *Le Psaume 44 se rapporte au Christ.*
Chap. XXXIX : *Si le jugement divin est retardé, c'est à cause de ceux qui « abandonnent la voie de l'erreur » et reçoivent les dons de l'Esprit.*
Chap. XL : *La Passion du Christ était annoncée par le « mystère » de l'agneau pascal, et ses deux parousies par l'offrande des deux boucs.*
Chap. XLI : *L'Eucharistie était annoncée par l'offrande de farine. Témoignage de Malachie. La circoncision au huitième jour annonçait la Résurrection.*
Chap. XLII : *Les clochettes suspendues à la robe du Grand prêtre symbolisaient les douze apôtres suspendus à la puissance du Christ.*
Chap. XLIII : *Conclusion sur la Loi. Mystère de la naissance virginale : prophétie d'Isaïe.*
Chap. XLIV : *C'est en reconnaissant le Christ que les juifs accéderont au Salut. Témoignages d'Ézéchiel et d'Isaïe.*
Chap. XLV : *Les Justes ayant vécu avant la Loi instituée par Moïse sont-ils appelés à la résurrection ?*
Chap. XLVI : *Peut-on être sauvé en continuant à observer la Loi ?*
Chap. XLVII : *On peut être sauvé en continuant à observer la Loi, pourvu qu'on n'en impose pas la pratique aux Gentils qui se convertissent.*
Chap. XLVIII : *Le Christ n'est pas seulement « homme d'entre les hommes ». Il est aussi Dieu.*
Chap. XLIX : *La première parousie fut annoncée par Jean, la seconde par Élie. Transmission de l'Esprit prophétique.*

Chap. L : *Jean, Précurseur du Christ : prophétie d'Isaïe.*
Chap. LI : *Jean était bien le Précurseur. Il n'y eut plus, après lui, de prophète en Israël*
Chap. LII : *La disparition, en Israël, des prophètes et des rois était annoncée dans la bénédiction de Juda.*
Chap. LIII : *La bénédiction de Juda et la prophétie de Zacharie annonçaient l'entrée du Christ à Jérusalem, et la conversion des nations.*
Chap. LIV : *La bénédiction de Juda est une prophétie de la Passion, de la Rédemption, et de la naissance virginale.*
Chap. LV : *Tryphon rappelle à Justin qu'il doit prouver l'existence d'un « autre Dieu ».*
Chap. LVI : *L'« autre Dieu » est apparu à Abraham, en compagnie de deux anges.*
Chap. LVII : *Objection sur le « pain des anges ».*
Chap. LVIII : *L'« autre Dieu » s'est manifesté dans les visions de Jacob.*
Chap. LIX : *L'« autre Dieu » est apparu à Moïse. Il est distinct du Père.*
Chap. LX : *Le Buisson ardent (suite).*
Chap. LXI : *La « puissance » engendrée par le Père était évoquée dans les Proverbes.*
Chap. LXII : *La « puissance » engendrée par le Père était évoquée dans la Genèse, et dans d'autres textes encore, où elle porte différents noms.*
Chap. LXIII : *Question de Tryphon sur la naissance virginale, la mort et la Résurrection du Christ. Témoignages d'Isaïe et de David.*
Chap. LXIV : *L'« autre Dieu » est aussi celui des juifs. Témoignages de David.*
Chap. LXV : *Dieu déclare en Isaïe qu'il « ne donne à nul autre sa gloire ». Explication du passage par Justin.*
Chap. LXVI : *La naissance virginale (suite). Prophétie d'Isaïe.*
Chap. LXVII : *Pour Tryphon, la naissance virginale est aussi absurde que le mythe de Persée. Il vaudrait mieux affirmer que Jésus, « homme d'entre les hommes », fut élu pour son observance de la Loi. Rappels de Justin à propos de la Loi.*
Chap. LXVIII : *Les enseignements du Christ ne sont pas des « enseignements humains ». La Prophétie d'Isaïe est bien dite du Christ, et non de Salomon.*
Chap. LXIX : *Les fables mythologiques sur Dionysos ou Héraklès ne sont qu'une contrefaçon diabolique de prophéties annonçant la naissance virginale, les miracles de Jésus, sa Passion et sa Résurrection.*
Chap. LXX : *Les mystères de Mithra sont une imitation diabolique de Prophéties relatives à la naissance du Christ, et à l'Eucharistie.*
Chap. LXXI : *La traduction d'Is. 7, 14 par les* LXX *est rejetée par les juifs, qui ont fait disparaître de l'Écriture certaines prophéties proclamant clairement la mise en Croix du Christ et sa divinité.*
Chap. LXXII : *Exemples de passages mutilés : Esdras et Jérémie.*
Chap. LXXIII : *Les mots « du haut du bois » ont été retranchés du Psaume 95.*
Chap. LXXIV : *Le Psaume 95 n'est pas dit du Père, mais du Salut par la Croix.*

* *Lacune* *

Chap. LXXV : *« Jésus » et « ange » sont des noms divins. Témoignage tiré de l'Exode.*
Chap. LXXVI : *D'autres prophéties attestent la nature humaine et divine du Christ, ainsi que sa mission rédemptrice.*
Chap. LXXVII : *La prophétie d'Is. 8, 4 ne s'applique pas à Ézéchias, mais au Christ, visité par les mages au lieu de sa naissance.*
Chap. LXXVIII : *La visite des mages d'Arabie était annoncée par Isaïe en signe que les puissances démoniaques seraient soumises au Christ dès sa naissance.*
Chap. LXXIX : *La révolte des anges est attestée en plusieurs endroits des Écritures.*
Chap. LXXX : *Opinion de Justin sur la résurrection et sur le Millénaire. Hérésies chrétiennes.*
Chap. LXXXI : *Prophéties sur le Millénaire tirées d'Isaïe et de l'Apocalypse.*
Chap. LXXXII : *L'apparition des hérésies et la permanence des charismes prophétiques attestent la vérité du message de Jésus. Les exégèses juives sont erronées et blasphématoires.*
Chap. LXXXIII : *Le Psaume 109 n'est pas dit d'Ézéchias, mais du Christ.*
Chap. LXXXIV : *La Prophétie d'Is. 7, 14 ne peut s'appliquer qu'au Christ, même si les juifs en rejettent la traduction par les LXX.*
Chap. LXXXV : *Le Psaume 23 ne s'applique ni à Ézéchias ni à Salomon, mais au Christ. Les répétitions de Justin sont nécessaires à l'œuvre de conversion.*
Chap. LXXXVI : *Figures du « bois de la Croix » contenues dans les Écritures.*
Chap. LXXXVII : *Comment celui qui reçut au baptême les puissances de l'Esprit Esprit pouvait-il être aussi un Dieu préexistant ?*
Chap. LXXXVIII : *Si les puissances de l'esprit sont venues sur lui, ce n'est pas qu'il en ait été dépourvu, mais parce qu'en lui elles se sont « reposées », pour être dispensées à ceux qui en sont dignes.*
Chap. LXXXIX : *Le Christ « souffrant » annoncé dans les Écritures peut-il être celui qui a subi la « malédiction » de la Croix ?*
Chap. XC : *Moïse lui-même a donné, lors du combat contre Amalek, le premier « signe » de la Croix.*
Chap. XCI : *Moïse a annoncé le « mystère » de la Croix dans la bénédiction de Joseph et par le « signe » du serpent d'airain.*
Chap. XCII : *Les Écritures ne paraissent contradictoires qu'à ceux qui n'ont point reçu la grâce de les comprendre.*
Chap. XCIII : *C'est une même justice que Dieu enseigne en tout temps et à tous les hommes. Elle est comprise dans deux préceptes du Christ, que les juifs ne respectent pas.*
Chap. XCIV : *Le serpent d'airain, prescrit par Dieu à Moïse, ne contredisait pas l'interdiction des images.*
Chap. XCV : *La « malédiction » de la Croix sauve ceux qui sont maudits, c'est-à-dire toute l'humanité, puisqu'est « maudit » quiconque n'a pas respecté l'ensemble de la Loi.*
Chap. XCVI : *C'est par les juifs, et non par Dieu, que sont « maudits » le Christ et les chrétiens.*
Chap. XCVII : *Autres prophéties de la Croix tirées des Psaumes et d'Isaïe.*
Chap. XCVIII : *Le Psaume 21, prophétie de la Passion.*

Chap. XCIX : *Psaume 21-2-3 : la Passion assumée.*
Chap. C : *Psaume 21, 4 : Résurrection et Rédemption par le Fils de Dieu incarné. Eve et Marie.*
Chap. CI : *Psaume 21, 5-9 : humiliation du Christ sur la Croix, et Rédemption.*
Chap. CII : *Psaume 21, 10-16 : accomplissement de la volonté divine en diverses circonstances de la vie du Christ.*
Chap. CIII : *Psaume 21,12-16 : arrestation du Christ au Mont des Oliviers, silence opposé à ses juges.*
Chap. CIV : *Psaume 21,16-19 : condamnation du Christ, crucifixion, partage de ses vêtements.*
Chap. CV : *Psaume 21, 20-22 : mort sur la Croix et Salut des âmes.*
Chap. CVI : *Psaume 21, 23-24 : Le Christ, « Jacob », « Israël », « Astre » et « Levant ».*
Chap. CVII : *Le « signe » de Jonas, prophétie de la Résurrection.*
Chap. CVIII : *Le « signe » de Jonas non compris par les juifs : après la Résurrection, loin de faire pénitence, ils ont envoyé par toute la terre des émissaires chargés de répandre la calomnie sur les chrétiens.*
Chap. CIX : *Les nations ont entendu le Verbe qui, de Jérusalem, était proclamé par les Apôtres. Prophétie de Michée.*
Chap. CX : *La prophétie de Michée ne s'est qu'en partie réalisée par la conversion des nations. Le reste s'accomplira lors de la seconde parousie.*
Chap. CXI : *Les deux parousies et le double sens de la crucifixion étaient annoncés par le symbole des deux boucs, l'attitude de Moïse lors du combat contre Amalek, le sang de la Pâque à la sortie d'Égypte, et le cordeau d'écarlate confié à Raab.*
Chap. CXII : *Seule l'interprétation chrétienne d'épisodes tels que celui du serpent d'airain permet de résoudre leur apparente contradiction avec la Loi. Les didascales n'ont qu'une lecture « terre-à-terre » des Écritures.*
Chap. CXIII : *Le changement de nom d'Ausès en Josué (Jésus) est plus chargé de signification que l'ajout d'une lettre aux noms d'Abram ou de Sara. Josué, figure du Christ. Sens véritable de la circoncision pratiquée au Jourdain.*
Chap. CXIV : *Quelques règles pour comprendre le langage prophétique. La seconde circoncision « avec des couteaux de pierre ».*
Chap. CXV : *Josué (Jésus), fils de Navé, et « Jésus le Grand prêtre » selon la Prophétie de Zacharie. L'exégèse juive ne s'attache qu'à des détails.*
Chap. CXVI : *La prophétie de Zacharie s'applique au Christ, « Grand prêtre » et à ceux qu'il a rachetés par son sacrifice.*
Chap. CXVII : *Seul le sacrifice eucharistique, qui commémore celui du Christ, est agréé par Dieu. Il est universel, comme Malachie l'avait prophétisé. La prière juive, qui s'est substituée aux sacrifices du Temple, n'est pratiquée que dans la Diaspora.*
Chap. CXVIII : *Exhortation à la repentance.*
Chap. CXIX : *Les chrétiens sont le « peuple saint » annoncé par les Prophètes, et la « nation nombreuse » promise à Abraham.*

Chap. CXX : *La promesse d'une descendance universelle à été faite aussi à Isaac et Jacob, de qui le Christ descend par Marie. C'est au Christ que s'appliquent la bénédiction de Juda et le symbole du martyre d'Isaïe. La double descendance constituée des nations et des juifs convertis au Christ.*
Chap. CXXI : *La foi universelle en Jésus « lumière des nations » atteste qu'il est le Christ.*
Chap. CXXII : *La « lumière des nations » n'est pas la Loi, adoptée par les prosélytes, mais le Christ dont les nations sont l'« héritage ».*
Chap. CXXIII : *L'interprétation juive de l'expression « lumière des nations » est absurde. Les chrétiens sont, par le Christ, le véritable Israël.*
Chap. CXXIV : *Les chrétiens sont « enfants de Dieu » et « fils du très-Haut ».*
Chap. CXXV : *Signification du nom d'« Israël ». Par le Christ-Jacob, les chrétiens sont « l'Israël béni ».*
Chap. CXXVI : *Le Verbe, Fils de Dieu, a reçu diverses dénominations dans l'Écriture, C'est lui qui s'est manifesté à Abraham, Jacob, et Moïse et qui est évoqué ailleurs.*
Chap. CXXVII : *Autres versets bibliques s'appliquant au Verbe, et non au Père, puisque celui-ci ne saurait être ni vu ni circonscrit.*
Chap. CXXVIII : *Rappel de passages antérieurement cités. Le Verbe n'est pas une puissance produite par segmentation, mais une personne divine engendrée par la volonté du Père, et numériquement distincte de lui.*
Chap. CXXIX : *Preuves scripturaires que le Verbe est numériquement distinct du Père, et engendré par lui de toute éternité.*
Chap. CXXX : *L'Israël véritable est constitué des nations appelées par le Christ et de ceux qui, parmi les juifs, auront cru en lui. Témoignage du Deutéronome.*
Chap. CXXXI : *La foi des nations est plus forte que celle des juifs pour qui Dieu fit bien des miracles.*
Chap. CXXXII : *Ingratitude de ceux qui ont répondu à ces bienfaits, parfois annonciateurs du Christ, par le péché d'idolâtrie.*
Chap. CXXXIII : *La malédiction des juifs non-repentis était annoncée par Isaïe. En dépit de leurs violences contre le Christ et ses disciples, les chrétiens prient pour eux, comme cela leur a été prescrit.*
Chap. CXXXIV : *Les mariages de Jacob n'étaient pas une incitation à la polygamie, mais une figure du Christ et de son Église.*
Chap. CXXXV : *C'est dans le Christ, « roi », « Jacob », et « Israël » qu'espèrent les nations. Les chrétiens sont la « véritable race israélite ». Témoignages d'Isaïe.*
Chap. CXXXVI : *En refusant le Christ, c'est Celui qui l'a envoyé que les juifs rejettent.*
Chap. CXXXVII : *Exhortation à la pénitence. Le second jour touche à sa fin.*
Chap. CXXXVIII : *Noé, le Déluge et l'arche sont des figures du Christ, du baptême et de la Croix. Témoignage d'Isaïe.*
Chap. CXXXIX : *Les bénédictions et les malédictions prononcées par Noé annonçaient la possession de Canaan par les descendances de Sem et de Japhet, et l'appel du Christ à un héritage éternel.*

Chap. CXL : *Tous les hommes sont libres et cohéritiers dans le Christ. La véritable descendance d'Abraham n'est point celle qu'enseignent les didascales. Témoignages d'Isaïe, de Jérémie, et de Jésus.*
Chap. CXLI : *Comme les anges, les hommes disposent du libre arbitre : ils sont responsables de leurs actes et appelés à la pénitence. Exemple de David.*
Chap. CXLII : *Adieux de Tryphon et de Justin, qui s'apprête à prendre la mer. Ultime appel à la pénitence.*

LACUNE

(*Dial.* 74, 3-4)

I – ETAT DE LA QUESTION

En *Dial.* 74, 3[1], Justin commente le Psaume 95 – cité en 73, 3-4 – pour répondre à une interrogation de Tryphon (74, 1) sur le Christ « souffrant ». On se trouve alors jeté, sans transition apparente, et après une phrase inachevée, dans une citation du *Deutéronome* (31, 16-18) qui porte sur l'infidélité d'Israël, et dont la première phrase est elle-même incomplète.

Les manuscrits ne présentent, à cet endroit, aucune trace de rupture. Dans son *editio princeps*, R. Estienne en reproduit le texte sans paraître remarquer une éventuelle lacune[2].

Depuis les premières traductions, et surtout depuis Lange, on s'accorde sur l'existence de cette lacune, mais certains la considèrent comme restreinte (Périon, Maran, Otto), tandis que d'autres la jugent assez étendue (Lange, Sylburg, Jebb, Thirlby, Galland, Archambault[3], Williams[4], Visonà[5]).

Considérant que cette lacune est limitée à quelques mots, Maran[6] utilise l'argumentation suivante :

[1] Folio 128 v° A = p. 197 B.

[2] Le texte qui nous est parvenu semble comporter d'autres lacunes, mais elles sont, dans tous les cas, limitées, et il s'agit généralement de citations scripturaires abrégées : Prologue ? ; 30, 1* (*Ps.* 18) ; 56, 2* (*Gen.* 18, 3-19, 26) ; 59, 2* (*Exod.* 2, 24-3, 15) ; 67, 5* (Jésus circoncis) ; 127, 2 ? (Dieu transcendant) ; 135, 1* ? (*Is.* 43).

[3] Introduction, p. LXIX-LXXXI.

[4] Introduction, p. XVII-XIX.

[5] Note 1, p. 249.

[6] *Ad loc.* : « Vix tria aut quattuor verba desunt ».

1) Justin et Tryphon sont ici dans une digression, le véritable sujet du débat, abandonné en 71, 3-4 et repris seulement au chap. 77, étant actuellement la *naissance virginale* (*Is.* 7, 14).

2) Le chap. 76 aurait pour fonction de prouver que le Christ règne « du haut du bois » (*Ps.* 95, 10), d'où sa conclusion avec des prophéties sur sa mort et sa Résurrection.

3) Le thème de la Terre promise est commun aux passages du *Deutéronome* et de l'*Exode* cités aux chap. 74-75. Le texte de l'Exode se rapporte à Jésus, c'est-à-dire à son humiliation et à sa grandeur comme homme de chair. D'où la citation de *Dan.* 7, 13 (« comme un Fils d'homme ») en 76, 1.

Maran propose alors la correction suivante :

῾Ως καὶ διὰ < τῆς γῆς εἰς ἣν ἔφη εἰσάξειν τοὺς πατέρας ὑμῶν, φαίνεται · ἔφη δὲ οὕτως · (*Deut.* 31, 16) *Οὗτος ὁ λαὸς ἐκπορνεύσει ὀπίσω θεῶν ἀλλοτρίων* > *τῆς γῆς, εἰς ἣν...* = « comme cela est également manifeste à travers [la terre dans laquelle il a dit qu'il ferait entrer vos pères. Voici comment il a parlé : (*Deut.* 31, 16)*Ce peuple se prostituera après des dieux étrangers*] *du pays dans lequel il est introduit* etc. »

La disparition des quelques mots qu'il tente de reconstituer s'expliquerait ainsi par la répétition de τῆς γῆς. Cette hypothèse, à laquelle Otto adhère, « n'est pas évidemment absurde »[7], mais elle apparaît un peu artificielle et dénuée de fondements véritables. Elle a en outre le grave défaut de passer sous silence toutes les remarques, contenues dans la « seconde partie » du *Dialogue*, qui semblent renvoyer à des passages perdus[8].

Cette série d'allusions a été étudiée pour la première fois par Th. Zahn[9], dont Archambault[10] reprend le détail sans rien y ajouter d'essentiel. Elles

[7] ARCHAMBAULT, p. LXXI.

[8] Pour MARAN, ces références sans aboutissement s'expliqueraient par un défaut de mémoire ou l'habileté de Justin qui réparerait ainsi des oublis antérieurs : « Nequaquam in librarios culpa rejicienda, sed laudanda potius scriptoris diligentia, qui res in prima parte vel de industria omissas, vel memoria elapsas, apte in secunda commemoret. » Dans sa tentative de reconstitution du texte perdu, P. PRIGENT (*Justin et l'Ancien Testament*, p. 193-194) ignore lui aussi ces rappels. Seuls manqueraient une typologie du bois, et une interprétation de *Deut.* 28, 66.

[9] « Studien zu Justinus Martyr », *ZKG* 8 (1885), p. 37-45.

[10] Introduction, p. LXXII s.

sont de deux sortes : indications sur la structure de l'œuvre ; renvois à des développements antérieurs.

a) Indications relatives à la structure de l'œuvre :

La division du *Dialogue* en deux parties est attestée par une citation, tirée de la seconde moitié de notre *Dialogue* (82, 3), qui figure dans les *Sacra parallela* de Jean Damascène (Fr. 102, Holl = *Dial.* 82, 16-17), et s'y trouve introduite en ces termes : ἐκ τοῦ πρὸς Τρύφωνα β' λόγου (« du second discours contre Tryphon »). La « seconde partie » commençait donc avant ce chap. 82, et plus précisément dans la lacune, avant 74, 4, puisqu'une telle division n'apparaît nulle part dans ce qui nous reste de l'œuvre. Cette division est confirmée par une série de notations, généralement situées après la lacune :

* 56, 16 : « le jour s'avance ».
* 78, 6 : reprise d'une citation d'*Is.* 33, 13, déjà donnée en 70, 2-3, « pour ceux qui sont venus aujourd'hui avec vous ».
* 85, 4 : annonce d'un nouveau rappel (*Ps.* 148, 1) « pour ceux qui n'étaient pas avec nous hier ».
* 85, 6 : intervention de Mnaséas, « l'un de ceux qui s'étaient joints à eux le second jour », qui approuve les répétitions de Justin.
* 92, 5 : même expression qu'en 78, 6.
* 94, 4 : intervention du « second de ceux qui étaient venus le deuxième jour ».
* 118, 4 : expression comparable à celle de 78, 6.
* 122, 4 : exclamations, comme au théâtre, de « quelques-uns parmi ceux qui étaient venus le second jour ».
* 137, 4 : « le jour touche à sa fin ».

La division en deux journées correspondant aux deux parties signalées par Jean Damascène est donc indiscutable. La fin de la première journée et le début de la seconde étaient selon toute vraisemblance situées dans le texte perdu.

b) Renvois à des développements antérieurs :

* 67, 5 : Jésus circoncis.
* 79, 1 : chute des anges

* 79, 4 : chute du diable et des anges (*Zach.* 3, 1-2 et *Job.* 1, 6 ; 2, 1)
* 80, 1-3 : Millénaire, divergences entre chrétiens sur ce point
* 85, 6 : existence des anges (*Ps.* 148, 1-2)
* 105, 4 : survivance des âmes, pythonisse d'Endor (*III Rois* 28, 7)
* 123, 7 : verus Israel
* 142, 1 : allusion de Tryphon à un prochain embarquement de Justin.
* 80, 4-5 : résurrection de la chair et millénaire à Jérusalem
(*Éz.* 37, 7-8 ; 40 s. ?)
* 115, 3 : Jésus, Grand prêtre à Babylone (*Zach.* 3)
* 118, 2 : Christ Prêtre éternel du Temple nouveau (*Éz.* 44-46)
* 128, 4 : existence des anges.

La première référence est antérieure à la lacune. Elle correspond peut-être à une authentique disparition – difficile à localiser – mais elle peut aussi s'expliquer par l'utilisation d'un document antérieur (voir la note *ad loc.*). Celles qui suivent correspondent à des rappels explicites ne renvoyant à rien de connu.

Bien qu'elles ne figurent pas dans les analyses de Zahn et Archambault, les quatre dernières doivent être ajoutées à cette liste : pour 115, 3, l'interprétation du passage retenue dans les traductions est défectueuse (voir la note *ad loc.*) ; pour 128, 4 Archambault renvoie à 85, 4 en oubliant de signaler que juste après (85, 6) figure, sur le même sujet, l'une des allusions à un passage perdu ; en 80, 5 et 118, 2, la référence est implicite, mais difficilement compréhensible sans envisager une citation antérieure. On constate d'autre part que ces deux passages renvoient à la même prophétie, et que son contenu correspond exactement à celui des autres rappels.

Il faut donc considérer, si l'on prend en compte aussi ces quatre dernières références, que la seconde partie du *Dialogue* comporte *deux* allusions à un développement sur l'existence des anges (79, 1 ; 128, 4), *deux* à une citation de *Zacharie* 3 (79, 4 ; 115, 3), et deux au Millénaire (80, 1-3 ; 80, 5). On observe par ailleurs que certaines des références retenues par Zahn et Archambault sont groupées dans les chap. 79 et 80, comme si les thèmes auxquels elles renvoient étaient liés. C'est ce que confirmera la suite de cette étude.

Différentes hypothèses ont été proposées pour trouver dans ce qui nous reste du *Dialogue* l'aboutissement des références auxquelles rien ne correspond explicitement : ainsi, pour 79, 1 (chute des anges), Maran renvoie à 78, 9-10 ; pour 80, 2 (Millénaire), Archambault (p. LXXIII) juge « inutile de supposer avec Zahn qu'il y avait eu précédemment description détaillée du

millénaire hiérosolymitain », et il renvoie, comme Otto, à *Dial.* 25, 1 ; 35, 8 ; 40, 4 ; 45, 4 ; 49, 2 ; 51, 2[11]. Aucune de ces hypothèses n'est véritablement satisfaisante, car les passages proposés n'ont qu'un rapport très indirect avec le sujet qu'elles sont censées illustrer.

Il existe toutefois un exemple contraire d'allusion pour laquelle aucune commentateur ne trouve de référence alors que celle-ci pourrait être située dans ce qui précède. Il s'agit de 79, 1* qui renvoie peut-être à 76, 3 dont la terminologie est similaire (voir la note *ad loc.*). Mais cette référence possible n'exclut pas l'existence, dans la lacune, d'un développement plus large, sur la chute des anges, dont plusieurs détails confortent par ailleurs l'hypothèse (voir ci-dessous, p. 63-64).

*

A l'exception de celles qui viennent d'être énumérées, toutes les allusions de Justin, dans le *Dialogue*, à des propos antérieurs se rapportent à des passages qui existent effectivement dans notre texte actuel[12]. On est donc en droit de considérer, contre Maran, que cette règle s'applique aussi aux rappels qui ne correspondent à rien de connu. On observe d'autre part que seul le premier de ces rappels isolés est antérieur à la lacune supposée. Il est donc permis de penser que ce qui correspond à tous les autres doit être cherché dans cette lacune.

G. Otranto[13] reproche à Archambault une propension excessive à résoudre les problèmes posés par le *Dialogue* en invoquant la lacune ou la « maladresse » littéraire de Justin. Mais il conclut comme lui à l'impossibilité de reconstituer le contenu de cette lacune, étant donné le caractère peu rigoureux de la démarche qui paraît adoptée dans l'œuvre :

> Ce serait une tentative vaine, pensons-nous, que d'essayer avec ces quelques données de retrouver la suite de la discussion dans ce passage disparu. La logique de Justin défie toute reconstitution, et

[11] ARCHAMBAULT admet néanmoins qu'un commentaire de *Ps.* 95, 8-10 a pu se perdre dans la lacune, et il concède qu'il n'est nulle part question, dans les références proposées, de divergences entre les chrétiens à propos du Millénaire.

[12] Pour le détail, voir Introduction pp. 24 (§ 2), 25 (§ 4-6), 26 (§ 9), 27 (§ 4 ; 6).

[13] *Esegesi biblica e storia in Giustino (Dial. 63-8)* [Quaderni di « Vetera Christianorum », 14], Istituto di Letteratura cristiana antica, Università di Bari, 1979, p. 164.

nous avons déjà indiqué, autant qu'il était possible, ce que l'on pouvait supposer à ce sujet[14].

Même en supposant, comme nous le verrons, que la partie perdue du *Dialogue* ait été assez étendue, il est difficile d'émettre une quelconque hypothèse sur son contenu. Les seuls éléments sur lesquels on peut prendre appui sont les propos qui précèdent ou suivent la lacune. Étant donnée la nature de l'œuvre, tout autre démarche ne peut conduire qu'à des résultats extrêmement aléatoires[15].

II – HYPOTHESES DE RECHERCHE

Ces conclusions négatives procèdent du jugement selon lequel le *Dialogue* serait écrit – volontairement ou par faiblesse – sans véritable structure. Les très nombreuses références justifiées à des développements antérieurs ou postérieurs prouvent au contraire que Justin adopte une démarche délibérée dont il demeure en permanence conscient, en dépit des apparentes digressions. Mais le mode de raisonnement qui préside à la composition d'ensemble du *Dialogue* comme à ses enchaînements de détail ne correspond à rien de ce qu'on trouve généralement chez les auteurs chrétiens contemporains et ultérieurs. D'où l'embarras des commentateurs, et les appréciations négatives qui se sont invariablement transmises à propos de cette œuvre.

Plutôt que d'évaluer le *Dialogue* avec des critères extérieurs à son esthétique, et de chercher à le comprendre à travers des schémas qui lui sont étrangers, il est préférable de se laisser guider par Justin lui-même en adoptant, pour la lacune comme pour le reste de l'œuvre, le mode de raisonnement qui est le sien. Cette approche fournit des résultats qui en confirment le bien fondé.

[14] ARCHAMBAULT, p. LXXXI.

[15] G. OTRANTO, *op. cit.*, p. 164 : « Pur supponendo, come vedremo, che la parte perduta del Dialogo sia piuttosto ampia, è difficile ipotizzare qualcosa sul suo contenuto. Gli unici elementi sui quali basarsi sono le parole che precedono e seguono la lacuna. Ogni altro tentativo, considerata la natura dell'opera, non può che risultare estremamente aleatorio. »

Trois principes président à l'organisation du *Dialogue* :

1) Tout développement fait référence à une source scripturaire *explicite*, généralement antérieure[16] ;
2) Même s'il donne lieu ponctuellement à des considérations qui ne concernent que lui, un verset – ou un ensemble de versets – doit toujours être situé *dans son contexte* d'origine : on y trouve en effet des références à d'autres thèmes qui apportent un éclairage particulier au sujet traité, et surtout qui justifient, dans les commentaires, l'association de motifs apparemment très éloignés les uns des autres.
3) C'est donc *dans les citations* que réside souvent l'unité permettant d'expliquer les transitions apparemment arbitraires et les « digressions » reprochées à Justin[17].

Ces principes peuvent s'appliquer à la lacune – y compris le fragment qui s'y trouvait sans doute[18] – comme au reste de l'œuvre. Dans l'étude qui suit, nous prendrons donc en considération, pour chaque verset ou groupement de versets explicitement ou implicitement utilisés dans ce fragment et dans les rappels sans aboutissement de la « seconde partie », *l'ensemble du texte dont ils sont extraits*. Si les règles énumérées ci-dessus s'appliquent bien aussi à la lacune, nous devrions retrouver, dans ces textes, les éléments perdus. Cette méthode s'avère fructueuse.

III – TEXTES AUXQUELS RENVOIE LE DEBUT DE LA LACUNE

Le texte de la « première partie » s'interrompt au moment où Justin commente le Psaume 95, invoqué pour répondre à l'interrogation de Tryphon sur le Christ « souffrant » (74, 1). Il n'est pas exact que le passage qui nous reste s'applique uniquement aux versets 1-3, comme l'affirment Archambault[19], ou G. Otranto[20], en laissant entendre que ce qui manque immédiatement après devait être constitué par la suite de ce commentaire.

[16] D'où les « interminables citations » si souvent décriées.

[17] Sur cette méthode, voir Introduction : Plan, p. 30-31 ; Exégèse, pp.110-111 ; 118-122.

[18] Voir ci-dessous. Dans la présente édition, ce fragment a été inséré à la place qui semble avoir été la sienne à l'origine.

[19] Introduction, p. LXIX.

[20] *Op. cit.*, p. 169.

En réalité, ce commentaire prend en compte l'ensemble du psaume (versets 1.2.4.5.10) que Justin interprète, selon la méthode qui lui est familière, en reprenant ses principaux éléments dans un ordre différent, et en faisant intervenir, pour éclairer cette interprétation, un autre psaume (46) déjà cité lui aussi[21]. C'est pour n'avoir pas vu que le passage était composé ainsi que les commentateurs en ont réduit le contenu aux trois premiers versets du Psaume 95, et la portée au thème du Messie « souffrant ».

Comme pour l'ensemble du débat en cours (chap. 72 s.) les thèmes directeurs de ce commentaire, sont certes la Passion, mais aussi la Résurrection, l'élévation (Ascension), le Salut et le Règne universel du Christ. C'est pour les illustrer tous que Justin invoque (73, 1) puis cite *in extenso* (73, 3-4) le *Ps.* 95. Ces différentes composantes de la christologie sont en effet pour lui intimement liées, et communes à toutes les citations présentées (72, 1 s.) comme exemples de mutilations des Écritures pratiquées par les juifs. La question de Tryphon portait uniquement sur la Passion (παθητός : 74, 1). La réponse de Justin a pour fonction de montrer que celle-ci est indissociable du Salut et de la Résurrection. Il l'exprime d'ailleurs clairement, à deux reprises, dans sa présentation du psaume : « Ce seul *crucifié* dont l'Esprit Saint dit aussi, dans le même psaume, qu'il est *sauvé* et qu'il est *ressuscité*... » (73, 2) ; « ...le mystère de ce *Salut* – j'entends la *souffrance* du Christ par lequel il les a *sauvés* » (74, 3). Le rapprochement insistant entre le *Salut* (σωτήριον), et le *mystère* (μυστήριον) de la Croix (σταυρωθῆναι) est une autre expression de cette affinité. Et si le Psaume 46 est convoqué pour le commentaire du Psaume 95, c'est parce qu'il partage avec lui un certain nombre de similitudes qui permettent la fusion de leurs thématiques respectives. Ce qui manque à la fin de 74, 3 devrait donc illustrer l'ensemble de cette christologie, et non simplement l'un de ses aspects (Passion).

Aucun des commentateurs n'observe d'autre part que la formule ὡς καὶ διὰ, par laquelle ce passage s'interrompt brusquement n'est pas exceptionnelle dans le *Dialogue* : de telles formules introduisent toujours une référence scripturaire allant dans le même sens que ce qui vient d'être dit, et offrant, avec ce qui précède, des similitudes lexicales et thématiques[22]. Si l'on applique ici cette règle, le texte qui convient le mieux à la thématique d'ensemble telle qu'elle est définie ci-dessus est *Is.* 52, 10-54, 6, intégralement cité en 13, 2-9.

[21] Partiellement, en 37, 1. Pour le commentaire de ce passage, voir la note *ad loc.*

[22] Cf. *Dial.* 25, 1 ; 36, 5 ; 82, 3 etc.

Plusieurs indices permettent d'envisager cette solution :

1) Ce texte d'Isaïe est introduit alors[23] par une formule similaire (ὡς αὐτὸς Ἡσαΐας ἔφη). On retrouve cette même formule, introduisant un verset emprunté au même texte (*Is.* 53, 7), dans un passage qui précède de peu 74, 3, et appartient au même ensemble : ὡς καὶ διὰ τοῦ Ἡσαΐου προεφητεύθη (72, 3).

2) Comme le *Ps.* 95, *Is.* 52, 10 s. comporte des allusions aux thèmes du Salut et de la Rédemption (52, 10 etc.), de l'élévation (52, 10.13*), de la Passion (53, 1 s.), et du règne universel (52, 10.14.15).

3) Conformément à la méthode généralement adoptée par Justin, presque tous les éléments de la longue citation d'*Is.* 52-54 sont repris et commentés ultérieurement[24], à l'exception, précisément, de ceux qui nous intéressent ici : *Is.* 52, 10-13 (*Dial.* 13, 2) et 54, 1-3 (*Dial.* 13, 8).

4) On rencontre à la fin de ce texte (*Dial.* 13, 8), deux termes essentiels pour la compréhension du fragment situé dans la lacune : πλάτυνον ; τὰ σχοινίσματα (*Is.* 54, 2 : 13, 8). Ces termes, qui s'insèrent dans une thématique d'ensemble cohérente, lui ont incontestablement été empruntés[25].

L'ensemble de ces observations invite à considérer comme très vraisemblable la disparition d'une citation plus ou moins importante d'*Is.* 52-54 au début de la lacune.

IV – TEXTES AUXQUELS RENVOIE LE FRAGMENT

Ce fragment a été édité et traduit par le cardinal Mercati[26] qui conclut à son authenticité et le situe au début de la seconde partie du *Dialogue*, en s'appuyant essentiellement sur des similitudes thématiques avec cette seconde partie (défection d'Israël, héritage des nations), mais sans

[23] *Dial.* 13, 1.

[24] Voir les renvois en notes dans le chapitre où ce texte se trouve cité.

[25] Voir ci-dessous, p. 60-61.

[26] « Un frammento nuovo del *Dialogo* di san Giustino », in : « Note bibliche » : *Biblica* 22 (1941), p. 354-362. Nouvelle édition critique par M. MARCOVICH, 1997, p. 315-316. L'édition princeps de ce fragment caténique du *Dialogue* date de 1700 (Grabe), mais d'après un manuscrit tardif (fin du XVe s.) et qui abrège plus.

procéder toutefois à une analyse détaillée de son contenu. G. Otranto[27] cite lui aussi ce passage – sans s'attarder davantage sur sa teneur – dans la version éditée par le cardinal Mercati dont il reprend les conclusions.

Ce fragment offre pourtant une riche illustration de la méthode exégétique propre à Justin (ce qui constitue un critère d'authenticité), et de précieuses indications pour la solution du problème posé par la lacune. Ici encore, c'est en adoptant le raisonnement analogique de son auteur qu'on peut espérer en restituer la cohérence, et peut être la localisation[28].

Ce passage est présenté comme une scholie du *Ps.* 2 (σχόλια τοῦ β' ψαλμοῦ), et plus particulièrement du verset 3 (διαρρήξωμεν τοὺς δεσμοὺς αὐτῶν) que Justin commente à l'aide d'un verset de *Jérémie* (2, 19) comportant une expression similaire (διέρρηξας τοῦ δεσμούς σου). Le Psaume 2, cité selon toute vraisemblance dans le passage qui précède le fragment, est absent de ce qui nous reste du *Dialogue*. Mais il est donné *in extenso* dans l'*Apologie* (I, 40, 11-19). Il est alors inséré dans un ensemble de textes prophétiques que Justin introduit en ces termes :

> En outre, il sera fort à propos, croyons-nous, de mentionner ici d'autres prophéties du même David, où vous pourrez apprendre quelles règles de vie l'Esprit prophétique propose aux hommes ; comment il indique la complicité du roi des Juifs Hérode, des Juifs eux-mêmes et de Pilate, votre procurateur en Judée, avec ses soldats, contre le Christ ; que des hommes de toute race devaient croire en lui, que Dieu l'appelle son Fils et déclare qu'il lui soumet tous ses ennemis ; comment les démons, autant qu'ils en ont les moyens, s'efforcent d'échapper au pouvoir de Dieu, le père et le maître de l'univers, et à celui du Christ lui-même, et que Dieu appelle tous les hommes au repentir avant que vienne le Jour du jugement. (trad. A. Wartelle).

Cette entrée en matière offre un *résumé exact* du contenu des prophéties citées ensuite : chacun de ses éléments correspond en effet à une partie de verset, un verset, ou un ensemble de versets :

[27] *Op. cit.*, p. 165.

[28] ARCHAMBAULT faisait preuve, à son sujet, d'une excessive prudence : « Mais si rien ne s'oppose à ce que ce morceau ait fait partie du *Dialogue* ...on ne saurait fournir la preuve positive qu'il lui a de fait appartenu. » (p. XXXIX).

« Quelles règles de vie… »	*Ps.* 1 (*I Apol.* 40, 8-10)
"« la complicité du roi des Juifs Hérode, des Juifs eux-mêmes et de Pilate, votre procurateur en Judée… »	*Ps.* 2, 2 (*I Apol.* 40, 11) « οἱ βασιλεῖς τῆς γῆς »
« que des hommes de toute race devaient croire en lui »	*Ps.* 2, 8 (*I Apol.* 40, 15)
« que Dieu l'appelle son Fils… »	*Ps.* 2, 7 (*I Apol.* 40, 14)
«...et déclare qu'il lui soumet tous ses ennemis »	*Ps.* 2, 8-9 (*I Apol.* 40, 15)
« comment les *démons* ...s'efforcent d'échapper au pouvoir de *Dieu* ...et à celui du *Christ* lui-même »	*Ps.* 2, 2 (*I Apol.* 40, 11) « οἱ *ἄρχοντες* ...κατὰ τοῦ *κυρίου* καὶ κατὰ τοῦ *χριστοῦ* αὐτοῦ... »
« et que Dieu appelle tous les hommes au repentir. »	*Ps.* 2, 11-12 (*I Apol.* 40, 17-19)

Le rapprochement est, dans la plupart des cas, explicite ou évident, ce qui autorise à rechercher dans ce même ensemble, les autres éléments annoncés. Il apparaît ainsi que les *démons* correspondent aux ἄρχοντες[29] du v. 2, et la complicité d'Hérode, des juifs et de Pilate aux βασιλεῖς τῆς γῆς du même verset.

C'est vraisemblablement à une interprétation similaire du Psaume 2 que font référence les premiers mots du fragment : φανερὸν οὐ περὶ ἐθνῶν ἀλλοφύλων ἀλλὰ περὶ τοῦ 'Ισραήλ. L'expression ἐθνῶν ἀλλοφύλων rappelle ἔθνη et λαοί du verset 1. On note toutefois une variante, que justifie sans doute la différence des destinataires : dans l'*Apologie*, juifs et païens, avec leurs dirigeants, sont associés dans la persécution du Christ ; il semble ici que l'application des premiers versets du psaume soit réservée aux juifs. Cette exclusivité est fondée sur un rapprochement avec *Jér.* 2, 19, indiscutablement adressé à Israël, et présentant la même expression (διέρρηξας τοὺς δεσμούς σου).

On remarque par ailleurs que le *Ps.* 95 et le *Ps.* 2, présents juste avant la lacune pour le premier, et sans doute juste avant le fragment pour le second, sont également associés dans le passage de l'*Apologie* qui vient d'être évoqué (40-41). Cette coïncidence n'est peut être pas fortuite. Il est possible que les

29 Sens confirmé par d'autres occurrences du mot dans le *Dialogue* (cf. 124, 2-3).

deux textes aient fait partie d'un même ensemble attesté par l'*Apologie*, et constitutif de ce qui s'est perdu dans la lacune.

Un détail supplémentaire pourrait venir conforter cette hypothèse : Dans la seconde partie du *Dialogue* (79, 1.4), Tryphon fait référence à un développement – perdu ? – sur la chute des anges. Or ce thème est également annoncé, en *I Apol.* 40, 7 dans la présentation du Psaume 2 reproduite ci-dessus, et il correspond selon toute vraisemblance au verset 2 (voir texte et tableau). On peut, là encore, imaginer que ce verset était pris en compte ou utilisé comme base, dans le développement disparu.

*

La composition du fragment – mal restituée là où il se trouve édité et traduit – est elle aussi riche d'enseignements :

Si Justin interprète les nations (ἔθνοι, λαοί) de *Ps.* 2, 1 – précédemment cité sans doute – en relation aux juifs c'est parce que le verset 3 du même psaume comporte les expressions *διαρρήξωμεν τοὺς δεσμοὺς αὐτῶν καὶ ἀπορρίψωμεν ἀφ' ἡμῶν τὸν ζυγὸν αὐτῶν* que l'on retrouve, inversées, et cette fois explicitement adressées à Israël, dans le verset de *Jér.* 2, 20 qu'il cite juste après : *συνέτριψας τὸν ζυγόν σου, καὶ διέρρηξας τοὺς δεσμούς σου.* Ces deux expressions sont ensuite expliquées par un rapprochement avec *Is.* 5, 18. Le glissement s'effectue alors entre les motifs du *lien* (δεσμόν, συνέδησαν), et du *cordeau* (σχοινίῳ), ce qui permet un nouveau rapprochement entre les deux textes précédemment cités (*Ps.* 2, 3 ; *Jér.* 2, 19), et d'autres versets (*Is.* 5, 18 ; *Ps.* 21, 17 ; *Is.* 3, 9). L'ensemble ainsi constitué paraît signifier qu'en *rompant les liens* de la divine crainte (*διέρρησον* τὸν τοῦ θεϊκοῦ φόβου δεσμὸν), les juifs se sont *enchaînés au long cordeau de leurs péchés* (*ἐπισπώμενοι ὡς σχοινίῳ μακρῷ τὰς ἁμαρτίας*), au point de finir par *lier les mains et les pieds* (συνέδησαν *χεῖρας καὶ πόδας*) du Christ crucifié. Cette continuité thématique a pour effet de présenter le supplice infligé au Christ comme inscrit « dans le droit fil » des péchés antérieurs. Or, par un paradoxe chargé de signification théologique, ce sont précisément les *liens* utilisés pour la Passion, et transformés par elle en *cordeaux* (σχοινία), qui vont servir à libérer « ceux par lesquels il fut *lié* » (πρῶτον οἷς ἐδεσμεύθη), puis tous ceux des nations.

La fin du fragment est « liée » à ce qui précède par la même thématique maintenant prolongée à travers l'image reprise du *cordeau* (σχοινία) utilisé ici comme instrument de mesure de l'*espace étendu* (τῶν πλατυνομένων

σχοινισμάτων) à l'ensemble des *nations* (ἔθνη) dont le Rédempteur a *hérité* (κληρονομία) par sa Passion..

Le raisonnement très elliptique de tout ce passage repose donc sur des associations lexicales favorisant des glissements thématiques qui peuvent se décomposer ainsi :

- *Ps.* 2, 3 (διαρρήξωμεν ...δεσμοὺς ...ζυγὸν) → *Jér.* 2, 19 (συνέτριψας ...ζυγόν ...διέρρηξας ...δεσμούς)
- *Jér* 2, 19 (ζυγόν ...δεσμούς) → *Is.* 5, 18 (σχοινίῳ)
- *Is.* 5, 18 (σχοινίῳ) → *Ps.* 21, 17 + *Is.* 3, 9 (συνέδησαν)
- *Ps.* 21, 17 + *Is.* 3, 9 (συνέδησαν) → *Ps.* 15, 6a (σχοινία)
- *Ps.* 15, 6a (σχοινία ...τῶν κρατίστων) → 15, 6b (κληρονομία ...κρατίστη)

⇒ σχοινία → κληρονομία
- *Ps.* 15, 6a (σχοινία) → *Is.* 54, 2 (σχοινίσματα)
- *Ps.* 15, 6b (κληρονομία) → *Is.* 54, 3 (κληρονομήσει)[30]
- *Is.* 54, 2 (τὰ σχοινίσματα) → *Is.* 54, 3 (ἔθνη κληρονομήσει)

⇒ σχοινία → σχοινίσματα = ἔθνῶν κληρονομία[31].

Tant par sa méthode que par son contenu ce développement est tout à fait caractéristique de l'herméneutique que Justin utilise en plusieurs endroits du *Dialogue*. Les similitudes avec l'exégèse midrashique sont évidentes[32].

*

Les textes invoqués dans ce fragment ne sont cités que de façon très fragmentaire, le plus souvent par allusion. Si l'on applique ici la règle observée dans tout le reste du *Dialogue*, il convient de prendre en compte

[30] La référence à *Is.* 54, qui apparaît très vraisemblable à travers l'utilisation du mot – assez rare – σχοινίσματα, est confirmée par une autre similitude entre le texte d'Isaïe et le commentaire de Justin : au participe τῶν πλατυνωμένων (Justin) correspond, chez Isaïe, le verbe πλάτυνον (54, 2). Même si elle demeure implicite, cette référence est donc certaine. Or ce passage d'Isaïe était précisément l'un de ceux dont on soupçonnait la disparition au début de la lacune.

[31] Cp. METHODE, *Banquet*, X, 6, 276 : οἱ περὶ τὸ σχοίνισμα τῆς κληρονομίας ἐπικληθέντες (éd. H. Musurillo - V. H. Debidour : *SC* 95, p. 300) ; GREGOIRE DE NAZIANCE, *Orat.*, 42, 9 : Ἐν οἷς ἐστε καὶ ὑμεῖς ...σχοίνισμα κυρίου τὸ κράτιστον (*PG* XXXVI, 469 B). Textes cités par M. MARCOVICH, p. 316.

[32] Voir Introduction (Exégèse), p. 121-122. Il n'est pas exclu que de tels regroupements s'appuient également sur des recueils de Testimonia.

non seulement ces passages mais aussi tout le contexte dont ils sont tirés. Parmi les textes en question, certains ont déjà été cités dans la première partie du *Dialogue* – *Jér.* 2 (19, 2) ; *Is.* 5 (*Dial.* 17, 2) ; *Is.* 54 (*Dial.* 13, 8) – ou le seront ultérieurement : *Ps.* 21 (*Dial.* 98 s.). Nous nous intéresserons donc plus particulièrement à ceux qui n'apparaissent jamais dans ce qui nous reste de l'œuvre, et dont on peut soupçonner la disparition dans la lacune. Ici encore, cette méthode offre des résultats qui en justifient l'adoption : Le Psaume 2, dont seuls les versets 1, 3 et 8 paraissent utilisés dans le commentaire du fragment comporte également la mention d'un thème évoqué dans la seconde partie du *Dialogue*, et renvoyant à des développements disparus : le rassemblement universel des nations, sur la Montagne sainte, c'est-à-dire le Millénaire :

> (*Ps.* 2, 6)*Pour moi, j'ai été par lui sacré roi, sur Sion, sa montagne sainte,* (7)*pour publier l'ordonnance du Seigneur. Le Seigneur m'a dit : Tu es mon fils, aujourd'hui je t'ai engendré.* (8)*Demande-moi, et je te donnerai les nations pour héritage, et pour possession les extrémités de la terre*[33].

Le verset 7 de ce psaume est par ailleurs évoqué à plusieurs reprises dans la seconde partie, sans référence au contexte. Or Justin cite toujours *in extenso* ou en grande partie les textes qu'il commente ensuite en différents endroits. Ces deux observations rendent donc très vraisemblable l'hypothèse d'une citation partielle ou totale de ce psaume dans la lacune, et plus précisément dans ce qui précède le fragment.

A la fin du fragment, Justin cite *Ps.* 15, 6 de façon très allusive, comme si ce psaume demeurait dans la mémoire des interlocuteurs pour avoir été, lui aussi, précédemment cité, plus largement ou dans son ensemble. Si l'on prend en considération l'intégralité de ce psaume, on constate qu'il comporte lui aussi la mention d'un thème contenu en germe avant la lacune (72, 4), rappelé en seconde partie (105, 4), et ne renvoyant à rien de précis dans ce qui nous reste du *Dialogue* : les âmes livrées au séjour des morts. (*Ps.* 15, 10) *Car tu ne livreras pas mon âme au séjour des morts.* On peut donc supposer que le développement auquel fait allusion le rappel de Tryphon concernait ce verset, ou s'appuyait sur lui, et que le Psaume 15 était lui aussi cité dans ce qui précède.

[33] Texte traduit d'après la version des LXX.

V – TEXTE AUQUEL RENVOIE LA FIN DE LA LACUNE

La lacune s'interrompt avec une citation de *Deut* 31. Le thème directeur est alors, comme dans le début du fragment, la défection d'Israël. Mais ce qui précède dans le texte du Deutéronome comporte également une référence à Josué, successeur de Moïse. La citation de ces versets est d'autant plus vraisemblable que le commentaire proposé juste après par Justin (75, 1), porte sur le nom de Josué-Jésus, et semble faire référence à des considérations sur ce point.

VI – TEXTES AUXQUELS RENVOIENT LES RAPPELS DE LA SECONDE PARTIE

La seconde partie du *Dialogue* comporte plusieurs passages renvoyant à des considérations perdues. Les questions traitées portent alors sur les thèmes suivants : existence et chute des anges (79, 1 ; 85, 6 ; 128, 4) ; opposition du diable à Josué le Grand prêtre à Babylone (79, 4 ; 115, 3) ; résurrection de la chair (80, 4-5), Millénaire à Jérusalem (80, 1.5) ; divergences entre chrétiens sur ce point (79, 2.4-80, 1-5) ; verus Israel (123, 7). L'analyse de ces différents passages appelle les remarques suivantes :

a) On observe que l'essentiel de ces rappels se *trouve groupé dans les chap. 79-80*, ce qui laisse entendre qu'ils renvoient à un ensemble commun.

b) Plusieurs de ces passages – situés ou non dans cet ensemble que constituent les chap. 79-80 – *renvoient* par une citation partielle, par allusion, ou par une mention explicite de leur auteur aux *mêmes prophéties* d'Ézéchiel (37-46) et de Zacharie (1-3)[34]. Or la « seconde partie » du *Dialogue* comporte aussi, par ailleurs, un certain nombre de remarques dont le sens apparaît plus clairement si on suppose ces prophéties déjà citées : 118, 2* (cf. *Éz.* 44-46) ; 126, 1 (*Éz.* 40, 3.4.5) ; 136, 2 (*Éz.* 36, 12) ; 137, 2 (*Zach.* 2, 8) ; 83, 3* (*Zach.* 2, 16 et 3, 2).

c) Le développement de 79, 4 se présente comme un *rappel* de sources scripturaires illustrant la chute des anges et de leur chef. Parmi les textes invoqués, seul le dernier correspond, dans ce qui précède, à une citation contenue dans ce qui nous reste du *Dialogue*. Or le verset rappelé est alors tiré du *Ps.* 95, justement celui qui est commenté au moment ou intervient la

[34] *Dial.* 79, 4 et 115, 3 (*Zach.* 3) ; *Dial.* 80, 1 (*Zach.* 1, 16 ?) ; *Dial.* 80, 5 (*Éz.* 37, 7-8 ; 40) ; *Dial.* 123, 6-7 (*Éz.* 36).

lacune. Les autres textes rappelés dans ce même passage (*Zach.* 3, 1 ; *Job.* 1, 6 ; 2, 1 ; *Gen.* 3, 1-6 ; *Nombr.* 12, 7) sont absents de tout le reste de l'œuvre, y compris avant la lacune. On peut simplement trouver une allusion à deux des épisodes évoqués (faute du serpent, et magiciens d'Égypte) en 39, 6 et 46, 3. Il est probable que les textes, ici rappelés – ou tout au moins certains d'entre eux –, ont déjà été cité antérieurement, c'est-à-dire dans la lacune. Pour *Zach.* 3, cette supposition est confirmée par un rappel explicite en 115, 3*.

d) En *Dial.* 80, 5, Justin ne donne directement aucune source mais mentionne explicitement Isaïe et Ézéchiel comme auteurs de prophéties sur la résurrection et le Millénaire à Jérusalem. Isaïe est ensuite cité et commenté (chap. 81), mais le texte d'Ézéchiel auquel semblent faire référence plusieurs éléments de ce passage n'apparaît nulle part dans ce qui nous reste du *Dialogue.* Il y a là une raison supplémentaire d'en supposer une citation dans la lacune.

e) En 123, 6, Justin laisse entendre, en s'appuyant sur *Éz.* 36, 12, que les chrétiens sont le véritable Israël. Ces propos sont immédiatement suivis d'une remarque indignée de Tryphon (123, 7) et d'une réponse de Justin assurant avoir déjà « abondamment parlé de ces choses », alors que cette affirmation ne correspond à rien de précis dans ce qui nous reste du *Dialogue*[35]. C'est manifestement à ce même texte d'Ézéchiel que Tryphon réagit ici, et c'est sans doute sur lui que s'appuyait Justin pour ces « abondantes » considérations sur le véritable Israël.

L'ensemble de ces observations permet de penser que figuraient effectivement dans la lacune des développements sur la chute des anges, la résurrection, le Millénaire, et le véritable Israël, et que ces développements, introduits par le *Ps.* 95, utilisaient comme principales références scripturaires *Zach.* 1-3 et *Éz.* 36-46, auxquels renvoient de très fréquentes allusions explicites ou implicites.

Une fois encore, l'hypothèse est confirmée par le contenu d'ensemble de ces deux prophéties : on y retrouve en effet, autour des passages qui sont cités seulement de façon fragmentaire ou allusive par Justin, les principaux thèmes qui viennent d'être énumérés :

[35] Voir la note *ad loc.*

- Chute des anges : *Zach*. 3, 1 s.
- Résurrection de la chair : *Éz*. 37, 3-14[36]
- Défection et rétablissement d'Israël : *Éz*. 36 s. (*passim*) ;
- Restauration de Jérusalem : *Éz*. 36, 10.33-35 ; 40 s. ; *Zach*. 1, 16 ; 2, 2.12 ; 3, 2 etc.
- Rassemblement des nations : *Éz*. 36, 24.37-38 ; *Zach*. 2, 4.11 etc.

Un détail supplémentaire vient dissiper les derniers doutes : on retrouve, *dans ces deux textes*, un même motif, essentiel pour le fragment, et nécessaire à la compréhension de sa très elliptique cohérence. Le chapitre 2 de Zacharie s'ouvre ainsi :

> « *Je levai les yeux et je regardai, et voici, il y avait un homme, tenant dans la main un cordeau (σχοινίον)* [37] *pour mesurer. Je demandai : Où vas-tu ? Et il me dit : Je vais mesurer Jérusalem pour voir de quelle largeur et de quelle longueur elle doit être. Et voici, l'ange qui parlait avec moi s'avança, et un autre ange vint à sa rencontre. Il lui dit : Cours, parle à ce jeune homme, et dis : Jérusalem sera une ville ouverte, à cause de la multitude d'hommes et de bêtes qui seront au milieu d'elle.* »

Au verset 3 du chapitre 40 d'Ézéchiel, consacré lui aussi à la restauration de Jérusalem, on trouve les indications suivantes :

> « *Il me conduisit là et voici, il y avait un homme dont l'aspect était comme l'aspect étincelant de l'airain ; il avait dans la main un cordeau (σπαρτίον)*[38] *de lin, ainsi qu'une canne à mesurer, et il se tenait à la porte...* »

Ce détail du *cordeau*, commun aux deux textes dont on a bien des raisons de soupçonner la disparition dans la lacune, n'est évidemment pas fortuit : c'est le motif de la *corde* et du *lien* qui permet d'assembler les différentes thématiques qui précèdent la lacune, tissent le réseau sémantique du fragment, et sont rappelées dans la seconde partie ; c'est à travers lui que l'on peut reconstituer l'enchaînement des citations effectives ou soupçonnées :

[36] Texte présenté comme prophétie de la résurrection en *I Apol.* 52, 3-5. Si Justin a effectivement parlé de ce sujet dans le *Dialogue*, c'est très vraisemblablement à ce texte qu'il faisait référence.

[37] Même motif en *Zach*. 1, 16 (cité par allusion en 80, 1) Le texte des LXX porte alors μέτρον, mais on peut supposer que celui de Justin avait σχοινίον.

[38] Il n'est pas impossible que dans le texte utilisé par Justin (Testimonia ?) le mot σχοινίον ait été substitué ici à σπαρτίον.

* Passion :
Ps. 21, 17 ; *Is.* 3, 9 (***συνέδησαν*** *χεῖρας καὶ πόδας σταυρουμένου χριστοῦ*)[39].
* Héritage du Christ :
Ps. 15, 6a (***σχοινία*** *γάρ μοί φησιν ἐπέπεσον τῶν κρατίστων*...)[40].
* Vocation des nations :
Is. 54, 2.3 (*ἡ νῦν ἐξ ἐθνῶν τῶν πλατυνομένων* ***σχοινισμάτων*** *κλῆσις*)[41].
* Chute des anges :
Ps. 2, 3 (*διαρρήξωμεν* ***τοὺς δεσμοὺς*** *αὐτῶν*)[42].
* Millénaire à Jérusalem :
Zach. 1, 16 (*καὶ [σχοινίον] ἐκταθήσεται ἐπὶ Ἰερουσαλὴμ ἔτι*)[43]
Zach. 2, 1 (*καὶ ἰδοὺ ἀνὴρ καὶ ἐν τῇ χειρὶ αὐτοῦ* ***σχοινίον***...)[44].
Éz. 40, 3 (*καὶ ἐν τῇ χειρὶ αὐτοῦ ἦν* ***σπαρτίον*** *οἰκοδόμων*...)[45].
* Défection d'Israël :
Jér. 2, 19 : (*καὶ διέρρηξας* ***τοὺς δεσμούς*** *σου*)[46].
Is. 5, 18 : (*ἐπισμώμενοι ὡς* ***σχοινίῳ*** *μακρῷ τὰς ἁμαρτίας*)[47].

VII – RESULTATS D'ENSEMBLE

A ce stade de la recherche, il apparaît donc que tous les textes auxquels renvoient ce qui précède la lacune, le fragment, et les rappels sans aboutissement de la seconde partie sont unis par des thématiques communes.

Ces thématiques correspondent exactement au contenu des développements dont on suspecte la disparition. Le tableau suivant détaille ces similitudes :

[39] Fragment. Sur le verbe συνδεῖν dans la citation d'Isaïe, voir la note en 137, 3*.

[40] Fragment.

[41] Fragment ; début de la lacune ?

[42] Fragment ; passage précédant le fragment ?

[43] Lacune ?

[44] Lacune ? ; cf. *Dial.* 115.116.

[45] Lacune ?

[46] Fragment.

[47] Fragment ; cf. *Dial.* 17, 2 et 133, 4.

	Is. 52-54	*Is.* 5, 18	*Ps.* 2	*Ps.* 15	*Ps.* 148	*III R* 28	*Zach* 1-3	*Éz.* 36 s.	*Deut.* 31
Passion	(*passim*)						*Zach.* 3, 3		
Anges, diable			*Ps.* 2, (2).3		*Ps.* 148, 1-2		*Zach.* 3, 1		
Âmes				(*Ps.* 15, 10)		III, 28, 7			
Jésus-Josué							*Zach.* 3, 1 s.		(*Deut.* 31, 7.14)
Jérusalem, millénaire							*Zach.* (1, 16 ; 2,.4.12) 3, 2.	(*Éz.* 36, 10. 33-35 ; 40 s.)	
Résurrection de la chair								(*Éz.* 37, 3-14)	
Liens, corde, cordeau	(*Is.* 54, 2)	*Is.* 5, 18		*Ps.* 15, 6			(*Zach.* 1, 16 ; 2, 2)	(*Éz.* 40, 3)	*Deut.* 31, (7).16
Défection d'Israël			*Ps.* 2, 1	(*Ps.* 15, 4)			(*Zach.* 2, 11-12)		(*Deut.* 31, 7.13)
Héritage des nations	(*Is.* 52, 10 ; 53, 11 ; 54, 2)		*Ps.* 2, 8	*Ps.* 15, (5)-6				(*Éz.* 36, 24. 37-38)	

Les références indiquées entre parenthèses correspondent à des passages – déjà cités ou non – dont on suppose la disparition dans la lacune. Les autres figurent dans le fragment ou sont explicitement présentés dans la seconde partie comme ayant été déjà cités.

Présenté de façon synoptique, ce réseau de correspondances pourrait alors être schématisé ainsi :

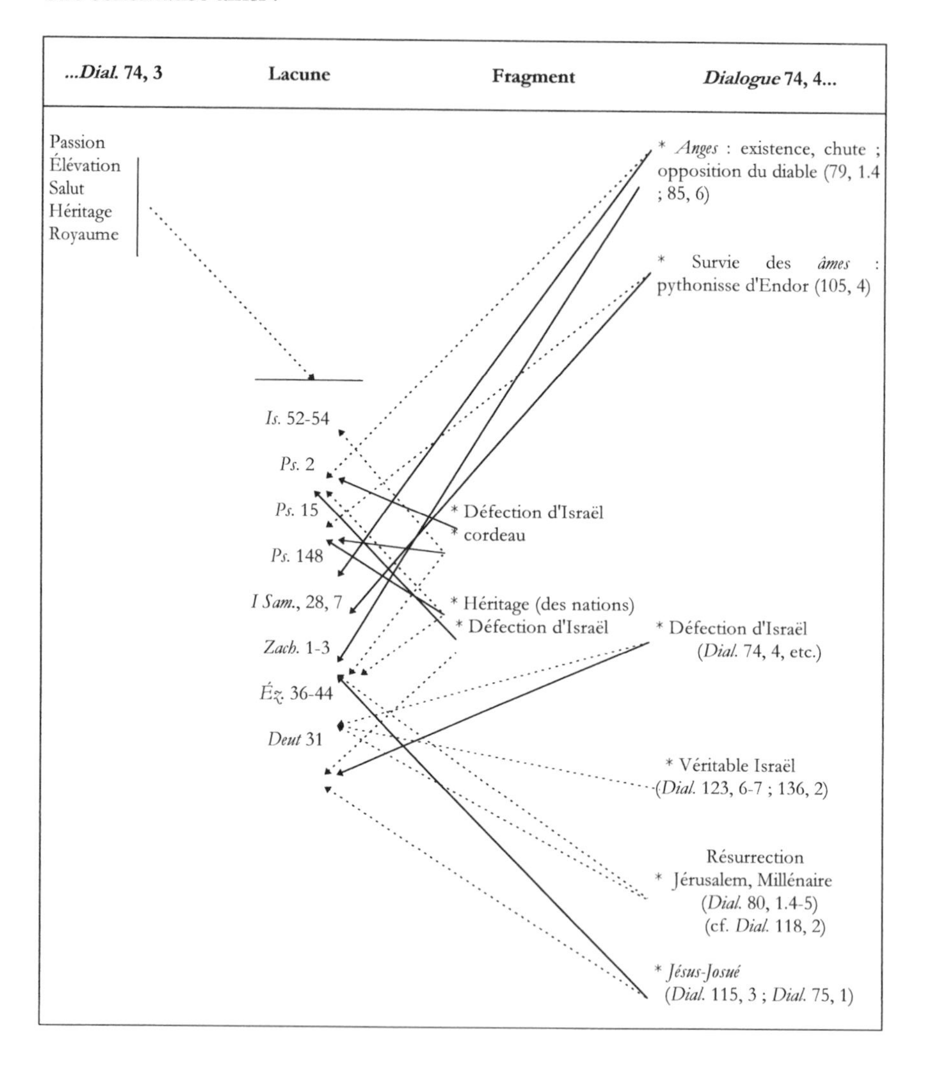

Les traits continus indiquent une citation ou une référence explicite à une citation antérieure, les traits discontinus une référence implicite ou vraisemblable.

Ce schéma montre,

1) que l'interruption de *Dial.* 74, 3, le fragment, et les allusions de la seconde partie renvoient *aux mêmes textes* ;

2) que le renvoi à ces textes ou à leur utilisation *est toujours au moins une fois explicite* (dans le fragment ou dans la seconde partie du *Dialogue*). Les renvois qui demeurent vraisemblables mais hypothétiques dans l'un de ces deux ensembles, sont toujours au moins une fois explicites dans l'autre[48]. La situation du fragment dans la lacune se trouve ainsi confirmée.

3) que le contenu *commun* à ces divers textes correspond exactement au détail des rappels qui, dans la seconde partie du *Dialogue*, ne pouvaient être rapportés à aucun passage connu.

Toutes ces observations sont concordantes. Elles permettent donc de penser que ce qui a disparu dans la lacune était constitué d'unités correspondant à ces différents textes, articulées grâce aux thèmes que ces textes ont en commun, et unies par le motif du *lien* ou du *cordeau*.

VIII – ESSAI DE RECONSTITUTION

L'ordre des citations – et donc celui des développements – reste en partie indéterminé car les « digressions » ou les retours sur un verset (ou un passage) d'un texte précédemment cité *in extenso* ne sont pas rares dans le *Dialogue*. On sait toutefois,

1) qu'*Is.* 52-54, s'il est retenu, se situe au début de la lacune ;

2) que le Psaume 2 devait précéder immédiatement le fragment présenté comme son commentaire ;

3) que *Deut.* 31 se trouvait immédiatement avant la fin de la lacune ;

4) que les éléments dont la répétition est justifiée, dans la seconde partie, par la venue de nouveaux auditeurs « le second jour » étaient tous situés avant la fin de la première journée. Cela s'applique donc aussi aux rappels

[48] Ceux qui portent sur Ézéchiel ont été présentés avec un trait discontinu car la seconde partie du *Dialogue* ne comporte aucun renvoi indiscutablement explicite à ce texte. Mais le prophète est *nommé* dans trois des passages renvoyant à des thèmes vraisemblablement traités dans la lacune (80, 5 ; 118, 2 ; 126, 1), et la référence à sa prophétie est évidente en 123, 6-7.

qui ne correspondent à rien de connu, et aux textes dans lesquels ces thématiques sont centrales : Millénaire (*Zacharie* ; *Ézéchiel*) ; existence des anges (*Ps.* 148) ; et peut-être également aux passages consacrés à la survie des âmes (*Ps.* 15).

On peut aussi penser,

5) que *Ps.* 15 et *I Sam.* 28, 7 n'étaient pas très éloignés l'un de l'autre, puisque ces deux textes se réfèrent aux âmes. Il faudrait donc placer aussi la deuxième de ces références avant la fin de la première journée.

6) que les développements sur la survie des âmes n'étaient pas très éloignés du début de la lacune, puisque le thème du Salut lié à la Passion est commun à plusieurs des citations qui précèdent cette lacune, et apparaît en particulier dans le texte attribué à Jérémie (72, 4) : (*Jér.* ? ; cf. *I Petr.* 4, 6)*Le Seigneur Dieu, saint Israël, s'est souvenu de ses morts, qui se sont endormis dans la terre du tombeau, et il est descendu vers eux pour leur annoncer la bonne nouvelle de son Salut.*

7) que les citations d'Ézéchiel et de Zacharie, unies par une même thématique du Millénaire, étaient proches l'une de l'autre.

8) que *Zach.* 3 et *Deut* 31 étaient associés par leur commune mention de Jésus-Josué, figure du Christ.

9) que le *Ps.* 2, qui précédait sans doute immédiatement le fragment était lié à *Deut.* 31, incomplètement cité au début de la « seconde partie », puisque ces deux textes, ainsi que le commentaire du premier (fragment) ont en commun le thème de la défection d'Israël.

10) que le fragment, avec la citation qui le précédait (*Ps.* 2) était situé dans la seconde journée, et peu avant la fin de la lacune puisque ses deux thématiques principales (défection d'Israël, vocation des nations) correspondent à la fois au contenu essentiel de *Deut.* 31, incomplètement cité en 74, 4, et aux derniers chapitres du *Dialogue.* Les derniers mots du fragment se présentent à l'évidence comme une annonce de ces derniers chapitres.

On voit ainsi se dessiner quelques ensembles cohérents autour de thèmes concordants, entre lesquels il est aisé d'imaginer des transitions :

* Passion et Résurrection, Salut des âmes
(*Ps.* 95 + *Is.* 52-54 + *Ps.* 15 + *III Rois*, 28, 7)
* Existence et chute des anges
(*Ps.* 2 + *Ps.* 148 + *Zach.* 3)

* Résurrection de la chair et Millénaire à Jérusalem
(*Éz.* 36.37.40 + *Zach.* 1-2)
* Josué le Grand prêtre et Josué conducteur du peuple
(*Zach.* 3 ; *Deut.* 31)
* Héritage des nations, défection d'Israël
(*Is.* 52-54 + *Ps.* 2 et 15 + *Zach.* 2-3 + Éz. 36 + *Deut.* 31)[49].

La *Passion* sur la *Croix*, et la *Résurrection* du Christ, entraînent le Salut des *âmes* des vivants et des *morts*, par la victoire sur les *anges* mauvais, et sur le *diable*. Elles anticipent sur la *résurrection de la chair* et le *rassemblement universel* du *Millénaire*, dans *Jérusalem* rebâtie, pour les justes de toutes les *nations*.

C'est, nous l'avons vu, le thème du *lien* et du *cordeau*, central dans le fragment, qui constituait vraisemblablement le « fil directeur » de ces différentes thématiques. Mais c'est surtout dans la figure du Christ, *Rédempteur, Grand prêtre* et nouveau *Josué*, rassembleur, à *Jérusalem,* des *nations*, son *héritage* et *véritable Israël*, que cet ensemble trouve sa véritable unité. Ces considérations correspondent tout à fait aux préoccupations christologiques qui prédominent dans la « seconde partie » du *Dialogue*[50], et à la perspective universaliste qui unira les chapitres de conclusion. Elles pourraient donc constituer une parfaite transition, conforme à la méthode de Justin, entre ces deux ensembles.

IX – CONCLUSION

Une reconstitution intégrale de la lacune demeure impossible, car la logique associative du *Dialogue* résiste à toute systématisation exhaustive. On peut cependant imaginer avec une certaine précision le contenu de cette lacune, à condition d'adopter, dans cette entreprise, la démarche de Justin. Les conclusions auxquelles mène cette méthode présentent plusieurs caractéristiques permettant de les considérer comme très vraisemblables :

[49] La reconstitution proposée par O. SKARSAUNE, *The Proof from Prophecy*..., Leyde 1987, p. 213-215 (d'après *Ps.* 95 et *Deut* 31 = début et fin de la lacune) n'évoque que des développements sur l'angélologie, le Millénaire, et le nom de Jésus.

[50] Voir Introduction (Plan), p. 32-35.

– L'analyse de détail des trois passages qui jalonnent cette lacune (74, 3 ; fragment ; 74, 4) donne des résultats concordants (textes et développements perdus) ;
– Ces résultats correspondent exactement aux rappels sans aboutissement de la « seconde partie » ;
– Dans le détail du fragment comme dans l'ensemble reconstitué pour la lacune, la logique des enchaînements est toujours conforme à celle qu'on observe ailleurs dans le *Dialogue* ;
– Les résultats obtenus ne présentent entre eux aucune contradiction ;
– L'ensemble reconstitué s'intègre parfaitement à la progression de l'œuvre telle qu'elle est définie par l'étude de son plan.

Il est évidemment fort difficile d'évaluer la longueur d'un texte perdu. Mais plusieurs éléments permettent d'envisager ici une lacune importante : 1) les passages scripturaires invoqués sont assez longs et nombreux. Il est probable qu'ils étaient cités *in extenso* avant d'être expliqués, conformément à la méthode adoptée dans le reste de l'œuvre ; 2) comme ailleurs, leur exégèse devait être proportionnée à leur richesse théologique : il paraît exclu que Justin se soit contenté de les citer et/ou de les commenter brièvement ; 3) si les questions liées à leur contenu étaient bien abordées dans le passage disparu, elles occupaient, dans l'économie du *Dialogue*, une place essentielle, et comme d'autres questions d'importance comparable (Loi, Messianité de Jésus, théophanies bibliques, malédiction de la Croix, verus Israel), elles ne pouvaient donner lieu qu'à de longs développements. Si l'on prend en compte l'ensemble de ces observations, le texte perdu pourrait correspondre à un quart de l'œuvre environ.

Rien ne permet actuellement de considérer comme définitive une reconstruction que seule la découverte d'un manuscrit ignoré pourrait venir confirmer. Mais la critique du *Dialogue* devrait désormais prendre en compte, au moins par hypothèse, des contenus auxquels conduisent tant d'indices concordants. Il n'est pas exclu en effet que les éléments dont on suppose la disparition contribuent à la compréhension de l'œuvre et de la pensée qui s'y trouve exposée.

JUDAISME(S)

I – INTRODUCTION

Dans les ouvrages qui traitent du judaïsme ancien – et plus particulièrement du IIe siècle –, il n'est pas rare que le *Dialogue avec Tryphon*[1] figure parmi les références permettant d'attester une réalité historique, une croyance, une exégèse, ou une pratique religieuse[2]. Il arrive même que Justin soit le précieux témoin d'une donnée que ne confirment pas toujours d'autres sources[3]. Les affirmations de l'Apologiste sont accueillies, parfois, avec d'autant plus de bienveillance que notre connaissance du judaïsme autre que rabbinique est plus limitée pour cette époque. L'origine samaritaine de Justin (*Dial.* 120, 6 ; cf. *I Apol.* 1 ; *II Apol.* 15, 1) et palestinienne de Tryphon (*Dial.* 1, 3 ; cf. 9, 3), ainsi que leur commune fréquentation du monde grec (*Dial.* 1, 2.3) ont pu contribuer à renforcer le crédit accordé à leurs assertions. Ce qui, dans le *Dialogue*, ne correspond à rien de connu par ailleurs a parfois donné lieu à des tentatives de reconstitution fondées sur l'*a priori* d'un témoignage sûr, en l'absence de preuve du contraire.

[1] *Bibliographie*, et liste exhaustive des données que contiennent, à propos du judaïsme, le *Dialogue* et l'*Apologie*, ci-dessous pp. 101-104 et 105-108.

[2] Voir, par exemple, M. J. LAGRANGE, *Le messianisme chez les Juifs*, Paris, J. Gabalda et Cie, 1909, pp. 212. ; 217-218 ; 223 ; 241 ; 245 ; George F. MOORE, *Judaism in the First three Centuries of the Christian Era*, Cambridge 1927, vol. I, pp. 91 ; 366 ; II, p. 360 ; J. KLAUSNER, *The Messianic Idea in Israel*, Londres 1954, pp. 56-57 ; 407 ; 456 ; 464 ; 466 ; 485-6 ; 520 ; S. MOWINCKEL, *He that Cometh*, transl. by G. W. Anderson, Basil Blackwell, Oxford 1959, pp. 286 ; 299 ; 304 s. ; 328 ; D. ROKEAH, *Jews, Pagans and Christians in Conflict*, Jérusalem-Leyde, The Magness Press, The Hebrew University-E. J. Brill, 1982, p. 61 s. ; G. ALON, *The Jews in their Land in the Talmudic Age*, transl. & edit. by Gershon Levi, Jérusalem, The Magness Press, 1980 and 1984, vol. II, pp. 200 ; 289 s. ; 299 ; 305 ; 559 ; 560 ; 617 ; 618 ; 629 ; 643 ; M. HADAS-LEBEL, *Jérusalem contre Rome*, Paris, Cerf, 1990, p. 175 (décrets de représailles d'Hadrien).

[3] Onction du Messie par Élie (cf. MOORE, p. 360 ; KLAUSNER, p. 456) ; Messie de nature divine (KLAUSNER, p. 466), ou souffrant (LAGRANGE, p. 245) ; application de certaines prophéties à Ézéchias (KLAUSNER, 464). Sur les croyances messianiques attribuées à Tryphon et ceux qu'il représente, voir *Dial.* 8, 4* et ci-dessous p. 84-87.

Les commentateurs se montrent aussi, parfois, plus réservés. La part de fiction attribuée à cette œuvre, et la réponse apportée à la question de ses destinataires[4], déterminent en grande partie le crédit qu'on lui accorde.

Fiction et vérité ne sont peut être pas les catégories les mieux appropriées pour l'examen du *Dialogue*, et l'appréciation de sa valeur comme témoignage historique. Justin lit l'Écriture et pense la réalité selon d'autres schémas qui en gouvernent la perception et la restitution. Sa vision du monde est essentiellement *théologique*, et une analyse critique de ses affirmations doit prendre en compte cette priorité. Il faut adopter son regard pour mieux voir ce qu'il montre.

II – BIBLIOGRAPHIE

Les études parues sur le judaïsme dans l'œuvre de Justin, depuis plus d'un siècle, sont nombreuses et variées. Elles portent sur des réalités historiques ou cultuelles, des problèmes textuels ou exégétiques, certaines croyances, l'argumentation polémique, les relations judéo-chrétiennes, le personnage de Tryphon, et, indirectement, la question des destinataires de l'œuvre.

Certains s'attachent à expliciter les allusions qu'aucune source ne paraît confirmer, en particulier dans les domaines exégétique et cultuel. D'autres tentent de mesurer la validité du témoignage de Justin sur son époque. La perspective sociologique a inspiré, parfois, ces travaux. D'autres enfin proposent un choix de motifs exégétiques ou polémiques mis en parallèle avec les indications que procurent les sources talmudiques ou midrashiques. Quelques synthèses jalonnent l'histoire de ces travaux[5], mais celles-ci sont de plus en plus rares, toujours partielles, parfois répétitives. Les études de détail intervenues antérieurement sur telle ou telle question n'y sont pas toujours prises en compte, et les conclusions ne s'appuient pas dans tous les cas sur une consultation directe des textes invoqués.

On assiste, en particulier depuis quelques décennies, à une fragmentation des travaux. Les questions abordées y reçoivent un éclairage plus précis,

[4] Voir ci-dessous p. 129-166.

[5] H. GRAETZ, A. GOLDFAHN, A. HARNACK, L. W. BARNARD, W. A. SHOTWELL, Ph. SIGAL, H. SCHRECKENBERG. L'étude de HARNACK est la plus large, mais elle est aujourd'hui dépassée et reprend, pour l'essentiel, les observations de GOLDFAHN.

renouvelé par une lecture plus critique des sources, mais la variété des conclusions sur la valeur qu'il convient d'accorder au témoignage de Justin se trouve renforcée par le morcellement des perspectives.

C'est généralement à partir de sources extérieures au *Dialogue* (juives ou chrétiennes) qu'on a cherché à confirmer ou invalider les assertions de son auteur. La méthode s'avère souvent fructueuse. Mais ses résultats sont limités par le caractère hypothétique de certains rapprochements, et les problèmes de datation que pose toute référence à la littérature rabbinique[6]. Pour évaluer le témoignage de Justin sur le monde juif de son temps, peut-être convient-il de prendre en compte aussi les données que procure la critique interne. Le rapport que le *Dialogue* entretient avec l'univers dont il est contemporain dépend, dans une proportion non négligeable, de la finalité qui préside à sa conception et à sa mise en forme. L'authenticité de cette œuvre ne saurait se mesurer à la seule conformité qu'elle présente avec ce que l'on sait du contexte qui l'a vue naître, mais aussi à la cohérence de son contenu avec le dessein de son auteur. La « vérité » du *Dialogue* est religieuse et littéraire autant qu'historique. L'étude de détail montre en effet que ce qui, dans cette œuvre, pose problème au regard de l'histoire s'insère toujours parfaitement dans l'économie thématique et spirituelle qui constitue, pour Justin, la véritable référence de son discours. Lorsque l'Apologiste évoque le judaïsme de son temps, c'est invariablement le christianisme qui est au centre de ses préoccupations. Cette particularité doit être prise en compte si l'on veut apprécier, autant que faire se peut, la validité de ses déclarations. Justin est le témoin d'une Parole avant d'être celui d'une époque.

III – LOI ET CULTE

Dans le *Dialogue*, Justin évoque certaines prescriptions de la Loi et plusieurs pratiques cultuelles. L'observation des caractéristiques communes à leur présentation permet de mieux comprendre selon quels critères elles ont sélectionnées et interprétées.

[6] Sur l'évolution méthodologique des travaux prenant en compte ces sources, voir Judith R. BASKIN, « Bibliography of « Rabbinic-Patristic Exegetical Contacts », in : W. S. Green (éd.), *Approach to Ancient Judaïsm* 5 (1985), p. 53-80. Les travaux de J. NEUSNER sur Aphraate (voir note suivante) ont grandement contribué à réfréner la « parallélomania » que dénonçait Samuel SANDMEL (*JBL* 81, 1962, p. 1-13).

La référence biblique est constante[7]. Certaines de ces réalités (arche d'Alliance, fêtes) ne sont mentionnées qu'à travers le texte scripturaire. Ailleurs, la référence est explicite (bain rituel, sabbat, circoncision, prescriptions alimentaires, Temple), ou implicite (agneau pascal, boucs du jeûne, châle de prière, Grand prêtre, lois de pureté), mais elle demeure omniprésente. Toutes les pratiques religieuses énumérées dans le *Dialogue* évoquent un judaïsme antérieur à la destruction du Temple. Et si certaines d'entre elles sont présentées comme encore en vigueur (sabbat, [circoncision][8], bain rituel ou lois de pureté), aucune ne correspond à des prescriptions prenant plus particulièrement en compte la situation nouvelle engendrée par les défaites contre Rome. A l'exception d'une allusion fort imprécise à la lecture du texte scripturaire (55, 3*), d'une exégèse autorisant la substitution des prières aux sacrifices (117, 4*)[9], et de certaines particularités qui peuvent être interprétées comme des samaritanismes[10], le *Dialogue* n'offre aucun élément permettant de situer dans un espace et un temps autres que bibliques les aspects du culte ou de la Loi qui y sont mentionnés[11]. On a pu écrire que Justin considérait le judaïsme de son temps comme une survivance[12]. Une pareille conviction a nécessairement pour effet d'occulter ce qui ne la conforte pas.

[7] J. NEUSNER, *Aphraat and Judaism. The Christian-Jewish Argument in Fourth-Century Iran* [Studia Post-biblica, 19], Leyde, Brill, 1971, p. 148, observe le même phénomène chez Aphraate : « It is difficult to point to a single belief or practice referred to by Aphraat which did not derive directly and simply from Scripture. It is not merely that Aphraat did not allude to an oral tradition, to rabbis, or to other marks of the presence of Pharisaic-Rabbinic Judaism. Everything he did say points to a single phenomenon, and that is, a Judaism based upon canonical Scriptures and little else ».

[8] Cf. *Dial.* 46, 2*.

[9] Cette exégèse correspond à une tendance attestée dans des sources antérieures à la destruction du Temple, et Justin ne l'intègre pas dans les chapitres consacrés à la caducité de la Loi.

[10] Voir ci-dessous p. 77.

[11] Parmi les pratiques religieuses évoquées par Justin, certaines ont disparu avec l'autonomie politique, d'autres subsistent encore, mais le texte qui en donne le détail (46, 2*) est peu sûr. L'argumentation fondée sur la périodicité de la Loi n'en est toutefois pas altérée, ce qui prouve le caractère accessoire de ces observations.

[12] « The Judaism which persists, Justin maintains, is an anachronism, a fossil, a distorsion of true Judaism, which lives on in true authenticity in the Christian Church. » : Ben-Zion BOKSER, *JQR* 64/2 (oct. 1973), p. 99.

La Loi orale est singulièrement absente de la définition du judaïsme – pourtant attribuée à Tryphon – qui sert de point de départ à la discussion[13]. Exception faite de deux références très polémiques à des questions d'exégèse (112, 4*), l'enseignement des rabbins (didascales) est réduit, dans le *Dialogue*, à son contenu théologique, c'est-à-dire à ce qui fait précisément l'objet de la controverse. Ses aspects pratiques (*halakhah*), pourtant essentiels, sont ignorés ou passés sous silence. Justin ne semble intéressé que par ce qui est de nature à nourrir son discours, et la curiosité dont il fait preuve n'excède pas les limites définies par ses intentions. Les seuls exemples de précisions concrètes, et parfois « pittoresques » qui ont l'apparence de l'actualité – nouveau levain après les azymes (14, 3*) ; agneau pascal mis en croix (40, 3*) ; « franges de pourpre » (46, 5*) – présentent trois caractéristiques communes qui invitent à s'interroger sur leur authenticité : elles ne correspondent exactement à aucun texte scripturaire ; leur explication par des pratiques samaritaines n'est pas définitive ; leur parfaite intégration à la symbolique chrétienne est en revanche incontestable. Sans aller jusqu'à nier la réalité de telles observations, on peut se demander dans quelle mesure les préoccupations apologétiques n'en ont pas altéré ou même induit la perception[14]. La formulation parfois très elliptique des symbolismes attachés à ces différents motifs permet en effet de penser qu'ils étaient assez répandus ou anciens pour rendre superflues certaines précisions. Il n'est pas exclu que Justin se soit inspiré, en pareil cas, de sources teintées de christianisme où une vérité spirituelle se serait progressivement substituée aux données de l'observation personnelle et directe.

Les allusions à la Loi se présentent toujours, chez Justin, sous une forme séquentielle, ou dans des ensembles constitués autour d'une même thématique. Le groupe que constituent « sabbat, fêtes et néoménies » (8, 4*), est d'origine scripturaire, mais pourrait bien avoir été constitutif de Testimonia anti-cultuels[15] : c'est la Loi toute entière qui paraît abolie à

[13] Cf. 8, 4*. La Loi orale n'est évoquée qu'une seule fois, de façon très générale, et dans un contexte où il est conseillé de s'en départir : «...Interrogez toujours, et méprisez la tradition de vos didascales (καταφρονοῦντες τῆς παραδόσεως τῶν ὑμετέρων διδασκάλων), car ils sont convaincus par l'Esprit Saint de ne pouvoir comprendre ce qui procède de Dieu, mais de s'attacher plutôt à l'enseignement de leurs propres idées. » (38, 2).

[14] Même phénomène à propos d'un détail (clochettes de la robe du Grand prêtre) portant sur une réalité antérieure à la destruction du Temple (cf. *Dial.* 42, 1*).

[15] Cf. W. HORBURY, « Jewish-Christian Relations... », p. 324. On le retrouve chez BARNABE, *Ép.*, 2, 4-6.

travers l'énumération de ces trois prescriptions. Aux chapitres 20 s. et 40 s., circoncision, sacrifices, prescriptions alimentaires, Temple, sabbat, agneau pascal, boucs du jeûne, offrande de farine, robe du Grand prêtre, phylactères et franges de pourpre sont expliqués par une même cause (infidélité du peuple juif), et inscrits dans une même dualité typologique (préfiguration du Christ, de sa vie terrestre et de ses enseignements). Justin utilise probablement ici des unités dont la composition est antérieure au *Dialogue*[16]. Les aspects de la Loi alors énumérés n'ont en effet jamais de réalité propre. Le cadre où ils se trouvent insérés préexiste à leur évocation, et la signification unique qui leur est affectée estompe ce que chacun pourrait avoir de spécifique. Dans la pensée de Justin, prescriptions de la Loi et pratiques du culte (ensemble et détail) sont considérées comme provisoires. Elles n'existent que pour trouver leur terme dans une rupture historique et s'abolir en un processus de substitution révélateur de leur véritable finalité.

Cette structure qui confère sens et existence aux réalités cultuelles mentionnées dans le *Dialogue* se subdivise, dans le détail, en un ensemble d'antithèses dont l'omniprésence est une autre preuve de la priorité accordée à la perspective chrétienne : l'universel y est en permanence opposé au local ou au particulier, le nouveau à l'ancien, l'ogdoade à l'hebdomade, l'éternel au provisoire, le réel à l'illusoire, le spirituel au matériel, la vérité à l'erreur... Parmi les éléments de la Loi qui figurent dans le *Dialogue*, aucun n'échappe à ces dualités fondamentales qui semblent elles aussi déterminer toute évocation particulière. La Loi n'est pour Justin qu'une ombre dont il perçoit les contours à travers l'écran de ses convictions.

IV – REALITES HISTORIQUES, GEOGRAPHIQUES ET RELIGIEUSES

Ces remarques concernant le culte et la Loi s'appliquent également, dans le *Dialogue* et *l'Apologie,* à toute évocation de la réalité historique et de ses manifestations.

La plupart des notations historiques sont entachées, chez Justin, d'imprécisions ou d'invraisemblances : David aurait vécu 1500 ans avant Jésus (*I Apol.* 42, 3) ; Ptolémée Philadelphe (285-246) et Hérode le Grand

[16] Cf. O. SKARSAUNE, *The Proof from Prophecy*, pp. 168-169 ; 179 ; 295 s.

(40-4) sont présentés comme contemporains (*I Apol.* 31, 2)[17] ; les dates situant la succession des prophètes depuis Moïse (*I Apol.* 31, 8) sont évidemment très approximatives ; la coïncidence entre la venue du Christ et le règne d'Hérode est évoquée à travers des formules peu rigoureuses (*Dial.* 52, 3*) ; Hérode est présenté comme le successeur d'Archélaüs (*Dial.* 103, 4) ; les sectes juives énumérées en *Dial.* 80, 4 semblent appartenir à des époques très différentes[18] ; les persécutions et les calomnies imputées aux juifs sont rapportées avec une confusion spatiale et temporelle qui jette parfois le doute sur leur actualité[19] ; dans l'*Apologie* (I, 31, 6) comme dans le *Dialogue* (1, 3), la révolte de Bar Kokhba est rappelée à l'aide d'un même adverbe (νῦν) d'autant plus largement commenté dans la littérature qu'il est plus imprécis[20]. Ces inexactitudes, qui ne se limitent pas chez l'Apologiste au domaine historique[21], sont trop nombreuses pour être considérées comme négligeables ou tout à fait fortuites.

Même imprécision sur le plan lexical et géographique : les mutilations d'Écritures, reprochées aux juifs et ignorées de Tryphon, sont décrites avec des termes aussi divers que vagues (*Dial.* 71, 2*) ; les persécutions, inspirées par les didascales, prennent des formes variées dont l'expression apparaît souvent bien stéréotypée[22] ; les autorités religieuses juives sont désignées avec des titres souvent interchangeables, parfois anachroniques, où l'on aurait peine à discerner une quelconque répartition des rôles[23] ; les termes γένος, λαός et ἔθνος, avec ceux qu'ils désignent, s'entremêlent de façon indifférenciée[24] ; l'étendue de la diaspora juive est présentée comme restreinte, alors que des sources plus anciennes contredisent une telle affirmation (*Dial.* 117, 4*).

[17] Le texte est peut-être corrompu : il faudrait lire Ὀρώδην (roi des Parthes) au lieu de Ἡρώδῃ. Cf. W. SCHMID, « Ein rätselhafter Anachronismus bei Justin Martyr », *Historisches Jahrbuch* 77 (1958), p. 358-361.

[18] Cf. Ph. BOBICHON, *REAug* 48/1 (2002), p. 3-22 (en particulier les pp. 12-21).

[19] Cf. Ph. BOBICHON, *REJ* 162/3-4 (juillet-décembre 2003), p. 413-429.

[20] Voir par exemple A. WARTELLE, *Saint Justin. Apologies*, p. 269.

[21] Otto, Introduction, p. LXX-LXXI, dresse un catalogue d'erreurs – avérées ou supposées – que contiendraient, dans les domaines étymologique, scripturaire, cultuel, philosophique, mythologique et historique, le *Dialogue* et l'*Apologie.*

[22] Voir l'article mentionné ci-dessus, note 19.

[23] Voir l'article mentionné ci-dessus, note 18.

[24] Voir ci-dessous Appendice 11, p. 971-976.

Ces approximations se résolvent dans une même cohérence : il s'agit moins, pour Justin, de restituer une succession précise de faits ou une réalité objective, que de mettre en relief ruptures et correspondances qui jalonnent le processus de Rédemption. Ce qui nous semble inexact ou erroné ne l'est que relativement à une conception de l'Histoire qui lui est étrangère.

Aussi la référence scripturaire est-elle, là encore, permanente : implicitement (à travers le lexique) ou explicitement (par l'association avec une prophétie), tout moment de l'histoire – juive ou chrétienne – est considéré comme une Parole en acte. D'où l'insistance sur le rapport constant entre « Écritures et faits » dans la démonstration[25] : tous les événements de la vie du Christ étaient préfigurés dans le texte scripturaire ; le règne d'Hérode n'existe que comme accomplissement de la prophétie annonçant la fin des prophètes en Israël (52, 3*) ; les défaites contre Rome et la destruction du lieu de culte attestent et consacrent la caducité de la Loi (40, 2*) ; la pratique de la circoncision s'achève lorsque celle-ci devient signe d'exclusion (16, 2*) ; les persécutions[26] (53, 5), comme les hérésies (35, 2* ; cf. 82, 1), correspondent aux prophéties de Jésus, et offrent une preuve supplémentaire de sa messianité.

Les données historiques rapportées dans le *Dialogue* et l'*Apologie* sont généralement pensées selon une structure antinomique où le peuple juif joue, pour celui des chrétiens, un rôle de faire valoir : le courage de ces derniers devant le martyre a pour effet de souligner, par contraste, la faiblesse attribuée aux didascales juifs (39, 5-6* ; 44, 1*) ; l'amour du prochain est la réponse offerte aux calomnies et aux persécutions (18, 3* ; 93, 3-4 ; 96, 2-3*) ; l'impuissance des Pharisiens devant la parole de Jésus (102, 5) est actualisée par celle des didascales qui ne savent que répondre lorsqu'ils sont « confrontés à un chrétien tenace » (93, 5) ; les exorcismes juifs ne sont mentionnés que pour mettre en évidence la plus grande efficacité de ceux que pratiquent les chrétiens (85, 3*) ; la prière universelle s'oppose aux sacrifices de la Loi (22, 9*) et à l'universel blasphème imputé aux juifs (117, 3*) ; la diaspora juive n'est limitée à certaines contrées que pour mieux faire apparaître la diffusion universelle du christianisme (117, 4*). Dans cette série d'antithèses, c'est le jeu des contrastes qui tient lieu de vérité.

[25] Cf. *Dial.* 23, 4*.

[26] Le lexique utilisé pour les évoquer est à l'évidence d'inspiration scripturaire (voir l'étude annoncée ci-dessus, note 19).

V – EXEGESES

Sur le plan exégétique, Justin paraît incontestablement mieux informé que dans les domaines historique et cultuel.

Le *Dialogue* offre un éventail assez large de références directes ou indirectes, allusives ou explicites à l'interprétation juive de versets bibliques, et aux croyances qui y sont parfois associées. Ces exégèses sont généralement attribuées au groupe assez indifférencié que constituent, avec Tryphon, ceux qu'il est censé représenter, ainsi que leurs didascales. Mais c'est par Justin lui-même qu'elles sont le plus souvent rapportées, pour être réfutées. Il arrive toutefois qu'elles soient transmises à travers les interrogations, les concessions, et les objections de Tryphon.

Les analogies constatées avec d'autres sources sont nombreuses. Il n'est pas rare que certaines opinions et certaines interprétations évoquées dans le *Dialogue* soient attestées dans la littérature rabbinique, chez Philon, dans les textes apocryphes, et même dans les manuscrits de Qumran[27]. Références difficilement dissociables, puisqu'en ce domaine, Justin ne donne jamais ses sources. Il semble que son information soit d'origine composite : textes, commentaires, écrit(s) à fonction polémique, débats exégétiques, etc. Mais sa méconnaissance probable de l'hébreu et de l'araméen exclut tout rapport direct avec une pensée formulée dans ces langues, et encore transmise à l'époque de façon orale. L'influence de Philon est plus vraisemblable car elle paraît s'exprimer non seulement à travers certaines analogies conceptuelles, mais aussi dans des similitudes lexicales difficilement explicables par une simple coïncidence[28]. Cette influence n'a cependant jamais pu être formellement démontrée. Elle n'est peut-être qu'indirecte[29].

[27] Liste de ces versets en fin de développement.

[28] La plus frappante (εὐχαὶ καὶ εὐχαριστίαι) figure en *Dial.* 117, 2*.

[29] Elle paraît surtout sensible dans les domaines exégétique et théologique, mais cela ne suffit jamais à expliquer tout ce qui caractérise la pensée et la méthode de Justin. D. BOURGEOIS, *La Sagesse des anciens dans le mystère du Verbe. Évangile et Philosophie chez saint Justin philosophe et martyr* [Coll. « Croire & Savoir »], Paris, Téqui, 1981, 1983², p. 53-60, a montré que l'Apologiste usait avec une certaine liberté d'outils herméneutiques qui ne doivent pas nécessairement être attribués à Philon. Sur le plan théologique, c'est E. GOODENOUGH, *The Theology of Justin Martyr*, qui a défendu avec le plus de fermeté l'influence du philosophe. Mais ses conclusions ont été longuement réfutées par L. W. BARNARD, *Justin Martyr*, chap. VII (« The Logos »), et la critique récente ne fait plus sienne une telle thèse (voir par exemple E. F. OSBORN, *Justin*

Il est étrange que les allusions explicites de Justin aux exégèses juives soient confirmées, le plus souvent, par des sources (rabbiniques) auxquelles il n'avait pas accès, alors que les références à la pensée judéo-hellénistique, d'expression grecque, demeurent chez lui toujours très implicites… On peut supposer, pour expliquer ce phénomène, que certaines exégèses étaient assez répandues à l'époque pour pouvoir être connues de ceux qui ignoraient l'hébreu, ou bien que les débats de Justin – avec des *Tannaïm* ? – avaient lieu en grec[30].

Le *Dialogue* évoque à plusieurs reprises ces débats, et ce de façon assez précise pour que leur réalité ne puisse être mise en doute[31]. L'activité

Martyr, 1973, p. 97). Certains aspects de la terminologie utilisée par Justin peuvent aussi avoir été empruntés au Nouveau Testament. « Il est sûr, écrit D. BOURGEOIS, *op. cit.*, p. 124, que Justin a lu Philon. Mais le problème est de voir comment tantôt il le rejette [...] et tantôt il utilise des thèmes ou des expressions philoniennes en leur donnant une nouvelle signification qui découle de sa foi chrétienne ». Sur cette question, voir en dernier lieu : David T. RUNIA, *Philo in Early Christian Literature : a Survey*, Assen-Minneapolis 1993, p. 97-105, bibliographie.

[30] E. R. GOODENOUGH envisage une autre hypothèse : Justin aurait utilisé une (des) source(s) écrite(s), de nature polémique : « But it seems much more likely that Justin had his information from some written source or sources which he was using. » (*The Theology…*, p. 95) ; de même un peu plus loin : « We have ample evidence that written disputes with the Jews and diatribes against them were in existence long before Justin's time, and the *Dialogue* of Justin seems a compilation of material from such documents, one of which might well have been a written account of the teachings of the Jewish Rabbis by a converted Rabbi, or possibly a Rabbinical anti-christian tract. It may be that it was because Justin used sources of different kinds that his completed portrait Tryphon, and his arguments against him, are a composite of Palestinian and Hellenistic elements. » (*ibid.*, p. 96). En l'absence de preuves irréfutables, cette explication demeure hypothétique. Elle est toutefois très vraisemblable, et elle permettrait de comprendre les « erreurs » ou les anachronismes qui foisonnent dans l'argumentation de Justin. Sur le statut de la langue et de la culture grecques d'après les sources rabbiniques correspondant à la période de domination romaine, voir Y. BERGMAN, « Les sages de Palestine et la culture gréco-romaine » (hébr.), *Mélanges Klausner*, Tel Aviv 1937, p. 146-151 ; S. LIEBERMAN, *Greek in Jewish Palestine*, New-York 1942, *passim* ; E. SCHÜRER, *The History of the Jewish People in the Age of Jesus Christ* (New English Version), Edimbourg 1979, t. II, p. 52-80 ; G. MUSSIES, « Greek in Palestine and Diaspora », *The Jewish People in the First Century*, t. II, chap. 22, Assen 1976 ; M. HADAS-LEBEL, *Jérusalem contre Rome*, Paris 1990, p. 249-255.

[31] Cf. *Dial.* 50, 1*.

apologétique de Justin s'inscrit dans la perspective d'une seconde parousie imminente[32] qui rend très improbable l'hypothèse d'un entretien purement fictif, et sans véritable enjeu. Même si le *Dialogue*, tel qu'il nous est parvenu, est le résultat d'une mise en forme littéraire, la controverse qu'il restitue ne peut être regardée comme une pure construction. Les références à l'exégèse rabbinique que confirment des sources midrashiques et talmudiques y sont trop nombreuses pour pouvoir être considérées comme imaginaires ou inspirées par les conventions de la polémique.

Certaines affinités de l'herméneutique pratiquée par Justin avec celle de la littérature rabbinique attestent par ailleurs une expérience indéniable de la controverse empruntant à ceux qu'elle vise techniques et méthodes[33]. C'est généralement sur l'analyse de ses déclarations dans le domaine exégétique que s'appuient ceux qui concluent à une bonne connaissance du judaïsme par l'auteur du *Dialogue*[34].

La validité de ces déclarations n'est certes pas toujours confirmée, et certaines d'entre elles posent problème[35]. Mais l'absence de sources écrites parvenues jusqu'à nous ne signifie pas nécessairement que de telles affirmations sont erronées. Ce que Justin nous transmet est de l'ordre de la croyance autant que de la « doctrine ». Dans la turbulence intellectuelle et religieuse du IIe siècle, existait-il une pensée qui fît autorité ? Ne suffisait-il pas à l'Apologiste d'avoir eu connaissance d'une opinion pour la considérer comme « représentative », surtout si elle était de nature à étayer son discours ?

Le témoignage de Justin sur l'exégèse juive de son temps se nourrit donc, selon toute apparence, d'une information éclectique et sélective à la fois. Il faut l'accueillir avec la confiance et les réserves qu'appellent deux caractéristiques aussi contradictoires.

[32] Cf. *Dial.* 28, 2* ; 38, 2*.

[33] Voir ci-dessous (Exégèse), pp. 114-115 ; 117-118 ; 123.

[34] Voir ci-dessous p. 99.

[35] Cf. *Dial.* 8, 4* et ci-dessous p. 84-87 (concessions de Tryphon à propos du Messie) ; 32, 1* (sur *Dan.* 7, 13) ; 110, 1* (sur *Mich.* 4, 1-7) ; 114, 3* (anthropomorphismes). Voir également Ph. BOBICHON, « Salomon et Ézéchias dans l'exégèse juive des prophéties royales et messianiques selon Justin Martyr et les sources rabbiniques », *Revue d'Études juives du Nord : Tsafon* 44 (automne 2002 - hiver 2003), p. 149-165.

VI - MESSIANISME

Les croyances messianiques juives dont il est fait état dans le *Dialogue* sont attribuées à l'ensemble du peuple juif, à Tryphon (et ses compagnons), ou aux rabbins (didascales), sans qu'il soit toujours possible de dissocier ces différents interlocuteurs. Elles sont, dans la plupart des cas, exprimées par Tryphon, et exceptionnellement par Justin. Cela pourrait constituer un critère d'authenticité – les références à des croyances juives étant généralement rapportées par Justin dans le *Dialogue*, et non par celui qui est censé représenter le point de vue juif – mais le crédit qu'il faut accorder à cet ensemble d'affirmations dépend de l'idée que l'on se fait de la fonction de Tryphon, et de sa représentativité. Lorsqu'elles sont attribuées à ce dernier, ces croyances prennent des formes variées (affirmations, interrogations, objections, ou concessions), en sorte que ce qui est dans un premier temps nié devient assez souvent, par la suite, le fondement admis de démonstrations ultérieures. Le point de vue qui se dessine ainsi n'est pas dénué de contradictions :

Le Messie est attendu par tout le peuple (89, 1) ; il n'est pas encore venu (110, 1) ; il doit demeurer inconnu avant qu'Élie l'ait oint ou manifesté (8, 4 ; 49, 1-2 ; cf. 110, 1) ; il sera « homme d'entre les hommes » (48, 1* ; 49, 1* ; 67, 2 ; cf. 68, 5*), respectueux de la Loi (48, 1 ; cf. 49, 1 ; 67, 2.5*) ; sa préexistence est tantôt niée (38, 1 ; 48, 1 ; chap. 56 et 60 ; 87, 1-2), tantôt admise (63, 1 ; 77, 1) ; il est exclu qu'il soit de nature divine (38, 1* ; 48, 1), mais les titres de *Dieu*, *adorable*, et *Seigneur* lui sont concédés (64, 1 ; 68, 4.9*), de même que ceux de *pierre*, *roi*, et *prêtre éternel* (36, 1) ; sa « génération ineffable » est considérée comme acceptable (55, 1) ou difficilement admissible (68, 5) ; la naissance virginale (67, 2 ; cf. 68, 1), ainsi que l'Incarnation (38, 1 ; 48, 1 ; 68, 1), et l'Ascension (38, 1) sont rejetées comme incroyables ou blasphématoires ; les deux parousies sont refusées (38, 1), puis concédées (36, 1 ; 39, 7 ; 49, 2) ; les Écritures annoncent un Messie « souffrant » (36, 1 ; 39, 7 ; 68, 9 ; 89, 2 ; 90, 1), mais il ne saurait s'agir de l'infamie de la Croix (10, 3* ; 38, 1 ; 89, 2 ; 90, 1) ; ce Messie doit exercer un règne glorieux (32, 1* ; 39, 7* ; 110, 1) ; l'idée que la gloire divine puisse être partagée est toutefois repoussée dans un premier temps (65, 1), avant d'être admise (65, 7).

Parmi ces croyances, certaines sont attestées dans les sources juives pouvant être considérées comme contemporaines de Justin (Messie caché[36] ou encore attendu, [Messie souffrant], rôle d'Élie[37], royaume).

[36] Cette croyance se subdivise en deux possibilités : ou bien le Messie n'est pas encore venu, ou bien il se trouve déjà parmi les hommes, mais en demeure provisoirement ignoré. Pour être reconnu, il doit recevoir l'onction d'Élie, et manifester à tous sa dignité. Elle est attestée dans divers textes : le *Nouveau Testament*, où elle paraît avoir été assez répandue chez les contemporains de Jésus (*Jn.* 7, 27 ; cf. *Mc.* 13, 21 et *Matth.* 24, 23.26) ; dans l'*Apocalypse d'Ezra* (*IV Esdr.*, 13, 52 : trad. P. GEOLTRAIN, *La Bible. Écrits intertestamentaires*, Gallimard, 1987, p. 1459) ; la littérature rabbinique, où il est précisé parfois que le Messie caché demeure à Rome, parmi les lépreux, dans le nord, dans le Paradis ou dans le ciel (*Midrash Tehilim* sur *Ps.* 21, 1 : 89a ; *TB Sanh.* 98a, etc.). Dans le *Targum sur Mich.* 4, 8, on affirme que c'est à cause des péchés d'Israël qu'il ne se manifeste pas. Selon une autre légende, il serait né le jour de la destruction du Temple, et n'aurait été reconnu que par Élie, avant de disparaître... L'ensemble de ces textes a été analysé par H. GRESSMANN, *Der Messias* [Forschungen zur Religion und Literatur des Alten und neuen Testaments 43], Göttingen 1929, p. 449-460 ; STRACK-BILLERBECK, II, pp. 339-340 ; 488-489 ; III, p. 315 ; IV, p. 766 ; E. SJÖBERG, *Der verborgene Menschensohn in den Evangelien*, Lund 1955, pp. 73-75 ; 80-90 ; 247-254 et *passim* ; ID., « Justin als Zeuge vom Glauben an den verborgenen un den Leidenden Messias im Judentum », in : N. A. Dahl et A. S. Kapelrud (éd.), *Interpretationes ad Vetus Testamentum pertinente, Sigmundo Mowinckel septuagenario missae*, Oslo 1955, p. 173-183 ; S. MOWINCKEL, *He that Cometh*, Oxford 1959, p. 305-320. Dans tous les textes rabbiniques, la croyance en un Messie caché est simplement présentée comme une possibilité, et ces textes sont tardifs : la plupart d'entre eux correspondent à la période de transition entre les Tannaïm et les Amoraïm (fin du IIe s.). Pour le milieu du IIe siècle, l'unique source dont disposent les chercheurs – qui s'y réfèrent tous – est donc le *Dialogue avec Tryphon*... Comme le fait remarquer E. SJÖBERG (*Der verborgene Menschensohn*, p. 82 ; « Justin als Zeuge... », p. 174-175), si les propos attribués à Tryphon doivent être généralement accueillis avec prudence, celui-ci peut être considéré comme digne de foi : Justin ne le mentionne qu'en passant ; il ne s'y attarde pas et, contrairement à la croyance en un Messie souffrant – abondamment développée par la suite (cf. *Dial.* 13, 4.7* ; 34, 2* ; 36, 1* ; 68, 9 ; 97, 4*) – il n'en fait aucun usage pour sa démonstration. Il pourrait donc s'agir d'un authentique souvenir de ces débats dont il affirme avoir une certaine expérience (cf. *Dial.* 50, 1 ; cf. 57, 4 ; 64, 2 ; 65, 2).

[37] Cette conviction repose sur *I Rois* 19, 16 (Élie oint Jéhu comme roi d'Israël et Élisée comme prophète) ; *II Rois*, 2, 15 (Élie transmet son esprit à Élisée) ; *Mal.* 4, 4 (retour d'Élie avant le Jugement ; cf. *Mal.* 3, 1) ; *Sir.* 48, 8 s. (onction des rois). Le NT y fait plusieurs fois référence, attestant ainsi sa vivacité à l'époque de Jésus (*Matth.* 11, 14 ; 17, 10.12-13 ; *Mc.* 9, 11-13 ; *Lc.* 1, 17). D'après la *Mishna* (*Ed.*, 8, 7), Élie doit procéder au recensement d'Israël. Mais le lien avec la venue du Messie n'est alors qu'indirect, et la *Mishna* ne s'attarde guère sur la figure du prophète. Ce lien est plus étroitement établi, avec beaucoup de détails, dans des sources tardives, où Élie apparaît non seulement comme précurseur, mais aussi comme partenaire actif du Messie Les données concernant le rôle eschatologique de ce personnage ont été rassemblées et commentées par M. J. LAGRANGE, *Le Messianisme chez les Juifs*, Paris 1909,

D'autres (parousies, préexistence, génération ineffable, divinité) sont très discutables ou tout à fait invraisemblables, parce qu'incompatibles avec l'enseignement de ces mêmes sources. Le détail en a été analysé récemment par plusieurs commentateurs qui se sont attachés à vérifier l'authenticité de telles affirmations par une analyse interne du *Dialogue* et une confrontation avec les textes rabbiniques[38].

p. 210-213 ; J. BONSIRVEN, *Le Judaïsme palestinien au temps de Jésus*, 2 vol., 1935², p. 357-359 ; *Textes rabbiniques des deux premiers siècles chrétiens, pour servir à l'intelligence du Nouveau Testament*, Rome 1955, *passim* ; STRACK-BILLERBECK, *Kommentar* IV, 2, p. 797 s. ; E. SCHÜRER, *The History of the Jewish People in the Age of Jesus-Christ*, revised and edited by G. Vermes, F. Millar and M. Black, vol. II, Édimbourg, T. & T. Clark, 1979, p. 515-516 ; George F. MOORE, *Judaism in the First Centuries of the Christian Era*, Cambridge 1927, vol. II, pp. 272 ; 357-360 ; 384 ; J. KLAUSNER, *The Messianic Idea in Israel*, Londres 1954, p. 451-457 ; S. MOWINCKEL, *He that Cometh*, Oxford 1959, p. 298 s. Pour une collection exhaustive des textes consacrés à Élie dans la littérature juive, voir M. FRIEDMANN, Introduction au *Sefer Eliahu*, Vienne 1902, p. 2-44 et Y. M. GUTMANN, *Elijah the Prophet in the Legends of Israël* (hébr.), He-'Atid, ed. S. I. Horowitz, V, p. 14-46 ; ID, *Key to the Talmud* (hébr.), III, 17-56, item « Eliahu ». Références données par J. KLAUSNER, *op. cit.*, n. 2, p. 451. E. SCHÜRER (*op. cit.*, p. 516) présente la fonction de précurseur accordée à Élie comme « très occasionnelle », et, dans toutes les études évoquées ci-dessus, la remarque de Tryphon constitue la principale référence permettant d'en attester la croyance à l'époque de Justin. Pour J. KLAUSNER (*op. cit.*, p. 456), ce serait même la plus ancienne. En réaction, sans doute, à l'excessive vénération qu'accordent à ce personnage le christianisme et les mouvements apocalyptiques, on note plutôt, dans la littérature tannaïtique, une certaine tendance à limiter le rôle d'Élie, en particulier à la résolution de problèmes halakhiques (il y conserve néanmoins une image positive : cf. Art. « Elijah », *EJ* VI, col. 632-642). Il est donc probable que Justin prolonge ici – comme souvent ? – les débats évangéliques plus qu'il ne témoigne d'une conviction largement répandue dans le judaïsme de son temps. Dans le *Dialogue*, la question s'inscrit toujours dans un contexte néotestamentaire (Esprit prophétique, Jean, baptême du Christ) et une perspective chrétienne, sans qu'intervienne aucune précision susceptible d'en confirmer l'actualité. L'évocation d'Élie, dans les premiers chapitres du *Dialogue* paraît avoir pour principale fonction de préparer et d'annoncer les développements ultérieurs sur la transmission de l'Esprit, et le rôle de Jean-Baptiste. Son utilité pour l'économie de l'œuvre est plus facile à prouver que son exactitude historique, même s'il n'est pas exclu qu'une telle croyance ait survécu pendant la période tannaïtique.

[38] E. SJÖBERG, « Justin als Zeuge vom Glauben an den verborgenen un den Leidenden Messias im Judentum », 1955, p. 173-183 ; A. J. B. HIGGINS, « Jewish Messianic Belief in Justin Martyr's *Dialogue with Trypho* », *NT* 9 (1967), p. 298-305 ; St. HEID, « Frühjüdische Messianologie in Justins Dialog », *JBTh* 8 (1993), p. 219-238.

Leurs conclusions sont singulièrement apparentées :

> Das seine Darstellung in dieser Hinsicht literarische Fiktion und nicht das Ergebnis wirklicher Gespräche mit dem Juden ist, unterliegt keinem Zweifel. Darum kann man diesen Antworten der Gegner keine Erkenntnis über die Ansichten des damaligen Judentums entnehmen. Als Zeuge für den Glauben an den leidenden Messias im Judentum sollte Justin ausschneiden. (E. Sjöberg, *art. cit.*, p. 180)
>
> The messianic ideas expressed by Trypho bristle with inconsistencies which no amount of ingenuity can resolve into a harmonious picture. This is due to the ill-matched combination of genuinely Jewish beliefs and of Christian doctrines which Justin has put into Trypho's mouth for apologetic purposes. (A. J. B. Higgins, *art. cit.*, p. 305)

St. Heid ne conclut pas, mais pense pour sa part que Justin attribue fréquemment aux juifs des croyances qui sont en fait judéo-chrétiennes :

> Möglicherweise überträgt Justin ursprungliche judenchristliche Polemik gegen die messianischen Anschauungen der Großkirche auf seine jüdischen Gesprächspartner oder übernimmt jüdisch-judenchristliche Kontroversen. (*op. cit.*, p. 221)

Dans le *Dialogue*, les interventions de Tryphon se présentent souvent comme des *transitions*, où sont énumérés les articles de la foi chrétienne (Syntagme ?) considérés comme acquis et ceux dont la vérité reste à établir[39]. Même si Tryphon ne se convertit pas à la fin de l'entretien, et manifeste une certaine résistance aux affirmations de son interlocuteur, il serait périlleux de considérer comme également représentatives les opinions qu'il professe dans ces transitions et aux différents moments du débat : ses positions y apparaissent, en effet, aussi évolutives que celles de Justin demeurent inébranlables.

[39] *Dial.* 36, 1 ; 38, 1 ; 39, 7 ; 55, 1 ; 63, 1 ; 64, 1 ; 65, 7 ; 67, 2 ; 68, 1.4 ; 77, 1 ; 90, 1. Pour le détail de ces interventions, voir ci-dessous, Appendice 1, p. 921-941.

VII – JUIFS ET CHRETIENS, JUDEO-CHRETIENS

Dans le *Dialogue*, l'évocation des juifs prend la forme d'un catalogue de griefs d'où toute nuance paraît exclue[40]. Cette longue liste de reproches présente elle aussi un certain nombre de caractéristiques qui permettent d'en évaluer la signification et la finalité. Comme pour d'autres aspects du judaïsme dans l'œuvre de Justin, la référence scripturaire est presque omniprésente. Explicite ou implicite, partielle ou étendue, elle justifie, en soulignant leur origine divine, des accusations dont l'Apologiste ne serait ici que le porte-parole. Lorsque les reproches sont de nature religieuse – déficiences à l'égard de Dieu et de sa Loi, persécution du Juste –, Justin s'écarte rarement de ce que transmet l'Écriture (A.T. et N.T.). Lorsqu'il est question de débats exégétiques, en revanche, on quitte le terrain des généralités pour une critique plus personnelle. Le lexique se départit alors de toute référence, pour devenir plus agressif et plus circonstancié. Sa véhémence confine parfois à l'injure[41]. On peut voir là l'expression d'un dépit résultant d'expériences malheureuses – peut être même d'échecs – dans l'exercice de l'activité missionnaire (Tryphon ne se convertit pas).

[40] Ἀδικία (19, 5* ; cf. 46, 5*) ; ἀθεότης (92, 4) ; ἀλόγιστος γνώμη (93, 4) ; ἁμαρτία (95, 4) ; ἀνοητία (36, 2*) ; ἀπειρία (125, 1) ; ἀπιστία (27, 4* ; cf. 24, 4) ; ἀσέβεια (46, 5*) ; ἀσθενεία τῇ γνώμῃ (44, 1*) ; ἀσοφία (38, 2*) ; ἀσυνεσία (20, 4*) ; ἀχαριστία (19, 5*) ; ἀχρηστία (130, 3*) ; βλάσφημα, βεβήλωσις (17, 2*.3*) ; δόλος (14, 2) ; εἰδωλολατρεία (19, 6*) ; δριμεῖς καὶ πανοῦργοι (123, 4) ; κακία (12, 2*) ; μοιχεία (107, 2) ; πονηρία (30, 1*) ; πορνεία (132, 1 ; cf. 134, 1 et 141, 4) ; σκληροκαρδία (18, 2* ; 25, 2* ; cf. 15, 7* ; 92, 4* et 123, 4*) ; τύφλωσις (27, 4*) ; ὑπομονή, ἐπίτασις (27, 4) ; φθόνος (125, 1) ; φιλαυτία (68, 8 ; cf. 102, 6) ; χωλεία (27, 4*) ; ψυχικὴ νόσος (30, 1) ; Reproches auxquels doivent être ajoutées les nombreuses allusions à la persécution du Juste, ainsi que les critiques incessantes de l'enseignement rabbinique.

[41] Justin fait à ses interlocuteurs les reproches suivants : malice ou raillerie : γελοιάζοντες ἢ ἐπιτωθάζοντες (67, 3) ; absence de droiture et d'amour de la vérité : Οὐκ ὀρθῶς μέντοι οὐδὲ φιλαλήθως ποιεῖς (67, 4*) ; goût pour la chicane et la querelle : φιλέριδας, φιλερίστους, φιλεριστεῖν (64, 2 ; 67, 11 ; 118, 1) ; φιλονεικοῦντες (117, 2) ; contestation des points d'accord antérieurs (68, 2.4) ; mauvaise foi : ψεύδεσθε (117, 4) ; goût de la contradiction (64, 3 ; cf. 65, 2) ; fausse idée de la piété (12, 3 ; 14, 2) ; tendance à se tromper soi-même (102, 7*) ; auto-justification (44, 1*) ; auto-exaltation (112, 5) ; refus du repentir (12, 2*) ; mutilation des Écritures (71, 2*). En s'appuyant ou non sur des références scripturaires, il compare les didascales et leurs disciples à des *taureaux* et des *veaux* (103, 2), des *chiens* (104, 1), et même des *mouches* (115, 5).

Les griefs de nature religieuse se présentent, dans la plupart des cas, sous la forme de doublets, de séquences ou de séries[42]. L'influence du style biblique est parfois directe, puisque les commentaires reproduisent alors la structure des sources dont ils s'inspirent[43]. Ces parallélismes et ces accumulations font apparaître comme équivalents ou difficilement dissociables les manquements ainsi rapprochés en une même formule.

Il arrive aussi que plusieurs sources se trouvent réunies[44], et l'on a pu soupçonner alors l'utilisation de catalogues de vices déjà constitués à partir d'éléments scripturaires. Dans certains cas toutefois, ces amalgames peuvent aussi bien être attribués à Justin lui-même : ils résument, dans leur contexte, un ensemble d'attitudes considérées comme liées et également répréhensibles. Dans l'esprit de Justin, en effet, les différentes fautes reprochées au peuple juif, ne sont que divers avatars d'une même infidélité[45], et d'une constante propension au péché. Elles sont unies dans un rapport chronologique et analogique qui détermine et manifeste leur interdépendance. Les passages sont nombreux où se trouvent associés, dans une même perspective, des événements passés et récents dont les affinités sont ainsi suggérées[46]. L' « oubli de Dieu » explique à la fois l'abandon de la

[42] Parallélismes : 18, 2 (διὰ τὰς ἀνομίας ὑμῶν καὶ τὴν σκληροκαρδίαν) ; 27, 2 (διὰ τὸ σκληροκάρδιον ὑμῶν καὶ ἀχάριστον εἰς αὐτὸν) ; 46, 5 (μήτε ἀδικεῖν μήτε ἀσεβεῖν) ; 92, 6 (ἀσυνέτους καὶ φιλαύτους) ; 93, 4 (καὶ εἰδωλολάτραι ...καὶ φονεῖς τῶν δικαίων) ; 123, 4 (*λαὸς μωρὸς* καὶ *σκληροκάρδιος*) ; 134, 1 (τοῖς *ἀσυνέτοις* καὶ τυφλοῖς διδασκάλοις ὑμῶν ; τάλανες καὶ ἀνόητοι). Accumulations : 92, 4 (εἰδωλολατροῦντες καὶ ἀμνημονοῦντες τοῦ θεοῦ ἀσεβεῖς καὶ ἄθεοι) ; 95, 4 (ἀδίκων καὶ ἁμαρτωλῶν καὶ μέχρις ὅλου σκληροκαρδίων καὶ ἀσυνέτων) ; 102, 6 (ποτὲ μὲν μοσχοποιήσαντες, ἀεὶ δὲ ἀχάριστοι καὶ φονεῖς τῶν δικαίων καὶ τετυφωμένοι διὰ τὸ γένος) ; 130, 3 (γένος *ἄχρηστον* καὶ *ἀπειθὲς* καὶ *ἄπιστον*). Gradation : 27, 4 (διὰ τὴν ἐν τούτοις ὑπομονήν, μᾶλλον δὲ ἐπίτασιν) ; cf. 73, 6. Même phénomène à propos des péchés attribués aux nations : 93, 1 (μοιχεία ...καὶ πορνεία καὶ ἀνδροφονία καὶ ὅσα ἄλλα τοιαῦτα) ; 95, 1 (καὶ εἰδωλολατροῦντα καὶ παιδοφθοροῦντα καὶ τὰ ἄλλα κακὰ ἐργαζόμενα) ; 110, 3 (οἱ πολέμου καὶ ἀλληλοφονίας καὶ πάσης κακίας μεμεστωμένοι).

[43] Par exemple *Is.* 57, 3 : *υἱοὶ ἄνομοι, σπέρμα μοιχῶν καὶ τέκνα πόρνης* (16, 5), ou encore *Is.* 5, 21 : *Οὐαὶ οἱ συνετοὶ ἐν ἑαυτοῖς καὶ ἐνώπιον αὐτῶν ἐπιστήμονες* (133, 4).

[44] Cf. 12, 2 ; 27, 2-4* ; 73, 6 ; 123, 2-4.

[45] Cf. 21, 1 (« Vos injustices et celles de vos pères »). Voir encore l'article mentionné ci-dessus, note 19 p. 79.

[46] Persécution des prophètes, du Juste, et de ses disciples (16, 4*) ; crucifixion de Jésus et persécution de ses disciples (17, 1) ; rejet de l'Alliance et refus du repentir (12, 2) ; veau d'or, sacrifices d'enfants, mutilations d'Écritures (73, 6) ; idolâtrie, meurtre des justes, et du Christ

Loi et le rejet du Christ, puisque celui-ci *est* la Loi nouvelle. L'incompréhension des Écritures entraîne elle aussi le rejet de Jésus, non reconnu comme Messie, et ultérieurement la persécution de ses disciples ; la mutilation de textes scripturaires, « plus grave encore que l'idolâtrie » (cf. *Dial.* 73, 6), vise à faire disparaître ce qui pourrait infirmer l'enseignement des didascales en confortant celui du Christ.

Les adverbes de temps[47], souvent proches par le sens, ont alors pour fonction de souligner cette pérennité d'attitude, tout en justifiant les différentes étapes du don de la Loi, et les événements qui jalonnent, jusqu'à une époque récente, l'histoire du peuple juif : pour Justin, la périodisation du don de la Loi et l'histoire des infidélités d'Israël s'inscrivent dans un processus parallèle que parachèvent le rejet du Christ et l'anéantissement simultané des espérances juives. La permanence des péchés d'Israël appelle et favorise sa destitution progressive comme peuple de Dieu. Dans cette économie, causes et conséquences, Providence divine et péchés d'Israël paraissent indissociables.

L'image des juifs est liée à celle des chrétiens par un rapport d'antithèse univoque et définitif : Justin oppose constamment les uns et les autres sur le plan intellectuel, moral et religieux[48], sans prendre en compte aucune

(93, 4) ; veau d'or, ingratitude, meurtre du Juste, orgueil (102, 6) ; série d'ingratitudes (chap. 131-133) qui culminent dans le sacrifice d'enfants et la mort du Christ (133, 1). Justin admet, certes, que l'accusation d'idolâtrie n'est plus d'actualité (136, 3), mais c'est pour mieux reprocher à ses interlocuteur un rejet du Christ considéré comme aussi condamnable. Ce double rapprochement entre le sacrifice de « ses propres enfants » et la crucifixion n'est sans doute pas fortuit.

47 ᾿Αεί (39, 1 ; 68, 1 ; 92, 4 ; 102, 6 *bis* ; 131, 4) ; ἀδιαλείπτως (133, 6) ; ἔτι (12, 2 ; 53, 2 ; 133, 1.6) ; καὶ νῦν (16, 4) ; μέχρι νῦν (93, 4 ; 134, 1) ; πάντοτε (93, 4). Cf. 26, 1 (διώξαντες καὶ διώκοντες) ; 120, 4 (βεβηλοῦτε ...καὶ βεβηλοῦσθαι ...ἐξεργάζεσθε) ; 114, 4 (σκληροκάρδιοι μένετε).

48 Cf. *Dial.* 26, 1 et 109, 1 (repentir / refus de conversion) ; 27, 4* (aveuglement / illumination par le Christ, Loi nouvelle) ; 32, 5 ; 39, 5 ; 78, 10 ; 112, 3-4 (langage prophétique compris avec la grâce / exégèses dérisoires, enseignements humains) ; 41, 3 et 117, 3* (glorification universelle du nom de Dieu / blasphème universel) ; 46, 6-7 (idolâtrie / martyre entraîné par le refus d'idolâtrer) ; 39, 5-6 (martyre / peur des persécutions) ; 82, 4 (désintéressement et crainte de Dieu / vénalité et attachement à la vie) ; 93, 3-4 (amour de Dieu et du prochain / absence d'amour, idolâtrie, meutre) ; 96, 2-3 ; 108, 3 et 133, 6 (persécutions / prière pour les ennemis) ; 110, 3 et 134, 1 (monogamie / polygamie) ; 118, 3 (intelligence et piété) ; 119, 6 et 131, 3 (foi / absence de foi) ; 130, 3* (χρηστοί / ἄχρηστοι).

particularité susceptible d'atténuer son propos. Il est à cet égard significatif que juifs et chrétiens soient toujours désignés, dans le *Dialogue*, par des tournures très générales dont la répétition renforce l'anonymat[49]. A l'exception des deux interlocuteurs – et ce dans une certaine mesure seulement[50] – personne n'émerge de cette indifférenciation qui renforce les contrastes en faisant fi de toute nuance. Justin ne semble jamais avoir rencontré un rabbin dont l'enseignement fût digne de considération, un juif refusant de reconnaître la messianité de Jésus et néanmoins pourvu d'une quelconque vertu, un chrétien sans courage à l'approche du martyre... Il paraît ignorer qu'à la même époque, certains payaient de leur vie leur attachement à la Loi[51]. Dans le *Dialogue avec Tryphon*, individus et peuples, réduits à leur fonction, semblent devoir perdre en vraisemblance ce qu'ils gagnent en signification. Quel crédit historique accorder à un discours – de nature essentiellement apologétique ou missionnaire – qui occulte si aisément ce qui pourrait le nuancer ou l'invalider ?

*

Sur les judéo-chrétiens, Justin ne s'attarde guère dans le *Dialogue* : il faut y voir une preuve que, parmi les publics potentiellement visés, ces derniers ne sont pas au centre de ses préoccupations[52].

Au chapitre 47, la question du judéo-christianisme se présente comme une *transition* naturelle entre les développements consacrés à la Loi et ceux qui portent sur la messianité de Jésus. C'est dans ce cadre seulement qu'elle paraît mériter examen, aussi les deux interlocuteurs l'évoquent-ils comme

[49] Justin désigne ses interlocuteurs – et ceux qu'il représentent – par le pronom ὑμεῖς (très nombreuses occurrences). On trouve aussi fréquemment l'adjectif ὑμέτερος, les expressions ὁ λαὸς ὑμῶν, ὁ ὑμέτερος λαός, τὸ γένος ὑμῶν, τὸ ὑμέτερον γένος, et à deux reprises seulement la tournure τὸ ἔθνος ὑμῶν (56, 10 ; 130, 4). Tryphon utilise, mais plus rarement, les mêmes expressions. BARNABE emploie les pronoms « eux » et « nous ».

[50] Voir ci-dessous.

[51] Sur ces persécutions, et le détail très controversé des pratiques interdites par Hadrien, voir L. W. BARNARD, « Hadrian and Judaism », *Journal of Religious History* 5 (1969), p. 285-298 ; M. D. HERR, « Persecutions and Martyrdom in the Hadrian Days », *Scripta Hierosolymitana* 22 (1972), p. 85-125 ; M. HADAS-LEBEL, *op. cit.*, p. 160-182.

[52] Voir ci-dessous, p. 129-166 (Destinataires).

une *parenthèse* dans leur démarche commune : à l'inverse d'autres sujets, celui-ci ne sera plus jamais abordé par la suite. Justin semble considérer le judéo-christianisme comme une réalité provisoire, explicable par la « faiblesse de jugement » (τὸ ἀσθενὲς τῆς γνώμης)[53] de ceux qui demeurent attachés à la Loi alors que les circonstances historiques, rendant impossibles certains commandements, en attestent la caducité. Dans la perspective qui est la sienne, cette réalité ne pose problème que si elle est encouragée par une forme de prosélytisme (47, 2.3), si elle exclut la vie commune avec les chrétiens (47, 2), ou conduit certains d'entre eux à nier la messianité de Jésus (47, 4). Autrement dit, le judéo-christianisme n'est condamnable que s'il est appelé à se perpétuer ou à se développer au détriment de la foi chrétienne. Justin ne semble guère redouter une telle éventualité. Dans le cas contraire, manifesterait-il, à l'égard des judéo-chrétiens cette tolérance qui de son propre aveu n'est pas commune à tous ceux qui partagent sa foi ? Et la critique des judéo-chrétiens ne serait-elle pas, dans le *Dialogue*, au moins aussi virulente que celle des juifs qui nient la messianité de Jésus en demeurant – ou parce qu'ils demeurent – attachés à la Loi ?[54]

VIII – TRYPHON

Personne ne souscrirait plus, aujourd'hui, au jugement de G. Bardy qui voyait en Tryphon un authentique représentant du judaïsme rabbinique[55]. Les incompatibilités avec ce que nous savons de Rabbi Tarfon rendent par

[53] *Dial.* 47, 2.

[54] Il est remarquable, à cet égard, que le chapitre consacré aux judéo-chrétiens s'achève par une évocation de la question du Salut pour ceux qui, jusqu'à leur mort sont demeurés attachés à la Loi sans jamais reconnaître la messianité de Jésus. C'est bien aux juifs que s'adresse en priorité le *Dialogue* comme l'attestent les déclarations explicites et les affirmations récurrentes de Justin (voir ci-dessous, p. 155-156).

[55] « Le personnage de Tryphon est bien le type du juif classique ; son exégèse est celle qui a prévalu dans les écoles rabbiniques. Nous sommes loin, avec lui, du judaïsme large et tolérant dont Philon d'Alexandrie est le modèle le plus achevé. » (art. « Justin », *DTHC* VIII, col. 2237). G. BARDY semble oublier que Tryphon présente bien des traits – dont une certaine tolérance – qui l'apparentent au judaïsme hellénistique. Le concept de « juif classique » paraît en outre plus conforme à certains préjugés qu'à une quelconque réalité historique.

ailleurs peu vraisemblable une assimilation que certains[56], influencés par les propos d'Eusèbe[57], avaient dans un premier temps suggérée, sans l'étayer jamais par une argumentation rigoureuse[58].

[56] Par exemple Th. ZAHN, « Studien zu Justinus Martyr », *ZKG* 8 (1885), p. 61-65. Listes d'auteurs admettant ou contestant cette identification in N. HYLDAHL, *StudTheol.* 10 (1956), p. 78-79 ; A. J. B. HIGGINS, *NT* 9, 1967, n. 1, p. 298. Le nom porté par l'interlocuteur de Justin a donné lieu à de nombreuses interprétations : cf. N. HYLDAHL, *art. cit.*, p. 79-80 ; G. F. WILLEMS, « Le juif Tryphon et rabbi Tarfon », *Bijdragen* 50 (1989), p. 278. Aucune de ces hypothèses n'est véritablement convaincante. Les recherches archéologiques montrent que ce nom, comme celui de Mnaséas (*Dial.* 85, 6) était assez répandu parmi les juifs de la Diaspora (cf. P. M. FRAZER - E. MATTHEWS, *Lexicon of Greek Personal Names*, II, « Attica », 1987, pp. 315 et 435-436).

[57] « Καὶ διάλογον δὲ πρὸς Ἰουδαίους συνέταξεν, ὃν ἐπὶ τῆς Ἐφεσίων πόλεως πρὸς Τρύφωνα τῶν τότε Ἑβραίων ἐπιστημότατον πεποίηται. » (*Hist. eccl.*, IV, 18, 6). Selon les traductions, l'adjectif ἐπιστημότατον est rendu par un superlatif relatif ou absolu.

[58] Voir à ce sujet les travaux de N. HYLDAHL (1956), et Gérard F. WILLEMS (1989) cités ci-dessus. Certaines données sont conciliables : tous deux sont « hébreux de la circoncision », connaissent le grec, sont présentés comme des personnages éminents, et présentent des points de vue similaires sur certaines questions (purifications, reconstruction du Temple). On ne connaît pas le point de vue de R. Tarfon sur le prosélytisme, et rien n'interdit de penser que, comme Tryphon, il ait lu les Evangiles, pour en combattre le message. Tryphon, à l'issue du *Dialogue*, ne se convertit pas. Mais d'autres excluent toute assimilation. 1) Tryphon est curieux de philosophie. Aucune source n'évoque des contacts de R. Tarfon avec les païens et leur culture. 2) Tryphon voyage en dehors d'Eretz-Israël ; Aucun texte ne nous signale R. Tarfon – qui considère le fait de sortir de la terre d'Israël comme une impureté – en dehors de son pays. 3) Tryphon est un réfugié juif ; R. Tarfon ne peut avoir fui la révolte de Bar-Kochba puisqu'il la soutenait, comme R. Aqiva, considérait la « sanctification du nom » comme un moyen d'obtenir la « royauté en Israël », et mourut probablement en martyr dans les persécutions d'Hadrien. 4) R. Tarfon a officié au Temple de Jérusalem, au plus tard en 69 ; Il aurait alors eu 83 ans lors de l'entretien avec Justin ; rien, chez l'interlocuteur de Justin, ne laisse supposer qu'il était aussi âgé. 5) Tryphon se montre avide d'entendre le philosophe chrétien, et le quitte comme un ami (*philos*) ; pour R. Tarfon, un pagano-chrétien est sans doute égal à un païen, et doit être évité. Quant au Dieu des chrétiens, il le considère comme une idole. 6) Tryphon trouve les préceptes évangéliques « impossibles à réaliser » ; R. Tarfon s'est toujours comporté comme un véritable *hassid.* 7) Tryphon apparaît dans le *Dialogue* comme un homme affable et courtois ; R. Tarfon, au contraire, manifeste un caractère impulsif. 8) Tryphon n'est pas rabbin ; R. Tarfon le fut, et exerça même les fonctions de nasi *ad interim*, vers 115. 9). R. Tarfon est un cohen ; rien ne permet de le supposer pour Tryphon. 11) Tryphon connaît la

L'identité de Tryphon paraît étroitement liée à sa fonction dans le *Dialogue*. Il n'est certainement pas un rabbin puisque son interlocuteur ne le désigne jamais comme tel, et puisque lui-même se distingue – ou est distingué par Justin – des didascales si souvent évoqués au cours de l'entretien[59].

Ses opinions et ses concessions sont trop souvent en contradiction avec ce que nous savons du judaïsme de l'époque pour qu'il soit possible de leur accorder un crédit sans réserve (plusieurs auteurs font d'ailleurs remarquer que les données concernant le judaïsme dans le *Dialogue* sont fournies le plus souvent par Justin et non par celui qui, en théorie du moins, serait le mieux placé pour nous les délivrer). L'analyse de détail des interventions de Tryphon montre enfin que ce qui peut incontestablement être attribué à un interlocuteur juif y est réduit à la défense de quelques articles fondamentaux[60] dont la principale fonction paraît être de contribuer à mettre en évidence ce qui, dans la foi chrétienne, les prolonge en s'y substituant.

On a parfois invoqué certaines notations assez réalistes pour affirmer que Tryphon n'était pas une pure fiction. Il s'avère toutefois que ces indications peuvent toutes être rapportées à des conventions littéraires lorsqu'elles ont trait à la mise en scène de l'entretien[61], et aux nécessités apologétiques lorsqu'elles concernent sa teneur. Tryphon se définit comme « hébreu de la circoncision » (1, 3) : c'est cette identité, et surtout ce qui la détermine que Justin va déconstruire dans le *Dialogue* ; Tryphon a fui la guerre de Judée (1, 3 ; cf. 9, 3) : les défaites contre Rome, avec leurs conséquences nationales et religieuses, constituent, pour Justin, l'ultime preuve de la caducité de la Loi et de l'inanité des espérances juives ; Tryphon séjourne en Grèce (1, 2.3),

mythologie grecque ; R. Tarfon n'y fait jamais allusion. 12) L'un des compagnons de Tryphon se nomme Mnaséas ; Aucun personnage de ce nom (Manassé) n'est présenté comme un proche de R. Tarfon. 13) Tryphon croit en un « Messie souffrant » ; R. Tarfon ne parle jamais *expressis verbis* du Messie. Trop d'obstacles insurmontables s'opposent donc à l'identification des deux personnages. Le processus haggadique de cristallisation qui aurait présidé à l'affirmation selon laquelle Tryphon était le personnage « le plus important de son époque » a été étudié par Yitzhak HEINEMANN, *Darkhey haggadah* (hébr.), Jérusalem 1954, p. 27-31.

[59] Cf. *Dial.* 9, 1 ; 38, 1 ; 43, 8 ; 48, 2 ; 62, 2 ; 68, 7 ; 71, 1 ; 83, 1 ; 110, 1 ; 112, 2.4 ; 114, 3 ; 117, 4 ; 134, 1 ; 137, 2 ;140, 2 ; 142, 2.

[60] Voir ci-dessus pp. 32 ; 34-35 (Plan).

[61] Voir *Dial.* 1 s.

connaît la mythologie (67, 2), et ne cache pas son goût pour la philosophie (1, 3 ; 8, 3). Il ne s'interdit pas non plus, contrairement aux recommandations prêtées aux didascales, de fréquenter les Chrétiens (38, 1), et de lire leurs textes (10, 2 ; 18, 1) : Justin, voyageur lui aussi, est à la fois de culture païenne, philosophe, et chrétien ; Tryphon, comme Justin, fonde son argumentation sur le texte scripturaire (32, 2 ; 56, 16), mais comme Justin, il semble ignorer l'hébreu (cf. 103, 5 ; 125, 3) : le texte grec servira de base au débat exégétique ; Tryphon fait preuve de courtoisie, de finesse, et d'affabilité (1, 1.6 ; 2, 6 ; 118, 5 ; 123, 8 ; 142, 3), de patience (87, 1 ; 142, 1), de curiosité et d'ouverture d'esprit (10, 3 ; 57, 4 ; 87, 1 ; 142, 1), de fermeté dans ses interventions (9, 2 ; 10, 4 ; 25, 6 ; 38, 1 ; 45, 1 ; 48, 1 ; 64, 1 ; 68, 2 ; 73, 5 ; 123, 7), d'ironie quelquefois (10, 2 ; 58, 2 ; 65, 1). Mais il peut se montrer aussi mal disposé (79, 1), ou incohérent (67, 4.7 ; cf. 123, 7). Ces attitudes ne sont-elles pas toutes également nécessaires au dessein contradictoire de son interlocuteur[62] ?

Les qualificatifs et les périphrases tendant à présenter Tryphon comme un instrument mis au service des objectifs de Justin foisonnent dans la littérature. Formules souvent identiques[63]. Certains commentateurs accordent une part d'historicité ou d'authenticité à ce personnage, en faisant remarquer qu'il sait parfois faire preuve de conviction et de subtilité[64], et

62 Les compagnons de Tryphon n'ont qu'un rôle secondaire : voir ci-dessous p. 135-138 (Destinataires), et Index analytique : « Tryphon ».

63 A « straw man » (E. R. GOODENOUGH, *op. cit.*, p. 92 ; S. DENNING-BOLLE, *BJRL* 69, 1987, p. 505 ; H. REMUS, « Justin Martyr's Argument with Judaism », 1986, p. 74 ; G. F. MOORE, *HThR* 14, 1921, p. 198 ; J. NILSON, *ThSt* 38, 1977, p. 540 ; Ben-Zion BOKSER (*art. cit.*, p. 98) ; « Un personnage tout à fait inconsistant » (D. CERBELAUD, *RSPhTh* 81/2, 1997, p. 205) ; « a tool » (A. B. HULEN, *JBL* 51, 1932, p. 63 ; E. R. GOODENOUGH, *loc. cit.*) ; « beschränkt und unwissend » (M. FRIEDLÄNDER, *Patristische und Talmudische Studien*, Vienne 1878, p. 136) ; « kläglich und hilflos » (M. HOFFMANN, *TU* 96, 1966, p. 12) ; « ignorant of [his] own oral tradition » (M. HIRSHMAN, *JQR* 83, 1993, p. 372) ; « an imaginary foil » (Martin D. GOODMANN, *Mission and Conversion*, Oxford 1994, p. 142). Parmi d'autres, Judith M. LIEU adopte un point de vue plus nuancé : « Trypho has too much flesh and blood to be a straw man ; Justin must have known and debated with Jews ; but the details are 'far from careful record' of the two day session. » (*Image and Reality : The Jews in the World of the Christians in the Second Century*, Édimbourg 1996, p. 104).

64 C'est ce que s'efforce de démontrer C. TRAKATELLIS, qui conclut ainsi son analyse du personnage : « Trypho is an alert and earnest thinker and debater who defends his theses with an uncompromising adherence to what he believes to be the truth, and with unshaken

qu'il ne se convertit pas à la fin du débat, ce qui le distingue de tous ceux qui lui sont apparentés dans la littérature de polémique. Les aspects conventionnels du personnage seraient dus à sa mise en forme littéraire.

Tryphon a-t-il vraiment existé ? La question, au fond, présente peu d'intérêt[65]. Réel ou fictif, il est un personnage complexe, comme la réalité – plus particulièrement celle de son époque – dans laquelle il s'inscrit, et comme l'œuvre où il joue l'un des rôles principaux. La part d'historicité qu'il convient de lui accorder réside peut-être, paradoxalement, dans la multiplicité parfois contradictoire de ses composantes[66]. Il est indéniable que celles-ci contribuent à justifier et structurer – un peu artificiellement peut-être – le discours de Justin[67], mais aucune d'entre elles n'est tout à fait incompatible avec ce qu'aurait pu penser ou croire, à cette époque, un Juif de la diaspora, originaire de Palestine, attaché à sa tradition et néanmoins curieux de la

faithfulness to the Mosaic Law. At the same time, he demonstrates a spirit of freedom and wisdom which leads him to accept particular aspects well documented by his opponent. » (*HThR* 79, 1986, p. 295).

[65] « Il importe peu, écrit avec raison ARCHAMBAULT, de savoir si Tryphon est le didascale fameux que semble croire EUSEBE, le célèbre rabbi Tarfon du temps d'Akiba ; si la rencontre du Vieillard qui révèle à Justin la vérité chrétienne eut lieu dans les circonstances si dramatiques dont parle Justin. Ce qui est clair, et c'est là l'important, c'est que Justin résume, dans ce *Dialogue*, tous les problèmes de vie religieuse débattus entre Juifs (plutôt Juifs hellénistes) et Chrétiens du IIe siècle. » (*Dialogue avec Tryphon*, Introduction, p. XCIII-XCV).

[66] GOLDFAHN (*MGWJ* 22, 1873, p. 54) et d'autres, font remarquer que le nom de Tryphon peut être rapporté au verbe θρύπτειν (*briser*). A travers son interlocuteur, Justin s'adresserait à un judaïsme affaibli par les défaites contre Rome, disloqué en diverses tendances, et néanmoins toujours attaché à ses traditions : « Justin bezeichnet also seine Schrift als : Dialog mit dem gebrochenen und dennoch großthuenden Judenthum ».

[67] Plusieurs commentateurs soulignent l'équilibre de cette figure et la complémentarité de ses principales caractéristiques dans le cadre défini par les intentions de Justin : « Un Trifone troppo intransigente avrebbe frustrato il suo scopo, un troppo compaciente non avrebbe roscosso alcuna credibilità presso gli ebrei e neppure presso i Cristiani. Da tale angolazione egli appare un personaggio pazientemente costruito. » (G. OTRANTO, *Esegesi biblica e Storia*, 1979, p. 239) ; « Justin a voulu que son interlocuteur fût tel et ce n'était pas non plus, bien évidemment pour lui donner une supériorité sur lui-même. [...] Il n'a pas poussé le contraste jusqu'à la dernière naïveté : il a prêté à Tryphon des objections réelles, des objections fondamentales, et il a eu le bon sens de ne pas le convertir à la fin du *Dialogue*. » (R. JOLY, *Christianisme et Philosophie*, 1973, p. 159-160).

culture grecque, tenté peut-être par le judéo-christianisme, et s'interrogeant, à la lumière des événements, sur le bien fondé des espérances de son peuple.

Tel qu'il apparaît dans le *Dialogue*, Tryphon emprunte chacun de ses traits à un ensemble de doutes et de convictions qu'il n'est jamais totalement invraisemblable de prêter, dans les mêmes circonstances, à ceux qui partageaient la même expérience. Ses différentes facettes correspondent à une variété de tendances, de références et d'aspirations, dont on peut supposer qu'elles étaient toutes plus ou moins présentes en chaque juif contemporain de Justin[68]. L'auteur du *Dialogue* ne fait que réunir en un seul personnage, ce que la réalité offrait de façon diffuse.

Tryphon est une synthèse[69] : à travers lui, c'est la pluralité des judaïsmes de son temps que Justin cherche à atteindre et à représenter. On peut

[68] C'est l'avis de nombreux commentateurs qui utilisent, pour l'exprimer, des formules similaires, où le degré d'hellénisation du personnage, et son rapport au christianisme, sont diversement appréciés : « Trypho selbst gehört nicht zu den gegen die Heiden völlig abgeschlossenen Juden » (A. HARNACK, *TU* 39/1, 1913, p. 60) ; « Un Juif à tendances hellénistes » (ARCHAMBAULT, *loc. cit.*, p. XCIV) ; « Un giudeo a tendenze ellenistiche » (G. GIORDANO, *Asprenas* 10, 1963, p. 158) ; « Ein bescheidener Student der griechischen Philosophie » (N. HYLDAHL, *art. cit.*, p. 86) ; « Un réfugié juif inconnu, plutôt assimilé, qui s'intéresse à la culture hellénistique » (G. F. WILLEMS, *art. cit.*, p. 289) ; « Throughout the *Dialogue*, he appears as an enlightened Jew, imbued with hellenistic culture ...a man of education and a philosopher. » (S. KRAUSS, *JQR* 5, 1893, p. 124) ; « Tryphon et plus encore le Juif de Celse représentent une nuance très hellénisée de judaïsme. » (M. SIMON, *Verus Israel*, p. 208) ; « Der Trypho des *Dialogs* ist abgesehen von seiner Selbsteinführung in c. 1 ein völlig hellenisierter Jude. » (Th. ZAHN, *ZKG* 8, 1885, p. 56) ; « Un lettré juif qui avait pris ses distances par rapport à ses congénères rigoristes engagés dans leur guerre contre Rome, et qui, réfugié à Éphèse, continuait de professer un judaïsme libéral » (E. ROBILLARD, *Justin : l'itinéraire philosophique*, 1989, p. 23) ; « Tryphon und seine Genossen sind griechische Diasporajuden, die, weit näher als dem pharisäischen Judentum dem nazaräischen Christentum stehen » (M. FREIMANN, *MGWJ* 19, 1911, p. 579) ; « Trypho is the kind of Jew which a Gentile proselyte was most likely to become » (J. NILSON, *art. cit.*, p. 541).

[69] Autre constatation exprimée, dans la littérature, à travers des formules apparentées : « Trypho represents a mediating Judaism, perhaps with Palestinian roots, which cannot be strictly classified » (L. W. BARNARD, *Justin Martyr, his Life and Thought,* Cambridge, Univ. Press., 1967, p. 42) ; « One can not be certain about the 'kind' of Judaism Trypho represented » [...] « It is possible that in the *Dialogue*, Trypho represents an eclectic Judaism that is, a Judaism which Justin put together from his encounters with various forms of Judaism and his 'Samaritan' view of it » (R. S. MACLENNAN, « Justin, an Apologetic Essay… », 1989, pp. 53 et

s'interroger sur la pertinence et l'efficacité d'une telle construction. Elle a le mérite de la cohérence intellectuelle et spirituelle : dans l'imminence de la seconde Parousie et la perspective du Jugement qui fondent son activité missionnaire et littéraire, Justin se soucie moins d'exactitude historique, culturelle ou sociologique, que d'un Salut universel dont il souhaite que personne ne demeure exclu.

IX– VALEUR DU TEMOIGNAGE DE JUSTIN

Justin peut-il être considéré comme un bon témoin du judaïsme de son temps ?

Les avis sur cette question sont partagés, et l'éventail des jugements est assez large pour intégrer des conclusions singulièrement contradictoires[70].

63) ; « Justin's Trypho seems to me typical of Diaspora Judaism, not primarily because of the specific points of Hellenism or legalism thet he expresses, but because his Judaism is such a mixture of elements from hellenistic and halachic traditions » (E. R. GOODENOUGH, *Jewish Symbols*, I, 53, n. 117).

[70] « Justin, – soviel ist sicher – hat nicht nur mit vielen Juden, sondern auch mit Gesetzlehrern häufig verkehrt. Dafür bürgt einmal seine ziemlich genaue Kenntniss der jüdischen Auslegung, dann auch seine, den Gesetzlehrern entlehnte, im Dialog vielfach zu Tage tretende Methode des Deutelns. » (M. FRIEDLÄNDER, *art. cit.*, 1878, p. 137) ; « Es ist ein sehr bedeutendes Material, welches wir für die Kenntniss des Judentums (und des Judenchristentums) und seines Verhältnisses zum Christentums um das J. 160 aus dem Dialog gewonnen haben. » (A. HARNACK, *op. cit.*, 1913, p. 90) ; « Yet, after making all possible allowance for the existence and importance of these 'errors', we must grant that Justin had at least a good working knowledge of post-biblical Judaism, a knowledge superior to that of most polemical writers against the Jews, and infinitely greater than that of the majority of ever learned clergy to-day. » (A. L. WILLIAMS, *Justin Martyr. The Dialogue with Trypho*, 1930, p. XXXIV) ; « Justin kennt das zeitgenössische Judentum auf Grund seiner palästinensischen Herkunft und tatsächlich durchgefochtener Streitgespräche so gut vie kein Vertreter der Heidenkirche bis Origenes. » (L. GOPPELT, *Christentum und Judentum im ersten und zweiten Jahrhundert*, 1954, p. 289) ; « Justin's astonishing wide knowledge of contemporary Judaism » (W. H. C. FREND, « The Old Testament in the Age of the Greek Apologists », *SJTh* 26, 1973, p. 139) ; « The Dialogue does exhibit a very wide knowledge of Judaism... » ; « I have shown that Justin had a very good knowledge of emerging rabbinic Judaism in his time, down to very precise details. » (Ph. SIGAL, *Abr-Nahrain* 18, 1978-1979, pp. 82 et 92) ; « Una notevole

Les appréciations positives prédominent toutefois. Certaines d'entre elles s'appuient sur une liste, parfois empruntée aux prédécesseurs, de données hétérogènes, mises sur un même plan, et présentées sans véritable examen critique (A. Harnack ; A. L. Williams ; L. W. Barnard). D'autres résultent d'une analyse des affirmations de Justin, ou de Tryphon, dans les domaines exégétique et théologique (M. Friedländer ; W. A. Shotwell). D'autres enfin se fondent sur l'étude approfondie de certaines indications considérées comme particulièrement représentatives (E. Sjöberg ; F. Manns ; Ph. Sigal, etc.). Les travaux de Goldfahn, qui sont à l'origine de toute la recherche en ce domaine, conservent leur intérêt, mais les rapprochements qui y étaient suggérés ont souvent donné lieu, par la suite, à une analyse critique permettant d'en évaluer avec plus de précision la véritable pertinence. Le personnage de Tryphon inspire généralement une certaine réserve, et le paradoxe d'une œuvre dans laquelle les informations sur le judaïsme n'émanent pas de celui qui est censé le représenter laisse perplexes bien des commentateurs.

Parmi les auteurs concluant, pour Justin, à une bonne connaissance du judaïsme post-biblique, Ph. Sigal est sans doute le plus enthousiaste. Il suggère même que des recherches plus approfondies, sur les origines de l'auteur du *Dialogue*, mériteraient d'être entreprises…[71]

conoscenza del giudaismo post-biblico » ; « Ma se è vero che dal Dialogo emerge una sicura conoscenza del giudaismo da parte di Giustino, è altrettanto vero che Trifone come rappresentante del giudaismo merita un discorso a parte. » (G. OTRANTO, *Esegesi*, 1979, pp. 208 et 238) ; « The Dialogue contains a considerable amount of invaluable information about the issues at stake between Christians and Jews in the middle of the second century. » (G. N. STANTON, *NTS* 31, 1985, p. 378) ; « I have serious reservations as to the nature and extend of Justin's knowledge of rabbinic Judaism and would like to begin a reassessment of it in this essay. » (M. HIRSHMAN, *JQR* 83, 1993, p. 371).

[71] « There is a need to restructure research into Justin relative to his origins, his relationship which Judaism in Samaria, and the general climate of Judaic-Christian studies and religious relationships during the crucial period 70-135 and its aftermath. » (*art. cit.*, p. 92) ; « The task of research is to seek to understand why this pious Christian was so Judaic and rabbinic ; how the influence of Jesus, Philo, Paul, and their rabbinic contemporaries expressed themselves, and in turn to gain new perspectives on the relationships of the two branches of post-Biblical Judaism from 70-135. » (*ibid.*, p. 93).

Il est indéniable que Justin manifeste une meilleure connaissance du judaïsme de son temps que la plupart de ses successeurs dans la littérature de controverse. Ses affirmations sont souvent corroborées par d'autres sources ; sa familiarité avec les contenus et les méthodes de l'exégèse rabbinique paraît incontestable. Mais certaines absences (Loi orale, martyres juifs) demeurent difficilement explicables, certaines concessions de Tryphon (messianisme) peu vraisemblables, et plusieurs observations (samaritanismes) mal justifiées. L'influence des convictions chrétiennes, et la prépondérance des intentions apologétiques, sont manifestes dans la perception et la restitution des réalités ou des croyances que mentionne le *Dialogue*. Dans de telles conditions, et avec des données aussi divergentes, toute conclusion ne peut être que provisoire et mesurée. Ph. Sigal propose de toujours accorder foi, en l'absence de preuves contraires[72], aux assertions de Justin. La priorité donnée à la perspective chrétienne dans le *Dialogue* pourrait légitimer l'attitude opposée.

X – CONCLUSION

Une œuvre telle que le *Dialogue avec Tryphon* ne saurait être considérée indépendamment de ce qui l'inspire et de ce qui en motive la composition. Par sa forme et son contenu, elle s'inscrit dans la tradition scripturaire ; par sa finalité, elle veut contribuer à l'œuvre de Rédemption. Littérature, histoire, et spiritualité y sont indissociables. Événements et réalités sont toujours mis en perspective : la signification qui leur est accordée paraît même précéder leur perception, comme la Prophétie anticipe sur l'Histoire. Une même structure binaire détermine ces parallélismes, ces correspondances, et ces antinomies auxquels rien n'échappe, pas même certains détails du style.

Conformément à la vision qu'il en a, Justin nous propose une lecture théologique de la réalité qui lui est contemporaine. Le présent n'y est qu'une prophétie réalisée et une eschatologie en devenir ; les pratiques cultuelles du judaïsme des survivances ou des figures de la liturgie chrétienne ; les peuples perdent leur spécificité pour n'exister que relativement à la notion de

[72] « He knew the Jewish scene very well. The presupposition must always be that he was right until proven wrong. » (*art. cit.*, p. 86).

« véritable Israël ». L'historien doit garder à l'esprit ces caractéristiques pour mesurer le crédit qu'il convient d'accorder, sur ces différentes questions, au témoignage de l'Apologiste.

Si la référence scripturaire est omniprésente dans le *Dialogue*, et si Justin y paraît mieux informé dans le domaine de l'interprétation des textes, c'est précisément parce que le véritable objet du débat n'est pas historique, mais exégétique, ou plutôt parce qu'il est exégétique avant d'être historique. Même lorsqu'il est question des pratiques de la Loi, ou des relations avec Rome, Justin demeure préoccupé par une seule interrogation : les Écritures, sont-elles juives ou chrétiennes ? Revendiquer l'exclusivité de leur intelligence[73], c'est également prétendre à un droit sur l'Histoire. L'enjeu du débat entre Justin et Tryphon n'est pas uniquement religieux ou identitaire : c'est l'existence même de ce qu'ils représentent qui est mise en question.

♦

Bibliographie

H. GRAETZ, « Haggadische Elemente bei den Kirchenvätern », *MGWJ* 3 (1854), p. 311-319 ; 352-355 ; 381-387 ; 428-431 et 4 (1855), p. 186-192 (sur Justin, p. 312-314) ; A. GOLDFAHN, « Justinus Martyr und die Aggada », *MGWJ* 22, Breslau 1873, nouvelle série 5, pp. 49-60 ; 104-115 ; 145-153 ; 193-202 ; 257-269 (série d'articles) ; M. FRIEDLÄNDER, « Justin's Dialogue mit Trypho », in : *Patristische und Talmudische Studien*, Wien 1878, p. 80-148 (large revue des questions exégétiques et théologiques situées au centre de la controverse) ; S. KRAUSS, « The Jews in the works of the Church Fathers », *JQR* 5 (1893), p. 122-157 (sur Justin, p. 123-134) ; T. R. GLOVER, « The Conflict of Christian and Jew », in : *Conflict of Religions in the Early Roman Empire*, 1909, p. 167-195, *passim* ; M. FREIMANN, « Die Wortführer des Judentums in den ältesten Kontroversen zwischen Juden und Christen 2 », *MGWJ* 19 (1911), p. 555-585 (sur Justin, p. 565-595) ; A. von HARNACK, « Judentum und Christentum in Justins *Dialog mit Trypho*, nebst einer Collation der Pariser Handschrift nr 450 » [*TU* 39/1], Leipzig 1913, p. 47-98 (large synthèse) ; A. MARMORSTEIN, « Jews and Judaïsm in the Earliest Christian Apologists », *Expositor* 8th series 17 (1919), pp. 73-80 et 100-116 (sur Justin, p. 77-80 et *passim*) ; Erwin R. GOODENOUGH, *The Theology of Justin Martyr*, Iena 1923 (Amsterdam 1968²), chap. II, p. 33-56 ; A. B. HULEN, « The Dialogues with the Jews as sources for the Early Jewish Arguments against Christianity », *JBL* 51 (1932), p. 58-70 (sur Justin, p. 62-65) ; M. SIMON, « Sur deux hérésies juives mentionnées par Justin Martyr »,

[73] Cf. *Dial.* 29, 2*.

RHPhR 18 (1938), p. 54-58. (Génistes et Méristes du chap. 80, 4) ; ID., « Melchisédech dans la polémique entre juifs et chrétiens », *Recherches d'histoire judéo-chrétienne*, Mouton & C°, 1962, p. 101-126 ; ID., *Verus Israel. Étude sur les relations entre chrétiens et juifs dans l'empire romain (135-425)*, Paris, 1948 (1964^2, 1983^3), *passim* ; ID., « Les sectes juives d'après les témoignages patristiques », *StudPatr* I, 1 [TU 63], Berlin 1957, p. 525-539 (sur *Dial.* 80, 4) ; P. R. WEIS, « Some Samaritanisms in Justin Martyr », *JThS* 45 (1944), p. 199-205 ; T. W. MANSON, « The Argument from Prophecy », *JThS* 46 (1945), p. 129-136 (serpent d'airain et combat contre Amalek) ; J. T. MILIK, « Une lettre de Siméon Bar Kokheba », *RB 60* (1953), p. 276-294 (sur les Galiléens de *Dial.* 80, 4) ; D. BARTHELEMY, « Redécouverte d'un chaînon manquant de l'histoire de la Septante », *RB* 60 (1953), p. 18-29 ; ID., *Les devanciers d'Aquila...*, *VTS* 10 (1963), Leyde, Brill, p. 203-212 ; E. SJÖBERG, « Justin als Zeuge vom Glauben an den verborgenen un den Leidenden Messias im Judentum », in : *Interpretationes ad Vetus Testamentum pertinente, Sigmundo Mowinckel septuagenario missae*, éd. N. A. Dahl et A. S. Kapelrud, Oslo 1955, p. 173-183 ; N. HYLDAHL, « Tryphon und Tarphon », *StudTheol.* 10 (1956), p. 77-90 ; J. DANIELOU, *Théologie du judéo-christianisme*, 1991^2, *passim* ; Leslie W. BARNARD, « The Old Testament and Judaism in the Writings of Justin Martyr », *VT* 14 (1964), p. 394-406 = *Justin Martyr, his Life and Thought* : Cambridge, Univ. Press, 1967, VIII & 194 p., chap. 4, p. 39-52 ; ID., « Justin Martyr's Knowledge of Judaism », in : *Studies in Church History and Patristics*, Thessaloniki : Patriarchal Institute of Patristic Studies, 1978, p. 107-118 ; W. A. SHOTWELL, *The Biblical Exegesis of Justin Martyr*, Londres 1965 (chap. IV, p. 71-115 : « Justin and the Jewish Exegetes ») ; Douglas A. HARE, « The Relationship between Jewish and Gentile Persecutions of Christians », *Journal of Eucumenical Studies*, vol. IV, n° 3, 1967, p. 446-456 (sur Justin, p. 447-450) ; A. J. B. HIGGINS, « Jewish messianic Belief in Justin Martyr's *Dialogue with Trypho* », *NT* 9 (1967), p. 298-305 ; D. GERSHENSON - G. QUISPEL, « Meristae », *VigChr* 12 (1968), p. 19-26 (sur *Dial.* 80, 4) ; J. NEUSNER, *Aphraat and Judaism. The Christian-Jewish Argument in Fourth-Century Iran* [Studia Port-biblica, 19], Leyde, Brill, 1971, pp. 187-198 ; 217-220 ; 229, et *passim* ; Paul J. DONAHUE, *Jewish-Christian Controversy in the Second Century : A Study in the Dialogue of Justin Martyr*, (Diss. Yale Univ.), New Haven, 1973 (Microfilm) ; Ben-Zion BOKSER, « Justin Martyr and the Jews », *JQR* 64/2 (oct. 1973), p. 97-122 et n° 3 (janv. 1974), p. 204-211 ; K. HRUBY, « Exégèse rabbinique et exégèse patristique », *RSR* 47 (1973), p. 341-369 (querelles exégétiques : entièrement consacré à Justin) ; José P. MARTIN, « Hermeneútica en el cristianismo y en el Judaísmo según el *Diálogo* de Justino Mártir », *RevBibl* (Revista bíblica) 39, Buenos Aíres 1977, p. 327-344 ; F. MANNS, « L'exégèse de Justin dans le *Dialogue avec Tryphon*, témoin de l'exégèse juive ancienne » : in : ID., *Essais sur le judéo-christianisme* [Coll. « Studium Biblicum Franciscanum », Analecta 12], Jérusalem 1977, p. 130-152 ; F. E. MEYER, « Die Pessah-Haggada und der Kirchenvater Justinus Martyr », *VIKJ* 3 (1977), p. 84-87 (cf. *Dial.* 75, 3*) ; Cl. AZIZA, *Tertullien et le judaïsme* [Coll. « Publications de la faculté des Lettres et sciences humaines de Nice », 16], Paris 1977, *passim* ; Ph. SIGAL, « An Inquiry into Aspects of Judaism

in Justin's *Dialogue with Trypho* », *Abr-Nahrain* 18 (1978-1979), p. 74-100 ; W. HORBURY, « The Benediction of the Minim and Early Jewish-Christian Controversy », *JTS* 33 (1982), p. 19-61 et *passim* ; ID., « Messianism among Jews and Christians in the Second Century », *Augustinianum* 28 (1988), p. 71-88 et *passim* ; ID., « Jewish-Christian Relations in Barnabas and Justin Martyr », in : J.D.G. DUNN (éd.), *Jews and Christians : the Parting of the Way, A. D 70 to 135*, Tübingen 1992, p. 315-345 ; ID., « Early Christians on Synagogue Prayer and Imprecations », in : Graham N. Stanton and Guy Stroumsa (éd.), *Tolerance and Intolerance in Early Judaism and Christianity*, Cambridge, University Press, 1998, p. 296-317, bibliographie (sur Justin, p. 309-311) ; M. ROOT, « Images of Liberation : Justin, Jesus, and the Jews », *The Thomist* 48 (1984), p. 512-534 ; Graham N. STANTON, « Aspects of Early Christian-Jewish Polemic and Apologetic », *NTS* 31 (1985), p. 377-392 et *passim* ; ID., « Justin Martyr's *Dialogue with Trypho* : Group boundaries, 'Proselytes' and 'God-Fearers' », in : Graham N. Stanton and Guy Stroumsa (éd.), *Tolerance and Intolerance in Early Judaism and Christianity*, Cambridge, University Press, 1998, p. 263-278, bibliographie ; H. REMUS, « Justin Martyr's Argument with Judaism », in : Stephen G. Wilson (éd.), *Anti-Judaism in Early Christianity, II : Separation and Polemic*, Waterloo, Ont. Wilfried Laurier Univ. Pr., 1986, p. 59-80 ; Demetrius C. TRAKATELLIS, « Justin Martyr's Trypho », *HThR* 79 (1986), p. 289-297 ; J. R. AYASO MARTINEZ, « Justino y las posturas judías frente a los cristianos : la Birkat Ha-Minim », in : Pereira Menaut Gerardo (éd.), I Congr. peninsular de história antígua (Santiago de Compostela, 1-5 julio 1986), Santiago de Compostela Univ. 1988 (3 vol.), vol. III, pp. 167-175 ; O. SKARSAUNE, *The Proof from Prophecy, A Study in Justin Martyr's Proof-text Tradition. Text-type, Provenance, Theological profile* [NT Suppl. 56], Leyde, Brill, 1987, *passim* ; G. VISONA, *S. Giustino. Dialogo con Trifone*, 1988, Introduction, p. 46-57 (« Cristianesimo e Giudaismo ») ; R. S. MACLENNAN, « Justin, an Apologetic Essay : the Dialogue with Trypho a Jew (c. 160 C. E) », in : J. Neusner (éd.), *Four Early Christian Texts on Jews and Judaism... Essays in Honor of Marvin Fox*, Atlanta 1989, chap. II, p. 49-88 ; G. F. WILLEMS, « Le juif Tryphon et rabbi Tarfon », *Bijdragen* 50 (1989), p. 278-292 ; D. D. SUTHERLAND, « Gn. 15, 6 and Early Christian Struggles over Election », *SJTh* 44 (1991), p. 443-456 (cf. *Dial.* 23, 4*) ; Bruce G. HALL, « The Samaritans in the Writings of Justin Martyr and Tertullian », in : A. Tal (éd.), *Proceedings of the First International Congress of the Société d'Études Samaritaines*, Tel-Aviv 1991, p. 115-122 ; R. GOUNELLE, « Justin face à Tryphon : lorsqu'un philosophe converti au Christianisme critique le Judaïsme », *Foi et Vie. Cahier Biblique* 32, vol. 92, n° 5 (sept. 1993), p. 113-122 ; E. FERGUSON, « Justin Martyr on Jews, Christians and the Covenant », in : F. M. Manns - E. Alliata (éd.), *Early Christianity in Context. Monuments and Documents* [Studium Biblicum Franciscanum. Collectio maior, vol. 38], Jérusalem 1993, p. 395-405 ; U. KUEHNEWEG, « Das 'Umsturzen des Leuchters' (Justin, *I Apol.* 26, 7) – eine versteckte jüdische Polemik ? », *StudPatr* 26 (1993), p. 151-155 ; M. ALEXANDRE, « Justin, le Dialogue avec Tryphon », *Nouveaux Cahiers* 113 (1993), p. 20-32 ; E. NORELLI, « Il dibattito con il giudaismo nel II

secolo. Testimonia ; Barnaba ; Giustino », in : *Bibbia nell'antichità cristiana*, I, 1993, p. 199-233 (sur Justin, p. 228-233) ; St. HEID, « Frühjüdische Messianologie in Justins Dialog », *JBTh* 8 (1993), p. 219-238 ; David T. RUNIA, *Philo in Early Christian Literature : a Survey*, Assen-Minneapolis 1993 (sur Justin : p. 97-105, bibliographie) ; M. HIRSHMAN, « Polemic Literary Units in the Classical Midrashim and Justin Martyr's *Dialogue with Trypho* », *JQR* 83 (1993), p. 369-384 ; ID., *A Rivalry of Genius. Jewish and Christian Biblical Interpretation in Late Antiquity*, New York 1996 (sur Justin, p. 31-66) ; Martin D. GOODMANN, *Mission and Conversion : Proselytizing in the Religious History of the Roman Empire*, Oxford 1994, p. 142-143 ; J. M. LIEU, « Circumcision, Women and Salvation », *NTS* 40 (1994), p. 358-370 (cf. *Dial.* 23, 5*) ; ID, « Accusations of Jewish Persecutions in Early Christian Sources, with Particular Reference to Justin Martyr », in : Graham N. Stanton and Guy Stroumsa (éd.), *Tolerance and Intolerance in Early Judaism and Christianity*, Cambridge, University Press, 1998, p. 279-295, bibliographie ; J.-C. ATTIAS, « A propos du *Dialogue avec Tryphon* de Justin Martyr », *Positions luthériennes*, 43e année – n° 2, avril-juin 1995 ; H. SCHRECKENBERG, *Die christlichen Adversus-Judaeos-Texte und ihr literarisches und historisches Umfeld (1-11. Jh.)* [Europäische Hochschulschriften, Reihe XXIII, Bd./Vol. 172], Frankfurt am Main, Berlin, Bern, New York - Paris - Vienne, Peter Lang, 1995[3], pp. 182-201 et 605-606 ; Ph. HENNE, « Justin, la Loi et les Juifs », *RTL* 26 (1995), p. 450-462 ; S. KRAUSS - W. HORBURY, *The Jewish-Christian Controversy. From the Earliest Times to 1789*, vol. I. History, J. C. B. Mohr (Paul Siebeck), Tübingen [Texte und Studien zum antiken Judentum, 56], 1996, p. 30 ; J. TABORY, « The Crucifixion of the Pascal Lamb », *JQR* 86 3-4 (1996), p. 395-406 ; M. MACH, « Justin Martyr's *Dialogus cum Tryphone Iudaeo* and the Development of Christian Anti-Judaism », in : O. Limor & G. G. Stroumsa (éd.), *Contra Iudaeos : Ancient and Medieval Polemic between Christians and Jews*, Tübingen 1996, p. 27-47 ; O. SKARSAUNE, « Judaism and Hellenism in Justin Martyr, elucidated from His Portrait of Socrates », in : *Geschichte - Tradition – Reflexion*, III. Festschr. für Martin Hengel zum 70 Geburtstag, Frühes Christentum, Tübingen, Mohr-Siebeck, 1996, p. 585-611 ; D. CERBELAUD, « Thèmes de la polémique chrétienne contre le judaïsme au IIe siècle », *RSPhTh* 81/2 (1997), p. 193-218 (sur Justin, p. 205-209) ; Geoffrey D. DUNN, « Tertullian and Rebekah : a Re-reading of an 'anti-Jewish' Argument in Early Christian Literature », *VigChr* 52/2 (mai 1998), p. 119-145 (sur Justin, p. 133-138) ; S.-C. MIMOUNI, *Le Judéo-christianisme ancien. Essais historiques* [Collection « Patrimoines »], Paris, Cerf, 1998 (sur Justin, p. 117-122) ; T. RAJAK, « Talking at Trypho », in : M. Edwards - M. Goodman - S. Price - C. Rowland, *Apologetics in Roman Empire : Pagans, Jews and Christians*, Oxford-New York, Oxford University Press, 1999, p. 59-80 ; D. ROKEAH, *Justin Martyr and the Jews* [Jewish and Christian Perspectives Series, V], Leyde, 2001 (essentiellement sur l'argumentation paulinienne) ; Timothy J. HORNER, *Listening to Trypho. Justin Martyr's Dialogue Reconsidered*, Louvain - Paris, Peeters, 2001 (cet ouvrage, paru trop récemment pour pouvoir être pris en compte ici, fera l'objet d'une recension dans un prochain numéro de la *Revue des Études Juives*).

JUDAISME
dans le *Dialogue* et l'*Apologie*[1]

* = note
** = série de notes

I – ASPECTS DU CULTE ET DE LA LOI

– Agneau pascal : *voir* Pâque.
– Arche d'alliance : 132, 2-3*.
– Azymes : 14, 3 → App. 2, p. 943-945.
– Bain rituel : 13, 1*.
– Châle de prière : 46, 5*
– Circoncision : 10, 3* ; 11, 5* ; 12, 3* ; 15, 7* ; 16, 2* ; 18, 2* ; 19, 3*.4* ; 23, 4*.5* ; 27, 5* ; 28, 3*-4* ; 41, 4* ; 43, 2* ; 67, 5* ; 92, 4* ; 113, 6*-7* → Appendice 7, p. 959-963 ; 114, 4* ; 119, 4*.
– Clochettes (robe du Grand prêtre) : 42, 1*
– Fêtes : 8, 4*.
– Jeûnes : 15, 1*.4* ; 40, 4*.
– Loi mosaïque et préceptes éternels : 23, 1*[2]
– Lecture de la Loi écrite : 55, 3*.
– Loi orale : 8, 4* ; cf. 47, 4*[3].
– Maison de prière : 86, 6*.
– Mariage, polygamie : 141, 4*.
– Néoménies : 8, 4* ; 46, 2*.
– Oblations : 112, 4*.
– Offrandes, sacrifices : 13, 1* ; 19, 6* ; 22, 1*.9* ; 27, 5* ; 28, 4* ; 29, 1* ; 41, 1*.2* ; 46, 2* ; 92, 4* ; 117-118**.
– Pâque : 40, 1-3** ; 46, 2* ; 111, 3*.
– Phylactères : 46, 5*.

[1] Ne sont retenues ici que les références qui concernent – en association ou non avec leur équivalents dans le christianisme – des réalités et des conceptions juives. Pour une liste exhaustive des références incluant celles qui ne concernent que le christianisme, voir l'Index thématique, *passim*.

[2] Voir l'article annoncé à la note 9 de ce chapitre.

[3] Pour la thématique de la Loi nouvelle, voir dans l'Index analytique l'entrée « Loi ».

II – REALIA ET HISTOIRE

[4] Voir l'article mentionné ci-dessus, n. 19, p. 79.

[5] Voir l'article mentionné ci-dessus, n. 18, p. 79 (en particulier les p. 4-11).

[6] *Ibid.* (p. 12-21).

III – EXEGESES ET CROYANCES

A) Croyances

– Anges :
  57, 2* (manne)
  62, 3* (sur *Gen.* 3, 22) → App. 4, p. 948-952
  79, 1* (chute des anges)
  128, 3-4* (création des anges) → Appendice 10, p. 969-971
– Anthropomorphismes : 114, 3*.
– Images (interdites) : 91, 4* → App. 6, p. 956-958
– Messie, Messianisme : 8, 4* → Introduction, p. 84-87 (notes)
– Prières et sacrifices : 117, 4*.
– Résurrection des morts : 80, 4*
– Salomon idolâtre : 34, 8[7]
– Salut :
 8, 3*.4* (et respect de la Loi) ;
 44, 1* (et appartenance à la descendance d'Abraham) ; 45, 3* (Loi).
– Théophanies bibliques : *voir* ci-dessous (*Gen.* 18, 1 s. ; *Exod.*, 3, 2 s.).
– Transcendance divine : 127, 3*.
– Unité divine (pas d'*autre Dieu*) : 50, 1*.

B) Exégèses

– *Gen.* 1, 26 (« Faisons l'homme à notre image ») : 62, 2
 → App. 4, p. 948-952.
– *Gen* 3, 22 (« Adam est devenu comme l'un de nous ») : 62, 3
 → App. 4, p. 948-952.
– *Gen.* 7, 19-20 (Déluge) : 138, 3*.
– *Gen.* 17, 5 (Abram → Abraham) : 113, 2*.
– *Gen.* 17, 15 (Saraï → Sarah) : 113, 2*.
– *Gen.* 18 (Apparition à Mambré) : 56, 10*.23*.
– *Gen.* 19, 23-25 (« Alors le seigneur fit pleuvoir… ») : 56, 23*.
– *Gen.* 32, 15 (Présent de Jacob à Ésaü) : 112, 4*.
– *Gen.* 49, 10 (« Le sceptre ne s'éloignera point de Juda… ») : 52, 2
 → App. 5, p. 952-955.
– *Gen.* 49, 11 (« Attachant à la vigne son ânon… ») : 53, 1*.

[7] Voir l'article mentionné ci-dessus, n. 35, p. 83 (en particulier les p. 157-160).

- *Exod.* 3, 2 s. (Buisson ardent) : 60, 1*.
- *Exod.* 17, 8 s. (Combat contre Amalek) : 90, 4*.
- *Exod.* 23, 20-21 (« Voici que je t'envoie mon ange ») : 75, 1*.
- *Lév.* 2 (Oblations) : 112, 4*.
- *Nombr.* 21, 9 (Serpent d'airain) : 94, 4* → App. 6, p. 956-958
- *Deut.* 4, 19 (« le soleil, la lune et les étoiles... ») : 55, 1*.
- *Ps.* 2, 7 (« Tu es mon fils, aujourd'hui je t'ai engendré ») : 88, 8*.
- *Ps.* 23 (« Levez vos portes et le Roi de gloire s'avancera... ») : 36, 2[8]
- *Ps.* 44 (« Écoute, fille, regarde, et penche ton oreille... ») : 63, 5*.
- *Ps.* 71 (« Dieu, donne au roi ton jugement... ») : 34, 1*[9]
- *Prov.* 8 (« Le Seigneur m'a établie principe de ses voies... ») : 61, 5*.
- *Mich.* 4, 1 s. (« Venez, et montons à la montagne du Seigneur ») : 110, 1*.
- *Jon.* 2-4 (Repentir de Ninive) : 108, 1*.
- *Zach.* 9, 9 (Entrée du Messie à Jérusalem) : 53, 3*.
- *Mal.* 1, 11 (« Mon nom est glorifié... parmi les nations ») : 117, 4*.
- *Is.* 7, (14) (« Voici, la vierge concevra... ») : 43, 8*.
- *Is.* 11, 1-2 (« Un rameau sortira de la souche de Jessé... ») : 87, 2*.
- *Is.* 42, 6-7 (« Et je t'établirai ...lumière des nations ») : 122, 3*.
- *Is.* 42, 8 (« Je ne donnerai à nul autre ma gloire ») : 65, 1*.
- *Is.* 52, 13-53, 12 (Serviteur souffrant) : 13, 7*.
- *Is.* 54, 1 (« Réjouis-toi, stérile... ») : 13, 8*.
- *Is.* 54, 8-9 (Déluge) : 138, 3*.
- *Dan.* 2, 34 (« Une pierre ...s'est détachée... ») : 70, 1*.
- *Dan.* 7 (« Fils de l'homme ») : 32, 1*.

IV – PHILON

(Voir Index des auteurs anciens), et, ci-dessus, la note 29, p. 81.

[8] *Ibid.*

[9] *Ibid.*

EXEGESE

I – INTRODUCTION

L'exégèse que Justin pratique dans le *Dialogue* et l'*Apologie* a donné lieu à de nombreuses études[1]. Celles-ci portent, pour l'essentiel, sur ses fondements (principes herméneutiques et théologiques), sa nature (typologie, allégorie, etc., avec les terminologies associées), ses contenus (significations, rapports avec l'interprétation juive – philonienne ou rabbinique – des textes), et ses sources (problèmes textuels, Testimonia, etc.). Les remarques concernant la méthode y demeurent sporadiques ou accessoires[2]. La perspective spirituelle qui prédomine dans les intentions de Justin et dans la perception chrétienne de son œuvre a quelque peu occulté les aspects techniques de son exégèse. L'opposition traditionnelle entre lecture littérale et spirituelle des Écritures[3] n'est sans doute pas étrangère à ce phénomène. Justin lui-même ne critique-t-il pas avec une certaine véhémence ce qu'il regarde comme un excès de littéralisme dans l'herméneutique juive[4] ?

L'analyse de détail du *Dialogue* oblige pourtant à considérer d'une manière moins univoque l'exégèse qui y est pratiquée. Il s'avère en effet que celle-ci, pour être incontestablement spirituelle – et surtout christologique – dans ses conclusions n'en est pas moins fort proche du texte par les moyens qu'elle met en œuvre. Cette technique prend des formes variées, parfois même originales. Loin d'y être opposées, la « lettre » et « l'esprit » y apparaissent comme indissociables. Leur fusion correspond à une conception unitaire de l'Écriture qui détermine à la fois les méthodes d'approche, leurs résultats, et

[1] *Bibliographie* en fin de développement (p. 127-128). Le texte pris en compte par Justin est toujours une version grecque des Écritures.

[2] Les travaux de G. OTRANTO (cf. Bibliographie) ont, de ce point de vue, ouvert des perspectives nouvelles, en montrant l'importance des citations bibliques et de leur mode d'utilisation pour la structure du *Dialogue* et la compréhension de ses contenus exégétiques. F. SAGNARD en avait déjà eu l'intuition, mais s'était limité aux conséquences de ses observations pour la question du plan (voir ci-dessus, p. 21-23).

[3] Justifiée par la célèbre formule de Paul : « La lettre tue, mais l'Esprit donne la vie » (*II Cor.* 3, 6).

[4] Voir ci-dessous, p. 124.

la forme que prend leur transmission. La composition particulière du *Dialogue* procède en grande partie des présupposés théologiques avec lesquels son auteur aborde le texte scripturaire.

II – ECRITURES ET DEMONSTRATION

Justin rappelle fréquemment que sa démonstration (ἀπόδειξις) est fondée *sur les Écritures*[5]. Cette insistance a pour objet de légitimer les déductions tirées du texte, mais surtout de souligner la prééminence de ce texte sur les commentaires qu'il suscite. Les Écritures ont pour Justin valeur de preuve ou de témoignage[6], mais elles sont, avant tout, le point de départ de l'exégèse. Il est donc nécessaire de maintenir constamment leur présence dans le texte qui se construit à partir d'elles. Aussi les citations occupent-elles une place importante dans le *Dialogue* : leur principale fonction n'est pas de justifier un discours, mais de le produire. Lorsque Justin ou Tryphon disent que « les Écritures obligent à convenir » d'une vérité, cela ne signifie pas seulement qu'elles en offrent des preuves indiscutables, mais aussi qu'elles sont porteuses d'une exigence à laquelle le lecteur ne saurait se soustraire. Cette force contraignante s'applique à l'activité exégétique elle-même avant de se réaliser dans ses conclusions.

La foi en la valeur intrinsèque des Écritures a pour conséquence première la nécessité de prendre en compte le contexte dans lequel se trouvent situés un verset ou un ensemble de versets. Cette règle herméneutique est explicitement formulée en *Dial.* 65, 2-3. Il arrive que Justin complète une citation antérieurement donnée de façon partielle (14, 3*) ; et s'il paraît omettre certains éléments du texte qu'il utilise, Tryphon ne manque pas de le lui reprocher (20, 2* ; 27, 1*-2).

Les citations *in extenso* sont ainsi pleinement justifiées : aucun discours ne saurait se substituer à la Parole divine telle qu'elle est inscrite dans la Révélation. Nombreuses sont les formules d'introduction qui soulignent la

[5] Cf. *Dial.* 28, 2 ; 32, 2 ; 34, 2 ; 53, 2 ; 56, 10.11.15.16.18 ; 67, 3 ; 85, 5 ; 117, 5 ; 118, 1 ; 129, 1 (ἀπόδειξις, ἀποδεικνύειν).

[6] Cf. *Dial.* 61, 1.3 ; 79, 2 ; 88, 1 ; 92, 4 ; 110, 6 ; 141, 3 ; *I Apol.* 53, 2 (μαρτυρεῖν, μαρτυρία, μαρτύριον).

nécessité d'une transcription du texte tel qu'il se présente à la source[7]. La plus littérale des exégèses n'est-elle pas la *lectio* ?[8] Comprendre le texte, n'est-ce pas d'abord l'entendre ? Justin offre ainsi une réponse anticipée à toutes les critiques déplorant ces « interminables citations » qui auraient pour effet d'alourdir son propos. L'importance de ces citations dans le *Dialogue* exprime, en fait, l'humilité d'un commentateur qui n'a pas l'impudence de croire que ses discours prévalent sur ce qui les inspire[9].

Ces longues citations sont situées, pour l'essentiel, dans les premiers chapitres de l'entretien : autre façon de marquer leur prééminence. Justin reprendra *ensuite*, et dans divers contextes, le détail des vérités dont elles sont porteuses[10]. Mais même fondé sur un seul verset, le commentaire fera toujours référence à l'ensemble intégralement donné auquel le lecteur pourra, si nécessaire, se reporter. L'exégèse peut ainsi devenir très littérale sans paraître isoler son objet du contexte d'origine.

III – EXEGESE LITTERALE

De très nombreux passages attestent, chez Justin le respect de la lettre. Il se distingue en cela de toute une tradition exégétique, particulièrement sensible dans l'école alexandrine, qui privilégiera une lecture allégorique ou typologique mise au service de vérités morales et spirituelles[11].

[7] P. ex. : Καὶ ὅτι τοῦτό ἐστιν, Ἠσαΐας λέγει (22, 11) ; Οὕτως γὰρ ἔφη ὁ Λόγος (60, 4) ; Φανερῶς οἱ λόγοι κηρύσσουσι ...οὕτως ἔχοντες (63, 5). L'analyse de ces formules introductives et de leur rapport avec l'exégèse de Justin fera l'objet d'une autre étude.

[8] Lecture qui dans l'antiquité, et jusqu'au Moyen âge se faisait le plus souvent à haute voix. Sur les rapports entre *legere*, *audire* et *meditari*, voir J. LECLERCQ, *L'amour des lettres et le désir de Dieu*, Paris, Cerf, 1990[3], p. 21-23.

[9] « Il est ridicule, écrit Justin lui-même, que celui qui appuie ses propos sur les Écritures ne cite pas toujours les mêmes Écritures, croyant avoir trouvé à dire quelque chose de meilleur que l'Écriture. » (*Dial.* 85, 5*).

[10] Voir les notes renvoyant à des développements ultérieurs, dans les chapitres où ces citations sont données *in extenso*.

[11] « Tout homme qui se soucie de vérité, écrit ORIGENE, ne doit guère s'occuper des mots et des paroles, car dans chaque nation il y a des usages divers concernant les mots ; il doit porter plutôt son attention sur ce qui est signifié que sur les mots qui le signifient, surtout quand il s'agit de réalités si hautes et si difficiles. » : *De Princ.*, IV, 3, 15 (*SC* 268, p. 397). Texte cité par D. BANON, *La lecture infinie*, Paris, Seuil, 1987, p. 145.

L'utilisation fréquente de la formule γέγραπται[12], souvent mise en relief en fin de phrase, est un premier signe de cette référence constante à l'Écriture. Cette formule manifeste la croyance au caractère révélé du texte invoqué, mais dans son acception première – et particulièrement chez Justin –, elle fait référence à ce qui est *écrit*, c'est-à-dire au sens obvie de ce texte[13].

A plusieurs reprises, Justin attire par ailleurs l'attention de ses auditeurs sur un mot, ou la formulation exacte d'un passage : « Je n'ignore point, ajoutai-je, que vous vous avisez d'interpréter ce psaume comme se rapportant au roi Ézéchias. Mais vous êtes dans l'erreur. *Par les paroles elles-mêmes*, je m'en vais sur-le-champ vous le montrer » (ἐξ αὐτῶν τῶν λόγων αὐτίκα ὑμῖν ἀποδείξω)[14] ; « Pour que vous n'alliez point, détournant les paroles que je viens de citer, dire ces choses que disent vos didascales ... je vous rapporterai encore *les paroles prononcées par Moïse lui-même* » (λόγους τοὺς εἰρημένους ὑπ' αὐτοῦ τοῦ Μωσέως πάλιν ἱστορήσω)[15] ; « Qu'il était en outre prévu que le peuple dont on savait d'avance qu'il croirait en lui pratiquerait la crainte du Seigneur, *les termes mêmes de la prophétie* le crient (αὗται αἱ λέξεις τῆς προφητείας βοῶσι). Et que ceux qui se croient versés *dans la lettre des Écritures* (τὰ γράμματα τῶν γραφῶν), ou entendent les prophéties, n'en ont point l'intelligence, *les Écritures elles-mêmes* le proclament aussi (αὗται αἱ γραφαὶ κεκράγασιν) »[16] ; « Considérez de même, je vous prie, tandis que je vous parle, *l'expression* que l'Esprit saint a proférée dans ce psaume (Διὰ λέξεως, ἣν τὸ ἅγιον πνεῦμα ἐν τούτῳ τῷ ψαλμῷ ἀνεφθέγξατο) »[17] ; « Mais considérons plutôt *l'énoncé lui-même* (Αὐτῷ δὲ μᾶλλον τῷ ῥητῷ προσέχωμεν) »[18]. Dans tous les cas, le commentaire s'appuie précisément sur ce qui est ainsi mis en relief.

[12] Cf. *Dial.* 34, 6.8 ; 49, 5 ; 55, 1 ; 56, 8 ; 57, 2 ; 78, 1 ; 79, 4 ; 86, 5 ; 90, 4 ; 121, 2 ; 141, 3. La formule est utilisée aussi pour l'Évangile (100, 1 ; cf. 111, 3) ou les « Mémoires des Apôtres » (101, 3 ; 103, 6.8 ; 104, 1 ; 105, 6 ; 106, 4 ; 107, 1). Elle n'apparaît pas dans l'*Apologie*.

[13] Même utilisation pour le participe γεγραμμένος (*Dial.* 56, 11 ; 57, 3 ; 79, 2.4 ; 100, 4 ; 114, 5 ; 115, 5).

[14] *Dial.* 33, 1.

[15] *Dial.* 62, 2.

[16] *Dial.* 70, 5.

[17] *Dial.* 74, 2.

[18] *Dial.* 135, 3.

Cette insistance sur la signification explicite des Écritures se manifeste également dans l'utilisation récurrente – par Justin ou Tryphon – de l'adverbe διαρρήδην[19]. Le verbe alors renforcé (κελεύειν, κηρύσσειν, ἀποδεικνύναι, σημαίνειν, etc.) souligne le caractère contraignant du sens ainsi délivré. Même emploi pour φανερόν ou φανερῶς[20], et δῆλον[21]. L'évidence qu'imposent les Écritures est également signifiée, à plusieurs reprises, par la formule : αἱ γραφαὶ ἀναγκάζουσιν ὁμολογεῖν...[22].

Les incises sont un autre moyen de mettre en relief certains éléments[23]. Le mot ou l'expression que Justin fait ainsi ressortir prennent valeur de preuve. Méthode qui paraît comprise et acceptée par Tryphon, puisque celui-ci ne la conteste jamais, et ne sollicite, en pareil cas, aucune explication complémentaire.

Même lorsque cela n'est pas explicitement signalé, Justin fonde ses exégèses, en de très nombreuses occasions, sur les termes exacts de l'énoncé considéré[24]. Il s'agit alors de faire remarquer qu'une exégèse littérale,

[19] Cf. *Dial.* 27, 1 (ἃ δὲ διαρρήδην κελεύει σαββατίζειν οὐ μέμνησαι) ; 34, 2 (τῶν λόγων τοῦ ψαλμοῦ διαρρήδην κηρυσσόντων εἰς τὸν *αἰώνιον βασιλέα*) ; 53, 2 (ὅπερ ὡς ἐπεπροφήτευτο διαρρήδην γενήσεσθαι ὑπὸ τοῦ Χριστοῦ) ; 56, 6 (ἀκούσατε τῶν ὑπὸ Μωσέως διαρρήδην εἰρημένων) ; 63, 5 (καὶ οἱ λόγοι οὗτοι διαρρήδην σημαίνουσι) ; 68, 8 (Ἃ γὰρ ἂν διαρρήδην ἐν ταῖς γραφαῖς φαίνονται...) ; 68, 9 (Ἃς δ' ἂν λέγωμεν αὐτοῖς γραφάς, αἳ διαρρήδην ...ἀποδεικνύουσιν) ; 71, 2 (ἐξ ὧν διαρρήδην οὗτος αὐτὸς ὁ σταυρωθεὶς ...κεκηρυγμένος ἀποδείκνυται) ; 75, 4 (ἐξ ὧν συννοῆσαι ἔστι διαρρήδην ὅτι...) ; 76, 6 (ἐν ταῖς γραφαῖς ταῦτα κεκηρύχθαι διαρρήδην) ; 140, 2 (ὡς καὶ ἡ γραφὴ διαρρήδην λέγει).

[20] Cf. *Dial.* 56, 6.12 ; 63, 5 ; 89, 2.

[21] Cf. *Dial.* 83, 2 ; 122, 2 ; 136, 1.

[22] Cf. *Dial.* 23, 4 ; 32, 1 ; 49, 2 ; 57, 1 ; 67, 8 (*bis*) ; 68, 2.9 ; 137, 1 (Tryphon et Justin).

[23] Cf. *Dial.* 37, 4* et 64, 4* (*Moïse et Aaron* [...] *invoquaient*, dit l'Écriture, *le Seigneur*) ; 117, 1* (*mon nom est glorifié*, dit-il, *parmi les nations*) ; 119, 4 (*Voici, je suis [Dieu]*, dit-il, *pour la nation*) ; 123, 5 (*Je susciterai*, dit-il, *pour Israël et pour Juda*...) ; 135, 4* (*Et je ferai sortir*, dit-il, *la postérité de Jacob et de Juda*).

[24] Cf. *Dial.* 11, 3-4 (Alliance *nouvelle*) ; 11, 4-5 (vocation des *nations*) ; 12, 3 (sabbat *perpétuel*) ; 16, 2 (circoncision *en signe*) ; 19, 2 (baptême des *citernes*) ; 19, 5 (*peuple* et nation) ; 20, 3 (*plantes* propres à la consommation) ; 26, 1 (*héritage* sur la *montagne sainte*) ; 33, 1 (*prêtre ...pour l'éternité*) ; 40, 2 (Dieu ne permet pas que l'agneau de la *Pâque* soit *immolé* ailleurs que dans *le lieu* où son nom est *invoqué*) ; 42, 3 (*comme un enfant*) ; 49, 2 (*avant* ce grand et redoutable Jour du Seigneur) ; 49, 8 (combat contre Amalek *d'une main secrète*) ; 53, 4 (ânesse *portant le joûg* et ânon sans bât) ; 55, 2 (*dieux* des nations = idoles) ; 68, 6 (prophétie prononcée sur la *maison de David*) ; 70, 5

respectueuse du texte, impose certaines interprétations et en exclut d'autres, parce qu'elles sont incompatibles avec sa cohérence ou plus simplement avec le bon sens. Dans certains cas, les détails relevés peuvent aisément passer inaperçus, ce qui prouve que Justin a considéré le texte avec une extrême attention. Le raisonnement qui prend appui sur de telles observations n'apparaît pas toujours clairement dans les éditions et les traductions du *Dialogue*.

C'est aux chapitres 56 s. que la lettre est sollicitée avec le plus d'évidence[25]. Justin, Tryphon et ses compagnons s'y livrent à un débat très serré à propos des théophanies (*Gen.* 18-19 ; 21 ; 28 ; 31-32 ; 35 ; *Exod.* 2-3). La démonstration de l'Apologiste repose alors sur les équivalences que semblent présenter, dans ces textes, les titres d'*homme*, *ange*, *Seigneur* et *Dieu* qui désignent, apparemment, un même personnage. Le raisonnement très rigoureux, parfois subtil, atteste une parfaite connaissance des sources, et une grande maîtrise des techniques que met en œuvre ce type d'argumentation. Compétences auxquelles Tryphon lui-même rend hommage[26].

Dans le débat sur les théophanies, la référence au texte est généralement explicite. Ailleurs, elle demeure le plus souvent indirecte, et le raisonnement peut prendre une forme très elliptique. Là encore, c'est sur des similitudes

(*pain* et *coupe*) ; 76, 1 (*comme* un fils d'homme) ; 84, 1-2 (Le Seigneur nous donnera un *signe*) ; 97, 1 (Moïse resté en prière *jusqu'au soir*) ; 120, 1* (« en ta descendance » ; « *en toi* et en ta descendance » ; 120, 3 (« attente des *nations* ») ; 121, 1* (« En *ta descendance* » ; « en *lui* ») ; 122, 5 (Alliance *nouvelle*) ; 123, 2 (yeux *ouverts* ...*aveugles* ...*illuminés*) ; 124, 3 (*hommes* ...*chefs*) ; 130, 4 (« Réjouissez-vous donc, *nations*, avec son *peuple* ») ; 135, 5 (en *Jacob* ...dans le Christ ; *postérité de Jacob*) ; 139, 4 (Deux peuples étaient *bénis*).

[25] Au point qu'il a paru indispensable, pour rendre compréhensible le raisonnement qui se déploie dans ces chapitres, d'expliciter toutes les références, y compris celles qui se réduisent à un mot. Analyse de cette démonstration en 56, 23* et 60, 3*.

[26] Cf. *Dial.* 50, 1 (« Tu me parais porteur d'une grande expérience des confrontations sur tout ce qui fait l'objet de notre recherche »). Justin reconnaît par ailleurs avoir acquis une certaine habitude de ces débats exégétiques : cf. *Dial.* 64, 2 (« Aussi continuerai-je, en dépit de votre malignité, à répondre pour chacune de vos attaques et de vos objections. Du reste, j'agis de même, absolument, à l'égard de tous ceux, de toute race, qui veulent sur ces questions discuter ou m'interroger »).

lexicales que Justin s'appuie pour suggérer ou justifier certaines équivalences et certains glissements sémantiques. Les exemples en sont fort nombreux[27]. Ces équivalences reposent parfois sur la substitution au texte des LXX d'un terme plus chargé de résonance chrétienne ou plus conforme aux intentions de Justin. Il est difficile, en pareil cas, de déterminer avec précision l'origine de telles substitutions (défaut de mémoire, autre version grecque des Écritures, utilisation de Testimonia, *midrash* chrétien, conception large de la notion de texte scripturaire ?). Le phénomène est extrêmement fréquent[28] et

[27] Pour le détail des associations et des raisonnements, voir les notes en *Dial.* 33, 2* (Prêtre/ Grand prêtre ; sacrifices et prosélytes) ; 33, 3* (*élévation* et *abaissement*) ; 34, 2* (Prêtre, Loi et Alliance *éternels*) ; 49, 2* (Jour *grand* et *redoutable*) ; 61, 1* (*Ange-Puissance*) ; 64, 6* (*Avant le soleil*) ; 64, 7* (seconde Parousie) ; 72, 4* (*Pour annoncer la bonne nouvelle de son Salut*) ; 75, 1* (*Seigneur, Dieu, Jésus*) ; 75, 4* (titres christologiques) ; 76, 3* (*ange-didascale*) ; 93, 2* (amour de Dieu et du prochain ; titres christologiques) ; 105, 3* (ῥῦσαι / σῶσον) ; 106, 4* (*Astre, Guide, Levant*) ; 113, 7* (pierres, paroles, idoles*) ; 120, 3* (ἡγούμενος / ἐξάγειν) ; 121, 1* (*Astre, Orient*) ; 122, 5* (Alliance et Lumière *des nations*) ; 122, 6* (héritage, nations, Alliance ; *Alliance, Fils, Christ*) ; 123, 5* (thème du Reste) ; 124, 3* (péché originel) ; 124, 4* (Chrétiens = « enfants de Dieu ») ; 126, 6* (titres christologiques) ; 138, 2* (*Premier-né / Principe*). En 56, 23*, le rapprochement entre deux versets comportant le même titre (*le Seigneur... d'auprès du Seigneur*) est favorisé par une interruption dans le texte cité. De tels raisonnements peuvent résulter de Testimonia, mais ils s'apparentent aussi, dans la méthodologie rabbinique, à la *guezera shawa* (« égale composition » : si dans deux textes scripturaires se trouve la même expression, ce que cette expression signifie dans l'un peut s'appliquer à l'autre), principe analogue à la σύγκρισις πρὸς ἴσον dans la rhétorique hellénistique, ou au *binyan av* (« formation d'une famille » : si divers textes ont un contenu similaire, un élément présent dans l'un – ou deux – d'entre eux peut s'appliquer aussi aux autres). Les similitudes lexicales peuvent être aussi thématiques, et elles contribuent à inscrire certains passages dans un large réseau de significations qui se déploie sur l'ensemble du *Dialogue* (p. ex. les thèmes du « désert », du « sable », de « l'eau », de « la pluie », du « fruit » et de la « stérilité » : cf. Index analytique). Étude de la similitude comme principe et méthode exégétique in : G. OTRANTO, « Lo sviluppo della similitudine nella struttura del *Dialogo con Trifone* di Giustino », *VetChr* 11 (1974), p. 65-92.

[28] Cf. *Dial.* 11, 3* (οὐ κατὰ τὴν διαθήκην → οὐχ ἥν) ; 12, 3 (τὰ σάββατα τρυφερὰ ἅγια → τὰ ἀληθινὰ σάββατα) ; 14, 8* (ἐπιβλέψονται → ὄψεται ...καὶ γνωριεῖ) ; 19, 6 (ἁγιάζειν → λυτροῦν) ; 23, 4* (ἄρσην → ψυχή) ; 24, 4* (ἔθνει → ἔθνεσι) ; 26, 1* (ὑπομένουσιν → μετανοοῦσιν) ; 26, 3* (ἀναβαίνων) ; 32, 1* et 34, 7 (ἔνδοξον καὶ μέγαν → ἐπιφανὴς καὶ μέγας) ; 33, 2* (ἱερεύς → ἀρχιερεύς) ; 36, 2* (ἀσύνητοι → ἀνόητοι) ; 37, 3* (ἐν Σιών → ἐκ Σιών) ; 38, 2 (ἀθῶος) ; 40, 4* (ἐξεκεντήσατε → ἀτιμωθέντα) ; 43, 3* et 76, 2* (γένος →

Tryphon ne réagit qu'à propos d'*Is.* 7, 14 (νεᾶνις / παρθένος)[29]. Or Justin proclame volontiers, par ailleurs, qu'il s'en tient aux textes reconnus par ses interlocuteurs...[30] Il lui arrive aussi de donner un texte inexact ou incomplet (mais toujours plus conforme à sa démonstration)[31], ou encore deux versions différentes d'un même verset en s'étonnant de ne susciter aucune réaction chez ses interlocuteurs lorsqu'il propose, dans un second temps, celle qui prend une connotation chrétienne plus marquée...[32].

Et c'est le même Justin qui reproche aux exégètes juifs d'occulter ou de falsifier ce qui contredit leur interprétation, ou encore de procéder à des mutilations de l'Écriture[33]. Tout cela manque un peu de cohérence, mais c'est toujours un même attachement à la lettre des textes considérés, quels qu'en soient l'origine et les destinataires, qui s'exprime alors.

γενεά) ; 44, 2* (Δανήλ → Δανιήλ) ; 78, 11* (κρύψω → ἀθετήσω) ; 83, 3 (Σιών → Ἰερουσαλήμ ; changements de prépositions) ; 89, 2* (κεκατηραμένος → ἐπικατάρατος) ; 90, 4* (ἐπῆρε → ἐκπετάσας) ; 94, 1* (εἴδωλον, ὁμοίωμα → εἰκόνα ὁμοίωσιν) ; 109, 2* (καὶ δείξουσιν ἡμῖν τὴν ὁδὸν αὐτοῦ → καὶ φωτιοῦσιν ἡμᾶς τὴν ὁδὸν αὐτοῦ) ; 111, 3* (καὶ θήσουσιν → χρισθέν) ; 121, 1* (modifications diverses) ; 121, 2* (κόψονται → ὄψονται) ; 121, 3* (ἐξουσίαι → βασιλεῖαι) ; 123, 4* (ἀκάρδιοι → σκληροκάρδιοι) ; 125, 2* (κραταῖος → ἰσχυρός ; σκληρός, αὐστήρος → δυνατός) ; 134, 4* (παῖς οἰκέτης → εἰς δουλείαν) ; 134, 5* (πρόβατα → θρέμματα ; διάλευκος → πολύμορφος) ; 137, 3* (δήσωμεν → ἄρωμεν).

[29] Cf. *Dial.* 67, 1 et 84, 3.

[30] Cf. *Dial.* 71, 2 ; 120, 5 ; 124, 2.4 ; 131, 1.

[31] Cf. *Dial.* 10, 3* (*Gen.* 17, 27 : περὶ τῶν *ἀλλογενῶν* καὶ περὶ τῶν *ἀργυρωνήτων* pour *καὶ οἱ ἀργυρώνητοι ἐξ ἀλλογενῶν ἐθνῶν* LXX) ; 10, 4* (omission ? de l'adjectif αἰώνιον dans une allusion à dans *Gen.* 17, 7.13 : *διαθήκην αἰώνιον* LXX) ; 11, 3* (*Jér.* 31, 32 : *διαθήκην καινήν, οὐχ ἣν διεθέμην τοῖς πατράσιν αὐτῶν* pour *διαθήκην καινήν, οὐ κατὰ τὴν διαθήκην, ἣν διεθέμην τοῖς πατράσιν αὐτῶν* LXX) ; 14, 1* (*Is.* 53, 8 : *ὑπὲρ τῆς ἀνομίας τῶν λαῶν* pour *ἀπὸ τῶν ἀνομιῶν τοῦ λαοῦ μου* LXX = *Dial.* 13, 6) ; 16, 2* (*Gen.* 17, 11 : *εἰς σημεῖον* pour *εἰς σημεῖον διαθήκης* LXX). Ces inexactitudes de détail ne suscitent aucune réaction chez Tryphon. En *Dial.* 27, 1 toutefois, celui-ci ne manque pas d'observer que la citation d'Isaïe donnée par Justin en *Dial.* 15, 2-6 était très incomplète...

[32] Cf. *Is.* 3, 9 cité selon conformément aux LXX en *Dial.* 17, 2 et 133, 2 (*δήσωμεν τὸν δίκαιον*), puis différemment en 136, 2 (*ἄρωμεν τὸν δίκαιον*), et le commentaire de cette variante en 137, 3*. Il semble que Justin confonde parfois la version des LXX et celle qu'il utilise.

[33] Cf. *Dial.* 43, 8 ; 68, 7-8 ; 71-73*** ; 84, 3-4 ; 120, 5 ; 131, 1. Griefs assez imprécis, et probablement injustifiés (cf. 71, 2*).

L'exégèse de Justin prend quelquefois un caractère plus littéral encore. Elle s'appuie alors sur des considérations grammaticales, logiques, ou philologiques. Ainsi l'interprétation de *Gen.* 1, 26 et 3, 22 repose sur les formes du pluriel « faisons », « comme l'un de nous »[34] ; celles de *Gen.* 19, 24, *Ps.* 44, 8 et *Ps.* 109, 4 sur le redoublement des mots « Seigneur » et « Dieu »[35] ; celles d'*Is.* 65, 9 et 2, 5 sur le principe de non contradiction[36].

Ailleurs encore, Justin fonde ses interprétations sur l'étymologie[37], ou les homophonies[38]. Il arrive même qu'il tire profit d'un silence : ainsi, en *Dial.*

[34] Cf. *Dial.* 62, 2-3* et 129, 2*.

[35] Cf. *Dial.* 56, 14* ; 56, 23* et 129, 1*.

[36] Cf. *Dial.* 65, 2* et 135, 5*.6*.

[37] Cf. *Dial.* 103, 5* (σατανᾶς) ; 125, 3* (᾿Ισραήλ) ; *I Apol.* 33, 5.7-8 et *II Apol.* 6, 3-5 (᾿Ιησοῦς).

[38] Cf. *Dial.* 19, 6* (λυτροῦσθαι / λουτρόν) ; 40, 1* (Χριστοῦ / χρίονται) ; 53, 4* (ὑποζύγιον / ἀγαγεῖν / συναγωγῆς / ἀσαγής / ὑποσαγής) ; 75, 3.4 (ἄγγελοι / ἀπόστολοι / ἀγγέλλειν / ἀποστελλόμενοι / *ἀπόστειλόν με*) ; *I Apol.* 63, 5 (ἄγγελος / ἀπόστολος / ἀπαγγέλλει / ἀποστέλλεται / ἀγγέλλεται / *τοῦ ἀποστείλαντός με*) ; *Dial.* 78, 9* (δύναμιν / δαίμων / Δαμασκός ; σκῦλα / ἐσκυλευμένοι / σκυλευσάσης / προσκυνήσαντες ; Δαμασκός = δα[ίμων] + μά[γοι] + σκῦ[λα ?) ; 87, 3.5* (ἀνάπαυσιν ...ποιεῖσθαι / πέρας ποιεῖσθαι / ἀνεπαύσατο / ἐπαύσατο / παύσασθαι / ἀνάπαυσιν ; δόματα / δίδωσιν) ; 103. 3* (῾Ηρώδην / ὠρυόμενος ?) ; 104, 1* (κατήγαγες / κύνες / συναγωγή / κύνας / κυνηγούς / κυνηγήσαντες / συνήχθησαν / ἀγωνιζόμενοι) ; 116, 3* (πυρὸς / ῥυπαρά / πυρωθέντες ; ἄφεσιν / ἀπημφιεσμένοι ; ἱμάτια / ἁμάρτια) ; 42, 3 (κελεύσει / καλεῖται / ἐκκλησία / καλοῦνται / κλήσει) ; 119, 5 (κλήσεως / ἐκάλεσεν / ἐκάλεσε). L'analogie justifie alors des interprétations de nature psychologique et morale (53, 4 ; 103, 3 ; 104, 1), symbolique ou spirituelle (15, 5 ; 78, 9 ; 116, 3 etc.). La locution τουτέστι, le verbe ἀκούειν, ou une simple apposition sont souvent utilisés pour rapprocher un élément scripturaire et son interprétation. L'équivalence est alors fréquemment soulignée par la similitude du nombre, l'homophonie, ou l'homéotéleute : *Dial.* 14, 3 (*νέαν ζύμην* ...τουτέστιν ἄλλων ἔργων πρᾶξιν) ; 30, 2 (*ἀπὸ τῶν ἀλλοτρίων,* τουτέστιν ἀπὸ τῶν πονηρῶν καὶ πλάνων πνευμάτων) ; 34, 2 (εἰς τὸν *αἰώνιον βασιλέα,* τουτέστιν εἰς τὸν Χριστόν) ; 39, 6 (ἀπὸ τῆς τοῦ πονηροῦ καὶ πλάνου πνεύματος, τοῦ ὄφεως, ἐνεργείας) ; 40, 1 (τοὺς *οἴκους* ἑαυτῶν, τουτέστιν ἑαυτούς) ; 41, 3 (*θυσιῶν,* τουτέστι τοῦ ἄρτου τῆς εὐχαριστίας καὶ τοῦ ποτηρίου ὁμοίως τῆς εὐχαριστίας) ; 49, 2 (*τῆς φοβερᾶς καὶ μεγάλης ἡμέρας* τουτέστι τῆς δευτέρας παρουσίας αὐτοῦ) ; 51, 3 (ἡ πάλαι κηρυσσομένη ὑπὸ τοῦ θεοῦ *καινὴ διαθήκη* ...τουτέστιν αὐτὸς ὢν ὁ Χριστός) ; 56, 23 (*παρὰ κυρίου* τοῦ ἐν τῷ *οὐρανῷ* τουτέστι τοῦ ποιητοῦ τῶν ὅλων) ; 74, 3 (τὸ *σωτήριον* τοῦτο μυστήριον, τουτέστι τὸ πάθος τοῦ Χριστοῦ) ; 78, 8 (ἀπὸ *῾Ραμᾶ,* τουτέστιν ἀπὸ τῆς᾿Αρραβίας) ; 87, 5 (*᾿Ανεπαύσατο* οὖν, τουτέστιν *ἐπαύσατο*) ; 91, 3 (*Κερατισθέντες* γάρ, τουτέστι κατανυγέντες) ; 94, 2 (διὰ τοῦ *σημείου* τούτου, τουτέστι τοῦ σταυροῦ) ; 105, 2 ; 110,

53, 4*, l'ânon (représentant les nations) est dit « sans bât » (ἀσαγής) – alors que le verset en question ne comporte pas cette précision – parce que dans le même verset l'ânesse (qui représente le peuple d'Israël) est présentée comme ὑποζύγιον (bâtée).

Cet ensemble d'observations prouve que Justin, loin de négliger la lettre des Écritures, sait en faire bon usage lorsqu'elle sert sa démonstration. Cette méthode semble approuvée par son interlocuteur qui n'en discute jamais le bien fondé. Tout porte à croire aussi qu'elle était familière aux destinataires de l'œuvre[39] puisqu'elle prend souvent une forme très allusive que Justin n'a pas jugé nécessaire de rendre plus explicite.

IV – FORMES DE L'EXEGESE

L'exégèse littérale de Justin prend – en particulier dans le *Dialogue* – des formes variées illustrant différentes manières d'aborder le texte, selon les enjeux du moment et les contenus qu'il importe de mettre en évidence.

La première est la citation elle-même. Justin est persuadé que les textes sont porteurs de leur propre exégèse, et que la première condition pour accéder à leur sens est la qualité de l'écoute ou de la lecture. Aussi déclare-t-il que l'Écriture « n'a pas besoin d'être expliquée » puisqu' « il suffit qu'elle soit entendue »[40]. Le verbe ἀκούειν, qui signifie à la fois « écouter » et « comprendre » est l'un de ceux qui présentent, dans le *Dialogue*, le plus grand nombre d'occurrences. La « circoncision spirituelle » se définit aussi comme

3 (*ὑπὸ τὴν ἄμπελον* τὴν ἑαυτοῦ ἕκαστος *καθεζόμενοι*, τουτέστι μόνῃ τῇ γαμετῇ γυναικὶ ἕκαστος χρώμενοι) ; 113, 7 (τὰς *μαχαίρας* οὖν τὰς *πετρίνας* τοὺς λόγους αὐτοῦ ἀκουσόμεθα) ; 114, 3 (*ἔργα τῶν δακτύλων σου*, ἐὰν μὴ ἀκούω τῶν λόγων αὐτοῦ τὴν ἐργασίαν...), 4 (διὰ *λίθων ἀκροτόμων*, τουτέστι διὰ τῶν λόγων...) ; 116, 1 (*ὁ ἄγγελος* τοῦ θεοῦ, τουτέστιν ἡ δύναμις τοῦ θεοῦ ἡ πεμφθεῖσα ἡμῖν διὰ ᾿Ιησοῦ Χριστοῦ), 3 (*τὰ ῥυπαρὰ ἱμάτια*, τουτέστι τὰς ἁμαρτίας) ; 118, 3 (τῆς *καινῆς* καὶ *αἰωνίου διαθήκης*, τουτέστι τοῦ Χριστοῦ) ; 124, 3 (τῶν *ἀνθρώπων*, τοῦ ᾿Αδὰμ λέγω καὶ τῆς Εὔας) ; 125, 4 (ὁ *διάβολος*, τουτέστιν ἡ *δύναμις* ἐκείνη ἡ καὶ ὄφις κεκλημένη καὶ Σατανᾶς), 5 (καὶ *ναρκᾶν* ἔμελλε, τουτέστιν ἐν πόνῳ καὶ ἐν ἀντιλήψει τοῦ πάθους...).

[39] Voir ci-dessous, p. 146.

[40] *Dial.* 55, 3.

une ouverture nouvelle au sens des Écritures[41], et la « dureté de cœur » (σκληροκαρδία) comme une incapacité d'accéder à ce sens ou un refus de s'y rendre disponible[42].

Les significations du texte préexistent donc à tout commentaire et en dépassent toujours la portée. Pour signifier cette fonction intrinsèquement exégétique des Écritures et la nécessité de les restituer dans leur intégralité, Justin introduit souvent les longues citations par des tournures qui établissent une corrélation étroite entre l'*intelligence* du texte et leur *écoute* : « Pour que vous *compreniez*... laissez-moi vous *citer* [en entier] » etc.[43].

Il arrive également qu'une citation – *in extenso* ou assez étendue – soit introduite par une courte formule qui paraît en donner la signification essentielle[44]. Il ne s'agit pas non plus, alors, de réduire la portée du texte ou d'en épuiser le contenu, mais de déterminer un axe de lecture justifiant cette citation. Il n'est pas rare qu'en pareil cas un seul verset corresponde à la perspective définie dans la formule d'introduction. Mais si Justin donne l'ensemble du texte, ou plusieurs versets, c'est toujours pour préserver l'unité de la Parole qu'il restitue. Les autres éléments seront commentés par la suite. Le même souci explique que l'Apologiste n'hésite pas à citer plus d'une fois un même texte[45]. Les perspectives sont alors différentes, et les versets mis en relief ne sont pas nécessairement les mêmes, mais le texte demeure un tout indivisible. Les longues citations, et leur répétition, ne doivent donc pas être considérées comme une maladresse, mais comme le signe d'une méthode respectueuse de son objet.

L'introduction de ces citations est parfois plus précise. Elle se présente alors comme un résumé programmatique[46] qui peut prendre, comme certains commentaires succédant aux citations[47], la forme d'une paraphrase.

[41] Cf. *Dial.* 113, 6-7 ; 114, 4*.

[42] Cf. *Dial.* 18, 2*.

[43] Cf. *Dial.* 34, 3 ; 56, 6 ; 58, 10 ; 62, 4 ; 65, 3 ; 70, 2 ; 73, 3 ; 98, 1 ; 130, 3.

[44] Par ex. *Dial.* 13, 1 : « comme Isaïe lui-même le dit en ces termes... ». Voir encore *Dial.* 15, 1 ; 16, 4 ; 22, 1 ; 31, 1 ; 36, 2 ; 38, 3 ; 43, 4 ; 50, 3 ; 58, 4.6.8 ; 64, 3.5 ; 65, 3 ; 66, 1 ; 69, 4 ; 79, 2 ; 81, 1 ; 85, 7 ; 91, 1 ; 109, 1 ; 115, 1 ; 119, 1 ; 123, 8 ; 124, 1 ; 133, 2.4 ; 135, 1.3.

[45] *Ps.* 44 (*Dial.* 38, 3-5 et 63, 4) ; *Ps.* 98 (*Dial.* 37, 3-4 et 64, 4) ; *Is.* 7 (*Dial.* 43, 5-6 et 66, 2-3).

[46] Par ex. *Dial.* 98, 1 : « Laissez-moi vous citer tout le psaume, pour que vous entendiez quelle fut sa piété envers son Père, comment il lui rapporte tout, comment il lui demande de le faire échapper à cette mort, tout en montrant, dans le psaume, quels genres d'hommes étaient ceux qui complotaient contre lui, et en prouvant qu'il s'est réellement fait homme susceptible

L'analyse de détail de ces formules montre que chacun de leurs éléments correspond, dans la citation, à un verset ou un ensemble de versets. La perspective est alors plus large, mais cette énumération n'a pas davantage pour effet d'épuiser le sens du texte. Elle montre simplement que ce texte est porteur d'une vérité multiple dont les diverses composantes se trouvent renforcées par leur réunion en un même ensemble.

Les commentaires qui succèdent aux citations prennent aussi des formes variées. Ils se limitent quelquefois à un seul élément[48], même pour un ensemble de textes, ce qui prouve qu'en dépit de leur apparente diversité, ceux-ci peuvent concourir à une même démonstration. Ailleurs, la conclusion diffère de l'introduction[49]. On s'est parfois étonné de ce phénomène, et on en a tiré argument pour affirmer que certaines citations – ou certaines transitions – étaient artificiellement insérées dans le contexte où elles figurent. En réalité, si Justin peut présenter puis commenter un même texte selon des perspectives différentes, c'est précisément, une fois encore, parce que ce texte est, pour lui, susceptible de plusieurs interprétations, puisqu'il associe des versets porteurs de vérités multiples. Ce qui l'encadre ne l'épuise pas. En le citant *in extenso*, on s'expose à ses exigences propres, qui ne correspondent pas toujours à celles du discours élaboré autour de lui. Les citations ont ainsi, très souvent, dans le *Dialogue*, un rôle central : invoquées à propos d'une question particulière, elles déploient un faisceau de significations qui entraîne parfois le commentateur dans une « autre » direction. Ces « digressions » ne sont pas dues à une absence de rigueur de la part de l'auteur, mais à sa volonté de privilégier l'unité des Écritures plutôt que celle du discours qui se construit à partir d'elles. Le texte scripturaire a

d'éprouver des souffrances ». Voir encore *Dial.* 21, 1* ; 32, 3 ; 37, 2 ; 52, 1 ; 85, 7 ; *I Apol.* 40, 5-7 (voir ci-dessus, p. 34-36).

[47] Voir ci-dessous, note 52 p. 121.

[48] Cf. *Dial.* 14, 1 (*Is.* 53, 8 : *ὑπὲρ τῆς ἀνομίας τῶν λαῶν*) ; 15, 7 (récapitulation des prescriptions évoquées précédemment en *Is.* 58, 1-11) ; 22, 11 (*Jér.* 7, 21.22 et *Ps.* 49, 8 : θυσίας) ; 25, 6 (*Is.* 63, 17-18 : *τῆς κληρονομίας* ; *ἵνα κληρονομήσωμεν*) ; 43, 7 (*Is.* 7, 14 : *ἡ παρθένος*) ; 58, 9 (*Gen.* 31, 13 ; 32, 28.30 ; 35, 7.9.10 : *θεός* ; *ὁ θεός*).

[49] Par ex. *Dial.* 15, 1-2 : « Apprenez donc, de même, à jeûner le véritable jeûne de Dieu, comme le dit Isaïe, afin d'être agréables à Dieu. Voici ce que proclame Isaïe : [citation d'*Isaïe* 58, 1-11 en *Dial.* 15, 2-6] » et *Dial.* 15, 7* : « Circoncisez donc le prépuce de votre cœur, comme en tous ces discours le réclament les paroles de Dieu ». Voir encore *Dial.* 14, 8 (cf. 14, 3) ; 32, 1 (cf. 31, 1) ; 33, 1 (cf. 32, 3) ; 36, 4* (cf. 36, 2) ; 63, 5* (cf. 63, 2).

pour Justin ses lois propres, irréductibles à une rationalité humaine, et la forme particulière que prend la composition du *Dialogue* provient aussi de cette conviction. C'est l'Écriture qui impose sa logique à celui qui la commente, et non l'inverse[50].

Introductions et commentaires se présentent souvent comme une analyse distributive du texte considéré : Justin y dissocie plusieurs éléments d'un même verset ou d'un ensemble de versets, afin de mettre en évidence leurs connotations respectives et la signification de l'ensemble qu'ils constituent[51].

Ces commentaires peuvent aussi prendre une forme tout à fait originale dont il ne semble pas qu'il existe d'autres exemples dans la littérature rabbinique ou chrétienne : Justin reprend certains éléments du texte précédemment cité, et il les réorganise en une paraphrase composite où interviennent souvent d'autres textes, parfois tirés du Nouveau Testament[52]. De tels développements ont évidemment pour effet de mettre en évidence les liens intimes (lexicaux, thématiques, etc.) qui unissent plusieurs sources vétérotestamentaires, et d'articuler dans une même économie les prophéties bibliques avec la vie ou les paroles du Christ. L'utilisation de cette méthode

[50] Sur le rôle de transition que jouent certaines citations dans le *Dialogue*, voir 13, 9* ; 14, 8* ; 21, 1* ; 25, 5* ; 26, 4* ; 35, 1* ; 36, 4* ; 37, 4* ; 38, 5*.

[51] Par ex. *Dial.* 33, 3* : « Qu'il sera tout d'abord un (cf. *Is.* 53, 3)*homme* (*ibid.*, 8)*humilié*, puis (cf. *Is.* 52, 13)*sera élevé*, la fin du psaume le montre : (*Ps.* 109, 7)*Au torrent, il boira en chemin* ; puis, juste après : *c'est pourquoi il lèvera la tête* ». Voir encore *Dial.* 32, 1* ; 34, 7* ; 37, 2 ; 39, 4 ; 56, 22 ; 59, 3-60, 1 ; 63, 5 ; 65, 7 ; 78, 8*.9-10 ; 83, 3 ; 102, 6* ; 116, 1-3 ; 122, 5 ; 123, 4.6 ; 130, 4 ; 135, 3.

[52] Par ex. *Dial.* 14, 8* : « Parmi ces paroles, et d'autres semblables énoncées par les prophètes, continuai-je, Tryphon, les unes se rapportent à la première parousie du Christ, où il est annoncé qu'il se montrera (cf. *Is.* 53, 2-3)*sans honneur*, *sans apparence* et (cf. *Is.* 53, 8.9)mortel, les autres à sa seconde parousie, lorsqu'il (cf. *Matth.* 24, 30)*apparaîtra* (cf. *Matth.* 25, 31)*en gloire* et (cf. *Dan* 7, 13 ; *Matth.* 24, 30)*au-dessus des nuages*, et que votre peuple (cf. *Zach.* 12, 10 ; *Jn.* 19, 37 ; *Apoc.* 1, 7)*verra* et reconnaîtra *celui qu'ils ont percé de coups*, comme Osée, l'un des douze prophètes, et Daniel l'ont prédit ». Ce commentaire suit immédiatement une citation d'*Isaïe* 55, 3, 13, en *Dial.* 14, 4-7. Le texte d'Isaïe (52, 10-54, 4) auxquel il se réfère dans un premier temps a été cité en *Dial.* 13, 2-9. Les autres textes sont cités en divers endroits du *Dialogue*. Même phénomène en *Dial.* 11, 4 ; 17, 3* ; 24, 3* ; 25, 1 ; 26, 1* ; 28, 3* ; 29, 1* ; 30, 1-3 ; 32, 1.3* ; 33, 2-3 ; 36, 5*-6 ; 39, 5* ; 40, 1* ; 41, 3 ; 44, 4* ; 51, 2* ; 53, 1.4 ; 62, 4 ; 64, 7* ; 69, 6* ; 70, 4-5* ; 73, 2* ; 83, 4 ; 85, 4* ; 101, 1 ; 102, 5 ; 116, 1*3* ; 117, 1*.3 ; 120, 4 ; 122, 2 ; 125, 2* ; 133, 6 ; 135, 3*.

demeure discrète, car les références sont alors toujours implicites. Mais elle est extrêmement fréquente, et c'est seulement en la prenant en compte qu'on peut comprendre le détail de ces passages comme le raisonnement qui en détermine l'unité. Ces associations ont une signification exégétique (les Écritures sont une même Parole) et théologique (tout est lié dans l'histoire du Salut), mais aussi une fonction « littéraire » : dans la composition du *Dialogue*, elles jouent souvent un rôle de transition. Elles se présentent à la fois comme un bilan de ce qui précède, et une anticipation sur ce qui va suivre. Les différentes éditions du *Dialogue* ne rendent pas compte de cette technique et les passages en question n'y sont jamais commentés de ce point de vue. Leur rôle essentiel dans l'organisation de l'œuvre ne semble pas avoir été perçu.

De pareilles synthèses ne figurent pas uniquement à la suite des citations scripturaires. Justin en dispose également quelques-unes en différents endroits du *Dialogue*[53]. Plusieurs textes – généralement cités dans ce qui précède – s'y trouvent alors associés en une sorte de conclusion partielle. Ces brefs passages ont eux aussi un rôle de transition. Ils sont attribués à Tryphon comme à Justin.

Le commentaire prend parfois des formes plus classiques : Aux chap. 99, 1 s., Justin présente une exégèse suivie du *Ps.* 21 où l'on peut voir la trace d'un enseignement magistral dispensé peut-être dans l'école fondée à Rome. Plusieurs passages offrent par ailleurs l'exemple de considérations parfois fort elliptiques, mais toujours construites selon un raisonnement très rigoureux. Divers outils rhétoriques et logiques (chiasmes, raisonnements *a*

[53] Par ex. *Dial.* 61, 1, où sont rappelés et annoncés plusieurs des titres christologiques qui fondent la démonstration de Justin : « Je vais vous donner encore, amis, dis-je, un autre témoignage tiré des Écritures : comme (cf. *Gen.* 1, 1 ; *Prov.* 8, 22)*principe* (cf. *Col.* 1, 15)*avant toutes les créatures*, Dieu a, de lui-même, (cf. *Prov.* 8, 25)*engendré* une certaine puissance verbale que l'Esprit Saint appelle également (cf. *Is.* 40, 5 et *Ps.* 18, 1)*gloire du Seigneur*, et aussi tantôt *fils*, tantôt (cf. *Prov.* 8, 1 s.)*sagesse*, tantôt *ange*, tantôt *Dieu*, tantôt *Seigneur* et *Verbe* ; elle se nomme elle-même parfois (cf. *Jos.* 5, 14.15)*chef d'armée*, lorsque sous forme (cf. *Jos.* 5, 13)*humaine* elle se manifeste à Jésus (Josué), fils de Naué. Si elle peut en effet recevoir tous les noms, c'est parce que du Père elle sert le dessein, et que par volonté, du Père elle fut (cf. *Prov.* 8, 25)*engendrée*. ». Voir encore *Dial.* 15, 7* ; 27, 5* ; 29, 1* ; 32, 2* ; 40, 4* ; 41, 1* ; 61, 1* ; 63, 2* ; 75, 4* ; 76, 2* ; 83, 1* ; 113, 4* ; 126, 1* ; 127, 1* ; 134, 6* ; 140, 4*.

fortiori, antithèses, parallélismes, etc.) y sont mis en œuvre. L'argumentation qui s'y déploie prend en compte des éléments empruntés à la citation qui précède, mais aussi, quelquefois, toutes les démonstrations antérieures. Le contenu de telles constructions – qui rappellent singulièrement certains raisonnements rabbiniques – est souvent de nature légale ou historique[54].

Les configurations diverses que prend l'exégèse de Justin témoignent donc d'une approche variée dans ses méthodes, mais cohérente dans son esprit. Elles montrent que pour lui les textes scripturaires ne sauraient être confinés à une fonction référentielle[55]. Si leur origine divine les rend accessibles à toutes les formes de discours (λόγος), elle les préserve aussi de toute tentative d'appropriation.

V – INFLUENCES ET DESTINATAIRES

Cette exégèse se présente comme le creuset d'influences multiples qu'il serait difficile – et sans doute vain – de vouloir dissocier. La plupart des procédés énumérés dans ce qui précède se rencontrent également dans la rhétorique grecque, dans littérature rabbinique, chez Paul et parfois chez Philon[56]. La

[54] Cf. *Dial.* 17, 1* (persécution du Juste et de ses disciples) ; 20, 3* (prescriptions alimentaires) ; 31, 1 (Parousies) ; 45, 3* (préceptes éternels et Loi de Moïse) ; 46, 3* (observance de la Loi après la destruction de Jérusalem) ; 49, 7* (transmission de l'Esprit) ; 52, 3* (disparition des rois et des prophètes en Israël) ; 62, 4* (Verbe préexistant et engendré) ; 81, 3* (« Jour du Seigneur » = mille ans) ; 87, 5* (fin des prophètes en Israël) ; 89, 3* (Génération ineffable et Passion) ; 93, 2-4** (amour du prochain) ; 95, 1* (malédiction de la Loi) ; 95, 4* (*id.*) ; 102, 6* (Salut) ; 106, 4* (titres christologiques) ; 116, 3* (« race archiprêtresse de Dieu ») ; 119, 4* (descendance d'Abraham) ; 121, 3 (les deux Parousies) ; 123, 1* (statut du prosélyte) ; 123, 9* et 135, 5-6** (descendance de Jacob) ; 124, 3* (transgression et mort) ; 134, 3* (mariages de Jacob) ; 134, 6* (titres christologiques) ; 137, 2* (attaques contre le Christ) ; 141, 3*.4* (pénitence : exemple de David : adultère et polygamie).

[55] Ce qui est souvent le cas dans l'*Apologie*.

[56] Utilisation du sens strict d'un mot, du contexte, de la ponctuation, équivalences lexicales, considérations grammaticales, stylistiques, philologiques ou étymologiques, réminiscences, citations implicites, corrections textuelles, modifications en vue de la démonstration, contaminations de textes, exégèse distributive ; démonstration juridique, déductions, raisonnements a fortiori, par analogie, etc. Sur toutes ces questions, voir P. HEINISCH, *op. cit.* dans la bibliographie ; J. BONSIRVEN, *Exégèse rabbinique et exégèse paulinienne*, Paris, Beauchesne,

discussion très serrée des chap. 56 s. conserve manifestement la trace de débats réels (avec des rabbins ?), à propos des théophanies, et on observe que l'ensemble des procédés exégétiques mis en œuvre dans le *Dialogue*, même les plus implicites, sont reconnus et admis par Tryphon et ses compagnons. Il y a donc, sur ce plan, et en dépit des disparités d'interprétation, une évidente convergence. A moins d'assigner au *Dialogue* une fonction purement littéraire, il faut reconnaître que Justin y adopte la méthode qu'il juge la plus appropriée à son dessein. Si le souci de la lettre y est tellement manifeste, c'est qu'il était partagé par ceux à qui l'œuvre s'adresse[57].

L'attitude de Justin n'est toutefois pas exempte de contradictions. Son usage constant de la lettre rend moins crédibles certaines critiques parfois caricaturales de l'exégèse juive. Il est vrai que la terminologie varie selon qu'il est fait référence à sa lecture littérale des textes ou à celle des « didascales » : certains termes techniques semblent plutôt réservés aux éléments pris en compte dans l'exégèse chrétienne[58], et d'autres, nettement dépréciatifs, à l'exégèse juive[59].

Comme exemple de cette herméneutique excessivement attachée, selon lui, à des détails futiles, Justin propose les changements opérés sur les noms d'Ἀβραμ et Σάρα, leur opposant celui d'Αὐσῆς en Ἰησοῦς (113, 2*). La nuance entre ce qui est considéré comme signifiant ou dénué de sens résiderait donc dans le passage d'un simple phonème à un nom pris dans son entier. Mais cette nuance paraît un peu subtile quand on sait que Justin n'hésite pas, si nécessaire, à jouer sur la ponctuation d'un verset pour en proposer différentes lectures...[60].

1939 ; D. DAUBE, « Rabbinic Methods of Interpretation and Hellenistic Rhetoric », *HUCA* 22 (1949), p. 239-264 ; ID., « Alexandrian Methods of Interpretation and the Rabbis », Festschr. H. Lewald, Bâle 1953, p. 25-44 ; H. L. STRACK - G. STEMBERGER, *Introduction au Talmud et au Midrash*, Paris, Cerf, 1986, p. 37-55 (« L'herméneutique rabbinique »), bibliographie p. 37 ; D. BANON, *op. cit.* Sur la question très discutée de la connaissance de Philon par Justin, voir en dernier lieu David T. RUNIA, *Philo in Early Christian Literature : a Survey*, Assen-Minneapolis 1993 (sur Justin : p. 97-105, bibliographie).

[57] Voir ci-dessous, p. 146-147.

[58] Cf. *Dial.* 34, 1 (ὁμωνύμων λεξέων) ; 70, 5 (λέξεις) ; 71, 3 (λέξεως) ; 74, 2 (λέξεως) ; 135, 3 (τῷ ῥητῷ) ; 56, 6 (τῶν διαρρήδην εἰρημένων).

[59] Cf. *Dial.* 115, 6 (τοῦ μικροῦ ῥηματίου) ; 120, 5 (τοῦ λεξειδίου).

[60] Cf. *Dial.* 97, 2* (*Is.* 57, 2).

Comment convaincre avec des arguments dont on dénie pour d'autres la valeur ? Comment affirmer sa croyance au caractère révélé de l'Écriture tout en niant que cette valeur réside aussi dans ses plus infimes détails[61] ? Pourquoi reprocher à ses interlocuteurs des altérations ou des mutilations scripturaires quand on s'appuie soi-même sur un texte discutable ? Sur ces différents points l'attitude de Justin manque de cohérence. Et c'est sans doute pourquoi il ne s'attarde pas sur des critiques qu'on pourrait aisément lui retourner. Ces caractéristiques divergentes s'expliquent peut-être par l'ambiguïté d'un discours qui doit adopter, pour les réfuter, les méthodes de l'adversaire. Les paradoxes de l'exégèse justinienne résultent vraisemblablement de cette tension entre son objet et ses destinataires.

VI – LETTRE ET ESPRIT

Dans l'ensemble des méthodes utilisées par Justin, les développements paraphrastiques occupent une place particulière puisqu'ils sont, par leur forme singulière, à la fois proches de la lettre et riches de résonances. Il semble bien qu'il y ait là une caractéristique originale de son exégèse, irréductible au phénomène de la réminiscence ou à l'utilisation de Testimonia.

Ces développements inscrivent toute citation ainsi que son commentaire dans un réseau de significations qui dépasse la simple coïncidence lexicale ou thématique entre deux éléments : comme le texte lui-même, le commentaire se situe alors à l'intersection de sollicitations multiples grâce auxquelles les versets se répondent et se révèlent[62]. Ce *commentaire épouse la forme de ce qui l'a produit.* Il devient comme les Écritures qui l'ont provoqué, le lieu d'associations diverses. Et à travers lui, cette caractéristique s'étend à l'ensemble de l'œuvre : comme le texte biblique, la composition du *Dialogue* est faite d'harmoniques autant que d'enchaînements rationnels.

Ces paraphrases contribuent ainsi à sa structuration selon un mode paradoxal : elles ont un rôle de transition (rappel de certains thèmes, et

[61] K. L. GRUBE, « Die hermeneutischen Grundsätzen… », 1880, p. 12, s'interrogeait déjà sur cette contradiction, et tentait de la résoudre en suggérant que Justin ne reconnaissait pas l'inspiration divine jusque dans ces détails. L'analyse de sa méthode exégétique montre au contraire qu'il ne néglige pas, si nécessaire, de s'appuyer sur de très fines observations.

[62] Sur cette complémentarité entre *littéralité* et *latéralité*, voir D. BANON, *op. cit.*, p. 142 s.

annonce de développements ultérieurs), mais aussi pour effet de rompre périodiquement la linéarité du discours en renvoyant à cette intertextualité qui est, dans la pensée de Justin, l'unique approche conforme à l'esprit des Écritures. Lire ces Écritures, c'est, pour Justin, comprendre que leur sens échappe à la syntaxe des commentaires humains. Certaines rencontres ne sont accessibles qu'à l'errance. Il faut parfois se perdre pour mieux s'orienter. La lecture des Écritures demande autant de disponibilité que de discernement, elle invite à la méditation autant qu'à l'analyse. Conçu sur le même modèle, le *Dialogue*, est le lieu d'une tension permanente entre ordre et dispersion, fragmentation et unité.

VII – CONCLUSION

L'exégèse de Justin ne peut donc être réduite ni à la forme typologique ou allégorique qu'elle prend parfois, ni à sa finalité christologique. La distinction entre « lettre » et « esprit » n'y est pas pertinente. Le *Dialogue* ne privilégie pas une méthode au détriment d'une autre : il n'en exclut aucune. L'exégèse littérale n'y est pas rejetée, mais intégrée à une perspective chrétienne. La critique des méthodes rabbiniques apparaît plus formelle que réellement justifiée, et elle porte sur les conclusions plutôt que sur la démarche[63].

Dans le détail de certains passages comme dans sa structure d'ensemble, le *Dialogue* est un espace de convergence entre différents échos de la Parole divine et diverses formes de la connaissance. Les contradictions entre « lettre » et « esprit », entre grâce et raison, s'y résolvent dans la certitude d'une unité fondamentale des Écritures et dans la conviction que leur message est universel. L'exégèse de Justin, comme la forme qu'elle prend

[63] Ce que Justin reproche aux « didascales », c'est plutôt la nature « humaine » de leurs enseignements qui occultent, de son point de vue, la dimension spirituelle des Écritures (cf. *Dial.* 68, 8). L'opposition entre les perspectives rabbinique et chrétienne, déjà sensible dans le *Dialogue*, ne saurait être limitée à des divergences d'interprétation. Elle procède en réalité d'une conception différente de la Révélation : pour Justin, les Écritures – et particulièrement l'Ancien Testament – ont un contenu essentiellement théologique (la fonction parénétique étant dévolue aux enseignements du Christ) ; pour ses interlocuteurs, elles sont surtout porteuses d'enseignements pratiques. Au-delà de leurs manifestations herméneutiques, ces approches correspondent à des conceptions du « religieux » assez éloignées pour que leur confrontation soit toujours un peu réductrice.

dans le *Dialogue*, n'est pas un simple commentaire interprétatif, mais une expérience intellectuelle et spirituelle, mettant en œuvre divers outils, à laquelle le lecteur, successeur de Tryphon, se trouve convié. Sa forme dialoguée en fait une recherche plutôt qu'une leçon. Elle n'est guère éloignée, en cela, de ce qu'elle reproduit pour mieux s'en départir.

Bibliographie

K. L. GRÜBE, « Die hermeneutischen Grundsätzen Justins des Märtyrers », *Der Katholik* 60. Jg., N. F., 43, Bd. (1880), p. 139-159 ; ID., « Die typologische Schrifterklärung Justins des Märtyrers », *Der Katholik* 60. Jg., N. F., 43, Bd. (1880), p. 139-159 ; P. HEINISCH, *Der Einfluss Philos auf die älteste christliche Exegese : Barnabas, Justin und Clemens von Alexandreia*, Münster i. W., Aschendorffschen Buchdruckerei, 1908 (sur Justin, pp. 36-38 ; 62-64, et 69-125 : « Hermeneutische Regeln ») ; J. R. HARRIS - V. BURCH, *Testimonies*, I : Cambridge 1916 ; II, Londres, id., 1920 (utilisation des Testimonia dans l'ensemble de la littérature chrétienne ancienne, canonique et non canonique. Sur cette question, voir plus récemment : Martin C. ALBL, *« And Scripture cannot be broken ». The Form and Fonction of the Early Christian Testimonia Collections* [Suppl. to Novum Testamentum, 96], Leyde 1999) ; J. GERVAIS, « L'argument prophétique des prophéties messianiques selon saint Justin », *Revue de l'Université d'Ottawa*, 13 (1943), (sur l'argument prophétique : pp. 129-146 ; 193-208) ; I. POSNOFF, *Les Prophètes dans la synthèse chrétienne de saint Justin* [Diss.], Louvain 1948 (non publié) ; J. DANIELOU, *Les figures du Christ dans l'Ancien Testament. « Sacramentum Futuri »* [Études de Théologie Historique], Paris 1950 ; ID., *Bible et Liturgie. La théologie biblique des Sacrements et des fêtes d'après les Pères de l'Église* [Lex orandi, 11], Paris 1951 (figures) ; ID., *Théologie du Judéo-christianisme*, Tournai 1958, 1991[2] (en part. les p. 135-155 : « L'exégèse judéo-chrétienne ») ; ID., *Message évangélique et culture hellénistique aux IIe et IIIe siècles*, Paris 1961, p. 185-202 (exégèse typologique et démonstration prophétique) ; ID., *Etudes d'exégèse judéo-chrétienne. Les Testimonia* [Théologie historique, 5], Paris 1966 ; H. KOSTER, *Septuaginta u. Synopt. Erzählungsstoff im Schriftbeweiss Justins des Märtyrers*, Habilitationsschrift Theologische Fakultät, Ruprecht-Karl-Universität Heidelberg 1956 ; R. M. GRANT, *The Letter and the Spirit*, Londres 1957, pp. 75 s. ; 146 s. et *passim* ; Cecil L. FRANKLIN, *Justin's Concept of Deliberate Concealment in the Old Testament* [Diss. Harvard, 1961], microfilm (l'étude porte notamment sur les termes παραβολή, τύπος, μυστήριον, et σύμβολον) ; P. PRIGENT, *Les « Testimonia » dans le christianisme primitif : l'Épître de Barnabé I-XVI et ses sources*, Paris 1961, *passim* ; T. CHRISTENSEN, « Justin og *Testimonia*-Traditionen », *Norsk Teologisk Tidsskrift* 84 (1983), p. 39-62 ; H. P. SCHNEIDER, « Some Reflexions on the Dialogue of

Justin », *Scottish Journal of Theology* 15 (1962), p. 164-175 (essentiellement sur l'A.T. dans le *Dialogue*) ; Leslie W. BARNARD, « The Old Testament and Judaism in the Writings of Justin Martyr », *VT* 14 (1964), p. 394-406 ; W. A. SHOTWELL, *The Biblical Exegesis of Justin Martyr*, London 1965 (conception de l'Écriture, méthode exégétique, prédécesseurs chrétiens, comparaisons avec des interprétations juives) ; David E. AUNE, « Justin Martyr's Use of the Old Testament », *Bulletin of the Evangelical Theological Society* 9 (1966), p. 179-197 ; E. F. OSBORN, *Justin Martyr* [*BHTh* 47], Tübingen 1973, p. 87-119 ; William H. C. FREND, « The O. T. in the Age of the Greek Apologists a. D. 130-180 », *SJTh* 26 (1973), p. 129-150 (sur Justin, p. 139 s.) ; G. OTRANTO, « Lo sviluppo della similitudine nella struttura del *Dialogo con Trifone* di Giustino », *VetChr* 11 (1974), p. 65-92 ; ID., « Il metodo delle citazioni bibliche ed esegesi nei capitoli 63-65 del *Dialogo con Trifone* di Giustino », *VetChr* 13 (1976), p. 87-112 ; ID., *Esegesi biblica e storia in Giustino (Dial. 63-8)*, Quaderni di « Vetera Christianorum » 14, Istituto di Letteratura cristiana antica, Università di Bari, 1979, *passim* ; ID., « La terminologia esegetica in Giustino », *VetChr* 24 (1987), p. 23-41 rééd. in : *La terminologia esegetica nell'antichità*, Bari 1987, p. 61-77 ; William S. KURZ, *The Function of Christological Proof from Prophecy for Luke and Justin* [Diss.], Yale 1976 (microfilm) ; F. MANNS, « L'exégèse de Justin dans le *Dialogue avec Tryphon*, témoin de l'exégèse juive ancienne », in : ID., *Essais sur le judéo-christianisme* [Coll. « Studium Biblicum Franciscanum », Analecta 12], Jérusalem 1977, p. 130-152 (essentiellement sur les contenus) ; José P. MARTIN, « Hermeneútica en el cristianismo y en el Judaísmo según el *Diálogo* de Justino Mártir », *RevBiBl* (*Revista bíblica*) 39, Buenos Aíres 1977, p. 327-344 (essentiellement sur les contenus) ; B. De MARGERIE, *Introduction à l'histoire de l'exégèse, i. Les Pères grecs et orientaux*, Paris 1980, p. 37-63 (principes et contenus) ; D. BOURGEOIS, *La Sagesse des anciens dans le mystère du Verbe. Evangile et philosophie chez saint Justin philosophe et martyr*, Paris 1981, 1983², p. 53-69 (typologie : vocabulaire) ; J. L. MARSHALL, « Some observations on Justin Martyr's Use of Testimonies », *StudPatr* 16, 1985 [*TU* 129], n° 3225, p. 197-200 ; M. SIMONETTI, *Lettera e/o allegoria. Un contributo alla storia dell'esegesi patristica* [Studia Ephemeridis « Augustinianum », 23], Rome 1985, p. 38 s. (sur la technique exégétique de Justin) ; ID., « Sul significado di alcuni termini tecnici nella letteratura esegetica greca », in : *La terminologia esegetica nell'antichità. Atti del Primo Seminario di Antichità cristiane, Bari, 25 ottobre 1984*, Bari 1987, p. 25-58 ; O. SKARSAUNE, *The Proof from Prophecy*, Leyde 1987 (essentiellement sur les sources) ; G. VISONA, S. *Giustino. Dialogo con Trifone*, Milan 1988 (Introduction, chap. IV, p. 58-70 : « L'antico Testamento e Cristo ») ; M. HIRSHMAN, « Polemic Literary Units in the Classical Midrashim and Justin Martyr's *Dialogue with Trypho* », *JQR* 83 (1993), p. 369-384 ; ID., *A Rivalry of Genius. Jewish and Christian Biblical Interpretation in Late Antiquity*, State University of New York Press, Series in Judaica : Hermeneutics, Mysticism and Religion, M. Fishbane, R. Goldenberg and E. Wolfson editors, New York 1996 (sur Justin, p. 31-66).

DESTINATAIRES

I – INTRODUCTION

A qui le *Dialogue avec Tryphon* était-il destiné, et quelles intentions ont présidé à son écriture ? Si ces questions ne sont abordées directement que par quelques commentateurs, elles affleurent dans toute la littérature consacrée à Justin. Il n'est pas rare, en effet, qu'une remarque incidente s'y présente comme une pièce à verser au dossier[1]. Mais la diversité des perspectives et

[1] *Bibliographie* : K. L. GRUBE, « Die hermeneutischen Grundsätzen Justins des Märtyrers », *Der Katholik* 60. Jg., N. F., 43, Bd. (1880), p. 1 ; Th. ZAHN, « Studien zu Justinus Martyr », *ZKG* 8 (1885), p. 57-61 ; M. FREIMANN, « Die Wortführer des Judentums in den ältesten Kontroversen zwischen Juden und Christen 2 », *MGWJ* 19 (1911), p. 568 s. ; K. HUBIK, *Die Apologien des Hl. Justinus des Philosophen und Märtyrers*, Vienne, 1912, p. 206-207 ; A. HARNACK, « Judentum und Christentum in Justins *Dialog mit Trypho*, nebst einer Collation der Pariser Handschrift nr 450 », [*TU* 39/1], Leipzig 1913, p. 51-52 ; Erwin R. GOODENOUGH, *The Theology of Justin Martyr,* Iena 1923, p. 96 s. ; M. SIMON, *Verus Israel. Étude sur les relations entre chrétiens et juifs dans l'empire romain (135-425)*, Paris, E. de Boccard, 1948 (réimpr. 1964, 1983), pp. 142 s. ; 169-170 ; H. P. SCHNEIDER, « Some Reflexions on the Dialogue of Justin », *SJTh* 15 (1962), p. 164-165 ; H. CHADWICK, « Justin Martyr's Defense of Christianity », *BJRL* 47, 1964-1965, p. 278 ; N. HYLDAHL, *Philosophie und Christentum* [Acta Theologica Danica, 9], Köbenhaven Munksgaard, 1966, pp. 19 s. ; 292 s. ; H. F. von CAMPENHAUSEN, *Die Entstehung der christlichen Bibel* [*BHTh* 39], Tübingen, J. C. B. Mohr, 1968, p. 106 s. ; B. R. VOSS, *Der Dialog in der frühchristlichen Literatur*, München, Fink [Studia et Testimonia antiqua, 9], 1970, p. 38 ; Paul J. DONAHUE, *Jewish-Christian Controversy in the Second Century : A Study in the Dialogue of Justin Martyr* [Diss. Yale Univ.], New Haven, 1973 (Microfilm), p. 183-185 ; Ben-Zion BOKSER, « Justin Martyr and the Jews », *JQR* 64/2 (oct. 1973), p. 97-98 ; J. C. M. van WINDEN, *An early Christian Philosopher. Justin Martyr's Dialogue with Trypho, Chapters one to nine. Introduction., Text & Commentary,* 1976², p. 114 ; Ph. SIGAL, « An Inquiry into Aspects of Judaism in Justin's *Dialogue with Trypho* », *Abr-Nahrain* 18 (1978-1979), p. 76-79 ; Th. STYLIANOPOULOS, *Justin Martyr and the Mosaic Law*, 1975, pp. 13-15 ; 33-44 (« Jews as Addresses ») ; 169-195 (« Appendix : Are Pagans the Addresses of the Dialogue ? ») ; J. NILSON, « To whom is Justin's Dialogue with Trypho addressed ? », *ThSt* 38 (1977), p. 538-546 ; G. OTRANTO, *Esegesi biblica e storia in Giustino (Dial. 63-84)*, 1979, p. 108-109 ; Charles. H. COSGROVE, « Justin Martyr and the emerging Christian Canon. Observations on the purpose and destination of the *Dialogue with Trypho* », *VigChr* 36 (1982), première partie,

l'ambivalence des argumentations ont pour effet, bien souvent, d'accentuer la complexité de ce qu'elles visent à clarifier. C'est peut-être que ce problème, comme le texte qui le suscite, échappe par nature à toute solution réductrice. Il conviendrait alors de l'aborder en substituant le questionnement à la quête de solutions. C'est la méthode adoptée ici : loin d'être réduites ou éludées, les interrogations sont accueillies comme autant d'erreurs potentiellement évitées. Puisqu'en l'occurrence aucune réponse univoque ne paraît tout à fait satisfaisante, les éléments de vérité, s'ils existent, résident peut-être dans ce qui offre le moins d'incertitudes.

II – ETAT DE LA QUESTION

Sur cette question des destinataires du *Dialogue* (juifs ? chrétiens ? païens ? judéo-chrétiens ?), les théories sont aussi diverses qu'opposées[2]. Leur formulation est souvent prudente, mais aussi, parfois, péremptoire ; le tour interrogatif ou affirmatif. Certains considèrent que Justin s'adresse à un public restreint, d'autres à un public large et composite. Des priorités sont déterminées quelquefois ; ailleurs, certains publics sont exclus.

La thèse d'un ouvrage de polémique destiné aux juifs a tout d'abord prédominé. Mais la finalité des écrits de controverse ayant été parfois mise

p. 209-232 ; O. SKARSAUNE, *The Proof from Prophecy* [NT Suppl. 56], Leyde, Brill, 1987, p. 258 s. ; ID., « The Conversion of Justin Martyr », *SJTh* 30 (1976), p. 60-61 ; R. S. MACLENNAN, « Justin, an Apologetic Essay : the Dialogue with Trypho a Jew (c. 160 C.E) », in : *Four Early Christian Texts on Jews and Judaism... Essays in Honor of Marvin Fox*, ed. J. Neusner, Atlanta 1989, chap. II, p. 82-88 ; U. NEYMEYR, *Die christlichen Lehrer im zweiten Jahrhundert : Ihre Lehrtätigen, ihr Selbstverständnis und ihre Geschichte*, Leyde, Brill, 1989, p. 25 ; E. NORELLI, « Il dibattito con il giudaismo nel II secolo. Testimonia ; Barnaba ; Giustino », in : *Bibbia nell'antichità cristiana*, I, 1993, p. 228 ; M. MARCOVICH, *Iustini Martyris Dialogus cum Tryphone* [Patristische Texte und Studien, 47], W. de Gruyter, Berlin - New York 1997, p. 64-65 ; B. POUDERON, « Le contexte polémique du *De resurrectione* attribué à Justin : destinataires et adversaires », *StudPatr* 31 (1997), p. 143-66 ; S.-C. MIMOUNI, *Le Judéo-christianisme ancien. Essais historiques* [Collection « Patrimoines »], Paris, Cerf, 1998, p. 117-118 ; T. RAJAK, « Talking at Trypho », in : Mark Edwards, Martin Goodman and Simon Price, in Association with Christopher Rowland, *Apologetics in Roman Empire : Pagans, Jews and Christians*, Oxford - New York, Oxford University Press, 1999, p. 59-80 (en part. les p. 75-80, avec un rappel des principales réponses antérieures).

[2] Voir à la fin de ce développement une liste de citations illustrant cette variété.

en cause[3], on s'est peu à peu habitué à considérer que le *Dialogue*, comme d'autres œuvres apparentées, était en réalité destiné à un usage interne (convaincre les chrétiens de l'authenticité de leur foi), ou écrit pour des païens également attirés par le judaïsme et le christianisme. Parmi les travaux récents, seuls ceux de Th. Stylianopoulos reprennent la thèse d'un auditoire juif. Aucune de ces réponses n'est totalement infondée ; aucune non plus n'est tout à fait convaincante. L'éventail des solutions envisagées avec une certaine vraisemblance atteste la complexité du problème.

III – METHODE

Un certain nombre de difficultés méthodologiques contribuent à cette complexité :

Chacun aborde la question selon l'angle de recherche correspondant à ses préoccupations : littéraire (sources, lexique, style, composition, protagonistes, genre) ; historique (influences, cadre spatial et temporel), sociologique (auto-définition, relations entre communautés), culturel (références des protagonistes et des destinataires) ; religieux (thèmes directeurs, problème du canon scripturaire, etc.). Des aspects nouveaux sont ainsi éclairés parfois, mais ils sont rarement exposés à la contradiction. Il arrive que l'argumentation utilisée pour une autre thèse soit prise en compte, mais c'est toujours de façon partielle, et selon une méthode qui vise essentiellement à conforter celle qu'on veut y substituer. Le souci non dissimulé d'un point de

[3] Pour A. HARNACK, *Die Altercatio Simonis Judaei et Theophili Christiani, nebst Untersuchungen über die antijüdische Polemik in der alten Kirche*, Leipzig 1883, les textes de polémique seraient, en réalité, dès le IIe siècle, des écrits de propagande destinés aux païens, ou aux chrétiens eux-mêmes. Interprétation retenue par H. TRÄNKLE, dans son étude introductive à l'*Adversus Judaeos* de Tertullien (*Q. S. F., Tertulliani Adversus Judaeos*, Wiesbaden, 1964, en particulier les p. LXVIII-LXXVIII). Pour le *Dialogue* (*ibid.*, p. LXXI-LXXII). H. TRÄNKLE se montre cependant moins affirmatif à propos de Justin que dans le cas de Tertullien (*ibid.*, p. LXXIV). Même réserve chez D. ROKEAH, *Jews, Pagans and Christians in Conflict*, Jérusalem - Leyde, The Magness Press, The Hebrew University-E.J. Brill, 1982, p. 66 : « …I classify Justin's *Dialogus* as the last Christian treatise which, like the Synoptic Gospels, attempted to persuade the Jews to put an end to their stubbornness and to admit the Divinity of Jesus. » M. SIMON, *Verus Israel*, p. 165-213, pense au contraire que le conflit entre juifs et chrétiens se poursuivit au IIe siècle et au-delà, et que toute la littérature de polémique s'incrit dans ce cadre.

vue à défendre entraîne dans la plupart des cas une perception restreinte des données. La validité des conclusions est toujours limitée au champ des investigations qui les ont préparées.

Les éléments pris en compte ressortissent à l'ensemble de l'œuvre (composition, rapports entre le prologue et ce qui suit), ou au détail (analyse de certains passages, de certains thèmes, particularités stylistiques ou terminologiques). On observe quelquefois un curieux aveuglement pour ce qui s'intègre mal dans la thèse proposée. Il n'est pas rare ainsi que des résultats obtenus par une analyse ponctuelle soient appliqués, sans examen critique, à l'ensemble de l'œuvre (voir ci-dessous).

Pour que sa finalité propre soit mieux appréhendée, le *Dialogue* est parfois comparé à l'*Apologie*, au contenu supposé du *Syntagme* perdu, ou à d'autres écrits des premiers siècles (Irénée, Tertullien, etc.). La méthode n'est pas dénuée d'intérêt, mais elle n'offre que des résultats relatifs ou hypothétiques.

La confrontation de ces travaux montre par ailleurs que leurs fondements théoriques ne sont pas non plus toujours concordants : des concepts tels que les destinataires du *Dialogue*, son public, son lectorat ou son auditoire[4], son sujet, sa fonction ou sa signification[5], sont souvent confondus, mais parfois dissociés de façon pertinente. Certains de ces concepts correspondent, dans le détail, à des réalités différentes : ainsi les « chrétiens » peuvent-ils désigner des convertis d'origine juive ou païenne ; les « païens » sont considérés dans ce qui les oppose à la révélation juive et chrétienne, ou au contraire à travers leur attirance pour l'une ou l'autre de ces deux religions ; les tendances hérétiques sont présentées comme un problème interne au christianisme, ou comme un phénomène marginal ; selon les commentateurs, l'œuvre apparaît destinée à un public unique, composite, ou hiérarchisé ; les différentes « finalités » envisagées à son propos (homilétique, apologétique, catéchétique, polémique, parénétique, etc.[6] ; usage interne ou externe, auto-

[4] Notions parfois explicitement présentées comme équivalentes : « ...Tryphons Feunde im Grunde nicht anderes sind als die Leser des Dial. » (N. HYLDAHL, *op. cit.*, p. 20) ; « [Justin] is trying to convert – not primarily Trypho, his interlocutor, but his audience, i. e. his readers » (O. SKARSAUNE, *The Proof from Prophecy...*, p. 259). Pour B. R. VOSS, *op. cit.*, p. 38, le *Dialogue* était destiné aux païens mais surtout lu par des chrétiens.

[5] Termes qui peuvent aussi être compris au pluriel.

[6] Questions liées à celle du genre littéraire de l'œuvre.

définition, justification, propagande, compétition, réfutation, conversion, etc.) sont également regardées comme nettement distinctes, ou réunies. On pourrait ainsi multiplier les associations et les distinctions qui concourent à la difficulté du problème, et en fragilisent parfois les solutions.

Les adversaires peuvent-ils ici être confondus avec les destinataires ? Ces remarques de B. Pouderon à propos du *De resurrectione*, pourraient tout aussi bien s'appliquer au *Dialogue* : « [...] rien n'empêche même que destinataires et adversaires se confondent, identiques d'un bout à l'autre de l'ouvrage, ou seulement dans tel ou tel de des chapitres. Mais la confusion systématique des uns et des autres peut créer une méprise sur la valeur et le sens de l'argumentation dans son ensemble et de chacun des arguments en particulier, et, au bout du compte, sur la finalité même de l'ouvrage. » ; « L'identification des adversaires d'un ouvrage polémique est tout aussi délicate que celle de ses destinataires, car non seulement ces adversaires peuvent être multiples, comme les têtes de l'hydre, mais ils ne sont le plus souvent désignés que par allusion, l'ambiguïté étant l'une des armes favorites des polémistes[7]. » Dans les études sur le *Dialogue* ces confusions sont souvent entretenues.

Dans quel cadre le contenu du *Dialogue* était-il délivré : assemblées de chrétiens ? préparation au baptême ? synagogues ? école ?[8] Quel était son mode de consultation ? Ces questions déterminantes ne sont évoquées qu'en passant ou par allusion, en l'absence de réponse sûre.

Tous les auteurs ne s'accordent pas non plus sur l'origine, la réalité, et l'importance de phénomènes tels que la controverse judéo-chrétienne, les calomnies et les persécutions, ou le prosélytisme. La part de fiction et d'historicité qu'il convient d'accorder au *Dialogue* – et plus généralement aux ouvrages de controverse – n'est pas également évaluée dans les différentes études. Leur fonction véritable (convertir les juifs ? empêcher les chrétiens ou les païens d'être convertis par eux ? conforter les chrétiens dans leur foi ?) est elle aussi discutée. Or ces prémisses sont ici déterminantes.

[7] *Art. cit.*, pp. 145 et 153.

[8] Le dialogue de Justin et de Tryphon est situé dans les allées du Xyste (1, 1 ; 9, 3) puis dans un théâtre (122, 4). Si ces indications ont sans doute une valeur symbolique (voir ci-dessous), elles ne peuvent être confondues avec le lieu de consultation ou d'utilisation de l'œuvre.

On observe enfin que la plupart des arguments utilisés dans ce dossier se caractérisent par leur ambivalence, parfois même leur polyvalence. Phénomène particulièrement sensible lorsqu'on trouve les mêmes données utilisées pour des thèses divergentes ou contradictoires (voir le détail ci-dessous). Cette singularité a pour effet de nuancer certaines conclusions. Mais il arrive fréquemment qu'elle soit oubliée ou ignorée.

La multiplicité des points de vue, l'éventail des méthodes, la disparité des prémisses, et la polysémie des arguments rendent malaisée, sinon impossible, toute confrontation des résultats. Il paraît acquis, toutefois, que les recherches privilégiant un axe de lecture ou une théorie sont nécessairement bornées par leurs propres limites.

IV – ANALYSE DE QUELQUES PASSAGES

Plusieurs passages sont mis en avant par ceux qui tentent de déterminer à qui s'adresse le *Dialogue* :

> 8, 2. C'est donc de cette manière et à cause de cela que je suis, pour ma part, philosophe. Et je voudrais que tous, épousant les mêmes aspirations que moi, ne se tiennent pas éloignés (μὴ ἀφίστασθαι) des paroles du Sauveur. Car elles ont, en elles-mêmes, un certain pouvoir de susciter la crainte, et suffisent à troubler ceux qui se détournent de la voie droite, tandis que le plus doux repos s'offre à ceux qui s'y attachent.

Selon les traductions, l'infinitif ἀφίστασθαι signifie « se tenir éloigné » ou « s'éloigner ». O. Skarsaune[9] retient le second sens, et considère, en s'appuyant sur des passages parallèles (*Dial.* 121, 3 ; 110, 4) et sur les autres occurrences du même verbe chez Justin, que ce dernier dissuade ici ceux à qui il s'adresse de *devenir* apostats, c'est-à-dire juifs, après leur avoir montré l'inanité de la philosophie et la valeur de la Parole prophétique. Les conséquences de cette interprétation ne sont pas explicitement tirées alors, mais on les retrouve dans l'ouvrage principal du même auteur[10], à propos de

[9] « The Conversion… », p. 60-61.

[10] *The Proof from Prophecy*, p. 258-259.

Dial 23, 3[11] : dans le *Dialogue*, Justin s'adresserait à des païens susceptibles de se convertir au judaïsme. Cette lecture n'est pas invraisemblable, mais le verbe ἀφίστασθαι offre un champ de significations plus large que ne le laisse entendre O. Skarsaune[12], et rien ne prouve que le temps de l'infinitif ait ici un sens inchoatif. Justin peut aussi bien s'adresser à des juifs en leur demandant de ne pas *demeurer* apostats par leur refus de reconnaître le Christ annoncé dans les prophéties.

> 23, 3. Et comme aucun ne répondait : Voilà pourquoi, Tryphon, à toi et à ceux qui veulent devenir prosélytes (...σοι, ὦ Τρύφων, καὶ τοῖς βουλομένοις προσηλύτοις γενέσθαι), je proclamerai, quant à moi, la parole divine que j'ai reçue de cet homme-là. Voyez : les éléments ne se reposent pas, et ne font pas le sabbat. *Demeurez* tels que vous êtes nés (Μείνατε ὡς γεγένησθε). Car si avant Abraham il n'était pas besoin de circoncision, ni avant Moïse de l'observance du sabbat, de fêtes ou d'offrandes, de même aujourd'hui, après la venue de Jésus-Christ, fils de Dieu, né selon la volonté de Dieu par Marie, la vierge issue de la race d'Abraham, il n'en est plus besoin.

Les différentes interprétations proposées pour ce passage reposent essentiellement sur le sens donné au mot προσήλυτοι, l'identité prêtée aux compagnons de Tryphon, et la fonction attribuée à la conjonction καί (associative ou disjonctive).

Pour Th. Zahn[13], le mot προσήλυτοι est pris ici dans son sens technique, et ne peut désigner que des païens désireux de se convertir au judaïsme. Selon cette lecture, les compagnons de Tryphon, ainsi nommés, seraient –

[11] Voir ci-dessous.

[12] Ce verbe est chez Justin un terme technique désignant différentes formes d' « apostasie » : *Dial.* 20, 1 (juifs) ; 76, 3 ; 79, 1 ; 121, 3 (anges et hommes) ; *Dial.* 106, 1 et *I Apol.* 50, 12 (apôtres) ; *Dial.* 78, 6 et *I Apol.* 14, 1 (chrétiens qui s'éloignent des démons) ; *Dial.* 110, 4 (refus d'apostasier des martyrs) ; *Dial.* 111, 2 (Jésus sauve ceux qui ne se seront pas éloignés de sa foi) ; *Dial.* 121, 3 (sort des apostats lors de la seconde parousie).

[13] *Art. cit.*, p. 57 s. Interprétation reprise par N. HYLDAHL, *op. cit.*, p. 19 s.

d'après *Dial.* 10, 4*[14] – des « Craignants-Dieu », non encore circoncis. La conjonction καί établirait une distinction entre Tryphon d'une part, « hébreu de la circoncision » (*Dial.* 1, 3), pratiquant le prosélytisme (cf. *Dial.* 8, 4), et ses compagnons d'autre part, auxquels s'adresserait la formule : « Demeurez tels que vous êtes [nés] (= incirconcis) ».

A cette interprétation, Th. Stylianopoulos[15] oppose deux arguments : 1) Ni le terme προσήλυτοι, ni la périphrase οἱ φοβούμενοι τὸν θεόν ne sont utilisées chez Justin dans le sens requis par Zahn[16] ; 2) dans l'ensemble du *Dialogue*, Justin dissocie toujours Tryphon des « didascales » juifs[17], mais jamais de ses compagnons. Cette observation s'applique donc aussi, vraisemblablement, à *Dial.* 23, 3 : les verbes ὁρᾶτε, μείνατε, et γεγένησθε s'adresseraient directement à Tryphon *et* à ses compagnons. Pour confirmer cette lecture, Th. Stylianopoulos renvoie à un passage ultérieur, où l'interlocuteur de Justin et ceux qui l'accompagnent se trouvent réunis, en un même pluriel[18]. En *Dial.* 23, 3, Justin ne s'adresserait donc pas, comme l'entendait Th. Zahn, à des païens convertis au judaïsme, mais à des juifs – Tryphon et ses compagnons.

A l'appui de cette lecture, Th. Stylianopoulos cite[19] d'autres propos où Justin laisse entendre que ses interlocuteurs sont circoncis, en s'opposant à eux. Deux autres passages, non cités par Th. Stylianopoulos, pourraient aller dans le même sens. Justin y distingue ses interlocuteurs, les prosélytes, et les chrétiens avec des tournures qui ne laissent guère de doute sur l'identité des premiers :

> 122, 2. Pour qui donc le Christ *témoigne*-t-il ? Il est clair que c'est pour ceux qui auront cru. Or les prosélytes non seulement ne croient pas, mais *deux fois plus que vous* (διπλότερον ὑμῶν) ils *blasphèment* contre

[14] « Ainsi donc, vous méprisez d'emblée cette Alliance en faisant fi de ce qu'elle entraîne, et vous cherchez à nous faire croire que vous connaissez Dieu sans rien mettre en pratique de ce que respectent les Craignants-Dieu (οἱ φοβούμενοι τὸν θεόν). »

[15] *Op. cit.*, p. 174 s.

[16] Affirmation qu'il convient de nuancer (voir ci-dessous).

[17] Cf. *Dial.* 9, 1 ; 38, 1 ; 43, 8 ; 48, 2 ; 62, 2 ; 68, 7 ; 71, 1 ; 83, 1 ; 110, 1 ; 112, 2.4 ; 114, 3 ; 117, 4 ; 134, 1 ; 137, 2 ; 140, 2 ; 142, 2.

[18] *Dial.* 28, 1 : « Tryphon : *Nous* t'avons déjà entendu, tout à l'heure, avancer cet argument, et *nous* l'avons pris en considération, car, à vrai dire, il le mérite ».

[19] *Op. cit.*, p. 176.

son *nom*, et nous (ἡμᾶς) qui croyons en lui, ils veulent nous mettre à mort et nous tourmenter : en tout point ils s'efforcent de vous ressembler (ὑμῖν ἐξομοιοῦσθαι).

123, 2. Il est du reste ridicule de votre part de penser que les yeux des prosélytes eux-mêmes ont été *ouverts*, et les vôtres (ὑμῶν) non, d'entendre parler de vous (ὑμᾶς μὲν) comme de gens *aveugles* et *sourds*, et d'eux (ἐκείνους δὲ) comme s'ils avaient été *illuminés*.

Les prosélytes sont ici nettement distingués de ceux que désigne le pronom « vous ». Si ce pronom renvoie bien aux interlocuteurs de Justin (Tryphon et ses compagnons), il faudrait comprendre l'indignation exprimée ailleurs comme émanant bien de juifs, et non de prosélytes :

122, 4. Alors, comme au théâtre, quelques-uns parmi ceux qui étaient venus le second jour s'écriaient à haute voix : « Mais quoi ? Ne parle-t-il pas de la Loi et de ceux qui ont été *illuminés* par elle ? Les voilà les prosélytes ! ».

L'interprétation de Th. Stylianopoulos présente toutefois une faiblesse non négligeable : toutes les autres occurrences du mot προσήλυτος, du verbe προσέρχεσθαι, et du substantif προσήλυσις n'y sont pas prises en compte[20]. Or il s'avère que certaines d'entre elles seulement se rapportent sans ambiguïté, chez Justin, à ceux qui embrassent la foi chrétienne[21], tandis que d'autres s'appliquent indéniablement à ceux qui embrassent le judaïsme (80, 1 ; 122, 1.2.3.4 ; 123, 1.2)[22]. L'opposition entre les deux sens est explicite en 122, 5 et 123, 1.2. L'expression « Μείνατε ὡς γεγένησθε » peut donc s'adresser à des païens sur le point de se convertir, ou à des juifs pour qui la circoncision, désormais, ne serait plus nécessaire[23].

[20] Th. STYLIANOPOULOS (p. 174-175) se contente de déclarer : « The terms προσήλυτος and προσήλυσις are clearly used for converts to the Christian faith (*Dial.* 28, 2 ; 122, 5) ».

[21] Cf. *Dial.* 11, 4* ; 28, 2 ; 122, 5 ; 123, 1.

[22] Même ambivalence pour la formule οἱ φοβούμενοι τὸν θεόν (cf. *Dial.* 10, 4*).

[23] Pour M. MARCOVICH, *op. cit.*, p. 64-65, cette exhortation ne peut s'adresser qu'à de futurs convertis au judaïsme, et non au christianisme (pour lequel la circoncision n'est pas nécessaire). Judith. M. LIEU, « Circumcision, Women and Salvation », *NTS* 40 (1994), p. 366, résout l'ambiguïté de cette formule en laissant entendre que Justin, qui contrairement à son habitude dans le *Dialogue* s'adresse à ses interlocuteurs comme s'ils n'étaient pas juifs, utilise peut-être ici des matériaux plus anciens, tirés de traditions et de débats à propos de prosélytes.

Les commentaires proposés pour ce passage montrent donc que ni les considérations lexicographiques, ni la distinction ou l'association entre Tryphon et ses compagnons, ni le rapprochement avec d'autres textes, ni l'allusion à la circoncision ne permettent d'en restituer le sens avec certitude. Otto applique ici, sans véritable justification, le mot προσήλυτοι à ceux qui veulent devenir chrétiens[24] ; Archambault avait peut-être raison de se montrer plus prudent[25]. B. Bagatti[26] proposait encore une autre solution : Justin s'adresserait ici à des juifs qui pouvaient devenir chrétiens. Aucune de ces interprétations ne peut être exclue. Les compagnons de Tryphon peuvent être confondus avec lui ou distingués de lui, identifiés aux destinataires du *Dialogue*, ou différenciés d'eux ; il peut s'agir de juifs, de païens, ou même de chrétiens, attirés par le christianisme aussi bien que par le judaïsme. Le sens accordé à ce passage dépend essentiellement du rôle attribué à Tryphon et de la réalité que l'on reconnaît au phénomène du prosélytisme juif[27].

*

Deux autres passages sont également retenus. Ils peuvent être considérés comme parallèles, car ils présentent, sur le ton de l'exhortation, un même appel aux nations (ἔθνη) :

Cette hypothèse pourrait trouver confirmation dans le contexte immédiat : Justin y emploie, sans s'attarder, deux arguments de nature qui semblent bien isolés dans l'ensemble de l'œuvre : les astres ne font pas le sabbat (23, 3) ; les femmes ne peuvent être circoncises (23, 5). Peut-être l'expression « Demeurez tels que vous êtes [nés] » doit-elle être comprise comme une citation ou une réminiscence.

[24] « Προσήλυτοι hic dicuntur qui ad christianam religionem accedunt (c. 28) », n. 4, p. 81.

[25] « Ce mot désigne ceux des païens qui cherchaient dans la religion venue de Judée ce que les idoles ne pouvaient plus leur procurer, et voulaient se faire soit juifs soit chrétiens. » (t. I, n. 3, p. 105).

[26] *L'Église de la circoncision*, Jérusalem 1965, p. 195.

[27] C'est ce qui fonde, par exemple, la critique d'O. SKARSAUNE à l'égard de Th. STYLIANOPOULOS : « But his arguments are hardly convincing [...] He does not seriously consider the setting which the *Dialogue* itself suggests – viz. the Jewish and Christian missions to the same group, Gentile God Fearers » (n. 9, p. 259). Mais si l'importance de la mission chrétienne est unanimement reconnue, celle du prosélytisme juif est parfois mise en cause : cf. E. WILL - Cl. ORRIEUX, *« Prosélytisme juif » : Histoire d'une erreur*, Paris, Belles Lettres, 1992.

> 24. 3. Venez à moi, vous tous, les *craignants-Dieu*, qui voulez *voir les biens de Jérusalem*, *Venez, allons à la lumière du Seigneur, car il a rejeté son peuple, la maison de Jacob*. Venez, *toutes les nations* (πάντα τὰ ἔθνη), *rassemblons-nous* à *Jérusalem*, qui ne connaîtra plus la guerre à cause des péchés des peuples. Car *Je me suis manifesté à ceux qui ne me sollicitaient pas, j'ai été trouvé par ceux qui ne m'interrogeaient pas*, s'écrie-t-il par Isaïe.

> 29. 1. *Glorifions* Dieu, *nations* (τὰ ἔθνη) rassemblées, car il nous a *regardés* nous aussi. *Glorifions*-le par le *roi de gloire*, par le *Seigneur des Puissances*. Car il s'est tourné aussi vers *les nations* (εἰς τὰ ἔθνη) pour les accueillir, et *les sacrifices*, il les reçoit plus volontiers de notre part que de la *vôtre*. Pourquoi donc parler encore de circoncision, alors que Dieu témoigne pour moi ? Qu'est-il besoin de ce baptême-là, quand on est *baptisé* d'*Esprit Saint* ?

Th. Zahn[28], A. Harnack[29], et N. Hyldahl[30], s'appuient sur ces textes, parmi d'autres, pour défendre la thèse selon laquelle les païens – désignés ici par le terme ἔθνη – seraient les destinataires des ces injonctions.

Pour Th. Stylianopoulos[31], et C. H. Cosgrove[32], ces passages s'adressent plutôt à des Gentils convertis au christianisme. L'argumentation du premier est plus élaborée : 1) dans l'ensemble du *Dialogue*, le terme ἔθνη – qui peut difficilement inclure ici Tryphon – ne désigne pas les païens, mais l'Église[33] ; 2) dans le second passage, ce mot est un rappel de *Mal.* 1, 11, précédemment cité, interprété partout dans le *Dialogue* comme une prophétie du sacrifice universel[34] ; 3) Ces passages s'appuient sur des références

[28] *Art. cit.*, p. 56-61.

[29] *Op. cit.*, *n.* 2, p. 51-52.

[30] *Op. cit.*, p. 19.

[31] *Op. cit.*, p. 177-181.

[32] *Art. cit.*, p. 213. Th. STYLIANOPOULOS est affirmatif ; Ch. COSGROVE est plus prudent : « The Old testament ring of the text is typical of early Christian hymns and prayers. In view of these considerations, *Dial.* 29, 1 is best taken as addressed to gentile Christians. at least this remains a good possibility ».

[33] Étude terminologique p. 179-180 : les païens demeurés incroyants seraient désignés par l'expression τὰ ἄλλα ἔθνη (17, 1 ; 96, 2 ; cf. 95, 1).

[34] Cf. *Dial.* 41, 2*. Le seul argument que M. MARCOVICH (p. 64) oppose à l'interprétation de STYLIANOPOULOS est que dans le premier cas, le mot ἔθνη est emprunté à *Jér.* 3, 17, « where

scripturaires peu éloquentes pour un public païen ; 4) Le contexte immédiat et plus large oppose, dans les deux cas, l'Israël véritable (= les chrétiens) et les juifs[35].

L'argumentation de Th. Stylianopoulos est indéniablement la plus convaincante. Mais il n'est pas certain que ces passages s'adressent seulement à des païens convertis, car, pour Justin, l'Israël véritable n'exclut pas les juifs, mais inclut ceux d'entre eux qui auront embrassé la foi chrétienne[36] : les expressions πάντες οἱ φοβούμενοι τὸν θεόν, πάντα τὰ ἔθνη (24, 3), et ἅμα τὰ ἔθνη συνέλθοντα (29, 1) mettent l'accent sur le caractère universel de l'appel[37] ; dans le second passage, Justin insiste à deux reprises, avec l'adverbe καί, sur cette universalité : « car il nous a regardés, *nous aussi* (καὶ ἡμᾶς) » ; « Il s'est tourné *aussi* vers les nations (καὶ εἰς τὰ ἔθνη) ». Le juif Tryphon, et ses compagnons, quelle que soit leur identité, peuvent donc être concernés, eux aussi, par cette exhortation.

*

32. 5. Tout ce que je vous disais en passant, je vous le dis pour que, définitivement persuadés de ce que contre vous Dieu a dit que vous étiez des *fils insensés*; et encore : *C'est pourquoi, voici : je renouvellerai le*

there are no Christians ». Cet argument, bien insuffisant pour contrebalancer ceux de STYLIANOPOULOS, isole artificiellement le verset de son contexte.

[35] D. GILL – qui ne prend pas en compte le premier de ces passages – distingue dans le second un fragment liturgique (voir la note *ad loc.*), ce qui constituerait un argument supplémentaire pour la thèse chrétienne. Th. STYLIANOPOULOS (p. 178) penche plutôt pour un ton kérygmatique qui ne serait pas exceptionnel chez Justin.

[36] Cf. *Dial.* 120, 1*.

[37] Dans le *Dialogue*, l'expression πάντα τὰ ἔθνη ou ses équivalents apparaît 13 fois : 13, 2 (*Is.* 52, 10) ; 25, 5 (*Is.* 64, 11) ; 31, 4 (*Dan.* 7, 14) ; 34, 4 (*Ps.* 71, 11) ; 34, 6 (*Ps.* 71, 17) ; 50, 5 (*Is.* 40, 15) ; 64, 6 (*Ps.* 71, 17) ; 83, 4 ; 95, 1 ; 120, 1 (*Gen.* 26, 4 : descendance de Jacob) ; 121, 1 (*Ps.* 71, 17 *bis*) ; 131, 1. A deux reprises seulement elle désigne sans ambiguïté les nations idolâtres (83, 4 ; 95, 1). Ailleurs, elle est utilisée dans un sens universaliste englobant les nations et ceux des juifs qui se seront convertis. En *Dial.* 17, 1 et 96, 2 sont distingués « les autres » peuples et les juifs (τὰ ἄλλα ἔθνη ...ὑμεῖς ; ὑμεῖς ...τὰ ἄλλα ἔθνη) ; en 122, 5, les nations païennes illuminées par le Christ, Loi nouvelle et opposées au peuple juif, sont désignées par l'expression ἡμᾶς τὰ ἔθνη ; en 130, 2.4, nations et descendance de Jacob converties au christianisme sont associées (ἡμᾶς τὰ ἔθνη καὶ ἁπλῶς τοὺς ἀπ' ἐκείνου τοῦ λαοῦ πάντας εὐαρεστοῦντας τῷ θεῷ ; cf. *Deut.* 32, 43, cité en 130 1 et 4) ; Il semble donc que τὰ ἔθνη πάντα ait généralement un sens universel, incluant les juifs devenus chrétiens.

> *transfert de ce peuple, je transférerai ce peuple, je les transférerai, j'enlèverai leur sagesse aux sages et je cèlerai l'intelligence des intelligents qui sont parmi eux* –, vous cessiez de vous égarer vous-mêmes, vous et ceux qui vous écoutent, et vous laissiez instruire par nous que la grâce du Christ a rendus *sages*.

Th. Zahn, pour qui les compagnons de Tryphon sont des païens engagés dans un processus de conversion au judaïsme, voit ici un appel de Justin aux païens influencés par une propagande juive. Cette interprétation repose sur l'idée, non démontrée, que Tryphon est un rabbin[38], et ses compagnons des prosélytes d'origine païenne[39]. Or Tryphon, rappelle Th. Stylianopoulos[40], est toujours dissocié des didascales juifs dans le *Dialogue*, et il est très discutable qu'il se livre au prosélytisme[41]. Ces propos ne s'adressent donc pas aux destinataires du *Dialogue* : l'expression καὶ τοὺς ὑμῶν ἀκούοντας fait bien référence, comme l'entendait Zahn, aux païens attirés par le judaïsme, mais elle doit être considérée comme une remarque isolée[42]. Jamais Justin – qui n'est pas homme à évoquer par allusion ce qui est pour lui essentiel – n'exprime ailleurs dans le *Dialogue*, une sollicitude particulière à l'égard de ce public[43].

*

> 64. 2. A ces propos, je répondis : – Si j'étais comme vous, Tryphon, porté aux vaines querelles, je ne m'attarderais pas à entretenir avec vous cette discussion, puisque non disposés à saisir ce qui est dit, vous mettez tous vos soins à affûter des répliques. Mais comme je redoute le jugement de Dieu, je ne veux pour aucun de ceux de votre race trop vite décider, s'il n'est pas parmi ceux *qui par la grâce du Seigneur Sabbaoth* peuvent être *sauvés*. Aussi continuerai-je, en dépit de

[38] Cette idée n'est plus défendue par personne aujourd'hui : les connaissances de Tryphon sont trop limitées dans le domaine du culte et de la Loi orale.

[39] *Art. cit.*, p. 59 : « Ihn und seinesgleichen, jüdische Lehrer, welche auch Heiden zu Schülern zu machen wissen, hat Justin im Auge… » ; cp. HARNACK, *op. cit.*, p. 53 : « Rabbi Trypho und einigen von dessen Schülern… ».

[40] *Op. cit.*, p. 181-183.

[41] Cf. *Dial.* 8, 4*.

[42] Comparable à 8, 2 (τοὺς ἐκτρεπομένους τῆς ὀρθῆς ὁδοῦ).

[43] Au chap. 47, il est question de *judéo-chrétiens* (et non de juifs) qui tentent de persuader les païens de vivre selon la Loi.

votre malignité, à répondre pour chacune de vos attaques et de vos objections. Du reste, j'agis de même, absolument, à l'égard de tous ceux, de toute race, qui veulent sur ces questions discuter ou m'interroger.

Ce passage est l'un de ceux qu'Harnack[44] retenait pour défendre la thèse de destinataires païens. Mais, fait remarquer Th. Stylianopoulos[45], s'il y a là, incontestablement, une manifestation, parmi d'autres, de l'universalisme qui anime l'activité missionnaire de Justin, cela ne signifie pas pour autant que le *Dialogue* s'adresse prioritairement aux païens. Le contexte, d'ailleurs, fait référence au thème du Reste qui ne peut concerner que les juifs[46].

*

80. 3. Car ceux, chrétiens de nom, qui sont en vérité des hérétiques impies et athées, n'enseignent en tout point que blasphèmes, impiétés et folies, je te l'ai montré. Et puisque ce n'est pas uniquement pour vous que je tiens ces propos, vous le savez, de tout ce dont nous nous sommes entretenus, comme je le pourrai, je ferai un ouvrage, où je confirmerai par écrit ce que devant vous je déclare. Car je choisis plutôt de suivre non des *enseignements humains*, mais *Dieu* et les enseignements qui viennent de lui.

Passage comparable au précédent, et également retenu par Harnack[47]. Mais ce nouvel élargissement paraît faire référence aux gnostiques, et non point aux païens. Justin distingue d'ailleurs ici ses interlocuteurs immédiats (οὐκ ἐφ' ὑμῶν μόνων ; πρὸς ὑμᾶς) et le public visé par l'ouvrage annoncé.

*

119. 4. Nous ne sommes donc pas une gent méprisable, une tribu barbare ou quelques nations de Cariens ou de Phrygiens, mais Dieu nous a *choisis*, même nous (καὶ ἡμᾶς), et *s'est manifesté à ceux qui ne le sollicitaient pas. Voici, je suis [Dieu]*, dit-il, *pour la nation, ceux qui n'invoquaient point mon nom.* Cette *nation*, en effet, c'est celle que Dieu jadis promettait à Abraham, lorsqu'il annonçait qu'il le ferait *père de*

[44] *Op. cit.*, p. 52.

[45] *Op. cit.*, p. 184-185.

[46] Voir ci-dessous, p. 155-156.

[47] *Ibid.*

> *nations nombreuses* : ce n'est ni des Arabes, ni des Égyptiens, ni des Iduméens qu'il voulait parler (car Ismaël aussi fut père d'une *grande nation*, de même qu'Ésaü, et il y a de nos jours un grand nombre d'Ammonites). Mais Noé fut le père d'Abraham lui-même, et en définitive de tout le genre humain, et d'autres encore eurent une autre descendance.

Harnack[48] semble supposer que la mention des Gentils implique (aussi) des destinataires païens pour le *Dialogue*. A cela Th. Stylianopoulos[49] objecte que pronom ἡμᾶς ne désigne pas ici les païens cultivés (opposés aux barbares) – auxquels jamais Justin ne s'identifie dans le *Dialogue* –, mais les chrétiens (qualifiés de « peuple saint » dans le passage précédent). Ce pronom s'oppose au peuple juif et non aux « barbares ». Le contexte immédiat (citations scripturaires) et plus large porte sur le concept d'Israël véritable par contraste avec le peuple juif[50]. Opposition soulignée en 119, 6[51].

*

Le *Dialogue* mentionne[52] un dédicataire qui n'est nommé qu'à la fin de l'entretien. On a supposé qu'il l'était aussi dans le prologue perdu, mais il s'agit là d'une pure hypothèse. Cette dédicace constitue l'un des arguments utilisés pour défendre la thèse de destinataires païens ou chrétiens[53]. Mais bien que ce nom soit incontestablement romain, il peut fort bien désigner un juif hellénisé ou citoyen de Rome[54] ; les références à ce dédicataire sont d'autre part isolées dans le *Dialogue*, et peuvent ressortir à la convention[55]. Ce personnage demeure inconnu[56].

[48] *Ibid.*

[49] *Op. cit.*, p. 186.

[50] Voir la note en *Dial.* 119, 4.

[51] ῾Ομοιόπιστον οὖν τὸ *ἔθνος* καὶ θεοσεβὲς καὶ δίκαιον, *εὐφραῖνον τὸν πατέρα*, ὑπισχνεῖται αὐτῷ, ἀλλ᾽ οὐχ ὑμᾶς, οἷς *οὐκ ἔστι πίστις ἐν αὐτοῖς*.

[52] 8, 3 (φίλτατε) ; 141, 5 (ὦ φίλτατε Μάρκε Πομπήϊε).

[53] Erwin R. GOODENOUGH, *op. cit.*, 97-100 (suggestion non explicite) ; K. HUBIK, *op. cit.*, 206-207.

[54] Th. STYLIANOPOULOS, *op. cit.*, n. 10, p. 170, qui prend l'exemple de Flavius Josèphe.

[55] *Ibid.* : cf. *Luc*, 1, 3 et *Act.* 1, 1 (Théophile).

[56] Cf. *Dial.* 8, 3*.

Le sens qu'il convient d'accorder à ces différents passages est donc douteux. En tout état de cause, on ne saurait s'en contenter pour déterminer celui de l'œuvre dans son ensemble.

V – SUBSTRAT CULTUREL ET STATUT DES CULTURES

A) Écritures et Exégèses

Ancien Testament

L'importance des citations scripturaires dans le *Dialogue* est unanimement constatée, mais diversement appréciée. Certains considèrent que ces citations ne se justifient que pour un public non familiarisé avec les Écritures[57]. Plusieurs précisions, jugées inutiles ou peu vraisemblables pour un public juif ou chrétien viendraient conforter cette thèse : la désignation des prophètes mineurs par l'expression « l'un des douze » (*Dial.* 19, 5*)[58] ; une présentation des prophètes comparable dans le *Dialogue* (7, 1*) et l'*Apologie* (23, 1 ; 30, 1 s.)[59] ; l'utilisation de la LXX, qui commençait à être rejetée en milieu juif[60], ce que Justin n'ignore pas (*Dial.* 68, 7*-8 et 71, 1 s.) ; l'absence totale de référence au texte hébreu[61]. Ces particularités pourraient s'expliquer par une fonction catéchétique : le *Dialogue* s'adresserait alors à des païens romains, dans le cadre de la préparation au baptême[62].

[57] E. R. GOODENOUGH, *op. cit.*, p. 98-99 ; J. NILSON, *art. cit.*, p. 541. Goodenough fait remarquer qu'elles ont vraisemblablement été abrégées par un copiste.

[58] E. R. GOODENOUGH, *ibid.* ; C. H. COSGROVE, *art. cit.*, N. 30, p. 229.

[59] N. HYLDAHL, *op. cit.*, p. 227-228 ; O. SKARSAUNE, « The Conversion... », p. 59 : « Further, in *Dial.* 7, Justin's argument is not addressed to Trypho, the Jew, but to the gentile readers of the *Dialogue*. Trypho had no need to be convinced of the superiority of the prophetic books, but the pagan readers of the *Dialogue* had. ».

[60] J. NILSON, *art. cit.*, p. 541-542 : « If the Dialogue is addressed to a gentile audience, Justin's use of the Septuagint is quite comprehensible. But Justin would hardly be commending himself to a Jewish audience by arguing from texts whose authenticity was beginning to be questioned by Jewish leaders, as Justin himself recognizes. ».

[61] J. NILSON, *art. cit.*, p. 541.

[62] Ch. COSGROVE, *loc. cit.* ; cf. A. J. BELLINZONI, *The Sayings of Jesus in the Writings of Justin Martyr* (thèse de Harvard, 1962), Leyde, Brill [*NTS* 17], 1967², p. 141 ; J. DANIELOU, *Théologie du Judéo-Christianisme*, 1991², p. 410-411 : « Mais la catéchèse doctrinale ne comportait pas

D'autres commentateurs font toutefois remarquer que les citations scripturaires sont beaucoup moins longues et nombreuses dans l'*Apologie*, adressée à un public païen, que dans le *Dialogue*[63]. La formule invariablement utilisée dans la désignation des prophètes mineurs pourrait être une « référence stylisée » et non une explication[64], d'autant qu'elle demeure peu parlante pour qui n'est pas familiarisé avec l'A.T. A propos des Écritures, l'*Apologie* offre en outre des précisions qui demeurent absentes du *Dialogue* : origine, caractère et traductions (*I Apol.* 31, 1-5) ; histoire des prophètes (*ibid.* ; cf. *I Apol.* 32, 1)[65] ; signification de l'Emmanuel (*I Apol.* 33, 1 ; cp. *Dial.* 43, 5)[66].

Ces précisions données dans l'*Apologie* et absentes du *Dialogue* concernent également les chrétiens et leur tradition : composition de l'Église, faite de Gentils, de Juifs et de Samaritains (*I Apol.* 53, 3-12) ; brièveté des paroles de

seulement une exposition, elle comprenait aussi une démonstration (ἀπόδειξις). Cette démonstration était essentiellement empruntée à l'Ancien Testament. Nous en avons des exemples nombreux dans les Évangiles canoniques qui sont, à cet égard, des témoins de la catéchèse primitive ».

63 Th. STYLIANOPOULOS, *op. cit.*, p. 193 ; M. SIMON, *op. cit.*, p. 170 : « Si l'on confronte l'*Adversus Judaeos* de Tertullien et son *Apologétique*, ou les *Apologies* et le *Dialogue* de Justin, on verra que la part des références à la Bible est sensiblement moindre dans les écrits adressés aux païens, tandis que dans les écrits adressés aux Juifs, elles conditionnent toute l'argumentation. Le constater, c'est déjà étayer une appréciation positive de la littérature anti-juive et de sa destination initiale ». Il est vrai, toutefois, que la finalité de ces œuvres n'est pas tout à fait comparable : les *Apologies* visent à une défense du christianisme devant les autorités romaines : l'interprétation des Écritures y est secondaire ; dans le *Dialogue*, elle est l'objet même du débat.

64 Th. STYLIANOPOULOS, *op. cit.*, p. 193.

65 La présentation des prophètes, dans les deux œuvres, peut paraître comparable. Elle s'explique plus aisément pour un public païen que pour Tryphon. Th. STYLIANOPOULOS (p. 193) admet la pertinence de cette observation, mais ne s'attarde pas sur ses conséquences. On peut tout de même noter que cette évocation des prophètes est très circonstanciée dans l'*Apologie*, et d'une teneur essentiellement historique ; dans le *Dialogue*, elle est exprimée sur un mode théologique (thèmes de l'ancienneté, de l'Esprit, de la Vérité, de la Foi), attribuée au Vieillard (figure du Logos ?), et située dans le cadre d'un récit de conversion. Cette présentation ne s'adresse donc pas à Tryphon, mais au païen que Justin était avant de devenir chrétien.

66 Ch. COSGROVE, *art. cit.*, p. 215.

Jésus (*I Apol.* 14, 5) ; Eucharistie (*I Apol.* 66 ; cp. *Dial.* 41). Tryphon a lu les Évangiles (*Dial.* 10, 2 ; 18, 1), les destinataires de l'*Apologie* ne les connaissent pas. Th. Stylianopoulos tire argument de cet ensemble d'observations pour nier que les païens puissent être les destinataires du *Dialogue*[67].

L'argument tiré des citations scripturaires est ambivalent. Il est vrai que celles-ci sont fort nombreuses et fort longues dans le *Dialogue*, et il n'est pas exclu que Justin offre ainsi, à ses lecteurs, les références permettant d'apprécier sa démonstration. Mais il est inexact qu'elles soient invariablement donnés dans leur intégralité[68] ; les abréviations ne sont pas toutes imputables au zèle d'un copiste (cf. *Dial.* 64, 6) ; ces textes enfin sont souvent désignés, dans le *Dialogue* par le mot γραφή (γραφαί), la formule γέγραπται, ou le participe γεγραμμένος, qui sont chargés de signification pour un lecteur juif ou chrétien, et demeurent absents de l'*Apologie*[69].

Par ailleurs, et contrairement à ce qu'affirmait J. Nilson[70], dans la technique exégétique mise en œuvre au cours de l'entretien prédominent, en dépit des apparences, l'implicite, la référence allusive au contexte, le raisonnement elliptique, l'association de versets empruntés à des textes différents et renvoyant aux ensembles dont ils sont tirés[71]. Cet ensemble de caractéristiques suppose, pour les deux protagonistes et ceux qu'ils représentent, une égale connaissance des sources et une commune maîtrise des outils employés pour leur interprétation. Dans l'*Apologie* la présentation des textes est plus didactique, plus explicite (chap. 32 s.), mieux adaptée à un public païen. L'utilisation de la prophétie ou allégorie prédictive est fondamentale dans le *Dialogue* et rare dans l'*Apologie*[72] : un auditoire – ou un lectorat – païen pouvait être convaincu par l'argumentation présentée dans

[67] *Op. cit.*, p. 192-193.

[68] J. NILSON, *art. cit.*, p. 541.

[69] Th. STYLIANOPOULOS, *op. cit.*, n. 23, p. 17. Le mot γραφή / γραφαί présente 101 occ. dans le *Dialogue*, une seule à propos des Écritures dans l'*Apologie* (60, 2) ; γέγραπται : *Dial.* 34, 6.8 ; 49, 5 ; 55, 1 ; 56, 8 ; 57, 2 ; 78, 1 ; 79, 4 ; 86, 5 ; 90, 4 ; 121, 2 ; 141, 3. La formule est utilisée aussi pour l'Évangile (100, 1 ; cf. 111, 3) ou les « Mémoires des Apôtres » (101, 3 ; 103, 6.8 ; 104, 1 ; 105, 6 ; 106, 4 ; 107, 1) ; γεγραμμένος : *Dial.* 56, 11 ; 57, 3 ; 79, 2.4 ; 100, 4 ; 114, 5 ; 115, 5.

[70] « Passages are invariably quoted in their entirety, never simply alluded to as common knowledge of the participants in the *Dialogue* » (*art. cit.*, p. 541).

[71] Voir ci-dessus, p. 109-128 (*passim*).

[72] Ch. COSGROVE, *art. cit.*, p. 217.

l'*Apologie* ; celle qui se déploie dans le *Dialogue*, avec ses présupposés, et sa forme originale, lui était incontestablement moins familière[73].

La place accordée au texte scripturaire, et leur utilisation sont en effet indissociables de leur statut. Dans le *Dialogue*, le textes de l'A.T. sont la base du débat entre Justin et Tryphon. Les deux interlocuteurs conviennent implicitement de leur autorité[74], et ne remettent en cause que certaines de leurs exégèses[75].

Pour préserver cette base commune, Justin affirme s'en tenir aux versions reconnues par les juifs (*Dial.* 32, 2*). Mais l'utilisation de la LXX dans l'ensemble de l'œuvre paraît effectivement maladroite à une époque où celle-ci commençait à être rejetée parmi les juifs[76], et remplacée par d'autres traductions grecques du texte hébreu. Les citations scripturaires de Justin sont par ailleurs très fréquemment teintées de christianisme[77]. A ces altérations, Tryphon n'oppose aucune réaction. Il y a donc contradiction, dans le *Dialogue*, entre le statut reconnu à l'Ancien Testament, et l'usage qui en est fait. Quel(s) public(s) pouvaient être convaincu(s) par des fondements aussi peu cohérents ?

Nouveau Testament

L'évocation du Nouveau Testament a suscité, elle aussi, de nombreux commentaires, et diverses conclusions :

Tryphon déclare avoir pris connaissance des Évangiles (*Dial.* 10, 2* ; 18, 1*), mais il pourrait s'agir là d'un pur artifice. Dans le *Dialogue*, comme dans l'*Apologie*, les récits néotestamentaires ne paraissent jamais investis d'une

[73] O. SKARSAUNE, *op. cit.*, p. 258, résout un peu vite cette contradiction : « Further there can be no doubt that the compagnons of Trypho, at least some of them, are meant to be Gentiles believing in the God of the Jews, and to some extend familiar with the LXX. » Le type d'argumentation qui se déploie dans le *Dialogue* devait demeurer en grande partie inaccessible pour ceux qui avaient seulement « une certaine familiarité » avec les Écritures.

[74] St. STYLIANOPOPULOS, *art. cit.*, pp. 36 et 193 ; cf. M. SIMON, *op. cit.*, p. 169-170.

[75] Distinction explicitement formulée par Tryphon : « Les paroles de Dieu sont saintes, mais vos exégèses sont artificieuses » (*Dial.* 79, 1) ; cp. *Dial.* 55, 3 : « [mes preuves] te paraîtront étranges, bien qu'elles soient quotidiennement lues par vous » (Justin).

[76] Rejet qui ne deviendra officiel, cependant, que bien après la parution du *Dialogue* (M. SIMON, *op. cit.*, p. 348).

[77] Voir ci-dessus, p. 115-116.

autorité scripturaire (à moins d'admettre l'utilisation de la formule γέγραπται[78] comme une reconnaissance implicite de ce statut). Il semble même que l'appellation « Mémoires des Apôtres »[79] désigne de façon restrictive les parties historiques de la littérature apostolique, en les dissociant des paroles du Christ, elles seules créditées d'une autorité divine[80]. Justin se distinguerait en cela de la tendance, qui prédominait à son époque en milieu chrétien, à admettre dans le canon scripturaire l'ensemble des textes néotestamentaires, appelés Évangiles chez tous les auteurs contemporains. Dans le *Dialogue*, c'est leur conformité avec la prophétie et l'histoire récente qui donne aux actes et aux paroles du Christ leur valeur de preuve de sa messianité. Cette double référence peut s'adresser à des publics divers.

L'absence d'une mention explicite de Paul[81] dans l'entretien avec Tryphon, demeure problématique, et les hypothèses proposées pour l'expliquer ne sont pas sans conséquences pour la question des destinataires : mauvais souvenir, pour les juifs, de la visite de l'apôtre à Éphèse (*Act.* 19)[82] ; répugnance à évoquer, dans le cadre d'un débat de controverse, un

[78] Voir ci-dessus, p. 112.

[79] *Dial.* 100, 4 ; 101, 4 ; 102, 5 ; 103, 6.8 ; 104, 1 ; 105, 1.5.6 ; 106, 1.3.4 ; 107, 1 ; *I Apol.* 66, 3 et 67, 3.

[80] Ch. COSGROVE, *art. cit.*, p. 222-224.

[81] Dont l'influence sur le plan terminologique, méthodologique et thématique, dans l'œuvre de Justin, est pourtant reconnue : cf. H. D. TJEENK WILLINK, *Justinus Martyr in zijne verhouding tot Paulus*, Zwolle 1867 ; A. THOMA, « Justins Verhältnis zu Paulus und zum Johannes-evangelium », *Zeitschrift für Wissenschaft Theologie* 18 (1875), pp. 383-412 ; 490-565 ; Th. ZAHN, « Studien zu Justinus Martyr », *ZKG* 8 (1885), p. 1-20 ; W. A. SHOTWELL, *The Biblical Exegesis of Justin Martyr*, London 1965, p. 50-55 ; E. MASSAUX, *Influence de l'Évangile de saint Matthieu sur la littérature chrétienne avant saint Irénée*, Louvain-Gembloux, éd. J. Duculot, 1950 (réimpr. anast, Louvain, Peeters, 1986), pp. 562-570 ; M. MARIN, « Note introduttive sulla presenza di Paolo nel *Dialogo con Trifone* di Giustino », *Annali di Storia dell'Esegesi* 3 (1986), p. 71-83. Sur l'influence de Paul dans l'Église ancienne, voir E. ALEITH, *Paulusverständnis in der Alten Kirche* [Beihefte zur *ZNTW*, 18], Berlin 1937 ; W. SCHNEEMELCHER, « Paulus in der griechischen Kirche des zweiten Jahrhunderts », *ZKG* 75 (1964), p. 1-20 ; M. F. WILES, *The Divine Apostle. The interpretation of St. Paul's Epistles in the Early Church*, Cambridge 1967 ; M. SIMONETTI, « Paolo nell'Asia Cristiana del II secolo », *VetChr* 27 (1990), p. 123-144.

[82] R. S. MACLENNAN, *art. cit.* p. 75.

personnage connu pour son opposition au judaïsme traditionnel[83] ; utilisation périlleuse de textes auxquels Marcion avait recours pour nier l'unité des Écritures[84] ; absence d'informations sur les paroles et la vie du Christ dans les Épîtres[85] ; perspective apologétique excluant la référence à des textes purement chrétiens[86] ; origine palestinienne de Justin : milieu peu sensible à la prédication de l'apôtre[87] ; appartenance de Justin à une tradition différente de celle de Paul[88] ; perte d'influence de l'apôtre au IIe siècle[89], et positions différentes des auteurs chrétiens à son égard[90]. Aucune de ces explications n'est totalement satisfaisante, mais aucune d'entre elles – avec les destinataires qu'elle implique – ne saurait être, *a priori*, considérée comme irrecevable.

B. Culture grecque

La place accordée à la culture païenne dans le *Dialogue* – plus particulièrement dans les premiers chapitres – et le rapport de ce prologue avec le reste de l'œuvre ont également nourri la controverse sur ses destinataires.

Le contenu essentiellement philosophique des premiers chapitres donne lieu à des interprétations divergentes : certains en tirent argument pour exclure un public juif ou chrétien, en laissant entendre que les destinataires ne peuvent être que païens[91] ; d'autres considèrent plus précisément que, de par sa nature, cette introduction est irrecevable pour des Juifs palestiniens,

[83] A. HARNACK, *op. cit.*, p. 50 ; M. MARIN, *art. cit.*, p. 83 ; Th. STYLIANOPOULOS, *op. cit.*, p. 71, etc.

[84] H. F. von CAMPENHAUSEN, *art. cit.*, p. 117 ; Ch. COSGROVE, *art. cit.*, p. 225 ; MACLENNAN, *art. cit.*, p. 74-75 ; Th. STYLIANOPOULOS, *op. cit.*, p. 71.

[85] Ch. COSGROVE, *art. cit.*, p. 225.

[86] Leslie W. BARNARD, *Justin Martyr, his Life and Thought,* Cambridge, Univ. Press., 1967, p. 63.

[87] M. MARIN, *art. cit.*, p. 83.

[88] R. S. MACLENNAN, *art. cit.*, p. 75.

[89] R. S. MACLENNAN, *art. cit.*, p. 74.

[90] M. MARIN, *art. cit.*, p. 82.

[91] Avec cette nuance toutefois que ceux-ci sont alors parfois considérés au sens large : cf. K. HUBIK, *art. cit.*, p. 206-207 ; E. R. GOODENOUGH, *op. cit.*, p. 99-100 ; N. HYLDAHL, *op. cit.*, p. 20 ; J. NILSON, *art. cit.*, p. 540.

et ne peut donc s'adresser qu'à des juifs hellénisés[92] ; pour d'autres encore, ce contenu spécifique exclurait également les chrétiens judaïsants ou tentés par le judaïsme[93]. Mais on fait remarquer par ailleurs qu'un juif ou un chrétien, vivant dans l'univers culturel gréco-romain, peuvent bien éprouver quelque intérêt pour la philosophie. Justin lui-même, qui porte le manteau de philosophe après sa conversion (*Dial.* 1, 2*) et Tryphon, qui professe le respect de la philosophie (*ibid.*) tout en se déclarant « hébreu de la circoncision » (*Dial.* 1, 3*) ne sont-ils pas, en ce sens, exemplaires[94] ? Il n'est pas exclu enfin que le substrat philosophique du *Dialogue* (problème de l'apparente contradiction entre la Loi mosaïque et l'idée platonicienne d'une vérité éternelle et immuable) s'adresse à des gnostiques plutôt qu'à des païens[95]. Quoi qu'il en soit, le contenu de cette œuvre ne se limite pas (certains semblent l'oublier) à son prologue, et la question philosophique ne reçoit, au-delà de ces premiers chapitres, aucune attention particulière[96].

Quelle signification accorder à ce prologue, au reste de l'œuvre, et à leur relation ? Les avis, là encore, divergent sensiblement : rupture ou continuité ? passage de la Philosophie à la Révélation ? supériorité de cette dernière sur la sagesse grecque[97] ? introduction au christianisme, considéré comme véritable philosophie[98] ? unité de l'une et de l'autre[99] ? supériorité de

[92] A. L. FEDER, *Justins des Märtyrers Lehre von Jesus Christus, dem Messias und dem Menschgevordenen Sohn Gottes*, Freiburg i Br., Herdersche Verlagshandlung, 1906, p. 41 : « Bei der Annahme, daß der Dialog sich an erster Stelle an hellenisierende Juden wendet, löst sich auch die Schwierigkeit, welche die lange Einleitung für eine an ein jüdisches Publikum gerichtete Schrift zu bieten scheint » ; cf. E. R. GOODENOUGH, *op. cit.*, p. 98 : « ...Feder's suggestion, while a great advance in recognizing the true problem of the introduction, is still weak because he clings to the thought that the Dialogue is addressed to Jews of some sort, that is, that it is fundamentally a refutation of Judaism. ».

[93] J. NILSON, *art. cit.*, p. 540.

[94] Th. STYLIANOPOULOS, *op. cit.*, p. 15 ; Ch. COSGROVE, *art. cit.*, p. 212.

[95] H. F. von CAMPENHAUSEN, *op. cit.*, p. 110-111 ; Th. STYLIANOPOULOS, *op. cit.*, p. 18-19.

[96] Th. STYLIANOPOULOS, *op. cit.*, p. 190.

[97] E. R. GOODENOUGH, *op. cit.*, p. 100.

[98] J. C. M. van WINDEN, *An early Christian Philosopher. Justin Martyr's Dialogue with Trypho, chapters one to nine. Introduction, Text & Commentary* [Philosophia Patrum. Interpretation of Patristic Texts I], Leyde, Brill, 1971 (1976²), p. 114 ; J. NILSON, *art. cit.*, p. 540.

[99] N. HYLDAHL, *op. cit.*, pp. 20 s. ; 294.

la Révélation sur la philosophie[100] ? préliminaires au débat judéo-chrétien[101] ? Questions qui se doublent d'une interrogation récurrente sur le sens qu'il convient d'accorder au récit – réel ou fictif ? – que Justin propose pour sa conversion[102].

Il existe, entre les réponses apportées à ces deux questions (lien du prologue avec le reste de l'œuvre ; récit de la conversion) et la conception que l'on se fait du (des) public(s) visé(s) par Justin, une telle interdépendance, qu'il est parfois malaisé de distinguer, dans les développements qui leur sont consacrés, les prémisses et les conclusions : on ne sait pas toujours très bien si c'est l'analyse du texte qui détermine son interprétation, ou le sens qu'on lui prête qui en oriente la lecture…

Les différents commentateurs ne s'accordent pas davantage sur l'importance et le statut, dans le *Dialogue*, des références à la culture gréco-romaine. Dans l'*Apologie*, paganisme et christianisme présentent de nombreuses affinités (théorie du Logos, Platon, Socrate, analogies avec la mythologie, etc.). Celles-ci demeurent absentes ou peu développées dans le *Dialogue*.

Le prologue semble toutefois écrit pour des gens qui connaissent Platon, et l'*Apologie* pour un public qui adhère à sa pensée[103]. De la culture païenne, Justin ne montrerait, dans le *Dialogue*, que les aspects négatifs[104], caractéristique rendant peu vraisemblable l'hypothèse de destinataires païens, et plus satisfaisante celle de chrétiens. Dans l'*Apologie*, au contraire, seul

100 E. R. GOODENOUGH, *op. cit.*, p. 100.

101 Th. STYLIANOPOULOS, *op. cit.*, p. 190.

102 Sur cette question, voir en dernier lieu O. SKARSAUNE, *art. cit.* ; B. POUDERON, « La conversion chez les Apologistes grecs. Convention littéraire et expérience vécue », in : *De la conversion*, Centre d'Études des Religions du Livre [coll. « Patrimoines. Religions du Livre »], Paris, Cerf, 1998, p. 143-167.

103 « This proem to the *Dialogue with Trypho* is therefore the work of one who retains an accurate recollection of Plato's teaching, and who writes for those to whom Plato's works were known. In his *Apologies*, therefore, we should expect to find more than a vein of Platonism, and to be addressed as though we were adherents of that school in which the author had learned what he knew of the pagan world. », M. J. EDWARDS, « On the Platonic schooling of Justin Martyr », *JThS* 42 (1991), p. 21. Le Stoïcisme a également influencé la pensée de Justin : cf. G. BARDY, « St. Justin et la philosophie stoïcienne », *RecSR* 13 (1923), p. 491-510 & 14 (1924), p. 33-45.

104 Th. STYLIANOPOULOS, *op. cit.*, p. 194-195 ; Ch. COSGROVE, *art. cit.*, p. 216-17.

Crescens, « pseudo philosophe » (*II Apol.* 3, 1 ; 11, 2) fait l'objet de critiques. Mais il n'est pas certain que le Platonisme soit déprécié, dans les premiers chapitres du *Dialogue*, au même titre que les autres philosophies[105].

La priorité de Moïse – et plus généralement des prophètes – sur les philosophes, semble, pour certains, admise dans le *Dialogue*, et très discutée dans l'*Apologie* (*I Apol.* 44, 8 ; 54, 1-10 ; 59, 1-6 ; 60, 1-11)[106]. Le *Dialogue* ne peut donc s'adresser qu'à des personnes (juifs ou chrétiens) qui partagent cette conviction. Mais d'autres considèrent que les explications données au chapitre 7 du *Dialogue* sont également inutiles pour les uns et les autres, et ne peuvent être justifiées que par l'hypothèse d'un public païen[107]. D'autres encore pensent qu'en montrant, dans l'ensemble de l'œuvre, la supériorité du christianisme sur le judaïsme, et leur égale ancienneté, Justin peut chercher à convaincre un auditoire païen (la fonction implicite du *Dialogue* serait alors semblable à celle de l'*Apologie*), aussi bien que chrétien[108]. Cette question ne permet donc pas de trancher.

L'argument tiré de la forme dialoguée n'est pas plus convaincant. Faut-il la considérer comme une imitation de Platon destinée à des païens[109], ou comme une trace de controverse entre juifs et chrétiens ? Les auteurs juifs hellénisés ou chrétiens n'ont-il pas, eux aussi, utilisé cette forme[110] ? S'appuyer sur des considérations littéraires revient à confondre milieu culturel et destinataires[111]. Et le *Dialogue* ne comporte-t-il pas aussi des passages écrits en un style liturgique peu éloquent pour un public païen[112] ?

L'analyse des éléments de culture païenne contenus dans le *Dialogue* n'est donc pas plus décisive que celle des sources scripturaires et de leur utilisation.

105 Voir les notes de ces premiers chapitres.

106 Ch. COSGROVE, *art. cit.*, p. 216.

107 Voir ci-dessus, p. 144.

108 Cf. T. R. GLOVER, « The Conflict of Christian and Jew », in : *Conflict of Religions in the Early Roman Empire*, 1909, p. 175 ; J. NILSON, *art. cit.*, p. 544-545 « Thus Justin is doing in the *Dialogue* what he had done already in *the First Apology*, addressed to Antoninus. He is exhibiting the antiquity of Christianity by appropriating for it the antiquity of Judaism, which was well known to the Romans. ».

109 B. R. VOSS, *Der Dialog…*, p. 38.

110 Th. STYLIANOPOULOS, *op. cit.*, pp. 15-16 ; 192.

111 Th. STYLIANOPOULOS, *op. cit.*, p. 16.

112 Voir ci-dessus, p. 139-140.

VI – THEMES

Les questions abordées dans le *Dialogue* sont nombreuses et variées. Sans prétendre à être exhaustive, la liste qui suit donnera une idée de cette diversité :

Loi et Salut (circoncision et autres prescriptions, préceptes éternels ; baptême) ; thèmes philosophiques (connaissance de Dieu, destinée de l'âme, quête du bonheur) ; apologétiques (calomnies et rumeurs antichrétiennes) ; polémiques (péchés d'Israël, destruction de Jérusalem, descendance d'Abraham, prosélytes, reproches adressés aux juifs, persécutions, verus Israël) ; messianiques (Messie souffrant, glorieux, messianité de Jésus, parousie) ; christologiques (génération du Verbe, préexistence, Incarnation, naissance virginale, baptême, malédiction de la Croix, Résurrection) ; théologiques (Dieu créateur, transcendant, omniscient, etc. ; « autre Dieu », théophanies) ; exégétiques (nature de la prophétie, non contradiction des Écritures, divergences d'interprétation, mutilations, Septante) ; liturgiques (sacrifices et Eucharistie) ; eschatologiques (Reste, Héritage, Millénaire, jugement universel, résurrection) ; Prophétie et dons de l'Esprit, exorcismes ; judéo-chrétiens, sectes juives et chrétiennes, hérésies, idolothytes ; angélologie ; ogdoade, Diaspora, polygamie ; repentir, doctrine du pardon, appels à la conversion, amour du prochain, prière pour les ennemis, libre arbitre etc[113]. Liste qui résiste à tout classement, car les thèmes sont interdépendants, et souvent récurrents.

On a parfois tenté de mieux cerner les intentions de Justin en s'appuyant sur cet aspect de l'œuvre. Mais aucune des études ne prend en compte l'ensemble des questions traitées dans le *Dialogue*. Les conclusions sont donc toujours partielles. Par ailleurs, une telle démarche ne peut aboutir que si certains problèmes sont, au préalable, évoqués, sinon résolus : existe-t-il, dans le *Dialogue*, une hiérarchie déterminant thèmes principaux et secondaires ; quelle place chacun de ces thèmes occupe-t-il dans l'économie générale de l'œuvre (problème du plan)[114] ? quelle fonction exerce-t-il dans son contexte immédiat et plus large ? de quelle manière est-il abordé et formulé ? selon quels présupposés ? pour les thèmes communs au *Dialogue* et à l'*Apologie*, existe-t-il, dans leur présentation, des différences significatives entre les deux œuvres ?

113 Pour le détail des références, voir l'Index analytique.

114 Voir ci-dessus, en particulier les p. 36-37.

L'analyse des arguments mis en avant, à ce sujet, par les différents commentateurs n'est pas plus concluante que pour d'autres aspects de l'œuvre[115]. Si certains publics sont, parfois, plus vraisemblables que d'autres, aucun d'entre eux ne saurait être jamais exclu : le rapport entre Loi et Salut concerne les païens susceptibles de se convertir autant que les juifs eux-mêmes, les chrétiens, les judéo-chrétiens ou les gnostiques[116] ; les différentes composantes des thèmes messianiques, christologiques, ou théologiques peuvent s'adresser, elles aussi, à divers publics, etc. On chercherait en vain dans le traitement de chacun de ces thèmes des raisons convaincantes d'exclure l'un de ces publics potentiels. Si telle avait été l'intention de Justin, n'aurait-il pas fait en sorte que toute ambiguïté soit définitivement écartée ?

La comparaison entre le *Dialogue* et l'*Apologie* offre toutefois quelques éléments d'appréciation. Certains thèmes apologétiques en rapport avec la culture païenne apparaissent dans l'*Apologie* – en y jouant parfois un rôle essentiel – alors qu'ils sont absents du *Dialogue* : respect chrétien de l'autorité romaine (*I Apol.* 12, 1 ; 17, 1 s.) ; réponse à l'accusation d'athéisme (*I Apol.* 13, 1) ; similitudes des enseignements chrétiens avec ceux des philosophes, et certains aspects de la mythologie (*I Apol.* 5, 3 ; 21, 1 s. ; 59-60) ; et surtout le Logos spermatikos (*II Apol.* 8, 3 ; 13, 3 etc.). A l'inverse, les thèmes de la Loi mosaïque et de son lien avec le Salut, du véritable Israël, de l'Héritage et de son rapport avec l'appartenance à la descendance d'Abraham, ainsi que certains aspects du débat christologique (circoncision et baptême de Jésus, fin de l'activité prophétique, malédiction de la Croix, serpent d'airain), sont essentiels dans le *Dialogue*, et totalement absents de l'*Apologie*.

[115] Discussion de détail, et arguments contradictoires in : Th. STYLIANOPOULOS, *op. cit.*, pp. 17 ; 32 ; 39 ; 41 ; 44 ; 179 ; Ch. COSGROVE, *art. cit.*, pp. 214-215 ; 217-220 ; 223 ; Ph. SIGAL, *art. cit.*, p. 76-77 ; J. NILSON, *art. cit.*, p. 545 ; R. S. MACLENNAN, *art. cit.*, p. 73 etc.

[116] Outre les passages explicitement consacrés aux hérésies chrétiennes (chap. 35 ; 80 ; 82), plusieurs notations du *Dialogue*, peuvent être lues comme s'adressant indirectement aux gnostiques : thème de l' « autre Dieu » (11, 1* ; chap. 56) ; périodisation de la Loi (23, 1*) ; attributs divins (23, 2*) ; l'auteur de l'univers désigné comme « Dieu et Père » (7, 3*) permanence de la justice et de la providence divines (16, 3* ; 30, 1*) ; non contradiction des Écritures (65, 2*) ; « voie droite » (8, 2*) ; réalité de l'Incarnation et de la Passion (84, 2* ; 99, 2*) ; libre arbitre (88, 5*). Mais leur présence dans le contexte où elles apparaissent (débat judéo-chrétien) est toujours parfaitement justifiée et il n'est pas nécessaire, pour l'expliquer, d'invoquer l'insertion artificielle d'éléments empruntés au Syntagme perdu (thèse de P. Prigent). Comme le fait remarquer Th. STYLIANOPOULOS (*op. cit.*, p. 28), l'étendue du public visé par chaque passage du *Dialogue* est difficile à déterminer.

Certaines différences de traitement paraissent tout aussi significatives : ancienneté des prophètes dans le *Dialogue* (7, 1), et théorie des emprunts dans l'*Apologie* (I, 59, 1 s.) ; rumeurs antichrétiennes longuement démenties dans l'*Apologie* (I, 2, 3 ; I, 3, 1 ; I, 4, 2 ; I, 7, 1 etc.) et rapidement écartées dans le *Dialogue* (10, 1-2) ; éléments de christologie parfois rapprochés de certaines fables mythologiques dans l'*Apologie* (I, 21, 1 s.), et soigneusement dissociés d'elles dans le *Dialogue* (chap. 67 ; 69-70) ; Eucharistie longuement décrite dans l'*Apologie* (I, 66-67) et mentionnée comme une réalité connue dans le *Dialogue* (41, 1-3 ; 70, 3-4 ; chap. 117) ; question du Royaume futur abordée dans sa dimension messianique avec Tryphon, et politique pour l'empereur de Rome (*I Apol.* 11) ; utilisation polémique de la destruction de Jérusalem dans le *Dialogue* (16, 2 ; chap. 40 et 46), et historique pour l'*Apologie* (en particulier I, 32, 6 ; I, 34, 2 ; I, 39, 3 ; chap. 47) ; prophéties messianiques abondamment commentées et discutées dans le *Dialogue*, et simplement regroupées dans l'*Apologie* (chap. 31 s.) ; entrée du Messie à Jérusalem différemment commentée dans les deux œuvres (*Dial.* 53, 4*) ; présentation plus négative de la philosophie dans le *Dialogue* (chap. 1-9) que dans l'*Apologie*.

Ce sont donc toujours les préoccupations communes aux juifs et aux chrétiens qui prédominent dans le contenu thématique du *Dialogue*, tandis que ce qui unit ou oppose paganisme et christianisme y demeure accessoire. Caractéristiques inversées pour l'*Apologie*. Si d'autres publics sont toujours potentiellement concernés par telle ou telle question dans le *Dialogue*, juifs et chrétiens le sont toujours au premier chef. La thèse d'un public païen prioritaire résiste mal à cette réalité.

L'importance de certains thèmes, pourtant fondamentaux pour la question des destinataires – et absents de l'*Apologie* – a été souvent négligée : c'est aux juifs que s'adressent, dans le *Dialogue*, les incessants appels à la conversion qui en constituent comme le fil directeur[117], et c'est par l'une de ces

[117] C'est Th. STYLIANOPOULOS (*op. cit.*, pp. 39 ; 41-44) qui le premier a mis en évidence l'importance du thème du Reste eschatologique dans le *Dialogue*, et ses conséquences pour la question des destinataires. Il formule ainsi ses conclusions : « Nevertheless, his conviction of knowing the divine truth as well as his distinct sense of obligation to proclaim it to others prior to the coming judgment, make him not without self-awareness something of a special advocate of God before all men in the end-time, especially the Jews. Indeed, the *Dialogue* may have been written by Justin precisely for this purpose, *i. e.*, as an expression of his conviction about the eschatological remnant and his desire to do his part, prior to God's impending

exhortations que se conclut l'entretien (142, 3) ; la menace du jugement et la perspective eschatologique, offrent, de l'aveu même de Justin, la motivation essentielle de l'ἀπόδειξις développée au cours de l'entretien (38, 2*) ; l'appartenance au véritable Israël de ceux des juifs qui se seront convertis est le sujet principal des derniers chapitres ; la réflexion sur la Loi est émaillée d'arguments (destruction de Jérusalem avec ses conséquences ; justification des prescriptions par l'infidélité d'Israël) qui s'adressent d'abord à des interlocuteurs juifs ; enfin, la réflexion sur l'identité et la nature du Messie, qui occupe toute la partie centrale de l'entretien, avec ses motifs annexes (interruption de l'activité prophétique, baptême du Christ, malédiction de la Croix) est tout entière développée en réponse à des objections juives[118]. Si le texte des manuscrits doit bien être essentiellement conservé pour les tout derniers mots, et non corrigé comme le proposent Maran et ses successeurs[119], l'enjeu principal du débat est la question de savoir si le Messie auquel il faut croire (et donc les préceptes qu'il faut respecter) est celui des juifs ou celui des chrétiens.

Pour la question des destinataires comme pour d'autres, n'est-il pas préférable, d'ailleurs, d'écouter ce que nous dit l'auteur du *Dialogue* – et dont il donne des preuves –, plutôt que de lui prêter de subtils desseins que rien de décisif ne vient confirmer ? Au début de leur entretien, Justin et Tryphon en définissent ensemble les enjeux. Le parallélisme des remarques préliminaires ne laisse là-dessus aucun doute[120]. Les préoccupations qu'ils expriment alors couvrent effectivement tout le champ des questions qui seront ensuite abordées.

Certaines coïncidences lexicales entre les premiers chapitres et la conclusion doivent par ailleurs être lues comme révélatrices du projet qui préside à la rédaction du *Dialogue* :

> 8, 2. C'est donc de cette manière et à cause de cela que je suis, pour ma part, philosophe. Et je voudrais que tous, épousant les mêmes aspirations que moi, ne se tiennent pas éloignés des paroles du Sauveur. Car elles ont, en elles-mêmes, un certain pouvoir de

judgment, for the rescue of the remnant of the Jews according to God's will. » (p. 44). Sur le sentiment de responsabilité de Justin, voir *Dial.* 125, 2*.

[118] Voir ci-dessus, p. 32-36.

[119] *Dial.* 142, 3 (apparat critique et note 6 de la traduction : t. II, p. 915).

[120] Voir ci-dessus, p. 34-35.

> susciter la crainte, et suffisent à confondre ceux qui se détournent de la *voie droite* (τῆς ὀρθῆς ὁδοῦ), tandis que le plus *doux repos* (ἀνάπαυσίς τε ἡδίστη) s'offre à ceux qui s'y attachent.
>
> Si donc tu as, toi aussi, quelque souci de toi-même, si tu prétends au *Salut* (σωτηρίας) et si tu as *foi* (πέποιθας) en Dieu, il est pour toi possible – puisqu'à l'affaire tu n'es pas étranger – en ayant *reconnu* (ἐπιγνόντι σοὶ) le *Christ de Dieu* (τὸν Χριστὸν τοῦ θεοῦ), et une fois achevée ton initiation, d'accéder au *bonheur* (εὐδαιμονεῖν).
>
> [...]
>
> 142. 3. Il n'est pas de meilleure prière que je puisse faire pour vous, mes amis, que de vous voir *reconnaître* (ἐπιγνόντες) que c'est par cette *voie-là* (διὰ ταύτης τῆς ὁδοῦ) qu'à tout homme est donné de trouver le *bonheur* (<εὐδαιμο>νεῖν), et *croire* (πιστεύσητε) sans réserve, vous aussi comme nous, que c'est à nous qu'appartient le *Christ de Dieu* (τὸν Χριστὸν τοῦ θεοῦ).

C'est dans le passage du concept philosophique de *bonheur* (εὐδαιμονεῖν) à l'idée religieuse du *Salut* (σωτηρία), ou du repos (ἀνάπαυσις), qu'il faut chercher le lien qui unit le prologue et le reste du *Dialogue*. Comme le souligne leur double présence à des endroits stratégiques de l'œuvre, ces notions peuvent être considérées comme équivalentes. Elles expriment une même aspiration envisagée du point de vue de la sagesse païenne et de la foi juive ou chrétienne. Tryphon et Justin partagent une semblable estime pour la « philosophie »[121] , une même reconnaissance de l'autorité des Écritures, et une égale aspiration au bonheur (ou au Salut). C'est sur la *voie* à suivre que leurs avis divergent.

VII – BILAN

Quelques acquis méritent d'être rapprochés :

[121] Justin : « Voilà pourquoi je suis philosophe » (8, 2) ; Tryphon : « J'ai appris à Argos, dit-il, de Corinthos le Socratique, que l'on doit se garder d'afficher du mépris ou de l'indifférence pour ceux qui portent cet habit ; mais qu'il faut au contraire, en toute occasion, leur témoigner de la bienveillance, et rechercher leur fréquentation : car il se pourrait bien que quelque bénéfice résulte de ce commerce, pour eux ou pour soi-même » (1, 2).

1) Le type d'exégèse pratiqué dans ce qui demeure la plus grande partie de l'œuvre prouve que celle-ci s'adresse en priorité à un public familiarisé avec les Écritures et leurs méthodes implicites d'approche. Mais les premiers chapitres supposent également, chez les destinataires, une certaine connaissance de la sagesse grecque ;

2) Parmi les questions abordées dans le *Dialogue*, celles qui correspondent à des préoccupations communes aux juifs et aux chrétiens prédominent incontestablement ; mais certaines caractéristiques structurelles et terminologiques montrent que la perspective philosophique n'est jamais totalement écartée[122] ;

3 Avec leurs réponses respectives, ces questions pourraient aussi bien s'adresser à un public païen attiré par l'une ou l'autre des deux religions. Mais la manière dont elles sont posées au cours de l'entretien entre Justin et Tryphon, les références qu'elles mettent en œuvre, et leur méthode de résolution, rendent peu vraisemblable la thèse d'un public païen prioritaire ;

4) Les indications que Justin lui-même donne sur son projet et ses motivations ne sauraient être négligées : elles présentent le *Dialogue* comme un authentique débat entre juifs et chrétiens, dans la perspective d'une seconde parousie imminente.

Les théories qui privilégient un auditoire païen ne tiennent pas compte de toutes ces données, et accordent une trop grande importance aux premiers chapitres du *Dialogue*. Tout se passe comme si l'on s'était peu à peu habitué à considérer l'ensemble des chapitres qui succèdent à cette introduction – c'est-à-dire, il faut le rappeler, la plus grande partie de l'œuvre – comme un appendice constitué d'interminables citations et d'incessantes digressions. Il est significatif, à cet égard, que deux études suivies seulement figurent dans la bibliographie pour les chapitres 9-142[123], alors que celles-ci sont fort nombreuses pour le prologue. Le *Dialogue*, comme la pensée de Justin, ont été quelque peu réduits à ce qui était familier à leurs commentateurs. L'un et l'autre ne peuvent être appréciés pourtant que si l'on prend en compte les différentes composantes qui en font la richesse et la complexité.

[122] Cela est vrai pour l'ensemble de l'œuvre comme pour certains détails : ainsi la transcendance divine est-elle affirmée, en *Dial.* 127, 2*, avec une terminologie platonicienne.

[123] Th. STYLIANOPOULOS, *op. cit* (= chap. 10-30 ; 40-47 ; 67 ; 92-93 ; 95) ; G. OTRANTO, *Exegesi* (= chap. 63-84).

Si les questions de controverse prédominent dans le *Dialogue*, cela ne signifie pas pour autant que Justin ait uniquement en vue un public juif et (ou) chrétien. Les références à la culture païenne (et à la Gnose) prouvent le contraire. Plusieurs indices concordants montrent par ailleurs que l'auteur du *Dialogue* n'oublie pas la perspective « philosophique », et à travers elle ceux qui en sont nourris : l'essentiel de l'œuvre est consacré à des questions de christologie, mais c'est un même désir de connaître Dieu qui s'exprime dans le prologue et dans tout ce qui suit ; Tryphon et Justin se définissent d'abord par leur foi respective, mais ils professent un même respect pour la philosophie conçue comme quête de la Vérité et de la Paix ; le lieu de leur entretien, enfin, n'est probablement pas fortuit (surtout si cet entretien est fictif) : ce n'est ni une synagogue, ni une assemblée de chrétiens, ni même une école, mais un cadre représentatif de la culture païenne (Xyste), et d'un public progressivement élargi (théâtre). Historiquement et intellectuellement, la controverse judéo-chrétienne s'inscrit dans l'univers où vivaient ses protagonistes. Elle est à elle-même sa propre justification (question du Salut), mais elle correspond aussi à une quête commune à tous les hommes (Vérité, Bonheur). L'appréciation la plus exacte de la finalité du *Dialogue* est sans aucun doute celle qui n'occulte aucun de ses aspects, et respecte leur hiérarchie[124].

124 Est-il vraisemblable, au demeurant, que le message contenu dans le *Dialogue* ne s'adresse pas d'abord à ceux que représente Tryphon ? L'*Apologie* est structurée selon la triade « nous » = les chrétiens, « vous » = les autorités romaines, « eux » = les juifs, les gnostiques (voir par exemple *I Apol.* 26 ; 31, 1-5 ; 32, 2-3 etc.) ; dans le *Dialogue* « nous » désigne toujours les chrétiens, « eux » les gnostiques (chap. 35 ; 80 etc.), les Romains (16, 4), ou les prosélytes (chap. 122-123), « vous » les juifs. Il n'y a aucune raison véritablement fondée de mettre en doute pour l'une de ces deux œuvres ce qui est admis pour l'autre. Les choses sont toutefois un peu plus complexes dans le *Dialogue* : quel rôle y jouent exactement les compagnons de Tryphon et les spectateurs assis dans le théâtre ? S'agit-il d'un même groupe ? Trop souvent mises en avant par les commentateurs, ces figures n'ont-elles pas à dessein été maintenues dans un arrière-plan indéterminé qui préserve toutes les virtualités ? N'y a-t-il pas une curieuse analogie entre l'identité complexe des deux interlocuteurs, et la pluralité mal définie de ceux qui les écoutent ? Si Justin avait voulu s'adresser aux seuls juifs de tradition rabbinique ou aux seuls païens, aurait-il fait le choix d'un interlocuteur attaché à la Loi mosaïque et néanmoins nourri par la philosophie ? Et si les juifs – de toute tendance – avaient été le seul public visé, Tryphon n'aurait-il pas suffi à les représenter ? Par leur indétermination même, les auditeurs de l'entretien semblent être une projection des courants de pensée dont les deux protagonistes principaux sont eux-mêmes la synthèse.

Sur la question des destinataires de l'œuvre, ceux qui se montrent le plus attentifs aux intentions affichées par son auteur, et le moins exclusifs dans leurs conclusions, sont vraisemblablement les plus proches de la vérité.

VIII – QUELQUES REPONSES

Les réponses apportées à la question des destinataires du *Dialogue* sont en effet nombreuses et plus ou moins nuancées. Les citations qui suivent correspondent généralement aux conclusions de leurs auteurs. Elles donneront une idée de cette variété :

> Der Dialog ist deshalb nicht bloß eine Apologie, es ist auch zugleich eine Introduction in das richtige Verständnis der Schriften des Alten Testaments. Und gewiß wird derselbe vornehmlich für christliche Lehrer berechnet sein, und sir vor der Ansteckung der Irrthums zu bewahren. (K. L. Grube, *loc. cit.*[125])
>
> Die ...Absicht des Schriftstellers war es, den Juden Tryphon von einem Kreis angehender Proselyten umgeben darzustellen. (Th. Zahn, *art. cit.*, p. 60).
>
> Der Dialog ist eine freie Schöpfung, mehr als man bis jetzt angenommen hatte, verfasst nicht bloss um der juden Willen, sondern, wie schon die Widmung an M. Pompeius, wie besonders die philosophische Einleitung bezeugt, für Christen und Heiden. (K. Hubik, *op. cit.*, p. 206-207 : cité par Th. Stylianopoulos, n. 60, p. 33).
>
> Übrigens sei bemerkt, dass Justin sein Buch nicht nur für die Christen und Juden, sondern auch für empfängliche Heiden geschrieben hat, für die das Meiste, was in ihm steht, in apologetischem Interesse fast ebenso wichtig war, wie für die Juden. (A. Harnack, *op. cit.*, n. 2, p. 51).
>
> It would, however, be presumptuous in an article of this size to attempt to solve the riddle of the Dialogue's aim, but he truth may lie in a compromise between those who see it wholly subservient to the general apology of the Church and the others who class it as exclusively belonging to anti-judaica. (H. P. Schneider, *art cit.*, p. 165).

[125] Les références indiquées entre parenthèses renvoient à la bibliographie donnée ci-dessus, n. 1 p. 129.

The Dialogue was intended for Gentile Christian readers, perhaps also for hellenized liberalizing Jews. (H. Chadwick, *loc. cit.*).

Für jüdische Leser ist diese Schrift gar nicht gedacht [...]. Der Unterschied zwischen Apol.-App. und Dial. besteht nicht darin, dass sicht die eine Schrift an das griechisch-römische Publikum und die andere an das jüdische wendet, sondern darin, dass Apol.-App. ein an die römischen Behörden gerichtetes offizielles Schreiben sein will [...], während Dial. für den Teil der griechisch-römischen Öffentlichkeit gedacht ist, welcher sich lebhaft mit Fragen über das Judentum samt Philosophie und Religion beschäftigt. Mit der hier geäusserten Auffassung vom Leserkreis des Dial. hat man auch von der Annahme Abstand genommen, dass Dial. sowohl jüdische als griechisch-römische Leser gehabt haben soll. Eine solche Annahme ist änhlich wie die früher erwähnte Appendixtheorie Ausdruck eines Kompromisses. (N. Hyldahl, *op. cit.*, p. 19).

The Dialogue was not destined exclusively for Jewish readers, as has sometimes been contended. After showing that the truth is not found in Greek philosophy but in the Scriptures (c. 1-9), the question must be put, which interpretation of the Holy Books is the correct one, the Jewish or the Christian. This question, of course, does not concern the Jews, but also the non-Jews. (van Winden, *loc. cit.*).

Mit der Frage nach der äusseren Form seiner Traditionsbezogenheit, hängt die nach seinem Adressaten zusammen... Bei Justin steht diese Form in einer Überlieferung, die weder jüdisch ist noch christlich, sondern heidnisch-griechisch. Also dürfte die Schrift in erster Linie nicht an die juden und auch nicht so sehr an die Christen gerichtet sein, sondern an die gebilden Heiden. (B. R. Voss, *art. cit.*, p. 38 ; cité par Th. Stylianopoulos, n. 63, p. 191).

He wrote the Apology to defend Christianity against Greek philosophy, but he introduced into his work many strictures against Judaism. One work of a specifically anti-jewish nature was his Dialogue with Trypho, written toward the latter half of the second century. (B.-Z. Bokser, *loc. cit.*).

The final conclusion is this : the *Dialogue* is not addressed to pagans. Neither direct nor indirect evidence shows that Justin's argumentation on the Mosaic Law, as well as the other themes of the *Dialogue*, should be read as formulated for pagan readers. On the contrary, between the *Dialogue* and the *Apology*, there are differences

which decisively favor Christians and Jews, rather than pagans as the readers of the *Dialogue*. The hypothesis of pagans as addresses of the *Dialogue* must be rejected. (Th. Stylianopoulos, *op. cit.*, p. 195).

The hypothesis which this essay seeks to support is this : Justin's *Dialogue with Trypho* is addressed primarily to a non-Christian Gentile audience at Rome which is very favorably disposed towards Judaism and Christianity, yet is unable to adequately distinguish the one from the other [...] It might be noted, incidentally, that chapters 1-9 preclude the possibility that the *Dialogue* is addressed to Judaizing Christians or to Christians tempted to convert to Judaism. (J. Nilson, *art. cit.*, pp. 539, 540).

The *Apology* and its supplement *Apology* II, were written for pagans only, the *Dialogue* for the multifarious Jews of the time, for Christians, and only incidentally for pagans, for those pagans who were attracted to both Judaism and Christianity, and needed assurance on salvation if they adopted elements of both. (Ph. Sigal, *art. cit.*, p. 78-79).

Il Dialogo, nelle intenzioni di Giustino, doveva essere un'opera di penetrazione e propaganda cristiana destinata da una parte agli ambienti giudaici, in mezzo ai quali l'esegeta voleva far rivivere un dibattito che, solo se verosimile, poteva avere maggiore presa sulle coscienze, e in questa prospettiva si colloca, come abbiamo visto, anche la caratterizzazione di Trifone ; dall'altra soprattutto agli ambienti cristiani cui Giustino voleva probabilmente fornire gli strumenti idonei a sostenere la polemica contro giudei, pagani e gnostici. (G. Otranto, *op. cit.*, p. 163-164).

It would appear, then, that the Christian destination is the most likely option just because it is the least problematic. (C. H. Cosgrove, *art. cit.*, p. 218).

The setting of Paul's missionary activity in Acts roughly corresponds to the setting of Justin's Dialogue with Trypho. In Acts, the setting of Paul's missionary preaching and teaching is the *dialogue*, the *debate* with the Jews in the synagogues (Acts 13, 5.15 ; 14, 1 ; 17, 4.12.17 ; 18, 4). These dialogues are not only aimed at the Jews, but also at an interested audience of God-fearing Gentiles present in the Synagogues (Acts. 13, 16.26.43 ; 14, 1 etc.). (O. Skarsaune, *The Proof from Prophecy*, 1987, p. 257).

As I have argued, Justin may have written at least parts of the *Dialogue* with a side-glance to inner-Christian controversies. The opening chapters may also indicate that Justin had a wider audience in mind than God-fearers in the strict sense. Perhaps he wanted to extend his audience to include Platonists and others sympathetical towards monotheism on purely philosophical grounds. (*ibid.*, n. 10, p. 259).

Seine Apologien wollen mit ihrer kaiserlichen Adresse einen grösseren Kreis interessierter Heiden erreichen. Der Dialog mit Tryphon dürfte in erster Linie an gebildete Heiden gerichtet sein, die sich vom Judentum angezogen fühlten. (U. Nehmeyr, *op. cit.*, p. 25).

Clearly the *Dialogue* is an apologetic essay written to Christians to help them appreciate their own tradition in the context of multireligious, multiethnic and cosmopolitan cities [...]. Yet the precise audience is still difficult to establish. What kind of Jew was he referring to ? Was he concerned about Jews and Judaism in general or a particular kind of Judaim ? A careful reading of the Dialogue reveals that Justin spoke to an eclectic form of Judaism and was simply opening the doors for further discourse with 'Jews' and 'Judaism'. [...] The audience was any interested seeker ; To whom did Justin intend his *Dialogue* ? Was it for the Christian community : an essay for both Gentile and Jewish Christians ? Was it written for those who needed to learn the difference between Judaism (as Justin understood it) and Christianity ? Was it intended to be anti-Jewish ? The answer is that it is not an *adversus Judaeos* or anti-Jewish essay as much as it is written to anyone, pagans or Jews, who were favorably disposed to Christianity and Judaism. (R. S. Maclennan, *art. cit.*, pp. 84-85 ; 87).

Le but du débat sera d'établir que la sagesse chrétienne, sur les questions traitées dans les milieux philosophiques, ne se révèle en rien inférieure aux autres sagesses. On peut déduire de là que la suite du *Dialogue* a probablement dévié de sont objectif premier et que Justin, prévenu par la mort, n'a pu donner aux matériaux rassemblés par lui la forme projetée. (E. Robillard, *Justin. L'itinéraire philosophique*, 1989, p. 23).

M. Simon invece pensa che il conflitto tra cristiani ed ebrei continuò anche nel II secolo e dopo, e che la letteratura polemica s'inquadra in questo contesto. Questa seconda ipotesi appare più

> plausibile, anche se essa non significa che il messaggio di tali opere non fosse orientado anche ai pagani, nonché agli stessi cristiani, soprattutto a quelli che potevano essere attirati dal giudaismo. (E. Norelli, *loc. cit.*).
>
> The traditional view that *the Jews* are such a primary audience cannot be ruled out [...] A *pagan* readership, however, cannot be ruled out either. [...] It is for such a group of *Gentiles leaning towards Judaism* thar the treatise is primarily intended... (M. Marcovich, *Justinis Martyris Dialogus cum Tryphone*, 1997, p. 64).
>
> Although conclusive demonstration is impossible, it emerges that the case for a principally Christian readership is the most acceptable, or at any rate the least difficult to sustain. The arguments in support of the other possibilities come up against serious objections. [...] It is perhaps not wholly far-fetched to suggest that the *Dialogue with Trypho*, though presented as an apologetic dialogue, is less a discussion than a Christian *pesher* on Isaiah and the other prophets. (T. Rajak, *loc. cit.*, p. 79-80).

IX – CONCLUSION

Il est juste qu'un texte demeure – ou redevienne – l'ultime référence de ceux qui le commentent, et pour leurs théories le critère essentiel d'appréciation. Dans le cas du *Dialogue*, œuvre complexe et multiforme, les interprétations les plus dignes de foi sont aussi les plus nuancées, et les plus respectueuses des intentions explicites de son auteur.

Le substrat culturel de cette œuvre, l'éventail des questions qui y sont abordées, et l'analyse de certains passages qui peuvent être considérés comme significatifs conduisent aux mêmes conclusions : le public auquel elle s'adresse prioritairement est bien celui que Justin désigne à travers l'interlocuteur qu'il s'est choisi, la formulation de toutes ses remarques, et les motivations qu'il affiche constamment[126]. Mais une même polyvalence

[126] E. R. GOODENOUGH (*op. cit.*, p. 99), mettait en avant la véhémence dont Justin fait parfois preuve à l'égard des juifs pour exclure que le *Dialogue* puisse leur être destiné. Même remarque chez Ch. COSGROVE (*art. cit.*, p. 218) et N. HYLDAHL (*op. cit.*, p. 20). Cet argument ne peut être retenu, car, comme le fait remarquer Th. STYLIANOPOULOS (*op. cit.*, p. 34), la fermeté de Justin s'explique par sa conviction d'avoir trouvé la Vérité, et l'urgence qu'il prête à sa mission. Il est vrai que Justin n'entend ménager personne, et l'on peut imaginer, si l'on accorde crédit à ses

caractérise les protagonistes de l'entretien, leurs préoccupations explicites, la terminologie utilisée, et la teneur des arguments. Cette caractéristique peut s'expliquer par l'utilisation de sources plus anciennes et diverses. Mais dans une œuvre aussi rigoureusement structurée[127] et soigneusement écrite que le *Dialogue*[128], elle ne peut être qu'intentionnelle. Si Justin avait voulu dissiper toute ambiguïté, il l'aurait fait avec autant de clarté que pour l'*Apologie*.

Le dialogue de Justin avec Tryphon est avant tout celui d'un juif et d'un chrétien. Mais il vise à l'universalité. L'activité missionnaire de Justin auprès des juifs s'inscrit, ainsi qu'il le dit lui-même[129], dans la perspective plus large

propres affirmations, qu'il était capable d'un égal franc-parler à l'égard de tous les publics : « Et cela, ajoutai-je, comme je ne me soucie de rien d'autre que de dire la vérité, je l'affirmerais, sans redouter personne, quand même je devrais, sur le champ, être par vous mis en pièces. Car je n'ai pas non plus eu souci de quiconque de ma race – c'est-à-dire des Samaritains – lorsque je m'adressai par écrit à César, pour lui dire qu'ils étaient trompés en croyant à Simon, mage en leur race, qu'ils affirment être Dieu, *au-dessus de toute Principauté, de toute Autorité et de toute Puissance* » (*Dial.* 120, 6). EUSEBE (*Hist. eccl.*, IV, 18, 6) présente l'entretien avec Tryphon comme un διάλογον πρὸς Ἰουδαίους, expression diversement traduite (cf. Ph. SIGAL, *art. cit.*, n. 11, p. 96) selon le sens accordé à la préposition πρός : Dialogue *contre* les juifs ? *en relation* aux juifs ? *en réponse* aux juifs ? *pour* les juifs ? Les opinions demeurent, à ce sujet, fort contradictoires. Ainsi Ben-Zion BOKSER peut-il écrire : « One work of a specifically anti-jewish nature was his *Dialogue with Trypho*... » (*art. cit.*, p. 98) ; et Ph. SIGAL : « The *Dialogue* is a far cry from an 'anti-Jewish' book despite its few angry moments, most of them expressed in phrases Justin could have imitated from the Prophets of Israel, who were also 'angry' men, but would not be considered 'anti-Jewish'. The *Dialogue* is far more amicable than later apologetic literature. » (*art. cit.*, p. 79). La courtoisie des relations qui s'établissent entre Justin et Tryphon, et le rappel fréquent de la fraternité qui unit juifs et chrétiens (*Dial.* 47, 2* ; 58, 3 ; 96, 2 ; 134, 6* ; 137, 1) rendent peu acceptable la première interprétation. L'originalité du *Dialogue* a parfois déconcerté les commentateurs : la dimension polémique, essentielle ailleurs, est mise ici au service d'intentions conciliatrices (Th. STYLIANOPOULOS, *op. cit.*, p. 35). Si le *Dialogue* est effectivement une œuvre de controverse, il serait peut-être plus conforme aux intentions de Justin de dire qu'il est écrit *pour* les juifs *contre* leurs didascales.

[127] Voir ci-dessus, p. 17-40.

[128] Voir les notes de la traduction s'appuyant sur une analyse stylistique.

[129] Cf. *Dial.* 64, 2 : « Aussi continuerai-je, en dépit de votre malignité, à répondre pour chacune de vos attaques et de vos objections. Du reste, j'agis de même, absolument, à l'égard de tous ceux, de toute race, qui veulent sur ces questions discuter ou m'interroger ».

d'un rassemblement ultime des nations. Sa mise en forme littéraire ne peut aller que dans ce sens. Le *Dialogue* n'est pas, comme l'*Apologie*, une œuvre de circonstance. Il se présente comme le bilan d'une expérience, et peut-être même d'une vie[130]. Le message qu'il contient n'est pas de nature apologétique, mais théologique. Le temps qu'il vise n'est pas uniquement un moment de l'Histoire, et les questions qu'il pose encore ne sont pas étrangères à sa pérennité.

[130] Quel sens accorder à la traversée annoncée dans le dernier chapitre ?

PRINCIPES DE L'EDITION

I – ETABLISSEMENT DU TEXTE

L'absence de tradition manuscrite multiple crée, pour l'établissement du texte du *Dialogue*, une situation particulière : aux variantes qu'offrent ailleurs des sources manuscrites différentes se sont progressivement substituées ici les conjectures des éditeurs[1]. Dans leur effort pour reconstituer un texte original, ces derniers se sont montrés plus ou moins audacieux selon l'idée qu'ils se faisaient de l'unique manuscrit fiable (= A *Parisinus graecus* 450) dont nous disposons à ce jour[2]. Ainsi les interventions sur le texte sont-elles limitées à l'indispensable chez Otto et Goodspeed, par exemple, et fort nombreuses chez Thirlby ou Marcovich.

Ces corrections concernent, pour l'essentiel, les citations scripturaires qui ne sont, chez Justin, ni toujours conformes au texte des LXX, ni toujours cohérentes. On sait aujourd'hui que l'Apologiste a utilisé également d'autres versions grecques des Écritures[3] : celle qui fait autorité n'est donc pas l'unique référence permettant d'apprécier la pertinence d'une correction. Il n'est pas certain d'autre part que la leçon la plus authentique soit toujours celle qui offre la meilleure conformité avec les LXX, car, en pareil cas, l'intervention d'un copiste peut toujours être soupçonnée ; il n'est pas impossible enfin que Justin cite plusieurs versions d'un même texte[4]. Dans les éditions les plus anciennes, la plupart des corrections visent à harmoniser

[1] Voir ci-dessus (p. 7-15) la liste des éditions et des traductions du *Dialogue*.

[2] Des deux seuls manuscrits conservés, le second (= B) est une copie directe de A : voir ci-dessous, note 17.

[3] Recueils de Testimonia, autres versions grecques des Écritures. Pour l'Ancien Testament, voir, en particulier, D. BARTHELEMY, « Redécouverte d'un chaînon manquant de l'histoire de la Septante » [à identifier avec le texte cité par S. Justin], *RB* 60 (1953), p. 18-29 ; ID., *Les devanciers d'Aquila. Première publication intégrale du texte des fragments du Dodecapropheton trouvés dans le désert de Juda, précédée d'une étude sur les traductions et recensions grecques de la Bible réalisées au premier siècle de notre ère, sous l'influence du rabbinat palestinien*, *VTS* 10 (1963), Leyde, Brill, p. 203-212 ; J. S. SMIT SIBINGA, *The Old Testament Text of Justin Martyr, I : The Pentateuch* : Leyde, Brill, 1963 ; O. SKARSAUNE, *The Proof from Prophecy. A Study in Justin Martyr's Proof-text Tradition. Text-type, Provenance, Theological Profile* [*NT* Suppl. 56], Leyde, Brill, 1987.

[4] Voir ci-dessus, p. 115-116.

le texte des citations avec celui des LXX ; les éditions les plus récentes privilégient le critère de cohérence interne. Il a semblé préférable ici de maintenir toutes les variantes que les commentaires de Justin n'imposaient pas de rectifier.

D'autres conjectures prennent pour référence une certaine norme syntaxique et grammaticale. Mais les écarts et les ruptures de construction ne sont pas rares chez Justin. Dans la mesure où il n'en résultait pas un insoluble défaut de sens, il a paru plus sage de les conserver : l'analyse de détail montre en effet que certaines interventions visant à une plus grande pureté de l'expression se font souvent, pour le *Dialogue*, au détriment du sens. La cohérence de la pensée devait être préservée au prix de toute autre considération. C'est seulement lorsqu'elle convenait mieux au cadre défini par le contexte que telle ou telle correction a été accueillie.

L'étude des structures (chiasmes, parallélismes, balancements, antithèses, etc.) a permis, dans la plupart des cas, d'évaluer la pertinence de ces corrections ; la prise en compte d'un mode de raisonnement original s'est également avérée plus fructueuse que la méthode consistant à intervenir au nom d'une logique étrangère à Justin[5]. Prudence souvent récompensée pour les passages présentant une réelle difficulté. Le principe de la *lectio difficilior* s'applique en effet, pour le *Dialogue*, avec un incontestable succès. Souvent maladroites en apparence, la prose et la pensée de Justin sont en réalité très rigoureusement structurées, sur de longues unités parfois. Il faut, pour les comprendre, en adopter le cours.

Le style de l'Apologiste[6], le tour de sa pensée, la forme de son œuvre[7], et le travail des copistes ont souvent fait l'objet d'une égale dépréciation favorisant une excessive tendance à corriger ce qui n'avait pas toujours besoin de l'être. C'est au contraire en étant respectés que le texte du *Dialogue* et la démarche de son auteur deviennent accessibles. Leçon d'humilité.

II – TRADUCTION ET PRESENTATION DU TEXTE

Le même parti pris de fidélité s'est appliqué à la traduction, entièrement reprise, y compris pour les citations scripturaires.

[5] Liste des principaux problèmes textuels, ci-dessous, p. 174-176.

[6] Voir l'étude annoncée ci-dessus, note 11, p. 2.

[7] Voir ci-dessus, p. 17-40.

On s'est efforcé, autant que le permettait le passage d'une langue à une autre, de restituer le détail des structures, les jeux sur le langage, et les effets de rythme, également porteurs de sens. Le *Dialogue* est manifestement le fruit d'une minutieuse élaboration inspirée par l'expérience et la méditation[8]. Mais la rigueur du style et de la composition ne sont pas, chez Justin, aussi immédiatement perceptibles que chez d'autres. Il semble que ce phénomène puisse s'expliquer par la conjonction, dans l'écriture comme dans la pensée, du discursif et de l'analogie, de l'allusion et de l'explicite : signes d'une double appartenance culturelle ? Pour la lecture du *Dialogue*, analyse et intuition[9] sont également sollicitées. L'activité exégétique est ainsi présentée comme un exercice intellectuel et spirituel à la fois, qui ne peut être « porteur de fruits »[10] que si cette double dimension demeure constamment préservée. La traduction tente de respecter cette caractéristique qui contribue aussi à l'originalité du *Dialogue.*

Toutes les références scripturaires, explicites ou implicites, même réduites à un seul mot, sont signalées par l'utilisation des italiques. Présentation indispensable, pour le *Dialogue* : le raisonnement de Justin et sa méthode exégétique ne peuvent en effet être appréhendés que si l'on prend en compte le mode de construction propre au discours qui les restitue[11].

Certaines erreurs d'interprétation ou de jugement procèdent d'une méconnaissance de cette composition particulière dont il ne semble pas que la littérature ancienne offre d'autres exemples[12]. Dans la présente édition, ces

[8] Cf. Voir ci-dessus, pp. 17-40 et 109-128 (*passim*).

[9] Justin rappelle sans cesse la nécessaire complémentarité, pour la compréhension des Écritures, de la disponibilité et du discernement. Par sa nature même, la Parole divine n'est accessible qu'à une heureuse rencontre de la grâce (χάρις) et de la raison (λόγος).

[10] Cf. *Dial.* 49, 8*.

[11] Nécessité signalée par F. M.-M SAGNARD, « Y a-t-il un plan du *Dialogue avec Tryphon* ? », in : *Mélanges J. de Ghellinck* 1 [Museum Lessianum, section historique, 13], Gembloux, J. Duculot, 1951, p. 173 : « Certes, il faut concéder que le *Dialogue avec Tryphon* (à l'encontre des *Apologies*) est un livre décevant, fastidieux même, pour le *lecteur non averti*. Mais précisément, cet ouvrage demande à être lu (*et édité*) *sur le plan et dans le sens même où il a été écrit*. Or, ce qui frappe avant tout dans ce texte, c'est le nombre et la longueur, non des digressions, mais des *citations*, tirées dans leur ensemble de l'Ancien Testament. Une édition convenable devrait commencer pas les distinguer typographiquement du reste du traité. ».

[12] Voir ci-dessus (Exégèse), en particulier les p. 121-122.

éléments qui figurent effectivement dans le texte invoqué (tel qu'il est cité ailleurs par Justin ou tel qu'il se présente dans les sources scripturaires) ont été ainsi mis en relief[13].

La division du *Dialogue* en chapitres, introduite par Maran, et la subdivision en paragraphes adoptée par Archambault, ont été également retenues. Elles contribuent à la disponibilité d'un texte qui demeurait difficilement accessible dans les éditions anciennes.

III – APPARAT CRITIQUE

L'apparat critique a été établi sur consultation directe et intégrale des deux manuscrits et des principales éditions du *Dialogue* (Estienne, Maran = Migne, Otto, Archambault, Goodspeed, Marcovich), celles de Sylburg et Thirlby ayant fait l'objet de sondages visant à contrôler la conformité de ce qu'elles proposent avec ce qu'en rapportent les éditeurs qui les citent. Moins importantes pour l'établissement du texte, les autres éditions, ne sont connues qu'à travers ceux qui les mentionnent, mais elles sont alors assez

[13] Dans les deux manuscrits, les références scripturaires sont signalées par de petites virgules, en marge de chaque ligne ; dans les éditions anciennes (ESTIENNE, MARAN), elles sont soulignées (à la main) ; MIGNE et ARCHAMBAULT utilisent les guillemets ; OTTO et MARCOVICH les italiques. Dans tous les cas la signalisation est incomplète (ESTIENNE, MARAN, OTTO, ARCHAMBAULT), ou utilisée de façon trop large (MARCOVICH), en sorte que l'on distingue mal les commentaires et ce qui les inspire. Il est apparu nécessaire de la donner ici avec un maximum de précision : Il n'est pas rare en effet que Justin réutilise – explicitement ou implicitement –, en divers endroits du *Dialogue*, des éléments (ensemble de versets, verset, mots ou expressions) d'un passage scripturaire cité *in extenso* dans un premier temps, et en pareil cas, les occurrences les plus chargées de sens ne sont généralement pas les plus complètes… Pour faciliter les recherches et l'appréhension des échos qui structurent le texte, les notes de la traduction présentée ici renvoient souvent au grec (mot exact) ou à sa traduction (note *ad loc.*) dans différents passages antérieurs ou ultérieurs. Pour les citations longues, la numérotation des versets a paru aussi indispensable dans le texte grec que dans la traduction, car son absence ou son utilisation restreinte jusqu'à MARCOVICH, rendaient très malaisées, sans l'aide d'une Bible, la localisation des versets ; pour les citations brèves ou partielles, les références sont données dans l'apparat, la lisibilité du texte étant ainsi préservée. Comme il est extrêmement fréquent que Justin donne, pour des citations partielles ou implicites, un texte un peu différent de celui des LXX, ou composite, il est apparu nécessaire de donner alors toutes les références.

rigoureusement prises en compte pour que l'ensemble des conjectures qu'elles proposent puisse être restitué. L'historique de ces conjectures est parfois difficile à établir : il n'est pas rare en effet que certains éditeurs s'attribuent – consciemment ou par ignorance ? – des leçons déjà proposées ou adoptées antérieurement[14], et les préfaces n'indiquent pas toujours clairement les sources utilisées.

Dans la présentation de l'apparat, l'ordre chronologique des éditions a été, autant que possible, respecté. Mais il n'est pas certain qu'il corresponde toujours à celui des emprunts successifs. Ainsi, certaines leçons retenues par Trollope (1846-1847) sont-elles vraisemblablement inspirées de la première édition d'Otto (1842), mais la formulation de ce dernier (« mecum fecit Trollope », etc.), n'est pas toujours très claire sur ce point ; de même certaines divergences entre l'édition de Migne (1857) et celle de Maran peuvent être d'authentiques corrections de l'éditeur parisien, ou des emprunts tacites à Otto. Pour les éditions qui n'ont pas été directement consultées, les corrections proposées (*prop.*) ou adoptées dans le texte (*coni.*) ont été, autant que possible distinguées. Mais ces données doivent être accueillies avec la prudence qu'impose toute information de seconde main.

[14] Dans son introduction, OTTO se plaignait amèrement d'avoir été plagié par MIGNE : « Sed Migne ...Maranianae praefationi (col. 9-206) multa adnexuit (col. 206-226) ex meis prolegomenis edit. I (a. 1842), notis Maranianis haud paucas ex mea edit. II (a. 1847 ss.), etiam nomine meo interdum suppresso, adiecit ». (Prolegomena, p. XLVI). Mais les informations données dans l'apparat de MARCOVICH prouvent qu'OTTO ne s'est pas montré beaucoup plus scrupuleux à l'égard de certains de ses prédécesseurs (en particulier SYLBURG et THIRLBY). Reproche explicitement formulé par MARCOVICH dans son introduction : « As a rule, Otto dismissed the scholarship of Thirlby and Maran. Worse still, Otto was in the habit of attributing to himself the emendations advanced by Sylburg and others. » (p. 7). Un certain mystère plane d'autre part sur l'utilisation de l'édition d'ESTIENNE : une collation complète faite sur un exemplaire de cette édition a permis de constater que des corrections déjà présentes chez lui apparaissent, çà et là, attribuées à l'un de ses successeurs, ou sans indication d'origine. Il semble bien que l'on se soit peu à peu habitué à regarder comme équivalents le texte du *Parisinus graecus* 450 et celui qui avait la réputation d'en être une copie fidèle (voir par exemple ARCHAMBAULT, p. V), en sorte qu'une consultation exhaustive de ces deux sources devenait inutile. Depuis MARAN, les éditions du *Dialogue* sont établies en priorité avec le(s) manuscrit(s). ESTIENNE n'y est mentionné que de façon partielle, et la liste des variantes qu'il réunit aux pages 312-315 de son édition (« Locorum qui aliter quam impressi sunt in aliis codicibus leguntur, aut legendi videntur, Adnotationes »), bien qu'incomplète, paraît avoir été, dans certains cas, considérée comme suffisante.

Toutes les corrections adoptées ou rejetées par la tradition sont mentionnées dans l'apparat, avec le nom de celui auquel elles peuvent être attribuées[15]. Les références (dans le *Dialogue* et l'*Apologie*) qui permettent de les retenir – ou de les écarter – sont également données chaque fois que cela a paru nécessaire. Le lecteur pourra ainsi juger de leur pertinence, et évaluer les choix effectués dans la présente édition. Lorsque le lemme est rappelé dans l'apparat sans autre indication, c'est qu'il correspond à la leçon des deux manuscrits et de toutes les éditions autres que celles qui sont énumérées ensuite, avec leurs corrections respectives.

Le manuscrit B n'est pris en compte que lorsqu'il permet une meilleure lecture de A. Sa dépendance à l'égard de ce dernier était jusqu'à présent admise sans avoir jamais été formellement établie car cette conviction reposait toujours sur des hypothèses historiques ou des comparaisons limitées à quelques chapitres[16]. Il était donc aussi arbitraire de rejeter cette version en la considérant comme inutile (Archambault, Marcovich), que de lui accorder une excessive importance (Otto). Il a paru indispensable de procéder, sur ce point, à une démonstration qui pourrait s'avérer aussi nécessaire pour d'autres textes attribués à Justin qu'elle l'a été pour celui du *Dialogue*[17].

[15] MARAN et ARCHAMBAULT ne mentionnent que certaines d'entre elles ; OTTO est plus complet, mais souvent inexact ; MARCOVICH accorde la priorité aux leçons qu'il retient.

[16] G. H. J. P. VOLCKMAR, *Theologische Jahrbücher*, 1855, pp. 212 ; 430 ; 456 ; 571 ; A. HARNACK, *Theologische Literaturzeitung* 1876, n. 13, p. 341 ; *Die Überlieferung der griechischen Apologeten des zweiten Jahrunderts in der alten Kirche und im Mittelalter* [*TU* I, 1-2], Leipzig 1882 et 1883, p. 88 ; OTTO, Prolegomena (1876), p. XXVI : « Ita sane paucis lectionibus exceptis cum Regio (= le ms. A), convenit (= B), eodem ex codice ut uterque descriptus videatur vel alter ab altero. » ; ARCHAMBAULT, p. XVI : « Il nous paraît que l'histoire du ms. de la Bibliothèque nationale ainsi que celle du ms. de Cheltenham (= B), éclairées par la comparaison des deux textes, établissent nettement la dépendance du second vis-à-vis du premier, qu'il ne peut plus dès lors s'agir de deux copies d'un troisième manuscrit, mais que le ms. de Cheltenham n'est lui-même qu'une copie du ms. parisien. » ; MARCOVICH, Introduction, p. 6 : « Being an apograph of A, made only ten years before Stephanus's *editio princeps* (of 1551), a (= B) is of no value for the establishment of Justin's text except in a few places where Kokolos corrects obvious scribal errors of A. ». Pour l'histoire de ce ms. B, voir A. CATALDI-PALAU, « Les vicissitudes de la collection de manuscrits grecs de Guillaume Pellicier », *Scriptorium* 40/1 (1986), p. 32-51.

[17] Cf. Ph. BOBICHON, « Œuvres de Justin Martyr : le manuscrit Loan 36/13 de la British Library, un apographe du *Parisinus graecus* 450 », *Scriptorium* 57/2 (2003).

IV – NOTES DE LA TRADUCTION, APPENDICES ET INDICES

Les annotations visent à favoriser l'intelligence du texte, à l'exclusion de toute autre forme de commentaire. Leur contenu se répartit comme suit : remarques stylistiques ou grammaticales ; discussion des conjectures et des traductions ; études lexicales ; renvois à d'autres passages ; liste exhaustive des références illustrant chaque thème ; liste des passages contribuant à l'exégèse de certains versets ; parallèles avec les sources païennes, juives, ou chrétiennes ; tradition polémique[18] ; références à l'histoire et à la civilisation contemporaines ; indications sur la méthode de Justin (anticipations, transitions, enchaînements, allusions, mode de raisonnement, place et utilisation des sources scripturaires, etc.) ; bilan de certaines unités ; croisements thématiques ; questions de théologie. Pour le détail comme pour certains ensembles, ces annotations tiennent compte de toutes les données offertes par les éditions et les traductions consultées, et, sans prétendre à l'exhaustivité, de l'abondante bibliographie suscitée par les écrits de Justin – en particulier le *Dialogue* – depuis plus d'un siècle. Il a paru souhaitable que des travaux nombreux mais souvent partiels se trouvent réunis dans l'œuvre que chacun concourt à éclairer.

Quelques questions pour lesquelles une mise au point semblait nécessaire sont abordées en *Appendice* et dans l'*Introduction*. Les différents *Indices*, enfin, devraient rendre plus directement accessible un texte dont Harnack déplorait la « monstruosité », en expliquant ainsi le paradoxe d'une exceptionnelle richesse insuffisamment exploitée[19].

[18] La référence fréquente à des traités de polémique ultérieurs s'explique par une observation qui mérite examen : il n'est pas rare que ce qui demeure elliptique ou peu clair chez Justin se trouve développé ou explicité chez d'autres auteurs, et ce jusqu'au Moyen âge.

[19] « Was [dieses Buch] bietet, erscheint in dem ungeheuren Blättenwerk so versteckt, daß man begreift, daß die Zahl der Arbeiter nicht groß ist welche hier nach den Früchten zu suchen Lust und Must haben » : « Judentum und Christentum in Justins *Dialog mit Trypho*, nebst einer Collation der Pariser Handschrift nr 450 », [*TU* 39/1], Leipzig 1913, p. 48. L'index d'ARCHAMBAULT (scripturaire, alphabétique) est très incomplet ; la *Biblia Patristica* ne prend pas en compte les très nombreuses allusions scripturaires que comporte le *Dialogue*, alors que celles-ci sont indispensables pour une bonne appréciation du sens accordé aux textes et aux versets (les citations les plus significatives sont rarement les plus complètes) ; certaines éditions anciennes comportent un index thématique, mais leurs entrées – dont la liste est toujours limitée – sont inadaptées aux orientations de la recherche moderne.

Problèmes textuels et difficultés de traduction[1]

Dialogue	note	Dialogue	note
1, 1 (τί μάλιστα)	5	6, 1 (μάθοις δ' ἂν ἐντεῦθεν)	2
1, 4 (δεδοξάκαμεν)	14	8, 1 (ἔχει)*	4
(ὡς μηδὲν ...συντελούσης)	17	2 (οὐκ ἀλλοτρίῳ τοῦ πράγματος)	12
(οἱ πλεῖστοι...· ἀλλὰ καὶ...)	18	2 (τελείῳ γενομένῳ)	13
5 (ἄδεια γὰρ καὶ ἐλευθερία)	19	4 (ἴσως)	24
2, 1 (τιμιώτατον θεῷ, ᾧ...)	2	9, 1 (Εἰ δὲ βούλοιο...)*	2
4 (πολὺ ἐπὶ τῇ σοφίᾳ φρονοῦντι)	17	10, 4 (εὐθέως)	11
6 (ᾕρει)	21	11, 2 (γάρ)*	5
3, 2 (ταῖς τοιαύταις διατρίβαις)	6	13, 1 (ὃ εἵπετο)*	4
2 (διάλογος πρὸς ἐμαυτὸν)	7	15, 7 (οἱ λόγοι τοῦ θεοῦ)*	9
2 (φιλολογίᾳ)	8	18, 2 (περιτέμνεσθαι)*	4
3 (ἔργον)	10	20, 3 (πᾶν *λάχανον χόρτος...*)*	6
4 (Ἦ οὖν φιλοσοφία...)	18	23, 1 (αὐτῶν)*	4
5 (Τὸ ὂν)*	21	3 (διὰ Μαρίας)*	18
5 (οὐχ οὕτως ἔχει ;)*	24	24, 1 (ἄλλος ...νόμος · Ἰησ.	9
5 (ἔπειτα)	26	Χριστός)*	5
6 (μαθήσεως ... ἢ διατριβῆς τινος)	29	25, 1 (λέγον)*	16
6 (αἱ μὲν ...αἱ δὲ)	30	28, 4 (καλὴν)	21
7 (Ἀλλ' οὐκ ἔστιν ὀφθαλμοῖς...)*	35	32, 5 (*μεταθεῖναι ...μεταθήσω*)	15
4, 1 (ὃ μὴ τάχιον)*	1	35, 5 (τὸν θεὸν Ἀβραὰμ...)*	3
1 (ἁγίῳ πνεύματι κεκοσμημένος)*	2	37, 3 (*ἐκ Σιὼν*)*	1
1 (ἀλλά τι ὂν)*	8	41, 1 (τοῦ ἄρτου τῆς εὐχαριστίας)	6
1 (ἐγγινόμενον)	14	42, 3 (πολλούς)*	4
2 (αὐτῷ... χωροῦσι)*	18	43, 1 (διὰ τῆς ...παρθένου)*	12
5, 1 (ἀγέννητος)	3	44, 2 (*Ἐὰν Νῶε...*)*	5
1 (κατά τινας ... Πλατωνικούς)	4	45, 3 (Καὶ γὰρ κ.τ.λ....)*	12
2 (καὶ οὐκ εἶναί ποι τάχα)	8	46, 2 (τίνα οὖν ἃ δυνατόν ἐστι...) *ego**	5
4 (Ὅσα γάρ ἐστι μετὰ τὸν	18	47, 2 (ἐὰν ...βούλονται καὶ αἱρῶνται)*	9
θεὸν...)*	23	48, 4 (τοῦ ὑμετέρου γένους)*	11
6 (Εἶτα ταῦτα)*		4 (οἷς οὐ συντίθεμαι...)	

[1] Ne figurent dans cette liste que les divergences de traduction discutées en note. Les astérisques signalent les cas où le texte est lui-aussi discuté. La mention *ego* correspond aux corrections personnelles du texte des manuscrits.

Dialogue	note	**Dialogue**	note
49, 3 (τὸ ἐν Ἡλίᾳ ...πνεῦμα τοῦ θεοῦ)	13	90, 2 (ἀπεκάλυψαν)	4
7 (ὡς τοῦ Χριστοῦ)*	21	93, 2 (ἄλλοις)*	5
51, 1 (Εἰ μὲν μὴ ἐπαύσαντο...)*	2	5 (ἡμᾶς ἀλογεῖν)	21
52, 3 (ἀφ' οὗ ἔπαθεν)*	8	94, 1 (*ἐπὶ σημεῖον*)	2
3 (ὄντα λέγετε ἀρχιερέα)	10	4 (καὶ δι' ὧν) *ego**	8
4 (ὀψε)*	15	97, 4 (βασιλεὺς Χριστὸς)*	12
55, 1 (ὥσπερ χρώμενοι)*	3	98, 1 (ἀντιληπτικὸς)	1
1 (πολλάκις)*	4	100, 3 (τὸν 'Αβραὰμ)*	13
56, 10 (τοῦτον τὸν...) *ego**	20	101, 2 (γενόμενα)*	5
13 ("Ον οὖν...)*	28	102, 2 (μετὰ γὰρ τὸ κηρύξαι αὐτὸν...)	2
58, 3 (ἄγγελος καὶ κύριος)*	4	7 (πρὸς τὸ ἀναμάρτητος εἶναι)	14
60, 3 (ὁμιλήσαντι ...φανέντα) *ego**	6	103, 1 (ἀπὸ τοῦ ὄρους *τῶν ἐλαιῶν*)*	1
62, 1 (ὃν ἐδήλωσε)*	2	1 (κατὰ τὴν διδασκαλίαν)*	2
4 (συνῆν τῷ πατρί)	8	3 (καὶ οὗτος ἐτελεύτα...)	8
4 (εἶπον... εἰπόντος)*	9	7 (ἐξεχύθην)*	17
63, 3 (ἄνωθεν)	11	104, 1 (καὶ *κυνηγοὺς* μηνύων)*	3
5 (τοῦ ταῦτα ποιήσαντος)	14	105, 1 (*τὴν μονογενῆ μου*)*	2
67, 7 (μηδὲν φυλάξαντες...)	13	4 (ἀπέδειξα)*	8
68, 9 (καὶ προσκυνητὸν γενέσθαι	17	106, 2 (*τὸ ὄνομά σου*)*	4
θεόν)	5	3 (τὸ Αὐσῆ ὄνομα)*	8
69, 2 (ὄνον)*	6	107, 2 (μετὰ τεσσαράκοντα ἡμέρας)*	4
74, 3 (δι' οὗ)	3	3 (διὰ τῆς οἰκονομίας)	7
79, 2 (ὅτι)*	6	110, 2 (ἐπελθόντος)*	7
79, 3 (πονηρευόμενοι)*	1	112, 2 (*ἀνελεῖ*)*	6
80, 1 (ἀσφαλὴς ...προσπλεκόμενος)*	3	2 ('Ο ὄφις ἄρα...)	7
1 (ἀπὸ)*	5	112, 3 (τὴν γνῶσιν)	11
3 ("Οτι δ' ...ἐπίστασθε)*	3	4 (μὲν ...δὲ)*	14
81, 2 (*πλεονάσουσιν*)*	4	5 (μετὰ τοιαύτης ἐνστάσεως)	17
3 (*τὰ ἔργα τῶν πόνων αὐτῶν*)*	6	113, 4 (ἀπὸ τοῦ πνεύματος αὐτοῦ)	15
3 (χίλια ἔτη, συνήκαμεν...)*	7	4 (ἰσχύν...)*	16
83, 3 (εἰς *Ἱερουσαλὴμ*)*	4	4 (ὃς καὶ ἄνθρωπος κ.τ.λ....)*	18
86, 1 (μετὰ τὸ σταυρωθῆναι)*	27	5 (ἀφ' οὗ)	19
6 (βεβαπτισμένους)	6	114, 1 (τῷ λεγομένῳ)	3
87, 5 (*'Ανεπαύσατο*)	7	2 (*κείραντος*)*	4
5 (ταύτης τῆς) *ego**	9	3 (τῶν λόγων αὐτοῦ)*	9
88, 4 (παρὰ τὴν ἰδίαν αἰτίαν)	10	115, 3 (ἀπέδειξα)*	6
4 (ἑκάστου)			

Dialogue	note	**Dialogue**	note
115, 4 (ἔφην)*	9	125, 3 (ἀγγέλου)*	10
4 (ἀποκήρυξιν)*	11	127, 1 (ὅτι ...ἡγῆσθε)*	1
6 (δώσητε)*	14	128, 1 (Θεός θεοῦ υἱὸς ὑπάρχων)*	1
116, 1 (᾿Ιησοῦ Χριστοῦ τοῦ ἁγίου)	1	130, 4 (δίδωσιν)*	6
1 (ἡ δύναμις τοῦ θεοῦ...)	9	4 (ἔθνος)*	7
2 (καὶ πάλιν)	10	131, 3 (δι᾿ ἀγγέλων)*	11
117, 1 (Πάσας οὖν... *θυσίας*)*	1	132, 3 (τῷ τῆς δυνάμεως ὀνόματι)*	7
3 (καὶ ἐπ᾿ *ἀναμνήσει* δὲ)	13	135, 5 (οὐ γὰρ ἐνδέχεται...)*	12
119, 4 (*μεγάλου* πατὴρ *ἔθνους*)	11	137, 1 (δι᾿ ὑμῶν ἐγγινομένην	2
5 (φωνῇ)*	13	γνώμην)*	4
120, 3 (*ᾧ ἀπόκειται*)*	8	138, 1 (δυνάμει)	5
121, 2 (ὄψονται)*	10	2 (καὶ ἀρχὴ πάλιν ἄλλου γένους)	11
3 (ὥς τε)*	13	2 (τῷ ὁμοίως πιστῷ λαῷ ...λέγει)	7
122, 1 (γίνονται)*	3	139, 3 (*Χαναὰν παῖς, οἰκέτης*)*	3
124, 4 (γεγεννημένους)*	5	140, 1 (εἰς τὸ προμηνυθῆναι ὅτι...)	2
4 (ὁμοίως ; λέγεσθαι)*	10	142, 1 (πλοῦν ποιεῖσθαι)*	6
125, 1 (τοῦτο ...λέγειν) *ego**	3	3 (τὸν ἡμῶν) *ego**	

Manuscrits et éditeurs

A = Parisinus graecus 450, a. D. 1362
B = Musaei Britannici Ms Loan 36/13 (olim Claromontanus 82), 1541[1]

A[1], B[1] = A, B prima manu
A[2], B[2] = A, B secunda manu

Arch. = Archambault
Goodsp. = Goodspeed
Mar. = Maran
Marc. = Marcovich
Mign. = Migne
Mor. = Morel
Steph. = Estienne (editio princeps)
Sylb. = Sylburg
Thirlb. = Thirlby
Troll. = Trollope

Autres abréviations utilisées dans l'apparat

ad calcem	p. 312-315 Steph.
add.	*addidit, addiderunt*
cod.	*codex*
codd.	*codices*
coni.	*coniecit, coniecerunt* (conjecture introduite dans le texte)
codd.	A (Parisinus gr. 450) + B (Musei Britannici Ms. Loan 36/13)
corr.	*correxit*
a. corr.	*ante correctionem*
p. corr.	*post correctionem*
ex corr.	*ex correctione*
del.	*delevit, deleverunt*

[1] Les sigles A et B sont empruntés à OTTO ; ARCHAMBAULT, qui n'utilise que le manuscrit de Paris, le désigne par la lettre C (d'après HARNACK, *Die Überlieferung der griechischen Apologeten des zweiten Jahrhunderts in der alten Kirche und im Mittelalter*, [*TU* I, 1-2], Leipzig 1882 et 1883, p. 73) ; MARCOVICH s'en tient de même au manuscrit de Paris, et le désigne par le sigle A (le manuscrit du British Museum, évoqué seulement en p. 6 de son introduction, y porte le sigle a).

edd.	*omnes editores*
edd. a Mar.	Maran, Otto, Mign., Archambault, Goodspeed, Marcovich
edd. ab Otto	Otto, Archambault, Goodspeed, Marcovich
cett. edd.	*ceteri editores*
in marg.	*in margine*
in ras.	*in rasura*
om.	*omisit, omiserunt*
prop.	*proposuit, –erunt* (conjectures non retenues)
scil.	*scilicet*
sup. l.	*supra lineam*
transp.	*transposuit*
ut vid.	*ut videtur*

Sources Chrétiennes. Directives pour la préparation des manuscrits
Secrétariat des Sources Chrétiennes, Cerf. 1971
J. Irigoin, *Règles et recommandations pour les éditions critiques* (série grecque)
Paris, « Belles Lettres », 1972

♦♦♦

Ouvrages cités dans l'apparat critique

Anonymus	apud Thirlb.	1, 4.
Anonymus	*Miscell. observv. in auctores vett. et recentt.*	19, 4
Arcerius	*Ioannis Arcerii Notae apud Fr. Sylburg*	12, 3 ; 70, 2 ; 97, 3 ; 99, 1 ; 107, 2.3 ; 141, 2.
Aubé M. B.	*Saint Justin...* , Paris 1875	3, 5.
Barbaro D.	*Aurea in quinquaginta Davidicos psalmos catena*, Venise 1569	fragment (p. 388).
Capellus	*App. ad crit. sac.*	15, 6.
Casaubon Is.	*Adv. Baron.*	52, 3 ; 106, 3
	Ad Marc. Anton., I, 6.	85, 3.
Credner K. A.	*Beiträge zur Einleitung in die biblischen Schriften*, I-II, Halle 1838.	43, 5 ; 64, 4 ; 107, 2.3 bis.
	Gesch. d. n. T. Kanon, Berlin 1860.	119, 6.
Davies J.	*ad. Lact. Epit.*	72, 1.
Donaldson J.	*A Critical History of Christian literature*, II, Londres 1866.	23, 3 ; 80, 1 ; 139, 4.
Drusius Io.	*Comment. min. ad voces Hebr.* NT, 1616.	125, 3.
Estienne H.	*In edit. Ep. ad Diogn.*	20, 1 ; 93, 1 ; 122, 1.
Field Fr.	*Origenis Hexapla*, Oxford 1875.	109, 2.
Grabe J. E.	*De vitiis LXX interpretum versioni ante Origenis aevum illatis.*	43, 3 ; 81, 2.
	ad Iren., III, 6, 1.	56, 15.
	ad Iren. *Adv. Haer.*, V, 19, 1.	100, 4.
	Annot. ad Bulli Defensionem fidei Nic.	62, 4.
	Spicilegium patrum ut et haeretico-rum saec. I-III, Oxford 1700.	fragment (p. 388).
Grotius	ad Lc. 23, 35.	48, 2.
	ad Mc. 7, 4.	80, 4.
Hilgendfeld A.	Die alttestamentlichen Citate Justins... », *Theol. Jahrbb.* 9, 1850	59, 2 ; 107, 2.3.
Holl K.	« *Io. Damasceni Sacr. Parall.*, Leipzig 1896.	1, 1 (p. 184) ; fragment (p. 388).

Hyldahl N.	*Philosophie und Christentum*, Copenhague 1966.	1, 4 ; 2, 6 ; 3, 5 (*bis*) ; 4, 1 (*bis*).3 ; 5, 4 (*bis*).
Joly R.	*Christianisme et philosophie*, Bruxelles 1973.	4, 1.
Karo G - Lietzmann J.	« Catenarum Graecarum Catalogus », Göttingen 1902.	fragment (p. 388).
Kaye J.	*Some accounts...*, Londres 1829.	52, 3 ; 62, 4 ; 63, 1.
Lange J.	*Krit. Pred.-Biblioth.*, 25, 1844.	35, 6
Mercati G.	*Biblica* 22 (1941), p. 354-362	fragment (pp. 388 ; 390).
Nolte J. H.	*Ioannis Henrici Nolte Notae* (*PG* VI, 1735-1744).	5, 6 ; 35, 4 ; 52, 3 ; 63, 1 ; 68, 6 ; 76, 3 ; 81, 4 ; 91, 4 ; 92, 5 ; 93, 2.4 ; 105, 4 ; 115, 3 ; 117, 3 ; 121, 3 ; 131, 2 ; 138, 3 ; 139, 4.
Orelli J. K.	*Justini Martyris loci aliquot selecti*, Zürich 1824.	48, 3 ; 80, 1 ; 81, 3 ; 117, 3 bis ; 119, 6 ; 120, 5 ; 142, 1.
Otto J. K.	*CAC* III, Iéna 1879.	fragment (p. 388).
Pearson J. B	*Annotationes Iacobi Pearsoni ap. St. Thirlby*, p. 349 s.	1, 5 ; 4, 5.7 ; 7, 2 ; 35, 4.8 ; 47, 2 ; 50, 2 ; 53, 4 ; 55, 3 ; 68, 9 ; 69, 4 ; 73, 6 ; 85, 6 ; 87, 2 ; 96, 1 ; 103, 2 ; 121, 1.4.
Rahlfs A.	*ZNTW* 20.	109, 2
Ruiz Bueno D.	*Padres Apologistas Griegos S. II*, Madrid 1954.	32, 5
Schmid W.	« Frühe Apologetik und Platonismus... », 1952.	3, 5 (*bis*) ; 4, 1.
Schnitzer	*Neue Jenaische Allg. Lit.-Zeitung*, 1845, Nr. 71.	93, 2.
Schürer E.	*Geschichte...*, II, 1907, p. 566.	46, 5
Schwartz E	*EusS gr.*	17, 1
Semisch K. G.	*Justin der Märtyrer...*, Breslau 1840 = Édimbourg 1843.	88, 2 ; 103, 5.
Smit-Sibinga J.	*Justin Martyr*, Leyde 1963.	91, 1 ; 126, 6 ; 131, 1.
Thirlby St.	*Tjeenk Willink Iustin. Mart.*	42, 3.
Van Winden J.	*An Early Christian philosopher*, Leyde 1971 (1976²).	1, 5 ; 2, 6 ; 4, 1 ; 5, 3.6.
Wilamowitz U.	*Comm. Gramm.*, II, 1880.	3, 2.5.7 ; 4, 1 (*bis*).
Williams A. L.	*Justin Martyr*, Londres 1930.	32, 5.
Wolf H.	*Notae apud Fr. Sylburg.*	43, 6 ; 56, 4 ; 68, 4 ; 87, 2 ; 88, 8 ; 118, 1 ; 141, 2.
Zahn Th.	*Geschichte des Ntl. Kanons*, II, Leipzig u. Erl. II, 2, 1892.	81, 4.

Signes diacritiques

(texte grec et traduction)

[]
Mots ou groupes de mots interpolés dans le texte grec

<>
Mot ou groupe de mots ajoutés par conjecture dans le texte grec

< ***>
Lacune supposée dans le texte grec

()
Ajout dans la traduction, pour la clarté du sens

Texte

et

Traduction

ΤΟΥ ΑΓΙΟΥ ΙΟΥΣΤΙΝΟΥ ΦΙΛΟΣΟΦΟΥ ΚΑΙ ΜΑΡΤΥΡΟΣ

ΠΡΟΣ ΤΡΥΦΩΝΑ ΙΟΥΔΑΙΟΝ ΔΙΑΛΟΓΟΣ [1]

< Λόγος α' >[2]

1. 1 [fol. 50 r° : A ; p. 77 : B] Περιπατοῦντί μοι ἕωθεν ἐν τοῖς τοῦ Ξύστου[3] περιπάτοις συναντήσας τις μετὰ καὶ ἄλλων·
– Φιλόσοφε, χαῖρε, ἔφη.
Καὶ ἅμα εἰπὼν τοῦτο ἐπιστραφεὶς συμπεριεπάτει μοι· συνεπέστρεφον δ' αὐτῷ καὶ οἱ φίλοι αὐτοῦ.
– Κἀγὼ ἔμπαλιν προσαγορεύσας αὐτόν· Τί μάλιστα ; ἔφην.
2 – Ὁ δέ· Ἐδιδάχθην ἐν Ἄργει, φησίν, ὑπὸ Κορίνθου τοῦ Σωκρατικοῦ ὅτι οὐ δεῖ καταφρονεῖν οὐδὲ ἀμελεῖν τῶν περικειμένων[4] τόδε τὸ σχῆμα, ἀλλ' ἐκ παντὸς [fol. 50 v° : A] φιλοφρονεῖσθαι προσομιλεῖν τε αὐτοῖς, εἴ τι ὄφελος ἐκ τῆς συνουσίας γένοιτο ἢ αὐτῷ ἐκείνῳ ἢ ἐμοί. Ἀμφοτέροις δὲ ἀγαθόν ἐστι, κἂν θάτερος ᾖ ὠφελημένος. Τούτου οὖν χάριν, ὅταν ἴδω τινὰ ἐν τοιούτῳ σχήματι, ἀσμένως αὐτῷ προσέρχομαι, σέ τε κατὰ τὰ αὐτὰ ἡδέως νῦν προσεῖπον, οὗτοί τε συνεφέπονταί μοι, προσδοκῶντες καὶ αὐτοὶ ἀκούσεσθαί τι χρηστὸν ἐκ σοῦ.
3 – *Τίς δὲ σύ ἐσσι, φέριστε βροτῶν* ; Οὕτως προσπαίζων αὐτῷ ἔλεγον.
Ὁ δὲ καὶ τοὔνομά μοι καὶ τὸ γένος ἐξεῖπεν ἁπλῶς.
– Τρύφων, φησί, καλοῦμαι· εἰμὶ δὲ Ἑβραῖος ἐκ περιτομῆς, φυγὼν τὸν νῦν γενόμενον πόλεμον, ἐν τῇ Ἑλλάδι καὶ τῇ Κορίνθῳ τὰ πολλὰ διάγων.
– Καὶ τί ἄν, ἔφην ἐγώ, τοσοῦτον ἐκ φιλοσοφίας σύ τ' ἂν ὠφεληθείης, ὅσον παρὰ τοῦ σοῦ νομοθέτου καὶ τῶν προφητῶν ;
– Τί γάρ ; Οὐχ οἱ φιλόσοφοι περὶ θεοῦ τὸν ἅπαντα ποιοῦνται λόγον, ἐκεῖνος ἔλεγε, καὶ περὶ μοναρχίας αὐτοῖς[5] καὶ προνοίας αἱ ζητήσεις γίνονται ἑκάστοτε ; Ἢ οὐ τοῦτο ἔργον ἐστὶ φι-[p. 78 : B]-λοσοφίας, ἐξετάζειν περὶ τοῦ θείου ;

[1] Τοῦ – διάλογος *codd.* **2** Λόγος A *add.* Marc. *conl.* Io. Damasceni, *Sacr. Parall.* Fr. 102 Holl (= Dial. 82, 16-17) τοῦ αὐτοῦ ἐκ τοῦ πρὸς Τρύφωνα β' λόγου et Catena in *Ps.* 2, 3 (*in Lacuna*) ἐκ τοῦ β' λόγου περὶ τοῦ εἰ παθητὸς ὁ Χριστός **3** Ξύστου A (*cum lineola superscripta*) B (*om. lineolam*) : ξυστοῦ *edd. ab* Otto (cf. Dial. 9, 3) **4** Περικειμένων : περιειμένων *prop.* Troll. **5** Αὐτοῖς : αὐτοῦ αὐτοῖς Marc.

[DIALOGUE DE SAINT JUSTIN
PHILOSOPHE ET MARTYR
AVEC LE JUIF TRYPHON][1]

Prologue. Rencontre avec Tryphon.

1. 1 J'allais, de bon matin[2], par les allées du Xyste[3], quand survint un passant, que d'autres accompagnaient[4] :

— Philosophe, bonjour, dit-il.

Tout en disant cela, il avait rebroussé chemin, et allait avec moi. Ses amis eux aussi, en même temps que lui, rebroussèrent chemin.

— Qu'y a-t-il donc[5] ? fis-je, l'interpellant à mon tour.

2 — J'ai appris à Argos[6], dit-il, de Corinthos le Socratique[7], que l'on doit se garder du mépris ou de l'indifférence pour ceux qui portent cet habit[8] ; mais qu'il faut au contraire, en toute occasion, leur témoigner de la bienveillance, et les fréquenter : car il se pourrait bien que quelque bénéfice résulte de ce commerce, pour eux ou pour soi-même. Et c'est un bien pour tous les deux, quand même un seul en profiterait. Aussi, lorsque je vois quelqu'un dans ce costume, c'est avec joie que je l'aborde. C'est donc avec plaisir que je t'ai à l'instant adressé la parole, et si ceux-là se sont joints à moi, c'est qu'ils espèrent aussi entendre de ta part quelque propos utile.

3 — *Mais qui donc es-tu, ô le plus brave des mortels*[9] ? Lui dis-je sur le ton de la plaisanterie.

Il me déclina alors son nom et sa naissance, en toute simplicité :

— Je m'appelle Tryphon, dit-il ; je suis Hébreu de la circoncision[10] : ayant fui la récente guerre, je passe en Hellade et surtout à Corinthe l'essentiel de mon temps[11].

— Quel grand profit, repris-je, espères-tu tirer de la philosophie, qui se puisse comparer à celui que tu trouves auprès de ton Législateur et auprès des prophètes ?

— Comment donc, répondit-il, les philosophes ne consacrent-ils pas à Dieu la totalité de leur propos, et leurs recherches ne portent-elles pas invariablement sur son Unicité[12] et sur sa Providence ? N'est-ce pas la fonction de la philosophie que d'enquêter sur le divin[13] ?

4 – Ναί, ἔφην, οὕτω καὶ ἡμεῖς δεδοξάκαμεν. Ἀλλ' οἱ πλεῖστοι οὐδὲ τούτου πεφροντίκασιν, εἴτε εἷς εἴτε καὶ πλείους εἰσὶ θεοί, καὶ εἴτε προνοοῦσιν ἡμῶν ἑκάστου εἴτε καὶ οὔ, ὡς μηδὲν πρὸς εὐ-[fol. 51 r° : A]-δαιμονίαν τῆς γνώσεως ταύτης συντελούσης · ἀλλὰ καὶ[1] ἡμᾶς[2] ἐπιχειροῦσι πείθειν ὡς τοῦ μὲν σύμπαντος καὶ αὐτῶν τῶν γενῶν καὶ εἰδῶν ἐπιμελεῖται θεός, ἐμοῦ δὲ καὶ σοῦ οὐκ ἔτι[3] καὶ τοῦ[4] καθ' ἕκαστα[5], ἐπεὶ οὐδ' ἂν[6] ηὐχόμεθα[7] αὐτῷ δι' ὅλης νυκτὸς καὶ ἡμέρας. **5** Τοῦτο δὲ ὅπῃ αὐτοῖς τελευτᾷ οὐ χαλεπὸν συννοῆσαι · ἄδεια γὰρ καὶ ἐλευθερία [λέγειν καὶ][8] ἕπεται[9] τοῖς δοξάζουσι ταῦτα, ποιεῖν τε ὅ τι βούλονται καὶ λέγειν, μήτε κόλασιν φοβουμένοις[10] μήτε ἀγαθὸν ἐλπίζουσί τι ἐκ θεοῦ. Πῶς γάρ ; Οἵ γε ἀεὶ ταὐτὰ[11] ἔσεσθαι λέγουσι, καὶ ἔτι[12] ἐμὲ καὶ σὲ[13] ἔμπαλιν βιώσεσθαι ὁμοίως, μήτε κρείσσονας[14] μήτε χείρους γεγονότας. Ἄλλοι δέ τινες, ὑποστησάμενοι ἀθάνατον καὶ ἀσώματον τὴν ψυχήν, οὔτε κακόν τι δράσαντες ἡγοῦνται δώσειν δίκην (ἀπαθὲς γὰρ τὸ ἀσώματον), οὔτε, ἀθανάτου αὐτῆς ὑπαρχούσης, δέονταί τι τοῦ θεοῦ ἔτι.

6 – Καὶ ὃς ἀστεῖον ὑπομειδιάσας · Σὺ δὲ πῶς, ἔφη, περὶ τούτων φρονεῖς καὶ τίνα γνώμην περὶ θεοῦ ἔχεις καὶ τίς ἡ σὴ φιλοσοφία, εἰπὲ ἡμῖν.

2. 1 – Ἐγώ σοι, ἔφην, ἐρῶ ὅ γέ μοι καταφαίνεται. Ἔστι γὰρ τῷ ὄντι φιλοσοφία μέγιστον κτῆμα καὶ τιμιώτατον θεῷ, ᾧ[15] τε προσάγει καὶ συνίστησιν ἡμᾶς μόνη, καὶ ὅσιοι[16] ὡς ἀληθῶς οὗτοί εἰσιν οἱ φιλοσοφίᾳ τὸν νοῦν προσεσχηκότες. [fol. 51 v° : A] Τί ποτε δέ ἐστι φιλοσοφία καὶ οὗ χάριν κατεπέμφθη εἰς τοὺς ἀνθρώπους, τοὺς πολλοὺς λέληθεν · οὐ γὰρ [p. 79 : B] ἂν Πλατωνικοὶ ἦσαν οὐδὲ Στωϊκοὶ οὐδὲ Περιπατητικοὶ οὐδὲ Θεωρητικοὶ[17] οὐδὲ Πυθαγορικοί, μιᾶς οὔσης ταύτης ἐπιστήμης. **2** Οὗ δὲ

1 Ἀλλὰ καὶ : ἄλλοι δὲ καὶ Anon. *ap.* Thirlb. (p. 444), *coni.* Hyldahl (p. 98) **2** Ἡμᾶς : ὑμᾶς Steph., Jebb **3** Οὐκ ἔτι B, *edd.* : οὐκέτι A **4** Τοῦ : τῶν *prop.* Sylb. *coni.* Marc. **5** Καθ' ἕκαστα *edd. ab* Otto, Troll. : καθέκαστα *codd.*, *cett. edd.* καθέκαστον *prop.* Sylb. **6** Ἐπεὶ οὐδ' ἂν : οὐδ' ἐπειδὰν (εὐχώμεθα) *prop.* Pearson **7** Ηὐχόμεθα : εὐ– *in marg.* A **8** Λέγειν καὶ *delendum* Périon, *del.* Marc. **9** Ἕπεται *prop.* Périon, *coni.* Marc. : ἕπεσθαι *codd.*, *cett. edd.* **10** Φοβουμένοις ...ἐλπίζουσι : φοβουμένους καὶ ἐλπίζοντας *in marg. codd.*, *ad calcem* Steph. **11** Ταὐτὰ *prop.* Pearson, *coni. edd. ab* Otto, Troll., Mign. : ταῦτα *codd.*, *cett. edd.* **12** Ἔτι *prop.* Sylb., *coni. edd. ab* Otto, Troll. : ἐπ' *codd.*, *cett. edd.* *delendum* Périon. **13** Σὲ *codd.*, *edd. a* Mar. : ἐς *cett. edd.* **14** Κρείσσονας : κρείττονας Otto, Arch. **15** Τιμιώτατον θεῷ, ᾧ τε : τιμιώτατον, θεῷ [ᾧ] τε Sylb., Jebb, van Winden **16** Ὅσιοι : ὄλβιοι (*felices*) *prop.* Lange, σοφοί Thirlb. **17** Οὐδὲ Θεωρητικοὶ *ut glossema delendum* Joly (p. 31), *del.* Marc. (cf. Dial. 2, 3 : Στωϊκῷ ...Περιπατητικόν ; 2, 4 : Πυθαγορείῳ ; 2, 6 : Πλατωνικοῖς).

4 — Assurément, repris-je, et c'est bien là aussi notre conception[14]. Mais la plupart[15] ne se soucient pas même de savoir s'il y a un seul Dieu ou s'il y en a plusieurs, et s'ils exercent ou non leur providence sur chacun d'entre nous[16], comme si cette science ne contribuait en rien à une vie heureuse[17]. Bien plus[18], ils s'ingénient à nous convaincre que Dieu s'occupe de l'univers dans son ensemble, des genres et des espèces, mais que de moi, de toi, comme du particulier, il n'en va pas de même, car, disent-ils, (s'il en était autrement) nous ne le prierions pas nuit et jour. **5** A quelle extrémité cela les conduit, on le conçoit sans peine : pour ceux qui professent de telles opinions, c'est l'impunité et la licence qui s'ensuivent : ils font et disent ce que bon leur semble[19], puisque qu'ils ne craignent pas plus le châtiment de Dieu qu'ils n'en espèrent une récompense. Comment donc (pourrait-il en être autrement), puisqu'ils disent que les choses seront toujours les mêmes[20], allant jusqu'à prétendre que moi comme toi nous vivrons à nouveau, tels quels, sans être devenus ni meilleurs, ni pires ? D'autres[21] supposent l'âme immortelle et incorporelle : aussi ne pensent-ils pas devoir être punis du mal qu'ils auront fait (puisque l'incorporel est exempt de souffrance) ; et, l'âme étant immortelle, ils n'ont plus aucun besoin de Dieu.

6 Et lui, souriant finement[22] :

— Mais toi donc, dit-il, que penses-tu de cela, et à propos de Dieu, quelle est ton opinion ? Quelle est ta philosophie ? Dis-le nous.

Justin retrace son itinéraire philosophique.

2. 1 — Je m'en vais, répondis-je, te dire ce qu'il m'en semble[1]. La philosophie est, de fait, un bien très grand et très précieux[2] au regard de Dieu : elle seule nous conduit et nous unit à lui[3] ; et ils sont véritablement des hommes de Dieu[4] ceux qui s'appliquent à la philosophie. Mais ce que peut bien être la philosophie, et pourquoi elle fut envoyée[5] aux hommes, la plupart ne l'ont pas compris. Car ils ne seraient ni Platoniciens, ni Stoïciens, ni Péripatéticiens, ni Théoréticiens[6], ni Pythagoriciens, puisque la philosophie est une science unique[7].

χάριν πολύκρανος ἐγενήθη[1], θέλω εἰπεῖν. Συνέβη τοῖς πρώτοις ἁψαμένοις αὐτῆς καὶ διὰ τοῦτο ἐνδόξοις γενομένοις ἀκολουθῆσαι τοὺς ἔπειτα μηδὲν ἐξετάσαντας ἀληθείας πέρι, καταπλαγέντας δὲ μόνον τὴν καρτερίαν αὐτῶν καὶ τὴν ἐγκράτειαν καὶ τὸ ξένον τῶν λόγων ταῦτα ἀληθῆ νομίσαι ἃ παρὰ τοῦ διδασκάλου ἕκαστος ἔμαθεν, εἶτα καὶ αὐτούς, τοῖς ἔπειτα παραδόντας τοιαῦτα ἅττα καὶ ἄλλα τούτοις προσεοικότα, τοῦτο κληθῆναι τοὔνομα, ὅπερ ἐκαλεῖτο ὁ πατὴρ τοῦ λόγου. **3** Ἐγώ τε κατ' ἀρχὰς οὕτω ποθῶν καὶ αὐτὸς συμβαλεῖν τούτων ἑνί, ἐπέδωκα[2] ἐμαυτὸν Στωϊκῷ τινι · καὶ διατρίψας ἱκανὸν μετ' αὐτοῦ χρόνον, ἐπεὶ οὐδὲν πλέον ἐγίνετό μοι περὶ θεοῦ (οὐδὲ γὰρ αὐτὸς ἠπίστατο, οὐδὲ ἀναγκαίαν ἔλεγε ταύτην εἶναι τὴν μάθησιν)[3], τούτου μὲν ἀπηλλάγην, ἐπ' ἄλλον δὲ ἧκα, Περιπατητικὸν καλούμενον, δριμύν, ὡς ᾤετο. Καί μου ἀνασχόμενος οὗτος τὰς πρώτας ἡμέρας ἠξίου με ἔπειτα μισθὸν ὁρίσαι, ὡς μὴ ἀνωφελὴς ἡ συνουσία [fol. 52 r° : A] γίνοιτο[4] ἡμῖν. Καὶ αὐτὸν ἐγὼ διὰ ταύτην τὴν αἰτίαν κατέλιπον, μηδὲ[5] φιλόσοφον οἰηθεὶς ὅλως. **4** Τῆς δὲ ψυχῆς ἔτι μου σπαργώσης ἀκοῦσαι τὸ ἴδιον καὶ τὸ ἐξαίρετον τῆς φιλοσοφίας, προσῆλθον εὐδοκιμοῦντι[6] μάλιστα Πυθαγορείῳ ἀνδρὶ πολὺ ἐπὶ τῇ σοφίᾳ φρονοῦντι. Κἄπειτα ὡς διελέχθην αὐτῷ, βουλόμενος ἀκροατὴς αὐτοῦ καὶ συνουσιαστὴς γενέσθαι · Τί δαί ; Ὡμίλησας, ἔφη, μουσικῇ καὶ ἀστρονομίᾳ καὶ γεωμετρίᾳ ; Ἢ δοκεῖς κατόψεσθαί τι τῶν εἰς εὐδαιμονίαν συντελούντων, εἰ μὴ [p. 80 : B] ταῦτα πρῶτον διδαχθείης, ἃ τὴν ψυχὴν ἀπὸ τῶν αἰσθητῶν περισπάσει καὶ τοῖς νοητοῖς αὐτὴν παρασκευάσει χρησίμην, ὥστε αὐτὸ κατιδεῖν τὸ καλὸν καὶ αὐτὸ ὅ ἐστιν ἀγαθόν ; **5** Πολλά τε ἐπαινέσας ταῦτα τὰ μαθήματα καὶ ἀναγκαῖα εἰπὼν ἀπέπεμπέ με, ἐπεὶ αὐτῷ ὡμολόγησα μὴ εἰδέναι. Ἐδυσφόρουν οὖν, ὡς τὸ εἰκός, ἀποτυχὼν τῆς ἐλπίδος, καὶ μᾶλλον ᾗ[7] ἐπίστασθαί τι αὐτὸν ᾠόμην · πάλιν τε τὸν χρόνον σκοπῶν, ὃν ἔμελλον ἐκτρίβειν περὶ ἐκεῖνα τὰ μαθήματα, οὐκ ἠνειχόμην εἰς μακρὰν ἀποτιθέμενος. **6** Ἐν ἀμηχανίᾳ δέ μου ὄντος ἔδοξέ μοι καὶ τοῖς Πλατωνικοῖς ἐντυχεῖν · πολὺ γὰρ καὶ τούτων ἦν κλέος. Καὶ δὴ νεωστὶ ἐπιδημήσαντι[8] τῇ ἡμετέρᾳ πόλει συνετῷ ἀνδρὶ καὶ [fol. 52 v° : A] προὔχοντι ἐν τοῖς Πλατωνικοῖς συνδιέτριβον ὡς τὰ μάλιστα, καὶ

1 Ἐγενήθη *coni.* Sylb., Mor., Troll., Mign., *edd. ab Otto*, *prop.* Thirlb., Mar. : ἐγεννήθη *codd.*, *cett. edd.*. (cf. *Dial.* 43, 7 ; 61, 1 ; 78, 1 ; 98, 4 ; 105, 2 ; I Apol. 61, 5) **2** Συμβαλεῖν – ἑνί, ἐπέδωκα *edd. a* Mar. : συμβαλεῖν, τούτων – ἐπέδωκα *codd.*, *cett. edd.* **3** Οὐδὲ – μάθησιν *in semicirculis* A², *edd.* **4** Γίνοιτο *edd. ab* Otto : γίγνοιτο *in textu* A, *in marg.* B, *cett. edd.* γίγνοντο *in textu* B **5** Μηδὲ : μὴ δὲ *codd.*, *et saep.* **6** Εὐδοκιμοῦντι : εὐδοκιμοῦντί τινι Marc. **7** Ἧ : ἢ *in marg. sinistra* A **8** Ἐπιδημήσαντι : ἐπιδημήσαντί τινι Marc.

2 Pour quelle raison elle a pris plusieurs têtes[8], je veux vous l'expliquer. Il arriva que ceux qui, les premiers[9], s'y étaient appliqués devinrent ainsi célèbres ; leurs successeurs marchèrent sur leurs traces, mais sans plus rechercher ce qui a trait à la vérité[10] : uniquement frappés qu'ils étaient de la fermeté des premiers, de leur maîtrise de soi, et de la nouveauté de leurs discours, ils en vinrent à considérer comme vrai ce que chacun apprenait auprès de son maître ; à leur tour ils transmirent à leurs successeurs des doctrines semblables et d'autres similaires : et le nom par lequel ils furent désignés, était celui du père de leur enseignement[11]. **3** Pour ma part, au début, j'éprouvai à mon tour le même désir d'entrer en relation avec l'un de ces philosophes[12], et je me confiai à un Stoïcien[13]. Après avoir passé en sa compagnie suffisamment de temps, comme je n'avais rien acquis de plus au sujet de Dieu – il ne le connaissait pas lui-même, et disait que cette science n'est pas nécessaire –, je pris congé de lui, et passai à un autre, portant le titre de Péripatéticien, et, à ce qu'il croyait, esprit fort pénétrant. Lui me supporta les premiers jours, puis il voulut que je fixasse un salaire[14], afin, prétendait-il, que cette relation ne demeurât pas, pour nous[15], sans profit. Cela fut cause que je l'abandonnai lui aussi, estimant qu'il n'était pas du tout philosophe. **4** Je restai toutefois le cœur plein du désir d'entendre ce qui est le propre et l'excellence[16] de la philosophie, et je m'en fus trouver un Pythagoricien jouissant de la meilleure réputation, un homme qui de la sagesse se faisait une haute idée[17]. Mais lorsque j'en vins à parler avec lui, avec l'intention d'être son auditeur et son disciple : « Comment ? dit-il, es-tu familier de la musique, de l'astronomie et de la géométrie[18] ? Penses-tu donc contempler un jour aucune de ces choses qui concourent au bonheur, sans t'être au préalable instruit de ce qui peut détacher l'âme du sensible, et la disposer à l'intelligible, afin qu'elle contemple le beau en soi et ce qui en soi est bon ? » **5** Il me fit alors un copieux éloge de ces sciences, proclamant leur nécessité, puis il me congédia, quand je lui avouai ne point les connaître. Je fus, naturellement, contrarié de cet espoir déçu, d'autant plus qu'à cet homme je prêtais quelque science. Considérant par ailleurs le temps qu'à ces disciplines il faudrait consacrer, je ne pus me résoudre à ce long retard. **6** Dans mon embarras, je résolus alors d'avoir recours aux Platoniciens ; eux aussi, en effet, avaient un grand renom. Depuis peu, justement, était venu séjourner en notre ville[19] un homme intelligent, éminent parmi les Platoniciens. Je me mis à le fréquenter

προέκοπτον καὶ πλεῖστον ὅσον ἑκάστης ἡμέρας ἐπεδίδουν. Καί με ᾕρει[1] σφόδρα ἡ τῶν ἀσωμάτων νόησις, καὶ ἡ θεωρία τῶν ἰδεῶν ἀνεπτέρου μοι τὴν φρόνησιν, ὀλίγου τε ἐντὸς χρόνου ᾤμην σοφὸς γεγονέναι, καὶ ὑπὸ βλακείας ἤλπιζον αὐτίκα κατόψεσθαι τὸν θεόν · τοῦτο γὰρ τέλος τῆς Πλάτωνος φιλοσοφίας.

3. 1 Καί μου οὕτως διακειμένου ἐπεὶ ἔδοξέ ποτε πολλῆς ἠρεμίας[2] ἐμφορηθῆναι καὶ τὸν τῶν *ἀνθρώπων ἀλεεῖναι*[3] *πάτον*, ἐπορευόμην εἴς τι χωρίον οὐ μακρὰν θαλάσσης. Πλησίον δέ μου γενομένου ἐκείνου τοῦ τόπου, ἔνθα ἔμελλον ἀφικόμενος πρὸς ἐμαυτῷ ἔσεσθαι, παλαιός[4] τις πρεσβύτης, ἰδέσθαι οὐκ εὐκαταφρόνητος, πρᾷον καὶ σεμνὸν ἦθος ἐμφαίνων, ὀλίγον ἀποδέων μου παρείπετο. Ὡς δὲ ἐπεστράφην εἰς αὐτόν, ὑποστὰς ἐνητένισα δριμύτερον αὐτῷ ·

2 – Καὶ ὅς · Γνωρίζεις με ; ἔφη.

Ἠρνησάμην ἐγώ.

– Τί οὖν, μοι[5] ἔφη, οὕτως με κατανοεῖς ; [p. 81 : B]

– Θαυμάζω, ἔφην, ὅτι ἔτυχες ἐν τῷ αὐτῷ μοι γενέσθαι · οὐ γὰρ προσεδόκησα ὄψεσθαί τινα ἀνδρῶν ἐνθάδε.

– Ὁ δέ · Οἰκείων τινῶν, φησί μοι, πεφρόντικα. Οὗτοι δέ μοί[6] εἰσιν ἀπόδημοι · ἔρχομαι οὖν καὶ αὐτὸς σκοπήσων τὰ περὶ αὐτούς, εἰ ἄρα φανήσονταί ποθεν. Σὺ δὲ [fol. 53 r° : A] τί ἐνθάδε ; ἐμοὶ ἐκεῖνος.

– Χαίρω, ἔφην, ταῖς τοιαύταις διατρίβαις · ἀνεμπόδιστος γάρ μοι ὁ διάλογος πρὸς ἐμαυτὸν γίνεται [μὴ ἐναντία δρώσαις ὡσανεί][7], φιλολογίᾳ τε ἀνυτικώτατά ἐστι τὰ τοιάδε χωρία.

3 – Φιλόλογος[8] οὖν τις εἶ σύ, ἔφη, φιλεργὸς δὲ οὐδαμῶς οὐδὲ φιλαλήθης, οὐδὲ πειρᾷ πρακτικὸς εἶναι μᾶλλον ἢ σοφιστής ;

– Τί δ' ἄν, ἔφην ἐγώ, τούτου μεῖζον ἔργον[9] ἄν τις ἐργάσαιτο, τοῦ δεῖξαι[10] μὲν τὸν λόγον ἡγεμονεύοντα πάντων, συλλαβόντα δὲ καὶ ἐπ' αὐτῷ ὀχούμενον καθορᾶν τὴν τῶν ἄλλων πλάνην καὶ τὰ ἐκείνων ἐπιτηδεύματα, ὡς οὐδὲν ὑγιὲς δρῶσιν οὐδὲ θεῷ φίλον ; Ἄνευ δὲ φιλοσοφίας

1 Ἥρει Sylb. Mor., *edd. a* Mar. : ᾕρει *codd.*, *cett. edd.* ἦρε Hyldahl, van Winden ἤρεσκε (*piacebat*) *prop.* Steph. **2** Ἠρεμίας : ἐρημίας *prop.* Thirlb. **3** Ἀλεεῖναι *in textu* A, *in marg.* B², *edd.* : ἐλεεῖναι *in textu* B **4** Παλαιός τις : πολιός τις (*canus*) *prop.* Thirlb. (cf. Plat., *Parm.*, 127b) **5** Μοί : ἐμοι *coni.* Marc. (*ex* Dial. 3, 2 : ἐμοὶ ἐκεῖνος) **6** Μοι : ποι *prop.* Wilamowitz (Comm. Gramm., II, 1880, p. 4), *coni.* Marc. **7** Μὴ – ὡσανεί *ut glossema del.* Sylb., *edd. ab* Otto : μὴ – *δράσαις* ὡσανεί *post* ταῖς τοιαύταις διατριβαῖς *transp.* Périon. **8** Φιλόλογος *edd. ab* Otto : φιλολόγος *codd.*, *cett. edd.* **9** Ἔργον *prop.* Thirlb., *coni.* Troll., Otto, Arch., Marc. (*paulo infra* : μέγιστον καὶ τιμιώτατον ἔργον) : ἀγαθὸν *codd. cett. edd. delendum* Thirlb. **10** Δεῖξαι : διῶξαι *prop.* Thirlb.

autant que je le pus, et je progressais[20] ainsi, avançant chaque jour le plus loin possible. L'intelligence des choses incorporelles me captivait[21] au plus haut point, et la contemplation des Idées donnait des ailes à mon esprit[22] ; si bien qu'en peu de temps, je crus être devenu sage. Et ma légèreté me fit même espérer que j'allais sans délai considérer Dieu : car telle est la finalité de la philosophie de Platon[23].

Justin évoque sa rencontre avec le Vieillard.
Quel est le véritable objet de la philosophie ?

3. 1 Dans cet état d'esprit, je résolus un jour de goûter tout mon saoul à la tranquillité[1], et (cf. *Iliad.* 6, 202)*fuir les sentiers des hommes*[2] ; et je me rendis en un lieu retiré, non loin de la mer[3]. J'approchais de cet endroit, où je me proposais, une fois arrivé, d'être face à moi-même : un antique vieillard, d'aspect non méprisable, montrant en ses manières douceur et gravité, me suivait à quelque distance[4]. Je me tournai vers lui, et m'arrêtai, le fixant du regard avec intensité.

2 — Me connais-tu ?, demanda-t-il.

Je répondis que non.

— Pourquoi donc, reprit-il, m'observes-tu ainsi ?

— C'est que je suis surpris, fis-je, que tu te sois trouvé au même endroit que moi[5] ; car je ne m'attendais guère à voir un homme ici.

— J'ai quelque inquiétude, répondit-il, sur certains de mes proches : ils se trouvent loin de moi, dans un autre pays, et si je viens ici, moi aussi, c'est pour m'enquérir d'eux, et voir s'ils ne vont pas paraître de quelque endroit. Et toi, que fais-tu ici ? me demanda-t-il.

— J'apprécie, répondis-je, de semblables séjours[6]. Car le dialogue que j'ai avec moi même[7] (y) est sans entrave, et tels qu'ils se présentent, ces parages sont tout à fait propices au goût pour la raison[8].

3 — Es-tu donc, reprit-il, amateur de raison, en aucune manière ami de l'action et de la vérité, et ne s'efforçant point de devenir pratique plutôt que sophiste[9] ?

— Mais quelle est donc, répliquai-je, l'action qu'à mettre en œuvre[10] il importerait plus que de montrer que la raison gouverne tout[11], qu'en l'embrassant et en se laissant porter par elle[12], on considère les errements des autres et leurs genres de vie, constatant qu'ils ne font rien de sain ni d'agréable à Dieu ? Sans la philosophie et la droite raison[13], il ne saurait y

καὶ ὀρθοῦ λόγου οὐκ ἄν τῳ παρείη φρόνησις. Διὸ χρὴ πάντα ἄνθρωπον φιλοσοφεῖν καὶ τοῦτο μέγιστον καὶ τιμιώτατον ἔργον ἡγεῖσθαι, τὰ δὲ λοιπὰ δεύτερα καὶ τρίτα, καὶ φιλοσοφίας μὲν ἀπηρτημένα μέτρια[1] καὶ ἀποδοχῆς ἄξια, στερηθέντα δὲ ταύτης καὶ[2] μὴ παρεπομένης τοῖς μεταχειριζομένοις αὐτὰ φορτικὰ καὶ βάναυσα.

4 – Ἦ οὖν φιλοσοφία[3] εὐδαιμονίαν ποιεῖ ; ἔφη ὑποτυχὼν ἐκεῖνος.

– Καὶ μάλιστα, ἔφην ἐγώ, καὶ μόνη.

– Τί γάρ ἐστι φιλοσοφία, φησί, καὶ τίς ἡ εὐδαιμονία αὐτῆς, εἰ μή τι κωλύει φράζειν, φράσον.

– Φιλοσοφία μέν, ἦν δ' ἐγώ, ἐπιστήμη ἐστὶ τοῦ ὄντος καὶ τοῦ ἀληθοῦς ἐπί-[fol. 53 v° : A]-γνωσις, εὐδαιμονία δὲ ταύτης τῆς ἐπιστήμης καὶ τῆς σοφίας γέρας.

5 – Τὸ ὂν[4] δὲ σὺ τί καλεῖς ; ἔφη.

– Τὸ κα-[p. 82 : B]-τὰ τὰ αὐτὰ καὶ ὡσαύτως ἀεὶ[5] ἔχον καὶ τοῦ εἶναι πᾶσι τοῖς ἄλλοις αἴτιον, τοῦτο δή[6] ἐστιν ὁ θεός.

Οὕτως[7] ἐγὼ ἀπεκρινάμην αὐτῷ · καὶ ἐτέρπετο ἐκεῖνος ἀκούων μου, οὕτως τέ με ἤρετο πάλιν.

– Ἐπιστήμη οὐκ ἔστι κοινὸν ὄνομα διαφόρων πραγμάτων ; Ἔν τε γὰρ ταῖς τέχναις ἁπάσαις ὁ ἐπιστάμενος τούτων τινὰ ἐπιστήμων καλεῖται, ἔν τε στρατηγικῇ καὶ κυβερνητικῇ καὶ ἰατρικῇ ὁμοίως. Ἔν τε τοῖς θείοις καὶ ἀνθρωπείοις οὐχ οὕτως ἔχει[8] ; Ἐπιστήμη τις ἐστιν ἡ παρέχουσα αὐτῶν τῶν ἀνθρωπίνων καὶ τῶν θείων γνῶσιν, ἔπειτα τῆς τούτων θειότητος καὶ δικαιοσύνης[9] ἐπίγνωσιν ;

– Καὶ μάλα, ἔφην.

1 Μέτρια : μέτρια πάντα Marc. **2** Ταύτης καὶ : καὶ ταύτης *prop.* Thirlb., *transp.* Marc. **3** Ἦ οὖν φιλοσοφία – ποιεῖ ; ἔφη ὑποτυχὼν ἐκ. Steph., Mar., Thirlb., Mign., Arch., Goodsp., Marc. (ἡ οὖν – Sylb., Otto, *cett. edd.*) : εἰ οὖν φιλοσοφία – ποιεῖ, ἔφη, Οὐχ ὁ τυχὼν ἐκ. *in textu codd.* οἶμαι οὕτως ἂν εἴη κάλλιον · ἦ οὖν φιλοσοφία εὐδαιμονίαν ποιεῖ, ἔφη ὑποτυχὼν ἐκεῖνος ; *in marg. codd.* **4** Τὸ ὂν *prop.* Thirlb. (ὂν Wilamowitz), Aubé (S. Justin, p. 12), *coni.* Schmid, Hyldahl : θεὸν *codd.*, *cett. edd.* **5** Ἀεὶ *coni.* Thirlb., *edd. ab* Otto : αἰεὶ *codd.*, *cett. edd.* **6** Δή : δέ *prop.* Thirlb., *coni.* Marc. **7** Οὕτως A *p. corr.*, B, *edd.* : οὕτω A *a. corr.* **8** Καὶ ἰατρικῇ ὁμοίως. Ἔν τε ...οὐχ οὕτως ἔχει ; Ἐπιστήμη ...γνῶσιν, ἔπειτα ...ἐπίγνωσιν ; Marc. : καὶ ἰατρικῇ ὁμοίως ἔν τε ...οὐχ οὕτως ἔχει ; Ἐπιστήμη ...γνῶσιν · ἔπειτα ...ἐπίγνωσιν ; *codd.* καὶ ἰατρικῇ, ὁμοίως ...οὐχ οὕτως ἔχει ; Ἐπιστήμη ...γνώσιν *spatium vacuum* ἔπειτα ...ἐπίγνωσιν ; Steph. καὶ ἰατρικῇ ὁμοίως. Ἔν τε ...οὐχ οὕτως ἔχει. Ἐπιστήμη ...γνώσιν, ἔπειτα ...ἐπίγνωσιν ; Mar. (*delendum* οὐχ), Mign., Otto, Arch., Goodsp. καὶ ἰατρικῇ, ὁμοίως ἔν τε ...καὶ ἀνθρωπείοις ; - [οὐχ] οὕτως ἔχει *prop.* Wilamowitz (II, p. 5), *coni.* Schmid, Hyldahl (p. 182) **9** Καὶ δικαιοσύνης : καὶ τῆς ἐκείνων δικ. Marc.

avoir de sagesse[14] pour personne. Aussi tout homme doit-il philosopher[15], et tenir cette œuvre pour la plus importante et la plus précieuse[16]. Toutes les autres activités ne viennent qu'en second ou en troisième lieu[17] : si on les fait dépendre de la philosophie, elles sont mesurées et dignes d'approbation ; privées de son soutien, et sans sa compagnie, elles ne sont, pour ceux qui les exercent, qu'importunes et vulgaires.

4 — Serait-ce donc que la philosophie procure le bonheur ? intervint-il alors.

— Assurément, lui dis-je, et elle seule[18].

— Mais alors, poursuivit-il, qu'est-ce que la philosophie, et quel est le bonheur qui en découle ? Si rien ne t'empêche de le dire, dis-le moi !

— La philosophie, répliquai-je, est science de l'être[19] et connaissance du vrai[20] ; quant au bonheur, c'est le prix de cette science et de cette sagesse.

5 — Mais pour ta part, fit-il, qu'appelles-tu donc l'être[21] ?

— Ce qui est toujours même et de même façon, et qui pour tous les autres est cause d'existence[22] : cela, de fait, est Dieu.

Telle fut ma réponse. Il avait plaisir à m'entendre, et à nouveau, il m'interrogea :

— La science[23] n'est-elle pas un nom qu'ont en commun des choses différentes ? Car parmi tous les arts, celui qui en sait un, on l'appelle savant : aussi bien dans la stratégie que dans la navigation, ou dans la médecine ; dans les choses divines et humaines, n'en est-il pas de même[24] ? Existe-t-il une science qui donne la connaissance des choses proprement humaines[25] et divines, et, par conséquent[26], la reconnaissance de leur divinité et de leur justice[27] ?

— Certainement, dis-je.

6 – Τί οὖν ; Ὁμοίως ἐστὶν ἄνθρωπον εἰδέναι καὶ θεόν, ὡς μουσικὴν καὶ ἀριθμητικὴν καὶ ἀστρονομίαν ἤ τι τοιοῦτον[1] ;
– Οὐδαμῶς, ἔφην.
– Οὐκ ὀρθῶς ἄρα ἀπεκρίθης ἐμοί, ἔφη ἐκεῖνος · αἱ μὲν[2] γὰρ ἐκ μαθήσεως προσγίνονται ἡμῖν ἢ διατριβῆς τινος, αἱ δὲ ἐκ τοῦ ἰδέσθαι παρέχουσι τὴν ἐπιστήμην. Εἴ γέ[3] σοι λέγοι τις ὅτι ἐστὶν ἐν Ἰνδίᾳ ζῷον φυὴν οὐχ ὅμοιον τοῖς ἄλλοις πᾶσιν, ἀλλὰ τοῖον ἢ τοῖον, πολυειδὲς καὶ ποικίλον, οὐκ ἂν πρότερον εἰδείης ἢ ἴδοις αὐτό, [fol. 54 r° : A] ἀλλ᾽ οὐδὲ λόγον ἂν ἔχοις εἰπεῖν αὐτοῦ[4] τινα εἰ μὴ ἀκούσαις τοῦ ἑωρακότος.
7 – Οὐ γάρ, φημί.
– Πῶς οὖν ἄν, ἔφη, περὶ θεοῦ ὀρθῶς φρονοῖεν οἱ φιλόσοφοι ἢ λέγοιέν τι ἀληθές, ἐπιστήμην αὐτοῦ μὴ ἔχοντες, μηδὲ ἰδόντες ποτὲ ἢ ἀκούσαντες ;
– Ἀλλ᾽ οὐκ ἔστιν ὀφθαλμοῖς, ἦν δ᾽ ἐγώ, αὐτοῖς[5], πάτερ[6], ὁρατὸν τὸ θεῖον ὡς τὰ ἄλλα[7] ζῷα, ἀλλὰ μόνῳ νῷ καταληπτόν, ὥς φησι Πλάτων, καὶ ἐγὼ πείθομαι αὐτῷ.

4. 1 – Ἔστιν οὖν, φησί, τῷ νῷ ἡμῶν τοιαύτη τις καὶ τοσαύτη δύναμις, ὃ μὴ τάχιον[8] δι᾽ αἰσθήσεως [p. 83 : B] ἔλαβεν ; Ἦ τὸν θεὸν ἀνθρώπου νοῦς ὄψεταί ποτε μὴ ἁγίῳ πνεύματι κεκοσμημένος[9] ;
– Φησὶ γὰρ Πλάτων, ἦν δ᾽ ἐγώ, αὐτὸ τοιοῦτον εἶναι τὸ τοῦ νοῦ ὄμμα καὶ πρὸς τοῦτο ἡμῖν δεδόσθαι, ὡς δύνασθαι καθορᾶν αὐτὸ ἐκεῖνο τὸ ὂν *εἰλικρινεῖ*[10] αὐτῷ ἐκείνῳ[11], ὃ τῶν νοητῶν ἁπάντων ἐστὶν αἴτιον, οὐ χρῶμα ἔχον, οὐ σχῆμα, οὐ μέγεθος, οὐδὲ οὐδὲν ὧν ὀφθαλμὸς βλέπει · ἀλλά τι ὂν τοῦτ᾽ αὐτὸ, φημί[12], ὂν[13] ἐπέκεινα πάσης οὐσίας, οὔτε ῥητὸν οὔτε ἀγορευτόν, ἀλλὰ μόνον καλὸν καὶ ἀγαθόν, ἐξαίφνης ταῖς εὖ πεφυκυίαις

1 Τί οὖν ; Ὁμοίως ...τοιοῦτον ; *edd. a* Mar. : τί οὖν ὁμοίως ...τοιοῦτον ; *codd.* τί οὖν, ὁμοίως ...τοιοῦτον ; Steph., Thirlb. **2** Αἱ μέν ...αἱ δὲ : τὰ μὲν ...τὰ δὲ *vel* αἱ μὲν ...ταῦτα δὲ *prop.* Thirlb. **3** Εἴ γέ : εἰ γὰρ *alii* (Thirlb). **4** Αὐτοῦ : περὶ αὐτοῦ *prop.* Thirlb., *coni.* Marc. **5** Αὐτοῖς : αἰσθητοῖς (*et mox* οἷς *pro* ὡς) *prop.* Thirlb. ἀνθρωπείοις *prop.* Wilamowitz **6** Πάτερ : *redundat* Périon **7** Ἄλλα : *del.* Périon **8** Ὃ μὴ τάχιον δι᾽ αἰσθήσεως ἔλαβεν : ὅ μὴ τάχιον ...ἔλαβεν λαβεῖν *prop.* van Winden (p. 70), Joly (p. 46) ὥσθ᾽ ὅ μὴ τάχ᾽ ἂν ...ἔλαβεν λαβεῖν *prop.* Schmid (p. 175) ὡς ὁρᾶν ὃ μὴ τάχιον ...ἔλαβεν *coni.* Marc. ἐστί τι καταληπτόν, ὅ μὴ τάχιον ...ἔλαβεν *prop.* Hyldahl (p. 192) ἢ μὴ τὸ ὂν ...ἔλαβεν *coni.* Otto, Arch., Goodsp. ἡ μὴ τὸ ὂν ...ἔλαβεν Troll. (*in add.* Mign.) ἢ τὸ ὂν ... ἔλαβεν Wilamowitz **9** Μὴ – κεκοσμημένος : *delendum* Hyldahl (p. 192) **10** Εἰλικρινεῖ : εἰλικρινὲς εἰλικρινεῖ *prop.* Schmid (p. 176), *coni.* Marc. **11** Ἐκείνῳ : *del.* Wilamowitz **12** Ἀλλά τι ὂν τοῦτ᾽ αὐτὸ, φημί *codd.* : ἀλλὰ ..., Φησί *coni.* Otto, Arch., Goodsp. ἀλλὰ τὸ ὂν τὸ αὐτὸ (*vel* τοῦτ᾽ αὐτὸ) φημί *vel* ἀλλὰ τί ; *vel* ἀλλά τι ὂν τοῦτ᾽ αὐτό φημι *prop.* Thirlb. ἀλλὰ τί ὄν ; *vel* ἀλλά τι ὂν τοιοῦτον *prop.* Mar. ἀλλὰ τὸ ὂν τοῦτ᾽ αὐτό, φησί Marc. **13** Ὂν : ὃ (*scil.* ἐστὶ) *prop.* Otto.

6 — Mais alors, connaître Dieu et l'homme, est-ce donc la même chose que savoir la musique, l'arithmétique, l'astronomie ou quelque autre objet similaire ?

— En aucune façon, répondis-je.

— C'est donc que tu ne m'as pas bien répondu, reprit-il[28]. (Parmi ces sciences), certaines, en effet, nous deviennent acquises par l'instruction ou quelque entretien[29] ; pour d'autres, c'est la vue qui en procure la connaissance[30]. Si l'on venait te dire qu'il existe en Inde un animal dont la nature diffère de celle de tous les autres[31], qu'il est comme ceci ou comme cela, multiforme et multicolore, tu ne pourrais le connaître avant de l'avoir vu, et tu serais d'ailleurs incapable d'en parler sans avoir entendu celui qui l'a vu.

7 — Non, certes, dis-je.

— Comment donc, reprit-il, les philosophes pourraient-ils, sur Dieu, avoir quelque conception juste, ou dire quelque chose qui pût être vrai[32], alors qu'ils n'en ont point la science, puisqu'ils[33] ne l'ont ni vu ni entendu ?

— Mais, père, repris-je, ce n'est point par les yeux, que pour ces philosophes le divin est visible, comme le sont les autres êtres vivants, mais c'est pour la pensée[34] seule qu'il devient saisissable[35], comme le dit Platon, et je me fie à lui.

L'âme peut-elle « voir Dieu » ?

4. 1 — Est-ce donc, reprit-il, que notre pensée se trouve dotée, en qualité et en capacité, d'une telle puissance, pour ce qu'elle n'a pas pu, antérieurement, percevoir par les sens[1] ? Ou bien la pensée de l'homme verra-t-elle jamais Dieu sans y avoir été apprêtée[2] par un esprit de sainteté ?

— Platon dit en effet, répliquai-je, que l'œil de l'esprit[3] est bien tel, et que s'il nous a été donné, c'est afin que l'on puisse contempler, avec cet œil même[4], [a]pourvu qu'il soit pur[5], ce qui est l'être même[6], cause de tout intelligible : n'ayant ni couleur, ni forme, ni étendue, ni rien de ce que l'œil du corps perçoit[7], c'est au contraire, j'insiste, quelque chose qui est « être »[8] à proprement parler, au-delà de toute existence[9], ineffable et inexplicable[10], unique Beau et Bien[11] : c'est subitement[12] que les âmes qui y sont naturellement bien disposées[13], en ont l'intuition[14], par leur affinité et le désir qu'elles éprouvent de le voir[15].

a Cf. *Phéd.*, 65e-66a.

ψυχαῖς ἐγγινόμενον διὰ τὸ συγγενὲς καὶ ἔρωτα τοῦ ἰδέσθαι.

2 – Τίς οὖν ἡμῖν, ἔλεγε, συγγένεια πρὸς τὸν θεόν ἐστιν ; Ἦ καὶ ἡ ψυχὴ θεία καὶ ἀθάνατός ἐστι καὶ [fol. 54 v° : A] αὐτοῦ ἐκείνου τοῦ βασιλικοῦ νοῦ μέρος ; Ὡς δὲ ἐκεῖνος ὁρᾷ τὸν θεόν, οὕτω[1] καὶ ἡμῖν ἐφικτὸν τῷ ἡμετέρῳ νῷ συλλαβεῖν τὸ θεῖον καὶ τοὐντεῦθεν ἤδη εὐδαιμονεῖν ;

– Πάνυ μὲν οὖν, ἔφην.

– Πᾶσαι δ' αὐτῷ[2] διὰ πάντων αἱ ψυχαὶ χωροῦσι τῶν ζῴων, ἠρώτα, ἢ ἄλλη μὲν ἀνθρώπου, ἄλλη δὲ ἵππου καὶ ὄνου ;

– Οὔκ, ἀλλ' αἱ αὐταὶ ἐν πᾶσίν εἰσιν, ἀπεκρινάμην.

3 – Ὄψονται ἄρα, φησί, καὶ ἵπποι καὶ ὄνοι ἢ εἶδόν ποτε τὸν θεόν ;

– Οὔκ[3], ἔφην · οὐδὲ γὰρ οἱ πολλοὶ τῶν ἀνθρώπων, εἰ μή τις ἐν δίκῃ βιώσαιτο, καθηράμενος δικαιοσύνῃ καὶ τῇ ἄλλῃ ἀρετῇ πάσῃ.

– Οὐκ ἄρα, ἔφη, διὰ τὸ συγγενὲς ὁρᾷ τὸν θεόν, οὐδ' ὅτι νοῦς ἐστιν[4], ἀλλ' ὅτι σώφρων καὶ δίκαιος ;

– Ναί, ἔφην, καὶ διὰ τὸ ἔχειν ᾧ νοεῖ τόν θεόν[5].

– Τί οὖν ; Ἀδικοῦσί τινα αἶγες ἢ πρόβατα ;

– Οὐδὲν οὐδένα, ἦν δ' ἐγώ.

4 – Ὄψονται ἄρα, φησί, κατὰ τὸν σὸν λόγον[6] καὶ ταῦτα τὰ ζῷα ;

– Οὔ · τὸ γὰρ σῶμα αὐτοῖς, τοιοῦτον ὄν, ἐμπόδιόν ἐστιν.

– Εἰ λάβοιεν [p. 84 : B] φωνὴν τὰ ζῷα ταῦτα, ὑποτυχὼν ἐκεῖνος, εὖ ἴσθι ὅτι πολὺ ἂν εὐλογώτερον ἐκεῖνα τῷ ἡμετέρῳ σώματι λοιδοροῖντο · νῦν δ' ἐάσωμεν οὕτω, καί σοι ὡς λέγεις συγκεχωρήσθω. Ἐκεῖνο δέ μοι εἰπέ · ἕως ἐν τῷ σώματί ἐστιν ἡ ψυχὴ βλέπει, ἢ ἀπαλλαγεῖσα τούτου ;

5 – Καὶ ἕως μέν [fol. 55 r° : A] ἐστιν ἐν ἀνθρώπου εἴδει, δυνατὸν αὐτῇ, φημί, ἐγγενέσθαι[7] διὰ τοῦ νοῦ, μάλιστα δὲ ἀπολυθεῖσα τοῦ σώματος καὶ αὐτὴ καθ' ἑαυτὴν γενομένη τυγχάνει οὗ ἤρα πάντα τὸν χρόνον[8].

– Ἦ καὶ μέμνηται τούτου πάλιν ἐν ἀνθρώπῳ γενομένη ;

– Οὔ μοι δοκεῖ, ἔφην.

– Τί οὖν ὄφελος ταῖς ἰδούσαις, ἢ τί πλέον τοῦ μὴ ἰδόντος ὁ ἰδὼν ἔχει, εἰ μηδὲ αὐτὸ τοῦτο ὅτι εἶδε μέμνηται ;

1 Οὕτω : οὕτως Otto, Arch. **2** Αὐτῷ : αὐτὸ (*scil.* τὸ θεῖον) *prop.* Thirlb. (πᾶσαι δ' αὐτὸ καὶ πάντων), Mar., *coni.* Otto, Arch., Goodsp. ὡσαύτως *prop.* Thirlb. *coni.* Marc. **3** Οὐκ A *p. corr.*, B, Steph., Thirlb., Mar., Mign., Otto, Marc. : οὔ A *a. corr.* Arch., Goodsp. **4** Νοῦς ἐστιν : νοῦν ἔχει *prop.* Thirlb. νοῦς ἔνεστιν *coni.* Marc. **5** Καὶ – θεόν : *del.* Hyldahl (p. 190 *et* 196) **6** *Post* τὸν σὸν λόγον Marc. *addiderit* τὸν θεὸν **7** Ἐγγενέσθαι : συγγενέσθαι prop. Thirlb. **8** Πάντα τὸν χρόνον *prop.* Thirlb., *coni.* Arch., Goodsp., Marc. : πάντα τὸν χρό(νον *sup. l.*) πάν(τα ? τῶν ? τῶς ? *sup. l.*) A π. τ. χρ. πάντα B π. τ. χρ. πάντως *prop.* Pearson, *coni.* Thirlb., Otto π. τ. χρ. πάντων *cett. edd.* π. τ. χρ. ὑπὲρ πάντων *vel* π. τ. χρ. πάντων μάλιστα *prop.* Sylb.

2 — Quelle sorte d'affinité, dit-il, avons-nous avec Dieu ? Est-ce que l'âme est aussi divine et immortelle, et de cet esprit souverain-là, lui-même, est-elle une partie[16] ? Et comme celui-là voit Dieu, pouvons nous, nous aussi, avec notre esprit, atteindre à la conception du divin et ainsi, dès à présent, au bonheur[17] ?

— Parfaitement, dis-je.

— Mais toutes les âmes, demanda-t-il, se répandent-elles, d'après lui[18], dans tous les êtres vivants ? ou bien celle d'un homme diffère-t-elle de celle d'un cheval ou d'un âne ?

— Non point, répondis-je : en tous, elles sont les mêmes.

3 — Chevaux et ânes eux aussi, dit-il, verront-ils donc ou ont-ils jamais vu Dieu ?

— Non, dis-je, pas davantage que la plupart des hommes ; à moins de conformer sa vie à ce qui est juste, en étant purifié par la justice et toute autre vertu.

— Ce n'est donc pas, reprit-il, en raison de l'affinité, que l'homme voit Dieu, ni parce qu'il est esprit, mais parce qu'il est sage et juste !

— Assurément, dis-je, et aussi parce qu'il a de quoi connaître[19] Dieu.

— Mais alors, les boucs ou les brebis peuvent, envers quelqu'un, commettre quelque injustice ?

— Nullement, et envers personne, répondis-je.

4 – Ainsi donc, reprit-il, d'après ce que tu dis, ces animaux verront eux aussi (Dieu) ?

— Non pas, car leur corps, tel qu'il est, y fait obstacle.

— Si ces animaux pouvaient prendre la parole, intervint-il, sois certain qu'ils pourraient, à bien plus juste titre, décrier notre corps[20]. Mais pour l'instant, laissons ce point, et qu'il te soit accordé selon ce que tu dis. Réponds-moi plutôt sur ceci : est-ce lorsqu'elle se trouve toujours dans le corps que l'âme voit (Dieu), ou lorsqu'elle l'a quitté ?

5 — Même alors qu'elle se trouve dans une forme humaine, il est pour elle possible, je le déclare, que cela se produise, par l'esprit ; mais c'est surtout lorsqu'elle est déliée du corps, et qu'elle est revenue à elle-même, qu'elle gagne ce que toujours elle avait désiré[21].

— S'en souvient-elle encore, une fois revenue dans le corps d'un homme ?

— Il me semble que non, dis-je.

— Quel est donc le profit pour celles qui ont vu ; et qu'a-t-il de plus, sur qui n'a point vu, celui qui a vu, si même de cela – je veux dire d'avoir vu – il ne se souvient pas ?

6 – Οὐκ ἔχω εἰπεῖν, ἦν δ' ἐγώ.
– Αἱ δὲ ἀνάξιαι ταύτης τῆς θέας κριθεῖσαι τί πάσχουσιν ; ἔφη.
– Εἴς τινα θηρίων ἐνδεσμεύονται σώματα, καὶ αὕτη ἐστὶ κόλασις αὐτῶν.
– Οἴδασιν οὖν ὅτι διὰ ταύτην τὴν αἰτίαν ἐν τοιούτοις εἰσι σώμασι καὶ ὅτι ἐξήμαρτόν τι ;
– Οὐ νομίζω.
7 – Οὐδὲ ταύταις ἄρα ὄφελός τι τῆς κολάσεως, ὡς[1] ἔοικεν · ἀλλ' ουδὲ κολάζεσθαι αὐτὰς λέγοιμι, εἰ μὴ ἀντιλαμβάνονται τῆς κολάσεως.
– Οὐ γάρ.
– Οὔτε ὁρῶσι τὸν θεὸν αἱ ψυχαί, οὔτε μεταμείβουσιν[2] εἰς ἕτερα σώματα · ἤδεσαν[3] γὰρ ἂν ὅτι κολάζονται οὕτως, καὶ ἐφοβοῦντο ἂν καὶ τὸ τυχὸν ἐξαμαρτεῖν ὕστερον. Νοεῖν δὲ αὐτὰς δύνασθαι ὅτι ἔστι θεὸς καὶ[4] δικαιοσύνη καὶ εὐσέβεια καλόν, κἀγὼ συντίθεμαι, ἔφη.
– Ὀρθῶς λέγεις, εἶπον.

5. 1 – Οὐδὲν οὖν ἴσασι περὶ τούτων ἐκεῖνοι οἱ φιλόσοφοι · οὐδὲ γὰρ ὅ τί ποτέ ἐστι [fol. 55 v° : A] ψυχὴ ἔχουσιν εἰπεῖν.
– Οὐκ ἔοικεν.
– Οὐδὲ μὴν ἀθάνατον χρὴ λέγειν αὐτήν · ὅτι εἰ ἀθά-[p. 85 : B]-νατός ἐστι, καὶ ἀγέννητος[5] δηλαδή.
– Ἀγέννητος δὲ καὶ ἀθάνατός ἐστι κατά τινας λεγομένους Πλατωνικούς.
– Ἦ[6] καὶ τὸν κόσμον σὺ ἀγέννητον λέγεις ;
– Εἰσὶν οἱ λέγοντες, οὐ μέντοι γε αὐτοῖς συγκατατίθεμαι ἐγώ.
2 – Ὀρθῶς ποιῶν. Τίνα γὰρ λόγον ἔχει σῶμα οὕτω στερεὸν καὶ ἀντιτυπίαν ἔχον καὶ σύνθετον καὶ ἀλλοιούμενον καὶ φθίνον καὶ γινόμενον ἑκάστης ἡμέρας μὴ ἀπ' ἀρχῆς τινος ἡγεῖσθαι γεγονέναι ; εἰ δὲ[7] ὁ κόσμος γεννητός[8], ἀνάγκη καὶ τὰς ψυχὰς γεγονέναι καὶ οὐκ[9] εἶναί ποι[10] τάχα · διὰ γὰρ τοὺς ἀνθρώπους ἐγένοντο καὶ τὰ ἄλλα ζῷα, εἰ ὅλως κατ' ἰδίαν καὶ μὴ μετὰ τῶν ἰδίων σωμάτων φήσεις αὐτὰς γεγονέναι.
– Οὕτως δοκεῖ ὀρθῶς ἔχειν.
– Οὐκ ἄρα ἀθάνατοι.

1 Ὡς : οὐκ *prop.* Mar. *qui haec verba Iustino tribuit* **2** Μεταμείβουσιν A *p. corr.*, B, *edd.* : μεταμείβουσι A *a. corr.* **3** Ἤδεσαν *codd., edd. ab* Otto, Troll. : ᾔδοσαν *cett. edd.* ᾔδεισαν *prop.* Sylb., Pearson, Thirlb., Mar. **4** Καὶ : καὶ ὅτι Marc. **5** Ἀγέννητος et γεννητός (= *non genita, generata*) Dial. 5, 1 *bis*, 2, 4, 5, 6 : ἀγένητος et γενητός (= *non facta, ortum sive originem non habens*) *prop.* Otto **6** Ἦ *edd. a* Mar. : ἢ *codd., cett. edd.* **7** Δὲ : δ' Thirlb., Otto, Mign. **8** Γεννητός : γενητός *prop.* Otto (*mox enim* : ψυχὰς γεγονέναι) **9** Οὐκ : *om.* Lange **10** Ποι : ἀεί που Marc.

6 — Je ne sais que te dire, repartis-je.
— Et les âmes jugées indignes de cette vision, que leur arrive-t-il ? poursuivit-il.
— Elles sont enchaînées dans certains corps de bêtes, et c'est là leur châtiment[22].
— Elles savent donc que c'est pour cette raison qu'elles sont dans de tels corps, et pour s'être rendues coupables de quelque faute.
— Je ne le pense pas.
7 — Mais alors, elles non plus ne tirent aucun profit de leur punition, semble-t-il. Je dirais même qu'elles ne sont point punies, si elles ne saisissent pas la punition.
— Non, en effet.
— Donc, les âmes ne voient pas Dieu, et elles ne transmigrent[23] pas non plus vers d'autres corps. Car elles sauraient (sinon) qu'elles sont ainsi punies, et elles auraient la crainte de pécher encore, même par inadvertance. Maintenant, qu'elles soient capables de comprendre qu'il y a un Dieu, et que la justice comme la piété sont un bien, j'en conviens moi aussi, dit-il.
— Tu as raison, répondis-je.

L'âme n'est pas par nature immortelle.

5. 1 — De ces choses, lesdits philosophes ne savent donc[1] rien, puisqu'ils sont incapables de dire ce que peut bien être l'âme ?
— Il semble en effet que non.
— On ne doit pas davantage[2] dire qu'elle est immortelle ; car si elle est immortelle, elle est à l'évidence aussi non engendrée[3].
— Mais elle est à la fois non engendrée et immortelle, selon certains, qui portent le nom de Platoniciens[4] !
— Affirmes-tu, pour ta part, que le monde lui aussi est non engendré ?
— Il en est[5] qui le disent. Je ne partage toutefois pas, quant à moi, leur avis.
2 — Et tu fais bien. Comment peut-on raisonnablement penser, en effet, qu'un corps aussi solide, résistant et compact, qui change, périt et naît chaque jour n'a pas été produit par quelque cause[6] ? Mais si le monde est engendré, il faut nécessairement que les âmes, elles aussi, soient produites[7], et, peut-être, n'existent plus en un certain point[8] ; car c'est à cause des hommes[9], et des autres êtres vivants, qu'elles ont été produites, si tu soutiens

– Οὔ<κ>[1] , ἐπειδὴ καὶ ὁ κόσμος γεννητὸς ἡμῖν ἐφάνη.

3 – Ἀλλὰ μὴν οὐδὲ ἀποθνήσκειν φημὶ πάσας τὰς ψυχὰς ἐγώ · ἕρμαιον γὰρ ἦν[2] ὡς ἀληθῶς τοῖς κακοῖς. Ἀλλὰ τί ; Τὰς μὲν τῶν εὐσεβῶν ἐν κρείττονί ποι χώρῳ μένειν, τὰς δὲ ἀδίκους καὶ πονηρὰς ἐν χείρονι[3], τὸν τῆς κρίσεως ἐκδεχομένας χρόνον τότε[4]. Οὕτως αἱ μέν, ἄξιαι τοῦ θεοῦ[5] φανεῖσαι[6], οὐκ[7] ἀποθνήσκουσιν ἔτι · αἱ δὲ κολά-[fol. 56 r° : A]-ζονται, ἔστ' ἂν αὐτὰς καὶ εἶναι καὶ κολάζεσθαι ὁ θεὸς θέλῃ.

4 – Ἆρα τοιοῦτόν ἐστιν ὃ λέγεις, οἷον καὶ Πλάτων ἐν Τιμαίῳ αἰνίσσεται περὶ τοῦ κόσμου, λέγων[8] ὅτι λυτὸς[9] μὲν καὶ φθαρτός ἐστιν ᾗ γέγονεν, οὐ λυθήσεται δὲ οὐδὲ τεύξεται θανάτου μοίρας διὰ τὴν βούλησιν τοῦ θεοῦ ; Τοῦτ' αὐτό σοι δοκεῖ καὶ περὶ ψυχῆς καὶ ἁπλῶς πάντων πέρι λέγεσθαι ; Ὅσα[10] γάρ ἐστι μετὰ τὸν θεὸν ἢ ἔσται ποτέ, ταῦτα φύσιν φθαρτὴν ἔχειν[11], καὶ οἷά τε [p. 86 : B] ἐξαφανισθῆναι καὶ μὴ εἶναι ἔτι · μόνος γὰρ ἀγέννητος καὶ ἄφθαρτος ὁ θεὸς καὶ διὰ τοῦτο θεός ἐστι, τὰ δὲ λοιπὰ πάντα μετὰ τοῦτον γεννητὰ[12] καὶ φθαρτά.

5 Τούτου χάριν καὶ ἀποθνήσκουσιν αἱ ψυχαὶ καὶ κολάζονται · ἐπεὶ εἰ ἀγέννητοι ἦσαν, οὔτ' ἂν ἐξημάρτανον οὔτε ἀφροσύνης ἀνάπλεῳ[13] ἦσαν, οὐδὲ δειλαὶ καὶ θρασεῖαι πάλιν, ἀλλ' οὐδὲ[14] ἑκοῦσαί ποτε εἰς σύας ἐχώρουν καὶ ὄφεις καὶ κύνας, οὐδὲ μὴν[15] ἀναγκάζεσθαι αὐτὰς θέμις, εἴπερ εἰσὶν ἀγέννητοι. Τὸ γὰρ ἀγέννητον τῷ ἀγεννήτῳ ὅμοιόν ἐστι καὶ ἴσον καὶ ταὐτόν, καὶ οὔτε δυνάμει οὔτε τιμῇ προκριθείη ἂν θατέρου τὸ ἕτερον. **6** Ὅθεν οὐδὲ πολλά[16] ἐστι τὰ ἀγέννητα · εἰ γὰρ διαφορά τις ἦν ἐν αὐτοῖς, οὐκ ἂν εὕροις ἀναζητῶν τὸ αἴτιον τῆς διαφορᾶς, ἀλλ', ἐπ' ἄπειρον ἀεὶ τὴν [fol. 56 v° : A] διάνοιαν πέμπων, ἐπὶ ἑνός ποτε στήσῃ

1 Οὐκ : οὔ *codd.*, Goodsp. **2** Ἦν : ἂν ἦν Marc. **3** Χείρονι *edd.* : χείρωνι *codd.* **4** Τότε : ποτέ *prop.* Thirlb., Mar. *delendum* van Winden **5** Τοῦ θεοῦ : τῷ θεῷ *prop.* Thirlb. **6** Φανεῖσαι Sylb., Mor., Troll., *edd. ab* Otto (cf. *Dial.* 4, 6 : αἱ δὲ ἀνάξιαι ταύτης τῆς θέας κριθεῖσαι ; Origen., *Cels.*, VI, 44, 18 : ἄξιοι φανέντες τῆς εἰς τὰ θεῖα ἀναβάσεως), van Winden, p. 91 : φανεῖσθαι *codd.*, *cett. edd.* **7** Οὐκ : –κ *ex corr.* A., *vacat* (*fuit* οὐ μὴ ?), γρ(άφεται) οὐ μη *sup. l.* τὸ γὰρ οὐ μὴ ἀποθνήσκωσιν ἔτι ἔξω τῆς ὀρθῆς τοῦ λόγου συντάξεως *in marg. codd.* ὅπως ...ἀποθνήσκωσιν ...κολάζωνται *prop.* Thirlb. **8** Λέγων : λέγω *errore* Thirlb. **9** Λυτὸς Marc. : αὐτὸς *codd.*, *cett. edd.* **10** Ὅσα : Ναί, ὅσα Marc. οὔ, ὅσα Hyldahl (p. 210) *Verba* ὅσα γάρ ἐστι κτλ. *seni tribuit codd.* A *in marg.* (γέρων : *om.* B), Steph., Marc. Iustino *tribuere* Mar., Otto, Arch., Goodsp. *Ab* Τούτου χάριν *incipit loqui senex secundum* St. Thirlby. **11** Ἔχειν : *supplendum* Πλάτων αἰνίσσεται *vel legendum* ἔχει, *si senex hic loqui incipit* Mar. ἔχει *prop.* Thirlb., *coni.* Marc., ἔχειν φημί Hyldahl **12** Γεννητὰ : γενητὰ *prop.* Otto (*supra* : φθαρτός ἐστιν ᾗ γέγονεν) **13** Ἀνάπλεῳ Sylb., Mar., Mign., Troll., *edd. ab* Otto : ἀνάπλεω *codd. cett. edd.* **14** Οὐδὲ : οὔτε *coni.* Marc. **15** Οὐδὲ μὴν : οὐδὲ μὴν ἦν Marc. **16** Πολλά : π. καὶ διάφορα Marc. (cf. p. 8).

sans réserve qu'elles sont produites à part, et non avec le corps qui leur est propre[10].

— Il semble qu'il en est bien ainsi.

— Elles ne sont donc pas immortelles ?

— Non, puisqu'il nous est apparu que le monde, lui aussi, est engendré.

3 — Je ne dis toutefois pas, pour ma part, que les âmes meurent toutes. Ce serait là, à vrai dire, une bonne affaire pour les méchants[11]. Qu'en est-il donc ? Celles des hommes pieux demeurent en quelque lieu meilleur ; les injustes et les méchantes en un lieu pire, où elles attendent alors le temps du jugement[12]. Ainsi les unes – celles qui auront paru dignes de Dieu – ne meurent (plus)[13] ; les autres sont châtiées aussi longtemps que Dieu veut qu'elles existent et qu'elles soient châtiées[14].

4 — Ta doctrine s'apparente-t-elle donc à celle que Platon[15], dans le *Timée*, laisse entendre au sujet du monde, lorsqu'il dit que celui-ci est susceptible de dissolution[16] et corruptible, en tant qu'il fut produit, mais qu'il ne sera pas dissous, et qu'il n'est pas non plus destiné à la mort, cela de par la volonté de Dieu[17] ? Cette doctrine-là peut-elle, à ton avis, s'appliquer également à l'âme et, en définitive, à toute chose ? Car[18] (selon ton opinion Platon déclare que) tout ce qui est ou doit être jamais après Dieu, tout cela, par nature, est corruptible, peut disparaître, et n'être plus. Dieu seul est non engendré et incorruptible[19], et c'est là ce qui fait qu'il est Dieu, tandis que tout le reste, qui vient après lui, est engendré et corruptible. **5** Voilà pourquoi les âmes[20] tout à la fois meurent et sont châtiées. Car si elles étaient non engendrées, elles ne pécheraient pas, et ne seraient pas non plus emplies de déraison ; elles ne seraient pas tantôt lâches, tantôt braves ; elles n'iraient pas d'elles-mêmes séjourner en un porc, un serpent ou un chien ; et il n'est d'ailleurs pas loisible de les contraindre, si l'on admet du moins qu'elles sont non engendrées. Car le non-engendré au non-engendré est semblable ; il lui est même égal et identique, et ni pour la puissance ni pour la dignité on ne saurait juger que l'un prévaut sur l'autre[21]. **6** Il s'ensuit que le non-engendré n'est pas non plus multiple[22]. Car à supposer qu'il y ait, entre les non-engendrés, une quelconque différence, de cette différence on ne pourrait, par la recherche, remonter à la cause : lancée toujours vers l'infini, la pensée, fatiguée, finira par s'arrêter sur un seul être non engendré, que l'on déclarera cause de toute chose. Cela[23], dis-je[24], a-t-il donc échappé à ces sages, Platon et Pythagore, qui pour nous sont en quelque sorte devenus le rempart[25] et le soutien de la philosophie ?

ἀγεννήτου καμὼν καὶ τοῦτο φήσεις ἁπάντων αἴτιον. Εἶτα < ταῦτα >[1] ἔλαθε, φημὶ ἐγώ, Πλάτωνα καὶ Πυθαγόραν, σοφοὺς ἄνδρας, οἳ ὥσπερ τεῖχος ἡμῖν καὶ ἔρεισμα φιλοσοφίας ἐξεγένοντο ;

6. 1 – Οὐδὲν ἐμοί, ἔφη, μέλει Πλάτωνος οὐδὲ Πυθαγόρου οὐδὲ ἁπλῶς οὐδενὸς ὅλως τοιαῦτα δοξάζοντος. Τὸ γὰρ ἀληθὲς οὕτως ἔχει · μάθοις δ' ἂν ἐντεῦθεν. Ἡ ψυχὴ ἤτοι ζωή ἐστιν ἢ ζωὴν ἔχει. Εἰ μὲν οὖν ζωή ἐστιν, ἄλλο τι ἂν ποιήσειε ζῆν, οὐχ ἑαυτήν, ὡς καὶ κίνησις[3] ἄλλο τι κινήσειε μᾶλλον ἢ ἑαυτήν. Ὅτι δὲ ζῇ ψυχή, οὐδεὶς ἀντείποι. Εἰ δὲ ζῇ, οὐ ζωὴ οὖσα ζῇ, ἀλλὰ μεταλαμβάνουσα τῆς ζωῆς · ἕτερον δέ τι τὸ μετέχον τινὸς ἐκείνου οὗ μετέχει. Ζωῆς δὲ ψυχὴ μετέχει, ἐπεὶ ζῆν αὐτὴν ὁ θεὸς βούλεται. **2** Οὕτως ἄρα καὶ οὐ μεθέξει ποτέ, ὅ-[p. 87 : B]-ταν αὐτὴν μὴ θέλοι ζῆν. Οὐ γὰρ <ἴ>δι<ον> αὐτῆς[4] ἐστι τὸ ζῆν ὡς τοῦ θεοῦ · ἀλλὰ ὥσπερ ἄνθρωπος οὐ διὰ παντός[5] ἐστιν οὐδὲ σύνεστιν ἀεὶ τῇ ψυχῇ τὸ σῶμα, ἀλλ', ὅταν[6] δέῃ λυθῆναι τὴν ἁρμονίαν ταύτην, καταλείπει ἡ ψυχὴ τὸ σῶμα καὶ ὁ ἄνθρωπος οὐκ ἔστιν[7], οὕτως καί, ὅταν δέῃ τὴν ψυχὴν μηκέτι εἶναι, ἀπέστη ἀπ' αὐτῆς τὸ ζωτικὸν πνεῦμα καὶ οὐκ ἔστιν ἡ ψυχὴ ἔτι, ἀλλὰ καὶ αὐτὴ ὅθεν ἐλή-[fol. 57 r° : A]-φθη ἐκεῖσε χωρεῖ πάλιν.

7. 1 – Τίνι οὖν, φημί, ἔτι τις χρήσαιτο διδασκάλῳ ἢ πόθεν ὠφεληθείη τις, εἰ μηδὲ ἐν τούτοις τὸ ἀληθές ἐστιν ;

– Ἐγένοντό τινες πρὸ πολλοῦ χρόνου πάντων τούτων τῶν νομιζομένων φιλοσόφων παλαιότεροι, μακάριοι καὶ δίκαιοι καὶ θεοφιλεῖς, θείῳ πνεύματι λαλήσαντες καὶ τὰ μέλλοντα θεσπίσαντες, ἃ δὴ νῦν γίνεται · προφήτας δὲ αὐτοὺς καλοῦσιν[8]. Οὗτοι μόνοι τὸ ἀληθὲς καὶ εἶδον καὶ ἐξεῖπον ἀνθρώποις, μήτ' εὐλαβηθέντες μήτε δυσωπηθέντες τινά, μὴ ἡττημένοι δόξης, ἀλλὰ μόνα ταῦτα εἰπόντες ἃ ἤκουσαν καὶ ἃ εἶδον ἁγίῳ πληρωθέντες πνεύματι. **2** Συγγράμματα δὲ αὐτῶν ἔτι καὶ νῦν διαμένει, καὶ ἔστιν ἐντυχόντα τούτοις πλεῖστον ὠφεληθῆναι καὶ περὶ ἀρχῶν καὶ περὶ τέλους καὶ ὧν χρὴ εἰδέναι τὸν φιλόσοφον, πιστεύσαντα ἐκείνοις. Οὐ γὰρ μετὰ ἀποδείξεως πεποίηνται τότε[8] τοὺς λόγους, ἅτε ἀνωτέρω πάσης ἀποδείξεως ὄντες ἀξιόπιστοι μάρτυρες τῆς ἀληθείας · τὰ δὲ ἀποβάντα

1 Εἶτα ταῦτα *prop.* Thirlb., van Winden : ἢ ταῦτα *coni.* Otto, Arch., Goodsp. ἦ ταῦτα *prop.* Thirlb., *coni.* Marc εἶτα *codd.*, *cett. edd.* εἴτε *prop.* Mar., Troll. εἰ μὴ *prop.* Nolte **2** Κίνησις : ἡ κίνησις *prop.* Sylb. **3** Ἴδιον αὐτῆς *prop.* Mar., *coni. edd. ab* Otto : δι' αὐτῆς *codd.*, *cett. edd.* **4** Διὰ παντός *edd. ab* Otto : διαπαντὸς *codd.*, *cett. edd.* **5** Ὅταν *corr.* Sylb., Thirlb., *edd. ab* Otto : ὅτε ἂν *codd.*, *cett. edd.* **6** Οὐκ ἔστιν : οὐκέτι ἐστίν Marc. (*paulo post* : οὐκ ἔστιν ...ἔτι) **7** Προφῆτας – καλοῦσιν *in semicirculis* Steph., Thirlb. **8** Τότε : ποτέ *prop.* Pearson.

L'âme participe à la vie tant que Dieu veut qu'elle vive.

6. 1 — Je ne me soucie guère, dit-il, de Platon ni de Pythagore, pas plus d'ailleurs que d'aucun de ceux qui ont de telles vues. Car la vérité est ainsi[1], et d'après ce qui suit, tu pourras t'en convaincre[2] : ou bien l'âme est vie, ou bien elle a la vie. Si elle est vie, c'est un autre être qu'elle fera vivre, et non elle-même, ainsi que le mouvement meut quelque chose d'autre, plutôt que lui-même[3]. Que l'âme vive, personne n'y saurait contredire. Si elle vit, cependant, ce n'est pas parce qu'elle est vie, mais parce qu'elle a part à la vie. Or ce qui participe de quelque chose est autre que ce dont il participe. Si l'âme participe de la vie, c'est parce que Dieu veut qu'elle vive. **2** Aussi adviendra-t-il qu'elle n'y participe plus, lorsqu'il ne lui plaira plus qu'elle vive. Car la vie ne lui appartient pas en propre, comme elle appartient à Dieu : de même que l'homme n'existe pas indéfiniment, et que le corps ne coexiste pas toujours à l'âme, mais que, lorsque vient le moment où cette harmonie[4] doit être dissoute, l'âme abandonne le corps et l'homme n'existe plus, de même aussi, lorsque l'âme doit cesser d'être, l'esprit de vie s'échappe d'elle, l'âme n'existe plus et retourne, à son tour, là d'où elle avait été tirée[5].

La connaissance de la vérité ne peut être tirée que des prophètes.

7. 1 — A quel didascale, dis-je, peut-on alors avoir recours, et où chercher de l'aide si même chez ceux-là[1], on ne trouve point le vrai ?

— Il y eut, voilà bien longtemps[2], certains hommes, d'une plus grande antiquité que tous ces prétendus philosophes[3] : bienheureux, justes et aimés de Dieu[4], ils parlaient par un Esprit divin[5], et prononçaient, sur l'avenir, des oracles[6] qu'on voit bien s'accomplir aujourd'hui. On les nomme prophètes[7]. Eux seuls ont vu et annoncé le vrai aux hommes : sans égard ni crainte envers personne[8], sans céder au désir de gloire, ils rapportaient uniquement ce qu'ils avaient entendu et vu[9], emplis[10] d'un Esprit saint. **2** Leurs écrits subsistent encore aujourd'hui[11], et celui qui les lit peut en tirer le meilleur profit, tant sur les principes que sur la fin[12], et sur tout ce qu'il faut qu'un philosophe sache, pourvu qu'il y accorde foi. Ce n'est pas, en effet, en leur donnant la forme d'une démonstration qu'ils ont alors présenté leurs discours, attendu qu'il étaient, plus haut que toute démonstration, les dignes témoins de la vérité[13]. Ce sont les événements passés et présents qui forcent

καὶ ἀποβαίνοντα ἐξαναγκάζει συντίθεσθαι τοῖς λελαλημένοις δι' αὐτῶν. **3** Καίτοι γε καὶ διὰ τὰς δυνάμεις, ἃς ἐπετέλουν, πιστεύεσθαι δίκαιοι ἦσαν, ἐπειδὴ καὶ τὸν ποιητὴν τῶν ὅλων θεὸν καὶ πατέρα[1] ἐδόξαζον [fol. 57 v° : A] καὶ τὸν παρ' αὐτοῦ Χριστὸν υἱὸν αὐτοῦ κατήγγελ-[p. 88 : B]-λον · ὅπερ οἱ ἀπὸ τοῦ πλάνου καὶ ἀκαθάρτου πνεύματος ἐμπιπλάμενοι ψευδοπροφῆται οὔτε ἐποίησαν οὔτε ποιοῦσιν, ἀλλὰ δυνάμεις τινὰς ἐνεργεῖν εἰς κατάπληξιν τῶν ἀνθρώπων τολμῶσι καὶ τὰ τῆς *πλάνης πνεύματα* καὶ *δαιμόνια* δοξολογοῦσιν.

Εὔχου δέ σοι πρὸ πάντων φωτὸς ἀνοιχθῆναι πύλας · οὐ γὰρ συνοπτὰ[2] οὐδὲ συννοητὰ πᾶσιν ἐστιν[3], εἰ μή τῳ θεὸς δῷ συνιέναι καὶ ὁ Χριστὸς αὐτοῦ.

8. 1 Ταῦτα καὶ ἔτι ἄλλα πολλὰ εἰπὼν ἐκεῖνος, ἃ νῦν καιρὸς οὐκ ἔστι λέγειν, ᾤχετο, κελεύσας διώκειν αὐτά · καὶ οὐκέτι αὐτὸν εἶδον. Ἐμοὶ[4] δὲ παραχρῆμα πῦρ ἐν τῇ ψυχῇ ἀνήφθη, καὶ ἔρως ἔχεί[5] με τῶν προφητῶν καὶ τῶν ἀνδρῶν ἐκείνων, οἵ εἰσι Χριστοῦ φίλοι · διαλογιζόμενός τε πρὸς ἐμαυτὸν τοὺς λόγους αὐτοῦ ταύτην μόνην εὕρισκον φιλοσοφίαν ἀσφαλῆ τε καὶ σύμφορον. **2** Οὕτως δὴ καὶ διὰ ταῦτα φιλόσοφος ἐγώ. Βουλοίμην δ' ἂν καὶ πάντας ἴσον ἐμοὶ θυμὸν ποιησαμένους μὴ ἀφίστασθαι τῶν τοῦ σωτῆρος λόγων · δέος γάρ τι ἔχουσιν ἐν ἑαυτοῖς, καὶ ἱκανοὶ δυσωπῆσαι[6] τοὺς ἐκτρεπομένους τῆς ὀρθῆς ὁδοῦ, ἀνάπαυσίς τε[7] ἡδίστη γίνεται τοῖς ἐκμελετῶσιν αὐτούς. Εἰ οὖν τι καὶ σοὶ περὶ σεαυτοῦ [fol. 58 r° : A] μέλει καὶ ἀντιποιῇ σωτηρίας καὶ ἐπὶ τῷ θεῷ πέποιθας, ἅπερ[8] οὐκ ἀλλοτρίῳ τοῦ πράγματος, πάρεστιν ἐπιγνόντι σοὶ τὸν Χριστὸν τοῦ θεοῦ καὶ τελείῳ γενομένῳ εὐδαιμονεῖν.

3 Ταῦτά μου, φίλτατε, εἰπόντος οἱ μετὰ τοῦ Τρύφωνος ἀνεγέλασαν, αὐτὸς δὲ ὑπομειδιάσας · Τὰ μὲν ἄλλα σου, φησίν, ἀποδέχομαι καὶ ἄγαμαι τῆς περὶ τὸ θεῖον ὁρμῆς, ἄμεινον δὲ ἦν φιλοσοφεῖν ἔτι σε τὴν Πλάτωνος ἢ ἄλλου του φιλοσοφίαν, ἀσκοῦντα καρτερίαν καὶ ἐγκράτειαν καὶ σω-[p. 89 : B]-φροσύνην, ἢ λόγοις ἐξαπατηθῆναι ψευδέσι καὶ ἀνθρώποις ἀκολουθῆσαι οὐδενὸς ἀξίοις. Μένοντι γάρ σοι ἐν ἐκείνῳ τῷ τῆς φιλοσοφίας τρόπῳ καὶ ζῶντι ἀμέμπτως ἐλπὶς ὑπελείπετο ἀμείνονος

1 Θεὸν καὶ πατέρα : καὶ πατέρα θεὸν (cf. I Apol. 36, 1 : τοῦ δεσπότου πάντων καὶ πατρὸς θεοῦ) *vel* καὶ θεὸν καὶ πατέρα (cf. Dial. 67, 6 : ὁ πατὴρ αὐτοῦ καὶ τῶν ὅλων ποιητὴς καὶ κύριος καὶ θεός) *prop.* Thirlb., Otto. καὶ πατέρα θεὸν Marc. **2** Συνοπτὰ : συνοπτὰ ταῦτα Marc. **3** Ἐστιν : ἐστ– *ex corr.* A **4** Ἐμοί *prop.* Thirlb., *coni. edd. ab* Otto, Troll. : ἐμοῦ *codd.*, *cett. edd.* **5** Ἔχει : εἶχε *prop.* Thirlb. (cf. ἀνήφθη), *coni. edd. ab* Otto **6** Δυσωπῆσαι *edd.* : δυσωπεῖσαι *codd.* **7** Τε : δὲ *coni.* Marc. **8** Ἅπερ : ἅτε *coni.* Sylb.

à adhérer aux paroles proférées par leur intermédiaire[14]. **3** Ce sont aussi, assurément, les prodiges[15] accomplis par eux qui les rendaient dignes de foi, puisqu'ils célébraient[16] l'auteur de l'univers, Dieu et Père[17], et annonçaient le Christ qui vient de lui, son fils. Cela, les faux prophètes, imbus de l'esprit d'erreur et d'impureté ne l'ont point fait et ne le font pas : les sortes de prodiges qu'ils osent opérer leur servent à frapper les hommes de stupeur, et ceux qu'ils glorifient sont les [a]*esprits d'erreur* ainsi que les *démons*[18].

Mais avant tout, prie pour que te soient ouvertes les portes de lumière[19] : car ces choses pour tous demeurent invisibles et inconcevables, sauf pour celui à qui [b]Dieu, et son Christ[20], accordent de comprendre[21].

Départ du Vieillard. Conversion de Justin.
Reproches de Tryphon aux chrétiens.

8. 1 Après m'avoir dit toutes ces choses et beaucoup d'autres encore[1] que ce n'est pas le lieu de rapporter ici, il s'en alla[2], en me recommandant d'en poursuivre la méditation. Et je ne l'ai plus revu. Mais un feu[3], subitement, s'embrasa dans mon âme, et je demeure[4] pris d'amour pour les prophètes ainsi que pour ces hommes qui sont amis du Christ[5]. Dialoguant alors avec moi-même[6] sur ses paroles, je trouvai que c'était là l'unique philosophie, à la fois sûre et profitable. **2.** C'est donc de cette manière et à cause de cela que je suis, pour ma part, philosophe[7]. Et je voudrais que tous, épousant les mêmes aspirations que moi, ne se tiennent pas éloignés[8] des paroles du Sauveur[9]. Car elles ont, en elles-mêmes, un certain pouvoir de susciter la crainte, et suffisent à troubler ceux qui se détournent de la voie droite[10], tandis que le plus doux repos[11] s'offre à ceux qui s'y attachent. Si donc tu as, toi aussi, quelque souci de toi-même, si tu prétends au Salut et si tu as foi en Dieu, il est pour toi possible – puisqu'à l'affaire tu n'es pas étranger[12] – en ayant reconnu le Christ de Dieu, et une fois achevée ton initiation[13], d'accéder au bonheur[14].

3 A ces paroles, très cher[15], les compagnons de Tryphon éclatèrent de rire, et lui même me dit en souriant[16] :

— Quant au reste de tes propos[17], j'y souscris, et je me réjouis de ton zèle pour le divin. Mais il vaudrait mieux que tu poursuives dans la philosophie de Platon ou d'un autre, en t'exerçant à la constance, à la maîtrise de soi et à la tempérance[18], plutôt que de te laisser abuser par des discours trompeurs,

a Cf. *I Tim.* 4, 1 **b** cf. *Ps.* 2, 2 ?

μοίρας · καταλιπόντι δὲ τὸν θεὸν καὶ εἰς ἄνθρωπον ἐλπίσαντι ποία ἔτι περιλείπεται σωτηρία ;

4 Εἰ οὖν καὶ ἐμοῦ θέλεις ἀκοῦσαι (φίλον γάρ σε ἤδη νενόμικα)[1], πρῶτον μὲν περιτεμοῦ, εἶτα φύλαξον, ὡς νενόμισται, τὸ σάββατον καὶ τὰς ἑορτὰς καὶ τὰς νουμηνίας τοῦ θεοῦ, καὶ ἁπλῶς τὰ ἐν τῷ νόμῳ γεγραμμένα πάντα ποίει, καὶ τότε σοι ἴσως ἔλεος ἔσται παρὰ θεοῦ.

Χριστὸς δέ, εἰ καὶ γεγένηται[2] καὶ ἔστι που, ἄγνωστός ἐστι καὶ οὐδὲ αὐτός πω ἑαυτὸν ἐπίσταται οὐδὲ ἔχει δύναμίν τινα, μέχρις ἂν ἐλθὼν Ἠλίας χρίσῃ [fol. 58 v° : A] αὐτὸν καὶ φανερὸν πᾶσι ποιήσῃ · ὑμεῖς δέ, ματαίαν ἀκοὴν παραδεξάμενοι, Χριστὸν ἑαυτοῖς τινα ἀναπλάσσετε καὶ αὐτοῦ χάριν τὰ νῦν[3] ἀσκόπως ἀπόλλυσθε.

9. 1 – Συγγνώμη σοι, ἔφην, ὦ ἄνθρωπε, καὶ ἀφεθείη σοι · οὐ γὰρ οἶδας ὃ λέγεις, ἀλλὰ πειθόμενος τοῖς διδασκάλοις, οἳ οὐ συνίασι τὰς γραφάς, καὶ ἀπομαντευόμενος λέγεις ὅ τι ἄν σοι ἐπὶ θυμὸν ἔλθοι. Εἰ δὲ βούλοιο τούτου πέρι δέξασθαι[4] λόγον, ὡς[5] οὐ πεπλανήμεθα οὐδὲ παυσόμεθα ὁμολογοῦντες τοῦτον[6], κἂν τὰ ἐξ ἀνθρώπων ἡμῖν ἐπιφέρωνται ὀνείδη, κἂν ὁ δεινότατος ἀπειπεῖν ἀναγκάζῃ τύραννος · παρεστῶτι γὰρ δείξω[7] ὅτι οὐ κενοῖς ἐπιστεύσαμεν μύθοις οὐδὲ ἀναποδείκτοις λόγοις, ἀλλὰ μεστοῖς πνεύματος θείου καὶ δυνάμει βρύουσι καὶ τεθηλόσι χάριτι.

2 Ἀνεγέλασαν οὖν πάλιν οἱ μετ' αὐτοῦ καὶ ἄκοσμον ἀνεφθέγγοντο. Ἐγὼ δὲ ἀναστὰς οἷός τ' ἤμην ἀπέρχεσθαι · ὁ δέ [p. 90 : B] μου τοῦ ἱματίου λαβόμενος οὐ πρὶν ἀνήσειν[8] ἔφη, πρὶν ὃ ὑπεσχόμην ἐκτελέσαι.

– Μὴ οὖν, ἔφην, θορυβείτωσαν οἱ ἑταῖροί σου μηδὲ ἀσχημονείτωσαν οὕτως, ἀλλ', εἰ μὲν βούλονται, μετὰ ἡσυχίας ἀκροάσθωσαν, εἰ δὲ καὶ ἀσχολία τις αὐτοῖς ὑπέρτερος ἐμποδών ἐστιν, ἀπίτωσαν · ἡμεῖς δέ, ὑποχωρήσαντές ποι καὶ ἀναπαυσάμενοι [fol. 59 r° : A], περαίνωμεν τὸν λόγον. **3** Ἔδοξε καὶ τῷ Τρύφωνι οὕτως ἡμᾶς ποιῆσαι, καὶ δὴ ἐκνεύσαντες εἰς τὸ μέσον τοῦ Ξύστου[9] στάδιον ᾔειμεν · τῶν δὲ σὺν αὐτῷ δύο, χλευάσαντες καὶ τὴν σπουδὴν ἡμῶν ἐπισκώψαντες, ἀπηλλάγησαν. Ἡμεῖς δὲ ὡς ἐγενόμεθα ἐν ἐκείνῳ τῷ τόπῳ, ἔνθα ἑκατέρωθεν λίθινοί εἰσι θῶκοι, ἐν τῷ ἑτέρῳ καθεσθέντες οἱ μετὰ τοῦ Τρύφωνος, ἐμβαλόντος[10] τινὸς

1 Φίλον – νενόμικα *in semicirculis* Steph., Thirlb., Otto **2** Γεγένηται : γενέννηται *prop.* Thirlb. **3** Τὰ νῦν : τανῦν Otto, Arch. **4** Τούτου πέρι δέξασθαι *codd., edd. a* Mar. : περιδέξασθαι *cett. edd.* παραδέξασθαι *prop.* Thirlb. **5** Ὡς : μαθήσῃ *vel simile quid addendum* Sylb. εἴσῃ ὡς Marc. **6** Τοῦτον : εἰς τοῦτον *in marg. codd.* **7** Δείξω : δείξω σοι Marc. **8** Ἀνήσειν Lange, Troll., *edd. ab* Otto : ἀνύσειν *codd., cett. edd.* ἀνύσειν τι *prop.* Sylb., ἀπονεύσειν Thirlb. **9** Ξύστου : ξυστοῦ *edd. ab.* Otto **10** Ἐμβάλοντος *edd.* : ἐμβάλλοντος *codd.*

en te faisant le disciple de gens sans valeur. Tant que tu demeurais en cette sorte de philosophie, tu pouvais, en menant une vie irréprochable, conserver l'espoir d'une meilleure destinée. Mais si tu abandonnes Dieu pour placer ton espoir en un homme[19], quelle sorte de salut[20] te reste-t-il ? **4** Donc, si tu veux bien m'écouter moi aussi – car je te considère désormais comme un ami[21] – fais-toi tout d'abord circoncire, puis observe, comme cela est prescrit par la Loi, le sabbat, les fêtes et les néoménies de Dieu[22], accomplis, en un mot, tout ce qui est écrit dans la Loi[23]. Alors, très certainement[24], tu obtiendras de Dieu miséricorde[25]. Le Christ[26], à supposer qu'il soit né et se trouve en quelque lieu, il demeure ignoré[27] ; il ne se connaît même pas lui même et ne dispose d'aucune puissance tant qu'Élie n'est pas venu l'oindre et le manifester à tous[28]. Mais vous, qui avez accueilli une vaine rumeur, vous vous êtes façonné à vous même un Christ à cause duquel, aujourd'hui, vous vous perdez inconsidérément.

Début de l'entretien dans le stade central du Xyste.

9. 1 — Qu'il te soit accordé indulgence et pardon, répliquai-je, car tu ne sais pas ce que tu dis, et, sous l'influence des didascales qui ne comprennent pas les Écritures[1], tu dis, tel un oracle, tout ce qui te passe par la tête... Laisse-moi te montrer[2] que nous ne sommes pas dans l'erreur[3], que nous ne cesserons de confesser cet homme, même si cela nous vaut la réprobation de nos semblables, et quand bien même le plus cruel des tyrans exigerait notre reniement[4]. Si tu restes[5], je te montrerai que notre foi n'est pas vouée à de vaines fables[6] ou à des doctrines sans preuves[7], mais à des paroles qui, pénétrées de l'Esprit divin, sont jaillissantes[8] de force et de grâce florissantes[9].

2 Ses compagnons, à nouveau, éclatèrent de rire[10], et se mirent à vociférer d'une manière indécente. Je me levai[11], prêt à partir, mais lui me retint par le manteau, et ne voulut point me laisser aller avant que j'aie mené à terme ce que j'avais promis[12].

— Que tes amis, dis-je, cessent donc leur tapage[13] et leurs inconvenances et, s'ils y sont disposés, écoutent tranquillement. Si au contraire quelque affaire plus pressante les en empêche, qu'ils s'en aillent. Quant à nous, mettons-nous un peu à l'écart et poursuivons en paix cet entretien.

3 Cette proposition convint à Tryphon, et nous nous retirâmes[14] vers le stade central du Xyste[15]. Deux de ses compagnons, nous ayant raillés et s'étant moqués de notre zèle, s'éloignèrent. Nous parvînmes quant à nous en

αὐτῶν λόγον περὶ τοῦ κατὰ τὴν Ἰουδαίαν γενομένου πολέμου, διελάλουν.

10. 1 Ὡς δὲ ἀνεπαύσαντο, ἐγὼ οὕτως αὐτοῖς πάλιν ἠρξάμην · Μὴ ἄλλο τί ἐστιν ὃ ἐπιμέμφεσθε ἡμᾶς, ἄνδρες φίλοι, ἢ τοῦτο ὅτι οὐ κατὰ τὸν νόμον βιοῦμεν, οὐδὲ ὁμοίως τοῖς προγόνοις ὑμῶν περιτεμνόμεθα τὴν σάρκα, οὐδὲ ὡς ὑμεῖς σαββατίζομεν ; Ἢ καὶ ὁ βίος ἡμῶν καὶ τὸ ἦθος διαβέβληται παρ' ὑμῖν ; τοῦτο δ' ἐστὶν ὃ λέγω, μὴ καὶ ὑμεῖς πεπιστεύκατε περὶ ἡμῶν, ὅτι δὴ ἐσθίομεν ἀνθρώπους καὶ μετὰ τὴν εἰλαπίνην[1] ἀποσβεννύντες τοὺς λύχνους ἀθέσμοις μίξεσιν ἐγκυλιόμεθα, ἢ αὐτὸ τοῦτο καταγινώσκετε ἡμῶν μόνον, ὅτι τοιούτοις προσέχομεν λόγοις καὶ οὐκ ἀληθεῖ, ὡς οἴεσθε, πιστεύομεν δόξῃ ;

2 – Τοῦτ' ἔστιν ὃ θαυμάζομεν, ἔφη ὁ Τρύφων, περὶ δὲ ὧν οἱ [fol. 59 v° : A] πολλοὶ λέγουσιν, οὐ πιστεῦσαι ἄξιον [p. 91 : B] · πόρρω γὰρ κεχώρηκε τῆς ἀνθρωπίνης φύσεως. Ὑμῶν δὲ καὶ τὰ ἐν τῷ λεγομένῳ Εὐαγγελίῳ παραγγέλματα θαυμαστὰ οὕτως καὶ μεγάλα ἐπίσταμαι εἶναι, ὡς ὑπολαμβάνειν μηδένα δύνασθαι φυλάξαι αὐτά · ἐμοὶ γὰρ ἐμέλησεν ἐντυχεῖν αὐτοῖς. **3** Ἐκεῖνο δὲ ἀποροῦμεν μάλιστα, εἰ ὑμεῖς, εὐσεβεῖν λέγοντες καὶ τῶν ἄλλων[2] οἰόμενοι διαφέρειν, κατ' οὐδὲν αὐτῶν ἀπολείπεσθε, οὐδὲ διαλλάσσετε ἀπὸ τῶν ἐθνῶν τὸν ὑμέτερον βίον, ἐν τῷ μήτε τὰς ἑορτὰς μήτε τὰ σάββατα τηρεῖν μήτε τὴν περιτομὴν ἔχειν, καὶ ἔτι, ἐπ' ἄνθρωπον σταυρωθέντα τὰς ἐλπίδας ποιούμενοι, ὅμως ἐλπίζετε τεύξεσθαι ἀγαθοῦ τινος παρὰ τοῦ θεοῦ, μὴ ποιοῦντες αὐτοῦ τὰς ἐντολάς. Ἢ οὐκ ἀνέγνως, ὅτι *Ἐξολοθρευθήσεται ἡ ψυχὴ ἐκείνη ἐκ τοῦ γένους αὐτῆς, ἥτις*[3] *οὐ περιτμηθήσεται ...τῇ ὀγδόῃ ἡμέρᾳ* ; Ὁμοίως δὲ καὶ περὶ τῶν *ἀλλογενῶν*[4] καὶ περὶ τῶν *ἀργυρωνήτων* διέσταλται. **4** Ταύτης οὖν τῆς *διαθήκης* εὐθέως[5] καταφρονήσαντες ὑμεῖς ἀμελεῖτε καὶ τῶν ἔπειτα, καὶ πείθειν ἡμᾶς ἐπιχειρεῖτε ὡς εἰδότες τὸν θεόν, μηδὲν πράσσοντες ὧν οἱ φοβούμενοι τὸν θεόν. Εἰ οὖν ἔχεις πρὸς ταῦτα ἀπολογή-[fol. 60 r° : A]-σασθαι[6], καὶ ἐπιδεῖξαι ᾧτινι τρόπῳ ἐλπίζετε ὁτιοῦν, κἂν μὴ φυλάσσοντες τὸν νόμον, τοῦτό σου ἡδέως ἀκούσαιμεν μάλιστα, καὶ τὰ ἄλλα δὲ ὁμοίως συνεξετάσωμεν[7].

1 Εἰλαπίνην *edd.* : εἰλαπήνην *codd.* **2** Τῶν ἄλλων : τῶν ἄλλων ἐθνῶν Marc. **3** Ἥτις : ἣ Dial. 23, 4 ἄρσην, ὃς LXX **4** Ἀλλογενῶν : οἰκογενῶν prop. Thirlb. **5** Εὐθέως : εὐήθως *vel* εὐθέως ἀμελεῖτε *prop.* Thirlb. **6** Ἀπολογή/γήσασθαι A **7** Συνεξετάσωμεν : –τάσομεν *prop.* Sylb.

ce lieu que bordent, de chaque côté, deux bancs de pierre. Les compagnons de Tryphon s'installèrent sur l'un d'eux ; quelqu'un parmi eux ayant amené la conversation sur la guerre de Judée[16], ils discutaient.

Tryphon ne reproche aux chrétiens que leur refus d'observer la Loi.

10. 1 Lorsqu'ils eurent terminé, je m'adressai à eux, à nouveau, en ces termes :

— Nous reprochez-vous autre chose, mes amis, que de ne pas vivre selon la Loi, ne pas nous circoncire la chair, à l'instar de vos Pères, et de ne pas observer le sabbat, comme vous[1] ? Vos griefs portent-ils également sur notre façon de vivre et sur nos mœurs ? En d'autres termes, croyez-vous, vous aussi, que nous mangeons des hommes, et qu'après de bruyants festins, nous éteignons les lumières pour nous rouler dans de criminelles unions[2] ? Ou nous reprochez-vous seulement notre adhésion aux discours que j'ai évoqués, et notre foi en ce qui n'est, selon vous, qu'opinion[3] erronée ?

2 — C'est bien là ce qui nous étonne, dit Tryphon, et non ce que la plupart racontent, qui est indigne de foi : ils sont incompatibles avec la nature humaine[4]. Je sais en revanche que les préceptes[5] contenus pour vous dans ce qu'on appelle l'Évangile[6] sont si grands et si admirables que personne, j'imagine, n'est en mesure de les appliquer[7]. J'ai pris soin, en effet, d'en prendre connaissance… **3** Ce qui nous embarrasse le plus, c'est plutôt que vous vous disiez pieux et prétendiez être différents des autres sans vous séparer d'eux en aucune manière ; que votre vie ne se distingue pas de celle des nations puisque vous ne respectez ni les fêtes ni le sabbat, et n'avez pas la circoncision ; que de surcroît, vous placiez vos espoirs en un homme crucifié[8], et espériez néanmoins, sans en observer les commandements, obtenir quelque bien de Dieu. N'as-tu pas lu qu' [a]*Elle sera exterminée du milieu de sa race l'âme qui n'aura pas été circoncise …le huitième jour*[9] ? Ce qui vaut également pour les [b]*étrangers* et les *esclaves acquis à prix d'argent*[10]. **4** Ainsi donc, vous méprisez d'emblée[11] cette[12] [c]*Alliance* en faisant fi de ce qu'elle entraîne[13], et vous cherchez à nous faire croire que vous connaissez Dieu sans rien mettre en pratique de ce que respectent les Craignants-Dieu[14]. Si tu peux te défendre à ce sujet, et démontrer[15] comment, même sans observer la Loi, vous pouvez concevoir une quelconque espérance, nous t'écouterons bien volontiers, et nous pourrions ensuite, selon la même méthode, examiner ensemble les autres points[16].

a Cf. *Gen.* 17, 14 **b** cf. *Gen.* 17, 12.27 **c** cf. *Gen.* 17, 14.

11. 1 – Οὔτε ἔσται ποτὲ ἄλλος θεός, ὦ Τρύφων, οὔτε ἦν ἀπ' αἰῶνος, ἐγὼ οὕτως πρὸς αὐτόν[1], πλὴν τοῦ ποιήσαντος καὶ διατάξαντος τόδε τὸ πᾶν. Οὐδὲ ἄλλον μὲν ἡμῶν, ἄλλον δὲ ὑμῶν ἡγούμεθα θεόν, ἀλλ' αὐτὸν ἐκεῖνον τὸν *ἐξαγαγόντα* τοὺς πατέρας ὑμῶν *ἐκ γῆς Αἰγύπτου ἐν χειρὶ κραταιᾷ καὶ βραχί*-[p. 92 : B]-*ονι ὑψηλῷ* · οὐδ' εἰς ἄλλον τινὰ ἠλπίκαμεν, οὐ γὰρ ἔστιν[2], ἀλλ' εἰς τοῦτον εἰς ὃν καὶ ὑμεῖς, τὸν θεὸν τοῦ 'Αβραὰμ[3] καὶ 'Ισαὰκ καὶ 'Ιακώβ. 'Ηλπίκαμεν[4] δὲ οὐ διὰ Μωσέως[5] οὐδὲ διὰ τοῦ νόμου · ἢ γὰρ ἂν τὸ αὐτὸ ὑμῖν ἐποιοῦμεν. **2** Νυνὶ δὲ ἀνέγνων γάρ, ὦ Τρύφων, ὅτι ἔσοιτο καὶ τελευταῖος νόμος καὶ διαθήκη κυριωτάτη πασῶν, ἣν νῦν δέον φυλάσσειν πάντας ἀνθρώπους, ὅσοι τῆς τοῦ θεοῦ κληρονομίας ἀντιποιοῦνται. Ὁ γὰρ ἐν Χωρὴβ παλαιὸς ἤδη νόμος καὶ ὑμῶν μόνων, ὁ δὲ πάντων[6] ἁπλῶς · νόμος δὲ κατὰ νόμου[7] τεθεὶς τὸν πρὸ αὐτοῦ ἔπαυσε, καὶ διαθήκη μετέπειτα γενομένη τὴν προτέραν ὁμοίως ἔστησεν[8]. Αἰώνιός τε[9] ἡμῖν νόμος καὶ τελευταῖος ὁ Χριστὸς ἐδόθη καὶ ἡ διαθήκη πιστή [fol. 60 v° : A], μεθ' ἣν οὐ νόμος, οὐ πρόσταγμα, οὐκ ἐντολή. **3** Ἢ σὺ ταῦτα οὐκ ἀνέγνως ἅ φησιν Ἡσαΐας ; (*Is.* 51, 4) *'Ακούσατέ μου, ἀκούσατέ μου, λαός μου, καὶ οἱ βασιλεῖς πρός με ἐνωτίζεσθε, ὅτι νόμος παρ' ἐμοῦ ἐξελεύσεται καὶ ἡ κρίσις μου εἰς φῶς ἐθνῶν.* (5) *'Εγγίζει ταχὺ ἡ δικαιοσύνη μου, καὶ ἐξελεύσεται τὸ σωτήριόν μου, καὶ εἰς τὸν βραχίονά μου ἔθνη ἐλπιοῦσι.* Καὶ διὰ Ἱερεμίου περὶ ταύτης αὐτῆς τῆς *καινῆς διαθήκης* οὕτω φησίν · (*Jér.* 31, 31) *'Ιδοὺ ἡμέραι ἔρχονται, λέγει κύριος, καὶ διαθήσομαι τῷ οἴκῳ 'Ισραὴλ καὶ τῷ οἴκῳ 'Ιούδα διαθήκην καινήν,* (32)*οὐχ ἣν διεθέμην τοῖς πατράσιν αὐτῶν, ἐν ἡμέρᾳ ᾗ ἐπελαβόμην τῆς χειρὸς αὐτῶν ἐξαγαγεῖν αὐτοὺς ἐκ γῆς*[10] *Αἰγύπτου.* **4** Εἰ οὖν ὁ θεὸς *διαθήκην καινὴν* ἐκήρυξε μέλλουσαν διαταχθήσεσθαι[11] καὶ ταύτην *εἰς φῶς ἐθνῶν*, ὁρῶμεν δὲ καὶ πεπείσμεθα[12] διὰ τοῦ ὀνόματος αὐτοῦ τοῦ σταυρωθέντος 'Ιησοῦ Χριστοῦ[13] [p. 93 : B] ἀπὸ τῶν εἰδώλων καὶ τῆς ἄλλης ἀδικίας προσελθόντας τῷ θεῷ καὶ μέχρι θανάτου ὑπομένοντας τὴν ὁμολογίαν καὶ εὐσέβειαν ποιεῖσθαι, καὶ ἐκ τῶν ἔργων καὶ ἐκ τῆς παρακολουθούσης δυνάμεως συνιέναι πᾶσι δυνατὸν ὅτι οὗτός ἐστιν ὁ *καινὸς νόμος* καὶ ἡ *καινὴ διαθήκη*, καὶ ἡ *προσδοκία* τῶν ἀπὸ πάντων τῶν *ἐθνῶν* ἀναμενόντων τὰ

1 'Εγὼ – αὐτόν *in semicirculis* Steph. **2** Οὐ – ἔστιν *in semicirculis* Otto **3** 'Αβραὰμ : Ἁβραάμ *hic et ubique codd.* **4** 'Ηλπίκαμεν *prop.* Sylb., *coni.* Otto, Troll., Arch., Marc. (*ut supra*) : ἠλπίσαμεν *codd.*, *cett. edd.* **5** Μωσέως : Μωϋσέως Mar., Mign., Otto, Goodsp. **6** Ὁ δὲ πάντων : ὁ δὲ καινὸς πάντων Marc. **7** Κατὰ νόμου : μετὰ νόμον prop. Thirlb. **8** Ἔστησεν : ἔσβησεν prop. Thirlb. **9** Τε : δὲ *prop.* Thirlb. **10** Γῆς *edd.* (ex LXX) : τῆς *codd.* **11** Διαταχθήσεσθαι (= Dial. 51, 3) : διατεθήσεσθαι *prop.* Thirlb. (ex. Dial. 34, 1 ; 67, 9) **12** Πεπείσμεθα : πεπύσμεθα prop. Steph. **13** *Post* 'Ιησοῦ Χριστοῦ Marc. *add.* ἀνθρώπους.

Le Christ, « Loi éternelle », met un terme à la « Loi de l'Horeb ».
Les chrétiens sont la « race israélite véritable ».

11. 1 Je répondis en ces termes :
— Il ne saurait y avoir d'autre Dieu[1], Tryphon, et il n'y en eut jamais de toute éternité, que Celui qui a créé et ordonné cet univers. Nous ne pensons pas davantage qu'il y ait pour nous un Dieu, et pour vous un autre, mais Celui-là seul qui [a]*a guidé* vos pères *hors du pays d'Égypte par sa main puissante et son bras élevé*[2] ; ce n'est pas non plus en quelque autre Dieu que nous plaçons nos espérances – il n'y en a pas – mais dans le même que vous, le Dieu d'Abraham, d'Isaac et de Jacob[3]. Ces espérances, toutefois, ne passent pas par[4] Moïse, ni par la Loi, car alors, nous ferions comme vous. **2** Ce que j'ai lu en effet, Tryphon[5], c'est plutôt qu'il y aurait à la fois une Loi ultime[6] et une Alliance supérieure à toutes les autres, celle que doivent respecter, aujourd'hui, tous les hommes qui prétendent à l'héritage de Dieu[7]. Car la Loi de l'Horeb[8], désormais ancienne[9], était destinée à vous seuls tandis que celle-ci s'adresse à tous, sans exception[10] : une loi instituée contre une autre met un terme à la première, de même qu'une disposition[11] nouvelle annule celle qu'elle remplace[12]. C'est comme Loi éternelle et ultime[13] que le Christ nous a été donné, et cette Alliance est sûre[14]. Après elle, plus de Loi, plus d'ordonnance, plus de précepte. **3** N'as-tu pas, quant à toi, lu ces paroles d'Isaïe ? : (*Is.* 51, 4)*Écoutez-moi, mon peuple, écoutez-moi ! rois, prêtez-moi l'oreille, car une Loi sortira de moi, et mon jugement, pour devenir lumière des nations.* (5)*Elle approche rapidement, ma justice, il paraîtra, mon salut, et en mon bras*[15] *les peuples espéreront.* Et par l'intermédiaire de Jérémie, sur cette même *nouvelle Alliance*, il s'exprime ainsi : (*Jér.* 31, 31)*Voici venir des jours, dit le Seigneur, où je conclurai avec la maison d'Israël et la maison de Juda une Alliance nouvelle,* (32)*qui n'est pas celle*[16] *que j'ai conclue avec leurs pères, au jour où j'ai pris leurs mains pour les faire sortir du pays d'Égypte.* **4** Si donc Dieu a proclamé qu'une [b]*Alliance nouvelle* devait être *conclue*, et que celle-ci serait [c]*lumière des nations*[17], nous voyons bien et nous sommes convaincus que c'est par le nom[18] de ce crucifié, Jésus-Christ, que des hommes renoncent aux idoles[19] et à toute autre iniquité pour s'avancer vers Dieu[20], persévérant jusqu'à la mort dans la confession de leur piété[21]. Par ses œuvres[22] et la puissance qui les accompagne[23], tous peuvent comprendre que c'est lui la [d]*Loi nouvelle* et [e]l'*Alliance nouvelle*, [f]l'*attente* de ceux qui, de toutes les *nations*[24] espèrent les biens de Dieu[25].

a Cf. *Exod.* 13, 3.9.14.16 ; 6, 1 ; *Deut.* 4, 34 ; 5, 15 ; *Ps.* 135, 12 **b** *Jér.* 31, 31 **c** *Is.* 51, 4 **d** cf. *Is.* 51, 4 et *Jér.* 31, 31 **e** cf. *Jér.* 31, 31 **f** cf. *Is.* 51, 4 et *Gen.* 49, 10.

παρὰ[1] τοῦ θεοῦ ἀγαθά. **5** Ἰσραηλιτικὸν γὰρ τὸ [fol. 61 r° : A] ἀληθινόν, πνευματικόν, καὶ Ἰούδα γένος καὶ Ἰακὼβ καὶ Ἰσαὰκ[2] καὶ Ἀβραάμ, τοῦ *ἐν ἀκροβυστίᾳ* ἐπὶ τῇ *πίστει* μαρτυρηθέντος ὑπὸ τοῦ θεοῦ καὶ *εὐλογηθέντος* καὶ *πατρὸς πολλῶν ἐθνῶν* κληθέντος, ἡμεῖς ἐσμεν, οἱ διὰ τούτου τοῦ σταυρωθέντος Χριστοῦ τῷ θεῷ προσαχθέντες, ὡς καὶ προκοπτόντων ἡμῖν τῶν λόγων ἀποδειχθήσεται.

12. 1 Ἔλεγον δὲ ἔτι καὶ προσέφερον ὅτι καὶ ἐν ἄλλοις λόγοις Ἡσαΐα βοᾷ · (*Is.* 55, 3) *Ἀκούσατέ μου τοὺς λόγους, καὶ ζήσεται ἡ ψυχὴ ὑμῶν*[3], *καὶ διαθήσομαι ὑμῖν διαθήκην αἰώνιον, τὰ ὅσια Δαυὶδ τὰ πιστά.* (4) *Ἰδοὺ μάρτυρα*[4] *αὐτὸν ἔθνεσι δέδωκα...* (5)*Ἔθνη, ἃ οὐκ οἴδασί σε, ἐπικαλέσονταί σε, λαοί, οἳ οὐκ ἐπίστανταί σε, καταφεύξονται ἐπὶ σέ, ἕνεκεν τοῦ θεοῦ σου τοῦ ἁγίου Ἰσραήλ, ὅτι ἐδόξασέ σε.* **2** Τοῦτον αὐτὸν ὑμεῖς ἠτιμώσατε τὸν νόμον καὶ τὴν καινὴν ἁγίαν αὐτοῦ διαθήκην ἐφαυλίσατε, καὶ οὐδὲ νῦν παραδέχεσθε οὐδὲ μετανοεῖτε πράξαντες κακῶς. Ἔτι γὰρ *τὰ ὦτα ὑμῶν πέφρακται, οἱ ὀφθαλμοὶ ὑμῶν πεπήρωνται, καὶ πεπάχυται ἡ καρδία,* κέκραγεν Ἱερεμίας[5], καὶ οὐδ' οὕτως ἀκούετε · παρέστιν ὁ νομοθέτης, καὶ οὐχ ὁρᾶτε · *πτωχοὶ εὐαγγελίζονται, τυφλοὶ βλέπουσι* καὶ οὐ συνίετε. **3** Δευτέρας ἤδη χρεία περιτομῆς, καὶ ὑμεῖς ἐπὶ τῇ[6] σαρκὶ μέγα φρονεῖτε. Σαββατίζειν [fol. 61 v° A] ὑμᾶς ὁ καινὸς [p. 94 : B] νόμος διὰ παντὸς ἐθέλει, καὶ ὑμεῖς μίαν ἀργοῦντες ἡμέραν εὐσεβεῖν δοκεῖτε, μὴ νοοῦντες διὰ τί ὑμῖν προσετάγη · καὶ ἐὰν ἄζυμον ἄρτον φάγητε, πεπληρωκέναι τὸ θέλημα τοῦ θεοῦ φατε. Οὐκ ἐν τούτοις εὐδοκεῖ κύριος ὁ θεὸς ἡμῶν[7]. Εἴ τις ἐστὶν ἐν ὑμῖν *ἐπίορκος* ἢ *κλέπτης*, παυσάσθω · εἴ τις *μοιχός*, μετανοησάτω, καὶ σεσαββάτικε *τὰ τρυφερὰ* καὶ ἀληθινὰ *σάββατα* τοῦ θεοῦ · εἴ τις καθαρὰς οὐκ ἔχει χεῖρας, *λουσάσθω*[8], καὶ *καθαρός* ἐστιν[9].

1 Παρὰ *in textu* A, *in marg.* B², *edd.* : περί *in marg.* A, *in textu* B **2** Ἰσαάκ *in ras.* A **3** Ὑμῶν : ὑμῖν Steph. **4** Μάρτυρα : μαρτύριον LXX, Dial. 14, 4 **5** Ἱερεμίας : Ἡσαΐας *prop.* Lange **6** Τῇ σαρκί : τῇ ἐν σαρκί *vel* τῇ σαρκικῇ *prop.* Thirlb. τῇ ἐν σαρκί Marc. **7** Ἡμῶν : ὑμῶν *prop.* Thirlb. **8** Τῷ βαπτίσματι *in marg. codd.* **9** Ἐστι : ἔσται *prop.* Arcerius, Lange.

5 Car la race israélite[26] véritable[27], spirituelle[28], celle de Juda, de Jacob[29], d'Isaac et d'Abraham, lequel [a]*dans l'incirconcision*[30], à cause de sa *foi*, reçut de Dieu témoignage, fut *béni*, et appelé [b]*père de nombreuses nations*, c'est nous[31] qui, par ce Christ crucifié, avons été conduits à Dieu[32], comme le démontrera la suite de notre entretien.

Les juifs ont mal compris la Loi de Moïse et violent la « Loi éternelle ».

12. 1 Je poursuivis, ajoutant qu'Isaïe, en un autre passage, s'écrie : (*Is.* 55, 3)*Écoutez mes paroles, et votre âme vivra. Je conclurai avec vous une alliance perpétuelle, les assurances sacrées données à David.* (4)*Voici, je l'ai établi comme témoin*[1] *auprès des nations…* (5)*Des nations qui ne te connaissent pas t'invoqueront ; des peuples ignorants de toi se réfugieront auprès de toi, à cause de ton Dieu, le saint d'Israël*[2]*, car Il t'a glorifié*[3]. **2** Lui qui est cette Loi, vous l'avez méprisé, son Alliance nouvelle et sainte, vous l'avez dédaignée[4] ; vous persistez aujourd'hui à ne pas l'accepter, et ne vous repentez point[5] de vos mauvaises actions[6]. Car [c]*vos oreilles restent bouchées, vos yeux aveuglés, et votre cœur épaissi*[7], proclame Jérémie, mais vous ne l'entendez pas davantage[8] ; le Législateur est venu[9] : vous ne le voyez pas. [d]*Les pauvres sont évangélisés, et les aveugles voient*, et vous ne comprenez pas. **3** C'est désormais une seconde circoncision[10] qui est nécessaire, et vous vous glorifiez de celle de la chair[11]. La Loi nouvelle vous prescrit un sabbat perpétuel[12], et vous, parce que vous restez sans rien faire pendant une journée, vous vous estimez pieux[13], oubliant de vous demander pour quelle raison[14] cela vous a été ordonné ; en mangeant du pain azyme[15], vous prétendez avoir accompli la volonté de Dieu. Ce n'est pas en ces choses que se plaît notre Seigneur. S'il est parmi vous un *parjure* ou un *voleur*, qu'il cesse[16] ; s'il se trouve un *adultère*, qu'il se repente[17], et il aura observé [e]*les sabbats de délices*, *les* véritables *sabbats de Dieu*[18] ; si quelqu'un n'a pas les mains pures, qu'il se [f]*lave*, et il est *pur*[19].

a Cf. *Gen.* 15, 6 ; *Rom.* 4, 9 s. ; *Gal.* 3, 6 s. ; 2, 16 **b** cf. *Gen.* 17, 5 ; *Rom.* 4, 17.18 **c** cf. *Is.* 6, 10 ; *Matth.* 13, 15 ; *Act.* 28, 27 **d** cf. *Matth.* 11, 5 ; *Lc.* 7, 22 ; *Is.* 29, 18-19 ; 61, 1 **e** cf. *Is.* 58, 13 **f** cf. *Is.* 1, 16.

13. 1 Οὐ γὰρ δή[1] γε εἰς βαλανεῖον ὑμᾶς ἔπεμπεν Ἡσαΐας ἀπολουσομένους ἐκεῖ τὸν φόνον καὶ τὰς ἄλλας ἁμαρτίας, οὓς[2] οὐδὲ τὸ τῆς θαλάσσης ἱκανὸν πᾶν ὕδωρ καθαρίσαι, ἀλλά, ὡς εἰκός, πάλαι τοῦτο ἐκεῖνο τὸ σωτήριον λουτρὸν ἦν, ὃ εἵπετο[3], τοῖς μεταγινώσκουσι καὶ μηκέτι *αἵμασι τράγων* καὶ *προβάτων* ἢ *σποδῷ δαμάλεως* ἢ *σεμιδάλεως* προσφοραῖς καθαριζομένοις[4], ἀλλὰ πίστει διὰ *τοῦ αἵματος τοῦ Χριστοῦ* καὶ τοῦ θανάτου αὐτοῦ, ὃς διὰ τοῦτο ἀπέθανεν, ὡς αὐτὸς Ἡσαΐας ἔφη, οὕτως λέγων · **2** (*Is.* 52, 10) *Ἀποκαλύψει κύριος τὸν βραχίονα αὐτοῦ τὸν ἅγιον ἐνώπιον πάντων τῶν ἐθνῶν, καὶ ὄψονται πάντα τὰ ἔθνη*[5] *καὶ τὰ ἄκρα τῆς γῆς τὴν σωτηρίαν τὴν παρὰ τοῦ θεοῦ.* (11) *Ἀπόστητε, ἀπόστητε, ἀπόστητε*[6]*, ἐξέλθετε ἐκεῖθεν* [fol. 62 r° A] *καὶ ἀκαθάρτου μὴ ἅψησθε, ἐξέλθετε ἐκ μέσου αὐτῆς, ἀφορίσθητε οἱ φέροντες τὰ σκεύη κυρίου,* (12)*ὅτι οὐ μετὰ ταραχῆς πορεύεσθε · πορεύσεται*[7] *γὰρ πρὸ προσώπου ὑμῶν κύριος, καὶ ὁ ἐπισυνάγων ὑμᾶς κύριος ὁ θεὸς Ἰσραήλ.* (13) *Ἰδοὺ συνήσει ὁ παῖς μου, καὶ ὑψωθήσεται καὶ δοξασθήσεται σφόφρα.* **3** (14) *Ὃν τρόπον ἐκστήσονται πολλοὶ ἐπὶ σέ, οὕτως ἀδοξήσει ἀπὸ ἀνθρώπων*[8] *τὸ εἶδος καὶ ἡ δόξα σου,* (15)*οὕτως*[9] *θαυμασθή*-[p. 95 : B]-*σονται ἔθνη πολλὰ ἐπ' αὐτῷ, καὶ συνέξουσι βασιλεῖς τὸ στόμα αὐτῶν · ὅτι οἷς οὐκ ἀνηγγέλη περὶ αὐτοῦ ὄψονται, καὶ οἳ οὐκ ἀκηκόασι συνήσουσι.* (53, 1)*Κύριε, τίς ἐπίστευσε τῇ ἀκοῇ ἡμῶν ; Καὶ ὁ βραχίων κυρίου τίνι ἀπεκαλύφθη ;* (2)*Ἀνηγγείλαμεν ἐναντίον αὐτοῦ ὡς παιδίον*[10]*, ὡς ῥίζα ἐν γῇ διψώσῃ.* **4** *Οὐκ ἔστιν εἶδος αὐτῷ οὐδὲ δόξα · καὶ εἴδομεν αὐτόν, καὶ οὐκ εἶχεν εἶδος οὐδὲ κάλλος,* (3)*ἀλλὰ τὸ εἶδος αὐτοῦ ἄτιμον, ἐκλεῖπον*[11] *παρὰ τοὺς υἱοὺς τῶν ἀνθρώπων. Ἄνθρωπος ἐν πληγῇ ὢν καὶ εἰδὼς φέρειν μαλακίαν, ὅτι ἀπέστραπται τὸ πρόσωπον αὐτοῦ, ἠτιμάσθη καὶ οὐκ ἐλογίσθη.* (4)*Οὗτος τὰς ἁμαρτίας ἡμῶν φέρει καὶ περὶ ἡμῶν ὀδυνᾶται, καὶ ἡμεῖς ἐλογισάμεθα αὐτὸν εἶναι ἐν πόνῳ καὶ ἐν πληγῇ καὶ ἐν κακώσει.* **5** (5)*Οὗτος*[12] *δὲ ἐτραυματίσθη διὰ τὰς ἁμαρτίας ἡμῶν καὶ μεμαλάκισται διὰ τὰς* [fol. 62 v° : A] *ἀνομίας ἡμῶν · παιδεία εἰρήνης ἡμῶν ἐπ' αὐτόν, τῷ μώλωπι αὐτοῦ ἡμεῖς ἰάθημεν.*

1 Δή : δέ Mar., Mign. **2** Οὓς : ἃς prop. Thirlb. **3** Ὃ εἵπετο (*quod sequebatur*) : ὁ εἶπε, τὸ *prop.* Mar., *coni.* Mign., Otto, Arch., Goodsp. **4** Καθαριζομένοις *edd. a* Mar. : καθαριζομένους *codd., cett. edd.* **5** Τὰ ἔθνη *codd.* (*et* Sinaiticus *a. corr.*) : *om.* LXX. (πάντα ἄκρα τῆς γῆς) **6** Ἀπόστητε : *om.* LXX, *del.* Marc. **7** Πορεύσεται A, *edd.* : πορεύεται B **8** Ἀνθρώπων : τῶν ἀνθρώπων Otto, Mign. (cf. I Apol. 50, 4) **9** Οὕτως *codd., edd. ab* Otto : οὕτω Steph., Thirlb., Mar. οὕτως – ἡ δόξα σου *in semicirculis* Marc. **10** Ὡς παιδίον *in textu codd., edd.* (cf. Dial. 42, 2 *et* I Apol. 50, 5) : ὡς πεδίον *in marg. codd.* (= Sinaïticus *a. corr.*) **11** Ἐκλεῖπον : καὶ ἐκλεῖπον Steph. (*ex* LXX) *om.* Alexandrinus, Marchalianus **12** Οὗτος *codd., edd.* (= LXX cod. 88) : αὐτὸς *prop.* Otto (*ex* LXX *et* I Apol. 50, 9).

La rémission des péchés ne peut être obtenue que par le sang du Christ. Témoignage d'Isaïe.

13. 1 Car ce n'est certes pas au bain[1] que vous envoyait Isaïe[2], pour y effacer, par l'immersion, le crime et les autres péchés – vous que toute l'eau de la mer ne saurait suffire à purifier –, mais assurément, dès cette époque, il s'agissait de ce bain salutaire[3] qui devait succéder[4] pour ceux qui se convertissent et se purifient[5], non plus par [a]*le sang des boucs* et des *brebis*[6], [b]la *cendre de génisse*[7], ou [c]les offrandes de *farine*[8], mais par la foi, grâce au (cf. *Hébr.* 9, 12.14)*sang du Christ* et à sa mort[9]. Lui qui est mort pour cela, comme Isaïe lui même le dit en ces termes[10] : **2** (52, 10)*Le Seigneur révélera son bras saint à la face de toutes les nations, et toutes les nations, et les extrémités de la terre verront le Salut d'auprès de Dieu.* (11)*Retirez-vous ! retirez-vous ! retirez-vous ! Sortez de là, et ne touchez rien d'impur ! Sortez du milieu d'elle ! Séparez-vous, vous qui portez les vases du Seigneur !* (12)*Car vous ne marchez pas dans le trouble. Il marchera devant vous, le Seigneur, et le Seigneur Dieu d'Israël*[11] *est celui qui vous rassemble.* (13)*Voici, mon serviteur*[12] *comprendra. Il sera exalté*[13] *et glorifié à l'extrême.* **3** (14)*De même que beaucoup seront dans la stupeur à propos de toi, tant les hommes mépriseront ton apparence et ta gloire,* (15)*de même beaucoup de nations s'étonneront à son sujet, et des rois fermeront la bouche. Car ceux à qui rien n'avait été annoncé sur lui verront, et ceux qui n'avaient pas entendu comprendront*[14]. (53, 1)*Seigneur, qui a cru à ce qui nous était annoncé, et à qui le bras*[15] *du Seigneur a-t-il été découvert*[16] *?* (2)*Nous avons annoncé en sa présence, comme un enfant, comme une racine dans une terre assoiffée*[17]. **4** *Il n'a ni apparence ni gloire*[18]. *Nous l'avons vu, et il n'avait ni apparence ni beauté.* (3)*Mais son apparence était sans honneur, s'effaçant devant les fils des hommes. Homme*[19] *livré aux coups et sachant supporter la faiblesse : on s'est détourné de son visage, il a été déshonoré et sans estime.* (4)*Celui-ci porte nos péchés, et c'est pour nous qu'il souffre. Et nous l'avons estimé livré à la souffrance, aux coups, et au malheur*[20]. **5** (5)*Celui-ci a été blessé à cause de nos péchés, et affaibli pour nos iniquités. Le châtiment qui nous vaut la paix est sur lui, et par sa meurtrissure nous avons été guéris*[21]. (6)*Tous*

a Cf. *Ps.* 49, 13 ; *Is.* 1, 11 ; *Hébr.* 9, 12.13 **b** cf. *Nombr.* 19, 9.10 ; *Hébr.* 9, 13 **c** cf. *Lév.* 14, 10.

(6)*Πάντες ὡς πρόβατα ἐπλανήθημεν, ἄνθρωπος τῇ ὁδῷ αὐτοῦ ἐπλανήθη. Καὶ κύριος παρέδωκεν αὐτὸν ταῖς ἁμαρτίαις ἡμῶν* (7)*καὶ αὐτὸς διὰ τὸ κεκακῶσθαι οὐκ ἀνοίγει τὸ στόμα αὐτοῦ. Ὡς πρόβατον εἰς*[1] *σφαγὴν ἤχθη · καὶ ὡς ἀμνὸς ἐναντίον τοῦ κείροντος ἄφωνος, οὕτως οὐκ ἀνοίγει τὸ στόμα αὐτοῦ.* **6** (8) *Ἐν τῇ ταπεινώσει αὐτοῦ ἡ κρίσις αὐτοῦ ἤρθη. Τὴν δὲ γενεὰν αὐτοῦ τίς διηγήσεται ; Ὅτι αἴρεται ἀπὸ τῆς γῆς ἡ ζωὴ αὐτοῦ, ἀπὸ τῶν ἀνομιῶν τοῦ λαοῦ μου ἥκει εἰς θάνατον.* (9)*Καὶ δώσω τοὺς πονηροὺς ἀντὶ τῆς ταφῆς αὐτοῦ καὶ τοὺς πλουσίους ἀντὶ τοῦ θανάτου αὐτοῦ, ὅτι ἀνομίαν οὐκ ἐποίησεν*[2] *καὶ οὐχ εὑρέθη δόλος ἐν τῷ στόματι αὐτοῦ.* (10)*Καὶ κύριος βούλεται καθαρίσαι αὐτὸν τῆς πληγῆς. Ἐὰν δῶτε*[3] *περὶ τῆς ἁμαρτίας, ἡ ψυχὴ ὑμῶν ὄψεται σπέρμα μακρόβιον* [p. 96 : B]. **7** *Καὶ βούλεται κύριος ἀφελεῖν* (11)*ἀπὸ τοῦ πόνου τῆς ψυχῆς αὐτοῦ, δεῖξαι αὐτῷ φῶς, καὶ πλάσαι τῇ συνέσει, δικαιῶσαι δίκαιον εὖ δουλεύοντα πολλοῖς. Καὶ τὰς ἁμαρτίας ἡμῶν αὐτὸς ἀνοίσει.* (12)*Διὰ τοῦτο αὐτὸς κληρονομήσει πολλούς, καὶ τῶν ἰσχυρῶν μεριεῖ σκύλα, ἀνθ' ὧν παρεδόθη εἰς θάνατον ἡ ψυχὴ αὐτοῦ, καὶ ἐν τοῖς* [fol. 63 r° A] *ἀνόμοις ἐλογίσθη, καὶ αὐτὸς ἁμαρτίας πολλῶν ἀνήνεγκε καὶ διὰ τὰς ἀνομίας αὐτῶν παρεδόθη.* **8** (54, 1)*Εὐφράνθητι στεῖρα ἡ οὐ τίκτουσα, ῥῆξον καὶ βόησον ἡ οὐκ ὠδίνουσα, ὅτι πολλὰ τὰ τέκνα τῆς ἐρήμου μᾶλλον ἢ τῆς ἐχούσης τὸν ἄνδρα. Εἶπε γὰρ κύριος ·* (2)*Πλάτυνον τὸν τόπον τῆς σκηνῆς σου καὶ τῶν αὐλαιῶν*[4] *σου, πῆξον, μὴ φείσῃ, μάκρυνον τὰ σχοινίσματά σου καὶ τοὺς πασσάλους*[5] *κατίσχυσον,* (3)*εἰς τὰ δεξιὰ καὶ εἰς τὰ ἀριστερὰ ἐκπέτασον · καὶ τὸ σπέρμα σου ἔθνη κληρονομήσει*[6], *καὶ πόλεις ἠρημωμένας κατοικιεῖς.* **9** (4)*Μὴ φοβοῦ ὅτι κατησχύνθης, μηδὲ ἐντραπῇς ὅτι ὠνειδίσθης, ὅτι αἰσχύνην αἰώνιον ἐπιλήσῃ καὶ ὄνειδος τῆς χηρείας σου οὐ μνησθήσῃ ·* (5)*ὅτι κύριος ἐποίησεν ὄνομα ἑαυτῷ, καὶ ὁ ῥυσάμενός σε, αὐτὸς θεὸς Ἰσραήλ, πάσῃ τῇ γῇ κληθήσεται.* (6)*Ὡς γυναῖκα καταλελειμμένην καὶ ὀλιγόψυχον κέκληκέ σε ὁ κύριος, ὡς γυναῖκα ἐκ νεότητος μεμισημένην.*

1 Εἰς : ἐπὶ LXX, Dial., Apol. **2** Ἐποίησεν A *p. corr.*, B, Goodsp., Arch., Marc. (= LXX) : ἐποίησε Steph., Thirlb., Mar., Mign., Otto **3** Δῶτε *codd.*, *edd. ab* Otto, Troll. : δῶται Steph., Thirlb., Mar., Mign. (= Alex.) **4** Καὶ τῶν αὐλαιῶν σου, πῆξον Mar. (αὐλαίων), *edd. ab* Otto. : καὶ τῶν αὐλέων σου πῆξον (αὐλαίων σου σφίγξον *in marg.*) *codd.*, Troll. καὶ τὰς δέρεις τῶν αὐλέων σου πῆξον Steph., *cett. edd.* (*ex* LXX *rec.* Luciani *et* textu Massoretico) **5** Πασσάλους *codd.*, Goodsp., Marc. : πασσάλους σου Mar., Thirlb., Otto, Arch. (*ex* LXX) **6** Κληρονομήσει B, *edd.* : κληρονομίσει A.

nous avons erré comme des brebis, l'homme a erré sur son chemin. (6-7)*Le Seigneur l'a livré à nos péchés, et lui, malgré ses souffrances, n'ouvre pas la bouche. Comme une brebis, il a été conduit à l'égorgement*[22] *; comme un agneau muet devant celui qui le tond, il n'ouvre pas la bouche*[23]. **6** (8)*Dans son humilation, son jugement a été enlevé*[24]. *Et sa génération, qui la racontera*[25] *? Car sa vie est enlevée de la terre*[26]. *A cause des péchés de mon peuple, il va à la mort.* (9)*Je livrerai les méchants en échange de son tombeau et les riches*[27] *en échange de sa mort*[28], *car il n'a pas commis d'injustice, et nulle fraude ne s'est trouvée dans sa bouche*[29]. (10)*Le Seigneur veut le purifier de sa blessure. Si vous faites une offrande pour le péché, votre âme verra une postérité dont la vie sera longue.* **7** *Le Seigneur veut alléger* (11)*la souffrance de son âme, lui montrer la lumière, le façonner dans l'intelligence, justifier un juste qui, dans le bien, s'est fait serviteur d'un grand nombre*[30]. *De nos péchés, Il se chargera lui même.* (12)*C'est pourquoi il recevra beaucoup d'hommes en héritage*[31], *et des forts*[32] *il partagera les dépouilles, parce que son âme a été livrée à la mort, parce qu'il a été mis au rang des coupables, qu'il s'est chargé lui-même des péchés d'un grand nombre, et a été livré à cause de leurs fautes*[33]. **8** (54, 1)*Réjouis-toi, stérile qui n'enfantais pas ! Éclate en cris de joie, toi qui ne connais pas les douleurs, car les fils de la délaissée*[34] *seront plus nombreux que les fils de celle qui a un mari*[35]. *Car le Seigneur a dit :* (2)*Élargis l'espace de ta tente et de tes toiles ! Enfonce les pieux ! ne lésine pas ! Agrandis tes portions de terrain mesurées au cordeau, et tes piquets, affermis-les !* (3)*Déploie-toi à droite et à gauche ! Ta descendance possédera des nations en héritage, et tu peupleras des cités désertes.* **9** (4)*Ne crains pas qu'il te soit fait honte, et n'aies pas peur d'être injuriée, car tu oublieras la honte éternelle, et l'opprobre de ton veuvage, tu ne t'en souviendras pas.* (5)*Car le Seigneur s'est fait un nom, et celui qui t'a sauvé, le Dieu d'Israël lui-même, sera invoqué sur toute la terre.* (6)*Comme une femme abandonnée et pusillanime, le Seigneur t'a appelée, comme une femme haïe depuis sa jeunesse*[36].

14. 1 Διὰ τοῦ λουτροῦ οὖν τῆς μετανοίας καὶ τῆς γνώσεως τοῦ θεοῦ, ὃ *ὑπὲρ τῆς ἀνομίας τῶν λαῶν* τοῦ θεοῦ γέγονεν, ὡς Ἡσαΐας βοᾷ, ἡμεῖς ἐπιστεύσαμεν, καὶ γνωρίζομεν ὅτι τοῦτ' ἐκεῖνο, ὃ προηγόρευε, τὸ βάπτισμα, τὸ μόνον καθαρίσαι τοὺς μετανοήσαντας δυνάμενον, τοῦτό ἐστι *τὸ ὕδωρ τῆς ζωῆς* [fol. 63 v° : A] · Οὓς δὲ ὑμεῖς *ὠρύξατε λάκκους* ἑαυτοῖς, *συντετριμμένοι* εἰσὶ καὶ οὐδὲν ὑμῖν χρήσιμοι. Τί γὰρ [p. 97 : B] ὄφελος ἐκείνου τοῦ βαπτίσματος, ὃ τὴν σάρκα καὶ μόνον τὸ σῶμα φαιδρύνει ; **2** Βαπτίσθητε τὴν ψυχὴν ἀπὸ ὀργῆς καὶ ἀπὸ πλεονεξίας, ἀπὸ φθόνου, ἀπὸ μίσους · καὶ *ἰδοὺ* τὸ σῶμα *καθαρόν ἐστι*. Τοῦτο γάρ ἐστι τὸ σύμβολον τῶν ἀζύμων, ἵνα μὴ τὰ *παλαιὰ* τῆς *κακῆς ζύμης* ἔργα πράττητε. Ὑμεῖς δὲ πάντα σαρκικῶς νενοήκατε, καὶ ἡγεῖσθε εὐσέβειαν, ἐὰν τοιαῦτα ποιοῦντες τὰς ψυχὰς μεμεστωμένοι ἦτε δόλου καὶ πάσης κακίας ἁπλῶς. **3** Διὸ καὶ μετὰ τὰς ἑπτὰ ἡμέρας τῶν ἀζυμοφαγιῶν νέαν ζύμην φυρᾶσαι ἑαυτοῖς ὁ θεὸς παρήγγειλε, τουτέστιν ἄλλων ἔργων πρᾶξιν καὶ μὴ τῶν παλαιῶν καὶ φαύλων τὴν μίμησιν.

Καὶ ὅτι τουτό ἐστιν ὃ ἀξιοῖ ὑμᾶς οὗτος ὁ καινὸς νομοθέτης, τοὺς προλελεγμένους ὑπ' ἐμοῦ λόγους πάλιν ἀνιστορήσω μετὰ καὶ τῶν ἄλλων τῶν παραλειφθέντων. Εἴρηνται δὲ ὑπὸ τοῦ Ἡσαΐου οὕτως · **4** (*Is.* 55, 3)*Εἰσακούσετέ*[1] *μου, καὶ ζήσεται*[2] *ἡ ψυχὴ ὑμῶν, καὶ διαθήσομαι ὑμῖν διαθήκην αἰώνιον, τὰ ὅσια τοῦ Δαυὶδ τὰ πιστά.* (4)*Ἰδοὺ μαρτύριον αὐτὸν*[3] *ἔθνεσι δέδωκα, ἄρχοντα καὶ προστάσσοντα ἔθνεσιν.* (5)*Ἔθνη, ἃ οὐκ οἴδασί σε, ἐπικαλέσονταί σε, καὶ* [fol. 64 r° A] *λαοί, οἳ οὐκ ἐπίστανταί σε, ἐπὶ σὲ καταφεύξονται, ἕνεκεν τοῦ θεοῦ σου τοῦ ἁγίου Ἰσραήλ, ὅτι ἐδόξασέ σε.* **5** (6)*Ζητήσατε τὸν θεὸν καὶ ἐν τῷ εὑρίσκειν αὐτὸν ἐπικαλέσασθε, ἡνίκα ἂν ἐγγίζῃ ὑμῖν.* (7)*Ἀπολιπέτω ὁ ἀσεβὴς τὰς ὁδοὺς αὐτοῦ καὶ ἀνὴρ ἄνομος τὰς βουλὰς αὐτοῦ καὶ ἐπιστραφήτω ἐπὶ κύριον, καὶ ἐλεηθήσεται, ὅτι ἐπὶ πολὺ ἀφήσει τὰς ἁμαρτίας ὑμῶν.* (8)*Οὐ γάρ εἰσιν αἱ βουλαί μου ὥσπερ αἱ βουλαὶ ὑμῶν, οὐδὲ αἱ ὁδοί μου ὥσπερ αἱ ὁδοὶ ὑμῶν,* (9)*ἀλλὰ ὅσον ἀπέχει ὁ οὐρανὸς ἀπὸ τῆς γῆς, το*-[p. 98 : B]-*σοῦτον ἀπέχει ἡ ὁδός μου ἀπὸ τῆς ὁδοῦ ὑμῶν καὶ τὰ διανοήματα ὑμῶν ἀπὸ τῆς διανοίας μου.* **6** (10)*Ὡς γὰρ ἂν καταβῇ χιὼν ἢ ὑετὸς ἐκ τοῦ οὐρανοῦ καὶ οὐκ ἀποστραφήσεται, ἕως ἂν μεθύσῃ τὴν γῆν καὶ ἐκτέκῃ καὶ βλαστήσῃ*[4] *καὶ δῷ σπέρμα τῷ* σπείραντι[5] *καὶ ἄρτον εἰς βρῶσιν,* (11)*οὕτως ἔσται τὸ ῥῆμά μου, ὃ ἂν*

1 Εἰσακούσετε : εἰσακούσατε prop. Thirlb. **2** Ζήσεται : ζήσεται ἐν ἀγαθοῖς Sylb., Mor. (*ex* LXX) **3** Ἰδοὺ μαρτύριον αὐτὸν... *codd.*, Mar., Thirlb., *edd. ab* Otto : Ἰδοὺ μαρτύριον · Αὐτὸν ἔθν. δέδ. ἄρχ. κτλ. Steph., Sylb., Mor., Jebb. **4** Βλαστήσῃ *codd.*, Arch., Goodsp., Marc. : ἐκβλαστήσῃ Steph., Thirlb., Mar., Otto (*ex* LXX) **5** Σπείραντι : σπείροντι *prop.* Thirlb. (*ex* LXX).

Bain rituel et baptême ; azymes et « nouveau levain ».
Prophétie d'Isaïe sur le Nouveau Législateur.

14. 1 Ainsi donc, par le bain[1] de la pénitence[2] et de la connaissance de Dieu[3], fait, comme le proclame Isaïe, [a]pour *l'iniquité des peuples* de Dieu[4], nous avons cru, et nous savons[5] que ce bain baptismal, annoncé par lui, est le seul qui puisse purifier ceux qui font pénitence, c'est-à-dire [b]*l'eau de la vie*[6]. Quant aux [c]*citernes* que vous vous étiez *creusées*, elles sont *lézardées*[7] et ne vous sont d'aucune utilité. A quoi donc sert ce baptême-là[8], qui nettoie la chair et seulement le corps[9]. **2** C'est de l'âme qu'il vous faut être baptisés, en renonçant à la colère, à la cupidité, à l'envie et à la haine, [d]*alors* le corps *est pur*[10]. C'est là le symbole[11] des azymes : que vous n'accomplissiez plus les œuvres [e]*anciennes* du *mauvais levain*. Mais vous, vous avez tout compris charnellement[12], et vous prétendez à la piété en faisant ces choses-là malgré une âme emplie de ruse et, sans exception, de toute sorte de malice. **3** C'est bien pourquoi, après les sept jours de consommation des azymes[13] Dieu a prescrit que vous vous pétrissiez un nouveau levain[14], ce qui signifie la pratique d'œuvres nouvelles et non la répétition des œuvres anciennes et mauvaises.

Et pour prouver que c'est bien là ce qu'exige de vous ce Nouveau Législateur[15], je rapporterai à nouveau les paroles déjà citées par moi, en y ajoutant celles qui avaient été laissées de côté[16]. Voici en quels termes s'exprimait Isaïe : **4** (55, 3)*Vous m'écouterez, et votre âme vivra. et j'établirai pour vous une Alliance perpétuelle, les assurances sacrées données à David.* (4)*Voici, je l'ai donné comme témoin pour les nations. Il commande et ordonne aux nations.* (5)*Des nations qui ne te connaissaient pas t'invoqueront, et des peuples ignorants de toi auprès de toi se réfugieront, à cause de ton Dieu, le Saint d'Israël, car il t'a glorifié.* **5** (6)*Cherchez Dieu, et lorsque vous l'aurez trouvé, invoquez-le, quand il s'approchera de vous.* (7)*Que l'impie abandonne ses voies et l'homme inique ses desseins, pour se tourner vers le Seigneur, et il obtiendra miséricorde, car il pardonnera largement vos péchés.* (8)*Mes desseins, en effet, ne sont pas comme vos desseins, ni mes voies comme vos voies,* (9)*mais autant le ciel est éloigné de la Terre, autant ma voie de votre voie est éloignée et vos pensées de ma pensée.* **6** (10)*Comme la neige ou la pluie descendent du ciel et n'y retournent pas sans avoir abreuvé la terre, sans l'avoir fécondée et fait germer, sans avoir donné la semence au semeur et le pain comme nourriture,* (11)*ainsi en sera-t-il de la parole qui de ma bouche sortira : elle ne*

a Cf. *Is.* 53, 8 **b** cf. *Jér.* 2, 13 ; *Jn.* 4, 10.14 ; *Apoc.* 21, 6 ; 22, 17 **c** cf. *Jér.* 2, 13 **d** cf. *Lc.* 11, 41 **e** cf. *I Cor.* 5, 7-8.

ἐξέλθῃ ἐκ τοῦ στόματός μου · οὐ μὴ ἀποστραφῇ[1], *ἕως ἂν συντελεσθῇ πάντα ὅσα ἠθέλησα, καὶ εὐοδώσω τὰ ἐντάλματά μου.* **7** (12)*Ἐν γὰρ εὐφροσύνῃ ἐξελεύσεσθε καὶ ἐν χαρᾷ διδαχθήσεσθε*[2] *· τὰ γὰρ ὄρη καὶ οἱ βουνοὶ ἐξαλοῦνται προσδεχόμενοι ὑμᾶς, καὶ πάντα τὰ ξύλα τῶν ἀγρῶν ἐπικροτήσει τοῖς κλάδοις,* (13)*καὶ ἀντὶ τῆς στοιβῆς ἀναβήσεται κυπάρισσος, ἀντὶ δὲ τῆς* [fol. 64 v° : A] *κονύζης ἀναβήσεται μυρσίνη, καὶ ἔσται κύριος εἰς ὄνομα καὶ εἰς σημεῖον αἰώνιον καὶ οὐκ ἐκλείψει.*

8 Τῶν τε λόγων τούτων καὶ τοιούτων εἰρημένων ὑπὸ τῶν προφητῶν, ἔλεγον, ὦ Τρύφων, οἱ μὲν εἴρηνται εἰς τὴν πρώτην παρουσίαν τοῦ Χριστοῦ, ἐν ᾗ καὶ *ἄτιμος* καὶ *ἀειδὴς* καὶ θνητὸς φανήσεσθαι κεκηρυγμένος ἐστίν, οἱ δὲ εἰς τὴν δευτέραν αὐτοῦ παρουσίαν, ὅτε *ἐν δόξῃ* καὶ *ἐπάνω τῶν νεφελῶν παρέσται*, καὶ *ὄψεται* ὁ λαὸς ὑμῶν καὶ γνωριεῖ *εἰς ὃν ἐξεκέντησαν* ὡς Ὡσηέ, εἷς τῶν δώδεκα προφητῶν, καὶ Δανιὴλ προεῖπον, εἰρημένοι[3] εἰσί.

15. 1 Καὶ τὴν ἀληθινὴν οὖν τοῦ θεοῦ νηστείαν μάθετε νηστεύειν, ὡς Ἠσαΐας φησίν, ἵνα τῷ θεῷ εὐαρεστῆτε. **2** Κέκραγε δὲ Ἠσαΐας οὕτως · (*Is.* 58, 1) *Ἀναβόησον ἐν ἰσχύϊ καὶ μὴ φείσῃ, ὡς σάλπιγγι ὕψωσον τὴν φωνήν σου καὶ ἀνάγγειλον τῷ γένει μου τὰ ἁμαρτήματα αὐτῶν καὶ τῷ οἴκῳ Ἰακὼβ τὰς ἀνομίας αὐτῶν.* (2)*Ἐμὲ ἡμέραν ἐξ ἡμέρας*[4] *ζητοῦσι καὶ γνῶναι τὰς ὁδούς μου ἐπιθυ-*[p. 99 : B]*-μοῦσιν, ὡς λαὸς δικαιοσύνην πεποιηκὼς καὶ κρίσιν θεοῦ οὐκ ἐγκαταλελοιπώς*[5]. **3** *Αἰτοῦσί με νῦν κρίσιν δικαίαν καὶ ἐγγίζειν θεῷ ἐπιθυμοῦσι,* (3)*λέγοντες · Τί ὅτι ἐνηστεύσαμεν καὶ οὐκ εἶδες, ἐταπεινώσαμεν τὰς ψυχὰς* [fol. 65 r° : A] *ἡμῶν καὶ οὐκ ἔγνως ; Ἐν γὰρ ταῖς ἡμέραις τοῖς νηστειῶν ὑμῶν*[6] *εὑρίσκετε τὰ θελήματα ὑμῶν, καὶ πάντας τοὺς ὑποχειρίους ὑμῶν ὑπονύσσετε ·* (4)*ἰδοὺ εἰς κρίσεις καὶ μάχας νηστεύετε, καὶ τύπτετε πυγμαῖς ταπεινόν. Ἵνα τί μοι νηστεύετε ἕως*[7] *σήμερον, ἀκουσθῆναι ἐν κραυγῇ τὴν φωνὴν ὑμῶν ;* **4** (5)*Οὐ* [8] *ταύτην τὴν νηστείαν ἐγὼ ἐξελεξάμην, καὶ ἡμέραν ταπεινοῦν ἄνθρωπον τὴν ψυχὴν αὐτοῦ · οὐδ᾽ ἂν κάμψῃς ὡς κρίκον τὸν τράχηλόν σου καὶ σάκκον καὶ*

1 Ἀποστραφῇ (= LXX) : ἐπιστραφῇ Mar., Mign. **2** Διδαχθήσεσθε (*docebimini*) *codd.*, Thirlb., Mar., Arch., Goodsp., Marc. (*ex* LXX *codd. plurimi*) : διαχθήσεσθε (*deducemini*) Périon. (*ex* LXX), Otto (*ex* TM). **3** Καὶ (?) εἰρημένοι A (καὶ εἰρημ– *in ras.*), B : εἰρημένοι *edd. ab* Otto **4** Ἡμέ/μέρας A *a. corr.* **5** Ἐγκαταλελοιπώς : –λοιπώς *in ras.* A **6** Ὑμῶν A (ὑ– *in ras* ?), *edd.* (= LXX) : ἡμῶν B **7** Ἕως *codd.*, Otto, Arch., Goodsp. : ὡς (*ut hodie, ut audiatur*) Steph., Mar., Mign., Thirlb., Marc. (*ex* LXX) **8** Οὐ A, *edd.* : καὶ B, οὔ *in marg.*

retournera point qu'elle n'ait accompli toutes mes volontés, et je mènerai à bien mes ordonnances. **7** (12)*Oui, vous sortirez dans la joie, et vous serez instruits dans l'allégresse : montagnes et collines s'élanceront pour vous accueillir, tous les arbres des champs applaudiront de leurs branches,* (13)*au lieu du buisson croîtra le cyprès, au lieu de l'ortie s'élèvera le myrte, et le Seigneur sera un nom et un signe éternel, et il ne s'effacera pas.*

8 Parmi ces paroles, et d'autres semblables énoncées par les prophètes, continuai-je, Tryphon, les unes se rapportent à la première parousie du Christ, où il est annoncé qu'il se montrera [a]*sans honneur, sans apparence*[17] et [b]mortel[18], les autres à sa seconde parousie[19], lorsqu'il [c]*apparaîtra* [d]*en gloire*[20] et [e]*au-dessus des nuages*[21], et que votre peuple [f]*verra* et reconnaîtra *celui qu'ils ont percé de coups*[22], comme Osée[23], l'un des douze prophètes, et Daniel l'ont prédit[24].

Le « véritable jeûne de Dieu ».
Prophétie d'Isaïe.

15. 1 Apprenez donc, de même, à jeûner le véritable[1] jeûne[2] de Dieu, comme le dit Isaïe, afin d'être agréables à Dieu[3]. **2** Voici ce que proclame Isaïe : (58, 1)*Crie avec force et, sans retenue, comme le cor fais retentir ta voix. Dénonce à mon peuple ses péchés et à la maison de Jacob ses iniquités.* (2)*Jour après jour, c'est moi qu'ils recherchent, aspirant à connaître mes voies, tel un peuple qui a pratiqué la justice et n'a pas délaissé le jugement de Dieu.* **3** *Ils me demandent aujourd'hui un jugement équitable et désirent s'approcher de Dieu,* (3)*disant : pourquoi avons-nous jeûné, si tu ne le vois pas ? pourquoi avons-nous humilié nos âmes, si tu ne le sais pas ? C'est qu'au jour de vos jeûnes vous vous conformez à vos volontés, et tous ceux qui vous sont soumis, vous les maltraitez.* (4)*En disputes et en querelles, ainsi se passe votre jeûne, et vous frappez de vos poings le malheureux. A quoi bon le jeûne que vous m'offrez jusqu'à ce jour ? Est-ce pour que j'entende le tumulte de votre voix ?* **4** (5)*Ce n'est pas là le jeûne que j'ai choisi, ni ce jour pour que l'homme y humilie son âme*[4]. *Tu peux bien courber la nuque comme un jonc, t'étendre sur le sac et la cendre*[5] *: vous ne sauriez pour autant appeler cela un*

a Cf. *Is.* 53, 2-3 **b** cf. *Is.* 53, 8.9 **c** cf. *Matth.* 24, 30 **d** cf. *Matth.* 25, 31 ; *Is.* 33, 17
e cf. *Dan* 7, 13 ; *Matth.* 24, 30 **f** cf. *Zach.* 12, 10 ; *Jn.* 19, 37 ; *Apoc.* 1, 7.

σποδὸν ὑποστρώσῃ[1], *οὐδ' οὕτως*[2] *καλέσετε νηστείαν καὶ ἡμέραν δεκτὴν τῷ κυρίῳ.* (6)*Οὐχὶ τοιαύτην νηστείαν ἐγὼ ἐξελεξάμην, λέγει κύριος · ἀλλὰ λύε πάντα σύνδεσμον ἀδικίας, διάλυε στραγγαλιὰς βιαίων συναλλαγμάτων, ἀπόστελλε τεθραυσμένους ἐν ἀφέσει καὶ πᾶσαν συγγραφὴν ἄδικον διάσπα.* **5** (7)*Διάθρυπτε πεινῶντι τὸν ἄρτον σου καὶ πτωχοὺς ἀστέγους εἰσάγαγε εἰς τὸν οἶκόν σου · ἐὰν ἴδῃς γυμνόν, περίβαλλε, καὶ ἀπὸ τῶν οἰκείων τοῦ σπέρματός σου οὐχ ὑπερόψει*[3]. (8)*Τότε ῥαγήσεται πρώϊμον τὸ φῶς σου, καὶ τὰ ἱμάτιά*[4] *σου ταχὺ ἀνατελεῖ, καὶ προπορεύσεται ἔμπροσθέν σου ἡ δικαιοσύνη σου, καὶ ἡ δόξα τοῦ θεοῦ περιστελεῖ σε.* (9)*Τότε βοήσῃ, καὶ ὁ θεὸς εἰσακούσεταί σου* [fol. 65 v° : A] · *ἔτι λαλοῦντός σου ἐρεῖ · 'Ιδοὺ πάρειμι.* **6** *'Εὰν δὲ ἀφέλῃς ἀπὸ σοῦ σύνδεσμον καὶ χειροτονίαν καὶ ῥῆμα γογγυσμοῦ,* (10)*καὶ διδῷς*[5] *πεινῶντι τὸν ἄρτον σου ἐκ ψυχῆς, καὶ ψυχὴν τεταπεινωμένην ἐμπλήσῃς, τότε ἀνατελεῖ ἐν τῷ σκότει τὸ φῶς σου, καὶ τὸ σκότος σου ὡς μεσημβρία*[6], [p. 100 : B] (11)*καὶ ἔσται ὁ θεός σου μετὰ σοῦ διὰ παντός, καὶ ἐμπλησθήσῃ καθὰ ἐπιθυμεῖ ἡ ψυχή σου, καὶ τὰ ὀστᾶ σου πιανθήσονται, καὶ ἔσται ὡς κῆπος μεθύων καὶ πηγὴ ὕδατος ἢ γῆ*[7] *ᾗ μὴ ἐξέλιπεν ὕδωρ.*

7. Περιτέμεσθε οὖν τὴν ἀκροβυστίαν τῆς καρδίας ὑμῶν, ὡς οἱ λόγοι[8] τοῦ θεοῦ διὰ πάντων τούτων τῶν λόγων[9] ἀξιοῦσι.

16. 1 Καὶ διὰ Μωϋσέως[10] κέκραγεν ὁ θεὸς αὐτός, οὕτως λέγων · (*Deut.* 10, 16)*Καὶ περιτεμεῖσθε τὴν σκληροκαρδίαν ὑμῶν καὶ τὸν τράχηλον οὐ σκληρυνεῖτε ἔτι ·* (17)*ὁ γὰρ κύριος, ὁ θεὸς ὑμῶν*[11] *καὶ κύριος τῶν κυρίων, θεὸς μέγας καὶ ἰσχυρὸς καὶ φοβερός, ὅστις οὐ θαυμάζει πρόσωπον οὐδὲ μὴ λάβῃ δῶρον.* Καὶ ἐν τῷ Λευιτικῷ : (26, 40)*"Οτι παρέβησαν καὶ ὑπερεῖδόν με καὶ ὅτι ἐπορεύθησαν ἐναντίον μου πλάγιοι,* (41)*καὶ ἐγὼ ἐπορεύθην μετ' αὐτῶν πλαγίως, καὶ ἀπολῶ αὐτοὺς ἐν τῇ γῇ τῶν ἐχθρῶν αὐτῶν. Τότε ἐντραπήσεται ἡ καρδία ἡ ἀπερίτμητος αὐτῶν.*

2 'Η γὰρ ἀπὸ 'Αβραὰμ κατὰ σάρκα περιτομὴ *εἰς σημεῖον* ἐδόθη, ἵνα ἦτε ἀπὸ [fol. 66 r° : A] τῶν ἄλλων ἐθνῶν καὶ ἡμῶν ἀφωρισμένοι, καὶ ἵνα μόνοι πάθητε ἃ νῦν ἐν δίκῃ πάσχετε, καὶ ἵνα γένωνται *αἱ χῶραι* ὑμῶν

1 'Υποστρώσῃ *codd.*, Arch., Goodsp., Marc. (= LXX) : ὑποστρώσῃς Steph., Thirlb., Mar., Otto **2** Οὕτως *codd.*, *edd. ab* Otto : οὕτω *cett. edd.* **3** Οὐχ ὑπερόψει : πένητα *in marg. codd.* **4** 'Ιμάτια *codd.*, Mar., Troll., *edd. ab* Otto (= Sinait. *corr.*) : ἰάματα, Steph., *cett. edd.* (*ex* LXX) **5** Διδῷς *edd.* : δίδως *codd.* δῷς LXX **6** Μεσημβρία : μεσυμβρία Steph. **7** "Η γῆ : *delendum* Thirlb. (*Post* Capellum, App. ad crit. sac., p. 529), Marc. **8** Οἱ λόγοι : ὁ Λόγος *prop.* Thirlb. **9** Τῶν λόγων : τῶν προφητῶν *coni.* Marc. **10** Μωϋσέως Steph., Thirlb., Mar., Mign., Otto, Goodsp., Marc. : Μωϋσέος *codd.* Μωσέως Arch. **11** *Post* ὑμῶν Otto, Marc. *add.* οὗτος θεὸς τῶν θεῶν (*ex.* LXX, Dial. 55, 1) *om. codd.*, *cett. edd.*

jeûne ou un jour agréable à Dieu. (6)*Ce n'est pas un tel jeûne que j'ai choisi, dit le Seigneur. Délie plutôt tous les liens d'injustice, défais les pièges des contrats de violence, renvoie libres les opprimés, et déchire toute convention inique.* **5** (7)*Romps ton pain pour celui qui a faim, conduis dans ta maison les malheureux sans toit. Celui que tu vois nu, couvre-le, et tu ne dédaigneras pas ceux de ton espèce.* (8)*Alors, comme l'aurore, jaillira ta lumière, et tes vêtements*[6] *se lèveront bien vite. Devant toi marchera ta justice, et la gloire de Dieu t'enveloppera.* (9)*Alors, si tu appelles, Dieu t'entendra ; tu parleras encore qu'il dira : « Me voici ! ».* **6** *Si tu renonces également à tresser des liens, à menacer du geste et proférer des murmures,* (10)*pour donner de bon cœur ton pain à l'affamé et rassasier les humbles, alors se lèvera dans les ténèbres ta lumière, et tes ténèbres seront comme le midi,* (11)*et ton Dieu constamment sera auprès de toi. Tu seras rassasié selon ce que désire ton âme, tes os engraisseront, ils seront comme un jardin irrigué, source ou terre où ne manque point l'eau*[7].

7 Circoncisez donc le prépuce de votre cœur[8], comme en tous ces discours le réclament les paroles de Dieu[9].

La circoncision fut donnée « en signe »
pour ceux qui ont « tué le Juste », et persécutent ses disciples.

16. 1 Par Moïse[1] aussi, Dieu lui-même l'a proclamé en disant : (*Deut.* 10, 16)*Vous circoncirez la dureté de votre cœur, et votre nuque, vous ne l'endurcirez plus,* (17)*car le Seigneur votre Dieu, et Seigneur des seigneurs, est un dieu grand, puissant et redoutable que n'impressionne pas la personne*[2]*, et qui n'accepterait pas de présents*[3]. Et dans le Lévitique : (*Lév.* 26, 40)*Parce qu'ils ont prévariqué, m'ont méprisé et ont emprunté, en face de moi, des voies détournées,* (41)*moi aussi, j'ai emprunté avec eux des voies détournées, et je les ferai périr dans la terre de leurs ennemis. Alors se repentira*[4] *leur cœur incirconcis*[5].

2 Car la circoncision selon la chair[6], qui commença avec Abraham[7], fut donnée [a]*en signe*[8], pour que vous soyez séparés des autres nations[9] et de nous[10], pour que vous soyez seuls à subir ce qu'en toute justice vous subissez à présent[11], pour que [b]*votre pays* devienne *une désolation,* que *vos*

a Cf. *Gen.* 17, 11 **b** cf. *Is.* 1, 7.

ἔρημοι καὶ *αἱ πόλεις πυρίκαυστοι, καὶ τοὺς καρποὺς ἐνώπιον ὑμῶν κατεσθίωσιν ἀλλότριοι,* καὶ μηδεὶς ἐξ ὑμῶν ἐπιβαίνῃ εἰς τὴν Ἱερουσαλήμ. **3** Οὐ γὰρ ἐξ ἄλλου τινὸς γνωρίζεσθε παρὰ τοὺς ἄλλους ἀνθρώπους, ἢ ἀπὸ τῆς ἐν σαρκὶ ὑμῶν περιτομῆς. Οὐδεὶς γὰρ ὑμῶν, ὡς νομίζω, τολμήσει εἰπεῖν ὅτι μὴ καὶ προγνώστης τῶν γίνεσθαι μελλόντων ἦν καὶ ἔστιν ὁ θεὸς καὶ τὰ ἄξια ἑκάστῳ προετοιμάζων. Καὶ ὑμῖν οὖν ταῦτα καλῶς καὶ δικαίως γέγονεν.

4 *Ἀπεκτείνατε* γὰρ *τὸν δίκαιον* καὶ πρὸ αὐτοῦ τοὺς *προφήτας* αὐτοῦ · καὶ νῦν τοὺς ἐλπίζοντας ἐπ' αὐτὸν καὶ τὸν πέμψαντα αὐτὸν [p. 101 : B] παντοκράτορα καὶ ποιητὴν τῶν ὅλων θεὸν ἀθετεῖτε καί, ὅσον ἐφ' ὑμῖν, ἀτιμάζετε, καταρώμενοι ἐν ταῖς συναγωγαῖς ὑμῶν τοὺς πιστεύοντας ἐπὶ τὸν Χριστόν. Οὐ γὰρ ἐξουσίαν ἔχετε αὐτόχειρες γενέσθαι ἡμῶν διὰ τοὺς νῦν ἐπικρατοῦντας · ὁσάκις δὲ ἂν ἐδυνήθητε, καὶ τοῦτο ἐπράξατε. **5** Διὸ καὶ ἐμβοᾷ ὑμῖν ὁ θεὸς διὰ τοῦ Ἡσαΐου λέγων · (*Is.* 57, 1) *Ἴδετε ὡς ὁ δίκαιος* ἀπώλετο[1], *καὶ οὐδεὶς κατανοεῖ. Ἀπὸ γὰρ προσώπου τῆς ἀδικίας ἦρται ὁ δίκαιος.* (2)*Ἔσται ἐν εἰρήνῃ · ἡ ταφὴ αὐτοῦ ἦρται*[2] [fol. 66 v° : A] *ἐκ τοῦ μέσου.* (3)*Ὑμεῖς προσηγάγετε ὧδε, υἱοὶ ἄνομοι, σπέρμα μοιχῶν καὶ τέκνα πόρνης.* (4)*Ἐν τίνι ἐνετρυφᾶτε καὶ ἐπὶ τίνα ἠνοίξατε τὸ στόμα καὶ ἐπὶ τίνι ἐχαλάσατε τὴν γλῶσσαν ;*

17. 1 Οὐχ οὕτως γὰρ τὰ ἄλλα ἔθνη εἰς ταύτην τὴν ἀδικίαν τὴν εἰς ἡμᾶς καὶ τὸν Χριστὸν ἐνέχονται, ὅσον ὑμεῖς, οἳ κἀκείνοις[3] τῆς κατὰ τοῦ *δικαίου* καὶ ἡμῶν τῶν ἀπ' ἐκείνου κακῆς προλήψεως αἴτιοι ὑπάρχετε · μετὰ γὰρ τὸ σταυρῶσαι ὑμᾶς ἐκεῖνον τὸν μόνον *ἄμωμον* καὶ *δίκαιον* ἄνθρωπον, δι' οὗ τῶν *μωλώπων ἴασις* γίνεται τοῖς δι' αὐτοῦ ἐπὶ τὸν πατέρα προ<σ>χωροῦσιν[4], ἐπειδὴ ἐγνώκατε αὐτὸν ἀναστάντα ἐκ νεκρῶν καὶ ἀναβάντα εἰς τὸν οὐρανόν, ὡς αἱ προφητεῖαι προεμήνυον γενησόμενον, οὐ μόνον[5] οὐ μετενοήσατε ἐφ' οἷς ἐπράξατε κακοῖς[6], ἀλλὰ

1 *Post* ἀπώλετο *addendum* Καὶ οὐδεὶς ἐκδέχεται τῇ καρδίᾳ · καὶ ἄνδρες δίκαιοι αἴρονται Thirlb., Mign. (*ex* LXX ; Dial. 110, 6 et I Apol. 48, 6) *add.* Otto, Troll. *om. codd., cett. edd.* **2** Ἔσται ἐν εἰρήνῃ · ἡ ταφὴ αὐτοῦ ἦρται ἐκ τοῦ μέσου *edd. ab* Otto ἡ ταφὴ αὐτοῦ ἦρται ἐκ τοῦ μέσου Dial. 97, 2 ; 118, 1 ; Tertul., *Adv. Marc.*, III, 19, 8 (« Sepultura eius sublata de medio est ») : ἔσται ἐν εἰρήνῃ ἡ ταφὴ αὐτοῦ · ἦρται ἐκ τοῦ μέσου *codd.*, Steph., Thirlb., Mar., Mign. (= LXX ; I Apol. 48, 6) **3** Οἳ κἀκείνοις Sylb. Mor., Troll, *edd ab* Otto : οἷς κἀκείνοις *codd., cett. edd.* οἷς κἀκείνης *prop.* Steph. **4** Προσχωροῦσιν Lange, Sylb., Thirlb., Mar., Mign., *edd. ab* Otto (cf. Dial. 43, 2 ; Jn. 14, 6) : προχωροῦσιν *codd.*, Steph., Jebb. **5** Οὐ μόνον – ἀνθρώποις (cf. Eus., *Hist. eccl.*, IV, 18, 7) : οὐ μόνον δὲ Mar. (ex Eus.) **6** Κακοῖς *codd.* (cf. 108, 1 : ἐφ' οἷς ἐπράξατε κακοῖς) : κακῶς Eus., Mar., Troll., Otto (cf. 12, 2 : οὐ μετανοεῖτε πράξαντες κακῶς).

cités soient *consumées par le feu,* que *des étrangers en mangent devant vous*[12] les fruits, et que nul d'entre vous ne monte à Jérusalem[13]. **3** Rien d'autre en effet ne vous rend reconnaissables, parmi les autres hommes, sinon la circoncision que vous portez dans la chair[14]. Personne parmi vous, je pense, n'osera nier que Dieu ait connu et connaisse par avance les événements à venir[15], et qu'il ménage à chacun ce qu'il mérite[16]. Dans votre cas aussi, il est donc bon est juste[17] que cela soit arrivé.

4 Car [a]*vous avez tué le Juste* et avant lui [b]ses *prophètes*[18]. Et aujourd'hui vous rejetez perfidement ceux qui espèrent en lui et celui qui l'a envoyé, le Tout-Puissant[19], Créateur de l'univers ; autant qu'il est en vous[20], vous les déshonorez, en élevant, dans vos synagogues[21], des imprécations sur ceux qui croient au Christ[22]. Vous n'avez pas, en effet, le pouvoir de nous frapper par vos propres mains, grâce à ceux qui maintenant nous gouvernent. Mais chaque fois que vous l'avez pu[23], cela aussi vous l'avez fait. **5** C'est pourquoi Dieu vous crie par Isaïe : (*Is.* 57, 1)*Voyez comme le Juste périt, et personne n'y songe*[24]. *Car c'est en présence de l'injustice que le Juste est enlevé.* (2)*Il sera en paix ; son tombeau a été enlevé*[25] *du milieu des hommes*[26]. (3)*Pour vous, hommes sans loi, avancez ici, race d'infidèles et enfants du mensonge, d'adultère et de fornication ! De qui vous railliez-vous ? Contre qui avez-vous ouvert la bouche ? Contre qui avez-vous tiré la langue*[27] *?*

Les juifs ont envoyé par toute la terre
des émissaires chargés de répandre la calomnies sur les chrétiens.
Prophétie d'Isaïe.

17. 1 Les autres peuples ne mettent pas, en effet, dans cette injustice tournée contre nous et contre le Christ, autant d'acharnement que vous qui êtes, de plus, responsables de cette mauvaise prévention qu'ils nourrissent contre le [c]*Juste* et contre nous[1], ses disciples. Après l'avoir crucifié[2], lui seul homme *sans tache*[3] et *juste*, dont les [d]*meurtrissures* procurent *la guérison*[4] à ceux qui par lui vont vers le Père[5], quand vous avez appris qu'il était ressuscité des morts[6] et monté au ciel[7], conformément à ce qu'annonçaient les prophéties, non seulement vous ne vous êtes pas repentis de vos mauvaises actions, mais

a Cf. *Is.* 57, 1 ; *Jacq.* 5, 6, etc. **b** cf. *Matth.* 23, 31 et *Lc.* 13, 34 **c** cf. *Is.* 57, 1 **d** cf. *Is.* 53, 5.

ἄνδρας ἐκλεκτοὺς ἀπὸ Ἱερουσαλὴμ[1] ἐκλεξάμενοι τότε ἐξεπέμψατε εἰς πᾶσαν τὴν γῆν, λέγοντας αἵρεσιν ἄθεον[2] Χριστιανῶν πεφηνέναι[3], καταλέγοντάς[4] < τε >[5] ταῦτα ἅπερ καθ' ἡμῶν οἱ ἀγνοοῦντες ἡμᾶς πάντες λέγουσιν · ὥστε οὐ μόνον ἑαυτοῖς ἀδικίας αἴτιοι ὑπάρχετε, ἀλλὰ καὶ τοῖς ἄλλοις ἅπασιν ἁπλῶς ἀνθρώποις.

2 Καὶ δικαίως βοᾷ Ἡσαΐας · (Is. 52, 5)*Δι' ὑμᾶς τό ὄνομά μου βλασφημεῖται ἐν τοῖς ἔθνεσι.* [p. 102 : B] Καὶ · (Is. 3, 9)*Οὐαὶ τῇ ψυχῇ αὐτῶν, διότι βεβούλευνται βουλὴν πονηρὰν καθ' ἑαυτῶν,* [fol. 67 r° : A] (10)*εἰπόντες · Δήσωμεν τὸν δίκαιον, ὅτι δύσχρηστος ἡμῖν ἐστι. Τοίνυν τὰ γεννήματα τῶν ἔργων αὐτῶν φάγονται.* (11)*Οὐαὶ τῷ ἀνόμῳ · πονηρὰ κατὰ τὰ ἔργα τῶν χειρῶν αὐτοῦ συμβήσεται αὐτῷ.* Καὶ πάλιν ἐν ἄλλοις · (Is. 5, 18)*Οὐαὶ οἱ ἐπισπώμενοι τὰς ἁμαρτίας αὐτῶν ὡς σχοινίῳ μακρῷ καὶ ὡς ζυγοῦ ἱμάντι δαμάλεως τὰς ἀνομίας,* (19)*οἱ λέγοντες · Τὸ τάχος αὐτοῦ ἐγγισάτω, καὶ ἐλθέτω ἡ βουλὴ τοῦ ἁγίου Ἰσραήλ, ἵνα γνῶμεν.* (20)*Οὐαὶ οἱ λέγοντες τὸ πονηρὸν καλὸν < καὶ τὸ καλὸν πονηρόν >*[6], *οἱ τιθέντες τὸ φῶς σκότος καὶ τὸ σκότος φῶς, οἱ τιθέντες τὸ πικρὸν γλυκὺ καὶ τὸ γλυκὺ πικρόν.*

3 Κατὰ οὖν τοῦ μόνου *ἀμώμου* καὶ *δικαίου φωτός*, τοῖς ἀνθρώποις πεμφθέντος *παρὰ τοῦ θεοῦ*, τὰ *πικρὰ* καὶ *σκοτεινὰ* καὶ ἄδικα καταλεχθῆναι ἐν πάσῃ τῇ γῇ ἐσπουδάσατε. *Δύσχρηστος* γὰρ ὑμῖν ἔδοξεν εἶναι, βοῶν παρ' ὑμῖν · *Γέγραπται · Ὁ οἶκός μου οἶκος προσευχῆς ἐστιν, ὑμεῖς δὲ πεποιήκατε αὐτὸν σπήλαιον λῃστῶν.* Καὶ *τὰς τραπέζας τῶν* ἐν τῷ ναῷ *κολλυβιστῶν κατέστρεψε.* 4 Καὶ ἐβόα · *Οὐαὶ ὑμῖν, γραμματεῖς καὶ Φαρισαῖοι*[7], *ὑποκριταί, ὅτι ἀποδεκατοῦτε τὸ ἡδύοσμον καὶ τὸ πήγανον, τὴν δὲ ἀγάπην τοῦ θεοῦ καὶ τὴν κρίσιν οὐ κατανοεῖτε · τάφοι κεκονιαμένοι, ἔξωθεν φαινόμενοι ὡραῖοι, ἔσωθεν δὲ* [fol. 67 v° : A] *γέμοντες ὀστέων νεκρῶν.* Καὶ τοῖς γραμματεῦσιν · *Οὐαὶ ὑμῖν, γραμματεῖς, ὅτι τὰς κλεῖς ἔχετε, καὶ αὐτοὶ οὐκ εἰσέρχεσθε*[8] *καὶ τοὺς εἰσερχομένους κωλύετε · ὁδηγοὶ τυφλοί.*

1 Ἀπὸ Ἱερουσαλὴμ ἐκλεξάμενοι τότε : ἐκλεξάμενοι τότε ἀπὸ Ἱερουσαλήμ Eus. **2** Ἄθεον (cf. 108, 2 : αἱρεσίς τις ἄθεος) : ἀθέων *tres vetustissimi* Eus. *mss.*, Steph. **3** Πεφηνέναι : πεφάνται Eus. **4** Λέγοντας ...καταλέγοντας Arch. ex Eus. vers. Syr. et Rufino (cf. 108, 2 : κηρύσσοντας), Goodsp., Marc. : λέγοντες ...καταλέγοντες *codd.*, *cett. edd.*, Eus. gr. Schwartz **5** Τε *edd. a Mar. ex* Eus. **6** Καὶ τὸ καλὸν πονηρόν *edd.* (*ex* LXX, Dial. 133, 4) **7** Φαρισαῖοι *corr.* Mor., *edd. ab* Otto (*hic et ubique*) : Φαρισσαῖοι *codd.*, *cett. edd.* **8** Οὐκ εἰσέρχεσθε – κωλύετε *in textu codd.*, *edd.* : οὐκ εἰσέλθετε καὶ τοὺς ἐρχομένους ἐκωλύσατε *in. marg. codd.*, *ad calcem* Steph. (ex Lc., 11, 52).

vous avez alors, de Jérusalem, désigné des hommes choisis que vous avez envoyés par toute la terre[8] pour dire qu'une hérésie impie, celle des « chrétiens »[9], était apparue, et débiter les accusations que répandent sur notre compte tous ceux qui ne nous connaissent pas[10]. Aussi n'êtes vous pas seulement responsables de votre propre iniquité, mais encore, absolument, pour celle de tous les autres hommes.

2 C'est à juste titre qu'Isaïe s'écrie : (*Is.* 52, 5)*Par vous*[11], *mon nom est blasphémé dans les nations*[12]. Et : (*Is.* 3, 9)*Malheur à leur âme, car ils ont conçu un mauvais dessein contre eux-mêmes,* (10)*en disant : « Lions*[13] *le Juste, car il nous embarrasse ». C'est pourquoi ils mangeront les fruits de leurs œuvres.* (11)*Malheur à l'inique : selon l'œuvre de ses mains sera sa souffrance.* Et encore, dans un autre passage : (*Is.* 5, 18)*Malheur à ceux qui tirent leurs péchés comme par une longue corde*[14], *et leurs iniquités comme par la courroie d'un attelage de génisses,* (19)*ceux qui disent : « Qu'approche sa promptitude ! Que vienne le dessein du saint d'Israël*[15], *afin que nous sachions ! ».* (20)*Malheur à ceux qui disent que le mal est bien, et que le bien est mal, ceux qui changent la lumière en ténèbres et les ténèbres en lumière, l'amer en doux et le doux en amer*[16].

3 Ainsi donc, c'est contre la seule [a]*lumière*[17] *sans tache* et *juste*[18], envoyée [b]*d'auprès de Dieu*[19] aux hommes, que vous avez mis soin à répandre sur toute la terre[20] ces accusations [c]*amères, ténébreuses*[21] et injustes. Car il vous a paru [d]*embarrassant*[22] celui qui s'écriait parmi vous : [e]*Il est écrit :* [f]*« Ma maison est une maison de prière, et vous en faites une caverne de voleurs »*[23]. Et il [g]*renversait les tables des changeurs* qui se trouvaient dans le Temple[24]. **4** Il s'écriait encore : [h]*Malheur à vous, scribes et Pharisiens hypocrites ! car vous vous acquittez de la dîme de la menthe, de la rue, et ne songez pas à l'amour de Dieu et à son jugement. Sépulcres blanchis, au dehors qui semblent beaux, mais sont remplis, à l'intérieur, d'ossements de cadavres.* Et aux scribes : [i]*Malheur à vous, scribes ! car vous avez les clés, mais vous n'entrez pas vous-mêmes, et vous empêchez ceux qui veulent entrer.* [j]*Conducteurs aveugles*[25] *!*

a Cf. *Is.* 51, 4 **b** cf. *Is.* 51, 4 **c** cf. *Is.* 5, 20 **d** cf. *Is.* 3, 10 **e** *Matth.* 21, 13 ; *Mc.* 11, 17 ; *Lc.* 19, 46 **f** cf. *Is.* 56, 7 ; *Jér.* 7, 11 **g** cf. *Matth.* 21, 12 ; *Mc.* 11, 15 **h** *Matth.* 23, 23.27 ; *Lc.* 11, 42 **i** *Matth.* 23, 13 ; *Lc.* 11, 52 **j** *Matth.* 23, 16.24.

18. 1 Ἐπειδὴ γὰρ ἀνέγνως, ὦ Τρύφων, ὡς αὐτὸς ὁμολογήσας ἔφης[1], τὰ ὑπ' ἐκείνου τοῦ σωτῆρος ἡμῶν διδαχθέντα, οὐκ ἄτοπον νομίζω πεποιηκέναι καὶ βραχέα τῶν [p. 103 : B] ἐκείνου λόγια πρὸς τοῖς προφητικοῖς ἐπιμνησθείς.

2 *Λούσασθε* οὖν καὶ νῦν *καθαροὶ γένεσθε* καὶ *ἀφέλεσθε τὰς πονηρίας ἀπὸ τῶν ψυχῶν ὑμῶν*, ὡς δὲ[2] λούσασθαι ὑμῖν τοῦτο τὸ λουτρὸν κελεύει ὁ θεὸς καὶ περιτέμνεσθαι[3] τὴν ἀληθινὴν περιτομήν. Ἡμεῖς γὰρ καὶ ταύτην ἂν τὴν περιτομὴν τὴν κατὰ σάρκα καὶ τὰ σάββατα καὶ τὰς ἑορτὰς πάσας ἁπλῶς ἐφυλάσσομεν, εἰ μὴ ἔγνωμεν δι' ἣν αἰτίαν καὶ ὑμῖν προσετάγη, τουτέστι διὰ τὰς ἀνομίας ὑμῶν καὶ τὴν σκληροκαρδίαν. **3** Εἰ γὰρ ὑπομένομεν πάντα τὰ ἐξ ἀνθρώπων καὶ δαιμόνων φαύλων ἐνεργούμενα εἰς ἡμᾶς, ὡς καὶ μέχρι τῶν ἀρρήτων θανάτου καὶ τιμωριῶν[4] φέρειν[5], *εὐχόμενοι* ἐλεηθῆναι καὶ τοὺς τὰ τοιαῦτα διατιθέντας ἡμᾶς, καὶ μηδὲ μικρὸν ἀμείβεσθαι μηδένα βουλόμενοι, ὡς ὁ καινὸς νομοθέτης ἐκέλευσεν ἡμῖν, πῶς οὐχὶ καὶ τὰ μηδὲ[6] βλάπτοντα ἡμᾶς, περιτομὴν δὲ [fol. 68 r° : A] σαρκικὴν λέγω καὶ σάββατα καὶ τὰς ἑορτάς, ἐφυλάσσομεν ;

19. 1 < Καὶ > ὁ Τρύφων[7] · Τουτό ἐστιν ὃ ἀπορεῖν ἄξιόν ἐστιν, ὅτι τοιαῦτα ὑπομένοντες οὐχὶ καὶ τὰ ἄλλα πάντα, περὶ ὧν νῦν ζητοῦμεν, φυλάσσετε[8].

2 Οὐ γὰρ πᾶσιν[9] ἀναγκαία αὕτη ἡ περιτομή, ἀλλ' ὑμῖν μόνοις, ἵνα, ὡς προέφην, ταῦτα πάθητε ἃ νῦν ἐν δικῇ πάσχετε. Οὐδὲ γὰρ τὸ βάπτισμα ἐκεῖνο τὸ ἀνωφελὲς τὸ τῶν *λάκκων* προσλαμβάνομεν · οὐδὲν γὰρ πρὸς τὸ βάπτισμα τοῦτο τὸ τῆς *ζωῆς* ἐστι. Διὸ καὶ κέκραγεν ὁ θεὸς ὅτι *Ἐγκατελίπετε αὐτόν, πηγὴν ζῶσαν, καὶ ὠρύξατε ἑαυτοῖς λάκκους συντετριμμένους, οἳ οὐ δυνήσονται συνέχειν ὕδωρ.* **3** Καὶ ὑμεῖς μέν, οἱ τὴν σάρκα περιτετμημένοι, χρῄζετε τῆς ἡμετέρας περιτομῆς, ἡμεῖς δέ, ταύτην ἔ-[p. 104 : B]-χοντες, οὐδὲν ἐκείνης δεόμεθα. Εἰ γὰρ ἦν ἀναγκαία,

1 Ὁμολογήσας ἔφης : ὡμολόγησας, ἔφην, *prop.* Sylb., Thirlb. (cf. 67, 5 : ὡμολόγησας ἡμῖν, ἔφη), *coni.* Marc. **2** Δὲ : *del.* Troll. (*vel* δή *legendum*) **3** Περιτέμνεσθαι : περιτέμνεσθε *prop.* Thirlb, *coni.* Marc. **4** Θανάτου καὶ τιμωριῶν *commatibus includuntur* Mar., Mign., *edd. ab* Otto : τιμωριῶν καὶ θανάτου *prop.* Otto (cf. 46, 7 : ὑπομένομεν τὰς ἐσχ. τιμωρίας καὶ θανατούμενοι χαίρομεν) μέχρι τῶν ἀρρήτων θανάτου [καὶ] τιμωριῶν *aut* μέχρι τῶν ἐσχάτων τιμωριῶν (cf. 46, 7 : τὰς ἐσχάτας τιμωρίας) *prop.* Thirlb. **5** Φέρειν *huc transtuli ut* Marc. : *post* εἰς ἡμᾶς *codd., cett. edd.* προχωρεῖν *sive* προιέναι *post* τιμωριῶν *addendum* Sylb., *tunc exspectaveris* εὐχομένους ...βουλομένους Otto **6** Μηδὲ : μηδὲν *prop.* Lange, Thirlb., *coni.* Marc. **7** Καὶ ὁ Τρύφων *prop.* Thirlb., *coni.* Troll., Arch., Goodsp. (ὦ Τρύφων ; < Καὶ > ὁ Τρύφων), Marc : ὦ Τρύφων *codd., cett. edd.* **8** Φυλάσσετε *prop.* Thirlb., Mar. (cf. 10, 2-3), *coni.* Troll., *edd. ab* Otto : φυλάσσομεν *codd., cett. edd.* **9** Πᾶσιν : πᾶσιν, ἔφην Marc.

Les chrétiens observeraient les prescriptions de la Loi s'ils ne connaissaient pas leur sens véritable.

18. 1 Puisque tu as lu[1], Tryphon, comme tu l'as toi-même reconnu, les enseignements de ce Sauveur, il ne me semble pas qu'il était hors de propos de rappeler, en les associant aux oracles prophétiques, certaines de ses courtes[2] sentences[3].

2 [a]*Lavez-vous* donc, *devenez purs* à présent, *et enlevez de vos âmes les penchants mauvais*, mais comme Dieu vous ordonne de vous laver de ce bain, et de vous circoncire[4] de la circoncision véritable[5]. Car nous l'observerions aussi, cette circoncision selon la chair, et les sabbats, et absolument toutes les fêtes[6], si nous ne savions pour quelle raison ils ont été à vous seuls[7] prescrits : à cause de vos iniquités et de votre dureté de cœur[8]. **3** Si nous endurons[9], en effet, toutes les machinations mises en œuvre contre nous par les hommes et les mauvais démons[10], au point de supporter jusqu'aux souffrances indicibles de la mort et des supplices, en [b]*priant* pour qu'il soit fait miséricorde même à ceux qui nous les infligent[11], et sans vouloir la moindre revanche sur personne, comme nous l'a ordonné le Nouveau Législateur[12], pourquoi n'observerions-nous pas aussi, Tryphon, ce qui ne nous nuit même pas[13], je veux dire la circoncision de la chair, les sabbats et les fêtes ?

Avant Abraham, les Justes étaient incirconcis. Depuis Moïse, c'est à cause de ses tendances idolâtres que le peuple est soumis à la Loi.

19. 1 Tryphon :

— C'est bien là ce qui peut susciter l'embarras : que vous enduriez de pareilles épreuves, et n'observiez pas également toutes les prescriptions qui font ici l'objet de notre examen.

2 — C'est que cette circoncision n'est pas nécessaire[1] à tous, mais à vous seuls, afin, comme je l'ai dit[2], que vous souffriez ce qu'en toute justice vous souffrez aujourd'hui. Et ce baptême inutile[4], celui des *citernes*, nous ne l'acceptons pas non plus pour nous : il n'est rien en regard de ce baptême-ci, celui de la *vie*. Aussi Dieu a-t-il proclamé : [c]*Vous l'avez abandonné, lui, source vive, et vous vous êtes creusé des citernes fissurées qui ne pourront retenir l'eau*[4]. **3** Vous autres, circoncis de la chair, avez besoin de notre circoncision, mais à nous,

a *Is.* 1, 16 **b** cf. *Matth.* 5, 44 ; *Lc.* 6, 27-28 ; 35-36 **c** cf. *Jér.* 2, 13.

ὡς δοκεῖτε, οὐκ ἂν ἀκρόβυστον ὁ θεὸς ἔπλασε τὸν ᾿Αδάμ, οὐδὲ ἐπέβλεψεν ἐπὶ τοῖς *δώροις* τοῦ ἐν ἀκροβυστίᾳ σαρκὸς προσενέγκαντος θυσίας *῎Αβελ*, οὐδ᾿ ἂν *εὐηρέστησεν* ἐν ἀκροβυστίᾳ *᾿Ενώχ*[1], καὶ οὐχ *εὑρίσκετο, διότι μετέθηκεν αὐτὸν ὁ θεός*. **4** Λὼτ ἀπερίτμητος ἐκ Σοδόμων ἐσώθη, αὐτῶν ἐκείνων τῶν ἀγγέλων αὐτὸν καὶ τοῦ κυρίου προπεμψάντων. Νῶε, ἀρχὴ γένους ἄλλου[2], ἅμα τοῖς τέκνοις [fol. 68 v° : A] ἀπερίτμητος *εἰς τὴν κιβωτὸν εἰσῆλθεν*. ᾿Απερίτμητος ἦν ὁ *ἱερεὺς τοῦ ὑψίστου* Μελχισεδέκ, ᾧ καὶ *δεκάτας* προσφορὰς *ἔδωκεν* ᾿*Αβραάμ*, ὁ πρῶτος τὴν κατὰ σάρκα περιτομὴν λαβών, καὶ *εὐλόγησεν αὐτόν* · οὗ *κατὰ τὴν τάξιν τὸν αἰώνιον ἱερέα* ὁ θεὸς καταστήσειν διὰ τοῦ Δαυὶδ μεμήνυκεν.

5 ῾Υμῖν οὖν μόνοις ἀναγκαία ἦν ἡ περιτομὴ αὕτη, ἵνα *ὁ λαὸς οὐ λαὸς* ᾖ καὶ τὸ ἔθνος οὐκ ἔθνος ὡς καὶ ᾿Ωσηέ, εἷς τῶν δώ<δε>κα[3] προφητῶν, φησί. Καὶ γὰρ μὴ σαββατίσαντες οἱ προωνομασμένοι πάντες δίκαιοι τῷ θεῷ εὐηρέστησαν καὶ μετ᾿ αὐτοὺς ᾿Αβραὰμ καὶ οἱ τούτου υἱοὶ ἅπαντες μέχρι Μωϋσέως[4], ἐφ᾿ οὗ ἄδικος καὶ ἀχάριστος εἰς τὸν θεὸν ὁ λαὸς ὑμῶν ἐφάνη ἐν τῇ ἐρήμῳ μοσχοποιήσας. **6** ῞Οθεν ὁ θεὸς ἁρμοσάμενος πρὸς τὸν λαὸν ἐκεῖνον καὶ θυσίας[5] φέρειν ὡς πρὸς ὄνομα αὐτοῦ ἐνετείλατο, ἵνα μὴ εἰδωλολατρῆτε · ὅπερ οὐδὲ ἐφυλάξατε[6], ἀλλὰ καὶ τὰ τέκνα ὑμῶν ἐθύετε τοῖς δαιμονίοις. Καὶ σαββατίζειν οὖν ὑμῖν προστέταχεν, ἵνα μνήμην λαμβάνητε τοῦ θεοῦ · καὶ γὰρ ὁ Λόγος αὐτοῦ τοῦτο σημαίνει λέγων · *Τοῦ γινώσκειν ὅτι ἐγώ εἰμι ὁ θεὸς ὁ λυτρωσάμενος*[7] *ὑμᾶς*.

20. 1 Καὶ γὰρ βρωμάτων τινῶν ἀπέχεσθαι [p. 105 : B] προσέταξεν ὑμῖν, ἵνα καὶ ἐν τῷ *ἐσθίειν* καὶ *πίνειν* πρὸ ὀφθαλμῶν[8] ἔχητε τὸν θεόν, εὐκατάφοροι [fol. 69 r° : A] ὄντες καὶ εὐχερεῖς πρὸς τὸ ἀφίστασθαι τῆς γνώσεως αὐτοῦ, ὡς καὶ Μωϋσῆς[9] φησιν · *῎Εφαγε καὶ ἔπιεν ὁ λαὸς καὶ ἀνέστη τοῦ παίζειν*. Καὶ πάλιν · *῎Εφαγεν ᾿Ιακὼβ καὶ ἐνεπλήσθη, καὶ ἐλιπάνθη*[10], *καὶ*

1 ᾿Ενώχ : ῾Ενώχ Goodsp., Marc. **2** ᾿Αλλοῦ Anonym. (Miscell. observv. in auctores vett. et recentt., 1.3, p. 372), *edd. ab* Otto (cf. 138, 2 : ἄλλου γένους) : ἀλλ᾿ οὖν *codd.*, *cett. edd.* (cf. I Apol. 8, 5) **3** Δώδεκα B, *edd.* : δώκα A **4** Μωϋσέως : Μωϋσέος *codd.* Μωσέως Arch., Goodsp. **5** Καὶ θυσίας : προσφορὰς καὶ θ. Marc. **6** ῞Οπερ οὐδὲ ἐφυλάξατε : ὅπερ οὐκ ἐποιήσατε οὐδὲ ἐφυλάξατε Marc. (*ex.* Ez. 20, 19.21) **7** ῾Ο λυτρωσάμενος : ὁ ἁγιάζων Ez. 20, 12 (*om.* Ez. 20, 20) **8** ᾿Οφθαλμῶν *edd.* : ὀφθαλμὸν *codd.* **9** Μωϋσῆς : Μωσῆς Arch. **10** Καὶ ἐλιπάνθη (cf. TM, Aquil., S. Chrysost., *Adv. Jud.*, 1 : *PG* XLVIII, 846 B) : *om.* LXX.

qui avons cette dernière, la vôtre ne manque en rien. Car si elle était nécessaire, comme vous le présumez, Dieu n'eût pas façonné Adam incirconcis. Il n'aurait pas non plus [a]jeté les yeux sur *l'offrande* d'*Abel* qui, dans l'incirconcision de la chair, lui présentait des sacrifices[5] ; pas plus qu'*Énoch*[6], dans l'incirconcision, n'aurait [b]*été agréable à Dieu*, lui qui *disparut, parce que Dieu l'avait déplacé*[7]. **4** Lot incirconcis [c]fut sauvé de Sodome[8], car ces anges eux-mêmes et le Seigneur[9] l'avaient fait sortir auparavant. Noé, chef d'une autre race[10], [d]*entra* incirconcis, avec ses enfants[11], *dans l'arche*. Il était incirconcis, [e]le *prêtre du Très-Haut*, Melchisédech[12], à qui *Abraham*, le premier qui reçut la circoncision selon la chair[13], *donna* aussi les offrandes de la *dîme*. Et Melchisédech *le bénit*. C'est [f]*selon l'ordre de Melchisédech* que Dieu a révélé, par la bouche de David, qu'il établirait son [g]*prêtre éternel*[14].

5 Pour vous seuls, donc, cette circoncision était nécessaire, afin que [h]le *peuple ne* soit *plus* le *peuple*, et que la nation ne soit plus une nation[15], comme le dit Osée, l'un des douze prophètes. Et en effet, bien qu'ils n'aient pas non plus observé le sabbat, tous ces Justes que je viens de nommer ont plu à Dieu, et avec eux Abraham ainsi que tous ses descendants, jusqu'à Moïse[16], sous lequel votre peuple se montra injuste et ingrat[17] envers Dieu, [i]en fabriquant, dans le désert, un veau d'or[18]. **6** C'est pourquoi Dieu, s'adaptant à ce peuple[19], ordonna également qu'on lui offrît des sacrifices, comme pour son nom[20], afin que vous n'idolâtriez point[21], ce que vous n'avez pas davantage respecté : au contraire, vous avez même sacrifié vos enfants aux démons[22]. C'est pour la même raison, donc, qu'il vous a ordonné le sabbat : pour que vous gardiez la mémoire de Dieu[23]. Et c'est bien là ce que son Verbe[24] signifie lorsqu'il dit : [j]*Afin que vous sachiez que je suis le Dieu qui vous a rachetés*[25].

Les prescriptions alimentaires, consécutives au péché du veau d'or, étaient destinées à préserver le peuple de l'idolâtrie.

20. 1 Et s'il vous a prescrit de vous abstenir de certains aliments, c'est aussi pour que jusque dans le *boire* et le *manger*, vous ayez Dieu devant les yeux[1], car vous êtes volontiers enclins à vous écarter de sa connaissance[2], comme le dit Moïse : [k]*Le peuple a mangé et bu, puis s'est levé pour se divertir*[3]. Et encore :

a Cf. *Gen.* 4, 4 **b** cf. *Gen.* 5, 22.24 **c** cf. *Gen.* 19 **d** cf. *Gen.* 7, 1 **e** cf. *Gen.* 14, 18.20.19 **f** cf. *Ps.* 109, 4 **g** *ibid.* **h** cf. *Os.* 1, 9-10 **i** cf. *Exod.* 32 **j** *Éz.* 20, 12.20 **k** *Exod.* 32, 6.

ἀπελάκτισεν ὁ ἠγαπημένος · ἐλιπάνθη, ἐπαχύνθη, ἐπλατύνθη, καὶ ἐκατέλιπε θεὸν τὸν ποιήσαντα αὐτόν. Τῷ γὰρ Νῶε ὅτι συγκεχώρητο ὑπὸ τοῦ θεοῦ, δικαίῳ ὄντι, πᾶν ἔμψυχον ἐσθίειν *πλὴν κρέας ἐν αἵματι*, ὅπερ ἐστὶ νεκριμαῖον[1], διὰ Μωϋσέως[2] ἀνιστορήθη ὑμῖν ἐν τῇ βίβλῳ τῆς Γενέσεως.

2 Καὶ βουλομένου αὐτοῦ εἰπεῖν *Ὡς λάχανα χόρτου*, προεῖπον ἐγώ · Τὸ *ὡς λάχανα χόρτου* τοῦ[3] μὴ ἀκούσεσθε ὡς εἴρηται ὑπὸ τοῦ θεοῦ, ὅτι ὡς τὰ *λάχανα* εἰς τροφὴν τῷ ἀνθρώπῳ ἐπεποιήκει[4] ὁ θεός, οὕτως καὶ τὰ ζῶα εἰς κρεωφαγίαν ἐδεδώκει[5] ; 'Αλλ' ἐπεί τινα τῶν *χόρτων* οὐκ ἐσθίομεν, οὕτω καὶ διαστολὴν ἔκτοτε τῷ Νῶε διεστάλθαι φατέ.

3 Οὐκ ὡς ἐξηγεῖσθε πιστευτέον. Πρῶτον μὲν γὰρ ὅτι πᾶν *λάχανον χόρτος*[6] ἔστι καὶ βιβρώσκεσθαι[7] δυνάμενος λέγειν καὶ κρατύνειν, οὐκ ἐν τούτῳ ἀσχοληθήσομαι. 'Αλλὰ εἰ καὶ τὰ *λάχανα* τοῦ *χόρτου* διακρίνομεν, μὴ πάντα ἐσθίοντες, οὐ διὰ τὸ εἶναι αὐτὰ *κοινὰ* ἢ *ἀκάθαρτα* οὐκ ἐσθίομεν, ἀλλ'[8] ἢ διὰ τὸ[9] πικρὰ ἢ θανάσιμα ἢ ἀκανθώδη · τῶν δὲ γλυκέων [fol. 69 v° : A] πάντων καὶ τροφιμωτάτων καὶ καλλίστων, θαλασσίων τε καὶ χερσαίων[10], ἐφιέμεθα καὶ μετέχομεν. **4** Οὕτω καὶ τῶν ἀκαθάρτων καὶ ἀδίκων καὶ παρανόμων ἀπέχεσθαι ὑμᾶς ἐκέλευσεν ὁ θεὸς διὰ Μωϋσέως[11], ἐπειδὴ καὶ τὸ μάννα ἐσθίοντες ἐν τῇ ἐρήμῳ καὶ τὰ θαυμάσια πάντα ὁρῶντες ὑμῖν ὑπὸ τοῦ θεοῦ γινόμενα, μόσχον τὸν χρύσεον ποιήσαντες προσεκυνεῖτε. Ὥστε δι-[p. 106 : B]-καίως ἀεὶ βοᾷ · *Υἱοὶ ἀσύνετοι, οὐκ ἔστι πίστις ἐν αὐτοῖς.*

21. 1 Καὶ ὅτι διὰ τὰς ἀδικίας ὑμῶν καὶ τῶν πατέρων ὑμῶν *εἰς σημεῖον*, ὡς προέφην, καὶ τὸ σάββατον ἐντέταλται ὁ θεὸς φυλάσσειν ὑμᾶς καὶ τὰ ἄλλα προστάγματα προσετετάχει, καὶ σημαίνει ὅτι διὰ τὰ *ἔθνη, ἵνα μὴ βεβηλωθῇ τὸ ὄνομα* αὐτοῦ παρ' αὐτοῖς, διὰ τοῦτο εἴασέ τινας ἐξ ὑμῶν

1 Ὅπερ ἐστὶ νεκριμαῖον *prop.* H. Steph. (in edit. *Ep. ad Diogn.*, p. 59), *coni.* Sylb., Troll., Mign., *edd. ab* Otto : ὅπερ ἐστὶν ἐκριμαῖον (*eiectitium*) *codd.*, Thirlb. ἐκκρεμαῖον (*pensile, suspensum*) *prop.* Lange, Thirlb. **2** Μωϋσέως : Μωϋσέος *codd.* Μωσέως Arch. **3** Τοῦ μὴ ἀκούσεσθε (= τίνος [χάριν, ἕνεκα] Mar. Cf. II Apol. 2, 16 : τοῦ τὸν ἄνθρωπον τοῦτον ἐκολάσω) : οὐ μὴ ἀκούετε *prop.* Périon, *coni.* Thirlb. τί μὴ ἀκούετε Troll. τοῦ *delendum* Steph., *del.* Sylb., Mor. **4** 'Επεποιήκει A, *edd.* : πεποιήκει B **5** 'Εδεδώκει ; "Αλλ' ...φατέ. Οὐκ *edd. a* Mar. : ἐδεδώκει · ἀλλ' ...φατέ, οὐχ κτλ. *cett. edd.* (ἐδεδώκει, ἄλλ' ...φατέ, οὐχ Thirlb.) φατέ *tollendum vel* φάναι *legendum* Sylb. **6** Χόρτος ἐστὶ : χόρτου ἔστι *prop.* Thirlb., *coni.* Otto, Arch. **7** Βιβρώσκεσθαι : *subaudiendum* ἐπιτήδειον (διδόμενον Troll.), *vel simile adjectivum, aut legendum* βιβρώσκεται Sylb. βιβρώσκεται Marc. **8** 'Αλλ' Thirlb., Otto, Arch., Marc. : ἀλλὰ *codd.*, *cett. edd.* **9** Τὸ : τὸ εἶναι Marc. **10** Θαλασσίων – Χερσαίων (*scil.* ἐμψύχων) : *post* παρανόμων (20, 4) *transp.* Marc. **11** Μωϋσέως : Μωϋσέος *codd.* Μωσέως Arch.

[a]*Jacob a mangé, s'est rassasié, engraissé, et le bien aimé à regimbé. Il s'est engraissé, épaissi, élargi, et il a abandonné Dieu qui l'avait fait*[4]. Mais à Noé, Dieu a permis, parce qu'il était juste, de manger de tout être vivant, [b]*excepté la chair avec le sang*, c'est-à-dire celle d'un animal mort naturellement[5]. Cela vous est rapporté par Moïse, au livre de la Genèse.

2 Et comme Tryphon voulait préciser [c]*Comme les légumes herbacés* (propres à être consommés), je prévins son objection : Cette expression *Comme les légumes herbacés* (propres à être consommés), pourquoi ne l'entendez-vous pas dans le sens où elle a été dite par Dieu, c'est-à-dire que de même que Dieu a créé *les légumes* pour qu'ils servent de nourriture à l'homme, de même, aussi, a-t-il donné les animaux pour qu'on mange leur chair. Mais parce que nous ne mangeons pas de certains *légumes*, vous prétendez que cette restriction a été établie dès ce temps-là, pour Noé.

3 A votre interprétation, on ne saurait souscrire. Tout d'abord parce que je puis affirmer et soutenir que tout [d]*légume* est un *herbacé*, et peut être consommé[6], ce sur quoi je ne m'attarderai pas. Et même si nous distinguons les *légumes* des *herbacés* (propres à la consommation), et ne les mangeons pas tous, ce n'est pas parce que certains sont [e]*profanes* ou *impurs* que nous n'en mangeons pas, mais parce qu'ils sont amers, porteurs de poison, ou garnis d'épines. Tous ceux qui sont doux, en revanche, vraiment nourrissants et fort agréables – qu'ils viennent de la mer ou de la terre – nous les recherchons et en prenons notre part. **4** Et ainsi, c'est de ce qui est impur, injuste, inique, que Dieu vous a ordonné, par Moïse, de vous abstenir, car, [f]tandis que vous vous nourrissiez de la manne dans le désert, et que vous étiez témoins de tous les miracles que Dieu accomplissait pour vous[7], [g]vous avez fabriqué le veau d'or, et l'avez adoré[8]. Aussi s'écrie-t-il toujours, à juste titre : [h]*Fils insensés ! il n'y a point de foi en eux*[9] !

C'est à cause des péchés du peuple que fut institué le sabbat.
Témoignage d'Ézéchiel.

21. 1 C'est à cause de vos injustices à vous, et de celles de vos pères qu' [i]*en signe*[1], comme je l'ai dit, Dieu vous a ordonné d'observer le sabbat et vous a prescrit les autres ordonnances. Et il signifie que c'est [j]à cause des *nations*,

a *Deut.* 32, 15 **b** *Gen.* 9, 4 **c** *Gen.* 9, 3 **d** cf. *Gen.* 9, 3 **e** cf. *Act.* 10, 14 **f** cf. *Exod.* 16, 4-35 ; *Nombr.* 11, 7-9 ; *Deut.* 8, 3.16 **g** cf. *Exod.* 32 **h** *Deut.* 32, 20 ; cf. *Jér.* 4, 22. **i** cf. *Gen.* 17, 11 ; *Éz.* 20, 20 **j** cf. *Éz.* 20, 22.

ὅλως ζῶντας, αὐταὶ[1] αἱ φωναὶ αὐτοῦ τὴν ἀπόδειξιν ποιήσασθαι δύνανται ὑμῖν. **2** Εἰσὶ δὲ εἰρημέναι διὰ τοῦ Ἰεζεκιὴλ οὕτως · (*Ez.* 20, 19) *Ἐγὼ κύριος ὁ θεὸς ὑμῶν · ἐν τοῖς προστάγμασί μου πορεύεσθε, καὶ τὰ δικαιώματά μου φυλάσσετε,* (18)*καὶ ἐν τοῖς ἐπιτηδεύμασιν Αἰγύπτου μὴ συναναμίγνυσθε,* (20)*καὶ τὰ σάββατά μου ἁγιάζετε, καὶ ἔσται εἰς σημεῖον ἀνὰ μέσον ἐμοῦ καὶ ὑμῶν τοῦ γινώσκειν ὅτι ἐγὼ κύριος ὁ θεὸς ὑμῶν.* (21)*Καὶ παρεπικράνατέ με, καὶ τὰ τέκνα ὑμῶν ἐν τοῖς προστάγμασί μου οὐκ ἐπο-*[fol. 70 r° : A]*-ρεύθησαν, καὶ τά δικαιώματά μου οὐκ ἐφύλαξαν τοῦ ποιεῖν αὐτά, ἅ ποίησας αὐτὰ ἄνθρωπος ζήσεται ἐν αὐτοῖς, ἀλλὰ τὰ σάββατά μου ἐβεβήλουν.* **3** *Καὶ εἶπα τοῦ ἐκχέαι τὸν θυμόν μου ἐπ' αὐτοὺς ἐν τῇ ἐρήμῳ τοῦ συντελέσαι ὀργήν μου*[2] *ἐπ' αὐτούς,* (22)*καὶ οὐκ ἐποίησα, ὅπως τὸ ὄνομά μου τὸ παράπαν μὴ βεβηλωθῇ ἐνώπιον τῶν ἐθνῶν,* < ὧν >[3] *ἐξήγαγον αὐτοὺς κατ' ὀφθαλμοὺς αὐτῶν.* (23)*Καὶ ἐγὼ ἐξῆρα τὴν χεῖρά μου ἐπ' αὐτοὺς ἐν τῇ ἐρήμῳ, τοῦ διασκορπίσαι*[4] *ἐν τοῖς ἔθνεσι καὶ διασπεῖραι αὐτοὺς ἐν ταῖς χώραις,* (24)*ἀνθ' ὧν τὰ δικαιώματά μου οὐκ ἐποίησαν, καὶ τὰ προστάγματά μου ἀπώσαντο, καὶ τὰ σάββατά μου ἐβεβήλουν, καὶ ὀπίσω τῶν ἐνθυμημάτων τῶν πατέρων αὐτῶν ἦσαν οἱ ὀφθαλμοὶ αὐτῶν.* **4** (25)*Καὶ ἐγὼ ἔδωκα αὐτοῖς προστάγματα* < *οὐ* >[5] *καλά, καὶ δικαιώματα ἐν οἷς οὐ ζήσονται ἐν αὐτοῖς ·* (26)*καὶ μιανῶ αὐτοὺς ἐν τοῖς δώμασιν*[6] *αὐτῶν, ἐν* [fol. 107 : B] *τῷ διαπορεύεσθαί με πᾶν διανοῖγον μήτραν ὅπως ἀφανίσω* < *αὐτούς* >[7].

22. 1 Καὶ ὅτι διὰ τὰς ἁμαρτίας τοῦ λαοῦ ὑμῶν καὶ διὰ τὰς εἰδωλολατρείας[8], ἀλλ' οὐ διὰ τὸ ἐνδεὴς εἶναι τῶν τοιούτων προσφορῶν, *ἐνετείλατο* ὁμοίως ταῦτα[9] γίνεσθαι, ἀκούσατε πῶς περὶ τούτων λέγει διὰ Ἀμώς[10], ἑνὸς τῶν δώδεκα, βοῶν · **2** (*Amos*, 5, 18)*Οὐαὶ οἱ ἐπιθυμοῦντες τὴν ἡμέραν κυρίου*[11]. *Ἵνα τί αὕτη ὑμῖν ἡ ἡμέρα* [fol. 70 v° : A] *τοῦ κυρίου ; Καὶ αὐτή ἐστι σκότος καὶ οὐ φῶς.* (19) *Ὃν τρόπον ὅταν ἐκφύγῃ ἄνθρωπος ἐκ προσώπου τοῦ λέοντος, καὶ συναντήσῃ αὐτῷ ἡ ἄρκτος*[12], *καὶ εἰσπηδήσῃ εἰς τὸν οἶκον αὐτοῦ καὶ ἀπερείσηται τὰς χεῖρας αὐτοῦ ἐπὶ τὸν τοῖχον, καὶ δάκῃ αὐτὸν ὁ ὄφις.* (20)*Οὐχὶ σκότος ἡ ἡμέρα τοῦ κυρίου καὶ οὐ φῶς,*

1 Αὐταὶ *edd. ab* Otto : αὗται *codd.*, *cett. edd.* (cf. 33, 1) **2** Ὀργήν μου : τὴν ὀργήν μου Marc. (*ex* LXX) **3** Ὧν *addendum.* Thirlb., *add.*, Troll., Otto, Marc. (*ex* LXX) : καὶ *add.* Arch. *om. codd.*, *cett. edd.* **4** Διασκορπίσαι : δ. αὐτούς Marc. (*ex* LXX) **5** Οὐ *edd.* (*ex* LXX) : *om. codd.* **6** Δώμασιν = *aedibus codd.*, Otto, Arch., Goodsp., *et duo mss.* LXX (Otto) : δόμασιν = *muneribus cett. edd.* (*ex* LXX) **7** Αὐτούς *add.* Marc. (*ex* LXX) : *om. codd.*, *cett. edd.* ὅπως ἀφανίσω πᾶν διανοῖγον μήτραν *in marg. codd.* **8** Εἰδωλολατρείας *edd. a* Thirlb. : εἰδωλολατρίας *codd.*, *cett. edd.* **9** Ταῦτα : ταύτας *coni.* Marc. **10** Ἀμώς *edd. a* Steph. : Ἀμμώς *codd.* **11** Κυρίου : τοῦ κυρίου *edd.* (*ex* LXX) **12** Ἄρκτος Steph., Mar., Mign., Otto, Arch. : ἄρκος *codd.*, Goodsp., Marc.

pour que son *nom ne soit pas profané* parmi elles, qu'il a laissé en vie quelques-uns d'entre vous au moins[2]. Ses paroles elles-mêmes peuvent vous en apporter la preuve : **2** Les voici, telles qu'elles furent dites par Ézéchiel : (*Éz* 20, 19)*Je suis le Seigneur votre Dieu. Marchez dans mes ordonnances, observez mes préceptes,* (18)*et ne vous associez pas aux mœurs d'Égypte.* (20)*Sanctifiez mes sabbats, et ils seront, entre vous et moi, un signe pour qu'on sache que je suis le Seigneur votre Dieu.* (21)*Mais vous m'avez exaspéré, vos enfants n'ont pas marché dans mes ordonnances, ils n'ont pas observé, pour les mettre en pratique, ces préceptes qui feront vivre l'homme qui les applique ; mais ils profanaient mes sabbats.* **3** *J'avais dit que j'épancherais sur eux ma colère dans le désert, que j'épuiserais sur eux ma fureur.* (22)*Et je ne l'ai pas fait, afin que mon nom ne soit pas entièrement profané à la face des nations, devant les yeux desquelles je les avais fait sortir.* (23)*J'ai levé ma main sur eux dans le désert, pour les disperser parmi les nations, et les disséminer dans les diverses contrées,* (24)*parce qu'ils n'avaient pas exécuté mes ordonnances, parce qu'ils avaient repoussé mes préceptes, parce qu'ils profanaient mes sabbats, et tournaient les yeux vers les pensées de leurs pères.* **4** (25)*Et je leur ai donné des préceptes qui n'étaient pas bons, et des ordonnances par lesquelles ils ne pourront vivre.* (26)*Je les souillerai dans leurs demeures, lorsque je traverserai tout ce qui ouvre la matrice, pour les anéantir.*

Les offrandes furent prescrites à cause des injustices du peuple et de son idolâtrie.
Témoignages d'Amos, de Jérémie et de David.

22. 1 C'est, de même, à cause des péchés de votre peuple et de ses idolâtries[1], et non par besoin de telles choses[2], qu'il a [a]*prescrit* les offrandes[3]. Écoutez comment il s'exprime à ce sujet, par la bouche d'Amos, l'un des douze[4], qui s'écrie : **2** (*Amos,* 5, 18)*Malheur à ceux qui désirent ardemment le jour du Seigneur ! A quoi bon pour vous ce jour du Seigneur*[5] *? Il est ténèbres, et non lumière.* (19)*Tel un homme, qui s'enfuit devant le lion, et l'ours vient à sa rencontre… Il se précipite en sa maison, il appuie ses mains contre le mur, et un serpent le mord.* (20)*N'est-il pas ténèbres, le jour du Seigneur, et non lumière, une obscurité sans clarté ?* (21)*Je hais, je déteste vos*

a Cf. *Jér.* 7, 22.

καὶ γνόφος οὐκ ἔχων[1] *φέγγος αὐτῆς*[2] *;* (21)*Μεμίσηκα, ἀπῶσμαι τὰς ἑορτὰς ὑμῶν, καὶ οὐ μὴ ὀσφρανθῶ ἐν ταῖς πανηγύρεσιν ὑμῶν.* **3** (22)*Διότι ἐὰν ἐνέγκητέ μοι τὰ ὁλοκαυτώματα καὶ τὰς θυσίας ὑμῶν, οὐ προσδέξομαι αὐτά, καὶ σωτηρίου*[3] *ἐπιφανείας ὑμων οὐκ ἐπιβλέψομαι.* (23)*᾿Απόστησον ἀπ᾿ ἐμοῦ πλῆθος ᾠδῶν σου καὶ ψαλμῶν · ὀργάνων σου οὐκ ἀκούσομαι.* (24)*Καὶ κυλισθήσεται ὡς ὕδωρ κρίμα καὶ ἡ δικαιοσύνη ὡς χειμάρρους ἄβατος.* (25)*Μὴ σφάγια καὶ θυσίας προσηνέγκατέ μοι*[4] *ἐν τῇ ἐρήμῳ, οἶκος ᾿Ισραήλ ; λέγει κύριος.* (26)*Καὶ ἀνελάβετε*[5] *τὴν σκηνὴν τοῦ Μολὸχ καὶ τὸ ἄστρον τοῦ θεοῦ*[6] *ὑμῶν ῾Ραφάν, τοὺς τύπους, οὓς ἐποιήσατε ἑαυτοῖς.* **4** (27)*Καὶ μετοικιῶ ὑμᾶς ἐπέκεινα Δαμασκοῦ, λέγει κύριος · ὁ θεὸς ὁ παντοκράτωρ ὄνομα αὐτῷ.* (6, 1)*Οὐαὶ οἱ κατασπαταλῶντες Σιὼν καὶ τοῖς πεποιθόσιν ἐπὶ τὸ ὄρος Σαμαρείας. Οἱ ὠνομασμένοι ἐπὶ τοῖς ἀρχηγοῖς*[7] *ἀπετρύγησαν ἀρχὰς ἐθνῶν · εἰσῆλθον*[8] *ἑαυτοῖς οἶκος ᾿Ισραήλ.* (2)*Διάβητε*[9] *πάντες εἰς Χαλάνην*[10] *καὶ ἴδετε, καὶ πορεύθητε* [fol. 71 r° : A] *ἐκεῖθεν εἰς ᾿Αμὰθ τὴν μεγάλην, καὶ κατάβητε ἐκεῖθεν εἰς Γὲθ τῶν ἀλλοφύλων,* [p. 108 : B] *τὰς κρατίστας ἐκ πασῶν τῶν βασιλειῶν τούτων, εἰ πλείονά ἐστι τὰ ὅρια αὐτῶν τῶν ὁρίων ὑμῶν.* **5** (3)*Οἱ ἐρχόμενοι εἰς ἡμέραν πονηράν, οἱ ἐγγίζοντες καὶ ἐφαπτόμενοι σαββάτων ψευδῶν,* (4)*οἱ κοιμώμενοι ἐπὶ κλινῶν ἐλεφαντίνων καὶ κατασπαταλῶντες ἐπὶ ταῖς στρωμναῖς αὐτῶν, οἱ ἐσθίοντες ἄρνας ἐκ ποιμνίων καὶ μοσχάρια ἐκ μέσου βουκολίων γαλαθηνά,* (5)*οἱ ἐπικροτοῦντες πρὸς τὴν φωνὴν τῶν ὀργάνων, ὡς ἑστῶτα ἐλογίσαντο καὶ οὐχ ὡς φεύγοντα,* (6)*οἱ πίνοντες ἐν φιάλαις οἶνον καὶ τὰ πρῶτα μύρα χριόμενοι, καὶ οὐκ ἔπασχον οὐδὲν ἐπὶ τῇ συντριβῇ τοῦ ᾿Ιωσήφ.* (7)*Διὰ τοῦτο νῦν αἰχμάλωτοι ἔσονται ἀπὸ ἀρχῆς δυναστῶν τῶν ἀποικιζομένων, καὶ μεταστραφήσεται οἴκημα κακούργων, καὶ ἐξαρθήσεται χρεμετισμὸς ἵππων ἐξ ᾿Εφραΐμ.*

6 Καὶ πάλιν διὰ ῾Ιερεμίου · (*Jér.* 7, 21)*Συναγάγετε τὰ κρέα ὑμῶν καὶ τὰς θυσίας καὶ φάγετε,* (22)*ὅτι οὔτε περὶ θυσιῶν ἢ σπονδῶν ἐνετειλάμην τοῖς πατράσιν ὑμῶν, ᾗ ἡμέρᾳ ἐπελαβόμην τῆς χειρὸς αὐτῶν ἐξαγαγεῖν αὐτοὺς ἐκ γῆς Αἰγύπτου.*

1 ῎Εχων Thirlb., Mar., Mign., *edd. ab* Otto (*ex* LXX) : ἔχον *codd.* **2** Οὐκ ἔχων ...αὐτῆς (*intell.* ἡμέρας) Steph., Thirlb., *edd. ab* Otto : οὐκ ἔχον ...αὐτῆς *in textu* A οὐκ ἔχον ...αὐτοῖς *in marg.* A, *in textu* B, Mar., Mign., Troll. οὐκ ἔχων ...αὐτῇ LXX **3** Σωτηρίου : σωτηρίον *prop.* Thirlb. **4** Μοι : μοι μ᾿ ἔτη Marc. (*ex* Act. 7, 42 *et* LXX) **5** ᾿Ανελάβετε *edd.* (*ex* LXX) : ἀναλάβετε *codd.* **6** Τοῦ θεοῦ A *corr.* (*ex* τοῦ θ[εο]ῦ ?) **7** ᾿Επὶ τοῖς ἀρχηγοῖς *codd. et* Symm. : *om* LXX **8** Εἰσῆλθον : καὶ εἰσῆλθον Marc. (*ex* LXX) **9** ῾Εαυτοῖς οἶκος ᾿Ισραήλ. Διάβητε : ἑαυτοῖς. Οἶκος ᾿Ιρσαὴλ, διάβητε Marc. **10** Χαλάνην (χαλαννή : Gen. 10, 10 LXX) : Χαλήνην Otto *om.* LXX.

fêtes, et je ne saurais respirer l'odeur de vos assemblées solennelles. **3** (22)*Car si vous me présentez des holocaustes et vos sacrifices, je ne les accepterai pas ; vos démonstrations du sacrifice de paix, je ne les regarderai pas.* (23)*Écarte loin de moi la multitude de vos chants et de vos cantiques ! je n'écouterai pas vos instruments de musique.* (24)*Il roulera comme l'eau le jugement, et la justice*[6] *comme un torrent qu'on ne peut traverser.* (25)*Des victimes et des sacrifices, m'en avez-vous présenté au désert, maison d'Israël ? dit le Seigneur.* (26)*Vous avez accueilli la tente de Moloch*[7] *et l'étoile de votre dieu Raphan*[8], *idoles que vous vous êtes fabriquées*[9]. **4** (27)*Je vous déporterai au-delà de Damas, dit le Seigneur. Le Dieu Tout-Puissant est son nom.* (*Amos*, 6, 1)*Malheur à ceux qui vivent tranquilles en Sion et pour ceux qui se croient en sécurité sur la montagne de Samarie. Ceux qui sont renommés parmi les chefs ont vendangé les têtes des nations. La maison d'Israël se rend vers eux-mêmes.* (2)*Passez tous à Chalané et voyez ; de là, rendez-vous à Amath la grande, et descendez de là à Geth*[10] *des étrangers, les cités les plus puissantes de tous ces royaumes. Leurs frontières sont-elles plus grandes que vos frontières ?* **5** (3)*Ceux qui viennent au jour mauvais, qui s'approchent et s'attachent aux sabbats de mensonge,* (4)*qui dorment sur des lits d'ivoire et vivent vautrés sur leurs couches, ceux qui mangent les agneaux qu'ils ont pris aux troupeaux et les veaux de lait choisis dans les étables,* (5)*ceux qui applaudissent au son des instruments de musique : ils ont cru cela durable, et non fugace.* (6)*Ceux qui boivent du vin dans des coupes et s'oignent avec les premiers parfums, mais ne souffraient en rien les malheurs de Joseph.* (7)*C'est pourquoi, aujourd'hui, ils vont être emmenés en captivité, en tête des chefs exilés ; la demeure de ces débauchés sera renversée, et le hennissement des chevaux disparaîtra d'Éphraïm*[11].

6 Il dit encore, par Jérémie : (*Jér.* 7, 21)*Amassez vos offrandes de viande ainsi que vos sacrifices, et mangez,* (22)*car je n'ai prescrit aucune ordonnance à vos pères quant aux sacrifices et aux libations, le jour où j'ai pris leur main pour les faire sortir d'Égypte*[12].

7 Καὶ πάλιν διὰ Δαυὶδ ἐν[1] τεσσαρακοστῷ ἐνάτῳ ψαλμῷ οὕτως ἔφη · (*Ps.* 49, 1)*Θεὸς θεῶν κύριος ἐλάλησε, καὶ ἐκάλεσε τὴν γῆν ἀπὸ ἀνατολῶν ἡλίου μέχρι δυσμῶν.* [fol. 71 v° : A] (2)*Ἐκ Σιὼν ἡ εὐπρέπεια τῆς ὡραιότητος*[2] *αὐτοῦ.* (3)*Ὁ θεὸς ἐμφανῶς ἥξει, ὁ θεὸς ἡμῶν, καὶ οὐ παρασιωπήσεται · πῦρ ἐνώπιον αὐτοῦ καυθήσεται, καὶ κύκλῳ*[3] *αὐτοῦ καταιγὶς σφοδρά*[4]. (4)*Προσκαλέσεται τὸν οὐρανὸν ἄνω καὶ τὴν γῆν τοῦ διακρῖναι τὸν λαὸν αὐτοῦ.* (5)*Συναγάγετε*[5] *αὐτῷ τοὺς ὁσίους αὐτοῦ, τοὺς διατιθεμένους τὴν διαθήκην αὐτοῦ ἐπὶ θυσίαις.* (6)*Καὶ ἀναγγελοῦσιν οἱ οὐρανοὶ τὴν δικαιοσύνην αὐτοῦ, ὅτι θεὸς*[6] *κριτής ἐστιν*[7]. **8** (7)*Ἄκουσον, λαός μου, καὶ λαλήσω σοι, Ἰσραήλ, καὶ διαμαρτυροῦμαί σοι · ὁ θεός, ὁ θεός σου εἰμὶ ἐγώ.* (8)*Οὐκ ἐπὶ ταῖς θυσίαις* [p. 109 : B] *σου ἐλέγξω σε · τὰ δὲ ὁλοκαυτώματά σου ἐνώπιόν μου ἐστὶ διὰ παντός*[8]. (9)*Οὐ δέξομαι ἐκ τοῦ οἴκου σου μόσχους οὐδὲ ἐκ τῶν ποιμνίων σου χιμάρους*[9], (10)*ὅτι ἐμά ἐστι πάντα τὰ θηρία τοῦ ἀγροῦ*[10], *κτήνη ἐν τοῖς ὄρεσι καὶ βόες ·* (11)*ἔγνωκα πάντα τὰ πετεινὰ τοῦ οὐρανοῦ, καὶ ὡραιότης ἀγροῦ μετ' ἐμοῦ ἐστιν.* **9** (12)*Ἐὰν πεινάσω, οὐ μή σοι εἴπω · ἐμὴ γάρ ἐστιν ἡ οἰκουμένη καὶ τὸ πλήρωμα αὐτῆς.* (13)*Μὴ φάγωμαι κρέα ταύρων, ἢ αἷμα τράγων πίωμαι ;* (14)*Θῦσον τῷ θεῷ θυσίαν αἰνέσεως, καὶ ἀπόδος τῷ ὑψίστῳ τὰς εὐχάς σου ·* (15)*καὶ ἐπικάλεσαί με ἐν ἡμέρᾳ θλίψεως, καὶ ἐξελοῦμαί σε, καὶ δοξάσεις με.* (16)*Τῷ δὲ ἁμαρτωλῷ εἶπεν ὁ θεός · Ἵνα τί σὺ ἐκδιηγῇ τὰ δικαιώματά μου, καὶ ἀναλαμβάνεις* [fol. 72 r° : A] *τὴν διαθήκην μου διὰ στόματός σου*[11] *;* (17)*Σὺ δὲ ἐμίσησας παιδείαν καὶ ἐξέβαλες τοὺς λόγους μου εἰς τὰ ὀπίσω.* **10** (18)*Εἰ ἐθεώρεις κλέπτην, συνέτρεχες αὐτῷ, καὶ μετὰ μοιχοῦ τὴν μερίδα σου ἐτίθεις.* (19)*Τὸ στόμα σου ἐπλεόνασε κακίαν, καὶ ἡ γλῶσσά σου περιέπλεκε δολιότητας.* (20)*Καθήμενος κατὰ τοῦ ἀδελφοῦ σου κατελάλεις, καὶ κατὰ τοῦ υἱοῦ τῆς μητρός σου ἐτίθεις σκάνδαλον.* (21)*Ταῦτα ἐποίησας, καὶ ἐσίγησα · ὑπέλαβες ἀνομίαν ὅτι ἔσομαί σοι ὅμοιος. Ἐλέγξω σε καὶ παραστήσω κατὰ πρόσωπόν σου τὰς ἁμαρτίας σου.* (22)*Σύνετε δὴ ταῦτα οἱ ἐπιλανθανόμενοι τοῦ θεοῦ, μήποτε ἁρπάσῃ, καὶ οὐ μὴ ᾖ ὁ ῥυόμενος.* (23)*Θυσία αἰνέσεως δοξάσει με, καὶ ἐκεῖ ὁδός, ἣν*[12] *δείξω αὐτῷ τὸ σωτήριόν μου.*

1 Ἐν : ἐν τῷ *prop.* Sylb. **2** Ὡραιότητος : ὁραιόθητος *et infra* ὁραιότης Steph. **3** Κύκλῳ B, *edd.* : κλύκλῳ A **4** Σφοδρά A : σφόδρα B, *edd.* **5** Συναγάγετε *edd. a* Sylb. (*ex* LXX) : συναγάγεται *codd.*, Steph. **6** Θεός *codd.*, Arch., Goodsp., Marc. : ὁ θεός Steph., Thirlb., Mar., Mign., Otto (*ex* LXX) **7** Ἐστιν Thirlb., Mar., Mign., Otto, Arch. : ἐστι *codd.*, Goodsp., Marc. **8** Διὰ παντός B, *edd. ab* Otto : διαπαντός A, Steph., Thirlb., Mar., Mign. **9** Χιμάρους *edd. a* Mar. (*ex* LXX) : χειμάρρους *codd.*, Steph. **10** Ἀγροῦ : δρυμοῦ *in marg. codd.* (*ex* LXX) **11** Διὰ στόματός σου (= LXX) : διὰ χειλέων σου *in marg. codd.* **12** Ἣν *codd.*, Arch., Goodsp., Marc. : ᾗ Steph., Thirlb., Mar., Mign., Otto (*ex* LXX).

7 Et encore, par la bouche de David, au Psaume 49, il s'exprime ainsi : (*Ps.* 49, 1)*Le Dieu des dieux, le Seigneur, a parlé et convoqué la terre du lever du soleil jusques à son couchant.* (2)*De Sion, resplendit la grâce de sa beauté.* (3)*Dieu viendra manifestement, notre Dieu, et il ne restera pas en silence. Un feu, devant lui, brûlera, et autour de lui se déchaînera une violente tempête.* (4)*Il assignera le ciel d'en haut, ainsi que la terre, pour juger son peuple.* (5)*Rassemblez-lui ses fidèles, ceux qui ont ratifié son alliance par des sacrifices.* (6)*Les cieux annonceront sa justice, car Dieu est juge.* **8** (7)*Écoute, mon peuple, et je te parlerai, Israël, et je te rendrai témoignage. Dieu, je suis ton Dieu.* (8)*Ce n'est pas pour tes sacrifices que je t'accuserai. Tes holocaustes sont devant moi, constamment.* (9)*Je n'accepterai pas de veaux de ta maison, ni de boucs de tes troupeaux,* (10)*car ils m'appartiennent, tous les animaux du champ, les troupeaux sur les montagnes, et les bœufs.* (11)*Je connais tous les oiseaux du ciel, et la beauté du champ est avec moi.* **9** (12)*Si j'ai faim, je ne saurais te le dire : car elle est mienne, la terre, et tout ce qui l'emplit.* (13)*Est-ce que je m'en vais manger la chair des taureaux ? Boirai-je le sang des boucs ?* (14)*Offre à Dieu un sacrifice de louange*[13]*, et acquitte tes vœux au Très-Haut.* (15)*Invoque-moi au jour de l'oppression. Je te délivrerai, et tu me glorifieras.* (16)*Mais au pécheur, Dieu dit : Pourquoi donc énumères-tu mes ordonnances, et accueilles-tu mon Alliance sur tes lèvres ?* (17)*Tu as haï mes avis, et rejeté mes paroles derrière toi.* **10** (18)*Si tu voyais un voleur, tu courais avec lui, et tu partageais ton lot avec l'adultère.* (19)*Ta bouche s'est emplie de mal, et ta langue était un tissus de ruses.* (20)*Tu t'asseyais, et tu parlais contre ton frère ; contre le fils de ta mère tu répandais le scandale.* (21)*Voilà ce que tu as fait, et je me suis tu. Tu t'es imaginé que dans l'iniquité je te ressemblerais. Mais je vais te faire comparaître et je mettrai devant toi tes péchés.* (22)*Comprenez-le bien, vous qui oubliez Dieu, de peur qu'il ne vous saisisse, et qu'il n'y ait personne pour vous sauver.* (23)*Le sacrifice de louange me glorifiera, et là est la voie par laquelle je lui montrerai mon salut.*

11 Οὔτε οὖν *θυσίας* παρ' ὑμῶν λαμβάνει, οὔτε ὡς ἐνδεὴς τὴν ἀρχὴν ἐνετείλατο ποιεῖν[1], ἀλλὰ διὰ τὰς ἁμαρτίας ὑμῶν. Καὶ γὰρ τὸν ναὸν τὸν ἐν Ἱερουσαλὴμ ἐπικληθέντα οὐχ ὡς ἐνδεὴς ὢν ὡμολόγησεν οἶκον αὐτοῦ ἢ αὐλήν, ἀλλ' ὅπως καὶ[2] κατὰ τοῦτο προ-[p. 110 : B]-σέχοντες αὐτῷ μὴ εἰδωλολατρῆτε[3]. Καὶ ὅτι τουτό ἐστιν, Ἡσαΐας λέγει · *Ποῖον οἶκον ᾠκοδομήσατέ μοι ; λέγει κύριος. Ὁ οὐρανός μοι θρόνος, καὶ ἡ γῆ ὑποπόδιον τῶν ποδῶν μου.*

23. 1 Ἐὰν δὲ ταῦτα οὕτως μὴ ὁμολογήσωμεν, συμβήσεται ἡμῖν [fol. 72 v° : A] εἰς ἄτοπα ἐμπίπτειν νοήματα, ὡς τοῦ αὐτοῦ θεοῦ μὴ ὄντος τοῦ κατὰ τὸν Ἐνὼχ καὶ τοὺς ἄλλους πάντας, οἳ μήτε περιτομὴν τὴν κατὰ σάρκα ἔχοντες[4] μήτε σάββατα ἐφύλαξαν μήτε δὲ τὰ ἄλλα, Μωσέως[5] ἐντειλαμένου ταῦτα ποιεῖν, ἢ τὰ αὐτὰ αὐτῶν[6] δίκαια μὴ ἀεὶ πᾶν γένος ἀνθρώπων βεβουλῆσθαι πράσσειν[7] · ἅπερ γελοῖα καὶ ἀνόητα ὁμολογεῖν φαίνεται. **2** Δι' αἰτίαν δὲ τὴν τῶν ἁμαρτωλῶν ἀνθρώπων, τὸν αὐτὸν ὄντα ἀεὶ ταῦτα καὶ τὰ τοιαῦτα ἐντετάλθαι ὁμολογεῖν, καὶ φιλάνθρωπον καὶ προγνώστην καὶ ἀνενδεῆ καὶ δίκαιον καὶ ἀγαθὸν[8] ἀποφαίνειν ἔστιν. Ἐπεὶ εἰ μὴ ταῦτα οὕτως ἔχει, ἀποκρίνασθέ μοι, ὦ ἄνδρες, περὶ τῶν ζητουμένων τούτων ὅ τι φρονεῖτε.

3 Καὶ μηδὲν μηδενὸς ἀποκρινομένου[9] · Διὰ ταῦτά σοι[10], ὦ Τρύφων[11], καὶ τοῖς βουλομένοις προσηλύτοις γενέσθαι κηρύξω ἐγὼ θεῖον λόγον, ὃν παρ' ἐκείνου ἤκουσα τοῦ ἀνδρός. Ὁρᾶτε ὅτι τὰ στοιχεῖα οὐκ ἀργεῖ οὐδὲ σαββατίζει. *Μείνατε* ὡς γεγένησθε[12]. Εἰ γὰρ πρὸ τοῦ Ἀβραὰμ οὐκ ἦν χρεία περιτομῆς οὐδὲ πρὸ Μωϋσέως[13] σαββατισμοῦ καὶ ἑορτῶν καὶ προσφορῶν, οὐδὲ νῦν, μετὰ τὸν κατὰ τὴν βουλὴν τοῦ θεοῦ διὰ Μαρίας[14] τῆς ἀπὸ γένους τοῦ Ἀβραὰμ παρθένου γεννηθέντα υἱὸν θεοῦ Ἰησοῦν Χριστόν [fol. 73 r° : A], ὁμοίως ἐστὶ χρεία. **4** Καὶ γὰρ αὐτὸς ὁ Ἀβραὰμ *ἐν ἀκροβυστίᾳ* ὢν διὰ τὴν *πίστιν*, ἣν ἐπίστευσε *τῷ θεῷ*, *ἐδικαιώθη* καὶ *εὐλογήθη*, ὡς ἡ γραφὴ σημαίνει · τὴν δὲ περιτομὴν *εἰς σημεῖον*, [p. 111 :

1 Ποιεῖν : ταύτας ποιεῖν Marc. **2** Καὶ A *p. corr.*, B : κἂν Troll., Mign., Otto **3** Εἰδωλολατρῆτε *edd.* : εἰδολολατρῆτε *codd.* **4** Ἔχοντες : ἔσχον Marc. (cf. 10, 3 ; 92, 2) **5** Μωσέως : Μωϋσέως Mign., Otto **6** Αὐτῶν : αὐτὸν *prop.* Sylb., *coni.* Goodsp., Otto, Arch., Marc. **7** Πράσσειν : πράττειν Otto **8** Ἀγαθὸν : ἀγαθὸν ὄντα Marc. **9** Ἀποκρινομένου *codd.*, Goodsp. : ἀποκριναμένου *cett. edd.* **10** Σοι *prop.* Steph. *coni.* Sylb., Mor., *edd. ab* Otto : τοι *codd.*, *cett. edd.* **11** Ὦ Τρύφων : ὦ Τρύφων, ἔφην *prop.* Thirlb., *coni.* Marc. **12** Γεγένησθε : γεγέννησθε Lange **13** Μωϋσέως : Μωϋσέος *codd.* Μωσέως Arch. **14** Διὰ Μαρίας *prop.* Thirlb., *coni.* Arch., Goodsp., Marc. : δίχα ἁμαρτίας (*absque peccato.* cf. Hebr. 4, 15 : χωρὶς ἁμαρτίας) *codd.*, Steph., Mar., Mign., Otto διὰ ἁμαρτίας διὰ J. Donaldson, *A Critical History of Christian Literature*, Londini 1866, II, p. 236 s. (Marc.).

11 Il n'accepte donc pas les [a]*sacrifices* de votre part[14], et s'il vous les a prescrits, à l'origine, ce n'est pas qu'il en ait eu besoin, mais à cause de vos péchés. Car le Temple aussi, celui qu'on appelle le Temple de Jérusalem[15], ce n'est pas parce qu'il en avait besoin qu'il le reconnaissait comme sa maison, ou sa cour[16], mais afin que par là encore, vous lui demeuriez attachés et n'idolâtriez point[17]. Isaïe en témoigne : [b]*Quelle est cette maison que vous m'avez bâtie ? dit le Seigneur. Le ciel est mon trône, et la terre mon marchepied*[18].

Le même Dieu a prescrit ces diverses ordonnances,
et il les annule par le Christ.
Sabbat et circoncision ne sont pas œuvres de justice.

23. 1 Si nous n'admettons pas qu'il en est ainsi[1], nous tomberons fatalement dans des idées absurdes[2], comme par exemple : que ce n'était pas le même Dieu[3] qui agissait au temps d'Énoch et de tous les autres qui n'avaient pas la circoncision selon la chair, et n'observaient ni les sabbats ni les autres commandements, puisque c'est Moïse qui a prescrit de les pratiquer ; ou bien que ce n'est pas la même justice qu'eux[4] qu'il a voulu voir pratiquer, de tout temps, par l'ensemble du genre humain ? Conclusions qu'il est évidemment ridicule et insensé d'adopter. **2** Les hommes qui ont été pécheurs, il faut le reconnaître, sont cause que Celui qui est éternellement le même a prescrit ces ordonnances et d'autres semblables[5]. Nous pouvons le déclarer : il aime les hommes[6], connaît l'avenir[7], est sans besoin[8], juste[9] et bon[10]. Car s'il n'en est pas ainsi, dites-moi en réponse, amis, ce que vous pensez de ces questions qui font l'objet de notre recherche ?

3 Et comme aucun ne répondait : Voilà pourquoi, Tryphon, à toi et à ceux qui veulent devenir prosélytes[11], je proclamerai[12], quant à moi, la parole divine que j'ai reçue de cet homme-là[13]. Voyez : les éléments ne se reposent pas, et ne font pas le sabbat[14]. [c]*Demeurez* tels que vous êtes nés. Car si avant Abraham il n'était pas besoin de circoncision, ni avant Moïse de l'observance du sabbat[15], de fêtes ou d'offrandes[16], de même aujourd'hui, après la venue de Jésus-Christ, fils de Dieu, né selon la volonté de Dieu[17] par Marie[18], la vierge issue de la race d'Abraham, il n'en est plus besoin[19]. **4** Car [d]Abraham lui-même était *incirconcis* lorsque, grâce à la *foi* qu'il eut *en Dieu*, il fut *justifié* et *béni*[20], comme l'Écriture le signifie. Et la circoncision, ce fut [e]*en signe*[21], et non

a Cf. *Jér.* 7, 21.22 ; *Ps.* 49, 8 **b** *Is.* 66, 1 **c** cf. *I Cor.* 7, 20 ? **d** cf. *Rom.* 4, 3 ; 10-11 ; *Gen.* 15, 6. **e** cf. *Gen.* 17, 11 ; *Rom.* 4, 11.

B] ἀλλ' οὐκ *εἰς δικαιοσύνην* ἔλαβεν, ὡς καὶ αἱ γραφαὶ καὶ τὰ πράγματα ἀναγκάζει ἡμᾶς[1] ὁμολογεῖν. Ὥστε δικαίως εἴρητο περὶ ἐκείνου τοῦ λαοῦ ὅτι *Ἐξολοθρευθήσεται ἡ ψυχὴ ἐκείνη ἐκ τοῦ γένους αὐτῆς, ἣ οὐ περιτμηθήσεται ...τῇ ἡμέρᾳ τῇ ὀγδόῃ.* **5** Καὶ τὸ μὴ δύνασθαι δὲ τὸ θῆλυ γένος τὴν σαρκικὴν περιτομὴν λαμβάνειν δείκνυσιν ὅτι *εἰς σημεῖον* ἡ περιτομὴ αὕτη δέδοται, ἀλλ' οὐχ ὡς[2] ἔργον δικαιοσύνης · τὰ γὰρ δίκαια καὶ ἐνάρετα ἅπαντα ὁμοίως καὶ τὰς θηλείας δύνασθαι[3] φυλάσσειν ὁ θεὸς ἐποίησεν. Ἀλλὰ σχῆμα μὲν τὸ τῆς σαρκὸς ἕτερον καὶ ἕτερον ὁρῶμεν γεγενημένον ἄρρενος καὶ θηλείας, διὰ δὲ τοῦτο οὐδὲ δίκαιον οὐδὲ ἄδικον οὐδέτερον αὐτῶν ἐπιστάμεθα, ἀλλὰ δι' εὐσέβειαν καὶ δικαιοσύνην [ὥσπερ ἄνωθεν ἐκηρύσσετο πετρίναις μαχαίραις][4].

24. 1 Καὶ τοῦτο μὲν οὖν δυνατὸν ἦν ἡμῖν ἐπιδεῖξαι, ὦ ἄνδρες, ἔλεγον, ὅτι ἡ ἡμέρα ἡ ὀγδόη μυστήριόν τι εἶχε κηρυσσόμενον διὰ τούτων ὑπὸ τοῦ θεοῦ μᾶλλον τῆς ἑβδόμης. Ἀλλ' ἵνα τὰ νῦν[5] [fol. 73 v° : A] μὴ ἐπ' ἄλλους ἐκτρέπεσθαι λόγους δοκῶ, σύνετε, βοῶ[6], ὅτι τὸ αἷμα τῆς περιτομῆς ἐκείνης κατήργηται, καὶ αἵματι σωτηρίῳ πεπιστεύκαμεν · *ἄλλη διαθήκη* τὰ νῦν, καὶ ἄλλος *ἐξῆλθεν ἐκ Σιὼν νόμος* · Ἰησοῦς Χριστός[7]. **2** Πάντας τοὺς βουλομένους περιτέμνει, ὥσπερ ἄνωθεν ἐκηρύσσετο, *πετρίναις μαχαίραις,* ἵνα γένηται *ἔθνος δίκαιον, λαὸς φυλάσσων πίστιν, ἀντιλαμβανόμενος ἀληθείας καὶ φυλάσσων εἰρήνην.* **3** Δεῦτε σὺν ἐμοὶ πάντες *οἱ φοβούμενοι τὸν θεόν*, οἱ θέλοντες *τὰ ἀγαθὰ Ἱερουσαλὴμ ἰδεῖν.* (*Is.* 2, 5)*Δεῦτε, πορευθῶμεν τῷ φωτὶ κυρίου* · (6)*ἀνῆκε γὰρ τὸν λαὸν αὐτοῦ, τὸν οἶκον Ἰακώβ.* Δεῦτε *πάντα τὰ ἔθνη, συναχθῶμεν εἰς Ἱερουσαλήμ*, τὴν μηκέτι πολεμουμένην διὰ [p. 112 : B] τὰς ἀνομίας τῶν λαῶν · *Ἐμφανὴς* γὰρ *ἐγενήθην τοῖς ἐμὲ μὴ ζητοῦσιν, εὑρέθην τοῖς ἐμὲ μὴ ἐπερωτῶσι,* βοᾷ διὰ Ἡσαΐου[8]. **4** (*Is.* 65, 1)*Εἶπα · ἰδού εἰμι, ἔθνεσιν*[9] *οἵ οὐκ ἐπεκαλέσαντό μου τὸ ὄνομα.* (2) *Ἐξεπέτασα τὰς χεῖράς μου ὅλην τὴν ἡμέραν ἐπὶ λαὸν ἀπειθοῦντα καὶ ἀντιλέγοντα, τοῖς πορευομένοις ὁδῷ οὐ καλῇ, ἀλλὰ ὀπίσω τῶν ἁμαρτιῶν αὐτῶν.* (3)*Λαὸς ὁ παροξύνων με ἐναντίον μου.*

1 Ἡμᾶς : ὑμᾶς *prop.* Sylb. **2** Ὡς : εἰς *prop.* Thirlb. (*ut paulo ante* : εἰς σημεῖον, εἰς δικαιοσύνην) **3** Δύνασθαι : δυναστὰς *prop.* Thirlb. **4** Ὥσπερ – μαχαίραις *codd.*, Steph., Jebb, Thirlb. (cf. 24, 2) : *del.* Sylb., *cett. edd.* *Pro his verbis*, Lange *legit* δι' εὐσ. κ. δικ. δίκαιον, ἢ δι' εἰδωλολατρείαν καὶ ἀδικίαν ἄδικον **5** Τὰ νῦν : ταvῦν Otto, Arch. (*hic et infra*) **6** Σύνετε, βοῶ : σύνετε ὃ βοῶ *prop.* Lange, *coni.* Marc. **7** Ἄλλος ἐξ. ἐκ Σ. νόμος · Ἰησοῦς Χριστός. Πάντας : Ἄλλος ...νόμος Ἰησοῦς Χριστός. Πάντας *codd.*, Steph. ἄλλος ...νόμος. Ἰησοῦς Χριστός πάντας Mar., Mign., *edd. ab* Otto ἄλλος ...νόμος, Ἰησοῦς Χριστός, ὃς πάντας *prop.* Lange, Thirlb. **8** Βοᾷ – Ἡσαΐου : *in semicirculis* Thirlb. **9** Ἔθνεσιν : τῷ ἔθνει LXX ; Dial. 119, 4 ἔθνει I Apol, 49, 2.

pour *la justification*, qu'il la reçut, comme les Écritures et les faits[22] nous forcent à en convenir. Aussi est-ce à juste titre qu'il a été dit au sujet de ce peuple qu' [a]*Elle sera exterminée du milieu de sa race, l'âme qui n'aura pas été circoncise ...le huitième jour*[23]. **5** Le fait que les femmes ne puissent recevoir la circoncision de la chair[24] montre également que cette circoncision a été donnée [b]*en signe*, et non comme œuvre de justification. Car tout ce qui est juste et vertueux, Dieu a fait les femmes également capables de l'observer[25]. Si l'aspect de la chair a été créé, nous le voyons, différent chez l'homme et chez la femme, ce n'est pas par cela que nous estimons l'un ou l'autre juste ou injuste, mais bien par la piété et la justice[26].

Seul le sang de la circoncision véritable
dispense le Salut et fait entrer les nations dans l'héritage d'Abraham.
Témoignages de David, de Jérémie et d'Isaïe.

24. 1 Nous pourrions également montrer, amis, poursuivis-je, que le huitième jour, plus que le septième[1], comportait un certain mystère[2] annoncé par Dieu en ces choses[3]. Mais pour que je ne paraisse pas ici dévier en d'autres propos, comprenez, je vous le crie[4], que le sang de cette circoncision-là est aboli[5], et que nous croyons au sang qui sauve[6]. Une [c]*autre alliance*[7], désormais, et une autre [d]*Loi est sortie de Sion*[8] : Jésus-Christ[9]. **2** Tous ceux qui le veulent il les circoncit, [e]*avec des couteaux de pierre*[10], comme cela était anciennement[11] annoncé, afin que se forme [f]*Une nation juste, un peuple qui garde la foi, qui accepte la vérité et préserve la paix*[12]. **3** Venez à moi, vous tous, les [g]*craignants-Dieu*[13], qui voulez [h]*voir les biens de Jérusalem*[14], (cf. *Is.* 2, 5)*Venez, allons à la lumière du Seigneur,* (6)*car il a rejeté son peuple, la maison de Jacob*[15]. Venez, [i]*toutes les nations, rassemblons-nous à Jérusalem*, qui ne connaîtra plus la guerre à cause des péchés des peuples[16]. Car [j]*Je me suis manifesté à ceux qui ne me sollicitaient pas, j'ai été trouvé par ceux qui ne m'interrogeaient pas*, s'écrie-t-il par Isaïe. **4** (*Is.* 65, 1)*J'ai dit : me voici, aux nations*[17], *à ceux qui n'invoquaient pas mon nom.* (2)*J'ai étendu les mains, tout le jour*[18], *sur un peuple infidèle*[19] *et contradicteur, à ceux qui marchaient non sur une bonne voie, mais à la suite de leurs péchés.* (3)*Un peuple qui m'irrite en face.*

a *Gen.* 17, 14 **b** cf. *Gen.* 17, 11 ; *Rom.* 4, 11 **c** cf. *Jér.* 31, 31 et *Is.* 54, 3 **d** *Mich.* 4, 2 ; *Is.* 2, 3 ; cf. *Is.* 51, 4 **e** *Jos.* 5, 2 **f** cf. *Is.* 26, 2-3 **g** *Ps.* 127, 1.4 **h** *Ps.* 127, 5 **i** cf. *Jér.*, 3, 17 **j** cf. *Is.* 65, 1.

25. 1 Σὺν ἡμῖν[1] καὶ[2] *κληρονομῆσαι* βουλήσονται κἂν ὀλίγον τόπον οὗτοι οἱ *δικαιοῦντες ἑαυτοὺς* [fol. 74 r° : A] καὶ λέγοντες εἶναι *τέκνα Ἀβραάμ*, ὡς διὰ τοῦ Ἡσαΐου βοᾷ τὸ ἅγιον πνεῦμα, ὡς ἀπὸ προσώπου αὐτῶν λέγον[3] τάδε **2** (*Is.* 63, 15) *Ἐπίστρεψον ἐκ τοῦ οὐρανοῦ καὶ ἴδε ἐκ τοῦ οἴκου τοῦ ἁγίου σου καὶ δόξης. Ποῦ δή ἐστιν ὁ ζῆλός σου καὶ ἡ ἰσχύς*[4] *; Ποῦ ἐστι τὸ πλῆθος τοῦ ἐλέους σου..., ὅτι ἀνέσχου*[5] *ἡμῶν, κύριε ;* (16)*Σὺ γὰρ ἡμῶν εἶ πατήρ, ὅτι Ἀβραὰμ οὐκ ἔγνω ἡμᾶς, καὶ Ἰσραὴλ οὐκ ἐπέγνω*[6] *ἡμᾶς . Ἀλλὰ σύ, κύριε, πατὴρ ἡμῶν, ῥῦσαι ἡμᾶς · ἀπ' ἀρχῆς τὸ ὄνομά σου ἐφ' ἡμᾶς ἐστι.* (17)*Τί ἐπλάνησας ἡμᾶς, κύριε, ἀπὸ τῆς ὁδοῦ σου, ἐσκλήρυνας ἡμῶν τὴν καρδίαν τοῦ μὴ φοβεῖσθαί σε ;* **3** *Ἐπίστρεψον διὰ τοὺς δούλους σου, διὰ τὰς φυλὰς τῆς κληρονομίας σου,* (18)*ἵνα μικρὸν κληρονομήσωμεν τοῦ ὄρους τοῦ ἁγίου σου...* (19)*Ἐγενόμεθα ὡς τὸ ἀπ' ἀρχῆς, ὅτε οὐκ ἦρξας ἡμῶν, οὐδὲ ἐπεκλήθη τὸ ὄνομά σου ἐφ' ἡμᾶς.* (64, 1) *Ἐὰν ἀνοίξῃς τὸν οὐρανόν, τρόμος λήψεται ἀπὸ σοῦ ὄρη, καὶ τακήσονται,* (2)*ὡς ἀπὸ πυρὸς κηρὸς τήκεται · καὶ κατακαύσει πῦρ τοὺς ὑπεναντίους, καὶ φανερὸν ἔσται τὸ ὄνομά σου ἐν τοῖς ὑπεναντίοις, ἀπὸ προσώπου σου ἔθνη ταραχθήσονται.* **4** (3) *Ὅταν ποιῇς τὰ ἔνδοξα, τρόμος λήψεται ἀπὸ σοῦ ὄρη.* (4) *Ἀπὸ τοῦ αἰῶνος οὐκ ἠκούσαμεν, οὐδὲ οἱ ὀφθαλμοὶ ἡμῶν εἶ*-[p. 113 : B]-*δον θεὸν πλὴν σοῦ καὶ* [fol. 74 v° : A] *τὰ ἔργα σου. Ποιήσει τοῖς μετανοοῦσιν* ἔλεον[7]. (5)*Συναντήσεται τοῖς ποιοῦσι τὸ δίκαιον, καὶ τῶν ὁδῶν σου μνησθήσονται. Ἰδοὺ σὺ ὠργίσθης, καὶ ἡμεῖς ἡμάρτομεν. Διὰ τοῦτο ἐπλανήθημεν* (6)*καὶ ἐγενόμεθα ἀκάθαρτοι*[8] *πάντες, καὶ ὡς ῥάκος ἀποκαθημένης πᾶσα ἡ δικαιοσύνη ἡμῶν, καὶ ἐξερρύημεν ὡς φύλλα διὰ τὰς ἀνομίας ἡμῶν · οὕτως ἄνεμος οἴσει ἡμᾶς.* **5** (7)*Καὶ οὐκ ἔστιν ὁ ἐπικαλούμενος τὸ ὄνομά σου καὶ ὁ μνησθεὶς ἀντιλαβέσθαι < σου >*[9]*, ὅτι ἀπέστρεψας τὸ πρόσωπόν σου ἀφ' ἡμῶν καὶ παρέδωκας ἡμᾶς διὰ τὰς ἁμαρτίας ἡμῶν...* (8-9)*Καὶ νῦν... ἐπίστρεψον, κύριε, ὅτι λαός σου πάντες ἡμεῖς.* (10)*Ἡ πόλις τοῦ ἁγίου σου ἐγενήθη*[10] *ἔρημος, Σιὼν ὡς ἔρημος*

1 Σὺν ἡμῖν Lange, Troll., Otto, Arch., Goodsp. : συνεῖναι ἡμῖν Marc. (cf. 85, 4 : τοὺς μὴ ...συνόντας ἡμῖν) σὺν ὑμῖν *codd.*, *cett. edd.* **2** Καὶ : δὲ *coni.* Thirlb. **3** Λέγον Sylb., Marc., (Arch.) : λέγων *codd.*, *cett. edd.* **4** Ἡ ἰσχύς : ἡ ἰσχύς σου Marc. (*ex* LXX) **5** Ἀνέσχου *codd.*, Arch., Goodsp., Marc. (= LXX) : ἠνέσχου Steph., Thirlb., Mar., Mign., Otto **6** Ἐπέγνω *codd.*, Troll., Mign., *edd. ab* Otto (= LXX) : ἀπέγνω *cett. edd.* **7** Καὶ τὰ ἔργα σου. Ποιήσει ...ἔλεον *edd. ab* Otto : καὶ τὰ ἔργα σου, ποιήσει ...ἔλεον *codd.* καὶ τὰ ἔργα σου, ἃ ποιήσεις τοῖς μετανοοῦσιν, ἔλεον Steph., Mar., Mign. καὶ τὰ ἔργα σου, ἃ ποιήσεις τοῖς ὑπομένουσιν ἔλεον (*ex* LXX) Thirlb., Otto (*olim*), Troll. **8** Ἀκάθαρτοι : ὡς ἀκ. Marc (*ex* LXX) **9** Ὁ μνησθεὶς ἀντιλαβέσθαι σου Otto, Marc. (*ex* LXX) : ὁ μνησθεὶς ἀντιλαβέσθαι Goodsp., Sylb. οὐ μνησθεὶς ἀντιλαβέσθαι σου Steph., Thirlb., Mar., Mign., Troll., Arch. οὐ μνηστῆς ἀντιλαβέσθαι *codd.* **10** Ἐγενήθη *corr. ex* ἐγεννήθη A

Erreur des juifs qui prétendent être « enfants d'Abraham ».
Témoignage d'Isaïe.

25. 1 Ils voudront *hériter*[1] avec nous[2], [a]ne fût-ce que d'une petite place[3], ceux qui [b]*se justifient eux-mêmes*, et disent être [c]*enfants d'Abraham*[4], ainsi que, par la bouche de David, l'Esprit Saint le crie, parlant[5] comme en leur nom[6] : **2** (*Is.* 63, 15)*Tourne-toi vers nous, du haut du ciel, et vois, de ta résidence sainte et de ta gloire. Où sont ta jalousie*[7] *et ta force ? Où sont, Seigneur l'abondance de ta miséricorde…, et ta patience à notre égard ?* (16)*Car tu es notre Père : Abraham ne nous connaît pas, et Israël ne nous reconnaît pas. Mais toi, Seigneur, notre Père, sauve-nous ! Dès l'origine, ton nom est sur nous.* (17)*Pourquoi, Seigneur, nous as-tu égarés loin de ta voie*[8] *? Pourquoi as-tu endurci notre cœur*[9]*, au point qu'il ne te craint plus ?* **3** *Tourne-toi vers nous, à cause de tes serviteurs, à cause des tribus de ton héritage*[10], (18)*afin que nous ayons une petite part de l'héritage de ta montagne sainte*[11]*…* (19)*Nous sommes devenus comme dès le commencement, lorsque tu ne nous gouvernais pas, et que ton nom n'était pas invoqué sur nous.* (*Is.* 64, 1)*Si tu ouvres les cieux*[12]*, la terreur qui vient de toi s'emparera des montagnes, et elles fondront,* (2)*comme fond la cire au feu. Un feu consumera tes ennemis*[13]*, visible sera ton nom parmi tes ennemis, et devant ta face les peuples seront confondus.* **4** (3)*Lorsque tu accompliras tes actions glorieuses, une terreur venant de toi s'emparera des montagnes.* (4)*Jamais nous n'avons entendu, ni nos yeux n'ont vu d'autre Dieu que toi, et tes œuvres. Il fera miséricorde à ceux qui se repentent*[14]. (5)*Il viendra au-devant de ceux qui pratiquent la justice, et ils se souviendront de tes voies. Voici, tu fus en colère, et nous péchions. C'est pourquoi nous avons erré* (6)*et sommes tous devenus impurs. Toute notre justice est comme le linge d'une femme se tenant à l'écart, et nous fûmes flétris, comme des feuilles, à cause de nos iniquités. Ainsi le vent nous emportera.* **5** (7)*Il n'y a personne pour invoquer ton nom et se souvenir de s'attacher à toi, car tu as détourné ta face de nous, et tu nous as livrés à cause de nos péchés…*(8-9)*Maintenant, Seigneur,...*[15] *tourne-toi vers nous, car tous nous sommes ton peuple.* (10)*La cité de ton sanctuaire est devenue un désert, Sion est devenue*

a Cf. *Is.* 63, 18 **b** cf. *Lc.* 16, 15 **c** cf. *Matth.* 3, 9 ; *Lc.* 3, 8 ; *Jn.* 8, 39 ; *Gal.* 3, 7.

ἐγενήθη, Ἱερουσαλὴμ εἰς κατάραν · (11)*ὁ οἶκος, τὸ ἅγιον ἡμῶν, καὶ ἡ δόξα, ἣν εὐλόγησαν οἱ πατέρες ἡμῶν, ἐγενήθη πυρίκαυστος, καὶ πάντα τὰ ἔθνη*[1] *ἔνδοξα συνέπεσε.* (12)*Καὶ ἐπὶ τούτοις ἀνέσχου, κύριε, καὶ ἐσιώπησας, καὶ ἐταπείνωσας ἡμᾶς σφόδρα.*

6 – Καὶ ὁ Τρύφων · Τί οὖν ἐστιν ὃ λέγεις, ὅτι οὐδεὶς ἡμῶν *κληρονομήσει ἐν τῷ ὄρει τῷ ἁγίῳ* τοῦ θεοῦ οὐδέν ;

26. 1 – Κἀγώ · Οὐ τοῦτό φημι[2], ἀλλ' οἱ τὸν Χριστὸν διώξαντες καὶ διώκοντες καὶ μὴ *μετανοοῦντες* οὐ *κληρονομήσουσιν* ἐν τῷ *ὄρει τῷ ἁγίῳ* οὐδέν · τὰ δὲ [fol. 75 r° : A] *ἔθνη* τὰ πιστεύσαντα εἰς αὐτὸν καὶ *μετανοήσαντα* ἐφ' οἷς ἥμαρτον, αὐτοὶ *κληρονομήσουσι* μετὰ τῶν πατριαρχῶν καὶ τῶν προφητῶν καὶ τῶν δικαίων ὅσοι ἀπὸ Ἰακὼβ γεγέννηνται[3] · εἰ καὶ μὴ σαββατίζουσι μηδὲ περιτέμνονται μηδὲ τὰς ἑορτὰς φυλάσσουσι, πάντως *κληρονομήσουσι* τὴν ἁγίαν τοῦ θεοῦ κληρονομίαν. **2** Λέγει γὰρ ὁ θεὸς διὰ Ἡσαΐου οὕτως · (*Is.* 42, 6) *Ἐγὼ κύριος ὁ θεὸς ἐκάλεσά σε ἐν δικαιοσύνῃ, καὶ κρατήσω τῆς* [p. 114 : B] *χειρός σου καὶ ἰσχύσω σε, καὶ ἔδωκά σε εἰς διαθήκην γένους, εἰς φῶς ἐθνῶν,* (7)*ἀνοῖξαι ὀφθαλμοὺς τυφλῶν, ἐξαγαγεῖν ἐκ δεσμῶν πεπεδημένους καὶ ἐξ οἴκου φυλακῆς καθημένους ἐν σκότει.* **3** Καὶ πάλιν · (*Is.* 62, 10) *Ἐξάρατε σύσσημον*[4] *εἰς τὰ ἔθνη.* (11)*Ἰδοὺ γὰρ κύριος ἐποίησεν ἀκουστὸν ἕως ἐσχάτου τῆς γῆς · Εἴπατε ταῖς θυγατράσι Σιών · Ἰδού σοι ὁ σωτὴρ παραγέγονεν ἀπέχων τὸν ἑαυτοῦ μισθόν, καὶ τὸ ἔργον ἀπὸ προσώπου αὐτοῦ.* (12)*Καὶ καλέσει αὐτὸν λαὸν ἅγιον, λελυτρωμένον ὑπὸ κυρίου, σὺ δὲ κληθήσῃ ἐπιζητουμένη πόλις καὶ οὐ καταλελειμμένη.* (63, 1)*Τίς οὗτος ὁ παραγινόμενος ἐξ Ἐδώμ, ἐρύθημα ἱματίων αὐτοῦ ἐκ Βοσόρ*[5] *; οὗτος ὡραῖος ἐν στολῇ, ἀναβαίνων*[6] *βίᾳ μετὰ ἰσχύος ; ἐγὼ διαλέγομαι δικαιοσύνην καὶ κρίσιν σωτηρίου.* **4** (2)*Διὰ τί σου ἐρυθρὰ τὰ ἱμάτια, καὶ τὰ ἐνδύ*-[fol. 75 v° : A]-*ματά σου ὡς ἀπὸ πατητοῦ ληνοῦ ;* (3)*πλήρης*[7] *καταπεπατημένης ληνὸν ἐπάτησα μονώτατος*[8], *καὶ τῶν ἐθνῶν οὐκ ἔστιν*

1 Ἔθνη : ἔθη (*omnia instituta*) Otto *om.* LXX *et* I Apol. 47, 2 **2** Οὐ τοῦτό φημι, ἀλλ'... *codd*, Thirlb., Troll., Otto, Arch., Goodsp., Marc. (ἀλλ' ὅτι) : οὐ τοῦτό, φημι, ἀλλ'... *cett. edd.* **3** Γεγέννηνται · εἰ ...φυλάσσουσι, πάντως *codd.*, Steph., Thirlb., Otto, Arch., Goodsp. : γεγέννηνται, εἰ ...φυλάσσουσι. Πάντως Mar., Mign. **4** Σύσσημον = *signum prop.* Steph., *coni.*, Sylb., Otto, Troll., Arch., Goodsp. (*ex* LXX) : συσσεισμόν = *terrarum motus codd.*, Steph., Thirlb., Mar., Mign., Marc. **5** Βοσόρ : A *corr.* (*ex* Βοσώρ ?) **6** Ἀναβαίνων : *om.* LXX **7** Ληνοῦ ; πλήρης καταπεπατημένης ληνὸν Otto, Arch., Goodsp. : ληνοῦ πλήρης καταπεπατημένης · ληνὸν *codd.* ληνοῦ πλήρους καταπεπατημένης · ληνὸν Steph. ληνοῦ, πλήρους καταπεπατημένης ; Thirlb. ληνοῦ ; πλήρης καταπεπατημένης. Ληνὸν · Mar. Mign. ληνοῦ ; Πλήρης καταπεπατημένης ; Ληνὸν Marc. **8** Ληνον – μονώτατος : *om.* LXX.

comme un désert, Jérusalem a été maudite. (11)*Le sanctuaire, notre Temple, et la gloire que bénissaient nos pères, sont réduits en cendres, et tous les peuples se sont retrouvés glorieux.* (12)*Et tu l'as supporté, Seigneur, et tu t'es tu, et tu nous as infligé une humiliation extrême*[16].

6 Tryphon : — Qu'est-ce que tu dis là ? qu'aucun d'entre nous [a]n'*héritera* en rien sur la *Montagne sainte* de Dieu ?

L'héritage sur la « montagne sainte »
est réservé à ceux qui, parmi les juifs et les nations, se seront repentis.
Témoignages d'Isaïe.

26. 1 Moi : — Je ne dis pas cela ; mais que ceux qui ont persécuté et persécutent encore le Christ[1], et ne se [b]*repentent*[2] pas, [c]n'*hériteront* en rien sur *la montagne sainte.* Les [d]*nations*, en revanche, qui auront cru en lui, et se seront *repenties* des péchés qu'elles ont commis[3] – ceux-là *hériteront* [e]avec les patriarches, les prophètes et tous les justes[4] de la descendance de Jacob. Même s'ils ne font pas le sabbat, n'ont pas la circoncision, et n'observent pas les fêtes, ils *hériteront* sûrement le saint héritage de Dieu[5]. **2** Car Dieu, par Isaïe, parle ainsi : (*Is.* 42, 6)*Moi, le Seigneur Dieu, je t'ai appelé dans la justice, et je prendrai ta main, et je te fortifierai*[6] *; et je t'ai fait alliance de la race, lumière des nations*[7], (7)*pour ouvrir les yeux des aveugles, pour délivrer de leurs liens les enchaînés, et du cachot ceux qui sont assis dans les ténèbres*[8]. **3** Et encore (*Is.* 62, 10)*Élevez un étendard pour les nations.* (11)*Voici en effet que le Seigneur l'a fait entendre jusqu'aux extrémités de la terre*[9] *: Dites aux filles de Sion : voici, le sauveur t'est venu ; il a reçu son salaire*[10], *et l'œuvre est devant sa face.* (12)*Et il l'appellera peuple saint*[11], *racheté*[12] *par le Seigneur ; et toi, tu seras appelée ville « recherchée » et non « délaissée »*[13]. (*Is.* 63, 1)*Qui est-il donc, celui qui vient d'Édom ? La pourpre de ses habits vient de Bosor*[14]. *Il est beau dans son vêtement*[15], *lorsqu'il monte*[16] *avec puissance et force*[17]. *Je parle de justice et de jugement de salut*[18]. **4** (2)*Pourquoi tes vêtements sont-ils rouges, et tes habits comme s'ils sortaient du pressoir ?* (3)*Rassasié de la grappe foulée, j'ai foulé tout seul le pressoir, et des nations personne n'était avec moi. Je les ai foulés en colère, je les ai broyés comme de la*

a Cf. *Is.* 63, 17.18 **b** cf. *Is.* 64, 4 **c** cf. *Is.* 63, 18 **d** cf. *Is.* 64, 8 **e** cf. *Is.* 63, 15.

ἀνὴρ μετ' ἐμοῦ · καὶ κατεπάτησα αὐτοὺς ἐν θυμῷ, καὶ κατέθλασα αὐτοὺς ὡς γῆν, καὶ κατήγαγον τὸ αἷμα αὐτῶν εἰς γῆν. (4)*Ἡμέρα γὰρ ἀνταποδόσεως ἦλθεν αὐτοῖς, καὶ ἐνιαυτὸς λυτρώσεως πάρεστι.* (5)*Καὶ ἐπέβλεψα καὶ οὐκ ἦν βοηθός, καὶ προσενόησα καὶ οὐδεὶς ἀντελάβετο · καὶ ἐρρύσατο ὁ βραχίων*[1]*, καὶ ὁ θυμός μου ἐπέστη ·* (6)*καὶ κατεπάτησα αὐτοὺς ἐν τῇ ὀργῇ μου, καὶ κατήγαγον τὸ αἷμα αὐτῶν εἰς γῆν.*

27. 1 – Καὶ ὁ Τρύφων · Διὰ τί ἅπερ βούλει ἐκλεγόμενος ἀπὸ τῶν προφητικῶν λόγων λέγεις, ἃ δὲ διαρρήδην κελεύει σαββατίζειν οὐ μέμνησαι ; διὰ γὰρ Ἡσαΐου οὕτως εἴρηται · (*Is.* 58, 13) *Ἐὰν ἀποστρέψῃς τὸν πόδα σου ἀπὸ τῶν σαββάτων τοῦ μὴ ποιεῖν τὰ θελήματά σου ἐν τῇ* [p. 115 : B] *ἡμέρᾳ τῇ ἁγίᾳ, καὶ καλέσῃς τὰ σάββατα τρυφερὰ ἅγια τοῦ θεοῦ σου, οὐκ ἄρῃς τὸν πόδα σου ἐπ' ἔργον οὐδὲ μὴ λαλήσῃς* λόγον[2] *ἐκ τοῦ* [3] *στόματός σου,* (14)*καὶ ἔσῃ πεποιθὼς ἐπὶ κύριον, καὶ ἀναβιβάσει σε ἐπὶ τὰ ἀγαθὰ τῆς γῆς καὶ ψωμιεῖ σε τὴν κληρονομίαν Ἰακώβ, τοῦ πατρός σου · τὸ γὰρ στόμα κυρίου ἐλάλησε ταῦτα.*

2 – Κἀγώ · Οὐκ ὡς ἐναντιουμένων μοι τῶν τοιούτων προφητειῶν, ὦ φίλοι, παρέλιπον αὐτάς, ἀλλὰ ὡς ὑμῶν νενοηκότων[4] καὶ νοούντων ὅτι, κἂν διὰ πάντων τῶν προφητῶν κελεύῃ ὑμῖν τὰ αὐτὰ ποιεῖν ἃ καὶ διὰ Μωϋσέως[5] ἐκέλευσε, διὰ τὸ σκληροκάρδιον ὑμῶν καὶ ἀχάριστον εἰς αὐτὸν ἀεὶ τὰ αὐτὰ βοᾷ, ἵνα κἂν οὕτως ποτὲ μετανοήσαντες εὐαρεστῆτε αὐτῷ, καὶ μήτε *τὰ τέκνα* ὑμῶν *τοῖς δαιμονίοις θύητε*, μήτε < ἦτε >[6] *κοινωνοὶ κλεπτῶν καὶ φιλοῦντες δῶρα καὶ διώκοντες ἀνταπόδομα, ὀρφανοῖς οὐ κρίνοντες καὶ κρίσει χήρας οὐ προσέχοντες,* ἀλλ' οὐδὲ *πλήρεις*[7] *τὰς χεῖρας αἵματος.* **3** Καὶ γὰρ *αἱ θυγατέρες Σιὼν ἐπορεύθησαν ἐν ὑψηλῷ τραχήλῳ, καὶ ἐν νεύμασιν ὀφθαλμῶν ἅμα παίζουσαι καὶ σύρουσαι τοὺς χιτῶνας.* Καὶ *πάντες* γὰρ *ἐξέκλιναν*, βοᾷ, *πάντες ἅμα*[8] *ἠχρειώθησαν · οὐκ ἔστιν ὁ συνίων*[9]*, οὐκ ἔστιν ἕως ἑνός. Ταῖς γλώσσαις αὐτῶν ἐδολιοῦσαν, τάφος ἀνεῳγμένος ὁ λάρυγξ αὐτῶν, ἰὸς ἀσπίδων ὑπὸ τὰ χείλη αὐτῶν, σύντριμμα καὶ ταλαιπωρία ἐν ταῖς ὁδοῖς αὐτῶν, καὶ ὁδὸν εἰρήνης οὐκ ἔγνωσαν.*

1 Βραχίων : βρ. μου Marc. (*ex* LXX) **2** Λόγον : λ. ἐν ὀργῇ Marc. (*ex* LXX) **3** Ἐκ τοῦ *edd.* (= LXX) : ἐκεῖ *codd.* **4** Νενοηκότων : μὴ νεν. Marc. **5** Μωϋσέως : Μωϋσέος *codd.* Μωσέως Arch. (*hic et infra*) **6** Ἦτε *addendum* Thirlb., *add.* Otto, Arch., Marc. : *om. codd., cett. edd.* **7** Πλήρεις *edd.* (*ex* LXX) : πλήρης *codd.* **8** Ἅμα = *simul* Périon, Otto, Arch., Marc. (*ex* LXX, NT) : ἄρα = *certe codd., cett. edd.* **9** Συνίων (συνίω) *prop.* Otto, *coni.* Arch., Goodsp., Marc. (cf. 123, 7) : συνιῶν (συνιέω) Otto, Troll. συνιὼν (σύνειμι) *codd., cett. edd.*

terre, et j'ai répandu leur sang sur la terre. (4)*Car le jour de rétribution*[19] *est arrivé pour eux, et l'on est à présent dans l'année du rachat.* (5)*J'ai regardé, et il n'y avait point d'aide ; j'ai prêté attention, et personne n'a tendu la main. Mon bras*[20] *fut le sauveur, et ma colère est montée.* (6)*Je les ai foulés dans ma fureur, et j'ai répandu leur sang à terre*[21].

Lorsqu'Isaïe célèbre le sabbat prescrit par l'intermédiaire de Moïse, c'est à cause des péchés du peuple. L'institution était provisoire.

27. 1 Tryphon : — Pourquoi cites-tu les paroles prophétiques en ne retenant que ce que tu veux, et sans faire mention de celles qui ordonnent expressément d'observer le sabbat ? Car il est dit, par l'intermédiaire d'Isaïe : (*Is.* 58, 13)*Si tu t'abstiens de fouler aux pieds les sabbats*[1], *de faire tes volontés au jour saint, si tu appelles le sabbat « délices », « jour saint » à ton Dieu, tu ne te mettras pas en marche vers un travail, ni ne proféreras des paroles de ta bouche,* (14)*alors tu seras confiant dans le Seigneur, il te fera monter vers les biens de la terre, et il te nourrira de l'héritage de Jacob, ton père. Car c'est la bouche du Seigneur qui a parlé*[2].

2 Moi : — Ce n'est pas parce que ces prophéties allaient contre mon propos, amis, que je les ai laissées de côté, mais dans la pensée que vous aviez compris, et comprenez toujours, que s'il vous ordonne, par tous les prophètes, ces mêmes pratiques qu'il avait ordonnées par l'intermédiaire de Moïse, c'est à cause de votre dureté de cœur[3], et de votre ingratitude[4] à son égard qu'il proclame toujours les mêmes choses, afin que, fût-ce par ce moyen, vous vous repentiez un jour et lui deveniez agréables, que vous ne [a]*sacrifiiez plus* vos *enfants aux démons*[5], que vous ne soyez plus [b]*complices des voleurs, amateurs de présents, et coureurs de récompenses*[6], *négligeant de rendre justice aux orphelins*[7], *et sans égard pour la cause des veuves*, qu'enfin vous n'ayez plus [c]*les mains pleines de sang*[8]. **3** Car [d]*Les filles de Sion s'en sont allées le cou tendu, jouant de leurs clins d'yeux, et faisant traîner leurs tuniques.* [e]*Tous se sont dévoyés,* s'écrie-t-il encore, *tous ensemble, ils se sont corrompus.* [f]*Il n'y a personne qui comprenne, pas même un seul.* [g]*De leurs langues, ils ont rusé ; leur gorge est un sépulcre béant*[9], *un venin d'aspics est sous leurs lèvres,* [h]*ruine et misère sont dans leurs voies, et la voie de la paix, ils ne l'ont pas connue*[10].

a Cf. *Ps.* 105, 37 **b** cf. *Is.* 1, 23 **c** cf. *Is.* 1, 15 **d** cf. *Is.* 3, 16 **e** cf. *Ps.* 13, 3 ; *Rom.* 3, 12 **f** cf. *Ps.* 13, 3 ; *Rom.* 3, 11 **g** cf. *Ps.* 139, 4 ; *Rom.* 3, 13 **h** *Is.* 59, 7-8 ; *Rom.* 3, 16-17.

4 Ὥστε ὃν τρόπον τὴν ἀρχὴν διὰ τὰς κακίας ὑμῶν ταῦτα ἐντέταλτο, ὁμοίως διὰ τὴν ἐν τούτοις ὑπομονήν[1], μᾶλλον δὲ ἐπίτασιν, διὰ τῶν αὐτῶν εἰς ἀνάμνησιν αὐτοῦ καὶ [p. 116 : B] γνῶσιν [fol. 76 v° : A] ὑμᾶς καλεῖ. Ὑμεῖς δὲ λαὸς *σκληροκάρδιος*, καὶ *ἀσύνετος*, καὶ *τυφλὸς*, καὶ *χωλὸς*[2], καὶ *υἱοὶ οἷς οὐκ ἔστι πίστις ἐν αὐτοῖς*, ὡς αὐτὸς λέγει, ἐστέ, *τοῖς χείλεσιν αὐτὸν μόνον τιμῶντες, τῇ δὲ καρδίᾳ πόρρω αὐτοῦ ὄντες*, ἰδίας *διδασκαλίας* καὶ μὴ τὰ[3] ἐκείνου *διδάσκοντες*. **5** Ἐπεί, εἴπατέ μοι, τοὺς ἀρχιερεῖς ἁμαρτάνειν τοῖς σάββασι προσφέροντας τὰς προσφορὰς ἐβούλετο ὁ θεός, ἢ τοὺς περιτεμνομένους καὶ περιτέμνοντας τῇ ἡμέρᾳ τῶν σαββάτων, κελεύων τῇ ἡμέρᾳ τῇ ὀγδόῃ ἐκ παντὸς περιτέμνεσθαι τοὺς γεννηθέντας ὁμοίως, κἂν ᾖ ἡμέρα τῶν σαββάτων ; Ἢ οὐκ ἠδύνατο πρὸ μιᾶς ἡμέρας ἢ μετὰ μίαν ἡμέραν τοῦ σαββάτου ἐνεργεῖν < περιτέμνεσθαι >[4] τοὺς γεννωμένους[5], εἰ ἠπίστατο κακὸν εἶναι ἐν τοῖς σάββασιν[6] ; ἢ καὶ τοὺς πρὸ Μωϋσέως καὶ Ἀβραὰμ ὠνομασμένους δικαίους καὶ εὐαρέστους αὐτῷ γενομένους, μήτε τὴν ἀκροβυστίαν περιτετμημένους μήτε τὰ σάββατα φυλάξαντας, διὰ τί οὐκ ἐδίδασκε ταῦτα ποιεῖν ;

28. 1 – Καὶ ὁ Τρύφων · Καὶ πρότερον ἀκηκόαμέν σου τοῦτο προβάλλοντος καὶ ἐπεστήσαμεν · ἄξιον γάρ, ὡς ἀληθῶς εἰπεῖν, ἐπιστάσεως. Καὶ οὔ μοι, < ὃ > τοῖς πολλοῖς, δοκεῖ[7] λέγειν, ὅτι[8] ἔδοξεν αὐτῷ · τοῦτο γάρ ἐστι πρόφασις ἀεὶ [fol. 77 r° : A] τοῖς μὴ δυναμένοις ἀποκρίνασθαι πρὸς τὸ ζητούμενον.

2 – Κἀγώ · Ἐπειδὴ ἀπό τε τῶν γραφῶν καὶ τῶν πραγμάτων τάς τε ἀποδείξεις καὶ τὰς ὁμιλίας ποιοῦμαι, ἔλεγον, μὴ ὑπερτίθεσθε μηδὲ διστάζετε πιστεῦσθαι τῷ ἀπεριτμήτῳ ἐμοί. Βραχὺς οὗτος ὑμῖν περιλείπεται προσηλύσεως χρόνος · ἐὰν φθάσῃ ὁ Χριστὸς ἐλθεῖν, μάτην μετανοήσετε, μάτην κλαύσετε · οὐ γὰρ εἰσακούσεται ὑμῶν. (*Jér.* 4, 3)*Νεώσατε ἑαυτοῖς* [p. 117 : B] *νεώματα*, Ἱερεμίας τῷ λαῷ κέκραγε, *καὶ μὴ*

1 Ὑπομόνην : ἐπιμόνην (ἐπιμονὴν ...ἐπίτασιν) *coni.* Sylb., Mor., Otto **2** Χωλὸς = *claudus* : κωφός = *surdus coni.* Thirlb. (cf. 69, 6 ; 123, 3) **3** Τὰ (cf. 48, 2 : τὰ τοῦ θεοῦ) : τὰς (*scil.* διδασκαλίας) *prop.* Thirlb., *coni.* Marc. **4** Περιτέμνεσθαι *addendum* Otto (cf. Dial. 94, 1 ; 95, 2 ; I Apol. 5, 3), *add.* Arch., Goodsp. : *om. codd, cett. edd.* **5** Γεννωμένους A *corr. ex* γενωμένους **6** *Post* σάββασιν Marc. *add.* τοῦτο ποιεῖν **7** Καὶ οὔ μοι, ὃ τοῖς πολλοῖς, δοκεῖ *prop.* Thirlb., *coni. edd. ab* Otto : καὶ ὅ μοι τοῖς πολλοῖς δοκεῖ *codd., cett. edd.* καὶ οὔ μοι ὁμοῖα *vel* οὔ μοι ὃ τοῖς πολλοῖς *prop.* Mar. καί μοι, ὃ τοῖς πολλοῖς, δοκεῖ *vel* καί μοι ὁμοῦ τοῖς πολλοῖς, δοκεῖ Lange, Sylb. καὶ μή, ὃ τοῖς πολλοῖς δοκεῖ, λέγειν Sylb. **8** Ὅτι : ὅτι οὕτως Marc.

4 Aussi, de même qu'à l'origine, c'est à cause de vos forfaits qu'il a établi ces prescriptions, c'est de même à cause de votre opiniâtreté – bien plus, de l'obstination dont vous faites preuve en cela – qu'il vous invite, par elles encore, à vous souvenir de lui[11], et à le connaître[12]. Mais vous, vous êtes un peuple [a]*au cœur dur*, [b]*sans intelligence*, [c]*aveugle*[13], [d]*boiteux*[14], [e]*des fils qui n'avez pas de foi*[15], comme il dit lui-même, [f]*l'honorant seulement des lèvres, loin de lui par le cœur, enseignant* leurs propres *enseignements*, et non les siens[16]. **5** D'ailleurs, dites-moi, Dieu voulait-il que commettent un péché les Grands prêtres qui apportent des offrandes aux jours de sabbat[17], et encore ceux qui reçoivent ou donnent la circoncision le jour du sabbat, lorsqu'il ordonna que les enfants nouveau-nés fussent sans exception, et exclusivement, circoncis le huitième jour, même si c'était un jour de sabbat ? N'aurait-il pas pu faire en sorte que les nouveau-nés soient circoncis un jour avant ou un jour après le sabbat, s'il savait que c'était mal le jour du sabbat ? Et ceux qui, avant Moïse et Abraham, ont été appelés « justes » et lui ont été agréables, sans avoir reçu la circoncision ni observé les sabbats, pourquoi ne leur a-t-il pas enseigné ces pratiques[18] ?

Urgence de la conversion.
Seule la circoncision véritable, destinée à tous, permet d'accéder au Salut.
Témoignages de Jérémie, Malachie, et David.

28. 1 Tryphon : — Nous t'avons déjà entendu, tout à l'heure[1], avancer cet argument, et nous l'avons pris en considération, car, à vrai dire, il le mérite. Et il ne me paraît pas satisfaisant d'admettre, comme beaucoup le font, que c'est parce que Dieu l'a voulu. C'est là une piètre explication, généralement invoquée par ceux que la question laisse sans réponse.

2 Moi : — Puisque c'est à partir des Écritures et des faits[2], dis-je, que j'établis mes démonstrations et mes entretiens[3], vous ne devez pas hésiter ni différer à me croire, moi qui suis incirconcis[4]. [g]Il est court, le temps qui vous reste[5] pour vous joindre à nous[6]. Si le Christ survient[7], en vain vous repentirez-vous, en vain vous lamenterez-vous[8] : il ne vous écoutera pas. (*Jér.* 4, 3)*Défrichez pour vous-mêmes ce qui est en friche*, proclame au peuple Jérémie, *et ne*

a cf. *Éz.* 3, 7 **b** cf. *Deut.* 32, 20 ; *Jér.* 4, 22 **c** cf. *Is.* 42, 18 **d** cf. *Is.* 35, 6 **e** *Deut.* 32, 20
f *Is.* 29, 13 ; cf. *Matth.* 15, 8-9 ; *Mc.* 7, 6-7 **g** cf. *I Cor.* 7, 29 ? *Deut.* 32, 35 ?

σπείρετε ἐπ' ἀκάνθας. (4)*Περιτέμνετε*[1] *τῷ κυρίῳ, καὶ περιτέμνεσθε*[2] *τὴν ἀκροβυστίαν τῆς καρδίας ὑμῶν.*
3 Μὴ οὖν *εἰς ἀκάνθας σπείρετε* καὶ ἀνήροτον χωρίον, ὅθεν ὑμῖν καρπὸς οὐκ ἔστι[3]. Γνῶτε τὸν Χριστόν, καὶ ἰδοὺ νειὸς καλή, καλὴ[4] καὶ πίων ἐν ταῖς καρδίαις ὑμῶν. (*Jér.* 9, 25) *Ἰδοὺ* γὰρ *ἡμέραι ἔρχονται, λέγει κύριος, καὶ ἐπισκέψομαι ἐπὶ πάντας περιτετμημένους ἀκροβυστίας αὐτῶν,* (26)*ἐπ' Αἴγυπτον καὶ ἐπὶ Ἰούδαν καὶ ἐπὶ Ἐδὼμ... καὶ ἐπὶ υἱοὺς Μωάβ..., ὅτι πάντα τὰ ἔθνη ἀπερίτμητα καὶ πᾶς οἶκος Ἰσραὴλ ἀπερίτμητος καρδίας αὐτῶν.* **4** Ὁρᾶτε ὡς οὐ ταύτην τὴν περιτομὴν τὴν *εἰς σημεῖον* δοθεῖσαν ὁ θεὸς θέλει· οὐδὲ γὰρ *Αἰγυπτίοις* χρήσιμος οὐδὲ τοῖς *υἱοῖς Μωὰβ* οὐδὲ τοῖς υἱοῖς *Ἐδώμ*. Ἀλλὰ κἂν *Σκύθης* [fol. 77 v° : A] ᾖ τις ἢ Πέρσης, ἔχει δὲ τὴν τοῦ θεοῦ γνῶσιν καὶ τοῦ Χριστοῦ αὐτοῦ καὶ φυλάσσει τὰ αἰώνια δίκαια, περιτέτμηται τὴν καλὴν καὶ ὠφέλιμον περιτομήν, καὶ φίλος ἐστὶ τῷ θεῷ, καὶ[5] ἐπὶ τοῖς δώροις αὐτοῦ καὶ ταῖς προσφοραῖς χαίρει[6].
5 Παρέξω δὲ ὑμῖν, ἄνδρες φίλοι, καὶ αὐτοῦ ῥήματα[7] τοῦ θεοῦ, ὁπότε[8] πρὸς τὸν λαὸν εἶπε διὰ Μαλαχίου, ἑνὸς τῶν δώδεκα προφητῶν. Ἔστι δὲ ταῦτα· (*Mal.* 1, 10)*Οὐκ ἔστι θέλημά μου ἐν ὑμῖν, λέγει κύριος, καὶ τὰς θυσίας ὑμῶν οὐ προσδέχομαι*[9] *ἐκ τῶν χειρῶν ὑμῶν·* (11)*διότι ἀπὸ ἀνατολῆς ἡλίου ἕως δυσμῶν τὸ ὄνομά μου δεδόξασται ἐν τοῖς ἔθνεσι, καὶ ἐν παντὶ τόπῳ θυσία*[10] *προσφέρεται τῷ ὀνόματί μου καὶ θυσία καθαρά, ὅτι τιμᾶται*[11] *τὸ ὄνομά μου ἐν τοῖς ἔθνεσι, λέγει κύριος,* (12)*ὑμεῖς δὲ βεβηλοῦτε αὐτό.*
6 Καὶ διὰ τοῦ Δαυὶδ ἔφη· (*Ps.* 17, 44)*λαός, ὃν οὐκ ἔγνων, ἐδούλευσέ μοι·* (45)*εἰς ἀκοὴν ὠτίου ὑ*-[p. 118 : B]-*πήκουσέ μου.*

29. 1 *Δοξάσωμεν*[12] τὸν θεόν, ἅμα *τὰ ἔθνη* συνελθόντα, ὅτι καὶ ἡμᾶς *ἐπεσκέψατο· δοξάσωμεν* αὐτὸν διὰ τοῦ *βασιλέως τῆς δόξης*, διὰ τοῦ *κυρίου τῶν δυνάμεων*. Εὐδόκησε γὰρ καὶ εἰς *τὰ ἔθνη*, καὶ *τὰς θυσίας* ἥδιον παρ' ἡμῶν ἢ παρ' *ὑμῶν* λαμβάνει. Τίς οὖν ἔτι μοι περιτομῆς[13] λόγος ὑπὸ τοῦ θεοῦ μαρτυρηθέντι ; τίς ἐκείνου τοῦ βαπτίσματος χρεία *ἁγίῳ πνεύματι βεβαπτισμένῳ* ; **2** Ταῦτα οἶμαι λέγων πείσειν καὶ [fol. 78

1 Περιτέμνετε (*scil.* ἑαυτούς) : περιτέμνεσθε (*vel* περιτμήθητε *ex* LXX) *prop.* Thirlb., Mar., *coni.* Marc. **2** Περιτέμνεσθε : περιτέμεσθε *prop.* Thirlb. (*ex* LXX) **3** Ἔστι (cf. Dial. 12, 3 : καθαρός ἐστι) : ἔσται *prop.* Thirlb. **4** Καλὴ : *om.* Mar. **5** Καὶ ἐπὶ : ὃς ἐπὶ *prop.* Sylb. **6** Χαίρει : χ. ὁ θεός Marc. **7** Αὐτοῦ ῥήματα *prop.* Thirlb., *coni. edd. ab* Otto, Troll. : αὐτουργήματα *codd.*, *cett. edd.* αὐτὰ τὰ ῥήματα *prop.* Otto (*ex* Dial. 21, 1 : αὐτὰ αἱ φωναὶ αὐτοῦ) **8** Ὁπότε : ἅ ποτε *prop.* Thirlb. **9** Προσδέχομαι : προσδέξομαι *prop.* Thirlb., Troll., *coni.* Marc. (*ex* LXX, Dial. 41, 2 ; 117, 1) **10** Θυσία (= Clem., *Strom.*, V, 136, 2) : θυμίαμα LXX, Dial. 41, 2 **11** Τιμᾶται : μέγα LXX, Dial. 41, 2 **12** Ἄλλος *in marg. codd.* **13** Περιτομῆς : περὶ π. Marc.

semez point sur des épines. (4)*Circoncisez-vous pour le Seigneur, et faites circoncire le prépuce de votre cœur*[9].

3 Ne [a]*semez* donc pas *sur des épines*, ou sur un champ non labouré, dont vous ne pouvez tirer aucun *fruit*[10]. Connaissez le Christ, et voici, une [b]*belle terre*[11] nouvellement remuée, belle et grasse dans vos cœurs. Car (*Jér.* 9, 25)*Voici venir des jours, dit le Seigneur, où je regarderai tous ceux qui sont circoncis du prépuce,* (26)*l'Égypte, Juda, Édom… et les fils de Moab…, car tous les peuples sont incirconcis, et toute la maison d'Israël est incirconcise de cœur*[12]. **4** Observez bien que ce n'est pas cette circoncision, donnée [c]*en signe*, que Dieu veut : elle n'est utile ni aux [d]*Égyptiens*, ni aux *fils de Moab*, ni aux fils d'*Édom*[13]. Mais même [e]*Scythe* ou Perse, celui qui a la connaissance de Dieu et de son Christ[14], et observe la justice éternelle[15], il est circoncis de la belle et salutaire circoncision[16], et est aimé de Dieu[17], qui se réjouit de ses dons et de ses offrandes[18]. **5** Laissez-moi vous citer aussi, amis, les paroles de Dieu lui-même, lorsque, par Malachie, l'un des douze prophètes[19], il s'adressa au peuple. Les voici : (*Mal.* 1, 10)*Ma volonté n'est point en vous, dit le Seigneur, et je n'accepte pas vos sacrifices de vos mains.* (11)*car depuis le lever du soleil jusqu'au couchant, mon nom est glorifié parmi les nations, et en tout lieu un sacrifice est offert en mon nom, un sacrifice pur, car mon nom est honoré parmi les nations, dit le Seigneur,* (12)*tandis que vous, vous le profanez*[20]. **6** Il a encore dit, par David : (*Ps.* 17, 44)*Un peuple que je ne connaissais pas, m'a servi ;* (45)*Dès que son oreille a entendu, il m'a obéi*[21].

Universalité de la circoncision et du baptême véritables.
Incompréhension juive des Prophéties et de la Loi.

29. 1 [f]*Glorifions*[1] Dieu, [g]*nations* rassemblées[2], car il nous a [h]*regardés* nous aussi. *Glorifions*-le par le [i]*roi de gloire*[3], par le [j]*Seigneur des Puissances*[4]. Car il s'est tourné aussi vers *les nations* pour les accueillir[5], et [k]*les sacrifices*, il les reçoit plus volontiers de notre part que de la *vôtre*[6]. Pourquoi donc parler encore de circoncision, alors que Dieu témoigne pour moi[7] ? Qu'est-il besoin de ce baptême-là[8], quand on est [l]*baptisé* d'*Esprit Saint*[9] ? **2** Je pense, en disant cela,

a *Jér.* 4, 3 ; cf. *Matth.* 13, 22 ; *Mc.* 4, 18 **b** cf. *Matth.* 13, 8.23 **c** cf. *Gen.* 17, 11 **d** cf. *Jér.* 9, 26 **e** cf. *Col.* 3, 11 ? **f** cf. *Mal.* 1, 11 **g** *ibid.* **h** cf. *Jér.* 9, 25 **i** cf. *Ps.* 23, 7.8.9.10 **j** *ibid.*, 10 **k** cf. *Mal.* 1, 10 **l** cf. *Matth.* 3, 11 ; *Mc.* 1, 8 ; *Lc.* 3, 16.

r° : A] τοὺς βραχὺν νοῦν κεκτημένους. Οὐ γὰρ ὑπ' ἐμοῦ συνεσκευασμένοι εἰσὶν οἱ λόγοι οὐδὲ τέχνῃ ἀνθρωπίνῃ κεκαλλωπισμένοι, ἀλλὰ τούτους Δαυῒδ μὲν ἔψαλλεν, Ἡσαΐας δὲ εὐηγγελίζετο, Ζαχαρίας[1] δὲ ἐκήρυξε, Μωϋσῆς[2] δὲ ἀνέγραψεν. Ἐπιγινώσκεις αὐτούς, Τρύφων ; ἐν τοῖς ὑμετέροις ἀπόκεινται γράμμασι, μᾶλλον δὲ οὐχ ὑμετέροις ἀλλ' ἡμετέροις · ἡμεῖς γὰρ αὐτοῖς πειθόμεθα, ὑμεῖς δὲ ἀναγινώσκοντες οὐ νοεῖτε τὸν ἐν αὐτοῖς νοῦν. **3** Μὴ οὖν ἄχθεσθε, μηδὲ ὀνειδίζετε ἡμῖν τὴν τοῦ σώματος ἀκροβυστίαν, ἣν αὐτὸς ὁ θεὸς ἔπλασε, μηδέ, ὅτι θερμὸν πίνομεν ἐν τοῖς σάββασσι, δεινὸν ἡγεῖσθε · ἐπειδὴ καὶ ὁ θεὸς τὴν αὐτὴν διοίκησιν τοῦ κόσμου ὁμοίως καὶ ἐν ταύτῃ τῇ ἡμέρᾳ πεποίηται καθάπερ καὶ ἐν ταῖς ἄλλαις ἁπάσαις, καὶ οἱ ἀρχιερεῖς τὰς προσφορὰς καθὰ καὶ ταῖς ἄλλαις ἡμέραις καὶ ἐν ταύτῃ κεκελευσμένοι ἦσαν ποιεῖσθαι, καὶ οἱ τοσοῦτοι δίκαιοι μηδὲν τούτων τῶν νομίμων πράξαντες μεμαρτύρηνται ὑπὸ τοῦ θεοῦ αὐτοῦ.

30. 1 Ἀλλὰ τῇ αὐτῶν[3] κακίᾳ ἐγκαλεῖτε, ὅτι καὶ συκοφαντεῖσθαι δυνατός ἐστιν ὁ θεὸς ὑπὸ τῶν νοῦν μὴ ἐχόντων, ὡς [p. 119 : B] τὰ αὐτὰ δίκαια μὴ πάντας ἀεὶ διδάξας. Πολλοῖς γὰρ ἀνθρώποις ἄλογα καὶ οὐκ ἄξια θεοῦ τὰ τοιαῦτα διδάγματα ἔδοξεν εἶναι, [fol. 78 v° : A] μὴ λαβοῦσι χάριν[4] τοῦ γνῶναι ὅτι τὸν λαὸν ὑμῶν πονηρευόμενον καὶ ἐν νόσῳ *ψυχικῇ* ὑπάρχοντα εἰς *ἐπιστροφὴν* καὶ μετάνοιαν τοῦ πνεύματος[5] κέκληκε, καὶ[6] *αἰώνιός* ἐστι μετὰ τὸν Μωϋσέως[7] θάνατον προελθοῦσα ἡ προφητεία. < (*Ps.* 18, 2)*Οἱ οὐρανοὶ διηγοῦνται δόξαν θεοῦ, ποίησιν δὲ χειρῶν αὐτοῦ ἀναγγέλει τὸ στερέωμα.* (3)*Ἡμέρα τῇ ἡμέρᾳ ἐρεύγεται ῥῆμα, καὶ νὺξ τῇ νυκτὶ ἀναγγέλει γνῶσιν.* (4)*Οὐκ εἰσὶ λαλιαὶ οὐδὲ λόγοι, ὧν οὐχὶ ἀκούονται αἱ φωναὶ αὐτῶν.* (5)*Εἰς πᾶσαν τὴν γῆν ἐξῆλθεν ὁ φθόγγος αὐτῶν καὶ εἰς τὰ πέρατα τῆς οἰκουμένης τὰ ῥήματα αὐτῶν.* (6) *Ἐν τῷ ἡλίῳ ἔθετο τὸ σκήνωμα αὐτοῦ, καὶ αὐτός, ὡς νυμφίος ἐκπορευόμενος ἐκ παστοῦ αὐτοῦ, ἀγαλλιάσεται ἰσχυρὸς ὡς γίγας δραμεῖν ὁδόν.* (7)*Ἀπ' ἄκρου τοῦ οὐρανοῦ ἡ ἔξοδος αὐτοῦ, καὶ τὸ κατάντημα αὐτοῦ ἕως ἄκρου τοῦ οὐρανοῦ, καὶ οὐκ ἔστιν ὃς ἀποκρυβήσεται τῆς θέρμης αὐτοῦ.* (8)*Ὁ νόμος τοῦ κυρίου ἄμωμος, ἐπιστρέφων ψυχάς · ἡ μαρτυρία κυρίου πιστή, σοφίζουσα νήπια.* (9)*Τὰ δικαιώματα κυρίου εὐθέα,*

1 Ζαχαρίας : Μαλαχίας *prop.* Lange, Otto **2** Μωϋσῆς : Μωσῆς Arch. **3** Αὐτῶν A, Steph., Jebb, Thirlb., Arch., Marc. : ἑαυτῶν *coni.* Otto, αὐτῇ Troll. αὐτῶν B, *cett. edd.* **4** Χάριν : χ. παρὰ θεοῦ Marc. (*ex.* Dial. 58, 1 ; 92, 1) **5** Τοῦ πνεύματος *edd. a* Mar. : τοῦ πατρός (πρς) *codd.*, *cett. edd.* **6** Καὶ : καὶ ὅτι *prop.* Lange (– κέκληκε. Καὶ ὅτι ἡ προφητεία, καὶ διὰ τοῦ ψαλμοῦ εἴρηται), Mar., Otto, Arch., Goodsp., *coni.* Marc. **7** Μωϋσέως : Μωϋσέος *codd.* Μωσέως Arch.

convaincre même ceux qui ont l'esprit court. Car ces paroles n'ont été ni apprêtées par moi, ni embellies par l'artifice humain[10], mais David les a chantées, Isaïe en a annoncé la bonne nouvelle, Zacharie[11] les a proclamées, Moïse les a consignées par écrit[12]. Les reconnais-tu, Tryphon ? Elles sont déposées dans vos Écritures[13], ou plutôt non pas dans les vôtres, mais dans les nôtres[14] : car par elles nous sommes convaincus[15], tandis que vous, vous les lisez[16], mais sans comprendre l'esprit qui est en elles. **3** Ne vous indignez donc point, et ne nous faites pas reproche cette incirconcision du corps[17] que Dieu lui-même a façonnée[18], et si nous buvons chaud le jour du sabbat[19], n'y voyez rien de terrible. Dieu a établi, pour ce jour-là comme pour tous les autres, la même administration de l'univers[20] ; les grands prêtres avaient reçu l'ordre de procéder à leurs offrandes ce jour-là comme les autres[21] ; et tous ces justes qui n'ont pratiqué aucune de ces lois[22], ils ont obtenu témoignage de Dieu lui-même[23].

Éternité de la justice divine et puissance rédemptrice de la Passion.
Le Psaume 18.

30. 1 C'est votre propre malignité qu'il faut incriminer, de ce que Dieu puisse être calomnié[1] par des gens sans entendement, qui insinuent qu'il n'a pas enseigné toujours la même justice[2]. Car ils ont paru absurdes[3] et indignes de Dieu, ces enseignements, à de nombreux hommes qui n'ont pas reçu la grâce[4] de comprendre qu'il appelle ce peuple qui agit mal[5] et a [a]l'*âme* malade à la [b]*conversion* et à la pénitence[6] de l'esprit, et qu'elle est [c]*éternelle*, ayant été produite après la mort de Moïse, cette prophétie[7] : (*Ps.* 18, 2)*Les cieux racontent la gloire de Dieu, et l'œuvre de ses mains, le firmament l'annonce.* (3)*Le jour au jour proclame une parole, et la nuit à la nuit en annonce la science.* (4)*Il n'y a ni rumeurs ni paroles dont les voix ne soient entendues.* (5)*A toute la terre est allé l'écho de leurs voix, et aux extrémités du monde leurs paroles.* (6)*Sur le soleil il a dressé sa tente, et lui, tel un époux, sortant du lit nuptial, se fera joie, fort comme un géant, de courir sa carrière.* (7)*Du bout du ciel sa provenance, et sa destination jusques au bout du ciel, et à son ardeur nul ne saurait se soustraire.* (8)*La Loi du Seigneur est irréprochable, elle convertit les âmes ; le témoignage du Seigneur est véritable, il rend sages les ignorants.* (9)*Les ordonnances du Seigneur sont droites, elles réjouissent le cœur ; le commandement du Seigneur dispense*

a Cf. *Ps.* 18, 8 **b** *ibid.* **c** *ibid.*, 10.

εὐφραίνοντα καρδίαν · ἡ ἐντολὴ κυρίου τηλαυγής, φωτίζουσα ὀφθαλμούς · (10)*Ὁ φόβος κυρίου ἁγνός, διαμένων εἰς αἰῶνα αἰῶνος · τὰ κρίματα κυρίου ἀληθινά, δεδικαιωμένα ἐπὶ τὸ αὐτό,* (11)*Ἐπιθυμητὰ ὑπὲρ χρυσίον καὶ λίθον τίμιον πολὺν καὶ γλυκύτερα ὑπὲρ μέλι καὶ κηρίον.* (12)*Καὶ γὰρ ὁ δοῦλός σου φυλάσσει αὐτά · ἐν τῷ φυλάσσειν αὐτὰ ἀνταπόδοσις πολλή.* (13)*Παραπτώματα τίς συνήσει ; ἐκ τῶν κρυφίων μου καθάρισόν με.* (14)*Καὶ ἀπὸ ἀλλοτρίων φεῖσαι τοῦ δούλου σου · ἐὰν μή μου κατακυριεύσωσι, τότε ἄμωμος ἔσομαι καὶ καθαρισθήσομαι ἀπὸ ἁμαρτίας μεγάλης.* (15)*Καὶ ἔσονται εἰς εὐδοκίαν τὰ λόγια τοῦ στόματός μου καὶ ἡ μελέτη τῆς καρδίας μου ἐνώπιόν σου διαπαντός, κύριε, βοηθέ μου καὶ λυτρωτά μου.* >[1]
2 Καὶ διὰ τοῦ ψαλμοῦ τοῦτο εἴρηται, ὦ ἄνδρες. Καὶ ὅτι *γλυκύτερα ὑπὲρ μέλι καὶ κηρίον* ὁμολογοῦμεν αὐτά, οἱ *σοφισθέντες* ἀπ' αὐτῶν, ἐκ τοῦ καὶ μέχρι θανάτου ἀνεξαρνήτους ἡμᾶς γίνεσθαι τοῦ ὀνόματος αὐτοῦ φαίνεται. Ὅτι δὲ καὶ αἰτοῦμεν αὐτόν, οἱ πιστεύοντες εἰς αὐτόν, ἵνα *ἀπὸ τῶν ἀλλοτρίων,* τουτέστιν ἀπὸ τῶν πονηρῶν καὶ πλάνων πνευμάτων, συντηρήσῃ ἡμᾶς, ἀπὸ προσώπου[2] ἑνὸς τῶν εἰς αὐτὸν πιστευόντων σχηματοποιήσας ὁ Λόγος τῆς προφητείας λέγει, πᾶσι[3] φανερόν ἐστιν. **3** Ἀπὸ γὰρ τῶν δαιμονίων, ἅ ἐστιν *ἀλλότρια* τῆς θεοσεβείας τοῦ θεοῦ, οἷς πάλαι προσεκυνοῦμεν, τὸν θεὸν ἀεὶ διὰ Ἰησοῦ Χριστοῦ συντηρηθῆναι παρακαλοῦμεν, ἵνα μετὰ τὸ *ἐπιστρέψαι* πρὸς θεὸν δι' αὐτοῦ *ἄμωμοι* ὦμεν. *Βοηθὸν* γὰρ ἐκεῖνον καὶ *λυτρωτὴν* καλοῦμεν, οὗ καὶ τὴν τοῦ ὀνόματος ἰσχὺν καὶ τὰ δαιμόνια τρέμει, καὶ σήμερον ἐξορκιζόμενα κατὰ τοῦ ὀνόματος Ἰησοῦ Χριστοῦ, τοῦ σταυρωθέντος ἐπὶ Ποντίου Πιλάτου, τοῦ γενομένου ἐπιτρόπου τῆς Ἰουδαίας, *ὑποτάσσεται*, ὡς καὶ [fol. 78 v° : A] ἐκ τούτου πᾶσι φανερὸν εἶναι ὅτι ὁ πατὴρ αὐτοῦ τοσαύτην ἔδωκεν αὐτῷ δύναμιν, ὥστε *καὶ τὰ δαιμόνια ὑποτάσσεσθαι τῷ ὀνόματι αὐτοῦ* καὶ τῇ τοῦ γενομένου πάθους [p. 120 : B] αὐτοῦ οἰκονομίᾳ.

31. 1 Εἰ δὲ τῇ τοῦ πάθους αὐτοῦ οἰκονομίᾳ τοσαύτη δύναμις δείκνυται παρακολουθήσασα καὶ παρακολουθοῦσα, πόση ἡ ἐν τῇ ἐνδόξῳ γινομένῃ αὐτοῦ παρουσίᾳ ; ὡς *υἱὸς* γὰρ *ἀνθρώπου ἐπάνω νεφελῶν ἐλεύσεται*, ὡς Δανιὴλ ἐμήνυσεν, *ἀγγέλων* σὺν *αὐτῷ* ἀφικνουμένων.

2 Εἰσὶ δὲ οἱ λόγοι οὗτοι · (*Dan.* 7, 9) *Ἐθεώρουν ἕως ὅτου θρόνοι ἐτέθησαν, καὶ ὁ παλαιὸς ἡμερῶν ἐκάθητο, ἔχων περιβολὴν ὡσεὶ χιόνα λευκήν, καὶ τὸ*

1 Οἱ οὐρανοι – καὶ λυτρωτά μου *addidi* : *om. codd., edd.* **2** Ἀπὸ προσώπου : ὡς ἀπὸ πρ. Mar., Mign., Otto, Troll., Marc. *At* ὡς *deest* Dial. 36, 6 ; I Apol. 37, 1 ; 38, 1 (cf. 25, 1*) **3** Πᾶσι : καὶ πᾶσι *prop.* Sylb.

son éclat, illuminant les yeux. (10)*La crainte du Seigneur est pure, elle subsiste à jamais : les jugements du Seigneur sont vrais, leur justice est fixée pour demeurer la même.* (11)*Bien plus désirables que l'or et la pierre fine, plus doux que le miel, et le suc des rayons.* (12)*Aussi ton serviteur s'en fait-il le gardien, car à les observer, la récompense est grande.* (13)*De ses égarements qui peut avoir conscience ? Préserve ma pureté des errements cachés.* (14)*Des étrangers aussi garde ton serviteur : qu'ils ne viennent point sur moi exercer leur empire. Alors je serai sans tache, et quitte de grand péché.* (15)*Les paroles de ma bouche seront agréées, comme les soins de mon cœur, devant toi, pour toujours. Seigneur, viens me secourir, et viens me rédimer !* **2** Cela, amis, est également dit par le psaume. Nous confessons que ces *jugements*[8] sont [a]*plus doux que le miel et la cire*, nous qui sommes par eux [b]*devenus sages*[9], ce qui est rendu manifeste par notre refus, jusqu'à la mort, de renier son nom. Et nous lui demandons, nous qui croyons en lui, de nous préserver des [c]*étrangers*, c'est-à-dire des esprits du mal et de l'erreur[10], comme le Verbe de la prophétie[11] le dit en figure au nom de l'un de ceux qui croient en lui : c'est là chose évidente pour tous. **3** Des démons [d]*étrangers* à la piété pour Dieu[12], et que nous[13] adorions autrefois, nous supplions Dieu, par Jésus-Christ, de nous préserver toujours, afin qu'après nous être [e]*convertis* à Dieu nous soyions par lui [f]*sans tache*. Car nous l'appelons [g]*Secourable*[14] et [h]*Rédempteur*[15], lui dont la force du nom[16] [i]fait trembler[17] même les démons. Et aujourd'hui, lorsqu'ils sont conjurés au nom de Jésus-Christ, crucifié sous Ponce-Pilate[18], lequel fut procurateur de Judée, ils sont *soumis*. De sorte que par là il devient évident pour tous que son Père lui a donné une puissance telle que [j]*même les démons sont soumis par son nom*[19], et par l'économie[20] de sa Passion.

Passion rédemptrice et Parousie « glorieuse ».
Prophétie de Daniel.

31. 1 S'il est démontré qu'une si grande puissance a été et reste associée[1] à l'économie de sa Passion, quelle sera celle de sa parousie glorieuse[2] ! *Il viendra*, en effet, [k]*Comme un fils d'homme, au-dessus des nuages*[3], selon que l'a révélé Daniel, et [l]*des anges avec lui s'avanceront.*

2 Voici ses paroles : (*Dan.* 7, 9)*Je regardai, jusqu'au moment où des trônes furent placés, et où l'Ancien des jours était assis. Il avait un vêtement blanc comme de la neige,*

a *Ps.* 18, 11 **b** *ibid.*, 8 **c** *ibid.*, 14 **d** cf. *Ps.* 18, 14 **e** *ibid.*, 8 **f** *ibid.*, 8.14 **g** *ibid.*, 15 **h** *ibid.* **i** cf. *Jacq.* 2, 19 **j** *Lc.* 10, 17 **k** *Dan.* 7, 13 **l** cf. *Matth.* 25, 31.

τρίχωμα τῆς κεφαλῆς αὐτοῦ ὡσεὶ ἔριον καθαρόν, ὁ θρόνος αὐτοῦ ὡσεὶ φλὸξ πυρός, οἱ τροχοὶ αὐτοῦ πῦρ φλέγον. (10)*Ποταμὸς πυρὸς εἷλκεν ἐκπορευόμενος ἐκ προσώπου αὐτοῦ · χίλιαι χιλιάδες ἐλειτούργουν αὐτῷ, καὶ μύριαι μυριάδες παρειστήκεισαν αὐτῷ. Βίβλοι*[1] *ἀνεῴχθησαν, καὶ κριτήριον ἐκάθισεν.* **3** (11) *'Εθεώρουν τότε τὴν φωνὴν τῶν μεγάλων λόγων ὧν τὸ κέρας λαλεῖ*[2], *καὶ ἀπετυμπανίσθη τὸ θηρίον, καὶ ἀπώλετο τὸ σῶμα αὐτοῦ καὶ ἐδόθη εἰς καῦσιν πυρός ·* (12)*καὶ τὰ λοιπὰ θηρία μετεστάθη τῆς ἀρχῆς αὐτῶν, καὶ χρόνος ζωῆς τοῖς θηρίοις ἐδόθη ἕως καιροῦ καὶ χρόνου.* [fol. 79 v° : A] (13)*'Εθεώρουν ἐν ὁράματι τῆς νυκτός, καὶ ἰδοὺ μετὰ τῶν νεφελῶν τοῦ οὐρανοῦ ὡς υἱὸς ἀνθρώπου ἐρχόμενος · καὶ ἦλθεν ἕως τοῦ παλαιοῦ τῶν ἡμερῶν καὶ παρῆν ἐνώπιον αὐτοῦ, καὶ οἱ παρεστηκότες προσήγαγον αὐτόν.* **4** (14)*Καὶ ἐδόθη αὐτῷ ἐξουσία καὶ τιμὴ βασιλική, καὶ πάντα τὰ ἔθνη τῆς γῆς κατὰ γένη καὶ πᾶσα δόξα λατρεύουσα · καὶ ἡ ἐξουσία αὐτοῦ ἐξουσία αἰώνιος, ἥτις οὐ μὴ ἀρθῇ, καὶ ἡ βασιλεία αὐτοῦ* [fol. 121 : B] *οὐ μὴ φθαρῇ.* (15)*Καὶ ἔφριξε τὸ πνεῦμά μου*[3] *ἐν τῇ ἕξει μου, καὶ αἱ ὁράσεις τῆς κεφαλῆς μου ἐτάρασσόν με.* (16)*Καὶ προσῆλθον πρὸς ἕνα τῶν ἑστώτων, καὶ τὴν ἀκρίβειαν ἐζήτουν παρ' αὐτοῦ ὑπὲρ πάντων τούτων. 'Αποκριθεὶς δὲ λέγει μοι καὶ τὴν κρίσιν τῶν λόγων ἐδήλωσέ*[4] *μοι.* (17)*Ταῦτα τὰ θηρία τὰ μεγάλα εἰσὶ τέσσαρες βασιλεῖαι, αἳ ἀπολοῦνται ἀπὸ τῆς γῆς,* (18)*καὶ οὐ*[5] *παραλήψονται τὴν βασιλείαν*[6] *ἕως αἰῶνος καὶ ἕως τοῦ αἰῶνος τῶν αἰώνων.* **5** (19)*Τότε ἤθελον ἐξακριβώσασθαι ὑπὲρ*[7] *τοῦ τετάρτου θηρίου, τοῦ καταφθείροντος πάντα καὶ ὑπερφόβου, καὶ οἱ ὀδόντες αὐτοῦ σιδηροῖ*[8] *καὶ οἱ ὄνυχες αὐτοῦ χαλκοῖ, ἐσθίον*[9] *καὶ λεπτύνον*[10] *καὶ τὰ ἐπίλοιπα αὐτοῦ τοῖς ποσὶ κατεπάτει ·* (20)*καὶ περὶ τῶν δέκα κεράτων αὐτοῦ ἐπὶ*[11] *τῆς κεφαλῆς, καὶ ἐκ*[12] *τοῦ ἑνὸς τοῦ προσφυέντος, καὶ ἐξέπεσον ἐκ τῶν* [fol. 80 r° : A] *προτέρων δι' αὐτοῦ τρία, καὶ τὸ κέρας ἐκεῖνο εἶχεν ὀφθαλμοὺς καὶ στόμα λαλοῦν μεγάλα, καὶ ἡ πρόσοψις αὐτοῦ ὑπερέφερε τὰ ἄλλα.* (21)*Καὶ κατενόουν τὸ κέρας ἐκεῖνο πόλεμον συνιστάμενον πρὸς τοὺς ἁγίους καὶ τροπούμενον αὐτούς,* (22)*ἕως τοῦ ἐλθεῖν τὸν παλαιὸν ἡμερῶν, καὶ τὴν κρίσιν ἔδωκε τοῖς ἁγίοις τοῦ*

1 Βίβλοι : καὶ βίβλοι Marc. (*ex* LXX *et* Theodot.) **2** Λαλεῖ : ἐλάλει *prop.* Otto, *coni.* Marc. (*ex* LXX *et* Theodot.) **3** Τὸ πνεῦμά μου : τ. πν. μου, ἐγὼ Δανιήλ Marc. (*ex* Theodot.) **4** 'Εδήλωσέ : –σε *in ras.* A **5** Οὐ : A *p. corr.*[1], B *del.* Marc. (*om.* LXX *et* Theodot.) **6** Τὴν βασιλείαν : τ. β. ἅγιοι ὑψίστου καὶ καθέξουσιν τὴν βασιλείαν Marc. (*ex* LXX *et* Theodot.) **7** 'Υπὲρ : περὶ *coni.* Marc. (*ex* LXX *et* Theodot.) **8** Σιδηροῖ : σιδηροί Marc. **9** 'Εσθίον : A *p. corr.* (*ex* –ων ?) **10** Λεπτύνον A *p. corr.* (*ex* –ων ?) : λεπτῦνον Marc. **11** 'Επὶ : τῶν ἐπὶ Marc. (*ex* LXX *et* Theodot.) **12** 'Εκ : *del.* Marc. (*om.* LXX *et* Theodot.).

et les cheveux de sa tête étaient comme de la laine pure. Son trône, comme une flamme de feu ; ses roues, un feu ardent. (10)*Un fleuve de feu jaillissait, sortant de devant lui. Mille milliers le servaient, une myriade de myriades se tenaient devant lui. Des livres furent ouverts, et le tribunal siégea.* **3** (11)*Je regardais alors la voix des grandes paroles que fait entendre la corne, et la bête fut suppliciée, son corps détruit et livré à l'ardeur du feu.* (12)*Aux autres bêtes aussi fut retirée leur domination, et un temps de vie aux bêtes fut donné, pour un moment et un temps.* (13)*Je regardais, dans la vision de la nuit, et voici qu'avec les nuées du ciel venait comme un Fils d'homme. Il alla jusqu'à l'Ancien des jours, et se tint devant lui. Et ceux qui étaient là l'amenèrent.* **4** (14)*Et il lui fut donné puissance et honneur royal ; toutes les nations de la terre, race après race, et toute gloire le servait. Sa puissance est une puissance éternelle, qu'elle ne soit point enlevée, ni son royaume détruit.* (15)*Mon esprit frémit, dans l'état où j'étais, et les visions de ma tête me troublaient.* (16)*Je m'avançai vers l'un de ceux qui se tenaient debout, et je lui demandai le sens exact de tout cela. En réponse, il me parla, et m'exposa l'interprétation des paroles :* (17)*Ces bêtes énormes sont quatre royautés qui disparaîtront de la terre,* (18)*et elles n'hériteront plus de la royauté jusqu'à l'éternité, et l'éternité des éternités.* **5** (19)*Alors, je voulus une certitude au sujet de la quatrième bête, qui détruisait tout, terrifiante, dont les dents étaient de fer, et les griffes de bronze, qui dévorait, broyait, et, ce qui restait, elle le foulait aux pieds ;* (20)*au sujet des dix cornes qu'elle avait sur la tête, et d'une, qui avait poussé en plus, et qui avait fait tomber trois des premières : cette corne avait des yeux et une bouche qui proférait de grandes choses, et son aspect dépassait celui des autres.* (21)*Je comprenais que cette corne faisait la guerre aux saints et les mettait en fuite,* (22)*jusqu'à ce que vînt l'Ancien des jours, qu'il eût rendu jugement aux saints du Très-Haut, et que le moment*

ὑψίστου, καὶ ὁ καιρὸς ἐνέστη, καὶ τὸ βασίλειον κατέσχον ἅγιοι ὑψίστου[1]. **6** (23)*Καὶ ἐρρέθη μοι περὶ τοῦ τετάρτου θηρίου · βασιλεία τετάρτη ἔσται ἐπὶ τῆς γῆς ἥτις διοίσει παρὰ πάσας τὰς βασιλείας ταύτας, καὶ καταφάγεται πᾶσαν τὴν γῆν καὶ ἀναστατώσει αὐτὴν καὶ καταλεανεῖ*[2] *αὐτήν.* (24)*Καὶ τὰ δέκα κέρατα*[3]*, δέκα βασιλεῖς ἀναστήσονται, καὶ ἕτερος*[4] *μετ' αὐτούς, καὶ οὗτος διοίσει κακοῖς ὑπὲρ τοὺς πρώτους, καὶ τρεῖς βασιλεῖς ταπεινώσει,* (25)*καὶ ῥήματα πρὸς τὸν ὕψιστον λαλήσει, καὶ ἑτέ*-[p. 122 : B]-*ρους*[5] *ἁγίους τοῦ ὑψίστου καταστρέψει, καὶ προσδέξεται ἀλλοιῶσαι καιροὺς καὶ χρόνους*[6] *· καὶ παραδοθήσεται εἰς χεῖρας αὐτοῦ ἕως καιροῦ*[7] *καὶ καιρῶν καὶ ἥμισυ καιροῦ.* **7** (26)*Καὶ ἡ κρίσις ἐκάθισε, καὶ τὴν ἀρχὴν μεταστήσουσι τοῦ ἀφανίσαι καὶ τοῦ ἀπολέσαι ἕως τέλους.* (27)*Καὶ ἡ βασιλεία καὶ ἡ ἐξουσία καὶ ἡ μεγαλειότης τῶν τόπων τῶν ὑπὸ τὸν οὐρανὸν βασιλειῶν ἐδόθη λαῷ ἁγίῳ* [fol. 80 v° : A] *ὑψίστου βασιλεῦσαι βασιλείαν αἰώνιον · καὶ πᾶσαι ἐξουσίαι*[8] *ὑποταγήσονται αὐτῷ καὶ πειθαρχήσουσιν αὐτῷ.* (28)*Ἕως ὧδε τὸ τέλος τοῦ λόγου. Ἐγὼ Δανιὴλ ἐκστάσει περιειχόμην σφόδρα, καὶ ἡ ἕξις*[9] *διήνεγκεν ἐμοί, καὶ τὸ ῥῆμα ἐν τῇ καρδίᾳ μου ἐτήρησα.*

32. 1 – Καὶ ὁ Τρύφων παυσαμένου μου εἶπεν · Ὦ ἄνθρωπε, αὗται ἡμᾶς αἱ γραφαὶ καὶ τοιαῦται *ἔνδοξον* καὶ *μέγαν* ἀναμένειν τὸν παρὰ τοῦ *παλαιοῦ τῶν ἡμερῶν ὡς υἱὸν ἀνθρώπου* παραλαμβάνοντα τὴν *αἰώνιον βασιλείαν* ἀναγκάζουσιν · οὗτος δὲ ὁ ὑμέτερος λεγόμενος Χριστὸς *ἄτιμος* καὶ *ἄδοξος* γέγονεν, ὡς καὶ τῇ ἐσχάτῃ *κατάρᾳ* τῇ ἐν τῷ *νόμῳ* τοῦ θεοῦ περιπεσεῖν · ἐσταυρώθη γάρ.

2 – Κἀγὼ πρὸς αὐτόν · Εἰ μέν, ὦ ἄνδρες, μὴ ἀπὸ τῶν γραφῶν, ὧν προανιστόρησα, τὸ *εἶδος* αὐτοῦ[10] *ἄδοξον* καὶ *τὸ γένος αὐτοῦ ἀδιήγητον*, καὶ *ἀντὶ τοῦ θανάτου αὐτοῦ τοὺς πλουσίους θανατωθήσεσθαι*, καὶ[11] *τῷ μώλωπι αὐτοῦ ἡμεῖς ἰάθημεν*[12], καὶ *ὡς πρόβατον ἀχθήσεσθαι* ἐλέγετο, καὶ δύο παρουσίας αὐτοῦ γενήσεσθαι ἐξηγησάμην, μίαν μὲν ἐν ᾗ *ἐξεκεντήθη* ὑφ' ὑμῶν, δευτέραν δὲ ὅτε *ἐπιγνώσεσθε εἰς ὃν ἐξεκεντήσατε*, καὶ *κόψονται αἱ φυλαὶ ὑμῶν, φυλὴ πρὸς φυλήν, αἱ γυναῖκες* [fol. 81 r° : A] *κατ'*

1 Ὑψίστου : *del.* Marc. (*om.* LXX *et* Theodot.) **2** Καταλεανεῖ *edd.* : καταλεάνη *codd.* **3** Κέρατα : κ. αὐτοῦ Marc. (*ex* Theodot.) **4** Καὶ ἕτερος *add.* Lange, Thirlb., Mar., Arch., Goodsp. : καὶ ἕτερος ἀναστήσεται Otto, Troll. καὶ ἄλλος βασιλεὺς ἀναστήσεται Marc. (*ex* LXX : στήσεται) δ. β. ἀναστήσονται μετ' αὐτούς *codd.*, *cett. edd.* **5** Ἑτέρους : τοὺς *coni.* Marc. (*ex* LXX *et* Theodot.) **6** Χρόνους : *νόμον coni.* Marc. (*ex* LXX *et* Theodot.) **7** Αὐτοῦ ἕως καιροῦ Périon, Mor., Mar., Troll., Otto, Arch., Marc. (*ex* LXX *et* Theodot.) : ἕως καιροῦ αὐτοῦ A, B (*om.* καὶ, *add. in marg.*2), *cett. edd.* **8** Ἐξουσίαι : αἱ ἐξ. Marc. (*ex* LXX *et* Theodot.) **9** Ἕξις *prop.* Thirlb., Mar. (*ex* LXX), *coni. edd. ab* Otto : λέξις *codd.*, *cett. edd.* λέξις διέμεινεν Troll. **10** Προανιστόρησα – καὶ τὸ γένος : προανιστόρησα, ἀπέδειξα... ἄδοξον ὂν καὶ τὸ γένος Marc. **11** Καὶ : καὶ ὅτι Marc. **12** Ἰάθημεν : ἰαθῆναι *prop.* Mar., ἰαθήσεσθαι Otto.

arrivât, pour les saints du Très-Haut, d'entrer en possession du royaume. **6** (23)*Et il me fut dit, sur la quatrième bête : Il y aura, sur la terre, une quatrième royauté, qui l'emportera sur toutes ces royautés, qui dévorera toute la terre, la ruinera, et la rasera.* (24)*Et les dix cornes : Dix rois se lèveront, puis un autre après eux. Il l'emportera en mal sur les premiers, il humiliera trois rois,* (25)*émettra des paroles contre le Très-Haut, maltraitera d'autres saints du Très-Haut, et entreprendra de changer les moments et les temps. Et on sera livré entre ses mains, pour un temps, des temps, et une moitié de temps.* **7** (26)*Et le jugement siégea, et ils changeront sa domination, pour un anéantissement et une destruction définitifs.* (27)*La royauté, la puissance, et la grandeur des lieux des royaumes qui sont sous le ciel ont été donnés au peuple saint du Très-Haut, pour régner d'une royauté éternelle*[A]. *Toutes les puissances lui seront soumises, et lui obéiront.* (28)*Ici finit son discours. Moi, Daniel, j'étais cerné d'un trouble extrême, l'état de mon âme changea, et je gardai la parole dans mon cœur*[5].

Christ « sans honneur et sans gloire » d'Isaïe et Messie « glorieux » de Daniel.
Le Psaume 109, prophétie de l'Ascension et des deux parousies.
Les temps eschatologiques.

32. 1 Lorsque je m'arrêtai, Tryphon reprit :

— Ami, ces Écritures et d'autres semblables nous obligent à attendre *glorieux* et *grand*[1] celui qui reçoit de [a]*l'Ancien des jours*, [b]*comme un Fils d'homme*, la [c]*royauté éternelle*[2]. Or, ce prétendu Christ qui est le vôtre fut [d]*sans honneur* et *sans gloire*[3], au point de tomber sous [e]la suprême *malédiction* qui figure dans la *Loi*[4] : il fut en effet crucifié.

2. Je répondis :

— Si les Écritures que j'ai citées[5], amis, ne nous disaient point son [f]*apparence sans gloire* et [g]*sa génération ineffable*, que [h]*pour sa mort, les riches seront mis à mort*, que [i]*par sa blessure, nous sommes guéris*, et que [j]*comme une brebis il doit être conduit*, si je n'avais pas montré par l'exégèse[6] qu'il y aura deux parousies[7], l'une dans laquelle [k]*il fut percé* par vous, la seconde où [l]*vous reconnaîtrez celui que vous avez percé de coups*, et où [m]*vos tribus se frapperont la poitrine, tribu par tribu, les*

a *Dan.* 7, 9. 13.22 **b** *ibid.*, 13 **c** *ibid.*, 14.18.27 **d** cf. *Is.* 52, 14 ; 53, 2.3 **e** cf. *Gal.* 3, 13 ; *Deut.* 21, 23 **f** *Is.* 53, 2 **g** cf. *Is.* 53, 8 **h** *Is.* 53, 9 **i** *Is.* 53, 5 **j** cf. *Is.* 53, 7 **k** cf. *Zach.* 12, 10 **l** *ibid.* et *Jn.* 19, 37 **m** cf. *Zach.* 12, 10-14 ; *Jn.* 19, 37 ; *Apoc.* 1, 7.

ἰδίαν καὶ οἱ ἄνδρες κατ' ἰδίαν, ἀσαφῆ καὶ ἄπορα ἐδόκουν[1] λέγειν · [p. 123 : B] νῦν δὲ διὰ πάντων τῶν λόγων ἀπὸ τῶν παρ' ὑμῖν[2] ἁγίων καὶ προφητικῶν γραφῶν τὰς πάσας ἀποδείξεις ποιοῦμαι, ἐλπίζων τινὰ ἐξ ὑμῶν δύνασθαι εὑρεθῆναι ἐκ τοῦ *κατὰ χάριν τὴν ἀπὸ τοῦ κυρίου Σαβαὼθ περιλειφθέντος*[3] *εἰς τὴν αἰώνιον σωτηρίαν*[4].

3 Ἵνα οὖν καὶ σαφέστερον ὑμῖν τὸ ζητούμενον νῦν γένηται, ἐρῶ ὑμῖν καὶ ἄλλους λόγους τοὺς εἰρημένους διὰ Δαυῒδ τοῦ μακαρίου, ἐξ ὧν καὶ *κύριον* τὸν Χριστὸν ὑπὸ τοῦ ἁγίου προφητικοῦ πνεύματος λεγόμενον νοήσετε, καὶ τὸν *κύριον* πάντων πατέρα ἀνάγοντα αὐτὸν ἀπὸ τῆς γῆς καὶ *καθίζοντα αὐτὸν ἐν δεξιᾷ αὐτοῦ, ἕως ἂν θῇ τοὺς ἐχθροὺς ὑποπόδιον τῶν ποδῶν αὐτοῦ* · ὅπερ γίνεται ἐξ ὅτου *εἰς τὸν οὐρανὸν ἀνελήφθη μετὰ τὸ ἐκ νεκρῶν ἀναστῆναι* ὁ ἡμέτερος κύριος Ἰησοῦς Χριστός, τῶν χρόνων συμπληρουμένων καὶ τοῦ *βλάσφημα καὶ* τολμηρὰ *εἰς τὸν ὕψιστον μέλλοντος λαλεῖν* ἤδη ἐπὶ θύραις ὄντος, < ὃν >[5] *καιρὸν καὶ καιροὺς καὶ ἥμισυ καιροῦ* διακαθέξειν Δανιὴλ μηνύει. **4** Καὶ ὑμεῖς ἀγνοοῦντες πόσον χρόνον διακατέχειν μέλλει, ἄλλο ἡγεῖσθε · τὸν γὰρ καιρὸν ἑκατὸν ἔτη ἐξηγεῖσθε λέγεσθαι. Εἰ δὲ τοῦτό ἐστιν, εἰς τὸ ἐλάχιστον *τὸν τῆς ἀνομίας ἄνθρωπον* τριακόσια πεντήκοντα ἔτη βασιλεῦσαι δεῖ, [fol. 81 v° : A] ἵνα τὸ εἰρημένον ὑπὸ τοῦ ἁγίου Δανιήλ, *καὶ καιρῶν*[6], δύο μόνους καιροὺς λέγεσθαι ἀριθμήσωμεν. **5** Καὶ ταῦτα δὲ πάντα ἃ ἔλεγον ἐν παρεκβάσεσι, λέγω[7] πρὸς ὑμᾶς, ἵνα ἤδη ποτὲ πεισθέντες τῷ εἰρημένῳ καθ' ὑμῶν ὑπὸ τοῦ θεοῦ ὅτι *υἱοὶ ἀσύνετοί* ἐστε, καὶ τῷ[8] · *Διὰ τοῦτο ἰδοὺ προσθήσω τοῦ μεταθεῖναι τὸν λαὸν τοῦτον, καὶ μεταθήσω αὐτούς, καὶ ἀφελῶ*[9] *τὴν σοφίαν τῶν σοφῶν καὶ τὴν σύνεσιν τῶν* [p. 124 : B] *συνετῶν αὐτῶν κρύψω*[10], παύσησθε καὶ ἑαυτοὺς καὶ τοὺς ὑμῶν ἀκούοντας πλανῶντες, καὶ[11] παρ' ἡμῶν μανθάνοντες[12] τῶν σοφισθέντων ἀπὸ τῆς τοῦ Χριστοῦ χάριτος.

6 Εἰσὶν οὖν[13] καὶ οἱ λόγοι οἱ διὰ Δαυῒδ λεχθέντες οὗτοι · (*Ps.* 109, 1)*Εἶπεν ὁ κύριος τῷ κυρίῳ μου · κάθου ἐκ δεξιῶν μου, ἕως ἂν θῶ τοὺς ἐχθρούς σου*

1 Ἐδόκουν : ἐδ. ἂν Marc. **2** Ὑμῖν : υ *in ras.* A **3** Τοῦ περιλειφθέντος : τ. π. σπέρματος Mar., Otto. (cf. Is. 1, 9 ; Dial. 55, 3 ; 140, 3) **4** Σωρηρίαν : σ. λαοῦ Marc. (*ex* Is. 10, 22 ; Dial. 106, 3 ; 113, 3 ; 132, 3) **5** Ὃν *add.* Sylb., Troll., *edd. ab* Otto **6** Καιρῶν *edd.* (*ex* LXX) : καιρὸν *codd.* **7** Καὶ ...ἔλεγον ἐν παρεκβάσεσι, λέγω Arch. (*trad.*), Williams, Visona : καὶ ...ἔλεγον, ἐν παρεκβάσεσι λέγω Mar., Mign., Otto, Goodsp., Ruiz Bueno καὶ ...ἔλεγον ἐν παρεκβάσεσι λέγω *codd.*, Steph., Arch., Marc. καὶ ταῦτα δὲ τὰ τοιαῦτα, ἔλεγον, ἐν παρέκβασεσι λέγω Thirlb. **8** Τῷ Thirlb., Otto, Troll., Arch., Goodsp. (cf. 54, 1) : τὸ *codd.*, *cett. edd.* **9** Ἀφελῶ (= Dial. 78, 11) : ἀπολῶ LXX, NT, Dial. 123, 4 **10** Κρύψω : ἀθετήσω *in marg. codd.* (*ex* I Cor. 1, 19) **11** Καὶ : *del.* Marc. **12** Μανθάνοντες Steph., Mar. (πεισθέντες ...καὶ μανθάνοντες), Mign., Otto, Arch., Goodsp. : μανθάνητε *vel* μανθάνετε *prop.* Sylb., Jebb, Thirlb., μανθάνοντες ἦτε Troll. **13** Ἄλλος *in marg. codd.*

femmes d'un côté et les hommes de l'autre[8], je paraîtrais dire des choses obscures et impossibles[9]. Mais en fait, dans tous mes propos, c'est à partir des Écritures considérées chez vous comme saintes et prophétiques[10] que j'établis toutes mes démonstrations, espérant que[11] quelqu'un d'entre vous, puisse être trouvé dans ce qui, [a]*par la grâce du Seigneur Sabbaoth, reste pour le salut éternel*[12].

3 Aussi, pour que la question vous soit plus claire, vous citerai-je encore d'autres paroles prononcées par le bienheureux David, d'où vous comprendrez que le Christ est également appelé [b]*Seigneur*[13] par le Saint Esprit prophétique[14], et que le [c]*Seigneur* Père de l'univers l'a fait monter de la terre et [d]*asseoir à sa droite, jusqu'à ce qu'il fasse de ses ennemis*[15] *l'escabeau de ses pieds.* Et c'est ce qui arrive depuis que notre Seigneur Jésus-Christ [e]*a été enlevé au ciel* [f]*après être ressuscité des morts*[16]. Car les temps sont accomplis, et celui qui doit [g]*proférer au Très-Haut* [h]*blasphèmes et* impudences est déjà près de la porte, lui dont Daniel indique qu'il exercera sa domination pendant [i]*un temps, des temps, et la moitié d'un temps*[17]. **4** Mais vous, qui vous méprenez sur la durée de sa future domination, vous faites une autre estimation : vous interprétez ce temps dans le sens de cent années[18]. S'il en est ainsi, [j]*l'homme de l'iniquité*[19] doit régner au moins trois cents cinquante ans, à ne compter l'expression du saint prophète Daniel [k]*et des temps* que comme deux temps seulement. **5** Tout ce que je vous disais en passant, je vous le dis pour que, définitivement persuadés de ce que contre vous Dieu a dit que vous étiez des [l]*fils insensés*[20], et encore : [m]*C'est pourquoi, voici : je renouvellerai le transfert de ce peuple, je les transférerai*[21]*, j'enlèverai leur sagesse aux sages et je cèlerai l'intelligence des intelligents qui sont parmi eux* –, vous cessiez de vous égarer vous-mêmes[22], vous et ceux qui vous écoutent, et vous laissiez instruire par nous que la grâce du Christ a rendus [n]*sages*[23].

6 Voici donc ces paroles prononcées par l'intermédiaire de David : (*Ps.* 109, 1)*Le Seigneur a dit à mon Seigneur*[24] *: Assieds-toi à ma droite, jusqu'à ce que je fasse de*

a Cf. *Is.* 1, 9 ; 10, 22 ; *Rom.* 9, 27-29 ; 11, 5 **b** cf. *Ps.* 109, 1 **c** *ibid.* **d** cf. *Ps.* 109, 1 **e** cf. *Mc.* 16, 19 et *Act.* 1, 11 **f** cf. *Act.* 10, 41, etc. **g** cf. *Dan.* 7, 20.25 ; *Apoc.* 13, 5 ; *II Thess*, 2, 3-4 **h** cf. *Apoc.* 13, 5-6 ; *Dan.* 7, 20 **i** *Dan.* 7, 25 ; *Apoc.* 12, 14 **j** *II Thess.* 2, 3 **k** cf. *Dan.* 7, 25 **l** *Jér.* 4, 22 **m** *Is.* 29, 14 **n** cf. *Ps.* 18, 8.

ὑποπόδιον τῶν ποδῶν σου. (2)*Ῥάβδον δυνάμεως ἐξαποστελεῖ σοι κύριος ἐκ Σιών · καὶ κατακυρίευε ἐν μέσῳ τῶν ἐχθρῶν σου.* (3)*Μετὰ σοῦ ἡ ἀρχὴ ἐν ἡμέρᾳ τῆς δυνάμεώς σου · ἐν ταῖς λαμπρότησι τῶν ἁγίων σου, ἐκ γαστρὸς πρὸ ἑωσφόρου ἐγέννησά σε.* (4)*Ὤμοσε κύριος καὶ οὐ μεταμεληθήσεται · σὺ ἱερεὺς εἰς τὸν αἰῶνα κατὰ τὴν τάξιν Μελχισεδέκ.* (5)*Κύριος ἐκ δεξιῶν σου · συνέθλασεν ἐν ἡμέρᾳ ὀργῆς αὐτοῦ βασιλεῖς.* (6)*Κρινεῖ ἐν τοῖς ἔθνεσι, πληρώσει πτώματα.* (7)*Ἐκ χειμάρρου ἐν ὁδῷ πίεται · διὰ τοῦτο* [fol. 82 r° : A] *ὑψώσει κεφαλήν.*

33. **1** Καὶ τοῦτον τὸν ψαλμὸν ὅτι εἰς τὸν Ἐζεκίαν τὸν βασιλέα εἰρῆσθαι ἐξηγεῖσθαι τολμᾶτε, οὐκ ἀγνοῶ, ἔπειπον · ὅτι δὲ πεπλάνησθε, ἐξ αὐτῶν τῶν λόγων αὐτίκα ὑμῖν ἀποδείξω. (*Ps.* 109, 4) *Ὤμοσε κύριος καὶ οὐ μεταμεληθήσεται*, εἴρηται, καί · (*ibid.*)*Σὺ ἱερεὺς εἰς τὸν αἰῶνα κατὰ τὴν τάξιν Μελχισεδέκ* καὶ τὰ ἐπαγόμενα καὶ τὰ προάγοντα. *Ἱερεὺς* δὲ ὅτι οὔτε γέγονεν Ἐζεκίας οὔτε ἐστὶν *αἰώνιος ἱερεὺς* τοῦ θεοῦ, οὐδὲ ὑμεῖς ἀντειπεῖν τολμήσετε · ὅτι δὲ περὶ τοῦ ἡμετέρου Ἰησοῦ εἴρηται, καὶ αὐταὶ[1] αἱ φωναὶ σημαίνουσι. *Τὰ δὲ ὦτα ὑμῶν πέφρακται καὶ αἱ καρδίαι πεπώρωνται*[2]. **2** Τὸ γὰρ *Ὤμοσε κύριος καὶ οὐ μεταμεληθήσεται · σὺ ἱερεὺς εἰς τὸν αἰῶνα κατὰ τὴν τάξιν Μελχισεδέκ* · μεθ' ὅρκου ὁ θεὸς [p. 125 : B] διὰ τὴν ἀπιστίαν ὑμῶν *ἀρχιερέα* αὐτὸν *κατὰ τὴν τάξιν Μελχισεδὲκ* εἶναι ἐδήλωσε, τουτέστιν, ὃν τρόπον ὁ *Μελχισεδὲκ ἱερεὺς ὑψίστου* ὑπὸ Μωσέως[3] ἀναγέγραπται γεγενῆσθαι, καὶ οὗτος τῶν ἐν ἀκροβυστίᾳ *ἱερεὺς* ἦν, καὶ τὸν ἐν περιτομῇ *δεκάτας* αὐτῷ προσενέγκαντα *Ἀβραὰμ εὐλόγησεν*, οὕτως[4] τὸν *αἰώνιον* αὐτοῦ *ἱερέα*, καὶ[5] *κύριον* ὑπὸ τοῦ ἁγίου πνεύματος καλούμενον, ὁ θεὸς τῶν ἐν ἀκροβυστίᾳ γενήσεσθαι ἐδήλου · καὶ[6] τοὺς ἐν περιτομῇ προ-[fol. 82 v° : A]-σιόντας αὐτῷ, τουτέστι πιστεύοντας αὐτῷ καὶ τὰς *εὐλογίας* παρ' αὐτοῦ ζητοῦντας, καὶ αὐτοὺς *προσδέξεται* καὶ *εὐλογήσει*[7]. **3** Καὶ ὅτι *ταπεινὸς* ἔσται πρῶτον *ἄνθρωπος*, εἶτα *ὑψωθήσεται*, τὰ ἐπὶ τέλει τοῦ ψαλμοῦ δηλοῖ · *Ἐκ χειμάρρου γὰρ ἐν ὁδῷ πίεται*, καὶ ἅμα · *Διὰ τοῦτο ὑψώσει κεφαλήν.*

1 Αὐταὶ Thirlb., *edd. ab* Otto (cf. 21, 1) : αὗται *codd.*, *cett. edd.* **2** Πεπώρωνται = *obdurata codd. in marg.*, Steph. *ad calcem*, *edd. ab* Otto (cf. Jn. 12, 40 ; Mc. 3, 5 ; 6, 52 ; 8, 17 ; Ephes. 4, 18) : πεπήρωνται = *obcaecata* A (η *in ras.*), B, Steph., *cett. edd.* (cf. Dial. 12, 2) πεπήρωται Thirlb., Troll. **3** Μωϋσέως : Μωϋσέος *codd.* Μωσέως Arch. **4** Οὕτως : οὕτως Ἰησοῦν Marc. **5** Καὶ : τὸν καὶ *prop.* Thirlb., *coni.* Marc. **6** Καὶ : καὶ ὅτι *prop.* Otto, *coni.*, Marc. **7** Καὶ αὐτοὺς προσδέξεται καὶ εὐλογήσει : καὶ αὐτὸς – *alii*, *vel* καὶ αὐτὸν προσδέξεσθαι καὶ εὐλογήσειν Thirlb.

tes ennemis l'escabeau de tes pieds[25]. (2)*Le Seigneur t'enverra de Sion un bâton de puissance*[26], *domine au milieu de tes ennemis.* (3)*A toi le principat au jour de ta puissance*[27]. *Dans les splendeurs de tes saints, du sein, avant l'aurore, je t'ai engendré*[28]. (4)*Le Seigneur a juré, et il ne se repentira pas : tu es prêtre pour l'éternité selon l'ordre de Melchisédech*[29]. (5)*Le Seigneur est à ta droite : au jour de sa colère, il a broyé des rois.* (6)*Il jugera parmi les nations*[30], *il entassera les ruines.* (7)*Au torrent, il boira en chemin ; c'est pourquoi il lèvera la tête*[31].

Le Psaume 109 n'est pas dit d'Ézéchias,
mais du Christ, « Prêtre éternel » des incirconcis.

33. 1 Je n'ignore point, ajoutai-je, que vous vous avisez d'interpréter ce psaume comme se rapportant au roi Ézéchias[1]. Mais vous êtes dans l'erreur : par les paroles elles-mêmes, je m'en vais sur-le-champ vous le montrer. Il est dit [a]*Le Seigneur a juré et il ne se repentira pas*, et [b]*tu es prêtre pour l'éternité selon l'ordre de Melchisédech*, avec ce qui suit et ce qui précède. Or Ézéchias ne fut pas *prêtre*, et il n'est pas d'avantage *prêtre éternel* de Dieu[2], vous ne sauriez le contester. Que cela est dit au sujet de notre Jésus, les expressions elles-mêmes le signifient. Mais [c]*vos oreilles sont bouchées, et vos cœurs endurcis.* **2** Avec la formule [d]*Le Seigneur a juré et il ne se repentira pas : tu es prêtre pour l'éternité selon l'ordre de Melchisédech*, Dieu a montré, par serment, à cause de votre absence de foi[3], que celui-ci était [e]*Grand prêtre*[4] *selon l'ordre de Melchisédech*, c'est-à-dire : de même que *Melchisédech*, comme l'écrit Moïse, fut [f]*prêtre du Très-Haut* – or il était *prêtre* des incirconcis – et [g]*bénit Abraham* qui, circoncis[5], lui apportait *la dîme*, de même Dieu manifestait que celui qui est appelé par l'Esprit Saint son [h]*prêtre éternel* et [i]*Seigneur* serait celui des incirconcis. Et ceux qui, circoncis, s'avancent[6] vers lui, c'est-à-dire qui croient en lui et recherchent ses *bénédictions*, eux aussi il les *accueillera*[7] et les *bénira*[8]. **3** Qu'il sera tout d'abord un [j]*homme*[9] [k]*humilié*[10], puis [l]*sera élevé*[11], la fin du psaume le montre : [m]*Au torrent, il boira en chemin* ; puis, juste après : *c'est pourquoi il lèvera la tête*[12].

a *Ps.* 109, 4 **b** *ibid.* **c** cf. *Is.* 6, 10 ; *Jn.* 12, 40, etc. **d** *Ps.* 109, 4 **e** *Hébr.* 5, 10 ; 6, 20 ; cf. *Ps.* 109, 4 **f** *Gen.* 14, 18-19 ; cf. *Hébr.* 7, 1-2 **g** *ibid.* **h** cf. *Ps.* 109, 4 **i** *ibid.*, 1 **j** cf. *Is.* 53, 3 **k** *ibid.*, 8 **l** cf. *Is.* 52, 13 **m** *Ps.* 109, 7.

34. 1 Ἔτι δὲ καὶ πρὸς τὸ πεῖσαι ὑμᾶς ὅτι τῶν γραφῶν οὐδὲν συνήκατε, καὶ ἄλλου ψαλμοῦ τῷ Δαυῒδ[1] ὑπὸ τοῦ ἁγίου πνεύματος εἰρημένου ἀναμνήσομαι, ὃν εἰς Σαλομῶνα[2], τὸν γενόμενον καὶ αὐτὸν βασιλέα ὑμῶν, εἰρῆσθαι λέγετε · εἰς δὲ τὸν Χριστὸν ἡμῶν καὶ αὐτὸς εἴρηται. Ὑμεῖς δὲ ἀπὸ τῶν ὁμωνύμων λέξεων ἑαυτοὺς ἐξαπατᾶτε. Ὅπου γὰρ ὁ[3] *νόμος τοῦ κυρίου ἄμωμος* εἴρηται, οὐχὶ τὸν μετ' ἐκεῖνον μέλλοντα ἀλλὰ τὸν διὰ Μωϋσέως[4] ἐξηγεῖσθε, τοῦ θεοῦ βοῶντος καινὸν *νόμον* καὶ *καινὴν διαθήκην διαθήσεσθαι*. **2** Καὶ ὅπου λέλεκται · *Ὁ θεός, τὸ κρίμα σου τῷ βασιλεῖ δός*, ἐπειδὴ *βασιλεὺς* Σαλομῶν[5] γέγονεν, εἰς αὐτὸν τὸν ψαλμὸν εἰρῆσθαί φατε, τῶν λόγων τοῦ ψαλμοῦ διαρρήδην κηρυσσόντων εἰς τὸν *αἰώνιον βασιλέα*, τουτέστιν εἰς τὸν Χριστόν, εἰρῆσθαι. Ὁ γὰρ Χριστὸς *βασιλεὺς* καὶ *ἱερεὺς* καὶ *θεὸς* καὶ *κύριος* καὶ *ἄγγελος* [p. 126 : B] καὶ *ἄνθρωπος* καὶ *ἀρχιστράτηγος* καὶ *λίθος* καὶ *παιδίον* γεννώμενον καὶ παθητὸς γενό-[fol. 83 r° : A]-μενος πρῶτον, εἶτα εἰς οὐρανὸν ἀνερχόμενος καὶ πάλιν παραγινόμενος *μετὰ δόξης* καὶ *αἰώνιον* τὴν *βασιλείαν* ἔχων κεκήρυκται, ὡς ἀπὸ πασῶν τῶν γραφῶν ἀποδείκνυμι. **3** Ἵνα δὲ καὶ ὃ εἶπον νοήσητε, τοὺς τοῦ ψαλμοῦ λόγους λέγω. Εἰσὶ δ' οὗτοι · (*Ps.* 71, 1)*Ὁ Θεός, τὸ κρίμα σου τῷ βασιλεῖ δὸς καὶ τὴν δικαιοσύνην σου τῷ υἱῷ τοῦ βασιλέως,* (2)*κρίνειν τὸν λαόν σου ἐν δικαιοσύνῃ καὶ τοὺς πτωχούς σου ἐν κρίσει.* (3)*Ἀναλαβέτω τὰ ὄρη εἰρήνην τῷ λαῷ καὶ οἱ βουνοὶ δικαιοσύνην.* (4)*Κρινεῖ τοὺς πτωχοὺς τοῦ λαοῦ, καὶ σώσει τοὺς υἱοὺς τῶν πενήτων, καὶ ταπεινώσει συκοφάντην* · (5)*καὶ συμπαραμενεῖ τῷ ἡλίῳ καὶ πρὸ τῆς σελήνης εἰς γενεὰς γενεῶν.* (6)*Καταβήσεται ὡς ὑετὸς ἐπὶ πόκον καὶ ὡσεὶ σταγὼν ἡ στάζουσα ἐπὶ τὴν γῆν.* **4** (7)*Ἀνατελεῖ ἐν ταῖς ἡμέραις αὐτοῦ δικαιοσύνη, καὶ πλῆθος εἰρήνης ἕως οὗ ἀνταναιρεθῇ ἡ σελήνη.* (8)*Καὶ κατακυριεύσει ἀπὸ θαλάσσης ἕως θαλάσσης καὶ ἀπὸ ποταμῶν ἕως περάτων τῆς οἰκουμένης.* (9)*Ἐνώπιον αὐτοῦ προπεσοῦνται*[6] *Αἰθίοπες, καὶ οἱ ἐχθροὶ αὐτοῦ χοῦν λείξουσι.* (10)*Βασιλεῖς Θαρσεῖς καὶ νῆσοι δῶρα προσάξουσι*[7], *βασιλεῖς Ἀρράβων*[8] *καὶ Σαββᾶ δῶρα προσάξουσι,* (11)*καὶ προσκυνήσουσιν αὐτῷ πάντες οἱ βασιλεῖς τῆς γῆς, καὶ πάντα τὰ ἔθνη δουλεύ*-[fol. 83 v° : A]-*σουσιν αὐτῷ* · (12)*ὅτι ἐρρύσατο πτωχὸν ἐκ δυνάστου, καὶ πένητα ᾧ οὐχ ὑπῆρχε βοηθός.* **5** (13)*Φείσεται πτωχοῦ καὶ πένητος, καὶ*

1 Τῷ Δαυῒδ : τοῦ διὰ Δαυῒδ *prop.* Thirlb. **2** Σαλομῶνα : Σολομῶνα Mign., *edd. ab* Otto (*hic et infra*) **3** Ὁ : *om* Mar. *errore* **4** Μωϋσέως : Μωϋσέος *codd.* Μωσέως Arch. τὸν διὰ Μ. διαταχθέντα Marc. (*ex* Dial. 45, 2 ; 46, 1.2 ; 47, 3 ; 67, 5) **5** Σαλομὼν : ὁ Σ. Marc. **6** Προπεσοῦνται : προσπ.– Thirlb. *errore* **7** Προσάξουσι ...προσάξουσι : προσάξουσι ...προσοίσουσι Marc. (*ex cod. sinaitico*) προσοίσουσι ...προσάξουσι LXX **8** Ἀρράβων : Ἀράβων (*et paulo post* Ἀραβίας) Mign.

Le Psaume 71 n'est pas dit de Salomon, coupable d'idolâtrie, mais du Christ, « roi » éternel et universel.

34. 1 Pour vous persuader encore qu'aux Écritures vous n'avez rien compris[1], je rappellerai aussi un autre psaume, dicté[2] par l'Esprit saint à David, et dont vous dites qu'il se rapporte à Salomon[3], lequel fut également[4] votre roi. Or c'est à notre Christ qu'il se rapporte lui aussi. Mais vous, en vous fondant sur les expressions homonymes[5], vous vous abusez vous mêmes. Ainsi, là où la *Loi du Seigneur* est déclarée [a]*sans tache*[6], vous interprétez non de la Loi qui doit venir après celle-là, mais de celle qui fut donnée par l'intermédiaire de Moïse, bien que Dieu proclame qu'il *instituera* une [b]*Loi* nouvelle et une [c]*Alliance nouvelle*[7]. **2** Et là où il est dit [d]*Dieu, donne au roi ton jugement*, parce que Salomon fut *roi*, vous soutenez que c'est à lui que se rapporte le psaume, alors que les paroles du psaume proclament très clairement qu'il se rapporte au *roi éternel*[8], c'est-à-dire au Christ. Le Christ, en effet, est proclamé *roi*, *prêtre*[9], *Dieu*[10], *Seigneur*[11], *ange*[12], *homme*[13], *chef suprême*[14], *pierre*[15], *petit enfant*[16] par sa naissance et, dans un premier temps souffrant[17], puis [e]montant au ciel[18] et [f]revenant *avec gloire*[19] en possession de la [g]*royauté éternelle*[20], comme je le démontre d'après toutes les Écritures[21].

3 Mais pour que vous saisissiez ce que je viens de dire, voici les paroles du psaume : (*Ps.* 71, 1)*Dieu, donne au roi ton jugement, et ta justice au fils du roi,* (2)*pour juger ton peuple dans la justice et tes pauvres dans le jugement.* (3)*Que les montagnes reçoivent paix pour le peuple, et les collines justice.* (4)*Il fera droit aux pauvres du peuple, il sauvera les fils des indigents, et abaissera le calomniateur*[22]. (5)*Il demeurera, avec le soleil et avant la lune, pour les générations des générations*[23]. (6)*Il descendra comme pluie sur toison, comme l'eau, goutte à goutte, qui tombe sur la terre*[24]. **4** (7)*En ses jours s'élèveront justice, et abondance de paix, jusqu'à ce que disparaisse la lune.* (8)*Il dominera de la mer à la mer, depuis les fleuves jusqu'aux confins de la terre*[25]. (9)*Devant lui ploieront les Éthiopiens, et ses ennemis*[26] *lécheront la poussière.* (10)*Les rois de Tarsis et des îles apporteront des présents, les rois des Arabes et de Sabba apporteront des présents,* (11)*devant lui se prosterneront*[27] *tous les rois de la terre, et toutes les nations le serviront.* (12)*Car il a arraché*[28] *au puissant le pauvre, et l'indigent sans secours.* **5** (13)*Il sera clément au pauvre et à l'indigent, et il sauvera l'âme des indigents.* (14)*De l'usure et de l'injustice*

a Cf. *Ps.* 18, 8 **b** cf. *Is.* 51, 4 et *Jér.* 31, 31 **c** *Jér.* 31, 31 ; cf. *Hébr.* 8, 8 **d** *Ps.* 71, 1 **e** cf. *Ps.* 109, 1 **f** cf. *Is.* 33, 17 ; *Matth.* 25, 31 ; *Dan.* 7, 13 **g** cf. *Dan.* 7, 27.

ψυχὰς πενήτων σώσει · (14)*ἐκ τόκου καὶ ἐξ ἀδικίας λυτρώσεται τὰς ψυχὰς αὐτῶν, καὶ ἔντιμον τὸ ὄνομα αὐτοῦ ἐνώπιον αὐτῶν.* (15)*Καὶ ζήσεται* [p. 127 : B] *καὶ δοθήσεται αὐτῷ ἐκ τοῦ χρυσίου τῆς 'Αρραβίας, καὶ προσεύξονται διὰ παντὸς*[1] *περὶ αὐτοῦ · ὅλην τὴν ἡμέραν εὐλογήσουσιν αὐτόν.* (16)*Καὶ ἔσται στήριγμα ἐν τῇ γῇ, ἐπ' ἄκρων τῶν ὀρέων ὑπεραρθήσεται · ὑπὲρ*[2] *τὸν Λίβανον ὁ καρπὸς αὐτοῦ, καὶ ἐξανθήσουσιν ἐκ πόλεως ὡσεὶ χόρτος τῆς γῆς.* **6** (17)*Ἔσται τὸ ὄνομα αὐτοῦ εὐλογημένον εἰς τοὺς αἰῶνας · πρὸ τοῦ ἡλίου διαμένει*[3] *τὸ ὄνομα αὐτοῦ*[4]. *Καὶ ἐνευλογηθήσονται ἐν αὐτῷ πᾶσαι αἱ φυλαὶ τῆς γῆς · πάντα τὰ ἔθνη μακαριοῦσιν αὐτόν ·* (18)*Εὐλογητὸς κύριος, ὁ θεὸς 'Ισραήλ*[5], *ὁ ποιῶν θαυμάσια μόνος,* (19)*καὶ εὐλογημένον τὸ ὄνομα τῆς δόξης αὐτοῦ εἰς τὸν αἰῶνα καὶ εἰς τὸν αἰῶνα τοῦ αἰῶνος · καὶ πληρωθήσεται τῆς δόξης αὐτοῦ πᾶσα ἡ γῆ. Γένοιτο, γένοιτο.* Καὶ ἐπὶ τέλει τοῦ ψαλμοῦ τούτου, οὗ ἔφην, γέγραπται · (20) *'Εξέλιπον οἱ ὕμνοι Δαυΐδ, υἱοῦ 'Ιεσσαί.*

7 Καὶ ὅτι μὲν *βασιλεὺς* ἐγένετο ἐπιφανὴς καὶ μέγας ὁ Σολομών, ἐφ' οὗ ὁ οἶκος < ὁ ἐν >[6] 'Ιερουσαλὴμ ἐπικληθεὶς ἀνῳκοδομήθη, ἐπίσταμαι. Ὅτι δὲ [fol. 84 r° : A] οὐδὲν τῶν ἐν τῷ ψαλμῷ εἰρημένων συνέβη αὐτῷ, φαίνεται. Οὔτε γὰρ *πάντες οἱ βασιλεῖς προσεκύνησαν* αὐτῷ, οὔτε μέχρι *τῶν περάτων τῆς οἰκουμένης* ἐβασίλευσεν, οὔτε οἱ *ἐχθροὶ αὐτοῦ* ἔμπροσθεν *αὐτοῦ πεσόντες χοῦν ἔλειξαν.* **8** 'Αλλὰ καὶ τολμῶ λέγειν ἃ γέγραπται ἐν ταῖς Βασιλείαις[7] ὑπ' αὐτοῦ πραχθέντα, ὅτι διὰ γυναῖκα ἐν Σιδῶνι εἰδωλολάτρει · ὅπερ οὐχ ὑπομένουσι πρᾶξαι οἱ ἀπὸ τῶν ἐθνῶν διὰ 'Ιησοῦ τοῦ σταυρωθέντος ἐπιγνόντες τὸν ποιητὴν τῶν ὅλων θεόν, ἀλλὰ πᾶσαν αἰκίαν καὶ τιμωρίαν μέχρις ἐσχάτου θανάτου ὑπομένουσι περὶ[8] τοῦ μήτε εἰδωλολατρῆσαι μήτε εἰδωλόθυτα φαγεῖν.

35. 1 [p. 128 : B] – Καὶ ὁ Τρύφων · Καὶ μὴν πολλοὺς τῶν τὸν 'Ιησοῦν λεγόντων ὁμολογεῖν καὶ λεγομένων Χριστιανῶν πυνθάνομαι ἐσθίειν τὰ εἰδωλόθυτα καὶ μηδὲν ἐκ τούτου βλάπτεσθαι λέγειν.

1 Διὰ παντὸς : διαπαντὸς A **2** 'Εν τῇ γῇ ...ὑπεραρθήσεται · ὑπὲρ : ἐν τῇ γῇ ...ὀρέων · ὑπεραρθήσεται ὑπὲρ Thirlb., Goodsp., Marc. (*ex* LXX) **3** Διαμένει : διαμενεῖ *prop.* Otto. Cf 64, 6 **4** Τὸ ὄνομα αὐτοῦ *in marg.* A, *in textu* B. Cf. 64, 6 **5** 'Ο θεὸς 'Ισραήλ : ὁ θεὸς τοῦ 'Ισραήλ Steph., Mar., Mign., Otto. (*ex* LXX). Cf. 13, 2 **6** 'Ο ἐν *addendum* Thirlb., *add.* Otto, Arch. (*ex* Dial. 22, 11 : τὸν ναὸν τὸν ἐν 'Ιερ. ἐπικληθέντα) : *om. codd.*, *cett. edd.* ὁ οἶκος τῆς 'Ιερ. *prop.* Mar. (*ex* Dial. 36, 6 : τοῦ ναοῦ τῶν 'Ιεροσολύμων) **7** 'Εν ταῖς βασιλείαις *in textu codd.*, *edd.* : ἐν τῇ βίβλῳ τῶν βασιλέων *in marg. codd.* **8** Περὶ : ὑπὲρ *prop.* Thirlb. (cf. Dial : 46, 7 : ὑπὲρ τοῦ μὴ θυσιάθειν... ; 121, 2 : ὑπὲρ τοῦ μὴ ἀρνήσασθαι αὐτόν ; 131, 2 : ὑπὲρ τοῦ μηδὲ ...ἀρνεῖσθαι τὸν Χριστόν ; I Apol. 39, 3 : ὑπὲρ τοῦ μηδὲ ψεύδεσθαι...).

il rachètera leurs âmes, et son nom sera honoré devant eux. (15)*Il vivra et il lui sera donné de l'or d'Arabie, et sans cesse ils prieront sur lui. Tout le jour, ils le béniront.* (16)*Et il sera un soutien sur la terre, au sommet des montagnes il s'élèvera. Son fruit est au-dessus du Liban, et ils fleuriront de la ville comme herbe de la terre.* **6** (17)*Son nom sera béni pour l'éternité. Avant le soleil son nom demeure*[29]. *Et en lui seront bénies toutes les tribus de la terre. Toutes les nations le proclameront bienheureux*[30]. (18)*Béni soit le Seigneur, le Dieu d'Israël*[31], *qui seul fait des prodiges,* (19)*béni soit le nom de sa gloire pour l'éternité et pour l'éternité de l'éternité. Et de sa gloire toute la terre sera remplie. Ainsi soit-il, ainsi soit-il*[32] *!* Et à l'issue de ce psaume que je viens de citer, il est écrit : *fin des hymnes de David, fils de Jessé*[33].

7 Que Salomon, sous le règne duquel fut édifiée la « maison » dite (Temple) de Jérusalem[34] ait été un *roi* grand et illustre[35], je le sais bien. Mais que rien de ce qui est dit dans le psaume ne lui arriva, c'est également clair. [a]*Tous les rois* ne se *sont* pas *prosternés* devant lui ; il n'a pas régné [b]jusqu'aux *extrémités de la terre* ; et *ses ennemis* ne sont pas davantage [c]*tombés* devant *lui pour mordre la poussière.* **8** J'irai même plus loin en rapportant les actes commis par lui qui sont consignés au livre des Rois : [d]à cause d'une femme, il idolâtrait à Sidon[36], ce que n'endurent pas de faire ceux des nations qui, par Jésus le crucifié ont appris à connaître Dieu, le Créateur de l'univers : ils endurent[37], au contraire, toutes sortes d'outrages et de supplices, jusqu'à l'extrémité de la mort, pour ne pas idolâtrer ni consommer des viandes offertes aux idoles.

Les hérésies, prédites par le Christ, confirment son message et la foi des chrétiens authentiques.

35. 1 Tryphon : — J'apprends toutefois que beaucoup[1] de ceux qui déclarent confesser Jésus et sont dits chrétiens[2] consomment des viandes immolées aux idoles[3] et prétendent n'en subir aucun dommage.

a Cf. *Ps.* 71, 11 **b** *ibid.*, 8 **c** *ibid.*, 9 **d** cf. *III Rois*, 11, 3 ?

2 – Κἀγὼ ἀπεκρινάμην · καὶ ἐκ τοῦ τοιούτους εἶναι ἄνδρας, ὁμολογοῦντας ἑαυτοὺς εἶναι Χριστιανοὺς καὶ τὸν σταυρωθέντα Ἰησοῦν ὁμολογεῖν καὶ κύριον καὶ Χριστόν, καὶ μὴ τὰ ἐκείνου διδάγματα διδάσκοντας ἀλλὰ τὰ ἀπὸ *τῶν τῆς πλάνης πνευμάτων*[1], ἡμεῖς, οἱ τῆς ἀληθινῆς Ἰησοῦ Χριστοῦ καὶ καθαρᾶς διδασκαλίας μαθηταί, πιστότεροι καὶ βεβαιότεροι γινόμεθα ἐν τῇ ἐλπίδι τῇ κατηγγελμένῃ ὑπ᾽ αὐτοῦ. [fol. 84 v° : A] Ἃ γὰρ προλαβὼν μέλλειν γίνεσθαι *ἐν ὀνόματι αὐτοῦ* ἔφη, ταῦτα ὄψει καὶ ἐνεργείᾳ ὁρῶμεν τελούμενα. **3** Εἶπε γάρ · *Πολλοὶ ἐλεύσονται ἐπὶ τῷ ὀνόματί μου, ἔξωθεν ἐνδεδυμένοι δέρματα προβάτων, ἔσωθεν δέ εἰσι λύκοι ἅρπαγες*. Καί · *Ἔσονται σχίσματα καὶ αἱρέσεις*. Καί · *Προσέχετε ἀπὸ τῶν ψευδοπροφητῶν, οἵτινες ἐλεύσονται πρὸς ὑμᾶς, ἔξωθεν ἐνδεδυμένοι δέρματα προβάτων, ἔσωθεν δέ εἰσι λύκοι ἅρπαγες*. Καί · *Ἀναστήσονται πολλοὶ ψευδόχριστοι καὶ ψευδοαπόστολοι, καὶ πολλοὺς τῶν πιστῶν πλανήσουσιν*. **4** Εἰσὶν οὖν καὶ[2] ἐγένοντο, ὦ φίλοι ἄνδρες, *πολλοὶ* οἳ ἄθεα καὶ βλάσφημα[3] λέγειν καὶ πράττειν ἐδίδαξαν *ἐν ὀνόματι* τοῦ Ἰησοῦ *προσελθόντες* · καὶ < καλούμενοί >[4] εἰσιν ὑφ᾽ ἡμῶν ἀπὸ τῆς προσωνυμίας τῶν ἀνδρῶν, ἐξ οὗπερ ἑκάστη διδαχὴ καὶ γνώμη ἤρξατο. **5** Ἄλλοι γὰρ[5] κατ᾽ ἄλλον τρόπον βλασφημεῖν τὸν ποιητὴν τῶν ὅλων καὶ τὸν ὑπ᾽ αὐτοῦ προφητευόμενον ἐλεύσεσθαι Χριστὸν καὶ τὸν θεὸν Ἀβραὰμ καὶ Ἰσαὰκ [p. 129 : B] καὶ Ἰακὼβ[6] διδάσκουσιν · ὧν οὐδενὶ κοινωνοῦμεν, οἱ[7] γνωρίζοντες ἀθέους καὶ ἀσεβεῖς καὶ ἀδίκους καὶ ἀνόμους αὐτοὺς ὑπάρχοντας, καὶ ἀντὶ τοῦ τὸν Ἰησοῦν σέβειν ὀνόματι μόνον ὁμολογεῖν[8]. **6** Καὶ Χριστιανοὺς ἑαυτοὺς λέγουσιν, ὃν τρόπον οἱ ἐν τοῖς ἔθνεσι τὸ ὄνομα τοῦ θεοῦ ἐπιγράφουσι τοῖς χειροποιήτοις, [fol. 85 r° : A] καὶ ἀνόμοις καὶ ἀθέοις τελεταῖς κοινωνοῦσι.

Καί εἰσιν αὐτῶν οἱ μέν τινες καλούμενοι Μαρκιανοί[9], οἱ δὲ Οὐαλεντινιανοί, οἱ δὲ Βασιλειδιανοί[10], οἱ δὲ Σατορνιλιανοί[11], καὶ ἄλλοι ἄλλῳ ὀνόματι, ἀπὸ τοῦ ἀρχηγέτου τῆς γνώμης ἕκαστος ὀνομαζόμενος[12], ὃν τρόπον καὶ ἕκαστος τῶν φιλοσοφεῖν νομιζόντων, ὡς ἐν ἀρχῇ προεῖπον,

1 Ἀλλὰ τὰ ἀπὸ τῶν τῆς πλάνης πνευμάτων : ἀλλὰ τὰ ἀπὸ τοῦ τῆς πλάνης πνευμάτα *in marg. codd.* **2** Καὶ : καὶ ἀεὶ *prop.* Thirlb. **3** Βλάσφημα : βλ. καὶ ἄδικα Marc. (*ex* Dial. 82, 3 *et infra* : ἀδίκους) **4** Καλούμενοι *add.* Otto, Arch., Goodsp. (*infra enim* : οἱ μέν τινες καλούμενοι) : *om. codd.*, *cett. edd.* προσελθόντες · καλούμενοί εἰσιν Nolte καί εἰσιν ἐφ᾽ ἡμῶν (= *nostris temporibus*) Pearson **5** Ἄλλοι γὰρ – κοινωνοῦσι (§ 5-6) *in semicirculis* Mar., Mign., Thirlb. **6** Καὶ – Ἰακώβ : *post* τὸν ποιητὴν τῶν ὅλων *transp.* Marc. **7** Οἱ : ὡς *prop.* Troll. **8** Ὁμολογεῖν : –οῦντας *prop.* Sylb. **9** Μαρκιανοί : Μαρκιανισταί *prop.* Lange (*Krit. Pred.–Biblioth.*, 25, 1844, p. 993), Otto. *Post* Μαρκιανοί, *addendum* οἱ δὲ Καρποκρατιανοί Otto (*ex* Hegesippo), *add.* Marc. **10** Βασιλειδιανοι *edd. ab* Otto : Βασιλιδιανοί *codd.*, *cett. edd.* **11** Σατορνιλιανοί *edd. a* Sylb. : Σατορνηλιανοί *codd.*, *cett. edd.* **12** Ὀνομαζόμενος : –μενοι *prop.* Thirlb.

2 Je répondis :

— Il existe de tels hommes, qui se reconnaissent chrétiens et confessent que Jésus le crucifié est Seigneur et Christ, tout en enseignant non pas ses préceptes mais ceux qui procèdent des [a]*esprits d'erreur*[4]. Et nous, disciples du véritable et pur enseignement de Jésus-Christ[5], n'en sommes que plus confiants et plus fermes[6] dans l'espérance annoncée par lui. Car les choses qu'il a prédites comme devant se faire [b]*en son nom*, nous les voyons effectivement accomplies sous nos yeux[7]. **3** Il a dit en effet : [c]*Beaucoup viendront en mon nom, revêtus au dehors de peaux de brebis ; au dedans ce sont des loups ravisseurs*[8]. Et encore [d]*Il y aura des schismes et des hérésies*[9]. Et encore [e]*Gardez-vous des faux prophètes*[10] *qui viendront à vous, vêtus au dehors de peaux de brebis : au dedans ce sont des loups ravisseurs*[11]. Et encore [f]*Beaucoup de faux christs*[12] *et de faux apôtres*[13] *se lèveront, et ils égareront beaucoup des croyants.* **4** Il en est donc, et il en fut, amis, [g]*beaucoup*, qui ont enseigné à dire et à faire des choses impies et blasphématoires, [h]*se présentant au nom* de Jésus. Ils sont désignés par nous d'après le surnom de l'homme dont chaque doctrine et chaque système tire son origine[14]. **5** Chacun à sa manière, ils enseignent à blasphémer le Créateur de l'univers, et le Christ dont il avait prophétisé la venue, le Dieu d'Abraham d'Isaac et de Jacob[15]. Avec eux, nous n'avons rien de commun[16], car nous savons qu'ils sont athées, impies, injustes, iniques, et qu'au lieu de révérer Jésus, ils ne le confessent que de nom. **6** Or ils se disent chrétiens, tout comme ceux des nations inscrivent le nom de Dieu sur des ouvrages de leurs mains[17], et participent à des cérémonies[18] iniques et athées.

Parmi eux, certains sont appelés Marcioniens[19], d'autres Valentiniens[20], d'autres Basilidiens[21], d'autres Saturniliens[22], chacun prenant un nom ou un autre d'après le fondateur de leur système, de la même manière que tout homme qui pense philosopher, comme j'ai dit au début[23], croit devoir,

a Cf. *I Tim.* 4, 1 **b** cf. *Matth.* 24, 5, etc. **c** *Matth.* 24, 5 et 7 15 ; cf. *Mc.* 13, 6 ; *Lc.* 21, 8 **d** cf. *I Cor.* 11, 18-19 **e** *Matth.* 7, 15 **f** cf. *Matth.* 24, 11.24 ; *Mc.* 13, 6.22 **g** cf. *Matth.* 24, 5 **h** *ibid.*

ἀπὸ τοῦ πατρὸς τοῦ λόγου τὸ ὄνομα ἧς φιλοσοφεῖ φιλοσοφίας ἡγεῖται φέρειν[1]. **7** Ὥσ<τε>[2] καὶ ἐκ τούτων ἡμεῖς, ὡς ἔφην, τὸν Ἰησοῦν καὶ τῶν μετ' αὐτὸν γενησομένων προγνώστην ἐπιστάμεθα, καὶ ἐξ ἄλλων δὲ πολλῶν ὧν προεῖπε γενήσεσθαι τοῖς πιστεύουσι καὶ ὁμολογοῦσιν αὐτὸν Χριστόν. Καὶ γὰρ ἃ πάσχομεν πάντα, ἀναιρούμενοι *ὑπὸ τῶν οἰκείων*, προεῖπεν ἡμῖν μέλλειν γενέσθαι, ὡς κατὰ μηδένα τρόπον ἐπιλήψιμον αὐτοῦ λόγον ἢ πρᾶξιν φαίνεσθαι. **8** Διὸ καὶ ὑπὲρ ὑμῶν καὶ ὑπὲρ τῶν ἄλλων ἁπάντων ἀνθρώπων τῶν ἐχθραινόντων ἡμῖν εὐχόμεθα, ἵνα μεταγνόντες σὺν ἡμῖν μὴ βλασφημῆτε τὸν διά τε τῶν ἔργων[3] καὶ τῶν ἀπὸ[4] τοῦ ὀνόματος αὐτοῦ καὶ νῦν γινομένων δυνάμεων καὶ ἀπὸ τῶν τῆς διδαχῆς λόγων καὶ ἀπὸ τῶν προφητευθεισῶν εἰς αὐτὸν προφητειῶν *ἄμωμον* καὶ *ἀνέγκλητον* κατὰ πάντα Χριστὸν Ἰησοῦν, ἀλλὰ πιστεύσαντες εἰς αὐτὸν ἐν τῇ πάλιν γενησο-[p. 130 : B]-μένῃ *ἐνδόξῳ* αὐτοῦ [fol. 85 v° : A] παρουσίᾳ σωθῆτε καὶ μὴ καταδικασθῆτε εἰς τὸ πῦρ ὑπ' αὐτοῦ.

36. 1 – Κἀκεῖνος ἀπεκρίνατο · Ἔστω καὶ ταῦτα οὕτως ἔχοντα ὡς λέγεις, καὶ ὅτι παθητὸς Χριστὸς προεφητεύθη μέλλειν εἶναι, καὶ *λίθος* κέκληται[5], καὶ *ἔνδοξος* μετὰ τὴν πρώτην αὐτοῦ παρουσίαν, ἐν ᾗ παθητὸς φαίνεσθαι κεκήρυκτο, ἐλευσόμενος καὶ *κριτὴς* πάντων λοιπὸν καὶ *αἰώνιος βασιλεὺς*[6] καὶ *ἱερεὺς* γενησόμενος · εἰ οὗτος δέ ἐστι περὶ οὗ ταῦτα προεφητεύθη, ἀπόδειξον.

2 – Κἀγώ · Ὡς βούλει, ὦ Τρύφων, ἐλεύσομαι πρὸς ἃς βούλει ταύτας[7] ἀποδείξεις ἐν τῷ ἁρμόζοντι τόπῳ, ἔφην · τὰ νῦν[8] δὲ συγχωρήσεις μοι πρῶτον ἐπιμνησθῆναι ὧνπερ βούλομαι προφητειῶν, εἰς ἐπίδειξιν[9] ὅτι καὶ *θεὸς* καὶ *κύριος τῶν δυνάμεων* ὁ Χριστὸς καὶ *Ἰακὼβ* καλεῖται ἐν παραβολῇ ὑπὸ τοῦ ἁγίου πνεύματος, καὶ οἱ παρ' ὑμῖν ἐξηγηταί, ὡς θεὸς βοᾷ, *ἀνόητοί* εἰσι, μὴ εἰς τὸν Χριστὸν εἰρῆσθαι λέγοντες ἀλλ' εἰς Σαλομῶνα[10], ὅτε εἰσέφερε τὴν σκηνὴν τοῦ μαρτυρίου εἰς τὸν ναὸν ὃν ᾠκοδόμησεν.

1 Φιλοσοφεῖ ...φέρειν : φιλοσοφεῖν ...φέρει *prop.* Thirlb. **2** Ὥστε *prop.* Mar., *coni.* Otto, Arch., Marc. : ὥς *codd.*, *cett. edd.* (cf. 44, 4) **3** Τῶν ἔργων : τ. ἔ. αὐτοῦ Marc. **4** Ἀπὸ (cf. 64, 1 et 117, 3 : ἀπὸ τοῦ ὀνόματος αὐτοῦ) : ἐπὶ *prop.* Pearson, *coni.*, Marc. (*ex* Dial 35, 3 et 82, 2 = *Matth.* 24, 5 : ἐπὶ τῷ ὀνομάτί μου) **5** Καὶ ὅτι παθητὸς ...προεφητεύθη ...καὶ λίθος κέκληται : καὶ ὅτι λίθος ...κέκληται (κεκήρυκται Thirlb.), καὶ παθητὸς προεφητεύθη *prop.* Οττο **6** Κριτὴς πάντων, λοιπὸν καὶ Otto, Arch. (trad.) : κριτὴς πάντων λοιπον, καὶ *cett. edd.* κ. π. λ. καὶ *codd.* κ. π. καὶ αἰώνιος λοιπὸν βασιλεὺς Thirlb. **7** Ταύτας : *del.* Marc. **8** Τὰ νῦν : τανῦν Otto, Arch. **9** Ἐπίδειξιν : ἀπόδειξιν *prop.* Thirlb. **10** Σαλομῶνα : Σολομῶνα Mign., Otto, Arch., Goodsp., Marc. (*hic et infra* : 36, 5).

d'après le père de son système, porter le nom de la philosophie qu'il professe. **7** Par là, comme je viens de le dire, nous savons que Jésus prévoyait aussi[24] ce qui adviendrait après lui, mais aussi à partir de nombreuses autres choses dont il a prédit l'accomplissement pour ceux qui croient et confessent qu'il est Christ. Tout ce que nous souffrons, lorsque nous sommes mis à mort [a]*par nos proches*, il nous a prédit, en effet, que cela arriverait : aussi son langage comme son action n'apparaissent-ils en rien dignes de reproches. **8** C'est pourquoi, pour vous et pour tous les autres hommes qui se font nos ennemis, nous prions[25], afin que vous repentant avec nous vous ne blasphémiez point[26] celui qui, par les actes et les prodiges aujourd'hui encore accomplis en son nom, par les paroles de son enseignement, et les prophéties prophétisées sur lui, est en tout point [b]l'*irréprochable* et *inattaquable*[27] Christ Jésus ; mais qu'au contraire, ayant cru en lui, vous soyez sauvés lors de sa seconde parousie qui se fera [c]*dans la gloire*[28], et ne soyez pas condamnés au feu par lui[29].

Le Psaume 23 n'est pas dit de Salomon,
mais du Christ et de son Ascension.

36. 1 Il répondit :

— Admettons[1], là encore, qu'il en soit comme tu le dis, et qu'un Christ souffrant[2] ait été annoncé, qu'il soit appelé *pierre*[3], et qu'après sa première parousie dans laquelle, est-il annoncé, il apparaît souffrant, il doit revenir *glorieux*[4], [d]*juge* de tous[5], puis [e]*roi*[6] et [f]*prêtre éternel*[7]. Mais si ce Jésus est bien l'objet de la prophétie, démontre-le.

2 Et moi : — Comme tu le veux, Tryphon, j'aborderai en leur lieu ces démonstrations que tu demandes, repris-je. Pour l'instant tu me permettras de rappeler d'abord ces prophéties que j'ai en vue, pour montrer que par l'Esprit Saint le Christ, en parabole[8], est appelé *Dieu*[9], [g]*Seigneur des puissances*[10] et encore [h]*Jacob*[11]. Vos commentateurs, comme le crie Dieu, sont [i]*inintelligents*[12], eux qui prétendent que ces paroles se rapportent non au Christ, mais à Salomon[13], [j]lorsqu'il introduisit la tente du témoignage dans le temple qu'il avait fait bâtir[14].

a Cf. *Matth.* 10, 21-22.36 ; *Lc.* 12, 53 ; *Mich.* 7, 6 **b** cf. *Col.* 1, 22 ? **c** cf. *Is.* 33, 17 ; *Matth.* 25, 31 **d** cf. *Act.* 10, 42 **e** cf. *Ps.* 71, 1 **f** cf. *Ps.* 109, 4 **g** cf. *Ps.* 23, 10 **h** cf. *Ps.* 23, 6 **i** cf. *Jér.* 4, 22 **j** cf. *III Rois* 8, 3-11 et *II Chr.* 5, 4-14.

3 Ἔστι δὲ ψαλμὸς τοῦ Δαυῒδ οὗτος · (*Ps.* 23, 1) *Τοῦ κυρίου ἡ γῆ καὶ τὸ πλήρωμα αὐτῆς, ἡ οἰκουμένη καὶ πάντες οἱ κατοικοῦντες ἐν αὐτῇ.* (2) *Αὐτὸς ἐπὶ θαλασσῶν ἐθεμελίωσεν αὐτήν, καὶ ἐπὶ ποταμῶν ἡτοίμασεν αὐτήν.* (3) *Τίς ἀναβήσεται εἰς τὸ ὄρος τοῦ κυρίου, ἢ τίς στήσεται ἐν τόπῳ* [fol. 86 r° : A] *ἁγίῳ αὐτοῦ ;* (4) *ἀθῷος χερσὶ καὶ καθαρὸς τῇ καρδίᾳ, ὃς οὐκ ἔλαβεν ἐπὶ ματαίῳ τὴν ψυχὴν αὐτοῦ καὶ οὐκ ὤμοσεν ἐπὶ δόλῳ τῷ πλησίον αὐτοῦ.* **4** (5) *Οὗτος λήψεται εὐλογίαν παρὰ κυρίου καὶ ἐλεημοσύνην παρὰ θεοῦ σωτῆρος αὐτοῦ.* (6) *Αὕτη ἡ γενεὰ ζητούντων τὸν κύριον, ζητούντων τὸ πρόσω*-[p. 131 : B]-*πον τοῦ θεοῦ Ἰακώβ.* (7) *Ἄρατε πύλας, οἱ ἄρχοντες ὑμῶν, καὶ ἐπάρθητε, πύλαι αἰώνιοι, καὶ εἰσελεύσεται ὁ βασιλεὺς τῆς δόξης.* (8) *Τίς ἐστιν οὗτος ὁ Βασιλεὺς τῆς δόξης ; κύριος κραταιὸς καὶ δυνατὸς ἐν πολέμῳ.* (9) *Ἄρατε πύλας οἱ ἄρχοντες ὑμῶν, καὶ ἐπάρθητε πύλαι αἰώνιοι, καὶ εἰσελεύσεται ὁ βασιλεὺς τῆς δόξης.* (10) *Τίς ἐστιν οὗτος ὁ βασιλεὺς τῆς δόξης ; κύριος τῶν δυνάμεων, αὐτός ἐστιν ὁ βασιλεὺς τῆς δόξης.*

5 *Κύριος* οὖν *τῶν δυνάμεων* ὅτι οὐκ ἔστιν ὁ Σαλομών, ἀποδέδεικται[1], ἀλλὰ[2] ὁ ἡμέτερος Χριστὸς. Ὅτε[3] ἐκ νεκρῶν ἀνέστη καὶ ἀνέβαινεν εἰς τὸν οὐρανόν, κελεύονται *οἱ ἐν* τοῖς οὐρανοῖς ταχθέντες ὑπὸ τοῦ θεοῦ *ἄρχοντες* ἀνοῖξαι τὰς *πύλας* τῶν οὐρανῶν, ἵνα *εἰσέλθῃ* οὗτος ὅς ἐστι *βασιλεὺς τῆς δόξης*, καὶ ἀναβὰς *καθίσῃ ἐν δεξίᾳ* τοῦ πατρός, *ἕως ἂν θῇ τοὺς ἐχθροὺς ὑποπόδιον τῶν ποδῶν αὐτοῦ,* ὡς διὰ τοῦ ἄλλου ψαλμοῦ δεδήλωται. **6** Ἐπειδὴ γὰρ οἱ ἐν οὐρανῷ *ἄρχοντες* ἑώρων *ἀειδῆ* καὶ *ἄτιμον* τὸ *εἶδος* καὶ *ἄδοξον* ἔχοντα αὐτόν, [fol. 86 v° : A] οὐ γνωρίζοντες αὐτόν, ἐπυνθάνοντο · *Τίς ἐστιν οὗτος ὁ βασιλεὺς τῆς δόξης ;* Καὶ ἀποκρίνεται αὐτοῖς τὸ πνεῦμα τὸ ἅγιον ἢ ἀπὸ προσώπου τοῦ πατρὸς ἢ ἀπὸ τοῦ ἰδίου · *Κύριος τῶν δυνάμεων, αὐτὸς οὗτός ἐστιν ὁ βασιλεὺς τῆς δόξης*. Ὅτι γὰρ οὔτε περὶ Σαλομῶνος, *ἐνδόξου* οὕτω βασιλέως ὄντος, οὔτε περὶ τῆς σκηνῆς τοῦ μαρτυρίου τῶν ἐφεστώτων ταῖς *πύλαις* τοῦ *ναοῦ* τῶν Ἱεροσολύμων ἐτόλμησεν ἄν τις εἰπεῖν · *Τίς ἐστιν οὗτος ὁ βασιλεὺς τῆς δόξης ;* πᾶς ὁστισοῦν ὁμολογήσει.

37. 1 Καὶ ἐν διαψάλματι τεσσαρακοστοῦ ἕκτου ψαλμοῦ, ἔφην, [p. 132 : B] εἰς τὸν Χριστὸν οὕτως εἴρηται · (*Ps.* 46, 6) *Ἀνέβη ὁ θεὸς ἐν ἀλαλαγμῷ, κύριος ἐν φωνῇ σάλπιγγος.* (7) *Ψάλατε τῷ θεῷ ἡμῶν, ψάλατε, ψάλατε τῷ βασιλεῖ ἡμῶν, ψάλατε.* (8) *Ὅτι βασιλεὺς πάσης τῆς γῆς ὁ θεός, ψάλατε*

1 Ἀποδέδεικται : *post* Χριστός *transp.* Marc. **2** Ἀλλὰ : ἀλλ' Otto **3** Ὅτε : ὃς ὅτε *prop.* Thirlb., *coni.* Marc.

3 Voici ce psaume de David : (*Ps.* 23, 1)*Au Seigneur la terre et ce qui la remplit, le monde et tous ses habitants.* (2)*C'est lui qui l'a fondée sur les mers, et sur les fleuves l'a disposée.* (3)*Qui montera à la montagne du Seigneur, qui se tiendra en son lieu saint ?* (4)*Celui qui a les mains innocentes et le cœur pur, qui n'a pas reçu en vain son âme et n'a point fait de serments de ruse à son prochain.* **4** (5)*Celui-là obtiendra du Seigneur bénédiction, et miséricorde de Dieu son Sauveur*[15]. (6)*Telle est la race de ceux qui cherchent le Seigneur, qui cherchent la face du Dieu de Jacob*[16]. (7)*Levez vos portes, princes, levez-vous, portes éternelles, et le Roi de gloire entrera.* (8)*Qui est-il, ce Roi de gloire ? C'est le Seigneur fort et puissant à la guerre.* (9)*Levez vos portes, princes, levez-vous, portes éternelles, et le Roi de gloire entrera.* (10)*Qui est-il ce Roi de gloire ? Le Seigneur des puissances, voilà le Roi de gloire*[17].

5 Que le [a]*Seigneur des puissances*, n'est pas Salomon mais notre Christ, c'est donc démontré[18] : à l'instant où ce dernier ressuscitait d'entre les morts[19], montant au ciel[20], les [b]*princes* établis par Dieu dans les cieux reçoivent[21] l'ordre d'ouvrir les [c]*portes* des cieux, afin qu'il [d]*entre* celui qui est [e]*Roi de gloire*, et monte [f]*s'asseoir à la droite* du Père, [g]*jusqu'à ce qu'il fasse de ses ennemis l'escabeau de ses pieds*, comme il a été montré par l'autre psaume[22]. **6** Lorsqu'en effet les [h]*princes* qui sont au ciel le voyaient [i]*sans apparence*[23], *sans honneur* et *sans gloire*[24], en son *apparence*, ils demandaient, ne le reconnaissant pas : [j]*Qui est-il, ce Roi de gloire* ? L'Esprit Saint alors leur répond, soit au nom du Père, soit en son nom propre[25] : [k]*Le Seigneur des puissances, voilà le roi de gloire.* Ce n'est pas en effet de Salomon, si *glorieux* fût-il en sa royauté, ni de la tente du témoignage que l'un de ceux qui se trouvent près des *portes* du Temple de Jérusalem aurait pu dire [l]*Qui est-il, ce Roi de gloire* ? N'importe qui en conviendra[26].

Les Psaumes 46 et 98 se rapportent au Christ.

37. 1 Au diapsalma[1] du Psaume 46, continuai-je, voici ce qui est dit du Christ :

(*Ps.* 46, 6)*Dieu est monté au bruit des instruments de musique, le Seigneur au son de la trompette.* (7)*Chantez pour notre Dieu, chantez, chantez pour notre roi, chantez !* (8)*Car Dieu est roi de toute la terre, chantez avec clarté.* (9)*Dieu a régné sur les nations, Dieu est*

a Cf. *Ps.* 23, 10 **b** *ibid.*, 7.9 **c** *ibid.*, 7.9 **d** *ibid.*, 7.9 **e** *ibid.*, 7.8.9.10 **f** cf. *Ps.* 109, 1 **g** *ibid.* **h** *Ps.* 23, 7.9 **i** cf. *Is.* 53, 2-3 **j** *Ps.* 23, 8.10 **k** *ibid.*, 10 **l** *ibid.*, 8.10.

συνετῶς. (9)*Ἐβασίλευσεν ὁ θεὸς ἐπὶ τὰ ἔθνη, ὁ θεὸς κάθηται ἐπὶ θρόνου ἁγίου αὐτοῦ.* (10)*Ἄρχοντες λαῶν συνήχθησαν μετὰ τοῦ θεοῦ Ἀβραάμ, ὅτι τοῦ θεοῦ οἱ κραταιοὶ τῆς γῆς σφόδρα ἐπήρθησαν*[1].

2 Καὶ ἐν ἐνενηκοστῷ ὀγδόῳ ψαλμῷ ὀνειδίζει ὑμᾶς τὸ πνεῦμα τὸ ἅγιον, καὶ τοῦτον, ὃν μὴ θέλετε *βασιλέα* εἶναι, *βασιλέα* καὶ *κύριον* καὶ τοῦ *Σαμουὴλ* καὶ τοῦ *Ἀαρὼν* καὶ *Μωϋσέως*[2] καὶ τῶν ἄλλων πάντων ἁπλῶς ὄντα μηνύει.

3 Εἰσὶ δὲ οἱ λόγοι τοῦ ψαλμοῦ οὗτοι · (Ps. 98, 1)*Ὁ κύριος ἐβασίλευσεν, ὀργιζέ*-[fol. 87 r° : A]-*σθωσαν λαοί · ὁ καθήμενος ἐπὶ τῶν χερουβίμ, σαλευθήτω ἡ γῆ.* (2)*Κύριος ἐκ*[3] *Σιὼν μέγας καὶ ὑψηλός ἐστιν ἐπὶ πάντας τοὺς λαούς.* (3)*Ἐξομολογησάσθωσαν τῷ ὀνόματί σου τῷ μεγάλῳ, ὅτι φοβερὸν καὶ ἅγιόν ἐστι,* (4)*καὶ τιμὴ βασιλέως κρίσιν ἀγαπᾷ. Σὺ ἡτοίμασας εὐθύτητα<ς>*[4]*, κρίσιν καὶ δικαιοσύνην ἐν Ἰακὼβ σὺ ἐποίησας*[5]*.* (5)*Ὑψοῦτε κύριον τὸν θεὸν ἡμῶν καὶ προσκυνεῖτε τῷ ὑποποδίῳ τῶν ποδῶν αὐτοῦ, ὅτι ἅγιός ἐστι.* **4** (6)*Μωσῆς*[6] *καὶ Ἀαρὼν*[7] *ἐν τοῖς ἱερεῦσιν αὐτοῦ, καὶ Σαμουὴλ ἐν τοῖς ἐπικαλουμένοις τὸ ὄνομα αὐτοῦ · ἐπεκαλοῦντο,* φησὶν ἡ γραφή, *τὸν κύριον, καὶ αὐτὸς εἰσήκουεν*[8] *αὐτῶν.* (7)*Ἐν στύλῳ νεφέλης ἐλάλει πρὸς αὐτούς · ἐφύλασσον*[9] *τὰ μαρτύρια αὐτοῦ, καὶ τὸ πρόσταγμα*[10] *ὃ ἔδωκεν αὐτοῖς.* (8)*Κύριε ὁ θεὸς ἡμῶν, σὺ ἐπήκουες αὐτῶν · ὁ θεός, σὺ εὐίλατος ἐγένου αὐτοῖς καὶ ἐκδικῶν ἐ*-[p. 133 : B]-*πὶ πάντα τὰ ἐπιτηδεύματα αὐτῶν.* (9)*Ὑψοῦτε κύριον τὸν*[11] *θεὸν ἡμῶν καὶ προσκυνεῖτε εἰς ὄρος ἅγιον αὐτοῦ, ὅτι ἅγιος κύριος ὁ θεὸς ἡμῶν.*

38. 1 – Καὶ ὁ Τρύφων εἶπεν · Ὦ ἄνθρωπε, καλὸν ἦν πεισθέντας ἡμᾶς τοῖς διδασκάλοις, νομοθετήσασι μηδενὶ ἐξ ὑμῶν ὁμιλεῖν, μηδέ σοι τούτων κοινωνῆσαι τῶν λόγων · βλάσφημα γὰρ πολλὰ λέγεις, τὸν σταυρωθέντα τοῦτον ἀξιῶν πείθειν ἡμᾶς γεγενῆσθαι μετὰ *Μωϋσέως*[12] *καὶ* [fol. 87 v° : A] *Ἀαρὼν* καὶ *λελαληκέναι αὐτοῖς* ἐν *στύλῳ νεφέλης*, εἶτα *ἄνθρωπον* γενόμενον σταυρωθῆναι, καὶ *ἀναβεβηκέναι* εἰς τὸν οὐρανόν, καὶ πάλιν παραγίνεσθαι[13] ἐπὶ τῆς γῆς, καὶ *προσκυνητὸν* εἶναι.

1 Ἐπήρθησαν Otto : ἐπῄρθησαν Arch. ἐπήρθησαν *cett. edd.* **2** Μωϋσέως : Μωϋσέος *codd.* Μωσέως Arch. **3** Ἐκ : ἐν Steph., Mar., Mign., Otto, Arch., Marc. (*ex* LXX *et* Dial. 64, 4) **4** Εὐθύτητας *corr.* Steph. (*ex* LXX) : εὐθύτητα *codd.*, Goodsp. **5** Ἐποίησας *add. in marg.* A **6** Μωσῆς : Μωϋσης Otto, Mign., Goodsp. **7** Ἀαρὼν : Ἀαρὼ B **8** Εἰσήκουεν : εἰσήκουε B. **9** Ἐφύλασσον *codd.*, *edd. ab* Otto, Troll. : ὅτι ἐφύλασσον *cett. edd.* (*corr.* Steph.) **10** Τὸ πρόσταγμα : τ. π. αὐτοῦ Dial. 64, 4. **11** Τὸν : *om.* Mor., Mar. **12** Μωϋσέως : Μωϋσέος *codd.* Μωσέως Arch. **13** Παραγίνεσθαι : παραγενήσεσθαι *prop.* Sylb., Otto.

assis sur son trône saint. (10)*Les princes des peuples se sont assemblés avec le Dieu d'Abraham, car les puissants de la terre sont à Dieu, ils ont été souverainement élevés*[2].

2 Au Psaume 98 également, l'Esprit Saint vous adresse des reproches, et celui dont vous ne voulez pas qu'il soit *roi*, il le déclare [a]*roi* et [b]*Seigneur* de [c]*Samuel*, d'*Aaron*, de *Moïse* et de tous les autres en un mot.

3 Voici les paroles du psaume : (*Ps.* 98, 1)*Le Seigneur a régné, que les peuples s'irritent ! Celui qui siège sur les chérubins – que la terre tressaille.* (2)*De*[3] *Sion, le Seigneur est grand, élevé au-dessus de tous les peuples.* (3)*Qu'on célèbre ton grand nom, car il est redoutable et saint,* (4)*et l'honneur du roi aime le jugement. Tu as préparé les droitures, le jugement et la justice en Jacob, c'est toi qui les as accomplis.* (5)*Exaltez le Seigneur, notre Dieu, prosternez-vous devant l'escabeau de ses pieds, car il est saint.* **4** (6)*Moïse et Aaron étaient parmi ses prêtres, et Samuel parmi ceux qui invoquent son nom. Ils invoquaient,* dit l'Écriture[4], *le Seigneur, et il les exauçait.* (7)*Dans une colonne de nuée, il leur parlait ; ils observaient ses témoignages*[5], *et le précepte qu'il leur avait donné.* (8)*Seigneur notre Dieu, tu les exauçais ; Dieu, tu fus pour eux propice, faisant justice de tout ce qu'ils accomplissaient.* (9)*Exaltez le Seigneur notre Dieu, et prosternez-vous vers sa montagne sainte, car il est saint, le Seigneur notre Dieu*[6].

Le Psaume 44 se rapporte au Christ.

38. 1 Tryphon dit alors :

— Ami, il eût mieux valu suivre le conseil des didascales qui ont recommandé de ne fréquenter aucun d'entre vous[1], et ne point nous engager dans cette conversation avec toi. Car tu ne fais que proférer un multiple blasphème[2], en croyant nous persuader que ce crucifié [d]était avec *Moïse et Aaron*, leur a [e]*parlé* dans *une colonne de nuée*, puis, fait [f]*homme*[3], a été crucifié, est [g]*remonté* au ciel, qu'il revient sur la terre et qu'il est *digne d'être adoré*[4].

a Cf. *Ps.* 98, 1.4 **b** *ibid.*, 1.2.5.6.8.9 **c** *ibid.*, 6 **d** cf. *Ps.* 98, 6 **e** *ibid.*, 7 **f** cf. *Is.* 53, 3 **g** cf. *Ps.* 46, 6 ?

2 – Κἀγὼ ἀπεκρινάμην · Οἶδα ὅτι, ὡς τοῦ θεοῦ Λόγος ἔφη, *κέκρυπται ἀφ' ὑμῶν*, ἡ *σοφία* ἡ μεγάλη αὕτη τοῦ ποιητοῦ τῶν ὅλων καὶ παντοκράτορος θεοῦ. Διὸ συμπαθῶν ὑμῖν προσκάμνειν ἀγωνίζομαι ὅπως τὰ παράδοξα ἡμῶν ταῦτα νοήσητε, εἰ δὲ μή, ἵνα κἂν αὐτὸς *ἀθῷος* ᾧ *ἐν ἡμέρᾳ κρίσεως*. Ἔτι γὰρ καὶ παραδοξοτέρους δοκοῦντας ἄλλους λόγους ἀκούσετε · μὴ ταράσ<σ>εσθε[1] δέ, ἀλλὰ μᾶλλον προθυμότεροι γινόμενοι[2] ἀκροαταὶ καὶ[3] ἐξετασταὶ μένετε, καταφρονοῦντες τῆς παραδόσεως τῶν ὑμετέρων διδασκάλων, ἐπεὶ οὐ[4] τὰ διὰ τοῦ θεοῦ[5] ὑπὸ τοῦ προφητικοῦ πνεύματος ἐλέγχονται νοεῖν δυνάμενοι, ἀλλὰ τὰ ἴδια μᾶλλον διδάσκειν προαιρούμενοι.

3 Ἐν τεσσαρακοστῷ οὖν τετάρτῳ ψαλμῷ ὁμοίως εἴρηται εἰς τὸν Χριστὸν ταῦτα · (*Ps.* 44, 2) *Ἐξηρεύξατο ἡ καρδία μου λόγον ἀγαθόν · λέγω ἐγὼ τὰ ἔργα μου τῷ βασιλεῖ. Ἡ γλῶσσά μου κάλαμος γραμματέως* [p. 134 : B] *ὀξυγράφου.* (3)*Ὡραῖος κάλλει παρὰ τοὺς υἱοὺς τῶν ἀνθρώπων, ἐξεχύθη χάρις ἐν χείλεσί σου · διὰ τοῦτο εὐλόγησέ σε ὁ θεὸς εἰς τὸν αἰῶνα.* (4)*Περίζωσαι* [fol. 88 r° : A] *τὴν ῥομφαίαν σου ἐπὶ τὸν μηρόν σου, δυνατέ, τῇ ὡραιότητί σου*[6] *καὶ τῷ κάλλει σου ·* (5)*καὶ ἔντεινε καὶ κατευοδοῦ καὶ βασίλευε, ἕνεκεν ἀληθείας καὶ πραότητος καὶ δικαιοσύνης · καὶ ὁδηγήσει σε θαυμαστῶς ἡ δεξιά σου,* (6)*τὰ βέλη σου ἠκονημένα, δυνατέ, λαοὶ ὑποκάτω σου πεσοῦνται*[7], *ἐν καρδίᾳ τῶν ἐχθρῶν τοῦ βασιλέως.* **4** (7) *Ὁ θρόνος σου, ὁ θεός, εἰς τὸν αἰῶνα τοῦ αἰῶνος · ῥάβδος εὐθύτητος ἡ ῥάβδος τῆς βασιλείας σου.* (8)*Ἠγάπησας δικαιοσύνην καὶ ἐμίσησας ἀνομίαν · διὰ τοῦτο ἔχρισέ σε,* < *ὁ θεός* >[8], *ὁ θεός σου ἔλαιον ἀγαλλιάσεως παρὰ τοὺς μετόχους σου.* (9)*Σμύρναν καὶ στακτὴν καὶ κασίαν ἀπὸ τῶν ἱματίων σου, ἀπὸ βάρεων ἐλεφαντίνων, ἐξ ὧν εὔφρανάν σε.* (10)*Θυγατέρες βασιλέων ἐν τῇ τιμῇ σου · παρέστη ἡ βασίλισσα ἐκ δεξιῶν σου, ἐν ἱματισμῷ διαχρύσῳ περιβεβλημένη, πεποικιλμένη.* (11)*Ἄκουσον, θύγατερ, καὶ ἴδε καὶ κλῖνον τὸ οὖς σου, καὶ ἐπιλάθου τοῦ λαοῦ σου καὶ τοῦ οἴκου τοῦ πατρός σου ·* (12)*καὶ ἐπιθυμήσει ὁ βασιλεὺς τοῦ κάλλους*

1 Ταράσσεσθε *edd.* : ταράσεσθε *codd.* **2** Γινόμενοι : γενόμενοι Mor., Mar. **3** Καὶ : *om.* Arch. **4** Οὐ ...δυνάμενοι ...ἀλλὰ ...προαιρούμενοι : μὴ δυνάμενοι ...ἀλλὰ ...προαιρούμενοι (οὐ *deleto*) Marc. **5** Τὰ διὰ τοῦ θεοῦ (cf. 34, 1 : τὸν διὰ Μωϋσέος ; 35, 2 : τὰ ἀπὸ τῶν τῆς πλάνης πνευμάτων) : τὰ διατάγματα [*sive* διδάγματα] τοῦ θεοῦ *vel* τὰ τοῦ θεοῦ διὰ τοῦ προφητικοῦ πνεύματος *prop.* Thirlb. τὰ διδασκόμενα διὰ τοῦ θεοῦ *prop.* Mar. **6** Δυνατέ · τῇ ὡραιότητί σου ..., καὶ ἔντεινε Mar., Mign., Otto, Arch., Goodsp. : δυνατέ, ...καὶ τῷ κάλλει σου... καὶ ἔντεινε Marc. δυνατέ, τῇ ὡραιότητί σου... · καὶ ἔντεινε *codd.*, *cett. edd.* **7** Λαοὶ – πεσοῦνται *in semicirculis* Marc **8** Ὁ θεός *add.* Mar., Otto, Troll., Arch. (*ex* LXX, Dial. 56, 14 ; 63, 4 ; 86, 3) : *om codd.*, *cett. edd.*

2 Je répondis :

— Je sais que, comme l'a dit le Verbe de Dieu[5], cette grande [a]*sagesse* du Créateur de l'univers et Dieu Tout-Puissant vous demeure *cachée*[6]. Aussi ai-je pitié de vous, redoublant d'efforts pour que vous compreniez nos paradoxes[7], et, si je n'y parviens pas, pour être du moins trouvé [b]*innocent* au [c]*jour du jugement*[8]. Vous aurez à entendre d'autres paroles aussi qui vous sembleront plus paradoxales encore[9]. Ne vous en troublez pas ; mais plutôt, écoutant d'autant mieux, interrogez toujours, et méprisez la tradition[10] de vos didascales, car ils sont convaincus par l'Esprit Saint de ne pouvoir comprendre ce qui procède de Dieu, mais de s'attacher plutôt à [d]l'enseignement de leurs propres idées[11].

3 Ainsi, au Psaume 44, il est de même parlé du Christ en ces termes : (*Ps.* 44, 2)*Mon cœur a exhalé une bonne parole*[12]. *Je dis : mes œuvres sont au roi. Ma langue est le roseau d'un habile scribe.* (3)*Ravissant de beauté plus que les fils des hommes, la grâce fut répandue sur tes lèvres. C'est pourquoi Dieu t'a béni pour toujours.* (4)*Ceins ton glaive sur ta cuisse, ô puissant, dans ta splendeur et ta beauté.* (5)*Élance-toi, chemine heureusement, et règne, pour la vérité, la douceur et la justice. Ta droite te conduira merveilleusement.* (6)*tes traits sont aiguisés, ô puissant, des peuples tomberont sous toi, dans le cœur des ennemis du roi.* **4** (7)*Ton trône, Dieu, est pour l'éternité de l'éternité. C'est un sceptre d'équité que le sceptre de ta royauté.* (8)*Tu as aimé la justice et haï l'iniquité. C'est pourquoi, Dieu, ton Dieu t'a oint d'une huile d'allégresse, de préférence à tes compagnons*[13]. (9)*Myrrhe, aloès et casse s'exhalent de tes habits, des ivoires massifs dont ils t'ont réjoui.* (10)*Des filles de rois sont en honneur auprès de toi ; à ta droite se tient la reine, enveloppée d'un manteau tissé d'or, et parée de couleurs variées.* (11)*Écoute, fille, regarde, et penche ton oreille. Oublie ton peuple et la maison de ton père.* (12)*Le roi désirera ta beauté, car c'est*

a Cf. *Is.* 29, 14 ; *I Cor.* 2, 7 ; 1, 19.21 **b** *Ps.* 23, 4 **c** *Matth.* 12, 36 ; cf. *Mal.* 4, 5 **d** cf. *Is.* 29, 13 ; *Matth.* 15, 9 ; *Mc.* 7, 7.

σου, ὅτι αὐτός ἐστι κύριός σου, (13)*καὶ προσκυνήσουσιν*[1] *αὐτῷ.* **5** *Καὶ θυγάτηρ Τύρου ἐν δώροις · τὸ πρόσωπόν σου λιτανεύσουσιν οἱ πλούσιοι τοῦ λαοῦ.* (14)*Πᾶσα ἡ δόξα τῆς θυγατρὸς τοῦ βασιλέως ἔσωθεν, ἐν κροσ<σ>ωτοῖς*[2] *χρυσοῖς περιβεβλημένη, πεποικιλμένη.* [fol. 88 v° : A] (15)*᾿Απενεχθήσονται τῷ βασιλεῖ παρθένοι ὀπίσω αὐτοῦ*[3] *· αἱ πλησίον αὐτῆς ἀπενεχθήσονταί σοι.* (16)*᾿Απενεχθήσονται ἐν εὐφροσύνῃ καὶ ἀγαλλιάσει,* [p. 135 : B] *ἀχθήσονται εἰς ναὸν βασιλέως.* (17)*᾿Αντὶ τῶν πατέρων σου ἐγεννήθησαν οἱ υἱοί σου · καταστήσεις αὐτοὺς ἄρχοντας ἐπὶ πᾶσαν τὴν γῆν.* (18)*Μνησθήσομαι τοῦ ὀνόματός σου ἐν πάσῃ γενεᾷ καὶ γενεᾷ · διὰ τοῦτο λαοὶ ἐξομολογήσονταί σοι εἰς τὸν αἰῶνα καὶ εἰς τὸν αἰῶνα τοῦ αἰῶνος.*

39. **1** Καὶ οὐδὲν θαυμαστόν, ἐπεῖπον, εἰ καὶ ἡμᾶς μισεῖτε, τοὺς ταῦτα νοοῦντας καὶ ἐλέγχοντας ὑμῶν τὴν ἀεὶ σκληροκάρδιον γνώμην. Καὶ γὰρ ῾Ηλίας[4] περὶ ὑμῶν πρὸς τὸν θεὸν ἐντυγχάνων οὕτως λέγει · *Κύριε, τοὺς προφήτας σου ἀπέκτειναν καὶ τὰ θυσιαστήριά σου κατέσκαψαν · κἀγὼ ὑπελείφθην μόνος, καὶ ζητοῦσι τὴν ψυχήν μου.* Καὶ ἀποκρίνεται αὐτῷ · *῎Ετι εἰσί μοι ἑπτακισχίλιοι ἄνδρες, οἳ οὐκ ἔκαμψαν γόνυ τῇ Βάαλ.* **2** ῝Ον οὖν τρόπον διὰ τοὺς *ἑπτακισχιλίους* ἐκείνους τὴν ὀργὴν οὐκ ἐπέφερε τότε ὁ θεός, τὸν αὐτὸν τρόπον καὶ νῦν οὐδέπω τὴν κρίσιν ἐπήνεγκεν ἢ ἐπάγει, γινώσκων ἔτι καθ᾿ ἡμέραν τινὰς μαθητευομένους εἰς τὸ ὄνομα τοῦ Χριστοῦ αὐτοῦ καὶ ἀπολείποντας τὴν ὁδὸν τῆς πλάνης, οἳ καὶ λαμβάνουσι *δόματα* ἕκαστος ὡς ἄξιοί εἰσι, [fol. 89 r° : A] φωτιζόμενοι διὰ τοῦ ὀνόματος τοῦ Χριστοῦ τούτου · ῾Ο μὲν γὰρ λαμβάνει *συνέσεως* πνεῦμα, ὁ δὲ *βουλῆς*, ὁ δὲ *ἰσχύος*, ὁ δὲ *ἰάσεως*, ὁ δὲ *προγνώσεως*, ὁ δὲ *διδασκαλίας*, ὁ δὲ *φόβου θεοῦ.*

3 – Καὶ ὁ Τρύφων πρὸς ταῦτα εἶπέ μοι · ῞Οτι παραφρονεῖς ταῦτα λέγων, ἐπίστασθαί σε βούλομαι.

4 – Κἀγὼ πρὸς αὐτόν · ῎Ακουσον, ὦ οὗτος, ἔλεγον, ὅτι *οὐ μέμηνα* οὐδὲ παραφρονῶ · ἀλλὰ μετὰ τὴν τοῦ Χριστοῦ εἰς τὸν οὐρανὸν ἀνέλευσιν προεφητεύθη *αἰχμαλωτεῦσαι* αὐτὸν ἡμᾶς ἀπὸ τῆς πλάνης καὶ *δοῦναι* ἡμῖν *δό*-[p. 136 : B]-*ματα*. Εἰσὶ δὲ οἱ λόγοι οὗτοι · *᾿Ανέβη εἰς ὕψος, ᾐχμαλώτευσεν αἰχμαλωσίαν, ἔδωκε δόματα τοῖς ἀνθρώποις.* **5** Οἱ λαβόντες οὖν ἡμεῖς *δόματα* παρὰ τοῦ *εἰς ὕψος ἀναβάντος* Χριστοῦ ὑμᾶς, *τοὺς*

1 Προσκυνήσουσι : προσκυνήσεις Dial. 63, 4 **2** Κροσσωτοῖς Jebb, Thirlb., Troll., Migne., Otto, Marc. : κροσωτοῖς *codd., cett. edd.* **3** Αὐτοῦ *codd., edd. ab* Otto : αὐτῆς *cett. edd., corr.* Steph. (*ex* LXX) **4** Καὶ γὰρ ῾Ηλίας : καὶ γὰρ καὶ ῾Ηλ. *vel* καὶ ῾Ηλ. γὰρ *prop.* Sylb.

lui ton Seigneur, (13)*et on l'adorera.* **5** *La fille de Tyr vient avec des présents, et les riches du peuple invoqueront ta face.* (14)*Toute la gloire de la fille du roi est au-dedans, enveloppée de franges tissées d'or, et parée de couleurs variées*[14]. (15)*Des vierges, pour le suivre, seront conduites au roi. Celles qui l'accompagnent te seront amenées.* (16)*Elles seront amenées en joie et allégresse, et conduites au palais du roi.* (17)*Pour remplacer tes pères, tes fils furent engendrés. Tu les établiras princes sur toute la terre.* (18)*Je me souviendrai de ton nom dans toutes les générations. C'est pourquoi des peuples te reconnaîtront, pour l'éternité, et pour l'éternité de l'éternité*[15].

Si le jugement divin est retardé,
c'est à cause de ceux qui « abandonnent la voie de l'erreur »
et reçoivent les dons de l'Esprit.

39. 1 Rien d'étonnant, continuai-je, si vous nous haïssez[1], nous qui comprenons ces choses[2] et vous reprochons la persistante dureté de cœur de votre jugement. C'est en ce sens qu'Élie, se tournant vers Dieu, dit à votre sujet : [a]*Seigneur, ils ont tué tes prophètes, et détruit tes autels. Moi seul suis resté, et ils en veulent à ma vie.* Et il lui répond : [b]*Il me reste sept mille hommes qui n'ont pas ployé le genou devant Baal.* **2** Ainsi donc, de même qu'à cause de ces [c]*sept mille*-là Dieu n'exécuta pas alors son châtiment, de même, à présent aussi, s'il n'a pas encore exécuté ou ne met pas en œuvre son jugement, c'est qu'il sait que chaque jour[3], il en est qui, instruits au nom de son Christ[4], abandonnent la voie de l'erreur[5], reçoivent aussi des [d]*dons,* chacun selon qu'il en est digne[6], illuminés[7] par le nom de ce Christ. L'un reçoit l'*esprit* [e]d'*intelligence*, l'autre de *conseil*, l'autre de *force*, celui-là de *guérison* ; l'un de *prescience*, l'autre d'*enseignement*, cet autre encore celui de *crainte de Dieu*[8].

3 A ces paroles, Tryphon me dit :

— Ces propos ne sont que délire[9], je veux que tu le saches.

4 Je lui répondis :

— Écoute, toi, là. Je ne suis pas [f]*fou* et ne délire point : il a été prophétisé que le Christ, après son ascension au ciel, nous *ferait* ses *captifs* conquis sur l'erreur et nous *donnerait des dons.* En voici les paroles : [g]*Il est monté sur la hauteur, a fait captive la captivité*[10] *et donné des dons aux hommes.* **5** Nous donc, qui avons reçu des [h]*dons* du Christ *monté sur la hauteur*[11], nous démontrons, à

a Cf. *III Rois*, 19, 10.14 ; *Rom.* 11, 3 **b** cf. *Rom.* 11, 4 ; *III Rois*, 19, 18 **c** cf. *Rom.* 11, 4 ; *III Rois*, 19, 18 **d** *Éphés.* 4, 8 ; *Ps.* 67, 19 **e** *Is.* 11, 2-3 et *I Cor.* 12, 7-10.28 ; cf. *Éphés.* 4. 11 **f** cf. *Act.* 26, 25 ? **g** *Ps.* 67, 19 ; *Éphés.* 4, 8 **h** *Éphés.* 4, 8 ; *Ps.* 67, 19.

σοφοὺς ἐν ἑαυτοῖς καὶ ἐνώπιον ἑαυτῶν ἐπιστήμονας, ἀπὸ τῶν προφητικῶν λόγων ἀποδείκνυμεν *ἀνοήτους* καὶ *χείλεσι* μόνον *τιμῶντας* τὸν θεὸν καὶ τὸν Χριστὸν αὐτοῦ. · ἡμεῖς δὲ καὶ ἐν ἔργοις καὶ γνώσει καὶ *καρδίᾳ* μέχρι θανάτου, οἱ ἐκ πάσης *τῆς ἀληθείας* μεμαθητευμένοι *τιμῶμεν.* **6** Ὑμεῖς δὲ ἴσως καὶ διὰ τοῦτο διστάζετε ὁμολογῆσαι ὅτι οὗτός ἐστιν ὁ Χριστός, ὡς αἱ γραφαὶ ἀποδεικνύουσι καὶ τὰ φαινόμενα καὶ τὰ γινόμενα ἐπὶ τῷ ὀνόματι αὐτοῦ, ἵνα μὴ διώκησθε [fol. 89 v° : A] ὑπὸ τῶν ἀρχόντων, οἳ οὐ παύσονται ἀπὸ τῆς τοῦ πονηροῦ καὶ πλάνου πνεύματος, τοῦ ὄφεως, ἐνεργείας θανατοῦντες καὶ διώκοντες τοὺς τὸ ὄνομα τοῦ Χριστοῦ ὁμολογοῦντας, ἕως πάλιν παρῇ καὶ καταλύσῃ[1] πάντας καὶ τὸ κατ᾽ ἀξίαν ἑκάστῳ προσνείμῃ.

7 – Καὶ ὁ Τρύφων · Ἤδη οὖν τὸν λόγον ἀπόδος ἡμῖν, ὅτι οὗτος, ὃν φῂς ἐσταυρῶσθαι καὶ ἀνεληλυθέναι εἰς τὸν οὐρανόν, ἐστὶν ὁ Χριστὸς τοῦ θεοῦ. Ὅτι γὰρ καὶ παθητὸς ὁ Χριστὸς διὰ τῶν γραφῶν κηρύσσεται, καὶ *μετὰ δόξης* πάλιν παραγίνεσθαι[2], καὶ *αἰώνιον* τὴν *βασιλείαν πάντων τῶν ἐθνῶν* λήψεσθαι, *πάσης* βασιλείας αὐτῷ *ὑποτασσομένης*, ἱκανῶς διὰ τῶν προανιστορημένων ὑπὸ σοῦ γραφῶν ἀποδέδεικται · ὅτι δὲ οὗτός ἐστιν, ἀπόδειξον ἡμῖν.

8 – Κἀγώ · Ἀποδέδεικται μὲν ἤδη, ὦ ἄνδρες, τοῖς *ὦτα ἔχουσι* καὶ ἐκ τῶν ὁμολογουμένων ὑφ᾽ ὑμῶν · ἀλλ᾽ ὅπως μὴ νο-[p. 137 : B]-μίσητε ἀπορεῖν με καὶ μὴ δύνασθαι καὶ πρὸς ἃ ἀξιοῦτε ἀποδείξεις ποιεῖσθαι, ὡς ὑπεσχόμην, ἐν τῷ προσήκοντι τόπῳ ποιήσομαι, τὰ νῦν[3] δὲ ἐπὶ τὴν συνάφειαν ὧν ἐποιούμην λόγων ἀποτρέχω.

40. 1 Τὸ μυστήριον οὖν τοῦ προβάτου, ὃ *τὸ*[4] *πάσχα θύειν* ἐντέταλται ὁ θεός, τύπος ἦν τοῦ Χριστοῦ, οὗ τῷ *αἵματι* κατὰ τὸν λόγον τῆς εἰς αὐτὸν πίστεως χρίονται [fol. 90 r° : A] τοὺς *οἴκους* ἑαυτῶν, τουτέστιν ἑαυτούς, οἱ πιστεύοντες εἰς αὐτόν · ὅτι γὰρ τὸ πλάσμα, ὃ *ἔπλασεν ὁ θεὸς τὸν Ἀδάμ, οἶκος* ἐγένετο τοῦ *ἐμφυσήματος* τοῦ παρὰ τοῦ θεοῦ, καὶ πάντες νοεῖν δύνασθε. Καὶ ὅτι πρόσκαιρος ἦν καὶ αὕτη ἡ ἐντολή, οὕτως ἀποδείκνυμι.

1 Καταλύσῃ *edd.* : καταλύσει *codd.* **2** Παραγίνεσθαι : παραγενήσεσθαι *prop.* Thirlb. (*ut supra* 38, 1), μέλλει παραγίνεσθαι Sylb. **3** Τὰ νῦν : ταυῦν Otto, Arch. **4** Τὸ : τῷ *prop.* Thirlb.

partir des paroles prophétiques, que [a]*sages en vous mêmes, et savants devant vous-mêmes*, vous êtes, vous, [b]*inintelligents*[12], [c]n'*honorant* que *des lèvres* Dieu[13] et son Christ. Nous au contraire, qui avons de toute [d]*vérité* reçu l'enseignement[14], nous [e]l'*honorons*, jusqu'à la mort[15], en œuvres, en connaissance, et dans notre [f]*cœur*[16]. **6** Pour vous, si vous hésitez à confesser qu'il est le Christ, comme le prouvent tant les Écritures que ce qui a été manifesté et accompli en son nom[17], c'est sans doute pour n'être pas être persécutés par les princes[18] qui, sous l'influence[19] de l'esprit mauvais et d'erreur[20], le serpent[21], ne cesseront pas de mettre à mort et de persécuter ceux qui confessent le nom du Christ, jusqu'à ce qu'il paraisse à nouveau, les [g]détruise tous[22], et rétribue chacun selon son mérite.

7 Tryphon : — Donne-nous donc, maintenant cette preuve que celui-ci, qui, dis-tu, a été crucifié et est monté au ciel, est bien le Christ de Dieu. Que le[23] Christ, par les Écritures, soit annoncé [h]souffrant, puis revenant [i]*avec gloire*[24], pour recevoir le [j]*royaume éternel*[25] de [k]*toutes les nations*, [l]*tout* royaume lui étant *soumis*[26], les Écritures citées par toi le démontrent suffisamment. Mais qu'il s'agit bien de cet homme-là, démontre-le nous[27] !

8 Moi : — C'est déjà démontré, amis, pour ceux [m]*qui ont des oreilles*, par cela même dont vous convenez[28]. Mais pour que vous n'alliez pas penser que je suis dans l'embarras et ne puis apporter les preuves de ce que vous demandez, je les apporterai, comme promis[29], au lieu qui convient. Pour l'instant, je retourne vite à la suite de mon propos[30].

La Passion du Christ était annoncée par le « mystère » de l'agneau pascal,
et ses deux parousies par l'offrande des deux boucs.

40. 1 Donc, le mystère de l'agneau que Dieu a ordonné [n]*d'immoler comme Pâque* était type[1] du « Christ »[2]. C'est avec son *sang*, qu'en raison de leur foi en lui, ceux qui croient en lui [o]oignent leurs propres *maisons*, c'est-à-dire eux-mêmes. Car la forme en laquelle [p]*Dieu a modelé* Adam devint la [q]*maison*[3] du [r]*souffle* qui provenait de Dieu[4], comme vous pouvez tous le comprendre. Ce précepte, lui aussi, n'était que provisoire[5]. Voici comment je le démontre :

a Cf. *Is.* 5, 21 **b** cf. *Jér.* 4, 22 **c** cf. *Is.* 29, 13 ; *Matth.* 15, 8 ; *Mc.* 7, 6 **d** cf. *Jn.* 8, 31 ; 14, 6 ; 16, 13 ? **e** cf. *Is.* 29, 13 **f** *ibid.* **g** cf. *I Jn.* 3, 8 ? **h** cf. *Is.* 53, 3-4 **i** cf. *Matth.* 25, 31 ; *Is.* 33, 17 **j** cf. *Dan.* 7, 14.27 **k** *ibid.*, 14 **l** cf. *Lc.* 10, 17 **m** cf. *Matth.* 11, 15 etc. **n** cf. *Exod.* 12, 21.27 ; *Deut.* 16, 2 ; *I Cor.* 5, 7 **o** cf. *Exod.* 12, 7.13.22 **p** cf. *Gen.* 2, 7 **q** cf. *I Cor.* 3, 16.17 ; 6, 19 **r** cf. *Gen.* 2, 7.

2 Οὐδαμοῦ *θύεσθαι* τὸ πρόβατον τοῦ *πάσχα* ὁ θεὸς συγχωρεῖ, εἰ μὴ ἐπὶ *τόπῳ ᾧ ἐπικέκληται* τὸ ὄνομα αὐτοῦ, εἰδὼς ὅτι *ἐλεύσονται ἡμέραι* μετὰ τὸ παθεῖν τὸν Χριστόν, ὅτε καὶ *ὁ τόπος* τῆς Ἱερουσαλὴμ τοῖς ἐχθροῖς ὑμῶν παραδοθήσεται καὶ παύσονται ἅπασαι ἁπλῶς προσφοραὶ γινόμεναι. **3** Καὶ τὸ κελευσθὲν[1] πρόβατον ἐκεῖνο *ὀπτὸν* ὅλον γίνεσθαι τοῦ πάθους τοῦ σταυροῦ δι' οὗ πάσχειν ἔμελλεν ὁ Χριστός, σύμβολον ἦν. Τὸ γὰρ *ὀπτώμενον* πρόβατον σχηματιζόμενον ὁμοίως τῷ σχήματι τοῦ σταυροῦ ὀπτᾶται · εἷς γὰρ ὄρθιος ὀβελίσκος διαπερονᾶται ἀπὸ τῶν κατωτάτω μερῶν μέχρι τῆς κεφαλῆς, καὶ εἷς πάλιν κατὰ τὸ μετάφρενον, ᾧ προσαρτῶνται καὶ αἱ χεῖρες τοῦ προβάτου.

4 Καὶ οἱ ἐν τῇ νηστείᾳ δὲ τράγοι δύο ὅμοιοι κελευσθέντες γίνεσθαι, ὧν ὁ εἷς *ἀποπομπαῖος* ἐγίνετο, ὁ δὲ ἕτερος εἰς *προσφοράν*, τῶν δύο παρουσιῶν τοῦ Χριστοῦ καταγγελία ἦσαν · μιᾶς μέν, ἐν ᾗ ὡς *ἀποπομπαῖον* αὐτὸν [fol. 90 v° : A] παρεπέ-[p. 138 : B]-μψαντο *οἱ πρεσβύτεροι τοῦ λαοῦ ὑμῶν καὶ οἱ ἱερεῖς, ἐπιβαλόντες αὐτῷ τὰς χεῖρας* καὶ θανατώσαντες αὐτόν, καὶ τῆς δευτέρας δὲ αὐτοῦ παρουσίας, ὅτι[2] ἐν τῷ αὐτῷ *τόπῳ* τῶν Ἱεροσολύμων *ἐπιγνώσεσθε*[3] αὐτόν, *τὸν ἀτιμωθέντα ὑφ' ὑμῶν*, καὶ[4] *προσφορὰ* ἦν ὑπὲρ πάντων τῶν μετανοεῖν βουλομένων ἁμαρτωλῶν καὶ νηστευόντων ἣν καταλέγει Ἡσαΐας *νηστείαν, διασπῶντες στραγγαλιὰς βιαίων συναλλαγμάτων* καὶ τὰ ἄλλα ὁμοίως τὰ κατηριθμημένα ὑπ' αὐτοῦ, ἃ καὶ αὐτὸς ἀνιστόρησα, φυλάσσοντες, ἃ ποιοῦσιν οἱ τῷ Ἰησοῦ πιστεύοντες. **5.** Καὶ ὅτι καὶ ἡ τῶν δύο τράγων τῶν νηστείᾳ[5] κελευσθέντων προσφέρεσθαι προσφορὰ οὐδαμοῦ ὁμοίως συγκεχώρηται γίνεσθαι εἰ μὴ ἐν Ἱεροσολύμοις, ἐπίστασθε.

41. 1 Καὶ ἡ τῆς *σεμιδάλεως* δὲ προσφορά, ὦ ἄνδρες, ἔλεγον, ἡ ὑπὲρ τῶν *καθαριζομένων ἀπὸ τῆς λέπρας* προσφέρεσθαι παραδοθεῖσα, τύπος ἦν τοῦ ἄρτου τῆς εὐχαριστίας, ὃν *εἰς ἀνάμνησιν* τοῦ πάθους, οὗ ἔπαθεν ὑπὲρ τῶν καθαιρομένων τὰς *ψυχὰς* ἀπὸ πάσης *πονηρίας* ἀνθρώπων, Ἰησοῦς Χριστὸς ὁ *κύριος* ἡμῶν *παρέδωκε* ποιεῖν ἵνα ἅμα τε *εὐχαριστῶμεν* τῷ θεῷ ὑπέρ τε τοῦ τὸν κόσμον ἐκτικέναι σὺν πᾶσι τοῖς ἐν αὐτῷ [fol. 91 r° : A] διὰ τὸν ἄνθρωπον, καὶ ὑπὲρ τοῦ *ἀπὸ τῆς κακίας*, ἐν ᾗ γεγόναμεν,

1 Κελευσθὲν : κελευσθῆναι *prop.* Thirlb. *At paulo infra* καὶ οἱ ...τράγοι ...κελευσθέντες γίνεσθαι (40, 4) **2** Ὅτι : ὅτε *prop.* Lange, Thirlb., *coni.* Marc. **3** Ἐπιγνώσεσθε Sylb., Otto, Arch., Marc. (cf. 32, 2 : ὅτε ἐπιγνώσεσθε εἰς ὃν ἐξεκεντήσατε) : ἐπιγνωσθήσεσθε *cett. edd.* ἐπιγνωσθήσεσθαι *codd.* **4** Καὶ : ὃς καὶ *prop.* Mar., Otto καὶ προσφορὰ δὲ *coni.* Marc. **5** Νηστείᾳ : ἐν νηστείᾳ Marc.

2 Dieu ne permet pas que [a]l'agneau de *la Pâque* soit *immolé* ailleurs que dans *le lieu* où son nom est *invoqué* : c'est qu'il sait que [b]*des jours viendront*, après que le Christ aura souffert, où *le lieu* de Jérusalem sera lui aussi livré à vos ennemis[6] et où toutes les offrandes cesseront entièrement de se faire[7]. **3** De même, cet agneau qu'il fut prescrit de faire [c]*rôtir* tout entier était un symbole de la Passion de la Croix dont le Christ devait pâtir[8]. Car l'agneau, lorsqu'il est *rôti*, l'est en formant une figure semblable à la figure[9] de la Croix : l'une des broches dressée le transperce depuis les membres inférieurs jusqu'à la tête, l'autre au travers du dos, et on y attache les pattes de l'agneau[10].

4 Quant aux deux boucs[11] semblables prescrits pour le jeûne[12], l'un [d]*propitiateur*, l'autre comme [e]*offrande*, ils annonçaient[13] les deux parousies du Christ[14]. La première, d'abord, dans laquelle les [f]*anciens de votre peuple et les prêtres* l'ont chassé comme *propitiateur*, [g]*portant les mains sur lui*[15] et le mettant à mort[16]. Ensuite sa seconde parousie, car c'est sur le [h]*lieu* même de Jérusalem[17], que vous le [i][18]*reconnaîtrez, celui que vous avez déshonoré*[19] : il fut [j]*offrande* pour tous les pécheurs qui veulent faire pénitence, et jeûnent de ce [k]*jeûne* que rapporte Isaïe, qui [l]*défont les pièges des contrats de violence*, en observant de même tous les autres préceptes, énumérés par lui, que j'ai déjà mentionnés[20], et que mettent en pratique ceux qui croient en Jésus[21]. **5** Or, l'offrande des deux boucs prescrits pour le jeûne, il n'est pas permis non plus de la présenter, ailleurs qu'à Jérusalem : vous le savez également[22].

L'Eucharistie était annoncée par l'offrande de farine
Témoignage de Malachie.
La circoncision au huitième jour annonçait la Résurrection.

41. 1 De même, amis, dis-je, l'offrande de [m]*farine* prescrite par la tradition pour ceux qui ont été [n]*purifiés de la lèpre*, était type du pain de l'action de grâces[1]. Jésus-Christ, notre [o]*Seigneur*, nous a *confié la tradition*[2] de le faire[3] *en mémorial*[4] de la souffrance qu'il endura pour les hommes dont [p]*l'âme* se trouve *purifiée* de toute *tendance au mal*[5], afin que simultanément nous [q]*rendions grâce* à Dieu[6] d'avoir créé le monde[7], avec tout ce qu'il renferme, pour l'homme[8], de

a Cf. *Deut.* 16, 5-6 **b** cf. *Jér.* 31, 31 **c** cf. *Exod.* 12, 9 **d** cf. *Lév.* 16, 8.10 **e** cf. *Lév.* 16, 9 **f** cf. *Matth.* 26, 47 ; *Mc.* 14, 43 **g** cf. *Matth.* 26, 50 ; *Mc.* 14, 46 **h** cf. *Deut.* 16, 6 **i** *Zach.* 12, 10 ; *Jn.* 19, 37 ; cf. *Apoc.* 1, 7 **j** cf. *Éphés.* 5, 2 ? **k** cf. *Is.* 58, 3-6 **l** *ibid.*, 6 **m** cf. *Lév.* 14, 10 **n** *ibid.*, 7 **o** cf. *I Cor.* 11, 23-24 ; *Lc.* 22, 19 **p** cf. *Is.* 1, 16 ? **q** cf. *I Cor.* 11, 24 ; *Lc.* 22, 19.

ἠλευθερωκέναι ἡμᾶς, καὶ *τὰς ἀρχὰς καὶ τὰς ἐξουσίας* καταλελυκέναι τελείαν κατάλυσιν διὰ τοῦ παθητοῦ γενομένου κατὰ τὴν βουλὴν αὐτοῦ. **2** Ὅθεν περὶ μὲν τῶν ὑφ' ὑμῶν τότε προσφερομένων θυσιῶν λέγει ὁ θεός, ὡς προέφην, διὰ Μαλαχίου, ἑ-[p. 139 : B]-νὸς τῶν δώδεκα · (*Mal.* 1, 10)*Οὐκ ἔστι θέλημά μου ἐν ὑμῖν, λέγει κύριος, καὶ τὰς θυσίας ὑμῶν οὐ προσδέξομαι ἐκ τῶν χειρῶν ὑμῶν* · (11)*διότι ἀπὸ ἀνατολῆς ἡλίου ἕως δυσμῶν τὸ ὄνομά μου δεδόξασται ἐν τοῖς ἔθνεσι, καὶ ἐν παντὶ τόπῳ θυμίαμα προσφέρεται τῷ ὀνόματί μου καὶ θυσία καθαρά, ὅτι μέγα τὸ ὄνομά μου ἐν τοῖς ἔθνεσι, λέγει κύριος,* (12)*ὑμεῖς δὲ βεβηλοῦτε αὐτό.* **3** Περὶ δὲ τῶν *ἐν παντὶ τόπῳ* ὑφ' ἡμῶν τῶν *ἐθνῶν προσφερομένων* αὐτῷ *θυσιῶν*, τουτέστι τοῦ ἄρτου τῆς εὐχαριστίας καὶ τοῦ ποτηρίου ὁμοίως τῆς εὐχαριστίας, προλέγει τότε, εἰπὼν καὶ τὸ *ὄνομα* αὐτοῦ *δοξάζειν* ἡμᾶς, *ὑμᾶς δὲ βεβηλοῦν.*

4 Ἡ δὲ ἐντολὴ τῆς περιτομῆς, κελεύουσα *τῇ ὀγδόῃ ἡμέρᾳ* ἐκ παντὸς *περιτέμνειν* τὰ γεννώμενα, τύπος ἦν τῆς ἀληθινῆς περιτομῆς, ἣν περιετμήθημεν[1] ἀπὸ τῆς πλάνης καὶ πονηρίας διὰ τοῦ ἀπὸ νεκρῶν ἀναστάντος τῇ μιᾷ [fol. 91 v° : A] τῶν σαββάτων ἡμέρᾳ Ἰησοῦ Χριστοῦ τοῦ κυρίου ἡμῶν · μία γὰρ τῶν σαββάτων, πρώτη μὲν οὖσα[2] τῶν πασῶν ἡμερῶν, κατὰ τὸν ἀριθμὸν πάλιν τῶν πασῶν ἡμερῶν τῆς κυκλοφορίας ὀγδόη καλεῖται, καὶ πρώτη οὖσα μένει.

42. 1 Ἀλλὰ καὶ τὸ *δώδεκα κώδωνας* ἐξῆφθαι τοῦ *ποδήρους* τοῦ *ἀρχιερέως* παραδεδόσθαι τῶν[3] δώδεκα ἀποστόλων τῶν ἐξαφθέντων ἀπὸ τῆς δυνάμεως τοῦ *αἰωνίου ἱερέως* Χριστοῦ, δι' ὧν τῆς *φωνῆς* ἡ *πᾶσα γῆ* τῆς *δόξης* καὶ χάριτος τοῦ θεοῦ καὶ τοῦ Χριστοῦ αὐτοῦ ἐπληρώθη, σύμβολον ἦν. Διὸ καὶ ὁ Δαυῒδ λέγει · *Εἰς πᾶσαν τὴν γῆν ἐξῆλθεν ὁ φθόγγος αὐτῶν καὶ εἰς τὰ πέρατα τῆς οἰκουμένης τὰ ῥήματα αὐτῶν.* **2** Καὶ ὁ Ἡσαΐας ὡς ἀπὸ προσώπου τῶν [p. 140 : B] ἀποστόλων, λεγόντων[4] τῷ Χριστῷ ὅτι οὐχὶ τῇ *ἀκοῇ* αὐτῶν *πιστεύουσιν*[5] ἀλλὰ τῇ αὐτοῦ τοῦ[6] πέμψαντος αὐτοὺς δυνάμει, διὰ τοῦτο[7] λέγει οὕτως · (*Is.* 53, 1)*Κύριε, τίς ἐπίστευσε τῇ ἀκοῇ ἡμῶν ; Καὶ*

1 Περιετμήθημεν : περιετετμήθημεν Steph., Jebb **2** Μὲν οὖσα *prop.* Thirlb., *coni.* Troll., *edd. ab* Otto : μένουσα *codd.*, *cett. edd.* (cf. 138, 1 : πρώτης ὑπαρχούσης) **3** Τῶν *edd.* : τῆς τῶν *codd.* **4** Λεγόντων : λέγων, λεγόντων Marc. **5** Πιστεύουσιν : π. ἄνθρωποι Marc. **6** Τοῦ : *om.* Mar., Mign., Troll. **7** Διὰ τοῦτο *prop.* Otto, *coni.* Arch. : διὸ *codd.*, *cett. edd.* δυνάμει δηλονότι, λέγει *prop.* Thirlb.

nous avoir [a]*libérés du mal* où nous étions, et d'avoir définitivement détruit [b]*les principautés et les puissances*[9] par Celui qui est devenu [c]« souffrant » selon sa volonté[10]. **2** C'est pourquoi, au sujet des sacrifices que vous présentiez autrefois, Dieu, comme je l'ai indiqué, dit par la bouche de Malachie, l'un des douze : (*Mal.* 1, 10)*Ma volonté n'est point en vous, dit le Seigneur, et je n'accepterai pas vos sacrifices de vos mains.* (11)*car depuis le lever du soleil jusqu'au couchant, mon nom est glorifié parmi les nations, et en tout lieu un sacrifice est offert en mon nom, un sacrifice pur, car mon nom est grand parmi les nations, dit le Seigneur,* (12)*tandis que vous, vous le profanez*[11]. **3** C'est au sujet des [d]*sacrifices* qui lui sont, *en tout lieu*, *offerts* par nous les *nations*, c'est-à-dire du [e]pain de l'Eucharistie et aussi de la [f]coupe de l'Eucharistie, qu'il parle alors à l'avance, en disant aussi que nous [g]*glorifions* son *nom*, [h]*tandis que vous, vous le profanez*[12].

4 Quant au précepte de la circoncision, qui ordonne de *circoncire* les enfants [i]*le huitième jour* exclusivement[13], il était type de la circoncision véritable[14], qui nous circoncit de l'erreur et de la tendance au mal[15], par celui qui est ressuscité des morts le premier jour de la semaine[16], Jésus-Christ, notre Seigneur. Car le premier jour de la semaine, tout en étant le premier des jours, lorsqu'on le compte à nouveau après tous les jours du cycle hebdomadaire, est appelé « huitième », sans pour autant cesser d'être le premier[17].

Les clochettes suspendues à la robe du Grand prêtre
symbolisaient les douze apôtres suspendus à la puissance du Christ.

42. 1 De même encore la tradition de suspendre [j]*douze clochettes* au long *vêtement* du *Grand prêtre*[1] était un symbole des douze apôtres suspendus[2] à la puissance du Christ, [k]*prêtre éternel*, et dont la [l]*voix*, emplissait [m]*la terre entière* de la [n]*gloire* et de la grâce de Dieu et de son Christ. Aussi David dit-il : [o]*A toute la terre est allé l'écho de leur voix, et aux confins du monde leur paroles*[3]. **2** C'est aussi pourquoi Isaïe, parlant comme au nom des apôtres, qui déclarent au Christ que ce n'est *pas à ce qu'ils font entendre* que l'on *croit*, mais à la puissance de Celui même qui les envoie, s'exprime en ces termes : [p]*Seigneur, qui a cru à ce*

a Cf. *Rom.* 6, 18.22, etc. **b** cf. *I. Cor.* 15, 24 ; *Éphés.* 1, 21 ; 3, 10 ; *Col.* 1, 16 ; 2, 15 **c** cf. *Is.* 53, 3-4 **d** *Mal.* 1, 11 **e** cf. *Matth.* 26, 26 ; *Mc.* 14, 22 ; *Lc.* 22, 19 ; *I Cor.* 11, 24 **f** cf. *Matth.* 26, 27 ; *Mc.* 14, 23 ; *Lc.* 22, 20 ; *I Cor.* 11, 25 **g** cf. *Mal.* 1, 11 **h** *Mal.* 1, 12 **i** cf. *Gen.* 17, 12.14 **j** cf. *Exod.* 28, 4.21.23[29].29[33].30[34] ; 36, 33.34[39, 25.26] **k** cf. *Ps.* 109, 4 **l** cf. *Ps.* 18, 4 **m** *ibid.*, 5 **n** *ibid.*, 2 **o** *ibid.*, 5 ; cf. *Rom.* 10, 18 **p** *Is.* 53, 1-2 ; cf. *Jn.* 12, 38 ; *Rom.* 10, 16.

ὁ βραχίων κυρίου τίνι ἀπεκαλύφθη ; (2)*᾿Ανηγγείλαμεν ἐνώπιον*[1] *αὐτοῦ ὡς παιδίον, ὡς ῥίζα ἐν γῇ διψώσῃ*, καὶ τὰ ἑξῆς τῆς προφητείας προλελεγμένα.

3 Τὸ δὲ εἰπεῖν τὸν Λόγον ὡς ἀπὸ προσώπου πολλῶν *᾿Ανηγγείλαμεν ἐνώπιον αὐτοῦ*, καὶ ἐπαγαγεῖν *῾Ως παιδίον*, δηλωτικὸν τοῦ τοὺς πολλοὺς[2] ὑπηκόους αὐτοῦ [fol. 92 r° : A] γενομένους ὑπηρετῆσαι τῇ κελεύσει αὐτοῦ καὶ πάντας *ὡς* ἓν *παιδίον* γεγενῆσθαι. ῾Οποῖον καὶ ἐπὶ τοῦ σώματος ἔστιν ἰδεῖν · *πολλῶν* ἀριθμουμένων *μελῶν* τὰ σύμπαντα *ἓν* καλεῖται καὶ *ἔστι σῶμα* · καὶ γὰρ δῆμος καὶ ἐκκλησία, πολλοὶ τὸν ἀριθμὸν ὄντες ἄνθρωποι, ὡς ἓν ὄντες πρᾶγμα τῇ μιᾷ κλήσει καλοῦνται καὶ προσαγορεύονται. **4** Καὶ τὰ ἄλλα δὲ πάντα ἁπλῶς, ὦ ἄνδρες, ἔφην, τὰ ὑπὸ Μωσέως[3] διαταχθέντα δύναμαι καταριθμῶν ἀποδεικνύναι τύπους καὶ σύμβολα καὶ καταγγελίας τῶν τῷ Χριστῷ γίνεσθαι μελλόντων καὶ τῶν εἰς αὐτὸν πιστεύειν προεγνωσμένων καὶ τῶν ὑπ᾿ αὐτοῦ < τοῦ >[4] Χριστοῦ ὁμοίως γίνεσθαι μελλόντων. ᾿Αλλ᾿[5] ἐπειδὴ καὶ ἃ κατηριθμησάμην τὰ νῦν[6] ἱκανὰ δοκεῖ μοι εἶναι, ἐπὶ τὸν[7] λόγον τῇ τάξει[8] παριὼν[9] ἔρχομαι.

43. 1 ῾Ως οὖν ἀπὸ ᾿Αβραὰμ ἤρξατο περιτομὴ καὶ ἀπὸ Μωσέως[10] σάββατον καὶ θυσίαι καὶ προσφοραὶ καὶ ἑορταί, καὶ ἀπεδείχθη διὰ τὸ σκληροκάρδιον τοῦ λαοῦ ὑμῶν ταῦτα διατετάχθαι, οὕτως παύσασθαι ἔδει κατὰ τὴν τοῦ πατρὸς βουλὴν[11] εἰς τὸν διὰ τῆς[12] ἀπὸ τοῦ γένους τοῦ ᾿Αβραὰμ καὶ φυ-[p. 141 : B]-λῆς ᾿Ιούδα καὶ Δαυὶδ παρθένου γεννηθέντα υἱὸν τοῦ θεοῦ Χριστόν, ὅστις καὶ *αἰώνιος νόμος*, καὶ *καινὴ διαθήκη* τῷ παντὶ κόσμῳ ἐκηρύσσετο [fol. 92 v° : A] προελευσόμενος, ὡς αἱ προλελεγμέναι προφητεῖαι σημαίνουσι. **2** Καὶ ἡμεῖς, οἱ διὰ τούτου προσχωρήσαντες τῷ θεῷ, οὐ ταύτην τὴν κατὰ σάρκα παρελάβομεν περιτομήν, ἀλλὰ πνευματικήν, ἣν ᾿Ενὼχ καὶ οἱ ὅμοιοι ἐφύλαξαν · ἡμεῖς δὲ διὰ τοῦ βαπτίσματος αὐτήν, ἐπειδὴ ἁμαρτωλοὶ ἐγεγόνειμεν, διὰ τὸ ἔλεος τὸ παρὰ τοῦ θεοῦ ἐλάβομεν, καὶ πᾶσιν ἐφετὸν ὁμοίως λαμβάνειν.

3 Περὶ δὲ τοῦ τῆς γενέσεως αὐτοῦ μυστηρίου ἤδη λέγειν κατεπείγοντος λέγω.

1 ᾿Ενώπιον *codd.*, *edd.*, I Apol. 50, 5 : ἐναντίον Dial. 13, 3 (= LXX) **2** Πολλοὺς *prop.* Thirlb. (*Tjeenk Willink Iustin. Mart.*, p. 106), *coni.* Marc. : πονηροὺς *codd.*, *cett. edd.* **3** Μωσέως : Μωϋσέως Mar., Mign., Otto, Goodsp. **4** Τοῦ *add.* Steph. : *om. codd.*, Goodsp. **5** ᾿Αλλ᾿ : ἀλλὰ Steph. **6** Τὰ νῦν : ταν ῦν Otto, Arch. **7** Τὸν : ἄλλον *prop.* Thirlb. **8** Τῇ τάξει : τὸν τῇ τάξει Marc. τὸν ἐν τ. τ. *prop.* Thirlb. **9** Παριὼν : παρόντα *prop.* Troll. **10** Μωσέως : Μωϋσέως Mar., Mign., Otto, Goodsp. **11** Κατὰ – βουλὴν *post* εἰς τὸν *transponendum* Thirlb., *transp.* Marc. **12** Διὰ τῆς : διὰ Μαρίας τῆς Marc. (cf. p. 9).

que nous faisons entendre ? Et le bras[4] *du Seigneur, a qui a-t-il été révélé ?* (2)*Nous avons annoncé, en sa présence, comme un petit enfant, comme une racine dans une terre assoiffée…*, et la suite de la prophétie déjà rapportée[5].

3 Quand il dit, comme au nom de plusieurs [a]*Nous avons annoncé, en sa présence*, et ajoute [b]*comme un petit enfant*, c'est à l'évidence une allusion à la multitude[6] de ceux qui, soumis[7] à lui, ont obéi à son commandement, et sont devenus tous *comme un* seul *enfant*[8]. C'est ce qu'on peut voir aussi pour le corps : [c]des *multiples parties* qu'on y compte, l'ensemble est appelé et *ne fait* qu'*un seul corps.* C'est ainsi que le peuple et l'assemblée, pluralité d'hommes par le nombre, mais formant une seule réalité, sont appelés et désignés d'une unique dénomination[9]. **4** Toutes les autres prescriptions de Moïse, amis, dis-je, sont en un mot, je puis le montrer en les prenant une à une, des types, des symboles et des annonces de ce qui devait arriver au Christ, de ceux dont il prévoyait qu'ils croiraient en lui, et semblablement de ce qui doit arriver par le Christ lui-même[10]. Mais ce que nous venons de passer en revue me semble suffisant pour le moment. Je poursuis donc, et reprends l'ordre de mon propos[11].

Conclusion sur la Loi.
Mystère de la naissance virginale : Prophétie d'Isaïe.

43. 1 De même, donc, que depuis Abraham a commencé la circoncision[1], et depuis Moïse sabbat, sacrifices, offrandes et fêtes – et il est démontré que ces choses ont été prescrites à cause de la dureté de cœur de votre peuple[2] – de même devaient-elles cesser[3], selon la volonté du Père, en celui qui est né d'une vierge[4] de la race d'Abraham, de la tribu de Juda et de David, le Christ, Fils de Dieu, dont il était annoncé en outre qu'il devait venir, *Loi éternelle* et [d]*Alliance nouvelle*[5] pour le monde entier, comme les prophéties rapportées plus haut le signifient. **2** Pour nous, qui par lui nous avançons vers Dieu[6], ce n'est pas cette circoncision selon la chair que nous recevons, mais la spirituelle[7], qu'Hénoch et ses semblables ont observée ; c'est par le baptême, car nous étions devenus pécheurs, que nous l'avons reçue, quant à nous, grâce à la miséricorde de Dieu, et tous devraient de même aspirer à la recevoir[8].

3 Mais je vais parler du mystère[9] de sa naissance, car celui-ci, à présent, demande à être abordé sans délai[10].

a *Is.* 53, 2 **b** *ibid.* **c** cf. *I Cor.* 12, 12 **d** cf. *Jér.* 31, 31.

Ἡσαΐας οὖν περὶ τοῦ γένους αὐτοῦ τοῦ Χριστοῦ, ὅτι ἀνεκδιήγητόν ἐστιν ἀνθρώποις, οὕτως ἔφη ὡς καὶ προγέγραπται · *Τὴν γενεὰν αὐτοῦ τίς διηγήσεται ; Ὅτι αἴρεται ἀπὸ τῆς γῆς ἡ ζωὴ αὐτοῦ, ἀπὸ τῶν ἀνομιῶν τοῦ λαοῦ μου ἤχθη*[1] *εἰς θάνατον.* Ὡς ἀνεκδιηγήτου οὖν ὄντος τοῦ γένους[2] τούτου ἀποθνῄσκειν μέλλοντος, ἵνα *τῷ μώλωπι αὐτοῦ ἰαθῶμεν* οἱ *ἁμαρτωλοὶ* ἄνθρωποι, τὸ προφητικὸν πνεῦμα ταῦτα εἶπεν. **4** Ἔτι καὶ ἵνα ὃν τρόπον γέγονεν ἐν κόσμῳ[3] γεννηθεὶς ἐπιγνῶναι ἔχωσιν οἱ πιστεύοντες αὐτῷ ἄνθρωποι, διὰ τοῦ αὐτοῦ Ἡσαΐου τὸ προφητικὸν πνεῦμα ὡς μέλλει γίνεσθαι προεφήτευσεν οὕτως · **5** (*Is.* 7, 10)*Καὶ προσέθετο κύριος λαλῆσαι τῷ Ἄχαζ, λέγων* · (11)*Αἴτησον*[4] *σεαυτῷ σημεῖον παρὰ κυρίου τοῦ θεοῦ σου* [fol. 93 r° : A] *εἰς βάθος ἢ εἰς ὕψος.* (12)*Καὶ εἶπεν Ἄχαζ* · *Οὐ μὴ αἰτήσω οὐδ' οὐ μὴ*[5] *πειράσω κύριον.* (13)*Καὶ εἶπεν Ἡσαΐας*[6] · *Ἀκούετε*[7] *δή, οἶκος*[8] *Δαυΐδ. Μὴ μικρὸν ὑμῖν ἀγῶνα παρέχειν ἀνθρώποις ; Καὶ πῶς κυρίῳ παρέχετε ἀγῶνα ;* (14)*Διὰ τοῦτο δώσει κύριος αὐτὸς ὑμῖν σημεῖον* · *ἰδοὺ ἡ παρθένος ἐν γαστρὶ λή*-[p. 142 : B]-*ψεται καὶ τέξεται υἱόν, καὶ καλέσεται*[9] *τὸ ὄνομα αὐτοῦ Ἐμμανουήλ.* (15)*Βούτυρον καὶ μέλι φάγεται.* **6** *Πρὶν ἢ γνῶναι αὐτὸν ἢ προελέσθαι πονηρὰ ἐκλέξεται τὸ ἀγαθόν* · (16a)*διότι, πρὶν ἢ γνῶναι τὸ παιδίον ἀγαθὸν ἢ κακόν, ἀπειθεῖ πονηρὰ*[10] *τοῦ ἐκλέξασθαι τὸ ἀγαθόν.* (*Is.* 8, 4)*Διότι, πρὶν ἢ γνῶναι τὸ παιδίον καλεῖν πατέρα ἢ μητέρα, λήψεται δύναμιν Δαμασκοῦ καὶ σκῦλα*[11] *Σαμαρείας*[12] *ἔναντι βασιλέως Ἀσσυρίων*[13]. (*Is.* 7, 16b)*Καὶ καταληφθήσεται*[14] *ἡ γῆ, ἣν σὺ σκληρῶς οἴσεις ἀπὸ προσώπου τῶν δύο βασιλέων.* (17)*Ἀλλ' ἐπάξει*[15] *ὁ θεὸς ἐπὶ σὲ καὶ ἐπὶ τὸν λαόν σου καὶ ἐπὶ τὸν οἶκον τοῦ πατρός σου ἡμέρας, αἳ οὐδέπω ἥκασιν ἐπὶ σέ*[16], *ἀπὸ τῆς ἡμέρας ἧς ἀφεῖλεν Ἐφραῒμ ἀπὸ Ἰούδα τὸν βασιλέα τῶν Ἀσσυρίων.*

1 Ἤχθη *edd.* (*ex* LXX ; cf. Dial. 89, 3 : ἀχθήσεται) : ἤχθην *codd.* ἥκει Grabe, *De vitiis LXX interpretum* (= Dial. 13, 6 *et* I Apol. 51, 1) **2** Γένους *edd. a* Mar. : γένος *codd.*, *cett. edd.* **3** Ἐν κόσμῳ : ἐν τῷ κ. Marc. **4** Αἴτησον : αἴτησαι *prop.* Credner, *Beitr.*, I, p. 194 (*ex* LXX ; Dial. 66, 2) **5** Οὐδ' οὐ μὴ *codd.*, LXX : οὐδὲ μὴ Steph., Mar., Mign., Otto. (*ex* Dial. 66, 2) **6** Ἡσαΐας : *om.* LXX **7** Ἀκούετε : ἀκούσατε *prop.* Otto (*ex* LXX, Dial. 66, 2) **8** Οἶκος *codd.*, *edd. ab* Otto (= LXX, Dial. 66, 2) : ὁ οἶκος, *cett. edd.* **9** Καλέσεται : καλέσετε *prop.* Thirlb. καλέσουσι Dial. 66, 2 *p. corr.*, Mt. 1, 23 *et* LXX *codd. plur.* καλέσεις LXX, Mt. 1, 21 ; Lc. 1, 31 **10** Ἀπειθεῖ πονηρά : ἀπωθεῖ π. Wolf ἀπειθεῖ πονηρίᾳ *prop.* Mar. (*ex* LXX) **11** Καὶ σκῦλα (= Dial. 77, 2.3) : καὶ τὰ σκ. LXX, Dial. 66, 3 ; 77, 2 **12** Σαμαρείας A *p. corr.*, Mar., Mign., *edd. ab* Otto : Σαμαρίας A *a. corr.*, B, Steph. **13** Ἀσσυρίων : ἀσσ– *ex corr.* A **14** Καταληφθήσεται (= Dial. 66, 3) : καταλειφθήσεται *prop.* Thirlb., Otto (*ex* LXX) **15** Ἐπάξει (= LXX) *corr. ex* ἐπάγει A **16** Ἐπὶ σέ : *del.* Marc.

Isaïe donc, sur la race[11] du Christ lui-même, dit en ces termes, comme cela a déjà été écrit, qu'elle est « ineffable » aux hommes : [a]*Sa génération, qui la racontera ? Car sa vie est enlevée de la terre. A cause des péchés de mon peuple, il a été conduit à la mort.* Elle était donc « ineffable » la race de celui-ci qui devait mourir, afin que [b]*par sa blessure* nous autres, hommes [c]*pécheurs*, soyons [d]*guéris*[12]. C'est ce qu'a exprimé là l'Esprit prophétique. **4** C'est encore pour que les hommes qui croient en lui puissent savoir comment, né au monde, il a été engendré, que par ce même Isaïe l'Esprit prophétique a prophétisé ainsi comment il devait venir : **5** (*Is.* 7, 10)*Le Seigneur continua de parler à Achaz en ces termes :* (11)*Demande pour toi un signe*[13] *au Seigneur ton Dieu, dans les profondeurs ou dans les hauteurs.* (12)*Et Achaz dit : Je ne solliciterai ni ne tenterai le Seigneur.* (13)*(Isaïe) dit : Écoutez donc, maison de David ! Est-ce trop peu de livrer dispute aux hommes ? Comment livrez-vous aussi dispute au Seigneur ?* (14)*C'est pourquoi le Seigneur lui-même vous donnera un signe. Voici : la vierge concevra et enfantera un fils, son nom sera Emmanuel.* (15)*Lait et miel il mangera.* **6** *Avant que de connaître ou préférer le mal, il choisira le bien.* (16a)*Car, avant que l'enfant ne connaisse le bien ou le mal, il repoussera le mal pour choisir le bien.* (*Is.* 8, 4)*Car avant que l'enfant ne sache appeler « père » ou « mère », il prendra la puissance de Damas et les dépouilles de Samarie*[14] *devant le roi des Assyriens*[15]. (*Is.* 7, 16b)*Il sera occupé le pays que difficilement tu supporteras à cause des deux rois.* (17)*Mais Dieu amènera sur toi, sur ton peuple et la maison de ton père, des jours qui n'étaient pas encore venus sur toi, depuis le jour qu'Éphraïm a détourné de Juda le roi des Assyriens*[16].

a *Is.* 53, 8 **b** cf. *Is.* 53, 5 **c** *ibid.*, 8 **d** *ibid.*, 5.

7 Ὅτι μὲν οὖν ἐν τῷ γένει τῷ κατὰ σάρκα τοῦ Ἀβραὰμ οὐδεὶς οὐδέποτε ἀπὸ *παρθένου* γεγέν<ν>ηται[1] οὐδὲ λέλεκται γεγεννημένος ἀλλ᾽ ἢ οὗτος ὁ ἡμέτερος Χριστός, πᾶσι φανερόν ἐστιν. **8** Ἐπεὶ δὲ ὑμεῖς καὶ οἱ διδάσκαλοι ὑμῶν τολμᾶτε [fol. 93 v° : A] λέγειν μηδὲ εἰρῆσθαι ἐν τῇ προφητείᾳ τοῦ Ἡσαΐου · *Ἰδοὺ ἡ παρθένος ἐν γαστρὶ ἕξει* ἀλλ᾽ *Ἰδοὺ ἡ νεᾶνις ἐν γαστρὶ λήψεται καὶ τέξεται υἱόν*, καὶ ἐξηγεῖσθε τὴν προφητείαν ὡς εἰς Ἐζεκίαν, τὸν γενόμενον ὑμῶν βασιλέα, πειράσομαι καὶ ἐν τούτῳ καθ᾽ ὑμῶν βραχέα ἐξηγήσασθαι καὶ ἀποδεῖξαι εἰς τοῦτον εἰρῆσθαι τὸν ὁμολογούμενον ὑφ᾽ ἡμῶν Χριστόν.

44. 1 Οὕτω γὰρ κατὰ πάντα *ἀθῷος* ὑμῶν χάριν εὑρεθήσομαι, εἰ ἀποδείξεις ποιούμενος ἀγωνίζομαι ὑμᾶς πεισθῆναι · ἐὰν δὲ ὑμεῖς, σκληροκάρδιοι μένοντες ἢ ἀσθενεῖς τὴν γνώμην διὰ τὸν ἀφωρισ-[p. 143 : B]-μένον τοῖς Χριστιανοῖς θάνατον, τῷ ἀληθεῖ συντίθεσθαι μὴ βούλησθε, ἑαυτοῖς αἴτιοι φανήσεσθε. Καὶ[2] ἐξαπατᾶτε ἑαυτούς, ὑπονοοῦντες διὰ τὸ εἶναι τοῦ Ἀβραὰμ κατὰ σάρκα σπέρμα πάντως κληρονομήσειν[3] τὰ κατηγγελμένα παρὰ τοῦ θεοῦ διὰ τοῦ Χριστοῦ[4] δοθήσεσθαι *ἀγαθά*. **2** Οὐδεὶς γὰρ οὐδὲ<ν>[5] ἐκείνων οὐδαμόθεν λαβεῖν ἔχει πλὴν οἱ τῇ γνώμῃ ἐξομοιωθέντες τῇ πίστει τοῦ Ἀβραὰμ καὶ ἐπιγνόντες τὰ μυστήρια πάντα[6], λέγω δὲ ὅτι τὶς μὲν ἐντολὴ εἰς θεοσέβειαν καὶ δικαιοπραξίαν διετέτακτο, τὶς δὲ ἐντολὴ καὶ πρᾶξις ὁμοίως εἴρητο ἢ εἰς μυστήριον τοῦ Χριστοῦ < ἢ >[7] διὰ τὸ σκληροκάρδιον τοῦ λαοῦ [fol. 94 r° : A] ὑμῶν. Καὶ ὅτι τουτό ἐστιν, ἐν τῷ Ἰεζεκιὴλ[8] περὶ τούτου ἀποφαινόμενος ὁ θεὸς εἶπεν · *Ἐὰν Νῶε καὶ Ἰακὼβ*[9] *καὶ Δανιὴλ ἐξαιτήσωνται ἢ*[10] *υἱοὺς ἢ θυγατέρας, οὐ μὴ δοθήσεται αὐτοῖς*. **3** Καὶ ἐν τῷ Ἡσαΐᾳ εἰς τοῦτο αὐτὸ ἔφη οὕτως[11] · (*Is.* 66, 23)*Εἶπε κύριος ὁ θεός* · (24)*Καὶ ἐξελεύσονται καὶ ὄψονται τὰ κῶλα τῶν παραβεβηκότων ἀνθρώπων · ὁ γὰρ σκώληξ αὐτῶν οὐ τελευτήσει, καὶ τὸ πῦρ αὐτῶν οὐ σβεσθήσεται, καὶ ἔσονται εἰς ὅρασιν πάσῃ σαρκί.*

1 Γεγέννηται ...γεγεννημένος *edd. ab* Otto, Troll. (cf. 66, 4) : γεγένηται ...γεγενημένος *cett. edd.* γεγένηται ...γεγεννημένος *codd.* (cf. 43, 4 : γέγονεν ...γεννηθείς) **2** Καὶ : καὶ ἔτι Marc. (cf. 140, 2) **3** Κληρονομήσειν *edd.* : κληρονομίσειν *codd.* **4** Διὰ τοῦ Χ[ριστο]ῦ A, *edd.* : διὰ Ἰ[ησο]ῦ Χ[ριστο]ῦ B **5** Οὐδὲν ἐκείνων (*scil.* τῶν ἀγαθῶν) *prop.* Thirlb., *coni. edd. ab* Otto, Troll. (cf. 25, 6 : οὐδεὶς ἡμῶν κληρονομήσει ...οὐδέν ; 26, 1 : οὐ κληρονομήσουσιν ...οὐδέν) : οὐδὲ ἐκείνων (*scil.* semine Abrahami) *codd.*, *cett. edd.* **6** Πάντα : ταῦτα *prop.* Thirlb. **7** Ἢ *add.* Lange, Thirlb., Troll., Mar. (trad.), Mign., *edd. ab* Otto : *om. codd.*, *cett. edd.* **8** Ἰεζεκιήλ : Ἱεζελιήλ *hic et saepius codd.* **9** Ἰακὼβ *codd.*, Steph., Mar., Mign., *edd. ab* Otto (cf. 46, 3 et 140, 3) : Ἰὼβ Lange, Sylb., Mor. (*ex* LXX) **10** Ἢ : *del.* Marc. (*ex* LXX, Dial. 45, 3 ; 140, 3) **11** Ἔφη οὕτως · Εἶπε : ἔφη : οὕτως εἶπε *codd.*, Steph., Jebb.

7 Or, que dans la race d'Abraham selon la chair personne jamais n'ait été engendré ou n'ait été dit engendré d'une [a]*vierge*, sinon notre Christ, c'est pour tous évident[17]. **8** Mais vous et vos didascales avez le front de prétendre qu'il n'est pas dit, dans la prophétie d'Isaïe [b]*Voici la vierge concevra*, mais *Voici, la jeune fille*[18] *concevra et enfantera un fils*. Et vous interprétez la prophétie comme se rapportant à Ézéchias[19], qui fut votre roi. Je m'efforcerai donc[20], sur ce point aussi, de vous apporter brièvement la contradiction, en démontrant que la prophétie se rapporte à celui que nous confessons comme Christ.

C'est en reconnaissant le Christ que les juifs accéderont au Salut.
Témoignages d'Ézéchiel et d'Isaïe.

44. 1 Car ainsi, je serai trouvé absolument [c]*innocent*[1] à votre sujet, si je m'efforce, en mes démonstrations, de vous persuader. Mais si, demeurant durs de cœur ou faibles de jugement[2] à cause de la mort réservée aux chrétiens, vous refusez d'adhérer au vrai[3], vous en apparaîtrez clairement responsables pour vous mêmes[4]. Et vous vous abusez vous-mêmes, en supposant que, [d]parce que vous êtes de la semence d'Abraham selon la chair[5], vous [e]*hériterez* sûrement[6] des *biens* que Dieu, selon ses promesses, donnera par le Christ. **2** Car personne, à aucun titre, n'en saurait rien recevoir, hormis ceux qui de pensée se sont conformés à la foi d'Abraham[7] et ont reconnu tous les mystères[8] : j'entends que telle prescription fut ordonnée pour la piété et la pratique de la justice[9], et que telle autre prescription et action a de même été énoncée soit comme mystère du Christ[10] soit à cause de la dureté de cœur de votre peuple[11]. J'en trouve une preuve dans Ézéchiel, où Dieu déclare à ce sujet : [f]*Si Noé, Jacob et Daniel intercèdent pour leurs fils ou leurs filles, ils ne sauraient être exaucés*[12]. **3** En Isaïe aussi, sur ce même sujet voici ce qu'il dit : (*Is.* 66, 23)*Le Seigneur Dieu a dit :* (24)*ils sortiront et ils verront les membres des hommes prévaricateurs, car leur ver ne mourra pas, et leur feu ne s'éteindra point ; ils seront en spectacle pour toute chair*[13].

a Cf. *Is.* 7, 14 **b** *ibid.* **c** cf. *Ps.* 23, 4 **d** cf. *Rom.* 9, 7 ; *Matth.* 3, 9 ; *Lc.* 3, 8 ; *Jn* 8; 39 ; *Gal.* 3, 7
e cf. *Is.* 58, 14 **f** cf. *Éz.* 14, 20.

4 Ὥσ<τε>[1] τεμόντας ὑμᾶς *ἀπὸ τῶν ψυχῶν* ὑμῶν τὴν ἐλπίδα ταύτην σπουδάσαι δεῖ ἐπιγνῶναι, δι' ἧς *ὁδοῦ ἄφεσις* ὑμῖν *τῶν ἁμαρτιῶν* γενήσεται καὶ ἐλπὶς τῆς κληρονομίας τῶν κατηγγελμένων *ἀγαθῶν* · ἔστι δ' οὐκ ἄλλη ἢ αὕτη, ἵνα τοῦτον τὸν Χριστὸν ἐπιγνόντες καὶ *λουσάμενοι* τὸ *ὑπὲρ ἀφέσεως ἁμαρτιῶν* διὰ Ἡσαΐου κηρυχθὲν λουτρὸν ἀναμαρτήτως λοιπὸν ζήσητε[2].

45. 1 – Καὶ ὁ Τρύφων · Εἰ καὶ ἐγκόπτειν δοκῶ τοῖς λόγοις τούτοις οἷς λέγεις ἀναγκαίοις οὖσιν ἐξετασθῆναι, ἀλλ' οὖν [p. 144 : B] κατεπείγοντος τοῦ ἐπερωτήματος, ὃ ἐξετάσαι βούλομαι, ἀνάσχου μου πρῶτον.

– Κἀγώ · Ὅσα βούλει ἐξέταζε, ὥς σοι ἐπέρχεται · ἐγὼ γὰρ καὶ μετὰ τὰς ἐξετάσεις καὶ ἀποκρίσεις τοὺς λόγους ἀναλαμβάνειν πειράσομαι καὶ πληροῦν.

2 – Κἀκεῖνος · Εἰπὲ οὖν μοι, ἔφη · οἱ ζήσαντες κατὰ τὸν νόμον τὸν δια- [fol. 94 v° : A]-ταχθέντα διὰ Μωσέως[3] ζήσονται ὁμοίως τῷ Ἰακὼβ καὶ τῷ Ἐνὼχ καὶ τῷ Νῶε ἐν τῇ τῶν νεκρῶν ἀναστάσει ἢ οὔ ;

3 – Καγὼ πρὸς αὐτόν · Εἰπόντος μου, ὦ ἄνθρωπε, τὰ λελεγμένα ὑπὸ τοῦ Ἰεζεκιήλ, ὅτι *Κἂν Νῶε καὶ Δανιὴλ καὶ Ἰακὼβ*[4] *ἐξαιτήσωνται υἱοὺς καὶ*[5] *θυγατέρας, οὐ δοθήσεται αὐτοῖς, ἀλλ' ἕκαστος τῇ αὐτοῦ δικαιοσύνῃ* δηλονότι *σωθήσεται*[6], ὅτι καὶ τοὺς[6] κατὰ τὸν νόμον τὸν Μωσέως πολιτευσαμένους ὁμοίως *σωθήσεσθαι*[8] εἶπον. Καὶ γὰρ ἐν τῷ Μωσέως νόμῳ τὰ φύσει καλὰ καὶ εὐσεβῆ καὶ δίκαια νενομοθέτηται πράττειν τοὺς πειθομένους αὐτοῖς[9], καὶ πρὸς[10] σκληροκαρδίαν δὲ τοῦ λαοῦ διαταχθέντα[11] γίνεσθαι[12] ὁμοίως ἀναγέγραπται, ἃ καὶ ἔπραττον οἱ ὑπὸ τὸν νόμον. **4** Ἐπεὶ οἳ τὰ καθόλου καὶ φύσει καὶ αἰώνια καλὰ ἐποίουν εὐάρεστοί εἰσι τῷ θεῷ, καὶ[13] διὰ τοῦ Χριστοῦ τούτου ἐν τῇ ἀναστάσει ὁμοίως τοῖς προγενομένοις αὐτῶν δικαίοις, Νῶε καὶ Ἐνὼχ καὶ Ἰακὼβ καὶ εἴ τινες ἄλλοι γεγόνασι, σωθήσονται σὺν τοῖς ἐπιγνοῦσι τὸν Χριστὸν τοῦτον τοῦ θεοῦ υἱόν, ὃς καὶ *πρὸ ἑωσφόρου* καὶ *σελήνης* ἦν, καὶ διὰ τῆς παρθένου

1 Ὥστε *prop.* Mar., *coni.* Otto, Mign., Arch., Marc. (cf. 35, 7) : ὡς *codd. cett. edd.* **2** Ζήσητε *edd.* (cf. 115, 6 : δώσητε) : ζήσετε A *ut vid.*, B **3** Μωσέως : Μωϋσέως Mign., Otto, Goodsp. (*hic et infra* : 45, 3) **4** Ἰακὼβ : Ἰὼβ Sylb., Mor. **5** Καὶ : ἢ *prop.* Thirlb. (*ex* LXX, Dial. 44, 2 ; 140, 3) **6** Δικαιοσύνῃ δηλονότι σωθήσεται, ὅτι : δικαιοσύνῃ σωθήσεται, δηλον ὅτι *vel* δικαιοσύνῃ δηλονότι σωθήσεται · δῆλον ὅτι [ὅτι] *prop.* Thirlb., *coni.* Marc. **7** Τοὺς *add. sup. l.* A¹. **8** Ὅτι ...σωθήσεσθαι : cf. 62, 2 (ὅτι ...θεὸν εἰρηκέναι) ; 69, 4 (Ζαχαρίας φησίν ...ὅτι ὁ διάβολος εἱστήκει ...καὶ [τὸν κύριον] εἰπεῖν) ; *Cohort ad Graecos*, 30 (*PG* VI, 297, n. 26); *De res.*, fr. 5 (*PG* VI, 1580 A), etc. **9** Αὐτοῖς (*scil.* τοῖς τοῦ νόμου προστάγμασι) : αὐτῷ (*scil.* τῷ νόμῳ) *prop.* Sylb., *coni.* Marc. **10** Πρὸς : τὰ πρὸς Marc. **11** Διαταχθέντα : διαχθέντα *errore* Steph. **12** Γίνεσθαι : τινὰ γίνεσθαι *prop.* Thirlb. **13** Καὶ : καὶ αὐτοὶ Marc. (cf. 46, 1).

4 Ainsi donc, il faut, en [a]retranchant *de vos âmes* cette espérance, mettre vos soins à reconnaître par quelle [b]*voie* vous pouvez obtenir la [c]*rémission des péchés* et l'espoir d'hériter les [d]*biens* promis. Il n'en est point d'autre que celle-ci : reconnaître ce Christ, vous [e]*laver* dans le bain proclamé par Isaïe *pour la rémission des péchés*[14], et [f]*vivre* désormais sans péché[15].

Les Justes ayant vécu avant la Loi instituée par Moïse sont-ils appelés à la résurrection ?

45. 1 Tryphon : — Quitte à paraître interrompre ces propos qui, à ce que tu dis, nécessitent examen[1], permets-moi de parler tout d'abord, car la question que je veux aborder est pressante.

Moi : — Tout ce que tu veux examiner, demande-le comme cela te vient. Je m'efforcerai, après les questions et les réponses, de résumer et de conclure.

2 Lui : — Dis-moi donc, reprit-il, ceux qui ont vécu selon la Loi instituée par Moïse, revivront-ils comme Jacob, Énoch et Noé, lors de la résurrection des morts, ou non ?

3 Je lui répondis :

— En citant[2], ami, ces paroles d'Ézéchiel : [g]*Même si Noé, Daniel et Jacob intercèdent pour leurs fils et leurs filles, ils ne sauraient être exaucés, mais chacun* assurément *sera sauvé par sa propre justice*, je disais qu'ils seront également *sauvés*, eux aussi, ceux qui ont réglé leur conduite selon la Loi de Moïse. Car dans la Loi de Moïse, la pratique de ce qui est par nature beau, pieux et juste est prescrite à ceux qui s'y conforment, tandis que c'est à cause de la dureté de cœur du peuple[3], est-il écrit, que s'y sont également trouvées certaines prescriptions[4] que pratiquaient aussi ceux qui étaient soumis à la Loi[5]. **4** Car ceux qui ont fait ce qui est universellement, par nature et éternellement beau, sont agréables à Dieu ; et par ce Christ, lors de la résurrection, comme les justes qui les ont précédés, Noé, Énoch, Jacob et tous leurs semblables[6], ils seront sauvés, en compagnie de ceux qui auront reconnu ce Christ, fils de Dieu, qui était [h]*avant l'aurore* et [i]*la lune*[7], qui a consenti à se faire chair et à naître par cette vierge de la race de David, afin que, par cette

a Cf. *Is.* 1, 16 **b** cf. *Is.* 55, 7 **c** cf. *Is.* 1, 16 ; 55, 7 ; *Mc.* 1, 4 ; *Lc.* 3, 3 **d** cf. *Is.* 1, 19 **e** cf. *Is.* 1, 16 **f** cf. *Is.* 55, 3 ? **g** cf. *Éz.* 14, 20 **h** *Ps.* 109, 3 **i** *Ps.* 71, 5.

ταύτης τῆς ἀπὸ τοῦ γένους τοῦ Δαυὶδ γεννηθῆναι σαρκοποιηθεὶς[1] ὑπέμεινεν, ἵνα διὰ τῆς οἰκονομίας ταύτης ὁ πονηρευσάμενος τὴν ἀρχὴν ὄφις καὶ οἱ ἐξομοιωθέντες αὐτῷ ἄγγελοι κατα-[fol. 94 v° : A]-λυθῶσι, καὶ ὁ [p. 145 : B] θάνατος καταφρονηθῇ, καὶ ἐν τῇ δευτέρᾳ αὐτοῦ τοῦ Χριστοῦ παρουσίᾳ ἀπὸ τῶν πιστευόντων αὐτῷ καὶ εὐαρέστως ζώντων παύσηται τέλεον, ὕστερον μηκέτ' ὤν, ὅταν οἱ μὲν εἰς κρίσιν καὶ καταδίκην τοῦ πυρὸς ἀπαύστως κολάζεσθαι πεμφθῶσιν, οἱ δὲ ἐν[2] ἀπαθείᾳ καὶ *ἀφθαρσίᾳ* καὶ ἀλυπίᾳ καὶ *ἀθανασίᾳ* συνῶσιν[3].

46. 1 – Ἐὰν δέ τινες καὶ νῦν ζῆν βούλωνται φυλάσσοντες τὰ διὰ Μωσέως[4] διαταχθέντα καὶ πιστεύσωσιν ἐπὶ τοῦτον τὸν σταυρωθέντα Ἰησοῦν, ἐπιγνόντες ὅτι αὐτός ἐστιν ὁ Χριστὸς τοῦ θεοῦ καὶ αὐτῷ δέδοται τὸ κρῖναι πάντας ἁπλῶς καὶ αὐτοῦ ἐστιν ἡ *αἰώνιος βασιλεία*, δύνανται καὶ αὐτοὶ σωθῆναι ; ἐπυνθάνετό μου.

2 – Κἀγὼ πάλιν · Συσκεψώμεθα κἀκεῖνο, εἰ ἔνεστιν, ἔλεγον, φυλάσσειν τὰ διὰ Μωϋσέως[5] διαταχθέντα ἅπαντα νῦν.

– Κἀκεῖνος ἀπεκρίνατο · Οὔ · γνωρίζομεν γὰρ ὅτι[6], ὡς ἔφης, οὔτε πρόβατον *τοῦ πάσχα* ἀλλαχόσε *θύειν* δυνατόν, οὔτε τοὺς τῇ νηστείᾳ κελευσθέντας προσφέρεσθαι χιμάρους[7] οὔτε τὰς ἄλλας ἁπλῶς ἁπάσας προσφοράς.

– Κἀγώ · τίνα οὖν ἃ δυνατὸν ἔτι[8] φυλάσσειν, παρακαλῶ, λέγε αὐτός · πεισθήσῃ γὰρ ὅτι μὴ φυλάσσων τὰ αἰώνια δικαιώματά τις ἢ πράξας σωθῆναι ἐκ παντὸς ἔχει[9].

– Κἀκεῖνος · Τὸ σαββατίζειν λέγω καὶ τὸ περιτέμνεσθαι καὶ τὸ τὰ [fol. 95 v° : A] ἔμμηνα φυλάσσειν καὶ τὸ βαπτίζεσθαι ἁψάμενόν τινος ὧν ἀπηγόρευται ὑπὸ Μωσέως ἢ ἐν συνουσίᾳ[10] γενόμενον.

3 – Κἀγὼ ἔφην · Ἀβραὰμ καὶ Ἰσαὰκ καὶ Ἰακὼβ καὶ Νῶε καὶ Ἰώβ, καὶ εἴ τινες ἄλλοι γεγόνασι πρὸ τούτων ἢ μετὰ τούτους ὁμοίως δίκαιοι, λέγω δὲ καὶ Σάρραν τὴν γυναῖκα τοῦ Ἀβραάμ, καὶ Ῥεβέκκαν[11] τὴν τοῦ Ἰσαάκ, [p. 146 : B] καὶ Ῥαχὴλ[12] τὴν τοῦ Ἰακώβ, καὶ Λείαν, καὶ τὰς

1 Σαρκοποιηθεὶς Mar., *edd. ab* Otto : σαρκωποιηθεὶς *codd.*, Steph. **2** Ἐν : *del.* Steph. **3** Συνῶσιν : σὺν αὐτῷ (*scil.* τῷ θεῷ *vel* τῷ Χριστῷ) *prop.* Otto (*ex* τοῦ Χριστοῦ *supra* ; cf. I Apol. 10, 3 ; II Apol. 1, 2 ; Dial. 46, 7) τῷ θεῷ συνῶσιν *coni.* Marc. **4** Μωσέως : Μωϋσέως Mign., Otto, Goodsp. (*hic et infra*) **5** Μωϋσέως : Μωϋσέος *codd.* : Μωσέως Arch. **6** Ὅτι Thirlb., Mign., Troll., *edd. ab* Otto : ἔτι *codd.*, *cett. edd.* **7** Χιμάρους *edd.* : χειμάρους *codd.* **8** Οὖν ἃ δυνατὸν ἔτι *ego* : οὖν ἃ δυνατόν ἐστι Mar., Mign., Troll., *edd. ab* Otto, Arch. οὖν ἀδύνατόν ἐστι *codd.*, *cett. edd.* οὐκ ἀδύνατον *prop.* Jebb, οὖν δυνατόν Thirlb. **9** Ἔχει : οὐκ ἔχει *prop.* Thirlb., *coni.* Marc. **10** Ἐν συνουσίᾳ : γρ(άφεται) ἐν οὐσίᾳ *in marg. codd.* **11** Ῥεβέκκαν *edd. a* Mar. : Ῥεβέκαν *codd.*, Steph., Thirlb. **12** Ῥαχήλ *edd. a* Mar. : Ῥαχιήλ *codd.*, Steph., Thirlb.

économie[8], [a]le serpent qui a fait le mal à l'origine ainsi que les anges qui l'ont imité[9] soient détruits[10], [b]que la mort soit rabaissée[11], et que dans la seconde parousie de ce Christ, pour ceux qui croient en lui et vivent de manière à lui plaire, elle cesse entièrement [c]et finalement n'existe plus. Alors les uns seront envoyés au jugement et à la condamnation du feu pour un châtiment éternel, les autres se rassembleront dans l'impassibilité, [d]l'*incorruptibilité*, l'absence d'affliction, et l'*immortalité*[12].

Peut-on être sauvé en continuant à observer la Loi ?

46. 1 Si certains, aujourd'hui encore[1], me demandait-il, souhaitent vivre en observant les ordonnances données par l'intermédiaire de Moïse, et cependant croient en ce Jésus crucifié[2], reconnaissant qu'il est le Christ de Dieu[3], que c'est à lui qu'il est donné de juger absolument tous les hommes[4], et qu'à lui revient la [e]*royauté éternelle*[5], peuvent-ils, eux aussi, être sauvés ?

2. Je repris : — Examinons aussi ce point, dis-je : est-il possible, aujourd'hui, d'observer toutes[6] les institutions prescrites par l'intermédiaire de Moïse ?

Il répondit :

— Non. Nous savons bien, en effet, comme tu l'as dit, qu'il n'est possible, ailleurs (qu'à Jérusalem), ni [f]d'*immoler* l'agneau de *la Pâque*[7], ni d'offrir les boucs prescrits pour le jeûne[8], ni de présenter aucune de toutes les autres offrandes[9].

Moi : — Dis-moi alors, je t'en prie, quelles prescriptions il est encore possible d'observer[10]. Car tu pourrais rester persuadé que sans observer les ordonnances éternelles[11], ou sans les pratiquer, on peut fort bien être sauvé[12].

Lui : — Ce sont la pratique du sabbat, de la circoncision, l'observation des mois ainsi que l'ablution[13], lorsqu'on a touché quelque objet défendu par Moïse[14] ou après les relations sexuelles[15].

3 Je lui dis :

— Abraham, Isaac, Jacob, Noé, Job[16], et tous ceux qui, avant ou après eux, furent semblablement justes, ainsi que Sarah, la femme d'Abraham, Rebecca, celle d'Isaac, Rachel, celle de Jacob, Léa, et toutes les autres comme elles

a Cf. *Gen.* 3 s. ; *Apoc.* 12, 9 ; *I Jn.* 3, 8 **b** cf. *I Cor.* 15, 54-55 **c** cf. *Apoc.*, 21, 4 **d** cf. *I Cor.* 15, 50 s. **e** cf. *Dan.* 7, 14.27 **f** cf. *Exod.* 12, 21.27 ; *Deut.* 16, 2 ; *I Cor.* 5, 7.

λοιπὰς ἄλλας τὰς τοιαύτας μέχρι τῆς Μωσέως, τοῦ *πιστοῦ θεράποντος*, μητρός, μηδὲν τούτων φυλάξαντες[1] , εἰ δοκοῦσιν ὑμῖν σωθήσεσθαι ;
– Καὶ ὁ Τρύφων ἀπεκρίνατο · Οὐ περιετέτμητο Ἀβραὰμ καὶ οἱ μετ' αὐτόν ;

4 – Κἀγώ[2] · Ἐπίσταμαι, ἔφην, ὅτι περιετέτμητο[3] Ἀβραὰμ καὶ οἱ μετ' αὐτόν · διὰ τί δὲ ἐδόθη αὐτοῖς ἡ περιτομή, ἐν πολλοῖς τοῖς προλελεγμένοις εἶπον, καὶ εἰ μὴ δυσωπεῖ ὑμᾶς τὰ λεγόμενα, πάλιν ἐξετάσωμεν[4] τὸν λόγον. Ὅτι δὲ μέχρι Μωϋσέως[5] οὐδεὶς ἁπλῶς δίκαιος οὐδὲν ὅλως τούτων περὶ ὧν ἐζητοῦμεν[6] ἐφύλαξεν οὐδὲ ἐντολὴν ἔλαβε φυλάσσειν, πλὴν τὴν ἀρχὴν λαβούσης ἀπὸ Ἀβραὰμ περιτομῆς, ἐπίστασθε.
– Κἀκεῖνος · Ἐπιστάμεθα, ἔφη, καὶ ὅτι σῴζονται ὁμολογοῦμεν.

5 – Κἀγὼ πάλιν · Διὰ[7] τὸ σκληροκάρδιον τοῦ λαοῦ ὑμῶν πάντα τὰ τοιαῦτα ἐντάλματα νοεῖτε τὸν θεὸν διὰ [fol. 96 r° : A] Μωσέως ἐντειλάμενον ὑμῖν, ἵνα διὰ πολλῶν τούτων ἐν πάσῃ πράξει *πρὸ ὀφθαλμῶν* ἀεὶ ἔχητε τὸν θεὸν καὶ μήτε ἀδικεῖν μήτε ἀσεβεῖν ἄρχησθε. Καὶ γὰρ τὸ κόκκινον ῥάμμα[8] περιτιθέναι αὐτοῖς[9] ἐνετείλατο ὑμῖν, ἵνα διὰ τούτου μὴ λήθη ὑμᾶς λαμβάνῃ τοῦ θεοῦ, καὶ φυλακτήριον ἐν ὑμέσι λεπτοτάτοις γεγραμμένων χαρακτήρων τινῶν, ἃ πάντως ἅγια νοοῦμεν εἶναι, περικεῖσθαι ὑμᾶς ἐκέλευσε, καὶ διὰ τούτων δυσωπῶν ὑμᾶς ἀεὶ μνήμην ἔχειν τοῦ θεοῦ, ἅμα τε καὶ ἐλέγχων[10] ἐν ταῖς καρδίαις ὑμῶν. **6** Οὐ δὲ μικρὰν μνήμην ἔχετε[11] τοῦ θεοσεβεῖν, καὶ οὐδ' οὕτως ἐπείσθητε μὴ εἰδωλολατρεῖν, ἀλλ' ἐπὶ Ἡλίου ὀνομάζων τὸν ἀριθμὸν τῶν μὴ *καμψάντων γόνυ τῇ Βάαλ*, [p. 147 : B] *ἑπτακισχιλίους* τὸν ἀριθμὸν ὄντας[12] εἶπε, καὶ ἐν τῷ Ἡσαΐᾳ καὶ τὰ *τέκνα* ὑμῶν θυσίαν πεποιηκέναι τοῖς εἰδώλοις ἐλέγχει ὑμᾶς. **7** Ἡμεῖς δέ, ὑπὲρ τοῦ μὴ θυσιάζειν οἷς πάλαι ἐθύομεν, ὑπομένομεν τὰς ἐσχάτας τιμωρίας, καὶ θανατούμενοι χαίρομεν, πιστεύοντες ὅτι ἀναστήσει ἡμᾶς ὁ θεὸς διὰ τοῦ Χριστοῦ αὐτοῦ καὶ *ἀφθάρτους* καὶ ἀπαθεῖς

1 Φυλάξαντες Thirlb., Otto, Arch., Marc. : φυλάξαντας A, *cett. edd.* φυλάξαντος B **2** Κἀγώ : *add. in marg.* A **3** Περιετέτμητο A, B *p. corr.*, *edd.* : περιέτμητο B *a. corr.* περιετέμετο *in marg. codd.* **4** Ἐξετάσωμεν : ἐξετάσομεν *prop.* Mar. **5** Μωϋσέως : Μωϋσέος *codd.* Μωσέως Arch. **6** Ἐζητοῦμεν : ζητοῦμεν *prop.* Thirlb., *coni.* Marc. **7** Διὰ : καὶ διὰ Thirlb. διὰ δὲ Marc. **8** Ῥάμμα *prop.* E. Schürer, *Geschichte des Jüdischen Volkes im Zeitalter Jesu Christi*, II, 1907⁴, p. 566, *coni.* Arch., Marc. : βάμμα *codd.*, *cett. edd.* **9** Αὑτοῖς Marc. : αὐτοῖς *codd.*, *cett. edd.* **10** Ἐλέγχων (cf. 98, 1 : αἰτῶν, ἅμα τε δηλῶν) ἐν ταῖς καρδίαις ὑμῶν. Οὐ δὲ μικρὰν μνήμην ἔχετε : ἔλεγχον (ο *in ras.*) ἐν τ. κ. ὑμῶν (*comma in ras.*) οὐδὲ μ. μ. ἔχετε A ἐλέγχων ἐν ταῖς καρδίαις ὑμῶν ὅτι μικρὰν μνήμην ἔχετε *prop.* Thirlb. ἐλέγχων ὅτι ἐν τ. κ. ὑμῶν οὐδὲ μ. μ. ἔχετε *prop.* Mar., *coni.* Lange, Marc. ἔλεγχον ἐν τ. κ. ὑμῶν. Οὐ δὲ μ. μ. ἔχετε Otto, Arch., Goodsp. ἔλεγχον ἐν τ. κ. ὑμῶν, οὐδὲ μ. μ. ἔχετε *cett. edd.* **11** Ἔχετε : εἴχετε *prop.* Lange, Sylb. **12** Ἀριθμὸν : ἀρ. μόνον *prop.* Thirlb.

jusqu'à la mère de Moïse, le [a]*fidèle serviteur*[17], n'ont observé aucune de ces institutions. Pensez-vous qu'ils soient sauvés ?

Tryphon répondit :

— Il n'a pas été circoncis, Abraham, et ceux qui furent après lui ?

4 Moi : — Je sais bien, dis-je, qu'Abraham et ceux qui furent après lui ont été circoncis. Mais pourquoi la circoncision leur a-t-elle été donnée, je l'ai maintes fois énoncé dans ce qui précède[18], et si ce qui est dit (dans les Écritures)[19] ne suffit pas à vous troubler, reprenons la question. Jusqu'à Moïse[20], vous le savez, aucun juste du tout n'a observé ni reçu l'ordre d'observer la moindre des prescriptions qui ont fait l'objet de notre examen, sauf la circoncision, qui a commencé avec Abraham[21].

Lui : — Nous le savons, dit-il, et nous reconnaissons qu'ils sont sauvés[22].

5 Et moi de reprendre :

— C'est à cause de la dureté de cœur de votre peuple[23], vous l'avez à l'esprit, que Dieu, par l'intermédiaire de Moïse, vous a imposé l'ensemble de tels préceptes, afin que par leur diversité, en chacun de vos actes, vous ayez Dieu [b]*devant les yeux*[24], et ne vous engagiez ni dans l'injustice ni dans l'impiété[25]. Et s'il vous a prescrit de porter les [c]franges de pourpre[26], c'est pour que, par ce moyen, vous n'en veniez pas à oublier Dieu ; et s'il vous a ordonné de vous ceindre du phylactère[27], avec quelques lettres inscrites sur ses fines membranes – ce dont[28] nous comprenons tout à fait le caractère sacré –, c'est pour vous prier instamment par là aussi de garder la mémoire de Dieu[29], tout en déposant en vos cœurs des reproches. **6** Mais de la piété due à Dieu vous n'avez pas la moindre mémoire, et même ainsi vous n'avez pu être dissuadés d'idolâtrer : au temps d'Élie, lorsque Dieu comptait le nombre de ceux qui n'avaient pas [d]*fléchi le genou devant Baal*[30], il dit qu'ils étaient *sept mille* ; et en Isaïe, c'est jusqu'à vos propres [e]*enfants*[31] qu'il vous reproche d'avoir offert en sacrifice aux idoles. **7** Tandis que nous, pour ne plus sacrifier à celles auxquelles nous sacrifiions autrefois[32], nous supportons les derniers supplices[33], et nous nous réjouissons de mourir[34], car nous croyons que Dieu, par son Christ, nous ressuscitera, et nous fera [f]*incorruptibles*,

a *Nombr.* 12, 7 et *Hébr.* 3, 2.5 **b** cf. *Exod.* 13, 9.16 ; *Deut.* 6, 8 ; 11, 18 **c** cf. *Nombr.* 15, 37-40 ? **d** cf. *Rom.* 11, 4 ; *III Rois*, 19, 18 **e** cf. *Is.* 57, 5 **f** cf. *I Cor.* 15, 50 s.

καὶ *ἀθανάτους* ποιήσει · καὶ οὐδὲν συμβάλλεσθαι πρὸς δικαιοπραξίαν καὶ εὐσέβειαν τὰ διὰ τὴν σκληροκαρδίαν τοῦ λαοῦ ὑμῶν δια-[fol. 96 v° : A]-ταχθέντα γινώσκομεν.

47. 1 – Καὶ ὁ Τρύφων πάλιν · Ἐὰν δέ τις, εἰδὼς ὅτι ταῦτα οὕτως ἔχει, μετὰ τοῦ καὶ τοῦτον εἶναι τὸν Χριστὸν ἐπίστασθαι δηλονότι[1] καὶ πεπιστευκέναι καὶ πείθεσθαι αὐτῷ, βούλεται καὶ ταῦτα φυλάσσειν, σωθήσεται ; ἐπυνθάνετο.

– Κἀγώ · Ὡς μὲν ἐμοὶ δοκεῖ, ὦ Τρύφων, λέγω ὅτι σωθήσεται ὁ τοιοῦτος, ἐὰν μὴ τοὺς ἄλλους ἀνθρώπους, λέγω δὲ[2] τοὺς ἀπὸ τῶν ἐθνῶν διὰ τοῦ Χριστοῦ ἀπὸ τῆς πλάνης περιτμηθέντας, ἐν παντὸς πείθειν ἀγωνίζηται ταὐτὰ αὐτῷ φυλάσσειν, λέγων οὐ σωθήσεσθαι αὐτοὺς ἐὰν μὴ ταῦτα φυλάξωσιν, ὁποῖον ἐν ἀρχῇ τῶν λόγων καὶ σὺ ἔπραττες, ἀποφαινόμενος οὐ σωθήσεσθαί με ἐὰν μὴ ταῦτα φυλάξω.

2 – Κἀκεῖνος · Διὰ τί οὖν εἶπας · Ὡς μὲν ἐμοὶ δοκεῖ, σωθήσεται ὁ τοιοῦτος, εἰ μήτι[3] εἰσὶν οἱ λέγοντες ὅτι οὐ σωθήσονται οἱ τοιοῦτοι ;

– Εἰσίν, ἀπεκρινάμην, ὦ Τρύφων, καὶ μηδὲ κοινωνεῖν ὁμιλίας ἢ ἑστίας τοῖς τοιούτοις τολμῶντες · οἷς ἐγὼ οὐ σύναινός εἰμι. Ἀλλ' ἐὰν αὐτοὶ διὰ τὸ ἀσθενὲς τῆς γνώμης καὶ τὰ ὅσα δύνανται νῦν ἐκ τῶν Μωσέως[4], ἃ διὰ τὸ σκληροκάρδιον τοῦ λαοῦ νοοῦμεν διατετάχθαι[5], μετὰ τοῦ ἐπὶ τοῦτον τὸν Χριστὸν ἐλπίζειν καὶ τὰς αἰω-[p. 148 : B]-νίους καὶ φύσει δικαιοπραξίας καὶ εὐσεβείας[6] φυ-[fol. 97 r° : A]-λάσσειν βούλονται[7] καὶ αἱρῶνται συζῆν τοῖς Χριστιανοῖς καὶ πιστοῖς, ὡς προεῖπον, μὴ πείθοντες αὐτοὺς μήτε περιτέμνεσθαι ὁμοίως αὐτοῖς μήτε σαββατίζειν μήτε ἄλλα ὅσα τοιαῦτά ἐστι τηρεῖν, καὶ προσλαμβάνεσθαι καὶ κοινωνεῖν[8] ἁπάντων, ὡς ὁμοσπλάγχνοις καὶ ἀδελφοῖς, δεῖν ἀποφαίνομαι[9]. **3** Ἐὰν δὲ οἱ ἀπὸ τοῦ γένους τοῦ ὑμετέρου πιστεύειν λέγοντες ἐπὶ τοῦτον τὸν Χριστόν, ὦ Τρύφων, ἔλεγον, ἐκ παντὸς κατὰ τὸν διὰ Μωσέως διαταχθέντα νόμον ἀναγκάζουσι[10] ζῆν τοὺς ἐξ ἐθνῶν πιστεύοντας ἐπὶ τοῦτον τὸν Χριστὸν ἢ

1 Δηλονότι : δῆλον ὅτι Goodsp. **2** Δὲ Otto, Arch. (*ut* Dial. 44, 2 ; 46, 3 ; 49, 5 ; 69, 4 ; 111, 2 ; 120, 6) : δὴ *codd.*, *cett. edd.* **3** Εἰ μήτι (cf. 68, 6 : εἰ μήτι τοῦτο οὐκ ἐπίστασθε... ;) : εἰ μή τι (= εἰ μὴ ὅτι, *nisi quia*) *prop.* Mar., Mign. εἰ μή τινες *prop.* Troll. εἰ *del.* Pearson (*num sunt qui tales salvos futuros negent ?*) **4** Μωσέως : Μωϋσέως Mign., Otto, Goodsp. (*hic et infra*) **5** Ἃ – διατετάχθαι : *in semicirculis* Marc. **6** Εὐσεβείας : εὐσ. πράξειν, φυλάσσειν Marc. **7** Βούλονται ...αἱρῶνται *codd.*, *Steph.* : βούλωνται ...αἱρῶνται *edd. a* Sylb. **8** Κοινωνεῖν : κ. αὐτοῖς Marc. (*ex* Dial. 47, 3) **9** Ἀποφαίνομαι Sylb., Troll., *edd. ab* Otto (*ex* Dial. 47, 4) : ἀποφαίνεσθαι *codd.*, *cett. edd.* (= ἀλλὰ σύναινός εἰμι τοῦ ἀποφαίνεσθαι Mar.) **10** Ἀναγκάζουσι ...αἱροῦνται *codd.*, Arch., Goodsp. : ἀναγκάζωσι ...αἱρῶνται Steph., Mar., Mign., Otto, Marc.

impassibles et *immortels*[35]. Et nous savons bien que ce qui a été prescrit au peuple à cause de sa dureté de cœur ne contribue en rien à la pratique de la justice et de la piété.

On peut être sauvé en continuant à observer la Loi,
pourvu qu'on n'en impose pas la pratique aux Gentils qui se convertissent.

47. 1 Tryphon reprit[1] :

— Si quelqu'un, sachant qu'il en est ainsi, c'est-à-dire, connaissant que celui-là est le Christ[2], croyant en lui et lui obéissant, veut également observer ces prescriptions, sera-t-il sauvé ? demandait-il.

Moi : — Du moins à ce qu'il me semble, Tryphon, je dis que celui-là sera sauvé, pourvu qu'il ne cherche absolument pas à persuader les autres hommes, c'est-à-dire ceux des nations qui ont été circoncis de l'erreur par le Christ, d'observer les mêmes prescriptions que lui, en disant que sans les observer ils ne seront pas sauvés, comme toi-même le faisais, au début de l'entretien[3], en déclarant que je ne serais point sauvé si je ne les observais pas.

2 Lui : — Pourquoi donc as-tu dit : « Du moins à ce qu'il me semble, celui-là sera sauvé » ? En est-il donc qui disent que ceux-là ne seront pas sauvés ?

— Il en est, Tryphon, répondis-je. Ils se refusent même à partager la table ou la conversation de gens de cette sorte. Je ne suis pas, quant à moi, de leur avis. Car si par faiblesse de jugement[4] ceux-là veulent[5] observer tout ce qu'ils peuvent aujourd'hui des prescriptions de Moïse – instituées, nous le savons, à cause de la dureté de cœur du peuple – tout en espérant en ce Christ, et en observant en même temps ce qui est éternellement et par nature pratique juste et pieuse, s'ils consentent à vivre avec les chrétiens et les croyants[6], sans les persuader, ainsi que je l'ai dit, de se faire circoncire comme eux, de pratiquer le sabbat ou toutes les prescriptions semblables qu'il est possible de respecter[7], il faut, je le déclare, les accueillir et frayer avec eux en toutes choses, comme avec des frères[8] nés des mêmes entrailles[9]. **3** Mais, Tryphon, ajoutai-je, si ceux de votre race qui disent croire en ce Christ usent de tous les moyens pour contraindre ceux des nations qui croient en ce Christ de vivre selon la Loi instituée par l'intermédiaire de Moïse, ou bien ne

μὴ κοινωνεῖν αὐτοῖς τῆς τοιαύτης συνδιαγωγῆς αἱροῦνται, ὁμοίως καὶ < αὐτὸς >[1] τούτους οὐκ ἀποδέχομαι. **4** Τοὺς δὲ πειθομένους αὐτοῖς ἐπὶ τὴν ἔννομον πολιτείαν[2] μετὰ τοῦ φυλάσσειν τὴν εἰς τὸν Χριστὸν τοῦ θεοῦ ὁμολογίαν καὶ σωθήσεσθαι ἴσως ὑπολαμβάνω. Τοὺς δὲ ὁμολογήσαντας καὶ ἐπιγνόντας τοῦτον εἶναι τὸν Χριστὸν καὶ ἡτινιοῦν αἰτίᾳ μεταβάντας ἐπὶ τὴν ἔννομον πολιτείαν, ἀρνησαμένους ὅτι οὗτός ἐστιν ὁ Χριστός, καὶ πρὶν τελευτῆς μὴ μεταγνόντας, οὐδ' ὅλως[3] σωθήσεσθαι ἀποφαίνομαι. Καὶ τοὺς ἀπὸ τοῦ σπέρματος τοῦ Ἀβραὰμ ζῶντας κατὰ τὸν νόμον καὶ ἐπὶ τοῦτον τὸν Χριστὸν μὴ πιστεύοντας πρὶν τελευτῆς τοῦ βίου οὐ σωθήσεσθαι ὁμοίως ἀποφαίνομαι, καὶ μάλιστα τοὺς ἐν ταῖς συναγωγαῖς κατα-[fol. 97 v° : A]-<να>θεματίσαντας[4] καὶ κατα<να>θεματίζοντας < τοὺς > ἐπ' αὐτὸν τοῦτον τὸν Χριστὸν < πιστεύοντας >[5] καὶ πᾶν < πράττοντας > ὅπως τύχωσι τῆς σωτηρίας καὶ τῆς τιμωρίας τῆς ἐν τῷ πυρὶ ἀπαλλαγῶσιν. **5** Ἡ γὰρ *χρηστότης καὶ ἡ φιλανθρωπία* τοῦ *θεοῦ* καὶ τὸ ἄμετρον τοῦ *πλούτου* αὐτοῦ[6] τὸν [p. 149 : B] *μετανοοῦντα* ἀπὸ τῶν ἁμαρτημάτων, ὡς δι' Ἰεζεκιὴλ μηνύει, ὡς δίκαιον καὶ[7] ἀναμάρτητον ἔχει · καὶ τὸν ἀπὸ εὐσεβείας ἢ[8] δικαιοπραξίας μετατιθέμενον ἐπὶ ἀδικίαν καὶ ἀθεότητα ὡς ἁμαρτωλὸν καὶ ἄδικον καὶ ἀσεβῆ ἐπίσταται. Διὸ καὶ ὁ ἡμέτερος κύριος Ἰησοῦς Χριστὸς εἶπεν · *Ἐν οἷς ἂν ὑμᾶς καταλάβω, ἐν τούτοις καὶ κρινῶ.*

48. 1 – Καὶ ὁ Τρύφων · Καὶ περὶ τούτων ὅσα φρονεῖς ἀκηκόαμεν, εἶπεν. Ἀναλαβὼν οὖν τὸν λόγον, ὅθεν ἐπαύσω, πέραινε · παράδοξός τις γάρ ποτε[9] καὶ μὴ δυνάμενος ὅλως ἀποδειχθῆναι δοκεῖ μοι εἶναι · τὸ γὰρ λέγειν σε προϋπάρχειν θεὸν ὄντα πρὸ αἰώνων τοῦτον τὸν Χριστόν, εἶτα καὶ γεννηθῆναι ἄνθρωπον γενόμενον ὑπομεῖναι, καὶ ὅτι οὐκ ἄνθρωπος ἐξ ἀνθρώπου[10], οὐ μόνον παράδοξον δοκεῖ μοι εἶναι ἀλλὰ καὶ μωρόν.

1 Αὐτὸς *add.* Marc. : *om. codd., cett. edd.* **2** Πολιτείαν : π. μεταβαίνειν Marc. **3** Οὐδ' ὅλως B, *edd. ab* Otto : οὐδώλως Steph. οὐδόλως A, *cett. edd.* **4** Καταναθεματίσαντας ...καταναθεματίζοντας Steph., Lange, Sylb., Mar., Mign., Otto, Arch. : καταθεματίσαντας ...καταθεματίζοντας *codd.*, Goodsp., Marc. (cf. Matth. 26, 74) **5** Κατα(να)θεματίζοντας – ὅπως Sylb., Marc. : καταθεματίζοντας ἐπ' αὐτὸν τοῦτον τὸν Χριστὸν · καὶ πᾶν · ὅπως κτλ. *codd.* κ. τοὺς... πιστεύοντας καὶ μὴ μετανουοῦντας καὶ πᾶν πράττοντας ὅπως Lange κ. τοὺς ...πιστεύοντας ὅπως Otto, Arch., Goodsp. ἀποφαίνομαι (καὶ μάλιστα ...κ. ...τὸν Χριστὸν) κἂν πανὺ πως Mar. κ. ...τὸν Χριστὸν καὶ πάντας τοὺς ἐπ' αὐτὸν πιστεύοντας ὅπως Troll. **6** Αὐτοῦ : αὐτῆς *prop.* Thirlb. (*ex.* Ephes. 2, 7) τοῦ ἐλέους αὐτοῦ *prop.* Otto **7** Καὶ : *ante* ὡς δι' Ἰεζεκιὴλ *transp.* Arch. **8** Ἢ : καὶ *coni.* Thirlb., Troll. **9** Ποτε : *post* δυνάμενος *transponendum* Sylb. *post* ἀποδειχθῆναι *transp.* Marc. **10** Ἐξ ἀνθρώπου : ἐξ ἀνθρώπων *coni.* Otto, Arch., Marc.

consentent point à partager leur mode de vie, je fais comme eux, et ne les accueille point. **4** Quant à ceux qui se laissent persuader par eux de vivre selon la Loi[10], tout en continuant à confesser le Christ de Dieu, j'admets qu'ils puissent[11] être sauvés. Mais ceux qui, après avoir confessé et reconnu que celui-ci est le Christ, se (re)mettent[12], pour une raison quelconque, à vivre selon la Loi, niant qu'il est le Christ, et avant la mort ne se sont pas repentis, je déclare qu'ils ne seront pas sauvés du tout[13]. Pour ceux de la descendance d'Abraham qui vivent selon la Loi, s'ils ne croient pas en ce Christ avant la fin de leur vie, je déclare de même qu'ils ne seront pas sauvés, en particulier ceux qui dans les synagogues ont anathématisé[14] et anathématisent encore ceux qui croient en ce Christ, en faisant tout pour se sauver[15] et échapper au supplice du feu[16]. **5** Car [a]*la bonté et la philanthropie*[17] de *Dieu*, l'immensité de sa [b]*richesse* même, considère – il le signifie par [c]Ézéchiel – comme juste et sans péché celui qui s'est *repenti* de ses fautes. Quant à celui qui de la piété et de la pratique de la justice est passé à l'injustice et à l'athéisme, il est tenu pour pécheur, injuste et impie[18]. C'est pourquoi notre Seigneur Jésus-Christ a dit : *Là où je vous trouverai, là aussi je vous jugerai*[19].

Le Christ n'est pas seulement « homme d'entre les hommes ». Il est aussi Dieu.

48. 1 Tryphon : — Nous avons entendu, dit-il, toute ta pensée sur cette question. Poursuis donc, en reprenant ton propos là où tu l'avais quitté[1]. Il me semble, en effet, pour le moins paradoxal, et tout à fait impossible à prouver. Car t'entendre dire que ce Christ a préexisté[2], étant Dieu, avant les siècles, puis qu'il a consenti à se faire homme et à naître, et qu'il n'est point homme issu d'un homme[3], cela ne me paraît pas seulement paradoxal, mais insensé.

a Cf. *Tit.*, 3, 4 ; *Rom.* 2, 4 **b** cf. *Tit.* 3, 6 ; *Rom.* 2, 4 **c** cf. *Éz.* 33, 12, 20.

2 – Κἀγὼ πρὸς ταῦτα ἔφην · Οἶδ' ὅτι παράδοξος ὁ λόγος δοκεῖ εἶναι, καὶ μάλιστα τοῖς ἀπὸ τοῦ γένους ὑμῶν, οἵτινες τὰ τοῦ θεοῦ οὔτε νοῆσαι οὔτε ποιῆσαί ποτε βεβούλησθε, ἀλλὰ τὰ τῶν διδασκάλων ὑμῶν, ὡς αὐτὸς ὁ θεὸς βοᾷ. Ἤδη μέντοι, ὦ Τρύφων, εἶπον, [fol. 98 r° : A] οὐκ ἀπόλλυται τὸ τοῦτον[1] εἶναι Χριστὸν τοῦ θεοῦ, ἐὰν ἀποδεῖξαι μὴ δύνωμαι ὅτι καὶ προϋπῆρχεν υἱὸς[2] τοῦ ποιητοῦ τῶν ὅλων, θεὸς[3] ὤν, καὶ γεγέννηται[4] ἄνθρωπος διὰ τῆς παρθένου. **3** Ἀλλ'[5] ἐκ παντὸς ἀποδεικνυμένου ὅτι οὗτός ἐστιν ὁ Χριστὸς ὁ τοῦ θεοῦ, ὅστις[6] οὗτος ἔσται, ἐὰν δὲ[7] μὴ ἀποδεικνύω ὅτι προϋπῆρχε καὶ γεννηθῆναι ἄνθρωπος ὁμοιοπαθὴς ἡμῖν, σάρκα ἔχων, κατὰ τὴν τοῦ πατρὸς βουλὴν ὑπέμεινεν, ἐν τούτῳ πεπλανῆσθαί με μόνον[8] λέγειν δίκαιον, ἀλλὰ μὴ ἀρνεῖσαι ὅτι οὗτός ἐστιν ὁ Χριστός, [p. 150 : B] ἐὰν[9] φαίνηται ὡς ἄνθρωπος ἐξ ἀνθρώπων γεννηθείς, καὶ ἐκλογὴ[10] γενόμενος εἰς τὸ[11] Χριστὸν εἶναι ἀποδεικνύηται. **4** Καὶ γάρ εἰσί τινες, ὦ φίλοι, ἔλεγον, ἀπὸ τοῦ ὑμετέρου[12] γένους ὁμολογοῦντες αὐτὸν Χριστὸν εἶναι, ἄνθρωπον δὲ ἐξ ἀνθρώπων γενόμενον ἀποφαινόμενοι · οἷς οὐ συντίθεμαι, οὐδ' ἂν πλεῖστοι ταὐτά[13] μοι δοξάσαντες εἴποιεν, ἐπειδὴ οὐκ *ἀνθρωπείοις διδάγμασι* κεκελεύσμεθα ὑπ' αὐτοῦ τοῦ Χριστοῦ πείθεσθαι, ἀλλὰ τοῖς διὰ τῶν μακαρίων προφητῶν κηρυχθεῖσι καὶ δι' αὐτοῦ διδαχθεῖσι.

49. 1 – Καὶ ὁ Τρύφων · Ἐμοὶ μὲν[14] δοκοῦσιν, εἶπεν, οἱ λέγοντες ἄνθρωπον[15] γεγονέναι αὐτὸν καὶ κατ' ἐκλογὴν κεχρῖσθαι[16] καὶ Χριστὸν γεγονέναι πιθανώτερον ὑμῶν λέγειν, τῶν ταῦτα ἅπερ φῂς λεγόντων · καὶ γὰρ πάντες ἡμεῖς τὸν Χριστὸν ἄνθρωπον ἐξ ἀνθρώπων προσδοκῶμεν γενήσεσθαι, [fol. 98 v° : A] καὶ τὸν Ἠλίαν χρῖσαι αὐτὸν ἐλθόντα[17]. Ἐὰν δὲ οὗτος φαίνηται ὢν ὁ Χριστός, ἄνθρωπον μὲν ἐξ ἀνθρώπων γενόμενον[18] ἐκ

1 Τοῦτον *prop.* Lange, *coni. edd. ab* Otto, Troll. (cf. Grotius ad Lc. 23, 35) : τοιοῦτον *codd.*, *cett. edd.* **2** Υἱὸς : ὡς υἱὸς Marc. (*ex Dial.* 118, 2 : ὡς υἱὸς θεοῦ) **3** Θεὸς : καὶ θεὸς *prop.* Thirlb. **4** Γεγέννηται B, Steph., Mar., Otto, Arch., Marc. : γεγένηται A, Goodsp. **5** Ἀλλ' Otto, Arch. : ἀλλὰ *codd.*, *cett. edd.* **6** Ὅστις : ὁμοίως *vel* ὅλως *et post* ἔσται *colon* Orell. (*Iust. Mart. loc. aliq. sel.*, p. 19) **7** Δὲ : καὶ *vel* δὴ *prop.* Thirlb. δὴ *coni.* Marc. **8** Μόνον : ο^2 *in ras* A **9** Ἐὰν : κἂν *coni.* Marc. **10** Ἐκλογὴ : ἐκλογῇ Otto, Troll., Marc. (cf. 49, 1 : κατ' ἐκλογὴν) ἐκλεγόμενος *vel* ἐκλελεγμένος *prop.* Thirlb. **11** Τὸ *prop.* Thirlb., *coni.* Otto, Arch., Marc. (cf. 67, 2 : ἐκλεγῆναι εἰς χριστόν) : τὸν *codd.*, *cett. edd.* **12** Ὑμετέρου : ἡμετέρου *coni.* Steph., Otto **13** Ταὐτά *prop.* Sylb., *coni.* Mar., Mign., *edd. ab* Otto : ταῦτά *codd.*, *cett. edd.* **14** Μὲν (*paulo post* : ἐὰν δὲ) : μέντοι Marc. **15** Ἄνθρωπον : ἄν. ἐξ ἀνθρώπων *prop.* Thirlb., *coni.* Marc. **16** Κεχρῖσθαι ...χρῖσαι *edd. ab* Otto : κεχρίσαι ...χρίσαι *codd.*, *cett. edd.* **17** Ἐλθόντα : *post* Ἠλίαν *transp.* Marc. **18** Γενόμενον : γ. αὐτὸν Marc.

2 A quoi je répondis :
— Mon discours, je le sais, semble paradoxal, surtout à ceux de votre race, vous qui jamais n'avez voulu ni comprendre ni pratiquer les [a]*enseignements* de Dieu, mais ceux de vos didascales, comme Dieu lui-même le proclame[4]. Néanmoins, Tryphon, dis-je, il est désormais acquis que celui-ci est Christ[5] de Dieu, même si je ne peux démontrer aussi qu'il préexistait, fils du Créateur de l'univers, étant Dieu, et qu'il est né homme par la vierge. **3** Comme il est parfaitement démontré que celui-ci, quel qu'il soit, est le Christ de Dieu, même si je ne démontrais pas qu'il a préexisté, et a consenti à devenir homme souffrant comme nous[6], dans la chair[7], selon la volonté du Père, en cela seul il serait justifié de m'accuser d'erreur. Il ne le serait pas, en revanche, de nier que celui-ci est le Christ s'il devenait manifeste qu'il est né homme d'entre les hommes, et démontré qu'il fut objet d'élection[8] pour être Christ. **4** Car il en est, amis, dis-je, de votre[9] race, qui tout en confessant qu'il est le Christ, déclarent qu'il fut homme d'entre les hommes. Avis que je ne partage pas avec eux, et ne partagerais pas davantage, quand bien même le plus grand nombre, qui pense comme moi[10], affirmerait la même chose[11]. Car ce n'est pas à des [b]*enseignements humains* que nous avons reçu du Christ l'ordre d'obéir, mais à ceux qui ont été annoncés par les bienheureux prophètes et enseignés par lui.

La première parousie fut annoncée par Jean, la seconde par Élie.
Transmission de l'Esprit prophétique.

49. 1 Tryphon : — Il me semble, dit-il, que ceux qui disent qu'il était homme, que par élection[1] il a été oint pour devenir « Christ »[2], tiennent des propos plus vraisemblables que vous autres, qui tenez les propos que tu rapportes. Car le Christ que tous, parmi nous, attendent, sera homme d'entre les hommes[3], et Élie doit venir l'oindre[4]. Et s'il apparaît que celui-là est le Christ, on doit reconnaître assurément qu'il fut homme d'entre les hommes.

a Cf. *Is.* 29, 13 ; *Matth.* 15, 9 ; *Mc.* 7, 7 **b** cf. *Is.* 29, 13 ; *Matth.* 15, 9 ; *Mc.* 7, 7.

παντὸς ἐπίστασθαι δεῖ[1]. Ἐκ δὲ τοῦ μηδὲ Ἡλίαν ἐληλυθέναι οὐδὲ τοῦτον ἀποφαίνομαι εἶναι.

2 – Κἀγὼ πάλιν ἐπυθόμην αὐτοῦ · Οὐχὶ Ἡλίαν φησὶν ὁ Λόγος διὰ Ζαχαρίου ἐλεύσεσθαι *πρὸ τῆς ἡμέρας*[2] *τῆς μεγάλης καὶ φοβερᾶς ταύτης τοῦ κυρίου* ;

– Κἀκεῖνος ἀπεκρίνατο · Μάλιστα.

– Ἐὰν οὖν ὁ Λόγος ἀναγκάζῃ ὁμολογεῖν ὅτι δύο παρουσίαι τοῦ Χριστοῦ προεφητεύοντο γενησόμεναι, μία μέν, ἐν ᾗ παθητὸς καὶ *ἄτιμος* καὶ *ἀειδὴς* φανήσεται, ἡ δὲ ἑτέρα, ἐν ᾗ καὶ *ἔνδοξος* καὶ *κριτὴς ἁπάντων* ἐλεύσεται, ὡς καὶ ἐν πολλοῖς τοῖς προλελεγμένοις ἀποδέδεικται, οὐχὶ *τῆς φοβερᾶς καὶ μεγάλης* [p. 151 : B] *ἡμέρας* τουτέστι τῆς δευτέρας παρουσίας αὐτοῦ, πρόοδον γενήσεσθαι τὸν Ἡλίαν νοήσομεν τὸν Λόγον τοῦ θεοῦ κεκηρυχέναι ;

– Μάλιστα, ἀπεκρίνατο.

3 – Καὶ ὁ ἡμέτερος οὖν κύριος, ἔφην, τοῦτο αὐτὸ ἐν τοῖς διδάγμασιν αὐτοῦ παρέδωκε γενησόμενον, εἰπὼν *καὶ Ἡλίαν ἐλεύσεσθαι* · καὶ ἡμεῖς τοῦτο ἐπιστάμεθα γενησόμενον, ὅταν μέλλῃ *ἐν δόξῃ ἐξ οὐρανῶν* παραγίνεσθαι ὁ ἡμέτερος κύριος Ἰησοῦς Χριστός, οὗ καὶ τῆς πρώτης φανερώσεως κῆρυξ προῆλθε[3] τὸ ἐν Ἡλίᾳ γενόμενον πνεῦμα τοῦ θεοῦ, ἐν Ἰωάννῃ, τῷ γενομένῳ ἐν τῷ [fol. 99 r° : A] γένει ὑμῶν προφήτῃ, μεθ' ὃν οὐδεὶς ἕτερος λοιπὸν[4] παρ' ὑμῖν ἐφάνη προφήτης · ὅστις ἐπὶ τὸν Ἰορδάνην ποταμὸν καθεζόμενος ἐβόα · (*Matth.* 3, 11 ; *Luc* 3, 16) *Ἐγὼ μὲν ὑμᾶς βαπτίζω ἐν ὕδατι εἰς μετάνοιαν · ἥξει δὲ ὁ ἰσχυρότερός μου, οὗ οὐκ εἰμὶ ἱκανὸς τὰ ὑποδήματα βαστάσαι · αὐτὸς ὑμᾶς βαπτίσει ἐν πνεύματι ἁγίῳ καὶ πυρί.* (12 ; 17)*Οὗ τὸ πτύον αὐτοῦ*[5] *ἐν τῇ χειρὶ αὐτοῦ καὶ διακαθαριεῖ τὴν ἅλωνα αὐτοῦ καὶ τὸν σῖτον συνάξει εἰς τὴν ἀποθήκην, τὸ δὲ ἄχυρον κατακαύσει πυρὶ ἀσβέστῳ.*

4 Καὶ τοῦτον αὐτὸν τὸν προφήτην συνεκεκλείκει ὁ βασιλεὺς ὑμῶν Ἡρώδης εἰς *φυλακήν*, καὶ *γενεσίων ἡμέρας* τελουμένης, *ὀρχουμένης* τῆς ἐξαδελφῆς[6] αὐτοῦ [τοῦ Ἡρώδου][7] εὐαρέστως αὐτῷ, εἶπεν[8] αὐτῇ *αἰτήσασθαι* ὃ ἐὰν βούληται. Καὶ ἡ *μήτηρ* τῆς παιδὸς ὑπέβαλεν[9] αὐτῇ

1 Δεῖ : -εῖ *in ras.* A **2** Ἡμέρας : *post* τοῦ κυρίου *transp.* Mor. **3** Προῆλθε : -ε *in ras.* A **4** Λοιπὸν Thirlb., Otto, Arch., Marc. (cf. 36, 1 ; 44, 4 ; 56, 2 ; 63, 1 ; 87, 1 ; 142, 3) : λοιπὸς *codd.*, *cett. edd.* **5** Αὐτοῦ : *del.* Marc. (*om.* Mt. *et* Lc.) **6** Ἐξαδελφῆς Mar., Mign., Otto, Arch. : ἐξαδέλφης Goodsp., Marc. ἐξ ἀδελφῆς *codd.*, Steph., Jebb **7** Τοῦ Ἡρώδου *del.* Otto, Arch. (« manifestissimum glossema » Thirlb.) : *post* τελουμένης *transp.* Marc. **8** Εἶπεν *edd. a* Sylb. : εἰπεῖν *codd.*, *cett. edd.* **9** Ὑπέβαλεν : ὑπέλαβεν Troll.

Mais comme Élie n'est pas venu, je déclare qu'il ne l'est pas non plus.

2 Je lui demandai alors à nouveau :

— Le Verbe ne dit-il pas, par l'intermédiaire de Zacharie[5], qu'Élie doit venir [a]*avant ce grand et redoutable jour du Seigneur*[6] ?

Il répondit :

— Assurément.

— Si le donc Verbe oblige à admettre qu'il fut prophétisé qu'il y aurait deux parousies du Christ, l'une dans laquelle il apparaîtra [b]souffrant[7], [c]*sans honneur* et *apparence*, l'autre où il viendra *glorieux*[8] et [d]*juge* de tous[9], comme cela a été abondamment démontré dans ce qui a déjà été dit, ne comprendrons-nous pas que, selon ce qu'annonce le Verbe de Dieu, c'est du [e]*jour redoutable et grand*, c'est-à-dire de sa seconde parousie, qu'Élie doit être précurseur[10] ?

— Certainement, répondit-il.

3 — Notre Seigneur, dis-je, nous a confié dans ses enseignements qu'il en serait bien ainsi, lorsqu'il a dit qu' [f]*Élie* aussi *viendrait.* Et nous savons que cela aura lieu lorsque notre Seigneur Jésus-Christ sera sur le point [g]d'*apparaître* [h]*en gloire*, [i]*du haut des cieux*[11]. De sa première manifestation[12] l'Esprit de Dieu – qui était en Élie[13] – fut le héraut, en la personne de Jean, prophète au sein de votre race[14], après lequel il n'est plus apparu chez vous, par la suite, d'autre prophète[15]. Assis près du fleuve du Jourdain, il proclamait : (*Matth.* 3, 11 ; *Luc* 3, 16)*Quant à moi, je vous baptise dans l'eau pour le repentir. Mais il viendra celui qui est plus fort que moi, dont je ne suis pas digne de porter les sandales. Lui, il vous baptisera dans l'Esprit Saint et le feu.* (12 ; 17)*Son van est dans sa main, il nettoiera son aire, rassemblera le grain dans le grenier, et la paille il la consumera en un feu inextinguible*[16].

4 C'est ce prophète-là même que votre roi Hérode [j]fit enfermer en *prison.* [k]Un *jour* qu'on célébrait l'*anniversaire* du roi, sa nièce *dansa* d'une façon qui lui plut, et il lui dit de *demander* ce qu'elle voudrait. La *mère* de la jeune fille lui

a Cf. *Mal.* 4, 5 **b** cf. *Is.* 53, 3-4 **c** cf. *Is.* 53, 2-3 **d** cf. *Act.* 10, 42 **e** cf. *Mal.* 4, 5 **f** cf. *Matth.* 17, 11 ; *Mc.* 9, 12 **g** cf. *Matth.* 24, 30 **h** cf. *Matth.* 25, 31 ; *Is.* 33, 17 **i** cf. *Matth.* 24, 30 ; *Dan.* 7, 13 **j** cf. *Matth.* 14, 3 ; *Mc.* 6, 17 ; *Lc.* 3, 20 **k** cf. *Matth.* 14, 6-11 ; *Mc.* 6, 21-27

αἰτήσασθαι *τὴν κεφαλὴν Ἰωάννου* τοῦ *ἐν τῇ φυλακῇ* · καὶ αἰτησάσης *ἔπεμψε* καὶ *ἐπὶ πίκανι* ἐνεχθῆναι[1] τὴν *κεφαλὴν* Ἰωάννου ἐκέλευσε. **5** Διὸ καὶ ὁ ἡμέτερος Χριστὸς εἰρήκει ἐπὶ γῆς[2] τότε τοῖς λέγουσι πρὸ τοῦ [p. 152 : B] Χριστοῦ Ἡλίαν δεῖν ἐλθεῖν · (*Matth.* 17, 11) *Ἡλίας μὲν ἐλεύσεται καὶ ἀποκαταστήσει πάντα* · (12) *λέγω δὲ ὑμῖν ὅτι Ἡλίας ἤδη ἦλθε, καὶ οὐκ ἐπέγνωσαν αὐτόν, ἀλλ' ἐποίησαν αὐτῷ ὅσα ἠθέλησαν.* Καὶ γέγραπται ὅτι (13) *Τότε συνῆκαν οἱ μαθηταὶ ὅτι περὶ Ἰωάννου τοῦ βαπτιστοῦ εἶπεν αὐτοῖς.* [fol. 99 v° : A]

6 – Καὶ ὁ Τρύφων · Καὶ τοῦτο παράδοξον λέγειν μοι δοκεῖς, ὅτι τὸ ἐν Ἡλίᾳ τοῦ θεοῦ γενόμενον προφητικὸν πνεῦμα καὶ ἐν Ἰωάννῃ γέγονε.

– Κἀγὼ πρὸς ταῦτα · Οὐ δοκεῖ σοι ἐπὶ Ἰησοῦν, τὸν τοῦ Ναυῆ, τὸν διαδεξάμενον τὴν λαοηγησίαν μετὰ Μωσέα[3], τὸ αὐτὸ[4] γεγονέναι, ὅτε ἐρρέθη τῷ Μωσεῖ *ἐπιθεῖναι* τῷ Ἰησοῦ *τὰς χεῖρας*, εἰπόντος αὐτοῦ[5] τοῦ θεοῦ · *Κἀγὼ μεταθήσω ἀπὸ τοῦ πνεύματος τοῦ ἐν σοὶ ἐπ' αὐτόν* ;

7 – Κἀκεῖνος · μάλιστα.

– Ὡς οὖν, φημί, ἔτι ὄντος τότε ἐν ἀνθρώποις τοῦ Μωσέως[6], *μετέθηκεν* ἐπὶ τὸν Ἰησοῦν ὁ θεὸς *ἀπὸ τοῦ* ἐν Μωσεῖ *πνεύματος*, οὕτως καὶ ἀπὸ τοῦ Ἡλίου[7] ἐπὶ τὸν Ἰωάννην ἐλθεῖν ὁ θεὸς δυνατὸς ἦν ποιῆσαι, ἵνα, ὥσπερ ὁ Χριστὸς τῇ πρώτῃ παρουσίᾳ *ἄδοξος* ἐφάνη, οὕτως καὶ τοῦ πνεύματος τοῦ ἐν Ἡλίᾳ πάντοτε καθαρεύοντος, < ὡς >[8] τοῦ Χριστοῦ[9], *ἄδοξος* ἡ πρώτη παρουσία νοηθῇ. **8** *Κρυφίᾳ* γὰρ *χειρὶ ὁ κύριος πολεμεῖν τὸν Ἀμαλὴκ* εἴρηται, καὶ ὅτι ἔπεσεν ὁ Ἀμαλὴκ οὐκ ἀρνήσεσθε. Εἰ δὲ ἐν τῇ ἐνδόξῳ παρουσίᾳ τοῦ Χριστοῦ πολεμηθήσεσθαι τὸν Ἀμαλὴκ μόνον λέγεται, ποῖος καρπὸς ἔσται τοῦ Λόγου, ὅς φησι · *Κρυφίᾳ χειρὶ ὁ θεὸς πολεμεῖ τὸν Ἀμαλήκ* ; νοῆσαι[10] δύνασθε ὅτι *κρυφία* δύναμις τοῦ θεοῦ γέγονε τῷ σταυρωθέντι Χριστῷ, ὃν καὶ *τὰ δαιμόνια φρίσσει* καὶ *πᾶσαι* ἁπλῶς [fol. 100 r° : A] αἱ *ἀρχαὶ* καὶ *ἐξουσίαι* τῆς γῆς[11].

1 Ἐνεχθῆναι *codd.*, Sylb., Otto, Arch., Goodsp. (cf. Matth. 14, 11 ; Mc. 6, 27) : ἐναχθῆναι *cett. edd.* **2** Ἐπὶ γῆς : ἐπὶ γῆς ἔτι ὢν Marc. (cf. 49, 7 : ἔτι ὄντος) **3** Μωσέα ...Μωσεῖ : Μωϋσέα ...Μωϋσεῖ Mign., Otto, Goodsp. **4** Τὸ αὐτὸ γεγονέναι : τὸ αὐτὸ πνεῦμα παραγεγονέναι Marc. **5** Αὐτοῦ : αὐτῷ *coni.* Marc. **6** Μωσέως ...Μωσεῖ : Μωϋσέως ...Μωϋσεῖ Otto, Goodsp. **7** Ἀπὸ τοῦ Ἡλίου : ἀπὸ τοῦ ἐν Ἡλίᾳ Marc. (cf. 49, 3.6. 7 : τὸ / τοῦ ἐν Ἡλίᾳ ; 49, 7 : τοῦ ἐν Μωσεῖ) ἀπὸ τοῦ Ἡλίου πνεύματος *prop.* Mar. τὸ τοὺ Ἡλίου *vel* τὸ πνεῦμα τοῦ Ἡλίου *prop.* Thirlb. **8** Ὡς *add.* Otto, Troll., Mign., Arch. : ὡς τοῦ (*scil.* πνεύματος) Marc. *om. codd.*, *cett. edd.* πάντοτε καθαρμοσθέντος (*vel* καθαρμόζοντος) τῷ χριστῷ *prop.* Thirlb. **9** Πάντοτε – Χριστοῦ *in semicirculis* Marc. **10** Νοῆσαι : ν. οὖν Lange, Sylb., Marc. **11** Τῆς γῆς : *delendum* Thirlb.

suggéra de *réclamer la tête de Jean*, qui était *en prison*. Elle en fit la demande, et *le roi envoya* l'ordre *d'apporter sur un plat la tête* de Jean[17]. **5** C'est pourquoi notre Seigneur a dit un jour sur terre à ceux qui affirmaient qu'Élie devait venir avant le Christ : (*Matth.* 17, 11)*Élie viendra et rétablira toute chose.* (12)*Je vous dis qu'Élie est déjà venu, et ils ne l'ont pas reconnu, mais ils ont fait contre lui ce qu'ils ont voulu.* Et il est écrit qu' (13)*alors les disciples comprirent qu'il leur parlait de Jean le Baptiste*[18]

6 Tryphon : — Ce que tu dis là me semble également paradoxal : que l'Esprit prophétique de Dieu qui était en Élie le fut aussi en Jean.

A quoi je répondis :

— Ne te semble-t-il pas que sur Josué, fils de Naué, qui reçut le commandement du peuple après Moïse, la même chose est arrivée, [a]lorsqu'il fut ordonné à Moïse [b]d'*imposer les mains* à Josué, Dieu lui-même ayant dit [c]*Je ferai passer sur lui de l'esprit qui est en toi*[19]

7 Lui : — Parfaitement.

— Eh bien, dis-je, tout comme au temps où Moïse était encore parmi les hommes, Dieu a [d]*fait passer sur* Josué *de l'Esprit qui était en* Moïse, d'Élie Dieu pouvait également faire qu'il vînt[20] sur Jean, pour qu'on comprît que, de même que le Christ lors de la première parousie est apparu [e]*sans gloire*, elle fut aussi *sans gloire*, comme celle du Christ, la première parousie de l'Esprit qui gardait en Élie toute sa pureté[21]. **8** Car c'est [f]*d'une main secrète*, est-il dit, que *le Seigneur combat Amalek*. Or Amalek est tombé, vous ne le nierez pas[22]. Mais si c'est seulement dans la parousie glorieuse[23] du Christ qu'il est dit qu'Amalek sera combattu, quelle sorte de fruit[24] peut-on tirer de cette expression du Verbe : *D'une main secrète Dieu combat Amalek* ? Vous pouvez comprendre qu'une puissance *secrète*[25] appartint au Christ crucifié, lui qui [g]*fait frémir les démons* et absolument toutes les [h]*Principautés et Puissances* de la terre[26].

a Cf. *Nombr.* 27, 18-23 et *Deut.* 34, 9 **b** cf. *Nombr.* 27, 18 **c** *ibid.* 11, 17 **d** cf. *Nombr.* 11, 17 **e** cf. *Is.* 53, 2-3 **f** *Exod.* 17, 16 **g** cf. *Jacq.* 2, 19 **h** cf. *I. Cor.* 15, 24 ; *Éphés.* 1, 21 ; 3, 10 ; *Col.* 1, 16 ; 2, 15.

50. 1 – Καὶ ὁ Τρύφων · Ἔοικάς μοι ἐκ πολλῆς προστρίψεως τῆς πρὸς πολλοὺς περὶ[1] πάντων τῶν ζη-[p. 153 : B]-τουμένων[2] γεγονέναι[3] καὶ διὰ τοῦτο ἑτοίμως ἔχειν ἀποκρίνεσθαι πρὸς πάντα ἃ ἂν ἐπερωτηθῇς. Ἀπόκριναι[4] οὖν μοι πρότερον, πῶς ἔχεις ἀποδεῖξαι ὅτι καὶ ἄλλος[5] θεὸς παρὰ τὸν ποιητὴν τῶν ὅλων, καὶ τότε ἀποδείξεις ὅτι καὶ γεννηθῆναι διὰ τῆς παρθένου ὑπέμεινε.

2 – Κἀγὼ ἔφην · Πρότερόν μοι συγχώρησον εἰπεῖν λόγους τινὰς ἐκ τῆς Ἡσαΐου προφητείας, τοὺς εἰρημένους περὶ τῆς προελεύσεως, ἣν[6] προελήλυθεν αὐτοῦ τοὺ κυρίου ἡμῶν Ἰησοῦ Χριστοῦ τούτου Ἰωάννης ὁ βαπτιστὴς καὶ προφήτης γενόμενος.
– Κἀκεῖνος · Συγχωρῶ.

3 – Κἀγὼ εἶπον · Ἡσαΐας οὖν περὶ τῆς Ἰωάννου προελεύσεως οὕτως προεῖπε · (*Is.* 39, 8)*Καὶ εἶπεν Ἐζεκίας πρὸς Ἡσαΐαν · Ἀγαθὸς ὁ λόγος κυρίου, ὃν ἐλάλησε · Γενέσθω εἰρήνη καὶ δικαιοσύνη ἐν ταῖς ἡμέραις μου ·* καί · (*Is.* 40, 1)*Παρακαλεῖτε τὸν λαόν ·* (2)*ἱερεῖς, λαλήσατε εἰς τὴν καρδίαν Ἰερουσαλὴμ καὶ παρακαλέσατε αὐτήν, ὅτι ἐπλήσθη ἡ ταπείνωσις αὐτῆς · λέλυται αὐτῆς ἡ ἁμαρτία, ὅτι ἐδέξατο ἐκ χειρὸς κυρίου διπλᾶ τὰ ἁμαρτήματα αὐτῆς.* (3)*Φωνὴ βοῶντος ἐν τῇ ἐρήμῳ · Ἑτοιμάσατε τὰς ὁδοὺς κυρίου,* [fol. 100 v° : A] *εὐθείας ποιεῖτε τὰς τρίβους τοῦ θεοῦ ἡμῶν. Πᾶσα φάραγξ*[7] *πληρωθήσεται, καὶ πᾶν ὄρος καὶ βουνὸς ταπεινωθήσεται ·* (4)*καὶ ἔσται πάντα τὰ σκολιὰ εἰς εὐθεῖαν, καὶ ἡ τραχεῖα εἰς ὁδοὺς λείας ·* (5)*καὶ ὀφθήσεται ἡ δόξα κυρίου, καὶ ὄψεται πᾶσα σὰρξ τὸ σωτήριον τοῦ θεοῦ, ὅτι κύριος ἐλάλησε.* **4** (6)*Φωνὴ λέγοντος · βόησον. Καὶ εἶπον · Τί βοήσω ; Πᾶσα σὰρξ χόρτος, καὶ πᾶσα δόξα ἀνθρώπου ὡς ἄνθος χόρτου.* (7)*Ἐξηράνθη ὁ χόρτος, καὶ τὸ ἄνθος αὐτοῦ ἐξέπεσε,* (8)*τὸ δὲ ῥῆμα κυρίου μένει εἰς τὸν αἰῶνα.* (9)*Ἐπ' ὄρους ὑψηλοῦ ἀνάβηθι, ὁ εὐαγγελιζόμενος Σιών · ὕψωσον τῇ ἰσχύϊ τὴν φω*-[p. 154 : B]-*νήν σου, ὁ εὐαγγελιζόμενος Ἰερουσαλήμ. Ὑψώσατε, μὴ φοβεῖσθε. Εἶποι*[8] *ταῖς πόλεσιν Ἰούδα · Ἰδοὺ ὁ θεὸς ὑμῶν ·* (10)*κύριος ἰδοὺ μετ' ἰσχύος ἔρχεται, καὶ ὁ βραχίων μετὰ κυρίας ἔρχεται. Ἰδου ὁ μισθὸς μετ' αὐτοῦ, καὶ τὸ ἔργον ἐναντίον αὐτοῦ.* (11)*Ὡς ποιμὴν ποιμανεῖ τὸ ποίμνιον αὐτοῦ, καὶ τῷ βραχίονι συνάξει ἄρνας, καὶ τὴν ἐν γαστρὶ ἔχουσαν παρακαλέσει.* **5** (12)*Τίς ἐμέτρησε τῇ*

1 Περὶ : ἔμπειρος *vel* ἐν πολλῇ προστρίψει τῇ πρὸς πολλοὺς *pro* ἐκ πολλῆς προστρίψεως τῆς πρὸς πολλοὺς *prop.* Thirlb. **2** Ζητουμένων : ζ. ἐπιστήμων Marc. (cf. 3, 5) **3** Γεγονέναι : γνῶναι *vel* ἐγνωκέναι *prop.* Troll. **4** Ἀπόκριναι *edd. a* Sylb. (cf. 67, 7) : ἀπόκρινε *codd., cett. edd.* **5** Ἄλλος : ἄλλος ἐστὶ Marc. **6** Ἣν : ἧς *prop.* Pearson **7** Φάραγξ : *corr. ex* φάραξ A **8** Εἶπον *codd., edd.* : εἰπὸν (*imper. aor.* 2) Lange, Thirlb. (*ex* LXX).

Jean, Précurseur du Christ.
Prophétie d'Isaïe.

50. 1 Tryphon :

— Tu parais t'être frotté, avant notre rencontre, en maintes occasions à bien des interlocuteurs sur tout ce qui fait l'objet de notre recherche[1] ; et c'est là ce qui te rend prêt à répondre à toutes sortes de questions. Réponds-moi donc d'abord à ceci : comment peux-tu démontrer qu'il y a un autre Dieu[2] à côté du Créateur de l'univers ? Tu démontreras ensuite qu'il a consenti à naître par la vierge[3].

2 Je dis :

— Permets-moi, tout d'abord, de citer quelques paroles de la prophétie d'Isaïe, celles qui sont dites sur la fontion de précurseur, par laquelle Jean, qui fut Baptiste et prophète, précéda ce Jésus-Christ même, notre Seigneur.

Lui : — Soit.

3 Je dis :

— Isaïe donc, sur la fonction de précurseur assumée par Jean, a fait la prédiction suivante : (*Is.* 39, 8)*Ézéchias dit à Isaïe : Bonne est la parole que le Seigneur a fait entendre. Que paix et justice s'accomplissent en mes jours.* Et : (*Is.* 40, 1)*Consolez le peuple,* (2)*prêtres, parlez au cœur de Jérusalem, et consolez-la, car son abaissement est accompli ; son péché est remis, car elle a reçu de la main du Seigneur le double de ses péchés.* (3)*Une voix crie dans le désert : Préparez les voies du Seigneur, rendez droits les sentiers de notre Dieu. Tout abîme sera comblé, toute montagne et toute colline abaissée.* (4)*Toute sinuosité sera droiture, et la rocaille chemins unis.* (5)*La gloire du Seigneur*[4] *apparaîtra, et toute chair verra le Salut de Dieu, car le Seigneur a parlé.* **4** (6)*Une voix qui dit : Crie ! Et j'ai dit : Que crierai-je ? Toute chair est herbe, et toute gloire d'homme est comme une fleur d'herbe.* (7)*L'herbe a séché, et sa fleur est tombée,* (8)*mais la parole du Seigneur demeure pour l'éternité.* (9)*Monte sur une montagne élevée, toi qui annonces une bonne nouvelle à Sion. Élève la voix avec force, toi qui annonces une bonne nouvelle à Jérusalem. Élevez-la, ne craignez point. J'ai dit aux cités de Juda : Voici votre Dieu.* (10)*Voici que le Seigneur vient avec force, et le bras*[5] *vient avec domination. Voici sa récompense avec lui, et son œuvre devant lui.* (11)*Comme un pasteur, il fera paître son troupeau, de son bras il rassemblera les agneaux, et il consolera celle qui est enceinte.* **5** (12)*Qui a mesuré l'eau de la mer à la main, le ciel à l'empan, et toute la terre à la*

χειρὶ τὸ ὕδωρ καὶ τὸν οὐρανὸν σπιθαμῇ[1] *καὶ πᾶσαν τὴν γῆν δρακί ; τίς ἔστησε τὰ ὄρη σταθμῷ καὶ τὰς νάπας ζυγῷ ;* (13) *Τίς ἔγνω νοῦν κυρίου, καὶ τίς αὐτοῦ σύμβουλος ἐγένετο, ὅς συμβιβάσει αὐτόν ;* (14) *῍Η πρὸς τίνα συνεβουλεύσατο, καὶ συνεβίβασεν αὐτόν ; ῍Η τίς ἔδειξεν αὐτῷ κρίσιν ;* [fol. 101 r° : A] *῍Η ὁδὸν συνέσεως τίς ἐγνώρισεν αὐτῷ ;* (15) *πάντα τὰ ἔθνη ὡς σταγὼν ἀπὸ κάδου, καὶ ὡς ῥοπὴ ζυγοῦ ἐλογίσθησαν, καὶ ὡς πτύελος*[2] *λογισθήσονται.* (16) *Ὁ δὲ Λίβανος οὐχ ἱκανὸς*[3] *εἰς καῦσιν, καὶ*[4] *τὰ τετράποδα οὐχ ἱκανὰ εἰς ὁλοκάρπωσιν,* (17) *καὶ πάντα τὰ ἔθνη οὐθέν*[5], *καὶ εἰς οὐδὲν ἐλογίσθησαν.*

51. 1 – Καὶ παυσαμένου μου εἶπεν ὁ Τρύφων · Ἀμφίβολοι μὲν[6] πάντες οἱ λόγοι τῆς προφητείας, ἣν φῂς σύ, ὦ ἄνθρωπε, καὶ οὐδὲν τμητικὸν εἰς ἀπόδειξιν οὗπερ βούλει ἀποδεῖξαι ἔχοντες.

– Κἀγὼ ἀπεκρινάμην · Εἰ μὲν μὴ ἐπαύσαντο καὶ οὐκ[7] ἔτι ἐγένοντο οἱ προφῆται ἐν τῷ γένει ὑμῶν, ὦ Τρύφων, μετὰ τοῦτον τὸν Ἰωάννην, δῆλον ὅτι[8] ἃ λέγω εἰς Ἰησοῦν τὸν Χριστὸν[9] ἴσως ἀμφίβολα ἐνοεῖτε[10] εἶναι τὰ λεγόμενα. **2** Εἰ δὲ Ἰωάννης μὲν προελήλυθε *βοῶν* τοῖς ἀνθρώποις *μετανοεῖν*, καὶ Χριστὸς ἔτι αὐτοῦ καθεζομένου ἐπὶ τοῦ Ἰορδάνου ποταμοῦ ἐπελθὼν ἔπαυσέ τε αὐτὸν τοῦ [p. 155 : B] προφητεύειν καὶ βαπτίζειν, καὶ *εὐηγγελίζετο*, καὶ αὐτὸς λέγων ὅτι *ἐγγύς ἐστιν ἡ βασιλεία τῶν οὐρανῶν*, καὶ ὅτι *δεῖ* αὐτὸν *πολλὰ παθεῖν*[5] *ἀπὸ τῶν γραμματέων* καὶ Φαρισαίων[12], καὶ σταυρωθῆναι καὶ *τῇ τρίτῃ ἡμέρᾳ* ἀναστῆναι, καὶ πάλιν παραγενήσεσθαι ἐν Ἱερουσαλήμ, καὶ τότε τοῖς μαθηταῖς αὐτοῦ συμ*πιεῖν* πάλιν καὶ συμ*φαγεῖν*, [fol. 101 v° : A] καὶ ἐν τῷ μεταξὺ τῆς παρουσίας αὐτοῦ χρόνῳ, ὡς προέφην, γενήσεσθαι *αἱρέσεις*[13] καὶ *ψευδοπροφήτας*[14] *ἐπὶ τῷ ὀνόματι* αὐτοῦ προεμήνυσε, καὶ οὕτω φαίνεται ὄντα · πῶς[15] ἔτι ἀμφιβάλλειν[16] ἔστιν, ἔργῳ πεισθῆναι ὑμῶν ἐχόντων ;

1 Σπιθαμῇ *edd. a* Mar. (= LXX) : σπηθαμῇ *codd.*, Steph. **2** Πτύελος : *corr. ex* πύελος A **3** Ἱκανὸς *codd.*, Sylb., Mor., *edd. ab* Otto, Troll. (= LXX) : ἱκανῶς Steph. *cett. edd.* **4** Καὶ : καὶ πάντα Marc. (*ex* LXX) **5** Οὐθέν, καὶ εἰς οὐδὲν : οὐδέν, ...οὐδὲν Migne. εἰς οὐθέν εἰσι καὶ εἰς οὐδὲν Marc. ὡς οὐδέν εἰσι, καὶ εἰς οὐθὲν LXX **6** Μὲν : μέντοι Marc. **7** Οὐκ : *del.* Marc. οὐκέτι *codd.* εἰσέτι Otto **8** Δῆλον ὅτι : δηλονότι *codd.*, Marc. **9** Δῆλον – Χριστόν : *del.* Thirlb., *edd. ab* Otto (*ut glossema*) **10** Ἐνοεῖτε : ἐνοεῖτο *prop.* Mar. **11** Παθεῖν : π. καὶ ἀποδοκιμασθῆναι *prop.* Otto (cf. 76, 7 ; 100, 3) **12** Φαρισαίων B, *edd.* : Φαρισσαίων A **13** Αἱρέσεις *prop.* Thirlb., Mar., *coni.* Otto, Arch., Marc. (cf. I Cor. 11, 19 : αἱρέσεις ; Dial. 35, 3 : σχίσματα καὶ αἱρέσεις) ἱερεῖς *codd.*, *cett. edd.* ψευδιερεῖς *prop.* Sylb. **14** Ψευδοπροφήτας : ψ. καὶ ψευδοχρίστους Marc. (*ex* Mt. 24, 24 *et* Dial. 35, 3 ; 82, 2) **15** Πῶς : πῶς οὖν Marc. **16** Ἀμφιβάλλειν : ι (ἀμφι–) *in ras.* A.

poignée ? Qui a pesé les montagnes au trébuchet, et les vallons à la balance ? (13)*Qui connaît la pensée du Seigneur, qui a été son conseiller, et le persuadera ?* (14)*Ou près de qui a-t-il pris conseil, et par qui a-t-il été persuadé ? Ou qui lui a montré un jugement ; ou qui lui a fait connaître la voie de l'intelligence ?* (15)*Toutes les nations ont été comptées comme une goutte tombée de la jarre, comme le poids qui fait incliner la balance, et comme un crachat elles seront comptées.* (16)*Mais le Liban ne suffit pas au feu, ni les quadrupèdes pour l'holocauste,* (17)*toutes les nations ne sont rien, et elles ont été réputées pour rien*[6].

Jean était bien le Précurseur.
Il n'y eut plus, après lui, de prophète en Israël.

51. 1 Lorsque j'eus fini, Tryphon dit :

— Toutes les paroles de la prophétie que tu cites, mon cher, sont incertaines[1], et ne comportent rien de décisif pour la démonstration de ce que tu veux démontrer.

Je répondis :

— S'il n'était point arrivé, Tryphon, que les prophètes aient cessé et définitivement disparu en votre race, après ce Jean-là, vous pourriez évidemment considérer comme incertaines ces paroles que je rapporte à Jésus-Christ[2]. **2** Mais si Jean est venu en précurseur, [a]*criant* aux hommes de [b]*se repentir*, et si, tandis qu'il se tenait encore près du Jourdain, le Christ[3] est venu mettre un terme à son activité de prophète[4] et baptiste, s'il a [c]*annoncé la bonne nouvelle*[5], disant lui aussi que *le royaume des cieux était proche*, et qu'il [d]*devait beaucoup souffrir de la part des Scribes* et des Pharisiens[6], être crucifié et ressusciter[7] *le troisième jour*, puis revenir à Jérusalem, [e]*manger* et *boire* alors de nouveau avec ses disciples[8], et a annoncé par avance, comme je l'ai dit, que dans l'intervalle de temps avant sa parousie, il y aurait [f]*des hérésies et des pseudoprophètes*[9] se présentant [g]*en son nom* – et c'est manifestement ce qui s'est produit –, comment est-il possible de demeurer incertains, quand la réalité[10] est là pour vous convaincre[11] ?

a Cf. *Matth.* 3, 3 **b** cf. *Matth.* 3, 2 **c** cf. *Matth.* 4, 17 ; *Mc.* 1, 14-15 ; *Lc.* 8, 1 ; cf. *Is.* 40, 8-9 **d** cf. *Matth.* 16, 21 ; *Mc.* 8, 31 ; *Lc.* 9, 22 **e** cf. *Matth.* 26, 29 ; *Mc.* 14, 25 ; *Lc.* 22, 18.30 ; *Act.* 10, 41 **f** cf. *Matth.* 7, 15 ; 24, 11.24 ; *Mc.* 13, 22 ; *I Cor.* 11, 19 **g** cf. *Matth.* 24, 5 ; *Mc.* 13, 6 ; *Lc.* 21, 8.

3 Εἰρήκει[1] δὲ περὶ τοῦ μηκέτι γενήσεσθαι ἐν τῷ γένει ὑμῶν προφήτην καὶ περὶ τοῦ ἐπιγνῶναι[2] ὅτι ἡ πάλαι κηρυσσομένη ὑπὸ τοῦ θεοῦ *καινὴ διαθήκη διαταχθήσεσθαι* ἤδη[3] τότε παρῆν, τουτέστιν αὐτὸς ὢν ὁ Χριστός, οὕτως : (*Matth.* 11, 12 ; *Lc.* 16, 16) *Ὁ νόμος καὶ οἱ προφῆται μέχρι Ἰωάννου τοῦ βαπτιστοῦ · ἐξ ὅτου*[4] *ἡ βασιλεία τῶν οὐρανῶν βιάζεται, καὶ βιασταὶ ἁρπάζουσιν αὐτήν.* (*Matth.* 11, 14)*Καὶ εἰ θέλετε δέξασθαι, αὐτός ἐστιν Ἠλίας ὁ μέλλων ἔρχεσθαι. Ὁ ἔχων ὦτα ἀκούειν ἀκουέτω.*

52. 1 Καὶ διὰ Ἰακὼβ δὲ τοῦ πατριάρχου προεφητεύθη ὅτι δύο τοῦ Χριστοῦ παρουσίαι ἔσονται, καὶ ὅτι ἐν τῇ πρώτῃ παθητὸς ἔσται, καὶ ὅτι μετὰ τὸ αὐτὸν[5] ἐλθεῖν οὔτε προφήτης οὔτε βασιλεὺς[6] ἐν τῷ γένει ὑμῶν, ἐπήνεγκα[7], καὶ ὅτι τὰ *ἔθνη*, πιστεύοντα ἐπὶ τὸν παθητὸν Χριστόν, πάλιν παραγενησόμενον *προσδοκήσει*. Ἐν παραβολῇ δὲ καὶ παρακεκαλυμμένως τὸ πνεῦμα τὸ ἅγιον διὰ τοῦτο[8] αὐτὰ ἐλελαλήκει[9], ἔφην.

2 Οὕτως δὲ εἰρηκέναι ἐπήνεγκα · (*Gen.* 49, 8) *Ἰούδα, ἤνεσάν σε οἱ ἀδελφοί σου, αἱ χεῖρές σου ἐπὶ νώτου τῶν* [p. 156 : B] *ἐχθρῶν σου,* [fol. 102 r° : A] *προσκυνήσουσί σε οἱ υἱοὶ τοῦ πατρός σου.* (9)*Σκύμνος λέοντος Ἰούδα · ἐκ βλαστοῦ, υἱέ μου, ἀνέβης. Ἀναπεσὼν ἐκοιμήθη ὡς λέων καὶ ὡς σκύμνος · τίς ἐγερεῖ αὐτόν* (10)*Οὐκ ἐκλείψει ἄρχων ἐξ Ἰούδα καὶ ἡγούμενος ἐκ τῶν μηρῶν αὐτοῦ, ἕως ἂν ἔλθῃ τὰ ἀποκείμενα αὐτῷ*[10] *· καὶ αὐτὸς ἔσται προσδοκία ἐθνῶν,* (11)*δεσμεύων πρὸς ἄμπελον τὸν πῶλον αὐτοῦ καὶ τῇ ἕλικι τὸν πῶλον τῆς ὄνου αὐτοῦ. Πλυνεῖ ἐν οἴνῳ τὴν στολὴν αὐτοῦ καὶ ἐν αἵματι σταφυλῆς τὴν περιβολὴν αὐτοῦ.* (12)*Χαροποὶ οἱ ὀφθαλμοὶ αὐτοῦ ἀπὸ οἴνου, καὶ λευκοὶ οἱ ὀδόντες αὐτοῦ ὡς γάλα.*

3 Ὅτι οὖν οὐδέποτε ἐν τῷ γένει ὑμῶν ἐπαύσατο οὔτε προφήτης οὔτε *ἄρχων*, ἐξ ὅτου ἀρχὴν ἔλαβε, μέχρις < οὗ >[11] οὗτος Ἰησοῦς Χριστὸς καὶ γέγονε καὶ ἔπαθεν, οὐδ' ἀναισχύντως τολμήσετε εἰπεῖν ἢ ἀποδεῖξαι

1 Εἰρήκει *prop* Mar., *coni.* Troll., *edd. ab* Otto (cf. 49, 5 ; 77, 3 ; 103, 4) : εἰρήκειν A (*p. corr.* : *ex* εἰρήκει ?), B, *cett. edd.* **2** Ἐπιγνῶναι : ἐπ. δεῖν Marc. (cf. 44, 4) **3** Ἤδη : καὶ ἤδη Mor. **4** Ἐξ ὅτου : ἐξότου Steph., Mar., Mign. **5** Αὐτὸν : αὐτὸν πρῶτον Marc. **6** Οὔτε βασιλεὺς : οὔτε β. ἔτι Marc. **7** Προεφητεύθη ...ὑμῶν, ἐπήνεγκα, καὶ ὅτι *edd. a* Mar. : προεφητεύθη ...ὑμῶν. Ἐπήνεγκα *cett. edd.* προεφητεύθη ...ὑμῶν ἐπήνεγκα, καὶ ὅτι *codd.* ἐπήνεγκα *in semicirculis* Mar., *del.* Marc. (cf. 52, 2) **8** Διὰ τοῦτο αὐτὰ : διὰ τὸ μὴ ὑπὸ πάντων νοηθῆναι αὐτὰ Marc. (cf. 90, 2) **9** Ἐλελαλήκει : -ἐλ- *in ras.* A **10** Τὰ ἀποκείμενα αὐτῷ *in textu codd.*, *edd.* (= LXX ; Dial. 120, 3.4) : ἕως ἂν ἔλθῃ ὃ ἀπόκειται αὐτῷ *in marg. codd.* (= I Apol. 32, 1 ; 54, 4) ᾧ ἀπόκειται Dial. 120, 4 (*Judaeorum interpretatio*) **11** Οὗ *edd.* : *om. codd.*

3 Sur le fait qu'il ne devait plus y avoir de prophète en votre race, et qu'on devait reconnaître que la *nouvelle Alliance*[12] dont Dieu avait autrefois annoncé l'*institution* – c'est-à-dire lui-même, le Christ – était désormais arrivée, il s'était exprimé en ces termes : (*Matth.* 11, 12 ; *Lc.* 16, 16)*La Loi et les prophètes jusqu'à Jean le Baptiste ; maintenant le Royaume des cieux souffre violence, et des violents le ravissent.* (*Matth.* 11, 14)*Si vous voulez bien l'accueillir, c'est lui l'Élie qui doit venir.* (15)*Que celui qui a des oreilles pour entendre entende*[13].

La disparition, en Israël, des prophètes et des rois
était annoncée dans la bénédiction de Juda.

52. 1 Par l'intermédiaire de Jacob le patriarche, il fut encore prophétisé qu'il y aurait du Christ deux parousies : que dans la première il serait « souffrant », et qu'après sa venue, il n'y aurait plus, en votre race, ni prophète ni roi[1] ; et – ajoutai-je – que les [a]*nations* qui croient au Christ souffrant *seraient dans l'attente* de son retour. Et c'est pour cette raison[2], dis-je, que l'Esprit Saint a proféré ces choses en parabole et de manière voilée[3].

2 Voici comment il a parlé, ajoutai-je : (*Gen.* 49, 8)*Juda, tes frères t'ont célébré, tes mains seront sur la nuque de tes ennemis, devant toi se prosterneront les fils de ton père.* (9)*Juda est un lionceau ; du germe tu as surgi, mon fils*[4]. *Il s'est couché et s'est étendu comme un lion et comme un lionceau. Qui le fera se lever ?* (10)*Le prince ne disparaîtra pas de Juda, ni le chef de ses cuisses, jusqu'à ce que vienne ce qui lui est réservé. Et lui-même sera l'attente des nations*[5], (11)*attachant à la vigne son ânon et au cep le petit de son ânesse*[6]. *Il lavera dans le vin son habit, et dans le sang de la grappe son vêtement*[7]. (12)*Brillants de vin sont ses yeux, et blanches ses dents, comme le lait.*

3 Ainsi, qu'il ait jamais cessé d'y avoir, dans votre race, depuis son origine jusqu'au temps où ce Jésus-Christ a existé et souffert, un prophète ou un [b]*prince*, c'est ce que vous n'oserez affirmer sans rougir, ni prétendre

a Cf. *Gen.* 49, 10 **b** cf. *Gen.* 49, 10.

ἔχετε. Καὶ γὰρ Ἡρώδην, ἀφ' οὗ ἔπαθεν[1] Ἀσκαλωνίτην γεγονέναι λέγοντες, ὅμως ἐν τῷ γένει ὑμῶν ὄντα λέγετε ἀρχιερέα, ὥστε, καὶ τότε ὄντος ὑμῖν[2] κατὰ τὸν νόμον τοῦ Μωσέως[3] καὶ προσφορὰς προσφέροντος καὶ τὰ ἄλλα νόμιμα φυλάσσοντος, καὶ προφητῶν κατὰ διαδοχὴν μέχρις[4] Ἰωάννου γεγενημένων, ὡς[5] καὶ ὅτε εἰς Βαβυλῶνα ἀπήχθη ὁ λαὸς ὑμῶν, πολεμηθείσης τῆς γῆς καὶ τῶν ἱερῶν σκευῶν ἀρθέντων, μὴ [fol. 102 v° : A] παύσασθαι ἐξ ὑμῶν προφήτην, ὃς κύριος καὶ *ἡγούμενος* καὶ *ἄρχων* τοῦ λαοῦ ὑμῶν ἦν. Τὸ γὰρ ἐν τοῖς προφηταῖς πνεῦμα καὶ τοὺς βασιλεῖς ὑμῖν ἔχριε[6] καὶ καθίστα.

4 Μετὰ δὲ τὴν Ἰησοῦ τοῦ ἡμετέρου Χριστοῦ ἐν τῷ γένει ὑμῶν φανέρωσιν καὶ θάνατον οὐδαμοῦ προφήτης γέγονεν οὐδέ ἐστιν, ἀλλὰ καὶ τὸ εἶναι ὑμᾶς ὑπὸ ἴδιον βασιλέα ἐπαύσατο, καὶ προσέτι *ἡ γῆ ὑ*-[p. 157 : B]-*μῶν ἠρημώθη* καὶ *ὡς ὀπωροφυλάκιον καταλέλειπται*. Τὸ δὲ εἰπεῖν τὸν Λόγον διὰ τοῦ Ἰακώβ · *Καὶ αὐτὸς ἔσται προσδοκία ἐθνῶν*, συμβολικῶς δύο παρουσίας αὐτοῦ ἐσήμανε[7] καὶ τὰ *ἔθνη* μέλλειν[8] αὐτῷ πιστεύειν, ὅπερ ὀψέ[9] ποτε πάρεστιν ἰδεῖν ὑμῖν · οἱ γὰρ ἀπὸ τῶν *ἐθνῶν* ἁπάντων διὰ τῆς πίστεως τῆς τοῦ Χριστοῦ θεοσεβεῖς καὶ δίκαιοι γενόμενοι, πάλιν παραγενησόμενον αὐτὸν *προσδοκῶμεν*.

53. 1 Καὶ τὸ *Δεσμεύων πρὸς ἄμπελον τὸν πῶλον αὐτοῦ καὶ τῇ ἕλικι τὸν πῶλον τῆς ὄνου*[10] καὶ τῶν ἔργων, τῶν ἐπὶ τῆς πρώτης αὐτοῦ παρουσίας γενομένων[11] ὑπ' αὐτοῦ, καὶ τῶν ἐθνῶν ὁμοίως, τῶν μελλόντων πιστεύειν αὐτῷ, προδήλωσις ἦν. Οὗτοι γὰρ ὡς *πῶλος* ἀσαγὴς[12] καὶ ζυγὸν ἐπὶ αὐχένα μὴ ἔχων τὸν ἑαυτοῦ, μέχρις ὁ Χριστὸς οὗτος *ἐλθὼν* διὰ τῶν μαθητῶν αὐτοῦ πέμψας *ἐμαθήτευσεν* αὐτούς, καὶ τὸν [fol. 103 r° : A] *ζυγὸν* τοῦ λόγου αὐτοῦ βαστάσαντες[13] τὸν νῶτον ὑπέθηκαν πρὸς τὸ πάντα ὑπομένειν διὰ τὰ *προσδοκώμενα* καὶ ὑπ' αὐτοῦ κατηγγελμένα *ἀγαθά*.

1 Ἀφ' οὗ ἔπαθεν : *del.* Otto (*ut glossema*) ἐφ' οὗ ἐγεννήθη *prop.* Casaubon (*Adv. Baron*, p. 13), ἀφ' οὗ ἔφυγεν Thirlb., ἀφ' οὗ ἐπαύσατο Kaye (*Some accounts of the Writings ... of Justin Martyr*, Londini 1829, p. 129), ἀφ' οὗ ἔλαθεν Nolte **2** Ὑμῖν : ὑμῖν τοῦ Marc. ἀρχιερέως *prop.* Casaubonus **3** Μωσέως : Μωϋσέως Otto, Goodsp. **4** Μέχρις : *corr. ex* Μέχρι A **5** Ὡς : ἔστε Marc. (ἔστε – ἀρθέντων *in semicirculis*) **6** Ἔχριε *codd.*, Mar., *edd. ab* Otto, Troll. : ἔχρισε *cett. edd.* **7** Ἐσήμανε : –α– *in ras.* A **8** Μέλλειν (cf. 53, 1) : μᾶλλον *prop.* Thirlb. **9** Ὀψέ : ὄψει *prop.* Thirlb., *coni.* Marc. (ex Dial. 35, 2 ; 87, 3 ; 96, 2 ; I Apol. 30, 1 ; 32, 4) **10** Ὄνου : ὄ. αὐτοῦ Marc. (*ex* LXX; Dial. 52, 2) **11** Γενομένων : γενησομένων *prop.* Thirlb., *coni.* Marc. (*ex* I Apol. 32, 5) **12** Ἀσαγὴς : ἀ. ἦσαν Marc. **13** Βαστάσαντες *edd. ab.* Otto : βαστάξαντες *codd.*, *cett. edd.*

démontrer. Car tout en déclarant qu'Hérode, par lequel il souffrit[8], était Ascalonite[9], vous dites néanmoins qu'il y avait[10] (sous son règne) un Grand prêtre en votre race, en sorte qu'à cette époque encore, quelqu'un parmi vous, selon la Loi de Moïse, présentait les offrandes et veillait au respect de toutes les autres prescriptions. Les prophètes, d'autre part, se sont succédés sans interruption jusqu'à Jean : ainsi, même lorsque votre peuple fut emmené à Babylone, le pays ravagé par la guerre, [a]et les vases sacrés enlevés, il ne manqua point chez vous de prophète pour être Seigneur, [b]*chef* et *prince* de votre peuple, car l'Esprit qui était dans les prophètes était aussi celui qui oignait vos rois et les établissait[11].

4 Mais après la manifestation et la mort de Jésus, notre Christ[12], en votre race, il n'y a plus eu, et il n'est plus de prophète. Même le fait d'être sous un roi à vous a pris fin, et de surcroît [c]*votre pays a été dévasté* et [d]il est *abandonné comme une cabane de gardien de verger*[13]. Et quand le Verbe a dit par l'intermédiaire de Jacob [e]*Et lui-même sera l'attente des nations*, il signifiait symboliquement ses deux parousies[14], et la foi que les *nations* devaient avoir en lui, ce que, longtemps après, il vous est finalement[15] donné de voir. Nous qui, de toutes les *nations*, sommes devenus pieux et justes par la foi au Christ, nous *attendons* en effet qu'il paraisse à nouveau.

La bénédiction de Juda et la prophétie de Zacharie annonçaient l'entrée du Christ à Jérusalem, et la conversion des nations.

53. 1 Quant à l'expression : [f]*attachant à la vigne son ânon et au cep le petit de l'ânesse*, elle montrait à l'avance[1] et les œuvres qu'il accomplies lors de sa première parousie, et les nations qui devaient de même croire en lui[2]. Elles étaient en effet comme un [g]*petit (d'ânesse)* sans bât[3], et sans joug sur le cou, [h]jusqu'à ce que ce Christ *vienne*, [i]et envoie ses disciples pour en *faire des disciples*. De son Verbe, alors, elles portèrent [j]*le joug*[4], et elles tendirent le dos, prêtes à tout endurer pour [k]les *biens*[5] [l]*attendus*, et annoncés par lui.

a Cf. *IV Rois*, 25, 14-16 **b** cf. *Gen.* 49, 10 **c** cf. *Is.* 1, 7 **d** *Is.* 1, 8 **e** *Gen.* 49, 10 **f** *Gen.* 49, 11 **g** *ibid.* ; *Matth.* 21, 1 s. ; *Mc.* 11, 1 s. ; *Lc.* 19, 28 s. **h** cf. *Gen.* 49, 10 **i** cf. *Matth.* 28, 19 **j** cf. *Matth.* 11, 29-30 **k** cf. *Ps.* 127, 5 ; *Is.* 58, 14 **l** cf. *Gen.* 49, 10.

2 Καὶ *ὄνον* δέ τινα ἀληθῶς σὺν *πώλῳ* αὐτῆς προσδεδεμένην[1] ἔν τινι εἰσόδῳ κώμης *Βηθφαγῆς*[2] λεγομένης, ὅτε ἔμελλεν εἰσέρχεσθαι *εἰς τὰ Ἱεροσόλυμα* ὁ κύριος ἡμῶν[3] Ἰησοῦς Χριστός, ἐκέλευσε τοὺς *μαθητὰς* αὐτοῦ *ἀγαγεῖν* αὐτῷ καὶ *ἐπικαθίσας ἐπεισελήλυθεν εἰς τὰ Ἱεροσόλυμα* · ὅ<περ> ὡς[4] ἐπεπροφήτευτο[5] διαρρήδην γενήσεσθαι ὑπὸ τοῦ Χριστοῦ, γενόμενον[6] ὑπ' αὐτοῦ καὶ γνωσθέν, τὸν Χριστὸν ὄντα αὐτὸν φανερὸν ἐποίει. Καί, τούτων ἁπάντων γενομένων καὶ ἀπὸ τῶν γραφῶν ἀποδεικνυμένων, ὑμεῖς ἔτι σκληροκάρδιοί ἐστε.

3 Προεφητεύθη δὲ ὑπὸ Ζαχαρίου, ἑνὸς τῶν δώδεκα, τοῦτο μέλλειν γίνεσθαι οὕτως · *Χαῖρε* [p. 158 : B] *σφόδρα, θύγατερ Σιών, ἀλάλαξον, κήρυσσε, θύγατερ Ἱερουσαλήμ · ἰδοὺ ὁ βασιλεύς σου ἥξει σοι δίκαιος καὶ σῴζων αὐτὸς καὶ πραῢς καὶ πτωχός, ἐπιβεβηκὼς ἐπὶ ὑποζύγιον καὶ πῶλον ὄνου.* **4** Τὸ δὲ καὶ *ὄνον ὑποζύγιον* ἤδη[7] μετὰ τοῦ *πώλου* αὐτῆς ὀνομάζειν τὸ προφητικὸν πνεῦμα μετὰ τοῦ πατριάρχου Ἰακὼβ ἐν τῇ κτήσει[8] αὐτὸν ἔχειν, ἀλλὰ καὶ αὐτὸν τοῖς μαθηταῖς αὐτοῦ, ὡς προέφην, [fol. 103 v° : A] ἀμφότερα [γὰρ][9] τὰ ζῶα κελεῦσαι *ἀγαγεῖν*, προαγγελία ἦν τῶν[10] ἀπὸ τῆς συναγωγῆς ὑμῶν ἅμα τοῖς ἀπὸ τῶν ἐθνῶν πιστεύειν ἐπ' αὐτὸν μέλλουσιν. Ὡς γὰρ τοῖς[11] ἀπὸ τῶν ἐθνῶν σύμβολον ἦν ὁ ἀσαγὴς *πῶλος*, οὕτως καὶ τῶν ἀπὸ τοῦ ὑμετέρου λαοῦ ἡ ὑποσαγὴς *ὄνος* · τὸν γὰρ διὰ τῶν προφητῶν νόμον[12] ἐπικείμενον ἔχετε.

5 Ἀλλὰ καὶ διὰ τοῦ προφήτου Ζαχαρίου, ὅτι *παταχθήσεται* αὐτὸς οὗτος ὁ Χριστὸς καὶ *διασκορπισθήσονται* οἱ μαθηταὶ αὐτοῦ, προεφητεύθη · ὅπερ καὶ γέγονε. Μετὰ γὰρ τὸ σταυρωθῆναι αὐτὸν οἱ σὺν αὐτῷ ὄντες μαθηταὶ αὐτοῦ διεσκεδάσθησαν, μέχρις ὅτου[13] ἀνέστη ἐκ νεκρῶν καὶ πέπεικεν αὐτοὺς ὅτι οὕτως προεπεφήτευτο περὶ αὐτοῦ *παθεῖν* αὐτόν · καὶ οὕτω πεισθέντες καὶ εἰς τὴν πᾶσαν οἰκουμένην ἐξελθόντες ταῦτα *ἐδίδαξαν*. **6** Ὅθεν καὶ ἡμεῖς βέβαιοι ἐν τῇ πίστει καὶ μαθητείᾳ αὐτοῦ ἐσμεν, ἐπειδὴ

1 Προσδεδεμένην : πρὸς ἄμπελον δεδεμένην *prop.* Thirlb., *coni.* Marc. (*ex* I Apol. 32, 6 ; Matth. 21, 2) **2** Βηθφαγῆς Thirlb., Mign., Otto, Arch. : Βηθσφαγῆς *codd.*, Steph., Goodsp., Marc. Βεθφαγῆς Sylb., Mor., Mar., Troll. **3** Ἡμῶν : ὑμῶν *coni.* Steph. **4** Ὅπερ ὡς *prop.* Thirlb., *coni. edd. ab* Otto, Troll. (cf. Dial. 87, 5) : ὃ πῶς *codd.*, *cett. edd.* ὃ ὅπως *prop.* Mar., Lange **5** Ἐπεπροφήτευτο : ἐπεπρο– *in ras.* A **6** Γενόμενον : καὶ γ. Marc. **7** Ἤδη : τῇδε *prop.* Thirlb. **8** Κτήσει *prop.* Sylb., *coni. edd. ab* Otto (cf. Dial. 86, 2 ; 139, 2.4) : κτίσει *codd.*, *cett. edd.* χρήσει *prop.* Lange, Mar. (*ex* Matth. 21, 3 ?), γενέσει Pearson **9** Γὰρ : *del.* Sylb., *edd. ab* Otto, Troll. **10** Τῶν : καὶ τῶν Mar., Mign., Troll., Otto καὶ τοῖς Arch., Goodsp. καὶ προδήλωσις τῶν Marc. καὶ *codd.* (*in ras.* ? A) **11** Τοῖς ...τῶν : τοῖς ...τοῖς Mar., Mign., Otto τῶν ...τῶν Arch., Goodsp. **12** Νόμον : ν. διαταχθέντα Marc. **13** Μέχρις ὅτου *in marg. codd.*, *ad calcem* Steph., *edd. ab* Otto, Troll. : μέχρις ὅτε *in textu codd*, *cett. edd.* μέχρις οὗ Dial. 88, 2 ; 102, 4.

2 C'est bien en réalité une [a]*ânesse* avec *son petit attachée*[6] à quelque accès du village appelé *Bethphagé* que notre Seigneur Jésus-Christ, sur le point de *pénétrer* dans *Jérusalem*, ordonna à ses *disciples* de lui *amener* pour *faire son entrée, sur elle, à Jérusalem*[7]. Cette prophétie, qui devait expressément s'accomplir par le Christ-Oint, est, on le sait, arrivée par lui, ce qui rendait manifeste qu'il était le Christ[8]. Et cependant, bien que toutes ces choses soient arrivées et soient démontrées par les Écritures, vous demeurez durs de cœur !

3 Or il avait été prophétisé par Zacharie, l'un des douze, qu'il devait en advenir ainsi : [b]*Réjouis-toi grandement, fille de Sion, crie, proclame, fille de Jérusalem ! Voici que ton roi viendra à toi. Il est juste et sauveur, doux et humble, monté sur une bête portant le joug et sur le petit d'une ânesse*[9]. **4** Si l'Esprit prophétique, avec le patriarche Jacob, mentionne dès lors qu'il aura en sa possession[10] une [c]*ânesse portant le joug* avec *son petit*[11], et en outre, comme je viens de le dire, [d]qu'il a ordonné à ses *disciples* de lui *amener* les deux animaux, c'était une prédiction de ceux de votre Synagogue, avec ceux des nations qui devaient croire en lui. De même, en effet, que pour ceux des nations *le petit (de l'ânesse)* sans bât était un symbole, de ceux de votre peuple[12] *l'ânesse* [e]*bâtée* l'était pareillement : car vous avez la Loi imposée par les prophètes[13].

5 Et c'est encore par l'intermédiaire du prophète Zacharie qu'il fut prophétisé que ce Christ lui-même serait [f]*frappé* et ses disciples *dispersés* ; ce qui est aussi arrivé. Car après sa crucifixion, ses disciples qui étaient avec lui furent éparpillés, jusqu'à ce qu'il ressuscite d'entre les morts [g]et qu'il les ait persuadés qu'il avait bien été prophétisé, à son sujet, qu'il *souffrirait* ainsi. Convaincus, [h]ils s'en allèrent par toute la terre pour *enseigner* ces choses. **6** Voilà pourquoi nous aussi nous sommes fermes[14] dans la foi et dans son

a Cf. *Gen.* 49, 11 ; *Matth.* 21, 1 s. ; *Mc.* 11, 1 s. ; *Lc.* 19, 28 s. **b** *Zach.* 9, 9 ; cf. *Matth.* 21, 5 ; *Soph.* 3, 14 s. **c** cf. *Gen.* 49, 11 ; *Zach.* 9, 9 ; *Matth.* 21, 2 **d** cf. *Matth.* 21, 2 **e** cf. *Zach.* 9, 9 **f** cf. *Zach.* 13, 7 ; *Matth.* 26, 31 ; *Mc.* 14, 27 **g** cf. *Lc.* 24, 25-27 ; 44-46 **h** cf. *Matth.* 28, 19-20.

καὶ ἀπὸ τῶν προφητῶν[1] καὶ ἀπὸ τῶν κατὰ τὴν οἰκουμένην εἰς ὄνομα τοῦ ἐσταυρωμένου ἐκείνου[2] ὁρωμένων καὶ γενομένων[3] θεοσεβῶν τὴν πειθὼ ἔχομεν. Ἔστι δὲ τὰ λεχθέντα ὑπὸ τοῦ Ζαχαρίου ταῦτα · *Ῥομφαία, ἐξεγέρθητι ἐπὶ τὸν ποιμένα μου καὶ ἐπ' ἄνδρα τοῦ λαοῦ μου, λέγει κύριος τῶν δυνάμεων · πάταξον τὸν ποιμένα,* [p. 159 : B] *καὶ διασκορπισθήσονται τὰ πρόβατα αὐτοῦ.*

54. 1 Καὶ τὸ ὑπὸ Μωσέως[4] δὲ ἀνιστο-[fol. 104 r° : A]-ρημένον καὶ ὑπὸ τοῦ πατριάρχου Ἰακὼβ προπεφητευμένον, τὸ *Πλυνεῖ ἐν οἴνῳ τὴν στολὴν αὐτοῦ καὶ ἐν αἵματι σταφυλῆς τὴν περιβολὴν αὐτοῦ*, τὸ τῷ *αἵματι* αὐτοῦ ἀπο*πλύνειν* μέλλειν τοὺς πιστεύοντας αὐτῷ ἐδήλου. *Στολὴν* γὰρ *αὐτοῦ* ἐκάλεσε τὸ ἅγιον πνεῦμα τοὺς δι' αὐτοῦ ἄφεσιν ἁμαρτιῶν λαβόντας, ἐν οἷς ἀεὶ δυνάμει μὲν πάρεστι, καὶ ἐναργῶς δὲ παρέσται ἐν τῇ δευτέρᾳ αὐτοῦ παρουσίᾳ. **2** Τὸ[4] δὲ *αἷμα τῆς σταφυλῆς* εἰπεῖν τὸν Λόγον, διὰ τῆς τέχνης δεδήλωκεν ὅτι *αἷμα* μὲν ἔχει ὁ Χριστός, οὐκ[6] ἐξ ἀνθρώπου[7] σπέρματος, ἀλλ' ἐκ τῆς τοῦ θεοῦ δυνάμεως. Ὃν γὰρ τρόπον τὸ τῆς ἀμπέλου *αἷμα* οὐκ ἄνθρωπος ἐγέννησεν ἀλλὰ θεός[8], οὕτως καὶ τὸ τοῦ Χριστοῦ *αἷμα* οὐκ ἐξ ἀνθρωπείου γένους ἔσεσθαι, ἀλλ' ἐκ θεοῦ δυνάμεως προεμήνυσεν. Ἡ δὲ προφητεία αὕτη, ὦ ἄνδρες, ἣν ἔλεγον, ἀποδεικνύει[9] ὅτι οὐκ ἔστιν ὁ Χριστὸς ἄνθρωπος ἐξ ἀνθρώπων, κατὰ τὸ κοινὸν τῶν ἀνθρώπων γεννηθείς.

55. 1 – Καὶ ὁ Τρύφων ἀπεκρίνατο · Μεμνησόμεθα καὶ ταύτης τῆς ἐξηγήσεώς σου, ἐὰν καὶ δι' ἄλλων[10] κρατύνῃς καὶ τοῦτο τὸ ἀπόρημα. Τὰ νῦν[11] δὲ ἤδη ἀναλαβὼν τὸν λόγον ἀπόδειξον ἡμῖν ὅτι ἕτερος θεὸς παρὰ τὸν ποιητὴν τῶν ὅλων ὑπὸ τοῦ προφητικοῦ πνεύματος ὡμολόγηται εἶναι, φυλαξάμενος λέγειν *τὸν ἥλιον καὶ τὴν σελήνην*, ἃ γέγραπται τοῖς ἔθνεσι [fol. 104 v° : A] συγκεχωρηκέναι τὸν θεὸν ὡς θεοὺς *προσκυνεῖν* · καὶ τούτῳ

1 Προφητῶν : προφητειῶν *prop.* Thirlb., *coni.* Marc. (*ex* Dial. 35, 8 ; 110, 2) διὰ τῶν προφητῶν *alibi* **2** Ἐκείνου : ἐκ. πιστεύειν Marc. (*ex.* Dial. 52, 4 ; 131, 5) **3** Γενομένων : γινομένων Marc. (cf. Dial. 110, 4) **4** Μωσέως : Μωϋσέως Otto, Goodsp. **5** Τὸ (cf. Dial. 42, 3 ; 52, 4 ; 53, 4 etc.) : τῷ *prop.* Troll. **6** Οὐκ : ἀλλ' οὐκ *prop.* Thirlb., *coni.*, Otto, Troll., Arch., Marc. (*ex* Dial. 76, 2 ; I Apol. 32, 9) **7** Ἀνθρώπου : ἀνθρωπείου *prop.* Sylb., *coni.* Marc. (*ut paulo post* ; cf. I Apol. 32, 9) **8** Θεός : ὁ θεός *prop.* Otto, *coni.* Marc. (*ex* Dial. 76, 2 ; I Apol. 32, 11) **9** Ἀποδεικνύει *edd. a* Sylb. : ἀποδεικνύειν *codd.*, Steph. **10** Ἄλλων : ἄλ. ἀποδείξεων Marc. (*ex* Dial. 55, 3 ; 57, 57, 4) **11** Τὰ νῦν : ταννῦν Otto, Arch.

enseignement, car c'est à la fois des prophètes et de ceux qu'en toute la terre on voit devenus pieux au nom de ce crucifié que nous tenons notre conviction. Et voici les paroles dites par Zacharie : [a]*Épée, éveille-toi contre mon berger, et contre l'homme de mon peuple, dit le Seigneur des Puissances, frappe le berger, ses brebis seront dispersées*[15] *!*

La bénédiction de Juda
est une prophétie de la Passion, de la Rédemption, et de la naissance virginale.

54. 1 Ce qui fut par Moïse rapporté et qui avait été par le patriarche Jacob prophétisé[1] : [b]*Il lavera dans le vin son habit, et dans le sang de la grappe son vêtement*, signifiait que par *son sang* il devait *laver*[2] ceux qui croient en lui. Car le Saint Esprit a appelé son *habit*[3] ceux qui par lui reçoivent rémission de leurs péchés[4] : il est, par puissance[5], en eux toujours[6] présent, et lors de son retour doit l'être visiblement. **2** Et quand le Verbe parle [c]*du sang de la grappe*, il montre, par ce moyen détourné[7], que si le Christ a certes du *sang*, ce n'est pas d'une semence humaine, mais de par la Puissance de Dieu. De même, en effet, que ce n'est pas d'un homme[8], mais de Dieu que provient le *sang* de la vigne, de même le *sang* du Christ – il l'a annoncé à l'avance – ne devait pas venir d'une race humaine, mais de la Puissance de Dieu[9]. Cette prophétie, amis, que je viens de citer, montre que le Christ n'est pas un « homme d'entre les hommes », engendré selon le mode ordinaire des hommes[10].

Tryphon rappelle à Justin qu'il doit prouver l'existence d'un « autre Dieu ».

55. 1 Tryphon répondit :
— Nous nous souviendrons également de cette interprétation qui est la tienne, si par d'autres éléments encore tu peux surmonter aussi cette difficulté. Mais pour l'heure, reprends notre sujet, et démontre nous que l'existence d'un autre Dieu que le Créateur de l'univers est attestée par l'Esprit prophétique[1]. Garde-toi de citer [d]*le soleil et la lune*, dont il est écrit que Dieu a permis aux nations de les *adorer* comme des dieux[2]. C'est

a *Zach.* 13, 7 ; cf. *Matth.* 26, 31 ; *Mc.* 14, 27 **b** *Gen.* 49, 11 **c** cf. *Gen.* 49, 11 **d** *Deut.* 4, 19.

τῷ λόγῳ ὥσπερ χρώμενοι[1] < οἱ >[2] προφῆται πολλάκις[3] λέγουσιν ὅτι *Ὁ θεός σου θεὸς τῶν θεῶν ἐστι καὶ κύριος τῶν κυρίων*, προστιθέντες *ὁ μέγας καὶ ἰσχυρὸς καὶ φοβερὸς* πολλάκις. **2** Οὐ γὰρ ὡς ὄντων *θεῶν*[4] ταῦτα λέγεται, ἀλλ' ὡς [p. 160 : B] τοῦ Λόγου διδάσκοντος ἡμᾶς ὅτι τῶν νομιζομένων *θεῶν* καὶ *κυρίων* ὁ τῷ ὄντι *θεός*, ὁ τὰ πάντα ποιήσας, *κύριος* μόνος ἐστίν. Ἵνα γὰρ καὶ τοῦτο ἐλέγξῃ, τὸ ἅγιον πνεῦμα διὰ τοῦ ἁγίου Δαυῒδ εἶπεν · *Οἱ θεοὶ τῶν ἐθνῶν*, νομιζόμενοι[5] θεοί, *εἴδωλα δαιμονίων* εἰσίν, ἀλλ' οὐ θεοί. Καὶ ἐπάγει κατάραν *τοῖς ποιοῦσιν αὐτὰ* καὶ *προσκυνοῦσι*.

3 – Κἀγώ · Οὐ ταύτας[6] μὲν τὰς ἀποδείξεις ἔμελλον φέρειν, εἶπον, ὦ Τρύφων, δι' ὧν καταδικάζεσθαι τοὺς ταῦτα καὶ τὰ τοιαῦτα προσκυνοῦντας ἐπίσταμαι, ἀλλὰ τοιαύτας πρὸς ἃς ἀντειπεῖν μὲν οὐδεὶς δυνήσεται. Ξέναι δέ σοι δόξουσιν εἶναι, καίπερ καθ' ἡμέραν ἀναγινωσκόμεναι ὑφ' ὑμῶν, ὡς καὶ ἐκ τούτου συνεῖναι[7] ὑμᾶς[8] ὅτι διὰ τὴν ὑμετέραν κακίαν ἀπέκρυψεν ὁ θεὸς ἀφ' ὑμῶν τὸ δύνασθαι νοεῖν τὴν σοφίαν τὴν ἐν τοῖς λόγοις αὐτοῦ, πλήν τινων[9], οἷς κατὰ χάριν τῆς *πολυσπλαγχνίας* αὐτοῦ, ὡς ἔφη Ἡσαΐας, *ἐγκατέλιπε σπέρμα* εἰς *σωτηρίαν* ἵνα μὴ *ὡς* [fol. 105 r° : A] *Σοδομιτῶν καὶ Γομορραίων* τέλεον καὶ τὸ ὑμέτερον γένος ἀπόληται[10]. Προσέχετε τοιγαροῦν οἷσπερ μέλλω ἀναμιμνήσκειν ἀπὸ τῶν ἁγίων γραφῶν, οὐδὲ ἐξηγηθῆναι δεομένων[11] ἀλλὰ μόνον ἀκουσθῆναι.

56. 1 Μωσῆς[12] οὖν, ὁ μακάριος καὶ *πιστὸς θεράπων* θεοῦ, μηνύων[13] ὅτι *θεὸς*[14] ὁ *ὀφθεὶς τῷ Ἀβραὰμ πρὸς τῇ δρυῒ τῇ Μαμβρῇ*[15] σὺν τοῖς ἅμα αὐτῷ ἐπὶ τὴν Σοδόμων κρίσιν πεμφθεῖσι *δύο ἀγγέλοις* ὑπὸ ἄλλου, τοῦ ἐν τοῖς ὑπερουρανίοις ἀεὶ μένοντος καὶ οὐδενὶ *ὀφθέντος* ἢ ὁμιλήσαντος δι' ἑαυτοῦ ποτε, ὃν ποιητὴν τῶν ὅλων καὶ πατέρα νοοῦμεν.

1 Ὥσπερ χρώμενοι : ὡς παραχρώμενοι (*tanquam abutentes*) *prop.* Sylb., *coni.* Otto, Arch., Goodsp. ὥσπερ καὶ ἄλλοις χρώμενοι Marc. **2** Οἱ *addendum* Sylb., *add.* Marc. : *om. codd.*, *cett. edd.* **3** Πολλάκις : *del.* Marc. **4** Θεῶν : θ. αὐτῶν Marc. **5** Νομιζόμενοι θεοί : τουτέστιν οἱ νομ. θεοί Marc. **6** Ταύτας : τοιαύτας *prop.* Thirlb., *coni.* Marc. **7** Συνεῖναι : συνιέναι *prop.* Pearson **8** Ὑμᾶς : *legendum* ἡμᾶς Mar. **9** Τινῶν : τ. ὑμῶν Marc. **10** Ἀπόληται : A *corr.* (*ex* ἀπόλειται ?) **11** Δεομένων : –μένοις *prop.* Mar., Otto **12** Μωσῆς : Μωϋσῆς Otto, Goodsp. **13** Μηνύων ...οὕτω γάρ φησι : μηνύων ...οὕτω [γὰρ] φησι *vel* μηνύει... . Οὕτω γ. φ. *prop.* Thirlb., Mar., *coni.* Marc. **14** Θεὸς *post* Μαμβρῇ *huc transposui* : θεὸς ἐστιν *post* Μαμβρῇ (*deleto* θεὸς) *prop.* Otto, *coni.* Marc. **15** Μαμβρῇ Thirlb., *edd. ab* Otto : Μαμβρῇ *codd.*, *cett. edd.* (*sic etiam* Dial. 56, 2.4 ; 86, 5 ; 126, 4).

comme s'ils adoptaient ce discours[3] que les prophètes ont coutume de dire : [a]*Ton Dieu est Dieu des dieux, et Seigneur des seigneurs*, puisqu'ils ont coutume d'ajouter[4], [b]*le grand, puissant et redoutable.* **2** Si ces choses-là sont dites, ce n'est pas, en effet, qu'il y ait des [c]*dieux*, mais c'est une manière pour le Verbe de nous enseigner que, de ceux que l'on regarde comme *dieux* et *seigneurs*, le vrai *Dieu*, celui qui a fait toute chose, est seul *Seigneur.* Et pour bien l'affirmer, l'Esprit de Sainteté[5] a dit par le saint roi David : [d]*Les dieux des nations*, regardés comme des dieux, *sont des idoles de démons*[6], et non point des dieux. Et il ajoute une [e]malédiction pour *ceux qui les fabriquent* et les [f]*adorent*[7].

3 Moi : — Ce n'étaient pas là, dis-je, les éléments de preuve que j'allais apporter, Tryphon – je sais bien qu'à travers elles sont condamnés ceux qui adorent ces idoles et d'autres semblables –, mais des preuves auxquelles personne ne pourra rien opposer. Elles te paraîtront insolites, bien qu'elles soient quotidiennement lues par vous[8] ; en sorte que par là vous comprendrez aussi qu'à cause de votre iniquité Dieu [g]vous a caché la possibilité de saisir la sagesse qui est en ses paroles – excepté quelques-uns en qui, par la grâce de sa [h]*grande miséricorde*, il a, comme le dit Isaïe, [i]*laissé un germe* pour le *Salut*, afin que votre race ne périsse point entièrement à son tour, *comme* celle de *Sodome* et de *Gomorrhe*[9]. Prêtez donc attention à ce que des saintes Écritures je vais vous rappeler. L'exégèse en est superflue : il suffit qu'elles soient entendues[10].

L'« autre Dieu » est apparu à Abraham, en compagnie de deux anges.

56. 1 Moïse donc, le bienheureux[1] et [j]*fidèle*[2] *serviteur* de Dieu, nous indique qu'il était [k]*Dieu*[3] celui qui *s'est fait voir à Abraham près du chêne de Mambré*[4], avec [l]*les deux anges*[5] envoyés, en même temps que lui, pour le jugement de Sodome, par un Autre[6], qui demeure éternellement dans les régions supracélestes[7], qui ne s'est *fait voir* et n'a jamais parlé personnellement à quiconque, et qui, nous le savons, est Créateur et Père de l'univers.

a *Deut.* 10, 17 ; cf. *Ps.* 135, 2-3 **b** *ibid.* ; cf. *Ps.* 95, 4 ; *I Chron.* 16, 25 ; *Néh.* 1, 5 ; 9, 32 **c** cf. *Deut.* 10, 17 ; *Ps.* 135, 2-3 **d** *Ps.* 95, 5 et *I Chron.* 16, 26 **e** cf. *Ps.* 113, 12.16 **f** cf. *Deut.* 4, 19 **g** cf. *II Cor.* 3, 14-15 **h** cf. *Jacq.* 5, 11 ? **i** cf. *Is.* 1, 9 ; 10, 22 ; *Rom.* 9, 27.29 **j** cf. *Nombr.* 12, 7 ; *Hébr.* 3, 2.5 **k** cf. *Gen.* 18, 1 **l** cf. *Gen.* 19, 1.

2 Οὕτω γάρ [p. 161 : B] φησιν · (Gen. 18, 1) *Ὤφθη δὲ αὐτῷ ὁ θεὸς πρὸς τῇ δρυῒ τῇ Μαμβρῇ*[1], *καθημένου αὐτοῦ ἐπὶ τῇ θύρᾳ τῆς σκηνῆς μεσημβρίας*[2]. (2)*Ἀναβλέψας δὲ τοῖς ὀφθαλμοῖς εἶδε, καὶ ἰδοὺ τρεῖς ἄνδρες εἱστήκεισαν ἐπάνω αὐτοῦ. Καὶ ἰδὼν συνέδραμεν εἰς συνάντησιν αὐτοῖς ἀπὸ τῆς θύρας τῆς σκηνῆς αὐτοῦ, καὶ προσεκύνησεν ἐπὶ τὴν γῆν,* (3)*καὶ εἶπε* · < * > [καὶ τὰ λοιπὰ μέχρι τοῦ] · (Gen. 19, 27) *Ὤρθρισε δὲ Ἀβραὰμ τὸ*[3] *πρωῒ εἰς τὸν τόπον οὗ εἱστήκει ἔναντι κυρίου,* (28)*καὶ ἐπέβλεψεν ἐπὶ πρόσωπον Σοδόμων καὶ Γομόρρας καὶ ἐπὶ πρόσωπον τῆς γῆς τῆς περιχώρου, καὶ εἶδε, καὶ ἰδοὺ ἀνέβαινε φλὸξ ἐκ τῆς γῆς ὡσεὶ ἀτμὶς καμίνου.* Καὶ παυσάμενος λοιπὸν τοῦ λέγειν, ἐπυθόμην αὐτῶν εἰ [fol. 105 v° : A] ἐνενοήκει<σαν>[4] τὰ εἰρημένα.

3 – Οἱ δὲ ἔφασαν νενοηκέναι μέν, μηδὲν δὲ ἔχειν εἰς ἀπόδειξιν τοὺς λελεγμένους λόγους[5] ὅτι *θεὸς* ἢ *κύριος* ἄλλος τίς ἐστιν ἢ λέλεκται ὑπὸ[6] τοῦ ἁγίου πνεύματος παρὰ τὸν ποιητὴν τῶν ὅλων.

4 – Κἀγὼ πάλιν · Ἃ λέγω πειράσομαι ὑμᾶς πεῖσαι, νοήσαντας τὰς γραφάς, ὅτι ἐστὶ καὶ λέγεται *θεὸς* καὶ *κύριος* ἕτερος ὑπὸ[7] τὸν ποιητὴν τῶν ὅλων, ὃς καὶ *ἄγγελος* καλεῖται, διὰ τὸ ἀγγέλλειν τοῖς ἀνθρώποις ὅσαπερ βούλεται αὐτοῖς ἀγγεῖλαι ὁ τῶν ὅλων ποιητής, ὑπὲρ ὃν ἄλλος θεὸς οὐκ ἔστι.

Καὶ ἀνιστορῶν πάλιν τὰ προλεχθέντα ἐπυθόμην τοῦ Τρύφωνος · Δοκεῖ σοι *ὀφθῆναι ὑπὸ τὴν δρῦν τὴν Μαμβρῆ ὁ θεὸς τῷ Ἀβραάμ*, ὡς ὁ Λόγος λέγει ;

– Κἀκεῖνος · Μάλιστα.

5 – Καὶ εἷς, ἔφην, ἐκείνων ἦν τῶν *τριῶν*, οὓς *ἄνδρας* ἑωρᾶσθαι τῷ Ἀβραὰμ τὸ ἅγιον προφητικὸν πνεῦμα λέγει ;

– Κἀκεῖνος · Οὔ[8] · Ἀλλὰ *ὤπτο* μὲν αὐτῷ *ὁ θεὸς* πρὸ τῆς τῶν *τριῶν* ὀπτασίας · εἶ-[p. 162 : B]-τα οἱ τρεῖς ἐκεῖνοι, οὓς *ἄνδρας* ὁ Λόγος ὀνομάζει, *ἄγγελοι* ἦσαν, δύο μὲν αὐτῶν πεμφθέντες ἐπὶ τὴν Σοδόμων

1 Μαμβρῆ : *corr. ex* Μαβρῆ A **2** Μεσημβρίας : μεσυμβρίας Steph. **3** Τὸ : τῷ Steph., Otto (*ex* LXX) **4** Ἐνενοήκεισαν *edd.* : ἐνενοήκει *codd.* **5** Τοὺς – λόγους : *delendum ut glossema* Thirlb. **6** Ὑπὸ *prop.* Thirlb., Mar, *coni.* Otto, Troll., Arch., Marc. (*ex Dial.* 32, 3 ; 33, 2 ; 34, 1 ; 36, 2 ; 56, 14 ; 61, 1 ; 74, 2) : ἀπὸ *codd.*, *cett. edd.* **7** Ὑπὸ *codd.*, Mar., Mign., Otto, Arch., Goodsp. : παρὰ *prop.* Lange, Wolf, *coni.* Marc. ὑπὲρ *cett. edd.*, *corr.* Steph. υἱὸς τοῦ ποιητοῦ τῶν ὅλων ὢν *vel* ὑπὸ τοῦ ἁγίου πνεύματος παρὰ *prop.* Thirlb. **8** Οὔ : οὐκ Marc.

2 Voici ce qu'il dit : (*Gen.* 18, 1)*Dieu se fit voir de lui près du chêne de Mambré, tandis qu'il se tenait assis à l'entrée de sa tente, à midi.* (2)*Ayant levé les yeux, il vit et voici : trois hommes se tenaient au dessus de lui. Lorsqu'il eut vu, il courut à leur rencontre depuis l'entrée de sa tente, il se prosterna à terre* (3)*et dit :* et la suite jusqu'à[8] (*Gen.* 19, 27)*mais Abraham se leva de bon matin pour se rendre au lieu où il s'était tenu devant le Seigneur,* (28)*et il regarda du côté de Sodome et de Gomorrhe et vers tout le pays d'alentour, et il vit, et voici : une flamme montait de la terre comme une vapeur de fournaise.* Et sans en citer d'avantage, je leur demandai s'ils avaient compris ce qui avait été dit.

3 Certes, dirent-ils, ils avaient compris, mais les paroles rapportées n'avaient rien qui prouvât qu'il y eût ou que fût mentionné par l'Esprit Saint, outre[9] le Créateur de l'univers, un quelconque *Dieu* ou *Seigneur.*

4 Et moi de répliquer :

— De que je dis là, je vais m'efforcer de vous persuader, puisque vous connaissez les Écritures : il existe et il est mentionné un autre *Dieu* et *Seigneur* au-dessous[10] du Créateur de l'univers ; il est aussi appelé *ange* parce qu'il annonce aux hommes tout ce que veut leur annoncer le Créateur de l'univers[11], au-dessus duquel il n'est point d'autre Dieu[12].

Et reprenant ce qui venait d'être dit, je demandai à Tryphon :

— Te paraît-il que [a]sous *le chêne de Mambré Dieu*[13] *s'est fait voir à Abraham*, comme le dit le Verbe ?

Celui-ci : – Parfaitement.

5 Et, dis-je, c'était l'un de ces [b]*trois hommes* qui, suivant le Saint Esprit prophétique se sont fait voir à Abraham ?

Celui-ci : — Non pas. [c]*Dieu s'est montré* à lui, avant[14] [d]l'apparition des *trois* ; ces trois-là, d'autre part, que le Verbe appelle [e]*hommes*, étaient des [f]*anges*[15], [g]deux d'entre eux ayant été envoyés pour la destruction de Sodome, [h]l'autre

a *Gen.* 18, 1 **b** *Gen.* 18, 2 **c** cf. *Gen.* 18, 1 **d** cf. *Gen.* 18, 2 **e** cf. *Gen.* 18, 2.16.22 ; 19, 5.8.10.11.12 **f** cf. *Gen.* 19, 1.16 **g** cf. *Gen.* 19, 1 **h** cf. *Gen.* 18, 10.14.

ἀπώλειαν, εἷς δὲ εὐαγγελιζόμενος τῇ Σάρρᾳ ὅτι τέκνον ἕξει, ἐφ' ᾧ ἐπέπεμπτο, καὶ ἀπαρτίσας[1] ἀπήλλακτο[2].

6 – Πῶς οὖν, εἶπον[3], ὁ εἷς τῶν τριῶν γενόμενος[4] ἐν τῇ σκηνῇ, ὁ καὶ εἰπών · *Εἰς ὥρας ἀνακάμψω πρός σε, καὶ τῇ Σάρρᾳ υἱὸς* [fol. 106 r° : A] *γενήσεται*, φαίνεται ἐπανελθὼν γενομένου τῇ Σάρρᾳ υἱοῦ, καὶ *θεὸν* αὐτὸν ὄντα ὁ προφητικὸς Λόγος κἀκεῖ σημαίνει ; Ἵνα δὲ φανερὸν ὑμῖν γένηται ὅ λέγω, ἀκούσατε τῶν ὑπὸ Μωσέως[5] διαρρήδην εἰρημένων.

7 Ἔστι δὲ ταῦτα · (*Gen.* 21, 9) *Ἰδοῦσα δὲ Σάρρα τὸν υἱὸν Ἄγαρ, τῆς παιδίσκης τῆς Αἰγυπτίας, ὅς ἐγένετο τῷ Ἀβραάμ, παίζοντα μετὰ Ἰσαάκ, τοῦ υἱοῦ αὐτῆς,* (10)*εἶπε τῷ Ἀβραάμ · Ἔκβαλε τὴν παιδίσκην ταύτην καὶ τὸν υἱὸν αὐτῆς · οὐ γὰρ κληρονομήσει*[6] *ὁ υἱὸς τῆς παιδίσκης ταύτης μετὰ τοῦ υἱοῦ τοῦ Ἰσαάκ.* (11)*Σκληρὸν δὲ ἐφάνη τὸ ῥῆμα σφόδρα ἐναντίον Ἀβραὰμ περὶ τοῦ υἱοῦ αὐτοῦ.* (12)*Εἶπε δὲ ὁ θεὸς τῷ Ἀβραάμ · Μὴ σκληρὸν ἔστω ἐναντίον σου περὶ τοῦ παιδίου καὶ περὶ τῆς παιδίσκης · πάντα ὅσα ἂν εἴπῃ σοι Σάρρα, ἄκουε τῆς φωνῆς αὐτῆς, ὅτι ἐν Ἰσαὰκ κληθήσεταί σοι σπέρμα.*

8 Νενοήκατε οὖν ὅτι ὁ εἰπὼν τότε ὑπὸ τὴν δρῦν *ἐπαναστρέψαι*, ὡς προηπίστατο ἀναγκαῖον εἶναι τῷ Ἀβραὰμ συμβουλεῦσαι[7] ἅπερ ἐβούλετο αὐτὸν Σάρρα, ἐναπελήλυθεν, ὡς γέγραπται, καὶ *θεός* ἐστιν, ὡς οἱ λόγοι σημαίνουσιν οὕτως εἰρημένοι · *Εἶπε δὲ ὁ θεὸς τῷ Ἀβραάμ · Μὴ σκληρὸν ἔστω ἐναντίον σου περὶ τοῦ παιδίου καὶ περὶ τῆς παιδίσκης* ; ἐπυνθανόμην.

9 – Καὶ ὁ Τρύφων ἔφη · Μάλιστα · οὐκ [p. 163 : B] ἐκ τούτου δὲ [fol. 106 v° : A] ἀπέδειξας ὅτι ἄλλος ἐστιν ὁ *θεὸς* παρὰ τοῦτον τὸν *ὀφθέντα τῷ Ἀβραάμ*, ὃς καὶ τοῖς ἄλλοις πατριάρχαις καὶ προφήταις ὦπτο, ἀλλ' ἡμᾶς ἀπέδειξας οὐκ ὀρθῶς νενοηκότας ὅτι οἱ *τρεῖς*, οἱ ἐν τῇ σκηνῇ παρὰ τῷ Ἀβραὰμ γενόμενοι, ὅλοι *ἄγγελοι* ἦσαν.

10 – Καὶ πάλιν ἐγώ · Εἰ οὖν καὶ ἀπὸ τῶν γραφῶν μὴ εἶχον ἀποδεῖξαι ὑμῖν ὅτι εἷς τῶν *τριῶν* ἐκείνων καὶ ὁ *θεός* ἐστι καὶ *ἄγγελος* καλεῖται, ἐκ

1 Ἀπαρτίσας (*re perfecta*) *prop.* Thirlb., *coni. edd. ab* Otto : ἀπαρτήσας (*abiens*) *codd.*, *cett. edd.* εἷς δὲ εὐαγγελισάμενος ...ἐφ' ᾧ ἐπέπεμπτο, ἀπαρτήσας ἀπήλλακτο, *vel* εἷς δὲ εὐαγγελισόμενος..., ὃς καὶ ἀπαρτίσας ἐφ' ᾧ ἐπέπεμπτο ἀπήλλακτο, *vel* εἷς δὲ ...ἐπέπεμπτο, ὃ καὶ ἀπαρτίσας ἀπήλλακτο *prop.* Thirlb., *coni.* Marc. ὅς, ἐφ' ᾧ ἐπέπεμπτο καὶ ἀπαρτίσας, ἀπήλλακτο *prop.* Otto. **2** Ἀπήλλακτο *edd.* : ἀπηλάκτο *codd.* **3** Εἶπον : *in marg.* Ἰουστῖνος A, *om.* B **4** Ὁ εἷς τῶν τριῶν γενόμενος : ὁ εἷς..., ὁ γενόμενος Marc. (*deleto* ὁ *post* σκηνῇ) τ. τρ. τῶν γενομένων *prop.* Thirlb. **5** Μωσέως : Μωϋσέως Otto, Goodsp. (*sic etiam infra* 56, 13.14.22) **6** Κληρονομήσει : –σε *sup. l.* A **7** Συμβουλεῦσαι : σ. ποιῆσαι Marc.

annonçant à Sara cette bonne nouvelle qu'elle aurait un fils : c'était l'objet de sa mission ; et lorsqu'il l'eût accomplie, il s'éloigna.

6 Comment donc, dis-je, celui des trois qui fut dans la tente, et qui a dit [a]*Dans un an je reviendrai vers toi, et Sara aura un fils*, réapparaît-il lorsque Sara a eu un fils, et comment le Verbe prophétique signifie-t-il là aussi qu'il est [b]*Dieu* ? Pour que ce que je dis vous soit bien clair, écoutez les termes exacts employés par Moïse.

7 Les voici : (*Gen.* 21, 9)*Sara, voyant le fils d'Agar la servante Égyptienne, celui qu'elle avait donné à Abraham, jouer avec Isaac, son fils à elle,* (10)*dit à Abraham : Chasse cette servante et son fils, car le fils de cette servante n'héritera pas avec mon fils, Isaac.* (11)*Très dure parut à Abraham cette parole sur son fils.* (12)*Mais Dieu dit à Abraham : Ne te fais pas de souci à propos de l'enfant et de la servante ; en tout ce que pourra te dire Sara, écoute sa voix, car c'est en Isaac que sera appelée ta race.*

8 Avez-vous donc saisi, demandai-je, que celui qui avait dit alors, sous le chêne, qu'il [c]*reviendrait* (parce qu'il prévoyait qu'il serait nécessaire de conseiller à Abraham ce que Sara voulait de lui), est revenu, comme c'est écrit, et qu'il est *Dieu*, comme le signifient les paroles qui disent : [d]*Mais Dieu dit à Abraham : Ne te fais pas de souci à propos de l'enfant et de la servante*[16] ?

9 Tryphon dit :

— Parfaitement. Mais cela ne prouve pas que le [e]*Dieu* est autre que celui qui [f]*s'est fait voir à Abraham*, qui s'est fait voir aussi aux autres patriarches et prophètes[17] ; ce que tu nous as démontré, c'est que nous avions tort de croire que les [g]*trois*, qui se trouvaient dans la tente auprès d'Abraham, étaient tous des *anges*.

10 Et moi de reprendre :

— Si je ne pouvais vous démontrer, d'après les Écritures, que l'un de ces *trois* est ce[18] [h]*Dieu* et en même temps est appelé [i]*ange*[19], parce que, comme je

a *Gen.* 18, 10.14 **b** cf. *Gen.* 21, 12 **c** cf. *Gen.* 18, 10.14 **d** *Gen.* 21, 12 **e** cf. *Gen.* 21, 12 **f** cf. *Gen.* 18, 1 **g** cf. *Gen.* 18, 2 s. **h** cf. *Gen.* 18, 1 ; 21, 12 **i** cf. *Gen.* 19, 1.15.

τοῦ ἀγγέλλειν, ὡς προέφην, οἷσπερ βούλεται[1] τὰ παρ' αὐτοῦ ὁ τῶν ὅλων ποιητὴς θεός[2], τοῦτον τὸν ἐπὶ τῆς γῆς ἐν ἰδέᾳ *ἀνδρὸς* ὁμοίως τοῖς σὺν αὐτῷ παραγενομένοις *δυσὶν ἀγγέλοις* φαινόμενον τῷ 'Αβραάμ, καὶ τὸν[3] πρὸ ποιήσεως κόσμου ὄντα θεόν, ταὐτὸν νοεῖν ὑμᾶς εὔλογον ἦν, ὅπερ τὸ πᾶν ἔθνος ὑμῶν νοεῖ.

– Καὶ πάνυ, ἔφη · οὕτως γὰρ καὶ μέχρι τοῦ δεῦρο[4] εἴχομεν.

11 – Κἀγὼ πάλιν εἶπον · 'Επὶ τὰς γραφὰς ἐπανελθὼν πειράσομαι πεῖσαι ὑμᾶς ὅτι οὗτος ὅ τε *τῷ 'Αβραὰμ* καὶ *τῷ 'Ιακὼβ* καὶ *τῷ Μωσεῖ*[5] *ὦφθαι* λεγόμενος καὶ γεγραμμένος *θεὸς* ἕτερός ἐστι τοῦ τὰ πάντα ποιήσαντος θεοῦ, ἀριθμῷ[6] λέγω ἀλλὰ οὐ γνώμῃ · οὐδὲν γάρ φημι αὐτὸν πεπραχέναι ποτὲ < ἢ ὡμιληκέναι[7] > ἢ ἅπερ αὐτὸν[8] ὁ τὸν κόσμον ποιήσας, ὑπὲρ ὃν ἄλλος οὐκ ἔστι θεός, βεβούληται καὶ πρᾶξαι καὶ ὁμιλῆσαι.

12 – Καὶ ὁ Τρύφων · Ὅτι οὖν καὶ [fol. 107 r° : A] ἔστιν ἀπόδειξον ἤδη ἵνα καὶ τούτῳ συνθώμεθα · οὐ γὰρ παρὰ γνώμην τοῦ ποιητοῦ τῶν ὅλων φάσκειν[9] τι ἢ πεποιηκέναι αὐτὸν ἢ λελαληκέναι λέγειν σε ὑπολαμβάνομεν.

– Κἀγὼ εἶπον · Ἡ γραφὴ οὖν ἡ προλελεγμένη παρ' ἐμοῦ τοῦτο φανερὸν ὑμῖν ποιήσει. Ἔστι δὲ ταῦτα · (*Gen.* 19, 23) *Ὁ ἥλιος ἐξῆλθεν ἐπὶ τὴν γῆν, καὶ Λὼτ εἰσῆλθεν εἰς Σηγώρ.* (24)*Καὶ ὁ κύριος ἔβρεξεν ἐπὶ Σό*-[p. 164 : B]-*δομα*[10] *θεῖον καὶ πῦρ παρὰ κυρίου ἐκ τοῦ οὐρανοῦ,* (25)*καὶ κατέστρεψε τὰς πόλεις ταύτας καὶ πᾶσαν τὴν περίοικον.*

1 Βούλεται : β. ἀγγεῖλαι *prop.* Otto, *coni.* Marc. **2** 'Εκ – θεός *in semicirculis* Marc. **3** Τοῦτον τὸν ..., καὶ τὸν .., ταὐτὸν *ego* : τοῦτὸν τὸν ...τὸν καὶ ...τοῦτο Mar., Otto, Mign. τὸν ..,τοῦτον (τοῦτου *sic*) τὸν καὶ ...τοῦτον Arch. τοῦτον τὸν ...τὸν καὶ ...[τοῦτον] Marc. τοῦτον τὸν ...τὸν καὶ ...τοῦτον *codd.*, *cett. edd.* *Pro* τοῦτον [νοεῖν], τὸν ἐπὶ πᾶσι θεὸν *vel (diffidenter)* τοῦτον ...ὅνπερ τὸ πᾶν ἔ. ὑ. νοεῖ *prop.* Thirlb. **4** Δεῦρο *prop.* Sylb., Lange, *coni. omn.* : δευτέρου *codd.*, *cett. edd.* **5** Μωσεῖ : Μωϋσεῖ Otto, Goodsp. **6** 'Αριθμῷ : ἀρ. δὲ Marc. **7** Ἢ ὡμιληκέναι *add.* Otto, Arch., Marc. (*nam paulo post* : καὶ πρᾶξαι καὶ ὁμιλῆσαι, *et infra* : πεποιηκέναι αὐτὸν ἢ λελαληκέναι) : *om. codd.*, *cett. edd.* ἢ εἰπεῖν *prop.* Thirlb. **8** Αὐτὸν *prop.* Thirlb., *coni.* Otto, Troll., Mign., Arch. : αὐτὸς *codd.*, *cett. edd.* **9** Φάσκειν : « superfluum videtur. Sed. Ioann. (loc. cit.) : τί εἴπω καὶ τί λαλήσω » Otto *del.* Marc. **10** 'Επὶ Σόδομα *hic et* Dial. 127, 5 : εἰς Σόδομα καὶ Γόμορρα Dial. 56, 21 ἐπὶ Σ. καὶ Γ. Dial. 56, 23.

viens de le dire, il annonce les messages du Dieu Créateur de l'univers à ceux que celui-ci a choisis, vous pourriez raisonnablement penser que celui qui, sous la figure d'un [a]*homme*, est apparu sur cette terre à Abraham, en même temps que les [b]*deux anges* qui se trouvaient avec lui, et celui qui était Dieu avant la création du monde, sont le même : ce que pense votre nation entière[20].

— Absolument, dit-il ; car c'est bien à quoi nous nous en tenons jusqu'ici.

11 Et moi de reprendre :

— Revenant aux Écritures, je m'efforcerai de vous persuader que ce [c]*Dieu* qui, selon ce qui y est dit et écrit, *s'est fait voir à Abraham*, à [d]*Jacob* et à [e]*Moïse*[21], est autre que le Dieu qui a fait toute chose : numériquement[22], j'entends, et non pour la pensée[23]. Car j'affirme [f]qu'il n'a rien fait ni dit que ce que Celui qui a créé l'univers, au-dessus duquel il n'est point d'autre[24] Dieu, a voulu qu'il fasse ou dise[25].

12 Tryphon : — Démontre-nous donc d'abord qu'il existe, afin que sur ce point aussi nous soyons d'accord. Nous concevons bien, en effet, que tu dises qu'il n'a rien affirmé, ni fait, ni prononcé contre la volonté du Créateur de l'univers.

Et je dis :

— L'Écriture déjà citée par moi vous le rendra clair. La voici : (*Gen.* 19, 23)*Le soleil sortit au-dessus de la terre, et Lot entra à Ségor.* (24)*Et le Seigneur fit pleuvoir sur Sodome du soufre et du feu d'auprès du Seigneur, du haut du ciel*[26], (25)*et il détruisit ces villes et tout le voisinage.*

a cf. *Gen.* 18, 2.16.22 **b** cf. *Gen.* 19, 1.15 **c** cf. *Gen.* 18, 1 **d** cf. *Gen.* 31, 13 ; 35, 7.9 **e** cf. *Exod.* 3, 2 ; *Deut.* 33, 16 **f** cf. *Jn.* 12, 49.

13 – Καὶ ὁ τέταρτος[1] τῶν σὺν Τρύφωνι παραμεινάντων ἔφη · Ὃν οὖν ὁ Λόγος[2] διὰ Μωσέως τῶν *δύο ἀγγέλων* κατελθόντων εἰς Σόδομα καὶ *κύριον* ἕνα ὠνόμασε, παρὰ τοῦτον καὶ τὸν *θεὸν* αὐτὸν τὸν[3] *ὀφθέντα τῷ Ἀβραὰμ* λέγειν ἀνάγκη.

14 – Οὐ διὰ τοῦτο, ἔφην, μόνον, ὅπερ ἦν, ἐκ παντὸς τρόπου ὁμολογεῖν ἔδει ὅτι καὶ[4] παρὰ τὸν νοούμενον ποιητὴν τῶν ὅλων ἄλλος τις κυριολογεῖται ὑπὸ τοῦ ἁγίου πνεύματος · οὐ μόνον δὲ[5] διὰ Μωσέως, ἀλλὰ καὶ διὰ Δαυΐδ. Καὶ γὰρ καὶ δι' ἐκείνου εἴρηται · *Λέγει ὁ κύριος τῷ κυρίῳ μου · Κάθου ἐκ δεξιῶν μου, ἕως ἂν θῶ τοὺς ἐχθρούς σου ὑποπόδιον τῶν ποδῶν σου,* ὡς προείρηκα. Καὶ πάλιν ἐν ἄλλοις λόγοις · (*Ps.* 44, 7) *Ὁ θρόνος σου, ὁ θεός, εἰς τὸν αἰῶνα τοῦ αἰῶνος · ῥάβδος εὐθύτητος ἡ ῥάβδος τῆς βασιλείας σου.* (8) *Ἠγάπησας δικαιοσύνην* [fol. 107 v° : A] *καὶ ἐμίσησας ἀνομίαν · διὰ τοῦτο ἔχρισέ σε, ὁ θεός, ὁ θεός σου ἔλαιον ἀγαλλιάσεως παρὰ τοὺς μετόχους σου.*

15 Εἰ οὖν καὶ ἄλλον τινὰ θεολογεῖν καὶ κυριολογεῖν τὸ πνεῦμα τὸ ἅγιόν φατε ὑμεῖς παρὰ τὸν πατέρα τῶν[6] ὅλων καὶ τὸν Χριστὸν αὐτοῦ, ἀποκρίνασθέ μοι, ἐμοῦ ἀποδεῖξαι ὑμῖν ὑπισχνουμένου ἀπ' αὐτῶν τῶν γραφῶν ὅτι οὐχ εἷς τῶν *δύο ἀγγέλων* τῶν κατελθόντων *εἰς Σόδομά* ἐστιν ὃν ἔφη ἡ γαρφὴ *κύριον*, ἀλλ' ἐκεῖνον τὸν σὺν αὐτοῖς[7] καὶ *θεὸν* λεγόμενον *ὀφθέντα τῷ Ἀβραάμ.*

16 – Καὶ ὁ Τρύφων · Ἀποδείκνυε · καὶ γάρ, ὡς ὁρᾷς, ἥ τε ἡμέρα προκόπτει, καὶ ἡμεῖς[8] πρὸς τὰς οὕτως ἐπικινδύνους ἀποκρίσεις οὐκ ἐσμὲν ἕτοιμοι, ἐπειδὴ οὐδενὸς οὐδέποτε ταῦτα ἐρευνῶντος ἢ ζητοῦντος ἢ ἀποδεικνύντος ἀκηκό-[p. 165 : B]-αμεν. Καὶ σοῦ λέγοντος οὐκ ἠνειχόμεθα, εἰ μὴ πάντα ἐπὶ τὰς γραφὰς ἀνῆγες[9] · ἐξ αὐτῶν γὰρ τὰς ἀποδείξεις ποιεῖσθαι σπουδάζεις, καὶ μηδένα ὑπὲρ τὸν ποιητὴν τῶν ὅλων εἶναι θεὸν ἀποφαίνῃ.

1 Τέταρτος : ἕτερος *prop.* Thirlb. 2 Ὃν – ἀνάγκη : Ὃν οὖν ὁ Λόγος ...εἰς Σόδομα [καὶ] *κύριον* ἕνα ὠνόμασε, παρὰ τοῦτον τὸν τῶν ὅλων ποιητήν κτλ. *prop.* Lange Ὃν οὖν ὁ Λόγος ...εἰς Σόδομα τρίτον καὶ κύριον ὠνόμασε παρὰ τὸν ἕνα, τοῦτον καὶ *vel* Ὃν οὖν ὁ Λόγος ...παρὰ τοῦτον καὶ [τὸν] θεόν, τὸν αὐτὸν τὸν ὀφθ. *prop.* Sylb. Οὐκ οὖν ὁ Λόγος ...παρὰ τοῦτον, ὃν καὶ [τὸν] θεόν, αὐτὸν τὸν ὀφθ. ; *prop.* Troll. Οὐκοῦν ὁ Λόγος ...ὠνόμασε, παρὰ τοῦτον ὃν καὶ κτλ. *prop.* Otto Ὃν οὖν ὁ Λόγος ...ὠνόμασε, τοῦτον, παρὰ [καὶ] τὸν θεὸν αὐτόν, ...τῷ Ἀβραάμ, θεὸν λέγειν ἀνάγκη. Marc. *Nihil mutandum* Mar. 3 Τὸν : *om.* Mar. 4 Καὶ : *post* ἄλλος *transp.* Marc. ἀλλὰ καὶ ὅτι (*sed etiam quia*) *prop.* Lange 5 Δὲ : δὴ Marc. 6 Τῶν *prop.* Grabe (ad Iren., III, 6, 1, p. 208), *coni. edd. ab* Otto : τὸν *codd., cett. edd.* 7 Σὺν αὐτοῖς : σ. α. γενόμενον Marc. 8 Ἡμεῖς : ὑμεῖς Steph. 9 Ἀνῆγες ...ἀποφαίνῃ : ἀνῆγες (ἐξ ...σπουδάζεις) καὶ ...ὅλων θεὸν ἀπεφάνου *prop.* Thirlb.

13 Le quatrième de ceux qui étaient restés avec Tryphon[27] dit alors :
— Outre celui que, seul des [a]*deux anges* descendus à Sodome, le Verbe, par l'intermédiaire de Moïse, nomme également [b]*Seigneur*, il faut donc dire qu'il y eut aussi ce [c]*Dieu* qui *est apparu à Abraham*[28].

14 Ce n'est pas seulement, dis-je, à cause de ce que j'ai cité[29] qu'il fallait absolument reconnaître – comme c'était alors le cas – qu'en outre de celui que nous savons être le Créateur de l'univers l'Esprit Saint en déclare un autre[30] [d]*Seigneur* : car il ne le fait pas seulement par l'intermédiaire de Moïse, mais aussi par la bouche de David. Par celui-ci aussi, en effet, il a été dit : [e]*Le Seigneur dit à mon Seigneur*[31] *: assieds-toi à ma droite, jusqu'à ce que je fasse de tes ennemis l'escabeau de tes pieds*, comme je l'ai déjà rapporté[32]. Et encore, en d'autres paroles : (Ps. 44, 7)*Ton trône, Dieu, est pour l'éternité de l'éternité. C'est un sceptre d'équité que le sceptre de ta royauté.* (8)*Tu as aimé la justice et haï l'iniquité. C'est pourquoi, ô Dieu, ton Dieu t'a oint Christ, d'une huile d'allégresse, de préférence à tes compagnons*[33].

15 Si vous dites, quant à vous, que l'Esprit Saint en déclare un autre *Dieu* et *Seigneur*, en dehors du Père de l'univers et de son Christ, donnez-moi donc la réplique : je m'engage à vous démontrer, par les Écritures elles-mêmes, que ce n'est point l'un des [f]*deux anges* qui descendaient *à Sodome* que l'Écriture déclare [g]*Seigneur*, mais celui qui était avec eux, qui est appelé [h]*Dieu*, et qui est *apparu à Abraham.*

16 Tryphon : — Démontre, car, comme tu le vois, le jour s'avance[34], et nous ne sommes pas prêts, pour notre part, à fournir des réponses aussi hasardeuses : jamais en effet nous n'avons entendu personne, sur ces questions, scruter, examiner, ou démontrer. Certes, nous ne saurions t'écouter, si tu ne rapportais tout aux Écritures. Mais c'est d'elles que tu as soin de tirer tes démonstrations, et tu déclares qu'il n'y a point de Dieu au-dessus du Créateur de l'univers [35].

a Cf. *Gen.* 19, 1.15 **b** *ibid.*, 18.24 **c** cf. *Gen.* 18, 1 **d** cf. *Gen.* 19, 18.24 **e** *Ps.* 109, 1 **f** cf. *Gen.* 19, 1 **g** cf. *ibid.*, 18.24 **h** cf. *Gen.* 18, 1.

17 – Κἀγώ · Ἐπίστασθε οὖν, ἔφην, ὅτι ἡ γραφὴ λέγει · (*Gen.* 18, 13)*Καὶ εἶπε κύριος πρὸς Ἀβραάμ · Τί ὅτι ἐγέλασε Σάρρα λέγουσα· Ἆρά γε ἀληθῶς τέξομαι ; Ἐγὼ δὲ γεγήρακα.* (14)*Μὴ ἀδυνατεῖ παρὰ τῷ θεῷ ῥῆμα ; Εἰς τὸν καιρὸν τοῦτον ἀναστρέφω*[1] *πρός σε εἰς ὥρας, καὶ τῇ Σάρρᾳ υἱὸς ἔσται.* Καὶ μετὰ μικρόν · (*Gen.* 18, 16)*Ἐξαναστάντες δὲ* [fol. 108 r° : A] *ἐκεῖθεν οἱ ἄνδρες κατέβλεψαν ἐπὶ πρόσωπον Σοδόμων καὶ Γομόρρας · Ἀβραὰμ δὲ συνεπορεύετο μετ' αὐτῶν, συμ<προ>πέμπων*[2] *αὐτούς.* (17)*Ὁ δὲ κύριος εἶπεν · Οὐ μὴ κρύψω ἐγὼ ἀπὸ Ἀβραὰμ τοῦ παιδός μου ἃ ἐγὼ ποιῶ.*

18 Καὶ μετ' ὀλίγον πάλιν οὕτως φησίν · (*Gen.* 18, 20)*Εἶπε*[3] *κύριος · Κραυγὴ Σοδόμων καὶ Γομόρρας πεπλήθυνται, καὶ αἱ ἁμαρτίαι αὐτῶν μεγάλαι σφόδρα.* (21)*Καταβὰς οὖν ὄψομαι εἰ κατὰ τὴν κραυγὴν αὐτῶν τὴν ἐρχομένην πρός με συντελοῦνται, εἰ δὲ μή, ἵνα γνῶ.* (22)*Καὶ ἀποστρέψαντες οἱ ἄνδρες ἐκεῖθεν ἦλθον εἰς Σόδομα. Ἀβραὰμ δὲ ἦν*[4] *ἑστηκὼς ἔναντι κυρίου,* (23)*καὶ ἐγγίσας Ἀβραὰμ εἶπεν · Μὴ συναπολέσῃς δίκαιον μετὰ ἀσεβοῦς* ; καὶ τὰ ἑξῆς. Οὐ γὰρ γράφειν πάλιν τὰ αὐτά, τῶν πάντων προγεγραμμένων, δοκεῖ μοι, ἀλλ' ἐκεῖνα, δι' ὧν καὶ τὴν ἀπόδειξιν τῷ Τρύφωνι καὶ τοῖς σὺν αὐτῷ πεποίημαι[5], λέγειν[6] ἀναγκαῖον.

19 Τότε οὖν ἦλθον ἐπὶ τὰ ἑξῆς, ἐν οἷς λέλεκται ταῦτα · (*Gen.* 18, 33) *Ἀπῆλθε δὲ Κύριος, ὡς ἐπαύσατο λέγων τῷ Ἀβραάμ, καὶ < Ἀβραὰμ > ἀπῆλθεν*[7] *εἰς τὸν τόπον αὐτοῦ.* (*Gen.* 19, 1) *Ἦλθον δὲ οἱ δύο ἄγγελοι εἰς Σόδομα ἑσπέρας · Λὼτ δὲ ἐκάθητο παρὰ τὴν πύλην Σοδόμων* · καὶ τὰ ἑξῆς ὁμοίως μέχρι τοῦ · (*Gen.* 19, 10) *Ἐκτείναντες δὲ οἱ ἄνδρες τὰς χεῖρας ἐπί*-[p. 166 : B]-*ασαν τὸν Λὼτ πρὸς ἑαυτοὺς εἰς τὸν οἶκον, καὶ τὴν θύραν του οἴκου προσέκλεισαν* · καὶ τὰ ἑπόμενα μέχρι [fol. 108 v° : A] τοῦ · (*Gen.* 19, 16)*Καὶ ἐκράτησαν οἱ ἄγγελοι τῆς χειρὸς αὐτοῦ καὶ τῆς χειρὸς τῆς γυναικὸς αὐτοῦ καὶ τῶν χειρῶν τῶν θυγατέρων αὐτοῦ, ἐν τῷ φείσασθαι κύριον αὐτοῦ.* **20** (*Gen.* 19, 17)*Καὶ ἐγένετο ἡνίκα ἐξήγαγον αὐτοὺς ἔξω, καὶ εἶπον · Σῶζε, σῶζε τὴν σεαυτοῦ ψυχήν. Μὴ περιβλέψῃ εἰς τὰ ὀπίσω, μηδὲ στῇς ἐν πάσῃ τῇ περιχώρῳ · εἰς τὸ ὄρος σώζου, μήποτε συμπαραληφθῇς.* (18)*Εἶπε δὲ Λὼτ πρὸς αὐτούς · Δέομαι, κύριε,* (19)*ἐπειδὴ εὗρεν ὁ παῖς σου ἔλεος ἐναντίον σου, καὶ ἐμεγάλυνας τὴν δικαιοσύνην σου, ὃ ποιεῖς ἐπ' ἐμὲ τοῦ ζῆν τὴν ψυχήν μου · ἐγὼ δὲ οὐ δύναμαι διασωθῆναι εἰς τὸ ὄρος, μὴ καταλάβῃ με τὰ κακὰ καὶ ἀποθάνω.*

1 Ἀνατρέφω (cf. Gen. 18, 10) : ἀναστρέψω *prop.* Thirlb. (*ex* LXX) **2** Συμπροπέμπων Sylb., Otto, Arch., Marc. (*ex* LXX) : συμπέμπων A, *in marg.* B, *cett. edd.* ἐμπέμπων *in textu* B **3** Εἶπε : ε. δὲ Marc. (*ex* LXX) **4** Ἦν : ἔτι ἦν *prop.* Sylb., Mor. **5** Δι' ὧν – πεποίημαι : *in semicirculis* Marc. **6** Λέγειν : ἃ λ. Marc. **7** Ἀβραὰμ *add.* Thirlb., Marc., *prop.* Mar., Otto, Arch. καὶ Ἀβρ. ἀπέστρεφεν LXX.

17 Moi : — Vous savez donc, repris-je, que l'Écriture dit : (*Gen.* 18, 13)*Et le Seigneur dit à Abraham : « Pourquoi Sara a-t-elle ri en disant : Est-ce que vraiment j'enfanterai ? Je suis devenue vieille.* (14)*L'affaire est-elle impossible à Dieu ? A cette saison, dans un an, je reviendrai vers toi, et Sara aura un fils ».* Et un peu plus loin : (*Gen.* 18, 16)*S'étant levés de là les deux hommes abaissèrent leurs regards vers Sodome et Gomorrhe, et Abraham allait avec eux, pour les accompagner.* (17)*Et le Seigneur dit : « Je ne cacherai pas à Abraham, mon serviteur, ce que je fais ».*

18 Un peu après encore voici ce qu'il dit : (*Gen.* 18, 20)*Le Seigneur dit : « la clameur de Sodome et de Gomorrhe est devenu plus grande, et leurs péchés sont très graves.* (21)*Je descends donc pour voir si conformément à la clameur parvenue jusqu'à moi, ils en sont à leur comble ; sinon, je le saurai ».* (22) *Se détournant de là, les hommes allèrent à Sodome, tandis qu'Abraham se tenait devant le Seigneur.* (23)*Abraham s'approcha et dit : « Ferais-tu périr le juste avec l'impie ? »* et la suite…, car il me semble, puisque j'ai déjà tout écrit[36], qu'il n'est pas nécessaire d'écrire une seconde fois la même chose, mais de dire ce qui m'a fourni une démonstration pour Tryphon et ses compagnons[37].

19 J'en vins donc à cet endroit qui suit où on lit : (*Gen.* 18, 33)*Le Seigneur s'en alla, lorsqu'il eut achevé de parler à Abraham ; et il*[38] *s'en retourna en son lieu.* (*Gen.* 19, 1)*Or les deux anges vinrent alors à Sodome le soir. Lot était assis à la porte de Sodome…* et de même jusqu'à : (*Gen.* 19, 10)*Étendant les mains, les hommes saisirent Lot, le tirèrent auprès d'eux dans la maison, et ils fermèrent la porte de la maison…* et ce qui suit jusqu'à (*Gen.* 19, 16)*Les anges le saisirent par la main, et par la main sa femme, et par la main ses filles, parce que le Seigneur l'épargnait.* **20** (*Gen.* 19, 17)*Lors donc qu'ils les eurent amenés au dehors, ils dirent : « Sauve, sauve ton âme ! Ne regarde pas en arrière, et ne t'arrête nulle part dans les alentours. Sauve-toi vers la montagne, de peur que tu ne sois emporté toi aussi ».* (18)*Lot leur dit : « Je t'en prie, Seigneur,* (19)*puisque ton serviteur a obtenu pitié devant toi, que tu as élargi ta justice en faisant que mon âme vive ; je ne puis me sauver vers la montagne, sans que le malheur me saisisse et que je meure.*

21 (*Gen.* 19, 20) *Ἰδοὺ ἡ πόλις αὕτη ἐγγὺς τοῦ καταφυγεῖν ἐστιν ἐκεῖ*[1] *μικρά· ἐκεῖ σωθήσομαι, ὡς μικρά ἐστι, καὶ ζήσεται ἡ ψυχή μου.* (21)*Καὶ εἶπεν αὐτῷ· Ἰδοὺ ἐθαύμασά σου*[2] *τὸ πρόσωπον καὶ ἐπὶ τῷ ῥήματι τούτῳ τοῦ μὴ καταστρέψαι τὴν πόλιν περὶ ἧς ἐλάλησας.* (22)*Σπεῦσον τοῦ σωθῆναι ἐκεῖ· οὐ γὰρ δυνήσομαι ποιῆσαι πρᾶγμα ἕως τοῦ εἰσελθεῖν σε ἐκεῖ. Διὰ τοῦτο ἐκάλεσε τὸ ὄνομα τῆς πόλεως Σηγώρ.* (23)*Ὁ ἥλιος ἐξῆλθεν ἐπὶ τὴν γῆν, καὶ Λὼτ εἰσῆλθεν εἰς Σηγώρ.* (24)*Καὶ ὁ κύριος ἔβρεξεν εἰς*[3] *Σόδομα καὶ Γόμορρα θεῖον καὶ πῦρ παρὰ κυρίου ἐκ τοῦ οὐρανοῦ,* (25)*καὶ κατέστρεψε τὰς πόλεις ταύτας καὶ πᾶσαν τὴν περίοικον.*

22 Καὶ πάλιν παυσάμενος ἐπέ-[fol. 109 r° : A]-φερον· καὶ νῦν οὐ νενοήκατε, φίλοι, ὅτι ὁ εἷς τῶν *τριῶν*, ὁ καὶ *θεὸς* καὶ *κύριος*[4] τῷ ἐν τοῖς *οὐρανοῖς* ὑπηρετῶν, *κύριος* τῶν *δύο ἀγγέλων*[5] ; Προσελθόντων[6] γὰρ αὐτῶν εἰς Σόδομα, αὐτὸς ὑπολειφθεὶς[7] προσωμίλει τῷ Ἀβραὰμ τὰ ἀναγεγραμμένα ὑπὸ Μωσέως· [p. 167 : B] οὗ καὶ αὐτοῦ *ἀπελθόντος* μετὰ τὰς ὁμιλίας, ὁ Ἀβραὰμ *ὑπέστρεψεν εἰς τὸν τόπον αὐτοῦ.* **23** Οὗ ἐλθόντος[8], οὐκέτι *δύο ἄγγελοι* ὁμιλοῦσι τῷ Λὼτ ἀλλ' αὐτός, ὡς[9] ὁ Λόγος δηλοῖ, καὶ *κύριός* ἐστι, *παρὰ*[10] *κυρίου* τοῦ ἐν τῷ *οὐρανῷ* τουτέστι τοῦ ποιητοῦ τῶν ὅλων, λαβὼν τὸ ταῦτα[11] ἐπενεγκεῖν[12] Σοδόμοις καὶ Γομόρροις ἅπερ ὁ Λόγος καταριθμεῖ, οὕτως εἰπών· *Κύριος ἔβρεξεν ἐπὶ Σόδομα καὶ Γόμορρα θεῖον καὶ πῦρ παρὰ κυρίου ἐκ τοῦ οὐρανοῦ.*

57. 1 – Καὶ ὁ Τρύφων σιγήσαντός μου εἶπεν· Ὅτι μὲν ἡ γραφὴ τοῦτο ἀναγκάζει ὁμολογεῖν ἡμᾶς, φαίνεται, ὅτι δὲ[13] ἀπορῆσαι ἄξιόν ἐστι περὶ τοῦ λεγομένου, ὅτι *ἔφαγε* τὰ ὑπὸ τοῦ Ἀβραὰμ κατασκευασθέντα καὶ παρατεθέντα, καὶ σὺ ἂν ὁμολογήσειας.

2 – Κἀγὼ ἀπεκρινάμην· Ὅτι μὲν βεβρώκασι, γέγραπται· εἰ δὲ τοὺς τρεῖς ἀκούσαιμεν λελέχθαι βεβρωκέναι, καὶ μὴ τοὺς δύο μόνους, οἵτινες ἄγγελοι τῷ ὄντι ἦσαν καὶ ἐν τοῖς οὐρανοῖς, δῆλόν[14] ἐστιν ἡμῖν[15], τρεφόμενοι, κἂν μὴ ὁμοίαν τροφὴν ἧπερ οἱ ἄνθρωποι χρώμεθα τρέφωνται[16] (περὶ γὰρ τῆς [fol. 109 v° : A] τροφῆς τοῦ μάννα, ἣν ἐτράφησαν οἱ πατέρες

1 Ἐστιν ἐκεῖ : ἐκεῖ ἐστιν Marc. με ἐκεῖ, ἥ ἐστιν μικρά LXX. **2** Ἐθαύμασά σου : *corr. ex* ἐθαύμασου A **3** Εἰς : ἐπὶ Dial. 56, 12.23 ; 127, 5 (= LXX) **4** Κύριος : κ. λεγόμενος καὶ Marc. **5** Ἀγγέλων : ἀ. ἐστίν Marc. **6** Προσελθόντων : προελθόντων *coni.* Thirlb., Marc. προαπελθόντων (*prius digressis*) *prop.* Sylb. **7** Ὑπολειφθεὶς : –θει *in ras.* A **8** Ἐλθόντος : ἐ. εἰς Σόδομα Marc. (*ex* Gen. 19, 1) **9** Ὡς : ὃς ὡς Marc. **10** Παρὰ : καὶ παρὰ Marc. **11** Τὸ ταῦτα : ταῦτα εἰς τὸ Marc. **12** Ἐπενεγκεῖν : ἀπενεγκεῖν *coni.* Otto, Mign. **13** Ὅτι δὲ ...ὁμολογήσειας : ὅ, τι ... ὁμολογήσειας ; Steph. **14** Δῆλόν : ὡς δῆλόν Thirlb., Otto, Troll., Mign., Marc. **15** Ἡμῖν : ὑμῖν *prop.* Thirlb. **16** Τρέφωνται Marc. : τρέφονται *codd., cett. edd.*

21 (*Gen.* 19, 20)*Voici, cette ville est proche, pour que je m'y réfugie*[39], *elle est petite. Là je serai sauvé, elle est si petite ! et mon âme vivra ».* (21)*Il lui dit : « Voici, j'ai honoré ton visage*[40] *en cette affaire aussi : je ne détruirai-je pas la ville dont tu parles.* (22)*Hâte-toi donc de t'y sauver. Je ne pourrai rien faire que tu n'y sois entré ». C'est pourquoi il appela cette ville du nom de Ségor*[41]. (23)*Le soleil sortit au-dessus de la terre, et Lot entra à Ségor.* (24)*Et le Seigneur fit pleuvoir sur Sodome et Gomorrhe du soufre et du feu d'auprès du Seigneur, du haut du ciel,* (25)*et il détruisit ces villes et tout le voisinage.*

22 Et lorsque j'eus fini, j'ajoutai à nouveau[42] :

— N'avez-vous pas compris maintenant, amis, que l'un des *trois*, le [a]*Dieu* et [b]*Seigneur*[43] qui sert[44] celui qui est dans *le ciel*, est *Seigneur* des [c]*deux anges*. Tandis que ceux-ci [d]se rendaient à Sodome, lui [e]reste et adresse à Abraham les paroles que Moïse a consignées par écrit. [f]Lorsqu'il fut *parti*, après leur entretien, Abraham *s'en retourna en son lieu.* **23** Lorsqu'il arriva (à Sodome), ce ne sont plus [g]*deux anges* qui s'adressent à Lot, [h]mais lui, comme le montre le Verbe ; et il est [i]*Seigneur* recevant *d'auprès du Seigneur*[45] qui est dans le *ciel*, c'est-à-dire du Créateur de l'univers, la charge de répandre sur Sodome et Gomorrhe ce que le Verbe énumère, en s'exprimant ainsi : [j]*Et le Seigneur fit pleuvoir sur Sodome et Gomorrhe du soufre et du feu d'auprès du Seigneur, du haut du ciel*[46].

Objection sur le « pain des anges ».

57. 1 Je me tus, Tryphon dit :

— L'Écriture, c'est évident, nous oblige à le reconnaître ; mais il y a, tu dois aussi le reconnaître, une réelle difficulté dans le fait qu'il soit dit qu'il [k]a *mangé* ce qu'Abraham avait préparé et servi.

2 Je répondis :

— Qu'ils aient [l]mangé, c'est écrit. Mais s'il fallait entendre qu'il est dit que les trois ont mangé, et non pas seulement les deux qui étaient véritablement des anges[1], nourris – c'est une évidence pour nous – dans le ciel, même s'ils ne le sont pas avec la même nourriture que nous autres les hommes – car à propos de la manne dont vos pères ont été nourris dans le désert,

a Cf. *Gen.* 18, 1 **b** cf. *Gen.* 18, 20.33 ; 19, 16.18.24 **c** cf. *Gen.* 19, 1.15.16 **d** cf. *Gen.* 18, 22 **e** *ibid.*, s. **f** *ibid.*, 33 **g** cf. *Gen.* 19, 1 **h** *ibid.*, 18 ; 21-22 **i** *ibid.*, 24 **j** *Gen.* 19, 24 **k** cf. *Gen.* 18, 8 **l** cf. *Gen.* 18, 8.

ὑμῶν ἐν τῇ ἐρήμῳ, ἡ γραφὴ οὕτω λέγει, ὅτι *ἄρτον ἀγγέλων ἔφαγον*[1]), εἴποιμ' ἂν ὅτι ὁ Λόγος, ὁ λέγων βεβρωκέναι, οὕτως ἂν λέγοι ὡς ἂν καὶ αὐτοὶ εἴποιμεν ἐπὶ πυρὸς ὅτι πάντα κατέφαγεν, ἀλλὰ μὴ πάντως τοῦτο ἐξακούειν ὅτι ὀδοῦσι καὶ γνάθοις μασώμενοι βεβρώκασιν. Ὥστε οὐδὲ ἐνταῦθα ἀπορήσαιμεν ἂν περὶ οὐδενός, εἰ τροπολογίας ἔμπειροι κἂν μικρὸν ὑπάρχωμεν[2].

3 – Καὶ ὁ Τρύφων · Δυνατὸν καὶ ταῦτα οὕτω θεραπευθῆναι περὶ τρόπου βρώσεως, παρ' ὃν ἀναλώσαντας[3] τὰ παρασκευασθέντα ὑπὸ τοῦ Ἀβραὰμ βεβρωκέναι γεγραμμένον ἐστίν. Ὥστε ἔρχου ἤδη ἀποδώ-[p. 168 : B]-σων ἡμῖν τὸν λόγον, πῶς οὗτος ὁ *τῷ Ἀβραὰμ ὀφθεὶς θεός*[4], καὶ ὑπηρέτης ὢν τοῦ ποιητοῦ τῶν ὅλων θεοῦ, διὰ τῆς παρθένου γεννηθείς, ἄνθρωπος ὁμοιοπαθὴς πᾶσιν, ὡς προέφης, γέγονεν.

4 – Κἀγώ · Συγχώρει, ὦ Τρύφων, πρότερον, εἶπον, καὶ ἄλλας τινὰς ἀποδείξεις τῷ κεφαλαίῳ τούτῳ συναγαγεῖν διὰ πολλῶν, ἵνα καὶ ὑμεῖς πεπεισμένοι καὶ περὶ τούτου ἦτε, καὶ μετὰ τοῦτο ὃν ἀπαιτεῖς λόγον ἀποδώσω.

– Κἀκεῖνος · Ὡς σοὶ δοκεῖ, ἔφη, πρᾶττε · καὶ ἐμοὶ γὰρ πάνυ ποθητὸν πρᾶγμα πράξεις.

58. 1 – Κἀγὼ εἶπον · Γραφὰς ὑμῖν ἀνιστορεῖν μέλλω, οὐ κατα-[fol. 110 r° : A]-σκευὴν λόγων ἐν μόνῃ τέχνῃ ἐπιδείκνυσθαι σπεύδω · οὐδὲ γὰρ δύναμις ἐμοὶ τοιαύτη τίς ἐστιν, ἀλλὰ χάρις παρὰ θεοῦ μόνη εἰς τὸ συνιέναι τὰς γραφὰς αὐτοῦ ἐδόθη μοι, ἧς χάριτος καὶ πάντας κοινωνοὺς ἀμισθωτὶ καὶ ἀφθόνως παρακαλῶ γίνεσθαι, ὅπως μὴ καὶ τούτου χάριν κρίσιν ὀφλήσω ἐν ᾗπερ μέλλει κρίσει[5] διὰ τοῦ κυρίου μου Ἰησοῦ Χριστοῦ ὁ ποιητὴς τῶν ὅλων θεὸς ποιεῖσθαι.

2 – Καὶ ὁ Τρύφων · Ἀξίως μὲν θεοσεβείας καὶ τοῦτο πράττεις · εἰρωνεύεσθαι δέ μοι δοκεῖς, λέγων δύναμιν λόγων τεχνικῶν μὴ κεκτῆσθαι.

– Κἀγὼ πάλιν ἀπεκρινάμην · Ἐπεί σοι δοκεῖ ταῦτα[6] οὕτως ἔχειν, ἐχέτω · ἐγὼ δὲ πέπεισμαι ἀληθῶς[7] εἶναι. Ἀλλ' ἵνα μᾶλλον τὰς ἀποδείξεις τὰς λοιπὰς ἤδη ποιήσωμαι, πρόσεχε τὸν νοῦν.

– Κἀκεῖνος · Λέγε.

1 Περὶ – ἔφαγον *in semicirculis edd. ab* Otto **2** Ὑπάρχωμεν : ὑπέρχωμεν Mor., Mar. : ὑπερέχωμεν Mign. **3** Ἀναλώσαντας ...γεγραμμένον ἐστιν : ἀναλώσαντες ...γεγραμμένοι εἰσίν *prop.* Thirlb. **4** Ὁ ...ὀφθεὶς θεός, καὶ : ὁ ...ὀφθείς, θεὸς καὶ *prop.* Otto **5** Ἐν ᾗπερ μέλλει κρίσει = ἐν τῇ κρίσει ἥνπερ μέλλει Mar., Otto : κρίσιν *prop.* Steph. (*ad. calcem*) **6** Ταῦτα : τοῦτο *prop.* Thirlb. **7** Ἀληθῶς : ἄλλως εἶναι *vel* ἀληθῶς εἰπεῖν *prop.* Thirlb., *coni.* Marc. (ἄλλως εἶναι) ἀληθεύειν ἐμέ Troll.

l'Écriture dit [a]qu'*ils mangaient du pain des anges*[2] –, je dirais alors que le Verbe qui affirme qu'ils ont mangé, s'exprime comme nous le ferions nous-mêmes à propos du feu en disant qu'il a « tout dévoré » ; en aucun cas nous ne devrions entendre qu'ils ont mangé en mâchant avec des dents et des mâchoires. Il n'y aurait donc là non plus aucune difficulté, pour qui a tant soit peu la pratique du langage figuré[3].

3 Tryphon : — il est également possible de remédier ainsi à ce qui touche leur façon de se nourrir : c'est en le consumant qu'ils auraient, selon l'Écriture, mangé ce qu'Abraham avait préparé. Aussi viens-en de suite à nous exposer comment ce [b]*Dieu apparu à Abraham*, serviteur du Dieu Créateur de l'univers, né par la vierge, s'est fait, comme tu l'as dit, homme connaissant les mêmes souffrances que tous[4].

4 Moi : — Permets d'abord, Tryphon, dis-je, que j'ajoute encore à ce chapitre quelques autres preuves, un peu abondantes, afin que vous soyez convaincus sur ce point aussi. Je fournirai ensuite l'explication que tu réclames.

Celui-ci : — Comme il te semble, dit-il, car ce que tu fais là correspond tout à fait à mon désir.

L'« autre Dieu » s'est manifesté dans les visions de Jacob.

58. 1 Je dis :

— Je m'en vais vous rapporter les Écritures, non que je me soucie d'exhiber un assemblage de paroles élaboré par l'art seul[1] – je ne dispose point d'un semblable talent –, mais une grâce[2] qui vient de Dieu m'a été accordée : elle seule me permet de comprendre ses Écritures ; une grâce à laquelle j'appelle tout le monde à prendre part, gratuitement et libéralement, pour que je ne sois pas condamné de ce chef au jugement que par mon Seigneur Jésus-Christ doit rendre le Dieu Créateur de l'univers[3].

2 Tryphon : — Et tu agis aussi en cela pieusement ; mais j'ai le sentiment que tu fais l'ignorant, quand tu dis n'avoir pas l'art des discours habiles…

Je répondis :

— Si c'est ton sentiment, soit ! je suis persuadé, pour moi, d'être sincère. Mais fais plutôt attention aux autres preuves que je vais maintenant établir.

Celui-ci : — Parle.

a Cf. *Ps.* 77, 25 **b** cf. *Gen.* 18, 1.

3 – Κἀγώ · Ὑπὸ Μωσέως[1], ὦ ἀδελφοί, πάλιν γέγραπται, ἔλεγον, ὅτι οὗτος ὁ *ὀφθεὶς* τοῖς πατριάρχαις λεγόμενος *θεὸς*[2] καὶ *ἄγγελος* καὶ *κύριος*[3] λέγεται, ἵνα καὶ ἐκ τούτων ἐπιγνῶτε αὐτὸν ὑπηρετοῦντα τῷ τῶν ὅλων πατρί, ὡς ἤδη συνέθεσθε, καὶ διὰ πλειόνων πεπεισ-[p. 169 : B]-μένοι βεβαίως μένητε[4].

4 Ἐξηγούμενος οὖν διὰ Μωσέως ὁ Λόγος τοῦ θεοῦ τὰ περὶ Ἰακώβ, τοῦ υἱωνοῦ τοῦ Ἀβραάμ, οὕτως φησί · (*Gen.* 31, 10)*Καὶ ἐγένετο ἡνίκα ἐκίσσων τὰ πρόβατα ἐν γαστρὶ λαμβάνοντα, καὶ εἶδον τοῖς ὀφθαλμοῖς αὐτὰ ἐν τῷ ὕπνῳ · καὶ ἰδοὺ οἱ τράγοι καὶ οἱ κριοί, ἀναβαίνοντες ἐπὶ τὰ πρόβατα καὶ τὰς αἶγας, διάλευκοι καὶ ποικίλοι καὶ σποδοειδεῖς ῥαντοί.* [fol. 110 v° : A] (11)*Καὶ εἶπέ μοι ὁ ἄγγελος τοῦ θεοῦ καθ' ὕπνους · Ἰακώβ, Ἰακώβ.* **5** *Ἐγὼ δὲ εἶπον · Τί ἐστι, κύριε*[5] *;* (12)*Καὶ εἶπεν · Ἀνάβλεψον τοῖς ὀφθαλμοῖς σου καὶ ἴδε τοὺς τράγους καὶ τοὺς κριοὺς ἀναβαίνοντας ἐπὶ τὰ πρόβατα καὶ τὰς αἶγας, διαλεύκους καὶ ποικίλους καὶ σποδοειδεῖς ῥαντούς · ἑώρακα γὰρ ὅσα σοι Λάβαν ποιεῖ.* (13)*Ἐγώ εἰμι ὁ θεὸς ὁ ὀφθείς σοι ἐν τόπῳ θεοῦ*[6]*, οὗ ἤλειψάς μοι ἐκεῖ στήλην καὶ ηὔξω ἐκεῖ εὐχήν. Νῦν οὖν ἀνάστηθι καὶ ἔξελθε*[7] *ἐκ τῆς γῆς ταύτης καὶ ἄπελθε εἰς τὴν γῆν τῆς γενέσεώς σου, καὶ ἔσομαι μετὰ σοῦ.*

6 Καὶ πάλιν ἐν ἄλλοις λόγοις περὶ τοῦ αὐτοῦ[8] Ἰακὼβ λέγων οὕτως φησίν · (*Gen.* 32, 22)*Ἀναστὰς δὲ τὴν νύκτα ἐκείνην ἔλαβε τὰς δύο γυναῖκας καὶ τὰς δύο παιδίσκας καὶ τὰ ἕνδεκα παιδία αὐτοῦ καὶ διέβη τὴν διάβασιν τοῦ Ἰαβώχ,* (23)*καὶ ἔλαβεν αὐτοὺς καὶ διέβη τὸν χειμάρρουν καὶ διεβίβασε πάντα τὰ αὐτοῦ.* (24)*Ὑπελείφθη δὲ Ἰακὼβ μόνος · καὶ ἐπάλαιεν ἄνθρωπος*[9] *μετ' αὐτοῦ ἕως πρωΐ.* (25)*Εἶδε δὲ ὅτι* < *οὐ* >[10] *δύναται πρὸς αὐτόν, καὶ ἥψατο τοῦ πλάτους τοῦ μηροῦ αὐτοῦ, καὶ ἐνάρκησε τὸ πλάτος τοῦ μηροῦ Ἰακὼβ ἐν τῷ παλαίειν αὐτὸν μετ' αὐτοῦ.* (26)*Καὶ εἶπεν αὐτῷ · Ἀπόστειλόν με · ἀνέβη γὰρ ὁ ὄρθρος.* **7** *Ὁ δὲ εἶπεν · Οὐ μή σε ἀποστείλω, ἂν*[11] *μή με εὐλογήσῃς.* (27)*Εἶπε δὲ αὐτῷ · Τί τὸ ὄνομά σου ἐστίν ; Ὁ δὲ εἶπεν · Ἰακώβ.* (28)*Εἶπε δὲ αὐτῷ · Οὐ κληθήσεται*[12] [p. 170 : B] *τὸ ὄνομά σου Ἰακώβ, ἀλλὰ* [fol. 111 r° : A] *Ἰσραὴλ ἔσται τὸ ὄνομά σου ·*

1 Μωσέως : Μωϋσέως Otto, Goodsp. (*hic et infra*) **2** Θεὸς : καὶ θεὸς Marc. **3** Ἄγγελος καὶ κύριος : ἄγγελος τοῦ κυρίου *vel* ἄγγελος τοῦ θεοῦ καὶ κύριος *prop.* Otto **4** Μένητε Marc. (*ex* I Apol. 61, 10) : μενεῖτε *codd., cett. edd.* **5** Κύριε : *om.* LXX. **6** Ἐν τόπῳ θεοῦ *codd.*, Goodsp. (= LXX) : ἐν τῷ τ. θ. Steph., Mar., Otto, Arch. ἐν τώ πῳ θεῷ B **7** Ἀνάσθητι καὶ ἔξελθε Thirlb., Otto, Arch. (ex LXX) : ἔξελθε καὶ ἀνάσθητι *codd., cett. edd.* (*prothysteron* Sylb.) **8** Τοῦ αὐτοῦ *transp.* Marc. (cf. 68, 8) : αὐτοῦ τοῦ *codd., cett. edd.* **9** Ἄνθρωπος (= LXX) *prop.* Thirlb., *coni.* Otto, Troll., Arch., Marc. (cf. Dial. 58, 10 : ἐν ἰδέᾳ ἀνθρώπου ; 126, 3 : μετὰ Ἰακὼβ ἄνθρωπος ἐπάλαιε) ἄγγελος *codd. cett. edd.* **10** Οὐ *add.* Steph. (ex LXX) : *om. codd.*, Goodsp. **11** Ἂν : ἐὰν Mar. (ex LXX) **12** Οὐ κληθήσεται : οὐ κλ. ἔτι Mar. (*ex* LXX).

3 Moi : — Par Moïse, frères, il est encore écrit, dis-je, que celui qui, appelé [a]*Dieu, s'est fait voir* aux patriarches, est également appelé [b]*ange* et [c]*Seigneur*[4], pour que par là aussi vous connaissiez qu'il est serviteur du Père de l'univers, – comme vous en êtes déjà convenus[5] – et que par plus d'éléments vous en demeuriez fermement convaincus.

4 Ainsi lorsqu'il raconte, par l'intermédiaire de Moïse, l'histoire de Jacob, petit-fils d'Abraham, le Verbe de Dieu s'exprime en ces termes : (*Gen.* 31, 10)*Et il arriva, qu'au temps où les brebis entrent en chaleur et conçoivent, je les vis de mes yeux en songe. Et voici, les boucs et les béliers montaient sur les brebis et les chèvres, et ils étaient mouchetés de blanc, tachetés et marqués de couleur cendre*[6]. (11)*Et l'ange de Dieu me dit en mon sommeil : « Jacob, Jacob ».* **5** *Et je dis : « Qu'y a-t-il, Seigneur ? ».* (12)*Et il dit : « Lève les yeux et vois les boucs et les béliers qui montent sur les brebis et les chèvres : ils sont mouchetés de blanc, tachetés et marqués de couleur cendre. Car j'ai vu tout ce que Laban te fait.* (13)*Je suis le Dieu qui s'est fait voir de toi dans le lieu de Dieu, là où tu as enduit pour moi une stèle*[7]*, et m'as adressé un vœu. Maintenant donc, lève-toi et sors de ce pays, et va-t-en au pays de ta naissance, et je serai avec toi ».*

6 Dans un autre passage encore, à propos du même Jacob, il s'exprime de la sorte : (*Gen.* 32, 22)*S'étant levé, cette nuit-là, il prit ses deux femmes, ses deux servantes, ses onze enfants, et il passa la passe du Jaboc ;* (23)*et il les prit, passa le torrent, et fit passer tout ce qui était à lui.* (24)*Or Jacob resta seul, et un homme luttait avec lui jusqu'au matin.* (25)*Il vit qu'il ne pouvait rien contre lui ; et il toucha le plat de sa cuisse, et le plat de la cuisse de Jacob s'engourdit, tandis qu'il luttait avec lui.* (26)*Et il lui dit : « Laisse-moi aller, car l'aube s'est levée ».* **7** *Il dit : « Je ne te laisserai pas aller que tu ne m'ais béni ».* (27)*Il lui dit : « Quel est ton nom ? ». Il dit : « Jacob ».* (28)*Il lui dit : « On ne t'appellera plus du nom de Jacob, mais Israël sera ton nom, car tu as été fort*

a Cf. *Gen.* 31, 13 ; 32, 28.30 ; 35, 7.9.10 **b** cf. *Gen.* 31, 11 **c** cf. *Gen.* 31, 11.

ὅτι ἐνίσχυσας μετὰ τοῦ θεοῦ, καὶ μετὰ ἀνθρώπων δυνατὸς ἔσῃ. (29)*'Ηρώτησε δὲ 'Ιακὼβ καὶ εἶπεν · 'Ανάγγειλόν μοι τὸ ὄνομά σου. Καὶ εἶπεν · Ἵνα τί τοῦτο ἐρωτᾷς τὸ ὄνομά μου ; Καὶ εὐλόγησεν αὐτὸν ἐκεῖ.* (30)*Καὶ ἐκάλεσεν 'Ιακὼβ τὸ ὄνομα τοῦ τόπου ἐκείνου Εἶδος θεοῦ · εἶδον γὰρ θεὸν πρόσωπον πρὸς πρόσωπον, καὶ ἐχάρη*[1] *ἡ ψυχή μου.*

8 Καὶ πάλιν ἐν ἑτέροις περὶ τοῦ[2] αὐτοῦ 'Ιακὼβ ἐξαγγέλλων ταῦτά φησιν · (*Gen.* 35, 6) *Ἦλθε δὲ 'Ιακὼβ εἰς Λουζᾶ, ἥ ἐστιν ἐν γῇ*[3] *Χαναάν, ἥ ἐστι Βαιθήλ, αὐτὸς καὶ πᾶς ὁ λαός, ὃς ἦν μετ' αὐτοῦ.* (7)*Καὶ ᾠκοδόμησεν ἐκεῖ θυσιαστήριον, καὶ ἐκάλεσε τὸ ὄνομα τοῦ τόπου ἐκείνου Βαιθήλ · ἐκεῖ γὰρ ἐφάνη αὐτῷ ὁ θεὸς ἐν τῷ ἀποδιδράσκειν*[4] *ἀπὸ προσώπου τοῦ ἀδελφοῦ αὐτοῦ 'Ησαῦ.* (8)*'Απέθανε δὲ Δεβόρρα, ἡ τρόφος 'Ρεβέκκας*[5], *< καὶ ἐτάφη >*[6] *κατωτέρω Βαιθὴλ ὑπὸ τὴν βάλανον, καὶ ἐκάλεσεν 'Ιακὼβ τὸ ὄνομα αὐτῆς Βάλανον πένθους.* (9) *Ὤφθη δὲ ὁ θεὸς τῷ*[7] *'Ιακὼβ ἔτι ἐν Λουζᾶ, ὅτε παρεγένετο ἐκ Μεσοποταμίας*[8] *τῆς Συρίας, καὶ εὐλόγησεν αὐτόν.* (10)*Καὶ εἶπεν αὐτῷ ὁ θεός · Τὸ ὄνομά σου 'Ιακὼβ οὐ κληθήσεται ἔτι, ἀλλὰ 'Ισραὴλ ἔσται τὸ ὄνομά σου.*

9 *Θεὸς*[9] καλεῖται καὶ θεός ἐστι καὶ ἔσται.

10 Καὶ συννευσάντων ταῖς κεφαλαῖς ἁπάντων ἔφην ἐγώ · καὶ τοὺς λόγους,.οἳ ἀγγέλλουσι πῶς ὤφθη αὐτῷ, φεύγοντι τὸν ἀδελφὸν 'Ησαῦ, [fol. 111 v° : A] οὗτος καὶ *ἄγγελος* καὶ *θεὸς* καὶ *κύριος*, καὶ ἐν ἰδέᾳ *ἀνδρὸς* τῷ 'Αβραὰμ φανεὶς καὶ ἐν ἰδέᾳ *ἀνθρώπου* αὐτῷ τῷ 'Ιακὼβ *παλαίσας*, ἀναγκαῖον εἶναι εἰπεῖν ὑμῖν λογιζόμενος, λέγω.

11 Εἰσὶ δὲ οὗτοι · (*Gen.* 28, 10)*Καὶ ἐξῆλθεν 'Ιακὼβ ἀπὸ τοῦ φρέατος τοῦ ὅρκου καὶ* [p. 171 : B] *ἐπορεύθη εἰς Χαράν*[10]. (11)*Καὶ ἀπήντησε τόπῳ καὶ ἐκοιμήθη ἐκεῖ · ἔδυ γὰρ ὁ ἥλιος. Καὶ ἔλαβεν ἀπὸ τῶν λίθων τοῦ τόπου καὶ ἔθηκε πρὸς κεφαλῆς αὐτοῦ, καὶ ἐκοιμήθη ἐν τῷ τόπῳ ἐκείνῳ* (12)*καὶ ἐνυπνιάσθη · καὶ ἰδοὺ κλῖμαξ*[11] *ἐστηριγμένη ἐν τῇ γῇ, ἧς ἡ κεφαλὴ ἀφικνεῖτο εἰς τὸν οὐρανόν, καὶ οἱ ἄγγελοι τοῦ θεοῦ ἀνέβαινον καὶ κατέβαινον ἐπ' αὐτῆς,* (13)*ὁ δὲ κύριος ἐστήρικτο ἐπ' αὐτήν.* **12** *'Ο δὲ*

1 'Εχάρη : ἐσώθη *prop.* Otto. (*ex* LXX et Dial. 126, 3) **2** Περὶ τοῦ : τὰ π. τ. *prop.* Thirlb. **3** 'Εν γῇ Otto, Arch., Marc. (*ex* LXX) : εἰς γῆν *codd.* (*ex* εἰς Λουζᾶ ?), *cett. edd.* **4** 'Αποδιδράσκειν : ἀποδ. αὐτὸν Marc. (*ex.* LXX) **5** 'Ρεβέκκας *edd. a* Mar. (*ex* LXX) : 'Ρεβέκας *codd.*, *cett. edd.* **6** Καὶ ἐτάφη *add.* Steph. (*ex* LXX) : *om. codd.*, Goodsp., Marc. **7** Τῷ *corr.* Steph. (*ex* LXX) : *om. codd.*, Goodsp., Marc. **8** 'Εκ Μεσοποταμίας *corr.* Steph. (*ex* LXX) : ἐν Μεσοποταμίᾳ *codd.*, Goodsp. **9** Θεὸς : θ. οὖν Marc. **10** Χαράν : Χαρράν Mar., Mign. (*ex* LXX ; Act. 7, 2.4) **11** Κλῖμαξ *edd. ab* Otto : κλίμαξ A, *cett. edd.* κλήμαξ B.

avec Dieu, et avec les hommes tu seras puissant »[8]. (29)*Jacob l'interrogea en disant : « Fais-moi connaître ton nom ». Il dit : « Pourquoi me demandes-tu mon nom ? ». Et il le bénit là.* (30)*Et Jacob appela cet endroit forme-visible-de-Dieu*[9] *: car j'ai vu Dieu face à face, et mon âme s'est réjouie*[10].

8 Ailleurs encore, dans le récit qu'il fait sur le même Jacob, il dit ceci : (*Gen.* 35, 6)*Jacob vint à Louza, qui est au pays de Canaan (c'est Béthel), lui et tout le peuple qui était avec lui.* (7)*Il bâtit là un autel, et il donna au lieu le nom de Béthel. Car c'était là-bas que Dieu lui était apparu, lorsqu'il fuyait loin de la face de son frère Ésau*[11]. (8)*Mais Débora mourut, la nourrice de Rebecca, et elle fut enterrée au-dessous de Béthel, sous le chêne, et Jacob lui donna le nom de chêne d'affliction.* (9)*Or Dieu se fit voir de Jacob une nouvelle fois à Louza, lorsqu'il revint de la Mésopotamie de Syrie, et il le bénit.* (10)*Et Dieu lui dit : « On ne t'appellera plus du nom de Jacob, mais Israël sera ton nom ».*

9 [a]*Dieu* il est appelé, Dieu il est et sera[12].

10 Comme tous approuvaient de la tête, je continuai : — d'autres textes encore rapportent de quelle façon, lorsqu'il fuyait son frère Ésau[13], s'est fait voir à lui celui qui est à la fois *ange*, [b]*Dieu*, et [c]*Seigneur*, qui sous forme d'un [d]*homme* (ἀνδρός) *apparut à Abraham*, et sous forme [e]*d'être humain* (ἀνθρώπου) a *combattu* Jacob lui-même[14] ; je considère qu'il faut aussi vous les citer.

11 Les voici : (*Gen.* 28, 10)*Jacob s'éloigna du puits du Serment et fit route vers Charan.* (11)*Il parvint en un lieu, et là il s'endormit : le soleil déclina. Il prit une des pierres du lieu, la plaça sous sa tête, s'endormit* (12)*et rêva. Et voici : une échelle fortement fichée dans la terre, et son sommet arrivait jusqu'au ciel ; et les anges de Dieu montaient et descendaient sur elle.* (13)*Et le Seigneur était appuyé sur elle*[15]. **12** *Il dit : « Je suis le*

a Cf. *Gen.* 31, 13 ; 32, 28.30 ; 35, 7.9.10 **b** cf. *Gen.* 28, 17.19 **c** *ibid.*, 13.16 **d** cf. *Gen.* 18, 2 **e** cf. *Gen.* 32, 24.

εἶπεν · Ἐγώ εἰμι κύριος, ὁ θεὸς Ἀβραάμ, τοῦ πατρός σου, καὶ Ἰσαάκ. Μὴ φοβοῦ. Ἡ γῆ, ἐφ' ἧς σὺ καθεύδεις ἐπ' αὐτῆς, σοὶ δώσω αὐτὴν καὶ τῷ σπέρματί σου · (14)*καὶ ἔσται τὸ σπέρμα σου ὡς ἡ ἄμμος τῆς γῆς, καὶ πλατυνθήσεται εἰς θάλασσαν καὶ νότον καὶ βορρᾶν καὶ ἀνατολάς, καὶ ἐνευλογηθήσονται ἐν σοὶ πᾶσαι αἱ φυλαὶ τῆς γῆς καὶ ἐν τῷ σπέρματί σου.* (15)*Καὶ ἰδοὺ ἐγὼ μετὰ σοῦ, διαφυλάσσων σε ἐν ὁδῷ πάσῃ ᾗ ἂν πορευθῇς, καὶ ἀποστρέψω σε εἰς τὴν γῆν ταύτην, ὅτι οὐ μή σε ἐγκαταλίπω ἕως τοῦ ποιῆσαί με πάντα ὅσα ἐλάλησά σοι.* **13** (16)*Καὶ ἐξηγέρθη Ἰακὼβ ἐκ τοῦ ὕπνου αὐτοῦ,* [fol. 112 r° : A] *καὶ εἶπεν ὅτι Ἔστι κύριος ἐν τῷ τόπῳ τούτῳ*[1]*, ἐγὼ δὲ οὐκ ᾔδειν.* (17)*Καὶ ἐφοβήθη, καὶ εἶπεν · Ὡς φοβερὸς ὁ τόπος οὗτος. Οὐκ ἔστι τοῦτο ἀλλ' ἢ*[2] *οἶκος τοῦ θεοῦ, καὶ αὕτη ἡ πύλη τοῦ οὐρανου.* (18)*Καὶ ἀνέστη Ἰακὼβ τῷ πρωΐ, καὶ ἔλαβε τὸν λίθον ὃν ὑπέθηκεν ἐκεῖ πρὸς κεφαλῆς αὐτοῦ, καὶ ἔστησεν αὐτὸν στήλην καὶ ἐπέχεε [τὸ]*[3] *ἔλαιον ἐπὶ τὸ ἄκρον αὐτοῦ.* (19)*Καὶ ἐκάλεσεν Ἰακὼβ τὸ ὄνομα τοῦ τόπου Οἶκος θεοῦ*[4] *· καὶ Οὐλαμμάους ἦν τὸ ὄνομα τῇ πόλει τὸ πρότερον.*

59. 1 Καὶ ταῦτα εἰπών · Ἀνάσχεσθέ μου, ἔλεγον, καὶ ἀπὸ τῆς βί-[p. 172 : B]-βλου τῆς Ἐξόδου ἀποδεικνύοντος ὑμῖν, πῶς ὁ αὐτὸς οὗτος καὶ[5] *ἄγγελος* καὶ *θεὸς* καὶ *κύριος* καὶ *ἀνὴρ* καὶ *ἄνθρωπος*, Ἀβραὰμ καὶ Ἰακὼβ[6] φανείς, *ἐν*[7] *πυρὶ φλογὸς ἐκ βάτου* πέφανται καὶ ὡμίλησε τῷ Μωϋσεῖ[8].

Κἀκείνων ἡδέως καὶ ἀκαμάτως καὶ προθύμως ἀκούειν λεγόντων, ἐπέφερον · **2** Ταῦτα δέ ἐστιν ἐν τῇ βίβλῳ ἣ ἐπιγράφεται Ἔξοδος . (*Exod.* 2, 23)*Μετὰ δὲ τὰς ἡμέρας τὰς πολλὰς ἐκείνας ἐτελεύτησεν ὁ βασιλεὺς Αἰγύπτου, καὶ κατεστέναξαν οἱ υἱοὶ Ἰσραὴλ ἀπὸ τῶν ἔργων*[9] · < * > [καὶ τὰ λοιπὰ μέχρι τοῦ] · (*Exod.* 3, 16) *Ἐλθὼν συνάγαγε τὴν γερουσίαν Ἰσραήλ, καὶ ἐρεῖς*[10] *πρὸς αὐτούς · Κύριος, ὁ θεὸς τῶν πατέρων ὑμῶν, ὤφθη μοι, ὁ θεὸς Ἀβραὰμ καὶ ὁ θεὸς Ἰσαὰκ καὶ ὁ θεὸς Ἰακώβ, λέγων · Ἐπισκοπῇ ἐπισκέπτομαι ὑμᾶς καὶ ὅσα συμβένηκεν ὑμῖν ἐν Αἰγύπτῳ.* [fol. 112 v° : A]

1 Τούτῳ *edd.* (*ex* LXX) : τοῦτο *codd.* **2** Ἀλλ' ἢ : ἄλλ' ἢ Otto, Arch. **3** Τὸ : *del.* Thirlb., Marc. (*om.* LXX) **4** Θ[εο]ῦ *in ras.* A, θεοῦ *in ras.* B **5** Καὶ : ὁ καὶ Marc. **6** Ἰακὼβ *prop.* Lange, Thirlb., Mar., *coni.* Otto, Arch., Marc. (cf. 56, 11 ; 60, 2) : Ἰσαὰκ *codd.*, *cett. edd.* Ἀβραὰμ καὶ Ἰσαὰκ καὶ Ἰακὼβ *prop.* Mar., ὡς (*pro* καὶ) ἀνὴρ καὶ ἄνθρωπος Ἀβραὰμ καὶ Ἰακὼβ φανείς Thirlb. **7** Ἐν : ἄγγελος ἐν Marc. (*ex.* Dial. 59, 3) **8** Μωϋσεῖ : Μωσεῖ Arch. **9** *Post* ἔργων Marc. *add.* καὶ ἀνεβόησαν, καὶ ἀνέβη ἡ βοὴ αὐτῶν πρὸς τὸν θεὸν ἀπὸ τῶν ἔργων (*ex.* LXX). Lacunam *post* ἔργων *indicaverunt* Hilgenfeld, *Theol. Jahrbb.*, t. IX, (1850), p. 394, Otto, Arch., Marc. **10** Ἐρεῖς (= LXX) : ἱερεῖς Steph. : ἐρεῖς ἱερεῖς Jebb.

Seigneur, le Dieu d'Abraham ton père, et d'Isaac. Ne crains point. La terre sur laquelle tu dors, je te la donnerai, à toi et à ta descendance. (14)*Et ta descendance sera comme le sable de la terre, et elle s'étendra jusqu'à la mer, jusqu'au Sud, au Nord et au Levant ; et en toi seront bénies toutes les tribus de la terre*[16], *ainsi qu'en ta descendance.* (15)*Et voici que moi, je suis avec toi, te gardant sur tout chemin où tu feras route, et je te ferai revenir sur cette terre, car je ne t'abandonnerai pas jusqu'à ce que j'aie fait tout ce que je t'ai dit ».* **13** (16)*Et Jacob s'éveilla de son sommeil et dit : « Le Seigneur est en ce lieu, mais je ne le savais pas ».* (17)*Et il craignit et dit : « Comme ce lieu est terrible ! Ce n'est rien moins qu'une maison de Dieu, et la porte même du ciel ».* (18)*Et Jacob se leva dès l'aurore, il prit la pierre qu'il avait placée là, sous sa tête, et il la dressa en stèle et il versa de l'huile sur son sommet*[17]. (19)*Et Jacob donna à ce lieu le nom de Maison-de-Dieu, Oulammaous était auparavant le nom de cette ville*[18].

L'« autre Dieu » est apparu à Moïse.
Il est distinct du Père.

59. 1 Et lorsque j'eus cité ces textes :

— Permettez-moi, dis-je, de vous montrer d'après le livre de l'Exode aussi, comment celui-là même, à la fois *ange*, *Dieu*, *Seigneur*, *homme* et *être humain*, qui s'était manifesté à Abraham et Jacob[1], se manifesta et parla à Moïse [a]*en feu de flamme, du milieu d'un buisson.*

Et comme ils disaient qu'ils l'entendraient avec plaisir, sans ennui et très volontiers, j'ajoutai :

2 Voici donc ce qui se trouve dans le livre intitulé l'Exode : [b]*Or après ces longs jours, mourut le roi d'Égypte, et les fils d'Israël gémirent de leurs travaux*, et la suite jusqu'à[2] [c]*Va, réunis les anciens d'Israël, et tu leur diras : « Le Seigneur, le Dieu de vos pères, s'est fait voir à moi, le Dieu d'Abraham, le Dieu d'Isaac et le Dieu de Jacob ; il a dit : Je veille sur vous, et sur tout ce qui vous est advenu en Égypte ».*

a Cf. *Exod.* 3, 2 **b** *Exod.* 2, 23 **c** *Exod.* 3, 16.

3 Καὶ ἐπὶ τούτοις ἐπέφερον · Ὦ ἄνδρες, νενοήκατε, λέγων, ὅτι ὃν λέγει Μωσῆς[1] *ἄγγελον*[2] *ἐν πυρὶ φλογὸς* λελαληκέναι αὐτῷ οὗτος αὐτός, *θεὸς* ὤν, σημαίνει τῷ Μωσεῖ ὅτι αὐτός ἐστιν *ὁ θεὸς Ἀβραὰμ καὶ Ἰσαὰκ καὶ Ἰακώβ* ;

60. 1 – Καὶ ὁ Τρύφων · Οὐ τοῦτο νοοῦμεν ἀπὸ τῶν λόγων τῶν προλελεγμένων, ἔλεγεν, ἀλλ' ὅτι *ἄγγελος* μὲν ἦν ὁ *ὀφθεὶς ἐν φλογὶ πυρός*, *θεὸς* δὲ ὁ ὁμιλῶν τῷ Μωσεῖ[3], ὥστε καὶ *ἄγγελον* καὶ *θεόν*, δύο ὁμοῦ ὄντας, ἐν τῇ τότε ὀπτασίᾳ γεγενῆσθαι.

2 – Κἀγὼ πάλιν ἀπεκρινάμην · Εἰ καὶ τοῦτο[4] γέγονε τότε, ὦ φίλοι, ὡς καὶ *ἄγγελον* καὶ *θεὸν* ὁμοῦ ἐν τῇ ὀπτασίᾳ τῇ τῷ Μωσεῖ γενομένῃ ὑπάρξαι, ὡς καὶ ἀποδέδεικται ὑμῖν διὰ τῶν προγεγραμμένων λόγων, οὐχ ὁ ποιητὴς τῶν ὅλων ἔσται *θεὸς* ὁ τῷ Μω-[p. 173 : B]-σεῖ εἰπὼν αὐτὸν εἶναι *θεὸν Ἀβραὰμ καὶ θεὸν Ἰσαὰκ καὶ θεὸν Ἰακώβ*, ἀλλ' ὁ ἀποδειχθεὶς ὑμῖν ὦφθαι τῷ Ἀβραὰμ καὶ τῷ Ἰακώβ, τῇ τοῦ ποιητοῦ τῶν ὅλων θελήσει ὑπηρετῶν καὶ ἐν τῇ κρίσει τῶν Σοδόμων τῇ βουλῇ αὐτοῦ ὁμοίως ὑπηρετήσας · ὥστε, κἂν ὥς φατε ἔχῃ, ὅτι δύο ἦσαν, καὶ *ἄγγελος* καὶ *θεός*, οὐ τὸν ποιητὴν τῶν[5] ὅλων καὶ πατέρα, καταλιπόντα τὰ ὑπὲρ οὐρανὸν ἅπαντα, ἐν ὀλίγῳ γῆς μορίῳ πεφάνθαι πᾶς ὁστισοῦν, κἂν μικρὸν νοῦν [fol. 113 r° : A] ἔχων, τολμήσει εἰπεῖν.

3 – Καὶ ὁ Τρύφων · ἐπειδὴ ἤδη προαποδέδεικται ὅτι ὁ *ὀφθεὶς τῷ Ἀβραὰμ θεὸς* καὶ *κύριος* ὠνομασμένος ὑπὸ κυρίου τοῦ ἐν οὐρανοῖς λαβὼν τὰ ἐπαχθέντα τῇ Σοδόμων γῇ ἐπήγαγε, καὶ νῦν, καὶ[6] *ἄγγελος* ἦν σὺν[7] τῷ ὁμιλήσαντι[8] τῷ Μωσεῖ (*θεὸς*[9] γεγενημένος[10]), *θεὸν* τὸν[11] ἀπὸ *τῆς βάτου* φανέντα τῷ Μωσεῖ, οὐ τὸν ποιητὴν τῶν ὅλων νοήσομεν γεγονέναι, ἀλλ' ἐκεῖνον τὸν καὶ τῷ Ἀβραὰμ [καὶ τῷ Ἰσαὰκ][12] καὶ τῷ Ἰακὼβ ἀποδειχθέντα πεφανερῶσθαι, ὃς καὶ *ἄγγελος* τοῦ τῶν ὅλων ποιητοῦ θεοῦ καλεῖται καὶ νοεῖται εἶναι ἐκ τοῦ διαγγέλλειν τοῖς ἀνθρώποις τὰ παρὰ τοῦ πατρὸς καὶ ποιητοῦ τῶν ἁπάντων.

1 Μωσῆς ...Μωσεῖ : Μωϋσης ...Μωϋσεῖ Otto, Goodsp. **2** Ἄγγελον : ὡς ἄ. Marc. **3** Μωσεῖ / Μωσέως / Μωσεῖ (c. 60) : Μωϋσης / Μωϋσέως / Μωϋσεῖ Otto, Goodsp. **4** Τοῦτο : *om.* Arch. **5** Τῶν *edd. ab* Otto (*ut supra* ; cf. 7, 3) : τὸν *codd.*, *cett. edd.* **6** Καὶ : κἂν *prop.* Mar., *coni. omn.* (cf. 60, 2 : κἂν ὥς φατε ἔχῃ) **7** Σὺν : ὁ σὺν Marc. **8** Ὁμιλήσαντι ...φανέντα *ego* : φανέντι ...ὁμιλήσαντα *codd.*, *cett. edd.* **9** Θεὸς : θεῷ *prop.* Mar., *coni. omn.* καὶ θεὸς *prop.* Sylb. **10** Γεγενημένος : γεγραμμένος *prop.* Thirlb. **11** Θεὸν τὸν *ego* : θεόν, τὸν Otto, Arch., Goodsp. τὸν θεὸν τὸν Mar., Troll. τὸν θεὸν *cett. edd.* **12** Καὶ τῷ Ἰσαὰκ *del.* Otto, Arch., Marc.

3 A quoi j'ajoutais :

— Amis, comprenez-vous que cet [a]*ange* dont Moïse dit qu'il lui a parlé *en feu de flamme*, est celui-là même qui, étant [b]*Dieu*[3], signifie à Moïse qu'il est [c]*le Dieu d'Abraham, d'Isaac et de Jacob* ?

Le Buisson ardent (suite).

60. 1 Tryphon : — Ce n'est point là ce que nous comprenons des paroles que tu viens de citer, dit-il, mais seulement que celui qui [d]*s'est fait voir en flamme de feu*[1] était [e]*ange*, et [f]*Dieu* celui qui parlait à Moïse, de sorte qu'il y eut alors en même temps, dans cette vision, un *ange* et *Dieu*[2].

2 Je répondis :

— Même s'il était arrivé alors, amis, qu'un *ange* et *Dieu* se fussent trouvés en même temps dans la vision offerte à Moïse, d'après ce qui vous a été démontré à travers les paroles précédemment transcrites[3] le Créateur de l'univers ne saurait être le *Dieu* qui a dit à Moïse être [g]*Dieu d'Abraham, Dieu d'Isaac et Dieu de Jacob*, mais bien celui dont il vous a été prouvé qu'il s'est [h]*fait voir* d'Abraham et de Jacob[4], servant (ainsi) la volonté du Créateur de l'univers, et qui avait servi de même son dessein, au jugement de Sodome. Aussi, même si les choses étaient telles que vous l'affirmez – qu'ils aient été deux, un *ange* et *Dieu* –, que le Créateur de l'univers et Père a abandonné tout ce qui est au-dessus du ciel pour apparaître en un petit coin de terre, personne, si peu d'esprit qu'il ait, ne se hasarderait à le dire[5].

3 Tryphon[6] : — Puisqu'il est désormais démontré que c'est celui qui *s'est fait voir d'Abraham* – et qui est appelé [i]*Dieu* et [j]*Seigneur* par le *Seigneur* qui est dans les *cieux* – qui s'est chargé de mettre en œuvre le châtiment infligé à Sodome[7], et (qu') ici il y avait également un [k]*ange*, avec celui qui a parlé à Moïse – et qui était *Dieu* –, ce *Dieu* qui *du buisson* est apparu à Moïse n'était pas, nous le comprendrons, le Créateur de l'univers, mais celui qui, comme c'est démontré, [l]s'est manifesté à Abraham et Jacob[8], qui est aussi appelé [m]*ange*[9] du Créateur de l'univers, cela, nous le savons, parce qu'il *annonce* aux hommes[10] ce qui vient du Père et Créateur de l'Univers.

a Cf. *Exod.* 3, 2 **b** cf. *Exod.* 2, 24.25 ; 3, 6.11.12.13.14.15 **c** *Exod.* 3, 16 **d** cf. *Exod.* 3, 2 et *Act.* 7, 30 **e** *ibid.* **f** *ibid.*, 6.11 etc. **g** cf. *Exod.* 3, 16 **h** cf. *Gen.* 18, 1 ; 31, 13 ; 32, 30 ; 35, 7.9 **i** cf. *Gen.* 18, 1 **j** cf. *Gen.* 19, 24 **k** cf. *Exod.* 3, 2 **l** cf. *Gen.* 18, 1 ; 31, 13 ; 32, 30 ; 35, 7.9 **m** cf. *Gen.* 18, 10.14 ; 31, 11 ; *Exod.* 3, 2.

4 – Κἀγὼ πάλιν · Ἤδη μέντοι, ὦ Τρύφων, ἀποδείξω ὅτι πρὸς τῇ Μωσέως ὀπτασίᾳ αὐτὸς οὗτος μόνος, καὶ *ἄγγελος* καλούμενος καὶ *θεὸς* ὑπάρχων, *ὤφθη* καὶ προσωμίλησε τῷ Μωσεῖ. Οὕτως γὰρ ἔφη ὁ Λόγος · (*Exod.* 3, 2) *Ὤφθη δὲ αὐτῷ ἄγγελος κυρίου ἐν πυρὶ φλογὸς ἐκ βάτου · καὶ ὁρᾷ ὅτι ὁ βάτος καίεται πυρί, ὁ δὲ βάτος οὐ κατεκαίετο.* (3) *Ὁ δὲ Μωσῆς εἶπε · Παρελθὼν ὄψομαι τὸ ὅραμα τοῦτο τὸ μέγα, ὅτι οὐ κατακαίεται ὁ βάτος.* [p. 174 : B] (4) *Ὡς δ' εἶδε κύριος ὅτι προσάγει ἰδεῖν ἐκάλεσεν αὐτὸν κύριος ἐκ τῆς βάτου.* **5** Ὃν οὖν τρόπον τὸν τῷ Ἰακὼβ ὀφθέντα κατὰ τοὺς ὕπνους *ἄγγελον* [fol. 113 v° : A] ὁ Λόγος λέγει, εἶτα αὐτὸν τὸν ὀφθέντα κατὰ τοὺς ὕπνους *ἄγγελον* εἰρηκέναι αὐτῷ, ὅτι *Ἐγώ εἰμι ὁ θεὸς ὁ ὀφθείς σοι ὅτε ἀπεδίδρασκες ἀπὸ προσώπου Ἠσαῦ τοῦ ἀδελφοῦ σου*, καὶ ἐπὶ τοῦ Ἀβραὰμ ἐν τῇ κρίσει τῶν Σοδόμων *κύριον παρὰ κυρίου τοῦ ἐν τοῖς οὐρανοῖς* τὴν κρίσιν ἐπενηνοχέναι ἔφη, οὕτως καὶ ἐνταῦθα ὁ Λόγος, *λέγων ἄγγελον κυρίου ὦφθαι τῷ Μωσεῖ* καὶ μετέπειτα *κύριον* αὐτὸν ὄντα καὶ *θεὸν* σημαίνων, τὸν αὐτὸν λέγει ὃν καὶ διὰ πολλῶν τῶν λελεγμένων ὑπηρετοῦντα τῷ ὑπὲρ κόσμον θεῷ, ὑπὲρ ὃν ἄλλος οὐκ ἔστι, σημαίνει.

61. 1 Μαρτύριον δὲ καὶ ἄλλο ὑμῖν, ὦ φίλοι, ἔφην, ἀπὸ τῶν γραφῶν δώσω, ὅτι *ἀρχὴν πρὸ πάντων τῶν κτισμάτων* ὁ θεὸς *γεγέννηκε*[1] δύναμίν τινα ἐξ ἑαυτοῦ λογικήν, ἥτις καὶ *δόξα κυρίου* ὑπὸ τοῦ πνεύματος τοῦ ἁγίου καλεῖται, ποτὲ δὲ *υἱός*, ποτὲ δὲ *σοφία*, ποτὲ δὲ *ἄγγελος*, ποτὲ δὲ *θεός*, ποτὲ δὲ *κύριος* καὶ *λόγος*, ποτὲ δὲ *ἀρχιστράτηγον* ἑαυτὸν λέγει, ἐν *ἀνθρώπου* μορφῇ φανέντα τῷ τοῦ Ναυῆ Ἰησοῦ · ἔχει[2] γὰρ πάντα[3] προσονομάζεσθαι ἔκ τε τοῦ ὑπηρετεῖν τῷ πατρικῷ βουλήματι καὶ ἐκ τοῦ ἀπὸ τοῦ πατρὸς θελήσει γεγεννῆσθαι[4]. **2** Ἀλλ' οὐ τοιοῦτον[5] ὁποῖον καὶ ἐφ' ἡμῶν γινόμενον[6] ὁρῶμεν ; Λόγον γάρ τινα προβάλλοντες[7], λόγον *γεννῶμεν* οὐ κατὰ ἀποτομήν, ὡς ἐλαττωθῆναι τὸν ἐν ἡμῖν λόγον, προβαλλόμενοι[8]. [fol. 114 r° : A] Καὶ ὁποῖον ἐπὶ πυρὸς ὁρῶμεν ἄλλο γινόμενον, οὐκ ἐλαττουμένου ἐκείνου ἐξ οὗ ἡ ἄναψις γέγονεν, ἀλ-[p. 175 : B]-λὰ τοῦ αὐτοῦ μένοντος, καὶ τὸ ἐξ αὐτοῦ ἀναφθὲν καὶ αὐτὸ ὂν φαίνεται, οὐκ ἐλαττῶσαν ἐκεῖνο ἐξ οὗ ἀνήφθη.

1 Γεγέννηκε (γεννᾶν) *edd.* : γεγένηκε (γίγνεσθαι) *codd.* **2** Ἔχει Thirlb., *edd. ab* Otto, Troll. : ἔχειν *codd., cett. edd.* **3** Πάντα : ταῦτα πάντα *vel* πάντα ταῦτα *prop.* Otto **4** Γεγεννῆσθαι Thirlb., *edd. ab* Otto (*ex* Prov. 8, 25 ; Dial. 61, 2) : γεγενῆσθαι *codd., cett. edd.* **5** Ἀλλ' οὐ τοιοῦτον : « Videntur haec injecta ab indocto librario » Mar. **6** Γινόμενον *prop.* Thirlb., Mar., *coni. omn.* : γενόμενον *codd., cett. edd.* **7** Προβάλλοντες : προβαλλόμενον *prop.* Mar. **8** Λόγον, προβαλλόμενοι (*referens ad* οὐ κατὰ ἀποτομήν) Otto, *coni. omn.* : λόγον προβαλλόμενοι *codd., cett. edd.* προβάλλουσι (*referentes ad* ἡμῖν) Lange, Thirlb. (« non per resectionem, ita ut in nobis proferentibus diminuatur ratio »).

4 Je repris :

— Je vais donc démontrer maintenant, Tryphon, que dans cette vision de Moïse, c'est celui-là même tout seul, appelé [a]*ange* tout en étant [b]*Dieu*, qui *s'est fait voir* de Moïse et lui a parlé. Ainsi s'est exprimé le Verbe : (*Exod.* 3, 2)*L'ange de Dieu se fit voir de lui en un feu de flamme, d'un buisson ; et il voit que le buisson brûle, en feu, mais le buisson n'était pas consumé.* (3)*Et Moïse dit : « Je veux aller voir cette grande vision, pourquoi le buisson n'est pas consumé ».* (4)*Lorsque le Seigneur vit qu'il s'avançait pour voir, le Seigneur l'appela du buisson*[11]. **5** De même, donc, que le Verbe appelle [c]*ange* celui qui s'est fait voir en songe à Jacob, puis ajoute que ce même *ange* qui s'était fait voir en songe lui a dit : [d]*Je suis le Dieu qui s'est fait voir de toi lorsque tu fuyais la face de ton frère Ésaü*, de même encore qu'au temps d'Abraham, lors du jugement de Sodome, il dit que [e]*le Seigneur d'auprès du Seigneur qui est dans les cieux*[12] exécutait ce jugement, de même ici, lorsqu'il dit qu'un [f]*ange du Seigneur s'est fait voir de Moïse*, puis le désigne comme [g]*Seigneur* et [h]*Dieu*, le Verbe parle bien du même que, dans les nombreux textes cités, il désigne comme serviteur du Dieu qui est au-dessus du monde[13], au-dessus duquel il n'en est point d'autre.

La « puissance » engendrée par le Père était évoquée dans les Proverbes.

61. 1 Je vais vous donner encore, amis, dis-je, un autre témoignage[1] tiré des Écritures : comme [i]*principe*[2] [j]*avant toutes les créatures*[3], Dieu a, de lui-même, [k]*engendré* une certaine puissance[4] verbale que l'Esprit Saint appelle également [l]*gloire du Seigneur*[5], et aussi tantôt *fils*[6], tantôt [m]*sagesse*[7], tantôt *ange*, tantôt *Dieu*, tantôt *Seigneur*[8] et *Verbe*[9] ; elle se nomme elle-même parfois [n]*chef d'armée*[10], lorsque sous forme [o]*humaine* elle se manifeste à Jésus (Josué), fils de Naué. Si elle peut en effet recevoir tous les noms, c'est parce que du Père elle sert le dessein, et que par volonté[11], du Père elle fut [p]*engendrée*[12]. **2** Mais n'est-ce pas comparable à ce que nous voyons se produire en nous[13] ? Lorsque nous proférons quelque parole, nous *engendrons* un verbe, mais nous le proférons sans amputation qui aurait pour effet de faire diminuer celui qui est en nous. Et ainsi que d'un feu on en voit naître un autre[14], sans que soit diminué le feu d'où il a tiré sa flamme, – il demeure au contraire semblable

a Cf. *Exod.* 3, 2 **b** *ibid.*, 6, etc. **c** cf. *Gen.* 31, 11 **d** *ibid.*, 13 et 35, 1 **e** cf. *Gen.* 19, 24 **f** cf. *Exod.* 3, 2 **g** *ibid.*, 7 **h** *ibid.*, 6 etc. **i** cf. *Gen.* 1, 1 ; *Prov.* 8, 22 **j** cf. *Col.* 1, 15 **k** cf. *Prov.* 8, 25 **l** cf. *Is.* 40, 5 et *Ps.* 18, 1 **m** cf. *Prov.* 8, 1 s. **n** cf. *Jos.* 5, 14.15 **o** cf. *Jos.* 5, 13 **p** cf. *Prov.* 8, 25.

3 Μαρτυρήσει δέ μοι ὁ Λόγος τῆς σοφίας, αὐτὸς ὢν οὗτος ὁ *θεὸς* ἀπὸ τοῦ πατρὸς τῶν ὅλων γεννηθείς, καὶ *λόγος* καὶ *σοφία* καὶ δύναμις καὶ *δόξα* τοῦ γεννήσαντος ὑπάρχων, καὶ[1] διὰ Σολομῶνος φήσαντος[2] ταῦτα · (Prov. 8, 21) *Ἐὰν ἀναγγείλω ὑμῖν τὰ καθ' ἡμέραν γινόμενα, μνημονεύσω τὰ ἐξ αἰῶνος ἀριθμῆσαι.* (22)*Κύριος ἔκτισέ με ἀρχὴν ὁδῶν*[3] *αὐτοῦ εἰς ἔργα αὐτοῦ.* (23)*Πρὸ τοῦ αἰῶνος ἐθεμελίωσέ με, ἐν ἀρχῇ, πρὸ τοῦ τὴν γῆν ποιῆσαι* (24)*καὶ πρὸ τοῦ τὰς ἀβύσσους ποιῆσαι, πρὸ τοῦ τὰς πηγὰς προελθεῖν τῶν ὑδάτων,* (25)*πρὸ τοῦ τὰ ὄρη ἑδρασθῆναι · πρὸ δὲ πάντων τῶν βουνῶν γεννᾷ με.* **4** (26)*Ὁ θεὸς ἐποίησε χώραν καὶ ἀοίκητον καὶ ἄκρα οἰκούμενα ὑπ'*[4] *οὐρανόν.* (27)*Ἡνίκα ἡτοίμαζε τὸν οὐρανόν, συμπαρήμην αὐτῷ · καὶ ὅτε ἀφώριζε τὸν αὐτοῦ θρόνον ἐπ' ἀνέμων,* (28)*ἡνίκα ἰσχυρὰ ἐποίει τὰ ἄνω νέφη καὶ ὡς ἀσφαλεῖς ἐποίει πηγὰς ἀβύσσου,* (29)*ἡνίκα ἰσχυρὰ ἐποίει τὰ θεμελία τῆς γῆς,* (30)*ἤμην παρ' αὐτῷ ἁρμόζουσα. Ἐγὼ ἤμην ᾗ προσέχαιρε · καθ' ἡμέραν δὲ εὐφραινόμην ἐν προσώπῳ αὐτοῦ ἐν παντὶ καιρῷ ,* (31)*ὅτι*[5] *εὐφραίνετο τὴν οἰκουμένην συντελέσας* [fol. 114 v° : A] *καὶ εὐφραίνετο ἐν υἱοῖς ἀνθρώπων.* **5** (32 [33] 34)*Νῦν οὖν, υἱέ, ἄκουέ μου. Μακάριος ἀνὴρ ὃς εἰσακούσεταί μου, καὶ ἄνθρωπος ὃς τὰς ὁδούς μου φυλάξει, ἀγρυπνῶν*[6] *ἐπ' ἐμαῖς θύραις καθ' ἡμέραν, τηρῶν σταθμοὺς ἐμῶν εἰσόδων ·* (35)*αἱ γὰρ ἔξοδοί μου ἔξοδοι ζωῆς, καὶ ἡτοίμασται θέλησις παρὰ κυρίου.* (36)*Οἱ δὲ εἰς ἐμὲ ἁμαρτάνοντες ἀσεβοῦσιν εἰς* [p. 176 : B] *τὰς ἑαυτῶν ψυχάς, καὶ οἱ μισοῦντές με ἀγαπῶσι θάνατον.*

62. 1 Καὶ τοῦτο αὐτό, ὦ φίλοι, εἶπε καὶ διὰ Μωσέως[7] ὁ τοῦ θεοῦ Λόγος, μηνύων ἡμῖν ὃν ἐδήλωσε[8] τὸν θεὸν λέγειν τούτῳ αὐτῷ τῷ νοήματι[9] ἐπὶ τῆς ποιήσεως τοῦ ἀνθρώπου, λέγων ταῦτα · (Gen. 1, 26)*Ποιήσωμεν ἄνθρωπον κατ' εἰκόνα ἡμετέραν καὶ καθ' ὁμοίωσιν · καὶ ἀρχέτωσαν τῶν ἰχθύων τῆς θαλάσσης καὶ τῶν πετεινῶν τοῦ οὐρανοῦ καὶ τῶν κτηνῶν καὶ πάσης τῆς γῆς καὶ πάντων τῶν ἑρπετῶν τῶν ἑρπόντων ἐπὶ τῆς γῆς.* (27)*Καὶ ἐποίησεν ὁ θεὸς τὸν ἄνθρωπον, κατ' εἰκόνα θεοῦ ἐποίησεν αὐτόν · ἄρσεν καὶ θῆλυ ἐποίησεν αὐτούς.* (28)*Καὶ Εὐλόγησεν ὁ θεὸς αὐτοὺς λέγων · Αὐξάνεσθε καὶ πληθύνεσθε καὶ πληρώσατε τὴν γῆν καὶ κατακυριεύσατε αὐτῆς.*

1 Καὶ : *del.* Marc. **2** Φήσαντος (*scil.* τοῦ γεννήσαντος) : φήσας (*scil.* ὁ Λόγος τῆς σοφίας) *prop.* Mar. **3** Ἀρχὴν ὁδῶν αὐτοῦ *edd. a* Mar. (*ex* LXX ; Dial. 129, 3 : *in textu codd.*) : ἀρχήν, ὁδὸν αὐτοῦ *codd.*, Steph. (Dial. 129, 3 : *in marg.* A, *in textu* B) **4** Ὑπ' : τῆς ὑπ' Marc. (*ex* LXX) **5** Ὅτι : ὅτε *prop.* Thirlb., Otto (*ex* LXX) **6** Ἀγρυπνῶν *prop.* Thirlb., Mar., *coni.* Otto, Troll., Arch. (*ex* LXX) : ἀϋπνῶν Marc. ὑπνῶν *codd.*, *cett. edd.* (« quod scriba induxit dormiens » : Otto) **7** Μωσέως : Μωϋσέως Otto, Goodsp. (*hic et infra*) **8** Ἐδήλωσε : ἐδήλωσα *prop.* Mar. ὃν ἐδήλωσεν υἱόν Marc. (cf. 61, 1) **9** Νοήματι : γεννήματι *prop.* Thirlb. (cf. Dial. 62, 4 ; 129, 4 ; I Apol. 21, 1).

à lui-même –, de même le feu qui s'y est allumé existe-t-il aussi de manière visible, sans avoir diminué celui où il s'est allumé[15].

3 Pour moi témoignera le Verbe de la sagesse[16], qui est lui-même ce *Dieu* né du Père de l'univers, tout en étant *Verbe*, *Sagesse*, Puissance et *Gloire*[17] de celui qui l'a engendré, et qui dit par Salomon : (Prov. 8, 21)*Si je vous annonce ce qui arrive chaque jour, je me souviendrai aussi de dénombrer les choses de l'éternité.* (22)*Le Seigneur m'a établie*[18] *principe de ses voies*[19] *pour ses œuvres.* (23)*Avant l'éternité, il m'a fondée, dès le début, avant que de créer la terre,* (24)*et avant que de créer les abîmes, avant que ne s'écoulent les sources des eaux,* (25)*avant que les montagnes n'aient été formées ; avant toutes les collines, il m'engendre*[20]. **4** (26)*Dieu a fait le pays, ce qui n'est pas habité, ainsi que les sommets habités sous le ciel.* (27)*Lorsqu'il apprêtait le ciel, j'étais là avec lui ; et quand il disposait son trône sur les vents,* (28)*lorsqu'il affermissait les nuages d'en haut, et qu'il stabilisait les sources de l'abîme,* (29)*lorsqu'il affermissait les fondements de la terre,* (30)*j'étais là à l'œuvre auprès de lui. J'étais celle qui faisait son bonheur ; chaque jour je me réjouissais en sa présence à tout instant,* (31)*car il se réjouissait de la terre habitée qu'il avait achevée, et il trouvait sa joie en les fils des hommes.* **5** (32 [33] (34)*Maintenant donc, fils, écoute-moi. Heureux l'homme qui m'écoutera, et l'être humain qui gardera mes voies, celui qui veille devant mes portes chaque jour, et garde les piliers de mes entrées ;* (35)*mes issues, en effet, sont des issues de vie, et une faveur lui a été préparée d'auprès du Seigneur.* (36)*Mais ceux qui envers moi se livrent au péché, commettent l'impiété envers leurs propres âmes, et ceux qui me haïssent affectionnent la mort*[21].

La « puissance » engendrée par le Père était évoquée dans la Genèse et dans d'autres textes encore, où elle porte différents noms.

62. 1 Et cela même[1], amis, le Verbe de Dieu l'a dit encore par l'intermédiaire de Moïse, lorsqu'il nous indique que sur celui qu'il a fait connaître[2] (ici), Dieu s'exprime dans le même sens, à propos de la création de l'homme. Voici ce qu'il dit : (Gen. 1, 26)*Faisons un homme selon notre image et selon notre ressemblance, et qu'ils commandent aux poissons de la mer et aux oiseaux du ciel, et aux bestiaux, et à toute la terre, et à tous les reptiles qui rampent sur la terre.* (27)*Et Dieu fit l'homme, selon l'image de Dieu il le fit ; mâle et femelle il les fit.* (28)*Et Dieu les bénit, en disant : « Croissez et multipliez-vous et remplissez la terre et dominez sur elle ».*

2 Καὶ ὅπως μή, ἀλλάσσοντες[1] τοὺς προλελεγμένους λόγους, ἐκεῖνα λέγητε ἃ οἱ διδάσκαλοι ὑμῶν λέγουσιν, ἢ ὅτι πρὸ ἑαυτὸν ἔλεγεν ὁ θεὸς *Ποιήσωμεν*, ὁποῖον καὶ ἡμεῖς μέλλοντές τι ποιεῖν πολλάκις πρὸς ἑαυτοὺς λέγομεν [fol. 115 r° : A] *Ποιήσωμεν*, ἢ ὅτι[2] πρὸς τὰ στοιχεῖα, τουτέστι τὴν γῆν καὶ τὰ ἄλλα ὁμοίως, ἐξ ὧν νοοῦμεν τὸν ἄνθρωπον γεγονέναι, θεὸν[3] εἰρηκέναι *Ποιήσωμεν*, λόγους τοὺς εἰρημένους ὑπ' αὐτοῦ τοῦ[4] Μωσέως πάλιν ἱστορήσω, ἐξ ὧν ἀναμφιλέκτως πρός τινα, καὶ ἀριθμῷ ὄντα ἕτερον < καὶ >[5] λογικὸν ὑπάρκοντα, ὡμιληκέναι αὐτὸν ἐπιγνῶναι ἔχομεν.

3 Εἰσὶ δὲ οἱ λόγοι οὗτοι · *Καὶ εἶπεν ὁ θεός · Ἰδοὺ Ἀδὰμ γέγονεν ὡς εἷς ἐξ ἡμῶν τοῦ γινώσκειν καλὸν καὶ πονηρόν*. Οὐκοῦν[6] εἰπὼν *ὡς εἷς ἐξ ἡμῶν*, καὶ ἀριθμὸν τῶν ἀλλήλοις συνόντων, καὶ τὸ ἐλάχιστον δύο μεμήνυκεν[7]. Οὐ γὰρ ὅπερ ἡ παρ' ὑμῖν[8] λεγομένη αἵρεσις δογματίζει φαίην ἂν ἐγὼ ἀληθὲς εἶναι, ἢ οἱ ἐκείνης διδάσκαλοι ἀποδεῖξαι δύνανται ὅτι ἀγγέλοις ἔλεγεν ἢ ὅτι ἀγγέλων ποιή-[p. 177 : B]-μα ἦν τὸ σῶμα τὸ ἀνθρώπειον. **4** Ἀλλὰ τοῦτο τὸ τῷ ὄντι ἀπὸ τοῦ πατρὸς προβληθὲν *γέννημα πρὸ πάντων τῶν ποιημάτων* συνῆν τῷ πατρί, καὶ τούτῳ ὁ πατὴρ προσομιλεῖ[9], ὡς ὁ Λόγος διὰ τοῦ Σολομῶνος ἐδήλωσεν, ὅτι καὶ *ἀρχὴ*[10] *πρὸ πάντων τῶν ποιημάτων* τοῦτ' αὐτὸ καὶ *γέννημα*[11] ὑπὸ τοῦ θεοῦ ἐγεγέννητο, ὃ *σοφία* διὰ Σολομῶνος καλεῖται, καὶ < *ἀρχιστράτηγος* >[12] δι' ἀποκαλύψεως τῆς γεγενημένης Ἰησοῦ τῷ τοῦ Ναυῆ, εἶπον[13], τοῦτο αὐτὸ εἰπόντος[14]. Ἵνα δὲ καὶ ἐκ τούτων φανερὸν ὑμῖν γένηται ὃ λέγω, ἀκούσατε καὶ τῶν ἀπὸ τοῦ [fol. 115 v° : A] βιβλίου Ἰησοῦ.

5 Ἔστι δὲ ταῦτα · (*Jos.* 5, 13)*Καὶ ἐγένετο ὡς ἦν Ἰησοῦς ἐν Ἱεριχῷ, ἀναβλέψας τοῖς ὀφθαλμοῖς ὁρᾷ ἄνθρωπον ἑστηκότα κατενάντι αὐτοῦ < καὶ ἡ ῥομφαία ἐσπασμένη ἐν τῇ χειρὶ αὐτοῦ >*[15]. *Καὶ προσελθὼν ὁ Ἰησοῦς εἶπεν αὐτῷ · Ἡμέτερος εἶ ἢ τῶν ὑπεναντίων ;* (14)*Καὶ εἶπεν αὐτῷ · Ἐγὼ ἀρχιστράτηγος δυνάμεως κυρίου, νῦν παραγέγονα. Καὶ Ἰησοῦς ἔπεσεν ἐπὶ*

1 Ἀλλάσσοντες : ἀλύσκοντες (*effugientes*) *prop.* Thirlb. **2** Ἢ ὅτι ...εἰρηκέναι : *delendum* ὅτι, *vel legendum* εἴρηκε Thirlb., Mar. « Tu nihil corriges. Nam particulam ὅτι hic accusativus c. infin. sequitur, quod quidem fit propter sententiam interjectam τουτέστι ...γεγονέναι » Otto **3** Θεὸν : τὸν θ. Marc. **4** Αὐτοῦ τοῦ : τοῦ αὐτοῦ *prop.* Otto (cf. 13, 1 : ὡς αὐτὸς Ἡσαίας ἔφη ; 43, 4 : διὰ τοῦ αὐτοῦ Ἡσαΐου ; 79, 2 : ἀπ' αὐτοῦ τοῦ Ἡσ. ; 97, 2 : αὐτὸς Ἡσ. ἔφη) **5** Καὶ *addendum* Thirlb., *add. omn.* : ἕτερον, λογικὸν *codd.*, *cett. edd.* **6** Οὐκοῦν : οὐκ οὖν... ; Sylb., Mor., Jebb, Mar. **7** Μεμήνυκεν : μεμήνυσεν Steph., Jebb **8** Ὑμῖν : ἡμῖν *prop.* Thirlb. **9** Προσομιλεῖ : προσομίλει Jebb, Kaye προσωμίλει (Grabe, *Annot. ad Bulli Defensionem fidei Nic.*, p. 191), Marc. **10** Ἀρχὴ : ἀρχὴν (*initio*) Grabe, *loc. cit.*, Jebb, Thirlb. (cf. 61, 1) **11** Τοῦτ' αὐτὸ καὶ γέννημα : τοῦτο τὸ γέννημα *vel* τοῦτ' αὐτὸ τὸ γέννημα *prop.* Thirlb. **12** Ἀρχιστράτηγος *addidi* **13** Εἶπον : *del. edd. ab* Otto (*ut glossema*) **14** Εἰπόντος (*scil.* τοῦ θεοῦ Otto) : εἶπεν (*scil.* τὸ γέννημα) Marc. εἴρηται Sylb. **15** Καὶ – αὐτοῦ *om. codd.*, *addendum* Mar., Otto, Arch, *add.* Marc.

2 Pour que vous n'alliez point, détournant les paroles que je viens de citer, dire ces choses que disent vos didascales – ou bien que Dieu s'est à lui même dit [a]*Faisons*, comme nous, lorsque nous sommes sur le point de faire quelque chose, nous nous disons souvent « Faisons » ; ou bien que c'est aux éléments, c'est-à-dire à la terre ainsi qu'aux autres choses dont nous savons que l'homme a été fait, que Dieu a dit *Faisons*[3] – je vous rapporterai encore les paroles prononcées par Moïse lui-même, grâce auxquelles, nous pouvons reconnaître que sans nul doute celui auquel il s'adresse est autre numériquement, et de nature verbale.

3 Voici ces paroles : [b]*Et Dieu dit : « Voici Adam est devenu comme l'un de nous pour connaître le bien et le mal »*. Ainsi donc, en disant *comme l'un de nous*, il indique un nombre d'êtres qui sont réunis les uns avec les autres, et au moins deux. Car je ne saurais prétendre vraie la doctrine qu'enseigne ce que vous appelez « secte », ou que ses didascales puissent démontrer qu'il s'adressait à des anges, ou encore que le corps humain est l'œuvre d'anges[4]. **4** Mais ce [c]*rejeton*[5], réellement émis du[6] Père *avant toutes les créatures*[7] était avec le Père, et c'est avec lui que le Père s'entretient[8], comme l'a montré le Verbe par l'intermédiaire de Salomon : car le même être fut à la fois [d]*Principe* [e]*avant toutes les Créatures* et *rejeton* engendré par Dieu, cet être qui par Salomon est appelé [f]*Sagesse*, et, comme je l'ai dit en indiquant la même chose, *chef d'armée* par la révélation offerte à Josué fils de Navé[9]. Et pour que par cela aussi ce que j'affirme vous soit évident, écoutez les paroles tirées du livre de Josué.

5 Voici ces paroles : (*Jos.* 5, 13)*Et voici que Josué était à Jéricho. Levant les yeux il voit un homme debout en face de lui, son épée nue dans la main. S'avançant, Josué lui dit : « Es-tu nôtre ou ennemi ? »*. (14)*Il lui dit : « Je suis chef d'armée de la puissance du Seigneur, je suis venu à présent ». Josué tomba face à terre, et lui dit : « Maître,*

a Cf. *Gen.* 1, 26 **b** *Gen.* 3, 22 **c** cf. *Ps.* 109, 3 ; *Prov.* 8, 22 ; *Col.* 1, 15 **d** cf. *Gen.* 1, 1 ; *Prov.* 8, 22 **e** cf. *Col.* 1, 15 **f** cf. *Prov.* 8, 1 s.

πρόσωπον ἐπὶ τὴν γῆν, καὶ εἶπεν αὐτῷ · Δέσποτα, τί προστάσσεις τῷ σῷ οἰκέτῃ ; (15)*Καὶ λέγει ὁ ἀρχιστράτηγος κυρίου πρὸς Ἰησοῦν · Λῦσαι τὰ ὑποδήματα τῶν ποδῶν σου · ὁ γὰρ τόπος ἐφ οὗ ἕστηκας, γῆ ἁγία ἐστί.* (6, 1)*Καὶ ἡ Ἱεριχὼ συγκεκλεισμένη ἦν καὶ ὠχυρωμένη, καὶ οὐδεὶς ἐξ αὐτῆς ἐξεπορεύετο < οὐδὲ εἰσεπορεύετο >*[1] *.* (2)*Καὶ εἶπε κύριος πρὸς Ἰησοῦν · Ἰδοὺ παραδίδωμί σοι τὴν Ἱεριχὼ ὑποχείριον καὶ τὸν βασιλέα αὐτῆς τὸν ἐν αὐτῇ, δυνατοὺς ὄντας ἰσχύϊ.*

63. 1 – Καὶ ὁ Τρύφων · Ἰσχυρῶς καὶ διὰ πολλῶν δείκνυταί σοι τοῦτο, φίλε, ἔφη. Λοιπὸν οὖν καὶ ὅτι οὗτος διὰ τῆς παρθένου ἄνθρωπος γεννηθῆναι κατὰ τὴν τοῦ πατρὸς αὐτοῦ βούλησιν ὑπέμεινεν ἀπόδειξον καὶ σταυρωθῆναι καὶ ἀποθανεῖν · δήλου[2] δὲ καὶ ὅτι μετὰ ταῦτα ἀναστὰς ἀνελήλυθεν εἰς τὸν οὐρανόν.

2 – Κἀγὼ ἀ-[p. 178 : B]-πεκρινάμην · Ἤδη καὶ τοῦτο ἀποδέδεικταί μοι, ὦ ἄνδρες, ἐν τοῖς προανιστορημένοις λόγοις τῶν προφητειῶν[3], οὓς δι' ὑμᾶς πάλιν ἀναμιμνησκόμενος καὶ ἐξηγούμενος πειρά-[fol. 116 r° : A]-σομαι καὶ εἰς τὴν περὶ τούτου συγκατάθεσιν ἀγαγεῖν ὑμᾶς. Ὁ γοῦν λόγος ὃν ἔφη Ἡσαΐας · *Τὴν γενεὰν αὐτοῦ τίς διηγήσεται ; Ὅτι αἴρεται ἀπὸ τῆς γῆς ἡ ζωὴ αὐτοῦ* · οὐ δοκεῖ σοι λελέχθαι ὡς οὐκ ἐξ ἀνθρώπων ἔχοντος τὸ γένος τοῦ *διὰ τὰς ἀνομίας τοῦ λαοῦ εἰς θάνατον* παραδεδόσθαι εἰρημένου ὑπὸ τοῦ θεοῦ ; Περὶ οὗ καὶ Μωσῆς[4] τοῦ αἵματος[5], ὡς προέφην, *αἵματι*[6] *σταφυλῆς*, ἐν παραβολῇ εἰπών[7], *τὴν στολὴν αὐτοῦ πλυνεῖν*[8] ἔφη, ὡς τοῦ αἵματος αὐτοῦ οὐκ ἐξ ἀνθρωπείου σπέρματος γεγεννημένου[9] ἀλλ' ἐκ θελήματος θεοῦ. **3** Καὶ τὰ ὑπὸ Δαυῒδ εἰρημένα · (*Ps.* 109, 3) *Ἐν ταῖς λαμπρότησι τῶν ἁγίων σου, ἐκ γαστρὸς πρὸ ἑωσφόρου ἐγέννησά σε.* (4)*Ὤμοσε κύριος καὶ οὐ μεταμεληθήσεται · Σὺ ἱερεὺς εἰς τὸν αἰῶνα κατὰ*

1 Οὐδὲ εἰσεπορεύετο *addendum* Mar., Otto, Arch. : *om. codd, edd.* **2** Ἀποθανεῖν · δήλου δὲ καὶ ...οὐρανόν [ἀπόδειξον] *prop.* J. Kaye (*Some Accounts...*, p. 62), *coni.* Otto, Arch. : ἀποθανεῖν, δῆλον δέ, καὶ ...οὐρανόν, ἀπόδειξον *codd.* ἀποθανεῖν δηλαδή · καὶ ...ἀπόδειξον *prop.* Thirlb., *coni.* Marc. ἀποθανεῖν ἐδόθη · καὶ ...ἀπόδειξον Troll. ἀποδεῖξαι (= « reliquum est ut demonstres ») Nolte ἀποθανεῖν · δῆλον δὲ καὶ (*scil.* λοιπὸν) ὅτι ...ἀποδεῖξαι Lange **3** Προφητειῶν : προφητῶν *prop.* Lange, Thirlb., Otto **4** Μωσῆς : Μωϋσῆς Otto, Goodsp. **5** Καὶ Μ. τοῦ αἵματος : τοῦ αἵματος καὶ Μ. *transp.* Marc. **6** Αἵματι : ἐν αἵμ. Marc. (*ex* LXX *et* Dial.) **7** Ἐν – εἰπών *in semicirculis* Marc. **8** Πλυνεῖν *prop.* Sylb., *coni.* Otto, Troll., Arch. (*ex* LXX, Dial. 52, 2 et 54, 1 : πλυνεῖ) : πλύνειν *codd., cett. edd.* (cf. Dial. 76, 2 : πλύνειν ; I Apol. 32, 1 et 54, 5 : πλύνων) **9** Γεγεννημένου *codd., edd. a* Mar. : γεγενημένου *cett. edd.*

qu'ordonnes-tu à ton serviteur ? ». (15)*Le chef d'armée du Seigneur dit à Josué : « Délie les sandales de tes pieds : le lieu où tu te tiens est une terre sainte ».* (6, 1)*Et Jéricho était close et fortifiée, et personne n'en sortait et personne n'entrait.* (2)*Et le Seigneur dit à Josué : « Voici, je te livre Jéricho entre les mains, et son roi qui y est, puissants en force »*[10].

Question de Tryphon sur la naissance virginale, la mort et la Résurrection du Christ. Témoignages d'Isaïe et de David.

63. 1 Tryphon[1] : — C'est avec vigueur et avec abondance, ami, dit-il, que par toi ce point-là est établi. Démontre donc aussi, à présent, que celui-là a consenti à naître homme par la vierge[2], selon la volonté de son Père, à être crucifié et à mourir ; puis fais apparaître également, qu'après cela, il est ressuscité et monté au ciel[3].

2 Je répondis :

— Cela aussi, amis, est déjà démontré dans les paroles des prophéties précédemment citées[4]. Je vais, pour votre profit, les rappeler à nouveau, et les expliquer, pour tenter, sur ce point aussi, de recueillir votre approbation.

Cette parole prononcée par Isaïe, [a]*Sa génération, qui la racontera ? car sa vie est enlevée de la terre*[5], ne te semble-t-il pas qu'elle a été prononcée pour faire comprendre qu'il n'a point reçu des hommes la naissance, celui dont Dieu dit qu' [b]*à cause des péchés du peuple, il a été conduit à la mort*[6] ? Et c'est au sujet de son sang que Moïse lui aussi, comme je l'ai dit, a indiqué, parlant en figure, que [c]*par le sang de la grappe, il laverait son habit*[7], pour faire comprendre que son sang n'est pas produit d'une semence humaine, mais [d]de la volonté de Dieu[8]. **3** Et les paroles de David : (*Ps.* 109, 3)*Dans les splendeurs de tes saints, du sein, avant l'aurore, je t'ai engendré*[9]. (4)*Le Seigneur a juré, et il ne se repentira pas : tu es prêtre pour l'éternité selon l'ordre de Melchisédech*[10], ne vous indiquent-elles pas que de

a *Is.* 53, 8 **b** cf. *Is.* 53, 8 et 12 **c** *Gen.* 49, 11 **d** cf. *Jn.* 1, 13.

τὴν τάξιν Μελχισεδέκ οὐ σημαίνει ὑμῖν[1] ὅτι ἄνωθεν[2] καὶ διὰ *γαστρὸς* ἀνθρωπείας ὁ θεὸς καὶ πατὴρ τῶν ὅλων *γεννᾶσθαι* αὐτὸν ἔμελλε[3] ; **4** Καὶ ἐν ἑτέροις εἰπών[4], τοῖς καὶ αὐτοῖς προλελεγμένοις · (*Ps.* 44, 7) *Ὁ θρόνος σου, ὁ θεός, εἰς τὸν αἰῶνα τοῦ αἰῶνος · ῥάβδος εὐθύτητος ἡ ῥάβδος τῆς βασιλείας σου.* (8)*Ἠγάπησας δικαιοσύνην καὶ ἐμίσησας ἀνομίαν · διὰ τοῦτο ἔχρισέ σε, ὁ θεός, ὁ θεός σου, ἔλαιον ἀγαλλιάσεως παρὰ τοὺς μετόχους σου.* (9)*Σμύρναν καὶ στακτὴν καὶ κασσίαν ἀπὸ τῶν ἱματίων σου, ἀπὸ βάρεων ἐλεφαντίνων, ἐξ ὧν εὔφρανάν σε.* [fol. 116 v° : A] (10)*Θυγατέρες βασιλέων ἐν τῇ τιμῇ σου · παρέστη ἡ βασίλισσα ἐκ δεξιῶν σου, ἐν ἱματισμῷ διαχρύσῳ περιβεβλημένη*[5], *πεποι*-[p. 179 : B]-*κιλμένη.* (11)*Ἄκουσον θύγατερ, καὶ ἴδε καὶ κλῖνον τὸ οὖς σου, καὶ ἐπιλάθου τοῦ λαοῦ σου καὶ τοῦ οἴκου τοῦ πατρός σου* · (12)*καὶ ἐπιθυμήσει ὁ βασιλεὺς τοῦ κάλλους σου, ὅτι αὐτός ἐστι κύριός σου,* (13)*καὶ προσκυνήσεις αὐτῷ.*

5 Ὅτι γοῦν καὶ *προσκυνητός* ἐστι καὶ *θεὸς* καὶ *Χριστὸς* ὑπὸ τοῦ ταῦτα[6] ποιήσαντος μαρτυρούμενος, καὶ[7] οἱ λόγοι οὗτοι διαρρήδην σημαίνουσι. Καὶ ὅτι τοῖς εἰς αὐτὸν πιστεύουσιν, ὡς οὖσι μιᾷ ψυχῇ καὶ μιᾷ συναγωγῇ καὶ μιᾷ ἐκκλησίᾳ, ὁ Λόγος τοῦ θεοῦ < λέγει >[8] ὡς *θυγατρί*, τῇ ἐκκλησίᾳ τῇ ἐξ ὀνόματος αὐτοῦ γενομένῃ[9] καὶ μετασχούσῃ τοῦ ὀνόματος αὐτοῦ (Χριστιανοὶ γὰρ πάντες καλούμεθα[10]), ὁμοίως φανερῶς οἱ λόγοι κηρύσσουσι, διδάσκοντες ἡμᾶς καὶ τῶν παλαιῶν *πατρῴων* ἐθῶν *ἐπιλαθέσθαι*, οὕτως ἔχοντες · (*Ps.* 44, 11) *Ἄκουσον, θύγατερ, καὶ ἴδε καὶ κλῖνον τὸ οὖς σου, καὶ ἐπιλάθου τοῦ λαοῦ σου καὶ τοῦ οἴκου τοῦ πατρός σου* · (12)*καὶ ἐπιθυμήσει ὁ βασιλεὺς τοῦ κάλλους σου, ὅτι αὐτός ἐστι κύριός σου,* (13)*καὶ προσκυνήσεις αὐτῷ.*

64. 1 – Καὶ ὁ Τρύφων · Ἔστω ὑμῶν, τῶν ἐξ ἐθνῶν *κύριος* καὶ *Χριστὸς* καὶ *θεὸς*[11] γνωριζόμενος, ὡς αἱ γραφαὶ σημαίνουσιν, οἵτινες καὶ ἀπὸ τοῦ ὀνόματος αὐτοῦ Χριστιανοὶ καλεῖσθαι πάντες ἐσχήκατε · ἡμεῖς δέ, τοῦ θεοῦ [fol. 117 r° : A] τοῦ καὶ αὐτὸν τοῦτον ποιήσαντος λατρευταὶ ὄντες, οὐ δεόμεθα τῆς ὁμολογίας αὐτοῦ οὐδὲ τῆς *προσκυνήσεως*.

2 – Κἀγὼ πρὸς ταῦτα εἶπον · Ὦ Τρύφων, εἰ ὁμοίως ὑμῖν φιλέριστος καὶ κενὸς ὑπῆρχον, οὐκ ἂν ἔτι προσέμενον κοινωνῶν ὑμῖν τῶν λόγων, οὐ

1 Ὑμῖν (cf. 63, 2 : οὐ δοκεῖ σοι λελέχθαι) : ἡμῖν Sylb. Mor., Thirlb. **2** Ἄνωθεν : καὶ ἄν. Marc. **3** Ἔμελλε : ἔθελε *vel* γεννῆσαι αὐτὸν ἔμελλε *prop.* Sylb. **4** Εἰπών (*scil.* ὁ θεός) : εἶπον *prop.* Thirlb., εἶπεν Otto **5** Περιβεβλημένη : –ερι– *ex corr.* A **6** Ταῦτα : πάντα τ. Marc. (cf. Dial. 68, 3 : πλὴν τοῦ τοῦτο ποιήσαντος τὸ πᾶν) **7** Καὶ : *del.* Marc. **8** Λέγει (*vel* εἴρηκε) *prop.* Otto, *coni. omn.* εἴρηται *prop.* Mar. **9** Γενομένη : λεγομένη *prop.* Sylb., *coni.* Marc. **10** Χριστιανοὶ – καλούμεθα *in semicirculis edd.* **11** Θεὸς : θ. οὗτος Marc. (cf. 64, 5).

toute antiquité[11], et par le *sein* d'un être humain, le Dieu et Père de l'univers devait l'*engendrer* ? **4** Et en d'autres paroles, déjà citées aussi, il dit : (*Ps*. 44, 7)*Ton trône, Dieu, est pour l'éternité de l'éternité. C'est un sceptre d'équité que le sceptre de ta royauté.* (8)*Tu as aimé la justice et haï l'iniquité. C'est pourquoi, ô Dieu, ton Dieu t'a oint, d'une huile d'allégresse, de préférence à tes compagnons*[12]. (9)*Myrrhe, aloès et casse s'exhalent de tes habits, des ivoires massifs dont ils t'ont réjoui.* (10)*Des filles de rois sont en honneur auprès de toi ; à ta droite se tient la reine, enveloppée d'un manteau tissé d'or, et parée de couleurs variées.* (11)*Écoute, fille, regarde, et penche ton oreille. Oublie ton peuple et la maison de ton père.* (12)*Le roi désirera ta beauté, car c'est lui ton Seigneur,* (13)*et tu l'adoreras*[13].

5 Il lui est donc rendu témoignage, par celui qui a fait cela[14], comme à un être [a]*adorable*[15], [b]*Dieu*, et [c]*Christ* : ces paroles l'indiquent elles aussi clairement. Et c'est à ceux qui croient en lui, unis en une même âme, une même Synagogue et une même Église[16], constituée de par son nom et à son nom qui participe (car tous nous nous appelons chrétiens), que le Verbe de Dieu parle comme à sa *fille* : ces paroles aussi le proclament manifestement, qui nous enseignent de *laisser dans l'oubli* les antiques usages de nos *pères*, en ces termes : (*Ps*. 44, 11)*Écoute, fille, regarde, et penche ton oreille. Oublie ton peuple et la maison de ton père.* (12)*Le roi désirera ta beauté, car c'est lui ton Seigneur,* (13)*et tu l'adoreras*[17].

L'« autre Dieu » est aussi celui des juifs.
Témoignages de David.

64. 1 Tryphon : — Qu'il soit donc reconnu comme [d]*Seigneur*, [e]*Christ* et [f]*Dieu*[1], comme le signifient les Écritures, mais de vous autres, ceux des nations, qui de par son nom avez acquis de lui d'être appelés chrétiens ; tandis que nous, serviteurs du Dieu qui a fait aussi celui-là, nous n'avons besoin ni de le confesser ni de [g]l'*adorer*[2].

2 A ces propos, je répondis :

— Si j'étais comme vous, Tryphon, porté aux vaines querelles[3], je ne m'attarderais pas à entretenir avec vous cette discussion, puisque non

a Cf. *Ps*. 44, 13 **b** *ibid*., 7.8 **c** *ibid*., 8 **d** cf. *Ps*. 44, 12 **e** *ibid*., 8 **f** *ibid*., 7.8 **g** *ibid*., 13.

συνιέναι τὰ λεγόμενα παρασκευαζομένοις, ἀλλά τι λέγειν μόνον θήγουσιν ἑαυτούς · νῦν δέ, ἐπεὶ κρίσιν θεοῦ δέδοικα, οὐ φθάνω ἀποφαίνεσθαι περὶ οὐδενὸς τῶν ἀπὸ τοῦ γένους ὑ-[p. 180 : B]-μῶν, εἰ μήτι[1] ἐστιν ἀπὸ τῶν *κατὰ χάριν τὴν ἀπὸ κυρίου Σαβαὼθ σωθῆναι* δυναμένων[2]. Διὸ κἂν ὑμεῖς πονηρεύησθε, προσμενῶ πρὸς ὁτιοῦν προβαλεῖσθε καὶ ἀντιλέγετε[3] ἀποκρινόμενος · καὶ τὸ αὐτὸ καὶ πρὸς πάντας ἁπλῶς τοὺς ἐκ παντὸς γένους ἀνθρώπων, συζητεῖν ἢ πυνθάνεσθαί μου περὶ τούτων βουλομένους πράττω.

3 Ὅτι οὖν καὶ οἱ *σῳζόμενοι* ἀπὸ τοῦ γένους τοῦ ὑμετέρου διὰ τούτου σῴζονται[4] καὶ ἐν τῇ τούτου *μερίδι* εἰσί, τοῖς προλελεγμένοις ὑπ' ἐμοῦ ἀπὸ τῶν γραφῶν εἰ προσεσχήκειτε, ἐνενοήκειτε ἂν ἤδη, κἀμὲ δηλονότι[5] περὶ τούτου οὐκ ἂν ἠρωτήσατε[6]. Πάλιν δὲ ἐρῶ τὰ προλελεγμένα μοι ἀπὸ τοῦ Δαυΐδ, καὶ ἀξιῶ ὑμᾶς πρὸς τὸ συνιέναι, μὴ πρὸς τὸ πονηρεύεσθαι καὶ ἀντιλέγειν μόνον ἑαυτοὺς ὀτρῦναι.

4 Εἰσὶν οὖν οἱ λόγοι, οὕς φησιν ὁ Δαυῒδ οὗτοι · (Ps. 98, 1) *Ὁ κύριος ἐβασί-*[fol. 117 v° : A]-*λευσεν, ὀργιζέσθωσαν λαοί · ὁ καθήμενος ἐπὶ τῶν χερουβίμ, σαλευθήτω ἡ γῆ.* (2)*Κύριος ἐν Σιὼν μέγας καὶ ὑψηλός ἐστιν ἐπὶ πάντας τοὺς λαούς.* (3)*Ἐξομολογησάσθωσαν*[7] *τῷ ὀνόματί σου τῷ μεγάλῳ, ὅτι φοβερὸν καὶ ἅγιόν ἐστι,* (4)*καὶ τιμὴ βασιλέως κρίσιν ἀγαπᾷ. Σὺ ἡτοίμασας εὐθύτητας, κρίσιν καὶ δικαιοσύνην ἐν Ἰακὼβ σὺ ἐποίησας.* (5)*Ὑψοῦτε κύριον τὸν θεὸν ἡμῶν*[8] *καὶ προσκυνεῖτε τῷ ὑποποδίῳ τῶν ποδῶν αὐτοῦ, ὅτι ἅγιός ἐστι.* (6)*Μωσῆς*[9] *καὶ Ἀαρὼν ἐν τοῖς ἱερεῦσιν αὐτοῦ, καὶ Σαμουὴλ ἐν τοῖς ἐπικαλουμένοις τὸ ὄνομα αὐτοῦ · ἐπεκαλοῦντο τὸν κύριον, καὶ αὐτὸς εἰσήκουεν αὐτῶν.* (7)*Ἐν στύλῳ νεφέλης ἐλάλει πρὸς αὐτούς, ὅτι*[10] *ἐφύλασσον τὰ μαρτύρια αὐτοῦ, καὶ τὰ προστάγματα*[11] *αὐτοῦ ἃ ἔδωκεν αὐτοῖς.*

1 Μήτι A *a. corr.* et A *in marg.*, *prop.* Thirlb., *coni. edd. ab* Otto : μή τις A *p. corr.*, B, *cett. edd.* **2** Δυναμένων *prop.* Thirlb., *coni. edd. ab* Otto : δυνάμενος *in textu codd* δυνάμενον *in marg. codd.* **3** Ἀντιλέγετε : ἀντιλέξετε *coni.* Sylb., Marc. **4** Σῴζονται : σώσονται *coni.* Mar. **5** Δηλονότι : δῆλον ὅτι Steph., Goodsp., Marc. **6** Κἀμὲ – ἠρωτήσατε *ut glossema del.* Thirlb., Marc. **7** Ἐξομολογησάσθωσαν : –σάσθω– *ex corr.* A **8** Ἡμῶν (= LXX) : ὑμῶν B **9** Μωσῆς : Μωϋσῆς Otto, Mign., Goodsp. **10** Ὅτι : *om.* LXX, Dial. 37, 4 (cf. Credner, *Beiträge*, t. II, p. 130) **11** Τὰ προστάγματα... ἃ (= LXX) : τὸ πρόσταγμα ὃ Dial. 37, 4.

disposés à saisir ce qui est dit[4], vous mettez tous vos soins à affûter des répliques. Mais comme je redoute le jugement de Dieu[5], je ne veux pour aucun de ceux de votre race trop vite décider, s'il n'est pas parmi ceux [a]*qui par la grâce du Seigneur Sabbaoth* peuvent être *sauvés*[6]. Aussi continuerai-je, en dépit de votre malignité, à répondre pour chacune de vos attaques et de vos objections. Du reste, j'agis de même, absolument, à l'égard de tous ceux, de toute race, qui veulent sur ces questions discuter ou m'interroger.

3 Donc, même ceux de votre race qui sont [b]*sauvés*[7], le sont aussi par lui[8], et ils demeurent [c]*en sa part*[9]. Si aux Écritures citées par moi vous aviez prêté attention, vous l'auriez déjà compris[10], et assurément vous ne me poseriez pas là-dessus de question[11]. Je vais citer encore ce que j'ai déjà rapporté[12] de David : je vous en requiers, appliquez votre zèle à comprendre, et non uniquement en vile contradiction.

4 Voici donc les paroles dites par David : (*Ps.* 98, 1)*Le Seigneur a régné, que les peuples s'irritent ! Celui qui siège sur les chérubins – que la terre tressaille.* (2)*Le Seigneur en Sion est grand, élevé au-dessus de tous les peuples.* (3)*Qu'on célèbre ton grand nom, car il est redoutable et saint,* (4)*et l'honneur du roi aime le jugement. Tu as préparé les droitures, le jugement et la justice en Jacob, c'est toi qui les as accomplis.* (5)*Exaltez le Seigneur, notre Dieu, prosternez-vous devant l'escabeau de ses pieds, car il est saint.* (6)*Moïse et Aaron étaient parmi ses prêtres, et Samuel parmi ceux qui invoquent son nom. Ils invoquaient le Seigneur, et il les exauçait.* (7)*Dans une colonne de nuée, il leur parlait, car ils observaient ses témoignages, et les préceptes qu'il leur avait donnés*[13].

a Cf. *Is.* 1, 9 ; 10, 22 ; *Rom.* 9, 27-29 ; 11, 5 **b** cf. *Is.* 1, 9 etc. **c** cf. *Zach.* 2, 12 ; *Deut.* 32, 9 ?

5 Καὶ ἐν ἄλλοις, τοῖς καὶ αὐ-[p. 180 : B]-τοῖς προανιστορημένοις, διὰ τοῦ Δαυὶδ λεχθεῖσι λόγοις, οὓς εἰς Σολομῶνα ἀνοήτως φάσκετε εἰρῆσθαι, ἐπιγεγραμμένους[1] εἰς Σολομῶνα, ἐξ ὧν[2] καὶ τὸ ὅτι εἰς Σολομῶνα οὐκ εἴρηνται ἀποδείκνυται, καὶ ὅτι οὗτος καὶ *πρὸ τοῦ ἡλίου* ἦν, καὶ[3] οἱ ἀπὸ τοῦ λαοῦ ὑμῶν *σῳζόμενοι* δι' αὐτοῦ *σωθήσονται*. **6** Εἰσὶ δὲ οὗτοι · (*Ps.* 71, 1) *Ὁ Θεός, τὸ κρίμα σου τῷ βασιλεῖ δὸς καὶ τὴν δικαιοσύνην σου τῷ υἱῷ τοῦ βασιλέως* · (2)*κρινεῖ*[4] *τὸν λαόν σου ἐν δικαιοσύνῃ καὶ τοὺς πτωχούς σου ἐν κρίσει.* (3)*Ἀναλαβέτωσαν*[5] *τὰ ὄρη τῷ λαῷ εἰρήνην καὶ οἱ βουνοὶ δικαιοσύνην.* (4)*Κρινεῖ τοὺς πτωχοὺς τοῦ λαοῦ,* [fol. 118 r° : A] *καὶ σώσει τοὺς υἱοὺς τῶν πενήτων, καὶ ταπεινώσει συκοφάντην* · (5)*καὶ συμπαραμενεῖ τῷ ἡλίῳ καὶ πρὸ τῆς σελήνης* < *εἰς* >[6] *γενεὰς γενεῶν*. καὶ τὰ λοιπὰ ἄχρι τοῦ · (*Ps.* 71, 17b)*Πρὸ τοῦ ἡλίου διαμένει τὸ ὄνομα αὐτοῦ. Καὶ ἐνευλογηθήσονται ἐν αὐτῷ πᾶσαι αἱ φυλαὶ τῆς γῆς · πάντα τὰ ἔθνη μακαριοῦσιν αὐτόν* · (18)*Εὐλογητὸς κύριος, ὁ θεὸς Ἰσραήλ, ὁ ποιῶν θαυμάσια μόνος,* (19)*καὶ*[2] *εὐλογητὸν τὸ ὄνομα τῆς δόξης αὐτοῦ εἰς τὸν αἰῶνα*[8] *τοῦ αἰῶνος · καὶ πληρωθήσεται τῆς δόξης αὐτοῦ πᾶσα ἡ γῆ. Γένοιτο, γένοιτο.*

7 Καὶ ἐκ τῶν ἄλλων ὧν προεῖπον ὁμοίως διὰ Δαυὶδ λελέχθαι λόγων, ὅτι *ἀπ' ἄκρων τῶν οὐρανῶν* προέρχεσθαι ἔμελλεν καὶ πάλιν εἰς τοὺς αὐτοὺς τόπους ἀνιέναι ἐμηνύετο, ἀναμνήσθητε, ἵνα καὶ θεὸν ἄνωθεν προελθόντα καὶ ἄνθρωπον ἐν ἀνθρώποις γενόμενον *γνωρίσητε*[9], καὶ πάλιν ἐκεῖνον παραγενησόμενον, ὃν *ὁρᾶν* μέλλουσι καὶ *κόπτεσθαι* οἱ *ἐκκεντήσαντες* αὐτόν. **8** Εἰσὶ δὲ οὗτοι · (*Ps.* 18, 2)*Οἱ οὐρανοὶ διηγοῦνται δόξαν θεοῦ, ποίησιν δὲ χειρῶν αὐτοῦ ἀναγγέλει τὸ στερέωμα.* (3) *Ἡμέρα τῇ ἡμέρᾳ ἐρεύγεται ῥῆμα, καὶ νὺξ*[10] *τῇ νυκτὶ ἀναγγέλει γνῶσιν.* (4)*Οὐκ εἰσὶ λαλιαὶ οὐδὲ λόγοι, ὧν οὐχὶ* [p. 181 : B] *ἀκούονται αἱ φωναὶ αὐτῶν.* (5)*Εἰς πᾶσαν τὴν γῆν ἐξῆλθεν ὁ φθόγγος αὐτῶν καὶ εἰς τὰ πέρατα τῆς οἰκουμένης τὰ ῥήματα αὐτῶν.* (6)*Ἐν τῷ ἡλίῳ ἔθετο τὸ σκήνωμα αὐτοῦ, καὶ αὐτός, ὡς νυμφίος ἐκπο*-[fol. 118 v° : A]-*ρευόμενος ἐκ παστοῦ αὐτοῦ, ἀγαλλιάσεται* < *ἰσχυρὸς* >[11] *ὡς γίγας δραμεῖν ὁδόν.* (7)*Ἀπ' ἄκρου τοῦ οὐρανοῦ ἡ ἔξοδος*

1 Ἐπιγεγραμμένους : ὡς ἐπ. Marc. **2** Ἐξ ὧν : *delendum* Otto **3** Καὶ : καὶ ὅτι Marc. **4** Κρινεῖ *in textu codd., edd.* : κρίνειν *in marg. codd., in textu* Steph. (*ex* LXX *et* Dial. 34, 3) **5** Ἀναλαβέτωσαν : ἀναλαβέτω Dial. 34, 3 (= LXX) **6** Εἰς *add.* Steph. (*ex* Dial. 34, 3) : *om.* LXX, *codd.*, Goodsp., Marc. **7** Καὶ : *om.* Mar. **8** Εἰς τὸν αἰῶνα τοῦ αἰῶνος : εἰς τὸν αἰῶνα καὶ εἰς τὸν αἰῶνα τοῦ αἰῶνος Marc. (*ex* LXX, Dial. 34, 6) **9** Γνωρίσητε : αὐτὸν γν. Marc. **10** Νὺξ : –υ– *in ras.* A **11** Ἰσχυρὸς *add.* Otto, Arch., (*ex* I Apol. 54, 9 ; Dial. 69, 3) : *om.* LXX, *codd.*, I Apol. 40, 4, *cett. edd.*

5 Il est encore d'autres paroles, elles aussi déjà citées[14], qui furent prononcées par la bouche de David, et que par erreur vous prétendez dites sur Salomon, parce qu'elles ont pour titre « Sur Salomon », à propos desquelles il est démontré qu'elles ne sont pas dites de Salomon, que Celui-là (le Christ) était [a]*avant le soleil*, et que ceux de votre peuple qui sont [b]*sauvés* seront *sauvés* par lui. **6** Les voici : (*Ps.* 71, 1)*Dieu, donne au roi ton jugement, et ta justice au fils du roi,* (2)*Il jugera ton peuple dans la justice et tes pauvres dans le jugement.* (3)*Que les montagnes reçoivent paix pour le peuple, et les collines justice.* (4)*Il fera droit aux pauvres du peuple, il sauvera les fils des indigents, et il abaissera le calomniateur.* (5)*Il demeurera, avec le soleil et avant la lune, pour les générations des générations*, et le reste jusqu'à[15] : (*Ps.* 71, 17)...*Avant le soleil son nom demeure*[16]. *Et en lui seront bénies toutes les tribus de la terre. Toutes les nations le proclameront bienheureux.* (18)*Béni soit le Seigneur, le Dieu d'Israël*[17], *qui seul fait des prodiges,* (19)*béni soit le nom de sa gloire pour l'éternité de l'éternité. Et de sa gloire toute la terre sera remplie. Ainsi soit-il, ainsi soit-il*[18] *!*

7 D'après les autres textes que j'ai déjà cités[19] comme ayant eux aussi été dits par David, il était indiqué, vous vous en souvenez, qu'il devait s'avancer [c]*du haut du ciel*[20] et qu'il remonterait à nouveau en ces mêmes lieux[21], afin que vous [d]*reconnaissiez* un Dieu venu d'en haut[22] devenu un homme parmi les hommes[23], et qu'il reviendra[24], celui que doivent [e]*voir* et *pleurer* ceux qui l'ont *percé de coups*[25]. **8** Les voici : (*Ps.* 18, 2)*Les cieux racontent la gloire de Dieu, et l'œuvre de ses mains, le firmament l'annonce.* (3)*Le jour au jour proclame une parole, et la nuit à la nuit en annonce la science.* (4)*Il n'y a ni rumeurs ni paroles dont les voix ne soient entendues.* (5)*A toute la terre est allé l'écho de leurs voix, et aux extrémités du monde leurs paroles.* (6)*Sur le soleil il a dressé sa tente, et lui, tel un époux, sortant du lit nuptial, se fera joie, fort*[26] *comme un géant, de courir sa carrière.* (7)*Du bout du ciel sa provenance, et sa destination jusques au bout du ciel, et à son ardeur nul ne saurait se soustraire*[27].

a Cf. *Ps.* 71, 17 **b** *ibid.*, 4 **c** cf. *Ps.* 18, 7 **d** cf. *Zach.* 12, 10 ; *Jn.* 19, 37 ; *Apoc.* 1, 7 **e** cf. *Zach.* 12, 10.

αὐτοῦ, καὶ τὸ κατάντημα αὐτοῦ ἕως ἄκρου τοῦ οὐρανοῦ, καὶ οὐκ ἔστιν ὃς ἀποκρυβήσεται τῆς θέρμης αὐτοῦ.

65. 1 – Καὶ ὁ Τρύφων ἔφη · Ὑπὸ τῶν τοσούτων γραφῶν δυσωπούμενος οὐκ οἶδα τί φῶ περὶ τῆς γραφῆς ἣν ἔφη Ἡσαΐας, καθ' ἣν ὁ θεὸς οὐδενὶ *ἑτέρῳ δοῦναι τὴν δόξαν* αὐτοῦ λέγει, οὕτως εἰπών · *Ἐγὼ κύριος ὁ θεός, τοῦτό μου ὄνομα, τὴν δόξαν μου ἑτέρῳ οὐ μὴ δώσω οὐδὲ τὰς ἀρετάς μου.*

2 – Κἀγώ · Εἰ μὲν ἁπλῶς καὶ μὴ μετὰ κακίας τούτους τοὺς λόγους εἰπὼν ἐσίγησας, ὦ Τρύφων, μήτε τοὺς πρὸ αὐτῶν προειπὼν μήτε τοὺς ἐπακολουθοῦντας συνάψας, συγγνωστὸς εἶ[1], εἰ δὲ χάριν τοῦ νομίζειν δύνασθαι εἰς ἀπορίαν ἐμβάλλειν τὸν λόγον, ἵν'[2] εἴπω ἐναντίας εἶναι τὰς γραφὰς ἀλλήλαις, πεπλάνησαι · οὐ γὰρ τολμήσω τοῦτό ποτε ἢ ἐνθυμηθῆναι ἢ εἰπεῖν, ἀλλ' ἐὰν τοιαύτη τις δοκοῦσα εἶναι γραφὴ προβληθῇ καὶ πρόφασιν[3] ἔχῃ ὡς ἐναντία οὖσα, ἐκ παντὸς πεπεισμένος ὅτι οὐδεμία γραφὴ τῇ ἑτέρᾳ ἐναντία ἐστίν, αὐτὸς μὴ νοεῖν μᾶλλον ὁμολογήσω τὰ εἰρημένα, καὶ τοὺς ἐναντίας[4] τὰς γραφὰς ὑπολαμβάνοντας τὸ αὐτὸ φρονεῖν μᾶλλον ἐμοὶ πεῖσαι ἀγωνίσομαι. **3** Ὅπως δ' ἂν ᾖς προτεθεικὼς[5] τὸ πρόβλημα, [fol. 119 r° : A] θεὸς ἐπίσταται. Ἐγὼ δὲ ὡς εἴρηται ὁ λόγος ἀναμνήσω ὑμᾶς, ὅπως καὶ ἐξ αὐτοῦ τούτου γνωρίσητε ὅτι ὁ θεὸς τῷ Χριστῷ αὐτοῦ μόνῳ *τὴν δόξαν δίδωσι.* Ἀναλήψομαι [p. 183 : B] δὲ βραχεῖς τινας λόγους, ὦ ἄνδρες, τοὺς ἐν συναφείᾳ τῶν εἰρημένων ὑπὸ τοῦ Τρύφωνος καὶ τοὺς ὁμοίως συνημμένους κατ' ἐπακολούθησιν · οὐ γὰρ ἐξ ἑτέρας περικοπῆς αὐτοὺς ἐρῶ, ἀλλ' ὑφ' ἓν ὥς εἰσι συνημμένοι · καὶ ὑμεῖς τὸν νοῦν χρήσατέ μοι.

4 Εἰσὶ δὲ οὗτοι · (*Is.* 42, 5)*Οὕτως*[6] *λέγει κύριος ὁ θεός, ὁ ποιήσας τὸν οὐρανὸν καὶ πήξας αὐτόν, ὁ στερεώσας τὴν γῆν καὶ τὰ ἐν αὐτῇ, καὶ διδοὺς πνοὴν τῷ λαῷ τῷ ἐπ' αὐτῆς καὶ πνεῦμα*[7] *τοῖς πατοῦσιν αὐτήν.* (6)*Ἐγὼ κύριος ὁ θεὸς ἐκάλεσά σε ἐν δικαιοσύνῃ, καὶ κρατήσω τῆς χειρός σου καὶ ἰσχύσω σε, καὶ ἔδωκά* [8] *σε εἰς διαθήκην γένους, εἰς φῶς ἐθνῶν,* (7)*ἀνοῖξαι ὀφθαλμοὺς τυφλῶν, ἐξαγαγεῖν ἐκ δεσμῶν πεπεδημένους καὶ ἐξ οἴκου φυλακῆς καθημένους ἐν σκότει.* **5** (8)*Ἐγὼ κύριος ὁ θεός, τοῦτό μου ὄνομα, τὴν δόξαν μου ἑτέρῳ οὐ μὴ δώσω οὐδὲ τὰς ἀρετάς μου τοῖς γλυπτοῖς.* (9)*Τὰ ἀπ' ἀρχῆς ἰδοὺ ἥκει, καινὰ ἃ ἐγὼ ἀναγγέλλω, καὶ πρὸ τοῦ ἀναγγεῖλαι ἐδηλώθη ὑμῖν*[9]. (10)*Ὑμνήσατε τῷ θεῷ ὕμνον καινόν · ἀρχὴ*

1 Εἶ : ᾖς (*praeteritum*) *prop.* Sylb. **2** Ἵν' : ἵνα Otto, Arch. **3** Πρόφασιν : ὑπόφασιν *in marg. codd.* **4** Ἐναντίας : ἐν. ἀλλήλαις Marc. **5** Προτεθεικὼς : –κὼς *p. corr.* A **6** Οὕτως *codd*, Otto, Arch., Goodsp. : οὕτω *cett. edd.* (*ex* LXX) **7** Πνεῦμα A, *edd.* : τὸ πν. B **8** Καὶ ἔδωκα : καὶ ἐδώ- *in ras.* A **9** Ὑμῖν A, *edd.* (= LXX) : ἡμῖν B.

Dieu déclare en Isaïe, qu'il « ne donne à nul autre sa gloire ».
Explication du passage par Justin.

65. 1 Tryphon dit :

— par autant de passages tirés des Écritures, je demeure troublé, et ne sais plus que dire de celui, où selon Isaïe, Dieu déclare *ne donner à nul autre* sa *gloire* ; en voici les termes : [a]*Je suis le Seigneur Dieu, tel est mon nom, je ne donnerai à nul autre ma gloire, pas plus que mes vertus*[1].

2 Moi : — Si c'est en toute simplicité, Tryphon, et non par malice, qu'en citant ces paroles tu marques un silence, sans avoir restitué celles qui les précèdent ni adjoint celles qui les suivent[2], tu en es excusé. Mais si c'est parce que tu crois pouvoir jeter la discussion dans une impasse, afin de me faire dire que les Écritures se contredisent l'une l'autre, tu t'es trompé. Cela, je n'oserai jamais ni l'envisager ni le déclarer ; mais si l'on m'objecte quelque Écriture qui paraît telle, et comporte l'apparence d'une contradiction, persuadé absolument que nulle Écriture n'en contredit une autre, j'aimerai mieux avouer n'en pas comprendre moi-même le sens ; quant à ceux qui supposent contradictoires les Écritures, je m'efforcerai de les persuader de partager plutôt mon sentiment[3]. **3** Dans quelle intention tu as présenté cette objection, Dieu le sait. Pour moi, je vais vous rappeler comment est dite cette parole, pour qu'à partir d'elle vous puissiez reconnaître qu'à son Christ seul Dieu [b]*donne sa gloire*. Je reprendrai toutefois, amis, quelques brèves paroles, qui se trouvent dans la même unité que celles qu'a rapportées Tryphon, ainsi que celles qui y sont également réunies en les suivant immédiatement : je ne les citerai point d'une autre péricope[4], mais telles qu'en un tout elles sont réunies[5]. Quant à vous, prêtez-moi votre attention.

4 Les voici : (*Is*. 42, 5)*Ainsi parle le Seigneur Dieu, qui a créé le ciel et l'a affermi, qui a fixé la terre et ce qui est en elle, qui a donné un souffle au peuple qui est sur elle, et un esprit à ceux qui la parcourent.* (6)*Moi, le Seigneur Dieu, je t'ai appelé dans la justice, je te prendrai par la main et te fortifierai, je t'ai fait alliance de la race, lumière des nations,* (7)*pour ouvrir les yeux des aveugles, pour délivrer de leurs liens les enchaînés, et du cachot ceux qui sont assis dans les ténèbres.* **5** (8)*Je suis le Seigneur Dieu, tel est mon nom, je ne donnerai ma gloire à nul autre, pas plus que mes vertus aux images gravées*[6]. (9)*Les choses du début, voici qu'elles viennent, celles que j'annonce sont nouvelles, et avant de les annoncer, elles vous furent montrées.* (10)*Chantez à Dieu un hymne nouveau ; son*

a *Is*. 42, 8 **b** cf. *Is*. 42, 8.

αὐτοῦ ἀπ' ἄκρου τῆς γῆς · οἱ καταβαίνοντες τὴν θάλασσαν καὶ πλέοντες ἀεί, νῆσοι[1] *καὶ οἱ κατοικοῦντες αὐτάς.* **6** (11)*Εὐφράνθητι ἔρημος* [fol. 119 v°: A] *καὶ αἱ κῶμαι αὐτῶν καὶ αἱ*[2] *ἐπαύλεις, καὶ οἱ κατοικοῦντες Κηδὰρ εὐφρανθήσονται, καὶ*[3] *οἱ κατοικοῦντες πέτραν*[4] *ἀπ' ἄκρου τῶν ὀρέων βοήσονται,* (12)*δώσουσι τῷ θεῷ δόξαν, τὰς ἀρετὰς αὐτοῦ ἐν ταῖς νήσοις ἀναγγελοῦσι.* (13)*Κύριος ὁ θεὸς τῶν δυνάμεων ἐξελεύσεται, συντρίψει πόλεμον, ἐπεγερεῖ ζῆλον καὶ βοήσεται ἐπὶ τοὺς ἐχθροὺς*[5] *μετ' ἰσχύος.*

7 Καὶ ταῦτα εἰπὼν ἔφην πρὸς αὐτούς · Νενοήκατε, ὦ φίλοι, ὅτι ὁ θεὸς λέγει *δώσειν* τούτῳ, ὃν *εἰς φῶς ἐθνῶν* κατέστησε, *δόξαν* καὶ οὐκ ἄλλῳ τινί, ἀλλ'[6] οὐχ, ὡς ἔφη Τρύφων, ὡς ἑαυτῷ κατέχοντος τοῦ θεοῦ τὴν *δόξαν* ;

– Καὶ ὁ Τρύφων [p. 184 : B] ἀπεκρίνατο · Νενοήκαμεν καὶ τοῦτο · πέραινε τοιγαροῦν καὶ τὰ ἐπίλοιπα τοῦ λόγου.

66. 1 – Κἀγὼ πάλιν ἀναλαβὼν τὸν λόγον, ὁπόθεν τὴν ἀρχὴν ἐπεπαύμην ἀποδεικνύων ὅτι ἐκ παρθένου γεννητὸς καὶ διὰ παρθένου γεννηθῆναι αὐτὸν διὰ Ἡσαΐου ἐπεπροφήτευτο, καὶ αὐτὴν τὴν[7] προφητείαν πάλιν ἔλεγον.

2 Ἔστι δὲ αὕτη · (*Is.* 7, 10)*Καὶ προσέθετο κύριος λαλῆσαι τῷ Ἄχαζ, λέγων* · (11)*Αἴτησαι σεαυτῷ σημεῖον παρὰ κυρίου τοῦ θεοῦ σου εἰς βάθος ἢ εἰς ὕψος.* (12)*Καὶ εἶπεν Ἄχαζ · Οὐ μὴ αἰτήσω οὐδὲ*[8] *μὴ πειράσω κύριον.* (13)*Καὶ εἶπεν Ἡσαΐας*[9] · *Ἀκούσατε δή, οἶκος Δαυΐδ. Μὴ μικρὸν ὑμῖν ἀγῶνα παρέχειν ἀνθρώποις ; Καὶ πῶς κυρίου παρέχετε ἀγῶνα ;* (14)*Διὰ τοῦτο δώσει κύριος αὐτὸς ὑμῖν σημεῖον · ἰδοὺ ἡ παρθένος ἐν γαστρὶ λή*-[fol. 120 r° : A]-*ψεται καὶ τέξεται υἱόν, καὶ καλέσουσι*[10] *τὸ ὄνομα αὐτοῦ Ἐμμανουήλ.* (15)*Βούτυρον καὶ μέλι φάγεται.* **3** *Πρὶν ἢ γνῶναι αὐτὸν ἢ προελέσθαι πονηρὰ ἐκλέξεται τὸ ἀγαθόν* · (16a)*διότι, πρὶν ἢ γνῶναι τὸ παιδίον κακὸν ἢ ἀγαθόν*[11], *ἀπειθεῖ πονηρὰ*[12] *τοῦ ἐκλέξασθαι τὸ ἀγαθόν.* (*Is.* 8, 4)*Διότι, πρὶν ἢ γνῶναι τὸ παιδίον καλεῖν πατέρα ἢ μητέρα, λήψεται δύναμιν Δαμασκοῦ καὶ τὰ σκῦλα Σαμαρείας ἔναντι βασιλέως Ἀσσυρίων.*

1 Καὶ πλέοντες ἀεὶ, νῆσοι : καὶ πλέοντες αὐτήν, αἱ νῆσοι Thirlb., Marc. (*ex* LXX) καὶ πλέοντες, αἱ νῆσοι Arch. **2** Καὶ αἱ : *add. sup. l.* A **3** Κηδὰρ εὐφρανθήσονται, καὶ : Κηδὰρ · εὐφρανθήσονται καὶ Marc. **4** πέτραν : Πέτραν Marc. **5** Ἐχθροὺς : ἐχ. αὐτοῦ Marc. (*ex* LXX) **6** Ἀλλ' : καὶ *prop.* Thirlb. **7** Τὴν : *om.* Arch. **8** Οὐδὲ : οὐδ' οὐ LXX, Dial. 43, 5 **9** Ἡσαΐας : *om.* LXX (cf. Dial. 43, 5) **10** Καλέσουσι A *corr. ex* καλέσει *ut vid.* (cf. Mt. 1, 23) : καλέσεται Dial. 43, 5 καλέσεις LXX (cf. Mt. 1, 21 ; Lc. 1, 31) **11** Κακὸν ἢ ἀγαθόν : ἀγαθὸν ἢ κακόν *transp.* Marc. (*ex* LXX ; Dial. 43, 6) **12** Πονηρὰ *in textu codd., edd.* (cf. Dial. 43, 6) : πονηρίαις *in marg. codd.* πονηρίᾳ LXX. τὸ παιδίον – γνῶναι *del.* B. (τοῦ *in marg.*).

principe[7] *part des confins de la terre. Ô vous qui descendez vers la mer et naviguez toujours ; vous, îles, et ceux qui les habitent.* **6** (11)*Réjouis-toi, désert ; leurs villages et leurs camps, et les habitants de Cédar, ils se réjouiront ; et ceux qui habitent le rocher*[8], *du sommet des montagnes ils crieront ;* (12)*ils donneront gloire à Dieu, ses vertus dans les îles ils annonceront.* (13)*Le Seigneur, Dieu des Puissances, sortira, il excitera la guerre, éveillera l'ardeur, et criera avec force contre les ennemis*[9].

7 Ayant cité ces paroles, je leur dis :

— Avez-vous compris, amis, que Dieu dit qu'il [a]*donnera* sa *gloire* à celui qu'il a établi [b]*lumière des nations*, et [c]à personne d'autre[10], et que cela ne signifie point, comme le disait Tryphon, que Dieu se réserve à lui même sa *gloire.*

Tryphon répondit :

— Nous avons compris cela aussi. Achève donc aussi le reste du propos.

La naissance virginale (suite).
Prophétie d'Isaïe.

66. 1 Je repris donc la discussion à partir de l'endroit où j'avais, au début, cessé[1] de démontrer qu'il était né d'une vierge, et que cette naissance par l'intermédiaire[2] d'une vierge avait été prophétisée par Isaïe ; et je citai à nouveau la prophétie en question.

2 La voici : (*Is.* 7, 10)*Le Seigneur continua de parler à Achaz en ces termes :* (11)*Demande pour toi un signe au Seigneur ton Dieu, dans les profondeurs ou dans les hauteurs.* (12)*Et Achaz dit : Je ne solliciterai ni ne tenterai le Seigneur.* (13)*Isaïe dit : Écoutez donc, maison de David ! Est-ce trop peu de livrer dispute aux hommes ? Comment livrez-vous aussi dispute au Seigneur ?* (14)*C'est pourquoi le Seigneur lui-même vous donnera un signe. Voici : la vierge concevra et enfantera un fils, son nom sera Emmanuel.* (15)*Lait et miel il mangera.* **3** *Avant que de connaître ou préférer le mal, il choisira le bien.* (16a)*Car, avant que l'enfant ne connaisse le mal ou le bien, il repoussera le mal pour choisir le bien.* (*Is.* 8, 4)*Car avant que l'enfant ne sache appeler « père » ou « mère », il prendra la puissance de Damas et les dépouilles de Samarie devant le roi des*

a Cf. *Is.* 42, 8 **b** *ibid.*, 6 **c** *ibid.*, 8.

(Is. 7, 16b)*Καὶ καταληφθήσεται ἡ γῆ, < ἣν σὺ >*[1] *σκληρῶς οἴσεις ἀπὸ προσώπου τῶν δύο βασιλέων.* (17) *Ἀλλ᾽ ἐπάξει ὁ θεὸς ἐπὶ σὲ καὶ ἐπὶ τὸν λαόν σου καὶ ἐπὶ τὸν οἶκον τοῦ πατρός σου ἡμέρας, αἳ οὐδέπω ἥκασιν, ἀπὸ τῆς ἡμέρας ἧς ἀφεῖλεν Ἐφραῒμ ἀπὸ Ἰούδα τὸν βασιλέα τῶν Ἀσσυρίων.*

4 Καὶ ἐπέφερον · Ὅτι μὲν οὖν ἐν τῷ γένει τῷ[2] κατὰ σάρκα Ἀβραὰμ οὐδεὶς οὐδέποτε ἀπὸ *παρθένου* γεγέννηται οὐδὲ λέλεκται γεγεννημένος, ἀλλ᾽ ἢ οὗτος ὁ ἡμέτερος Χριστός, πᾶσι φανερόν ἐστι.

67. 1 – Καὶ ὁ Τρύφων ἀπεκρί-[p. 185 : B]-νατο · Ἡ γραφὴ οὐκ ἔχει · *Ἰδοὺ ἡ παρθένος ἐν γαστρὶ λήψεται καὶ τέξεται υἱόν*, ἀλλ᾽ · *Ἰδοὺ ἡ νεᾶνις ἐν γαστρὶ λήψεται καὶ τέξεται υἱόν*, καὶ τὰ ἑξῆς λοιπὰ ὡς ἔφης. Ἔστι δὲ ἡ πᾶσα προφητεία λελεγμένη εἰς Ἐζεκίαν, εἰς ὃν καὶ ἀποδείκνυται ἀποβάντα κατὰ[3] τὴν προφητείαν ταύτην. **2** Ἐν δὲ τοῖς τῶν Ἑλλήνων λεγομένοις μύθοις[4] λέλεκται ὅτι Περσεὺς ἐκ [fol. 120 v° : A] Δανάης, παρθένου οὔσης, ἐν χρυσοῦ μορφῇ ῥεύσαντος ἐπ᾽ αὐτὴν τοῦ παρ᾽ αὐτοῖς Διὸς καλουμένου, γεγέννηται · καὶ ὑμεῖς τὰ αὐτὰ ἐκείνοις λέγοντες αἰδεῖσθαι ὀφείλετε, καὶ μᾶλλον ἄνθρωπον ἐξ ἀνθρώπων γενόμενον[5] λέγειν τὸν Ἰησοῦν τοῦτον, καί, ἐὰν ἀποδείκνυτε[6] ἀπὸ τῶν γραφῶν ὅτι αὐτός ἐστιν ὁ Χριστός, διὰ τὸ ἐννόμως καὶ τελέως πολιτεύεσθαι αὐτὸν κατηξιῶσθαι τοῦ ἐκλεγῆναι εἰς Χριστόν, ἀλλὰ μὴ τερατολογεῖν τολμᾶτε, ὅπως μηδὲ[7] ὁμοίως τοῖς Ἕλλησι μωραίνειν ἐλέγχησθε.

3 – Καὶ ἐγὼ πρὸς ταῦτα ἔφην · Ὦ Τρύφων, ἐκεῖνό σε πεπεῖσθαι βούλομαι καὶ πάντας ἁπλῶς ἀνθρώπους, ὅτι, κἂν γελοιάζοντες ἢ ἐπιτωθάζοντες χείρονα λέγητε, οὐκ ἐκστήσετέ με τῶν προκειμένων, ἀλλ᾽ ἐξ ὧν[8] εἰς ἔλεγχον νομίζετε προβάλλειν λόγων τε ἢ[9] πραγμάτων, ἐξ αὐτῶν τὰς ἀποδείξεις τῶν ὑπ᾽ ἐμοῦ λεγομένων μετὰ μαρτυρίας τῶν γραφῶν ἀεὶ ποιήσομαι. **4** Οὐκ ὀρθῶς μέντοι οὐδὲ φιλαλήθως ποιεῖς, κἀκεῖνα περὶ ὧν ἀεὶ[10] συγκαταθέσεις ἡμῖν γεγένηνται[11] – ὅτι διὰ τὸ

1 Ἣν σὺ *add.* Thirlb., Otto, Troll., Arch., Marc. (*ex* LXX, Dial. 43, 6) *om. codd., cett. edd.* ἣ σὺ φοβῇ LXX **2** Τῷ κατὰ σάρκα Ἀβραὰμ *edd. ab* Otto : τῷ κατὰ σάρκα τοῦ Ἀβρ. *prop.* Thirlb. (*ex* Dial. 43, 7) τοῦ κατὰ σάρκα Ἀβρ. *codd., cett. edd.* τοῦ Ἀβρ. κατὰ σάρκα *prop.* Mar. **3** Κατὰ : τὰ κατὰ Marc. **4** Τοῖς – Μύθοις Marc. : τοῖς τῶν λεγομένων Ἑλλήνων μύθοις *codd., cett. edd.* **5** Γενόμενον Sylb., Mign., *edd. ab* Otto : λεγόμενοι *codd., cett. edd.* **6** Ἀποδείκνυτε : ἀποδεικνύητε *coni.* Marc. (cf. Dial. 48, 3) **7** Μηδὲ Otto, Arch. : μήτε *codd., cett. edd.* μή γε *coni.* Marc. **8** Ὧν *edd. ab.* Otto : αὐτῶν *codd., cett. edd.* ἐξ ὧν ἂν [νομίζητε] *vel* ἐξ αὐτῶν ὧν *prop.* Sylb. **9** Ἢ : καὶ *coni.* Marc. (cf. Dial. 28, 2) **10** Περὶ ὧν ἀεὶ : ἀεὶ περὶ ὧν *prop.* Mar. **11** Γεγένηνται : γεγέννηνται *coni.* Thirlb., Mar., γεγέννηται Steph., Sylb., Mor., Jebb.

Assyriens. (*Is.* 7, 16b)*Il sera occupé le pays que difficilement tu supporteras à cause des deux rois.* (17)*Mais Dieu amènera sur toi, sur ton peuple et la maison de ton père, des jours qui n'étaient pas encore venus sur toi, depuis le jour qu'Éphraïm a détourné de Juda le roi des Assyriens*[3].

4 Et j'ajoutai : Que dans la race d'Abraham selon la chair personne jamais ne soit né ou n'ait été dit né d'une [a]*vierge*, sinon notre Christ, c'est pour tous évident[4].

Pour Tryphon, la naissance virginale est aussi absurde que le mythe de Persée.
Il vaudrait mieux affirmer que Jésus, « homme d'entre les hommes »,
fut élu pour son observance de la Loi.
Rappels de Justin à propos de la Loi.

67. 1 Tryphon répondit :

— L'Écriture n'a pas[1] : [b]*Voici : la vierge concevra et enfantera un fils…*, mais *Voici : la jeune fille concevra et enfantera un fils*[2], et la suite comme tu l'as dite. Et toute la prophétie se rapporte à Ézéchias, pour qui il est démontré que les choses advinrent conformément à ces prédictions. **2** Du reste, dans ce qu'on appelle les fables des Grecs[3], il est dit que Persée naquit de Danaé, qui était vierge, après que celui qu'on nomme chez eux Zeus se fût répandu sur elle sous forme (d'une pluie) d'or[4]. Vous devriez rougir de raconter les mêmes choses qu'eux. Il vaudrait mieux dire que ce Jésus fut un homme d'entre les hommes, et, si vous démontrez à partir des Écritures qu'il est bien Christ[5], que c'est à cause de sa vie parfaite et conforme à la Loi qu'il fut jugé digne[6] d'être choisi pour Christ. Mais ne vous risquez pas à conter des prodiges, si vous ne voulez pas, comme les Grecs, être convaincus de déraison.

3 A quoi je répliquai :

— Tryphon, je veux que tu sois bien persuadé, toi et tous les hommes absolument que, même si par malice ou par raillerie vous dites des choses pires encore, vous ne me ferez point sortir de mon dessein : au contraire, les paroles ou les faits dont vous croyez pouvoir user pour me confondre, c'est en eux que toujours, avec le témoignage des Écritures, je tirerai les preuves de ce que je dis. **4** Tu n'agis, en tout cas, ni avec droiture ni selon ce que veut l'amour de la vérité[7], lorsque tu t'ingénies à remettre en question même ce sur quoi nous étions progressivement tombés d'accord : à savoir que c'est

a Cf. *Is.* 7, 14 **b** *ibid.*.

σκληροκάρδιον τοῦ λαοῦ ὑμῶν διὰ Μωσέως[1] τινὲς τῶν ἐντολῶν τεθειμέναι εἰσίν – ἀναλύειν πειρώμενος. Ἔφης γὰρ διὰ τὸ ἐννόμως πολιτεύεσθαι ἐκλελέχθαι αὐτὸν καὶ Χριστὸν γεγενῆσθαι, εἰ ἄρα οὗτος ἀποδειχθείη ὤν.

5 – Καὶ [fol. 121 r° : A] ὁ Τρύφων · Σὺ γὰρ ὡμολόγησας ἡμῖν, ἔφη, ὅτι καὶ περιετμήθη καὶ τὰ ἄλλα τὰ νόμι-[p. 186 : B]-μα[2] τὰ διὰ Μωσέως διαταχθέντα ἐφύλαξε.

6 – Καγὼ ἀπεκρινάμην · Ὡμολόγησά τε καὶ ὁμολογῶ · ἀλλ' οὐχ ὡς δικαιούμενον αὐτὸν διὰ τούτων ὡμολόγησα ὑπομεμενηκέναι πάντα[3], ἀλλὰ τὴν οἰκονομίαν ἀπαρτίζοντα, ἣν ἤθελεν ὁ πατὴρ αὐτοῦ καὶ τῶν ὅλων ποιητὴς καὶ κύριος καὶ θεός. Καὶ γὰρ τὸ ἀποθανεῖν σταυρωθέντα ὁμολογῶ ὑπομεῖναι αὐτὸν καὶ τὸ ἄνθρωπον γενέσθαι καὶ τοσαῦτα παθεῖν ὅσα διέθεσαν αὐτὸν οἱ ἀπὸ τοῦ γένους ὑμῶν. **7** Ἐπεὶ πάλιν[4], ὦ Τρύφων, μὴ συντίθεσαι[5] οἷς φθάνεις συντεθειμένος, ἀπόκριναί μοι · Οἱ πρὸ Μωσέως γενόμενοι δίκαιοι καὶ πατριάρχαι, μηδὲν φυλάξαντες τῶν ὅσα ἀποδείκνυσιν ὁ Λόγος ἀρχὴν διαταγῆς εἰληφέναι διὰ Μωσέως, σῴζονται ἐν τῇ τῶν μακαρίων κληρονομίᾳ ἢ οὔ ;

8 – Καὶ ὁ Τρύφων ἔφη · Αἱ γραφαὶ ἀναγκάζουσί με ὁμολογεῖν.

– Ὁμοίως δὲ[6] ἀνερωτῶ σε πάλιν, ἔφην · τὰς προσφορὰς καὶ τὰς θυσίας δι' ἔνδειαν ὁ θεὸς ἐνετείλατο ποιεῖν τοὺς πατέρας ὑμῶν, ἢ διὰ τὸ σκληροκάρδιον αὐτῶν καὶ εὐχερὲς πρὸς εἰδωλολατρείαν ;

– Καὶ τοῦτο, ἔφη, αἱ γραφαὶ ὁμοίως ἀναγκάζουσιν ὁμολογεῖν ἡμᾶς.

9 – Καὶ ὅτι, φημί, *καινὴν διαθήκην δια*-[fol. 121 v° : A]-*θήσεσθαι* ὁ θεὸς ἐπήγγελται παρὰ τὴν ἐν ὄρει Χωρήβ, ὁμοίως αἱ γραφαὶ προεῖπον[7] ;

– Καὶ τοῦτο ἀπεκρίνατο προειρῆσθαι.

– Κἀγὼ πάλιν · Ἡ δὲ *παλαιὰ διαθήκη*, ἔφην, μετὰ *φόβου* καὶ *τρόμου* διετάγη τοῖς πατράσιν ὑμῶν, ὡς μηδὲ δύνασθαι αὐτοὺς ἐπαΐειν τοῦ θεοῦ ;

– Κἀκεῖνος ὡμολόγησε.

10 – Τί οὖν ; ἔφην[8]. Ἑτέραν διαθήκην ἔσεσθαι ὁ θεὸς ὑπέσχετο, οὐχ ὡς ἐκείνη διετάγη, καὶ[9] ἄνευ *φόβου* καὶ *τρόμου* καὶ *ἀστραπῶν* διαταγῆναι [p. 187 : B] αὐτοῖς ἔφη[10], καὶ δεικνύουσαν τί μὲν ὡς αἰώνιον καὶ παντὶ γένει

1 Μωσέως : Μωϋσέως Mign., Otto, Goodsp. (*hic et infra*) **2** Νόμιμα : νόμημα *codd.* **3** Πάντα : αὐτὰ *prop.* Thirlb. ταῦτα πάντα Marc. **4** Ἐπεὶ πάλιν : ἐπεὶ δὲ πάλιν *prop.* Thirlb., Mar. **5** Συντίθεσαι Thirlb., *edd. ab* Otto, Troll. (οἷς φθάνεις) : συντίθεσθαι *codd.* συντίθεσθε Steph., *cett. edd.* **6** Δὲ : δ' Otto, Arch. **7** Ὁμοίως – προεῖπον : *ut glossema delendum* Thirlb. **8** Τί οὖν ; ἔφην. Ἑτέραν διαθήκην ...ἐνετέταλτο *edd. ab* Otto : τί οὖν (*cur igitur*), ἔ., ἑτέραν διαθήκην... ἐνετέταλτο ; *codd., cett. edd.* τί οὖν, ἔ., ἑτέραν διαθήκην ...ἔφη ; Οὐ δείκνυσιν ὅτι τὶ μὲν ...τὶ δὲ... ; *prop.* Thirlb. **9** Καὶ : ἀλλ' *coni.* Marc. **10** Οὐχ – ἔφη : *in semicirculis* Marc.

à cause de la dureté de cœur de votre peuple[8] que par Moïse certaines des ordonnances ont été instituées. Tu viens de dire, en effet que ce serait pour s'être conduit conformément à la Loi qu'il aurait été choisi et serait devenu Christ, si du moins il était prouvé qu'il le fût.

5 Tryphon : — Tu as toi même reconnu devant nous, dit-il qu'il [a]avait été circoncis et avait observé les autres préceptes institués par Moïse[9].

6 Je répondis :

— Je l'ai bien reconnu, et je le reconnais ; mais si j'ai reconnu qu'il a tout assumé, ce n'est pas que je croie qu'il en fut justifié, mais parce qu'il accomplissait[10] l'économie voulue par son Père, Créateur de l'univers, Seigneur et Dieu. Car je reconnais également[11] qu'il a assumé[12] de mourir crucifié, de se faire homme et de souffrir tout ce que lui ont infligé ceux de votre race. **7** Reprenons donc, Tryphon, puisque tu n'accordes plus ce que tu avais précédemment accordé, et réponds-moi : ceux d'avant Moïse, justes et patriarches, qui n'ont rien observé de tout ce qui, selon ce que montre le Verbe, a trouvé un commencement d'ordonnance par Moïse[13], sont-ils sauvés[14] dans l'héritage des bienheureux, ou non[15] ?

8 Tryphon dit :

— Les Écritures m'obligent à l'admettre.

— De même, je te le demande encore, dis-je, les offrandes et les sacrifices, est-ce parce qu'il en avait besoin[16] que Dieu a prescrit à vos pères de les faire, ou bien à cause de leur dureté de cœur et de leur penchant pour l'idolâtrie ?

— Cela aussi, dit-il, les Écritures nous obligent de même à l'admettre.

9 — Et encore, dis-je, que Dieu a annoncé que serait [b]*établie une nouvelle Alliance*[17] autre que celle du mont Horeb, les Écritures l'ont-elles aussi prédit ?

— Cela aussi, répondit-il, avait été prédit.

Je poursuivis :

— [c]L'*ancienne Alliance*, dis-je, ne fut-elle pas instituée pour vos pères [d]avec *crainte* et *tremblement*[18], au point qu'ils ne pouvaient pas même écouter Dieu ?

Il le reconnut.

10 — Eh bien donc ! – dis-je – Dieu a promis qu'il y aurait une autre[19] Alliance, et qu'elle serait instituée pour eux [e]non comme avait été instituée la première, mais sans *crainte*, ni *tremblement* ni [f]*éclairs* ; (une Alliance) indiquant[20] ce que Dieu reconnaît d'une part comme précepte et œuvre éternels[21]

a Cf. *Lc.* 2, 21 **b** cf. *Jér.* 31, 31 **c** cf. *II Cor.* 3, 14 ? **d** cf. *Exod.* 19, 16 s. ; 20, 18 s. ; *Hébr.* 12, 19-21 **e** cf. *Jér.* 31, 32 **f** cf. *Exod.* 19, 16.

ἁρμόζον καὶ ἔνταλμα καὶ ἔργον ὁ θεὸς ἐπίσταται[1], τί δὲ πρὸς τὸ σκληροκάρδιον τοῦ λαοῦ ὑμῶν ἁρμοσάμενος, ὡς καὶ διὰ τῶν προφητῶν βοᾷ, ἐνετέταλτο.

11 – Καὶ τοῦτο συνθέσθαι, ἔφη, ἐκ παντὸς τοὺς φιλαλήθεις, ἀλλὰ μὴ φιλέριδας, ἀναγκαῖον.

– Κἀγώ · Οὐκ οἶδ' ὅπως, ἔφην, φιλερίστους τινὰς[2] ἀποκαλῶν, αὐτὸς πολλάκις ἐν τούτῳ ἐφάνης τῷ ἔργῳ ὤν, ἀντειπὼν πολλάκις οἷς συνετέθης.

68. 1 – Καὶ ὁ Τρύφων · Ἄπιστον γὰρ καὶ ἀδύνατον σχεδὸν πρᾶγμα ἐπιχειρεῖς ἀποδεικνύναι, ὅτι θεὸς ὑπέμεινε γεννηθῆναι καὶ ἄνθρωπος γενέσθαι.

– Εἰ τοῦτο, ἔφην, ἐπ'[3] *ἀνθρωπείοις διδάγμασιν* ἢ ἐπιχειρήμασιν ἐπεβαλόμην ἀποδεικνύναι, ἀναχέσθαι μου οὐκ ἂν ἔδει ὑμᾶς · εἰ δὲ γραφὰς καὶ εἰς τοῦτο εἰρημένας [fol. 122 r° : A] τοσαύτας, πλειστάκις αὐτὰς[4] λέγων, ἀξιῶ ὑμᾶς ἐπιγνῶναι αὐτάς, σκληροκάρδιοι[5] πρὸς τὸ γνῶναι νοῦν καὶ θέλημα τοῦ θεοῦ γίνεσθε. Εἰ δὲ βούλεσθε τοιοῦτοι ἀεὶ μένειν, ἐγὼ μὲν οὐδὲν ἂν βλαβείην[6] · τὰ δὲ αὐτὰ ἀεὶ[7] ἔχων, ἃ καὶ πρὸ τοῦ συμβαλεῖν ὑμῶν εἶχον, ἀπαλλάξομαι ὑμῶν.

2 – Καὶ ὁ Τρύφων · Ὅρα, ὦ φίλε, ἔφη, ὅτι μετὰ πολλοῦ κόπου καὶ καμάτου γέγονέ σοι τὸ κτήσασθαι[8] αὐτά · καὶ ἡμᾶς οὖν, βασανίσαντας πάντα[9] τὰ ἐπιτρέχοντα, συνθέσθαι δεῖ οἷς ἀναγκάζουσιν ἡμᾶς αἱ γραφαί.

– Κἀγὼ πρὸς ταῦτα · Οὐκ ἀξιῶ, εἶπον, ὑμᾶς μὴ παντὶ τρόπῳ ἀγωνιζομένους τὴν ἐξέτασιν τῶν ζητουμένων ποιεῖσθαι, ἀλλ' ἐκείνοις μὴ πάλιν ἀντιλέγειν, μηδὲν ἔχοντας λέγειν, οἷς ἔφητε[10] συνθέναι.

3 – Καὶ ὁ Τρύφων ἔφη · Τοῦτο πειρασόμεθα πράξειν.

1 Ἐπίσταται : ἐπιτάσσεται *prop.* Mar. **2** Τινὰς : τ. ἡμᾶς Marc. **3** Ἐπ' Steph., Otto, Mign., Goodsp., Marc. : ἀπ' *codd., cett. edd.* **4** Αὐτάς : *delendum.* Thirlb. *del.* Marc. **5** Σκληροκάρδιοι : μὴ σκλ. *prop.* Thirlb. σκλ. ...μὴ γίνεσθε *coni.* Marc. **6** Βλαβείην : βλαβοίην A, Steph. βλαβοίαν (ην *sup. l.*) B **7** Ἀεὶ : *del.* Marc. **8** Κτήσασθαι *edd.* : κτήσασθε *codd.* **9** Πάντα : πάντως πάντα Marc. **10** Ἔφητε : ἔφθητε *prop.* Thirlb. (*ex* Dial. 67, 7 : οἷς φθάνεις συντεθειμένος).

s'adaptant à toute race, et ce que d'autre part il a prescrit en s'adaptant à la dureté de cœur du peuple, comme par l'intermédiaire des prophètes il le proclame.

11 — Cela aussi, dit-il, il faut en convenir sans réserve, si l'on aime la vérité et non la chicane[22].

Moi : — J'ignore dis-je, comment tu peux traiter certains de chicaneurs, quand toi-même, tu en donnes de nombreux exemples, en contestant souvent ce dont tu étais convenu.

Les enseignements du Christ ne sont pas des « enseignements humains ».
La Prophétie d'Isaïe est bien dite du Christ, et non de Salomon.

68. 1 Tryphon : — C'est que c'est quelque chose d'incroyable, et d'impossible presque, que tu entreprends là, de vouloir démontrer : que Dieu[1] a enduré d'être engendré et de se faire homme[2].

— Si c'était, dis-je, en me fondant sur des [a]*enseignements* et des raisonnements *humains* que je m'appliquais à faire cette démonstration, vous n'auriez pas à me tolérer ; mais quand sur ce point aussi, tant d'Écritures sont dites, et que je vous engage, en les citant généralement, à les reconnaître, votre cœur s'endurcit, refusant de connaître la pensée et la volonté de Dieu. Si vous voulez demeurer tels toujours, je n'aurai pour ma part, nullement à en souffrir : ce que j'avais avant de vous entretenir, c'est en l'ayant toujours que je vous quitterai.

2 Tryphon : — Considère, ami, dit-il, au prix de quels efforts et de quelles fatigues tu as acquis cela[3]. Il nous faut donc aussi éprouver tout ce qui se présente pour admettre ce que nous imposent les Écritures.

A quoi je répondis :

— Je ne demande pas, dis-je, que vous ne luttiez pas de toute manière pour procéder à l'examen de ce qui est en question, mais que vous n'alliez pas contester à nouveau, lorsque vous n'avez rien à dire, ce sur quoi vous vous étiez déclarés d'accord.

3 Tryphon dit :

— C'est ce que nous essaierons de faire.

a Cf. *Is.* 29, 13 ; *Matth.* 15, 9 ; *Mc.* 7, 7.

– Πά-[p. 188 : B]-λιν ἐγὼ ἔφην · Πρὸς τοῖς ἀνηρωτημένοις καὶ νῦν ὑπ' ἐμοῦ[1] πάλιν ἀνερωτήσασθαι ὑμᾶς βούλομαι · διὰ γὰρ τῶν ἀνηρωτήσεων τούτων καὶ περαιωθῆναι[2] σὺν τάχει τὸν λόγον ἀγωνιοῦμαι.

– Καὶ ὁ Τρύφων ἔφη · 'Ανερώτα.

– Κἀγὼ εἶπον · Μήτι ἄλλον τινὰ προσκυνητὸν καὶ *κύριον* καὶ *θεὸν* λεγόμενον ἐν ταῖς γραφαῖς νοεῖτε εἶναι πλὴν τοῦ τοῦτο ποιήσαντος τὸ πᾶν, καὶ τοῦ Χριστοῦ, ὃς [fol. 122 v° : A] διὰ τῶν τοσούτων γραφῶν ἀπεδείχθη ὑμῖν ἄνθρωπος γενόμενος ;

4 – Καὶ ὁ Τρύφων · Πῶς τοῦτο δυνάμεθα εἶναι[3] ὁμολογῆσαι, ὁπότε, εἰ καὶ[4] ἄλλος τίς ἐστι πλὴν τοῦ πατρὸς μόνου, τὴν τοσαύτην ζήτησιν ἐποιησάμεθα ;

– Κἀγὼ πάλιν · 'Αναγκαῖόν ἐστι καὶ ταῦτα ὑμᾶς ἐρωτῆσαι, ὅπως γνῶ μήτι ἄλλο φρονεῖτε παρ' ἃ τέως ὡμολογήσατε[5].

– Κἀκεῖνος · Οὔ[6], ἄνθρωπε, ἔφη.

– Κἀγὼ πάλιν · Ὑμῶν οὖν ταῦτα ἀληθῶς συντιθεμένων καὶ τοῦ Λόγου λέγοντος · *Τὴν γενεὰν αὐτοῦ τίς διηγήσεται* ; οὐκ ἤδη καὶ νοεῖν ὀφείλετε ὅτι οὐκ ἔστι γένους ἀνθρώπου[7] σπέρμα ;

5 – Καὶ ὁ Τρύφων · Πῶς οὖν ὁ Λόγος λέγει τῷ Δαυὶδ ὅτι *ἀπὸ τῆς ὀσφύος αὐτοῦ λήψεται ἑαυτῷ υἱὸν* ὁ θεὸς *καὶ κατορθώσει αὐτῷ τὴν βασιλείαν καὶ καθίσει αὐτὸν ἐπὶ θρόνου τῆς δόξης αὐτοῦ* ;

6 – Κἀγὼ ἔφην · Ὦ Τρύφων, εἰ μὲν καὶ τὴν προφητείαν, ἣν ἔφη Ἡσαΐας οὔ φησι[8] πρὸς τὸν *οἶκον τοῦ Δαυΐδ* · *'Ιδοὺ ἡ παρθένος ἐν γαστρὶ λήψεται* · ἀλλὰ πρὸς ἕτερον οἶκον τῶν δώδεκα φυλῶν, ἴσως ἂν ἀπορίαν εἶχε τὸ πρᾶγμα · ἐπειδὴ δὲ καὶ αὐτὴ[9] ἡ προφητεία πρὸς τὸν οἶκον Δαυΐδ εἴρηται, τὸ εἰρημένον πρὸς Δαυΐδ ὑπὸ θεοῦ ἐν μυστηρίῳ διὰ Ἡσαΐου ὡς ἔμελλε γίνεσθαι ἐξηγήθη · εἰ μήτι τοῦτο οὐκ ἐπίστασθε, ὦ φίλοι, ἔφην, ὅτι πολλοὺς λόγους, τοὺς ἐπι-[p. 189 : B]-κεκαλυμμένως[10] καὶ ἐν παραβο-[fol. 123 r° : A]-λαῖς ἢ μυστηρίοις ἢ ἐν συμβόλοις ἔργων λελεγμένους, οἱ μετ' ἐκείνους τοὺς εἰπόντας ἢ πράξαντας γενόμενοι προφῆται ἐξηγήσαντο.

1 Καὶ *νῦν* ὑπ' ἐποῦ : ὑπ' ἐμοῦ καὶ *νῦν prop.* Sylb., *transp.* Marc. **2** Περαιωθῆναι (cf. Dial. 77, 1 : περαίωσον οὖν ; IREN. *Adv. Haer.*, I, 9, 5 ; CLEM., *Strom.*, V, 14, 141 ; VI, 16, 138) : περανθῆναι *prop.* Otto (cf. Dial. 9, 2 : περαίνωμεν τὸν λόγον ; 48, 1 *et* 65, 7 : πέραινε) **3** Εἶναι : *del.* Marc. ἔτι Wolf **4** Εἰ καὶ *in ras.* A **5** Παρ' ἃ τέως ὡμολογήσατε *prop.* Wolf. (in ed. Sylb. 1593), *coni.* Mor., Troll., Mign., Otto, Arch., Marc. (cf. 80, 2 : ὡς ἕτερα λέγειν παρ' ἃ φρονῶ) : παρὰ θεῷ, ὁμολογήσατε *codd.*, *cett. edd.* **6** Οὔ : οὔκ *coni.* Mign., Marc. **7** 'Ανθρώπου : ἀνθρωπείου *prop.* Otto, *coni.* Marc. (cf. Dial. 54, 2) **8** Οὔ φησι : οὐκ ἔφην ὁ θεὸς Marc. **9** Αὐτὴ : αὔτη *coni.* Lange, Marc. **10** 'Επικεκαλυμμένως *prop.* Thirlb., *coni. edd. ab* Otto (cf. Dial. 130, 1) : ἀποκεκαλυμμένως *codd.*, *cett. edd.* παρακεκαλυμμένως *prop.* Thirlb., ὑποκεκαλυμμένως Nolte.

Je repris :

— Afin de compléter les questions posées, j'aimerais qu'à présent vous soyez à votre tour interrogés par moi : car au moyen de ces interrogations je m'efforcerai de mener rapidement la discussion à son terme.

Tryphon dit :

— Interroge.

Je dis :

— Croyez-vous que, dans les Écritures, soit désigné comme [a]*adorable*, [b]*Seigneur* et [c]*Dieu*[4], un autre que celui qui a créé ce Tout, un autre que le Christ, dont il vous est prouvé, par tant d'Écritures, qu'il s'est fait homme ?

4 Tryphon : — Comment pourrions-nous convenir qu'il en est ainsi, quand la question de savoir si même il en existe un autre en dehors du seul Père, a donné lieu pour nous à tant d'investigations.

Je repris :

— Il faut bien que sur ce point aussi je vous interroge, pour savoir si vous avez une autre opinion que celle dont vous êtes jusqu'ici convenus.

Celui-ci : — Ce n'est pas le cas, ami, dit-il.

Je repris :

— Sur ce point donc, vous êtes sincèrement d'accord ; et lorsque le Verbe dit : [d]*Sa génération, qui la racontera*[5] ?, ne devez-vous pas penser par le fait même qu'il n'est pas le rejeton d'une race humaine[6] ?

5 Tryphon : — Mais comment donc le Verbe dit-il à David que [e]*de ses reins* Dieu *se tirera un fils, établira pour lui le royaume, et l'asseoira sur le trône de sa gloire*[7] ?

6 Je dis :

— Tryphon, si Isaïe n'avait pas prononcé sur la [f]*maison de David* la prophétie qu'il a dite : [g]*Voici, la vierge concevra*, mais sur une autre maison des douze tribus, peut-être y aurait-il là quelque difficulté ; mais puisque la prophétie elle-même est prononcée sur la *maison de David*, ce que Dieu a dit à David en mystère, c'est Isaïe qui explique[8] comment cela devait arriver. A moins que vous ne sachiez pas, amis, dis-je, que nombre de paroles prononcées tout d'abord d'une façon voilée, en paraboles, en mystères, ou dans le symbolisme des œuvres[9], ont été expliquées par les prophètes venus après ceux qui les avaient dites ou accomplies.

a Cf. *Ps.* 44, 13 **b** *ibid*, 12 **c** *ibid.*, 7.8 **d** *Is.* 53, 8 **e** cf. *Ps.* 131, 11 ; *II Rois*, 7, 12-16 et *Act.* 2, 30 **f** cf. *Is.* 7, 13 **g** *ibid.*, 14.

7 – Καὶ μάλα, ἔφη ὁ Τρύφων.

–Ἐὰν οὖν ἀποδείξω τὴν προφητείαν ταύτην τοῦ Ἡσαΐου εἰς τοῦτον τὸν ἡμέτερον Χριστὸν εἰρημένην, ἀλλ' οὐκ εἰς τὸν Ἐζεκίαν, ὥς φατε ὑμεῖς, οὐχὶ καὶ ἐν τούτῳ δυσωπήσω ὑμᾶς μὴ πείθεσθαι τοῖς διδασκάλοις ὑμῶν, οἵτινες τολμῶσι λέγειν τὴν ἐξήγησιν, ἣν ἐξηγήσαντο οἱ ἑβδομήκοντα ὑμῶν πρεσβύτεροι παρὰ Πτολεμαίῳ τῷ τῶν Αἰγυπτίων βασιλεῖ γενόμενοι, μὴ εἶναι ἔν τισιν ἀληθῆ ; **8** Ἃ γὰρ ἂν διαρρήδην ἐν ταῖς γραφαῖς φαίνονται ἐλέγχοντα αὐτῶν τὴν ἀνόητον καὶ φίλαυτον γνώμην, ταῦτα τολμῶσι λέγειν μὴ οὕτω γεγράφθαι · ἃ δ' ἂν καὶ ἕλκειν πρὸς ἃ<ς>[1] νομίζουσι δύνασθαι ἁρμόζειν πράξεις ἀνθρωπείους, ταῦτα οὐκ εἰς τοῦτον τὸν ἡμέτερον Ἰησοῦν Χριστὸν εἰρῆσθαι λέγουσιν, ἀλλ' εἰς ὃν αὐτοὶ ἐξηγεῖσθαι ἐπιχειροῦσιν. Ὁποῖον καὶ τὴν γραφὴν ταύτην περὶ ἧς νῦν ὁμιλία ἐστίν, ἐδίδαξαν ὑμᾶς λέγοντες εἰς Ἐζεκίαν αὐτὴν εἰρῆσθαι, ὅπερ, ὡς ὑπεσχόμην, ἀποδείξω ψεύδεσθαι αὐτούς. **9** Ἃς δ' ἂν λέγωμεν αὐτοῖς γραφάς, αἳ διαρρήδην τὸν Χριστὸν καὶ παθητὸν καὶ προσκυνητὸν καὶ [fol. 123 v° : A] *θεὸν* ἀποδεικνύουσιν, ἃς καὶ προανιστόρησα ὑμῖν, ταύτας εἰς Χριστὸν μὲν εἰρῆσθαι ἀναγκαζόμενοι συντίθενται, τοῦτον δὲ μὴ εἶναι τὸν Χριστὸν τολμῶσι λέγειν, ἐλεύσεσθαι δὲ[2] καὶ παθεῖν καὶ βασιλεῦσαι καὶ προσκυνητὸν γενέσθαι θεὸν[3] ὁμολογοῦσιν · ὅπερ γελοῖον καὶ ἀνόητον ὂν[4] ὁμοίως ἀποδείξω. Ἀλλ' ἐπεὶ κατεπείγει[5] με πρότερον πρὸς τὰ ὑπὸ σοῦ ἐν γελοίῳ τρόπῳ εἰρημένα ἀποκρί-[p. 190 : B]-νασθαι, πρὸς ταῦτα τὰς ἀποκρίσεις ποιήσομαι, καὶ πρὸς τὰ ἐπίλοιπα ἐς ὕστερον τὰς ἀποδείξεις δώσω.

69. 1 Εὖ ἴσθι οὖν, ὦ Τρύφων, λέγων ἐπέφερον, ὅτι ἃ παραποιήσας ὁ λεγόμενος διάβολος ἐν τοῖς Ἕλλησι λεχθῆναι ἐποίησεν, ὡς καὶ διὰ τῶν ἐν Αἰγύπτῳ μάγων ἐνήργησε καὶ διὰ τῶν ἐπὶ Ἡλίᾳ[6] ψευδοπροφητῶν[7], καὶ ταῦτα βεβαίαν μου τὴν ἐν ταῖς γραφαῖς γνῶσιν καὶ πίστιν κατέστησεν.

2 Ὅταν γὰρ Διόνυσον μὲν υἱὸν τοῦ Διὸς ἐκ μίξεως, ἣν μεμῖχθαι[8] αὐτὸν τῇ Σεμέλῃ γεγενῆσθαι[9] λέγωσι, καὶ τοῦτον εὑρετὴν ἀμπέλου γενόμενον,

1 Ἃς Otto, Arch., Marc. : ἃ *codd.*, *cett. edd.* *Post* ἕλκειν *subaudiendum* νομίζουσι, *ac legendum* πρὸς ἃς νομίζουσι δύνασθαι ἁρμόζειν Sylb., Mar. πρὸς ἃ δ' ἂν ἕλκειν νομίζουσι δύνασθαι ἁρμόζειν (*vel* καὶ ἁρμόζειν) πρ. ἀνθρ. *prop.* Thirlb. ἃ δ' ἂν καὶ ἕλκειν δύνανται πρὸς ἃς νομίζουσι ἁρμόζειν πρ. ἀνθρ. *prop.* Troll. **2** Δὲ : δὲ ἄλλον Marc. **3** Θεὸν (*ut* Dial. 126, 1 ; cf. 76, 7) : καὶ θεὸν Thirlb. (*ut supra et* Dial. 63, 5) ἄλλον *pro* θεὸν *prop.* Troll. **4** Ὂν *prop.* Pearson, Thirlb., *coni. edd. ab* Otto, Troll. : ὂν *codd.* ὃ *cett. edd.* *delendum* Sylb. **5** Κατεπείγει με (cf. Dial. 43, 3 : κατεπείγοντος) : κατεπείγομαι *prop.* Thirlb. **6** Ἡλίᾳ : Ἡλία Mar., Mign., Goodsp. **7** Ὡς – ψευδοπροφητῶν : *in semicirculis* Marc. **8** Μεμῖχθαι *edd. ab.* Otto : μεμίχθαι *codd.*, *cett. edd.* *Subaudiendum* φασί Sylb., λέγουσι Troll. **9** Γεγενῆσθαι : γεγεννῆσθαι *prop.* Otto.

7 — Assurément, dit Tryphon.

— Si donc je démontre que cette prophétie d'Isaïe fut dite sur celui qui est selon nous le Christ, et non sur Ézéchias, comme vous le prétendez, n'aurai-je pas sur ce point encore troublé votre confiance dans vos didascales, eux qui osent soutenir que la traduction faite par vos soixante-dix Anciens chez le roi d'Égypte Ptolémée, n'est pas vraie sur certains points[10] ? **8** Si dans les Écritures quelque chose paraît à l'évidence confondre leur jugement insensé et plein de suffisance, ils osent affirmer que cela n'est pas écrit ainsi[11]. Et pour ce qu'ils estiment pouvoir ramener à des actions dont l'homme serait la mesure, cela, déclarent-ils, ne fut pas dit sur notre Jésus-Christ, mais sur celui auquel ils tâchent d'appliquer leur interprétation. C'est le cas de cette Écriture dont nous parlons maintenant : dans leur enseignement, ils vous ont affirmé qu'elle était dite d'Ézéchias ; en cela, comme promis[12], je vous démontrerai qu'ils se sont abusés. **9** Et si nous leur citons des Écritures – celles que je vous ai déjà rapportées – qui en termes précis montrent le Christ [a]souffrant[13], [b]*adorable*[14] et [c]*Dieu*[15], ils doivent reconnaître qu'elles sont dites du Christ[16], mais ils osent prétendre que celui-là n'est pas le Christ ; ils confessent pourtant qu'il viendra, pour souffrir et régner, et pour être adoré comme Dieu[17]. Cela, je vous le montrerai aussi, est ridicule et fou. Mais il me presse, d'abord, de répondre à ce que tu as dit de ridicule manière[18] : à cela je m'en vais fournir mes réponses. Pour le reste, j'en donnerai plus tard la démonstration[19].

Les fables mythologiques sur Dionysos ou Héraklès ne sont qu'une contrefaçon diabolique de prophéties annonçant la naissance virginale, les miracles de Jésus, sa Passion et sa Résurrection.

69. 1 Sache-le donc bien, Tryphon, continuai-je, les contrefaçons dont, parmi les Grecs, celui qu'on appelle diable a répandu la fable[1], tout comme [d]ce qu'il a accompli par les mages d'Égypte [e]et les faux prophètes du temps d'Élie, cela n'a fait que renforcer ma connaissance[2] des Écritures et la foi que j'ai en elles[3].

2 Ainsi, lorsque l'on dit que Dionysos est né fils de Zeus par l'union que celui-ci eut avec Sémélé, lorsqu'on qu'on raconte il fut découvreur de la

a Cf. *Is.* 53, 4 **b** *Ps.* 71, 11 ; 98, 5.9, etc. **c** cf. *Gen.* 18, 1, etc. **d** cf. *Exod.* 7, 11 s. **e** cf. *III Rois*, 18.

καὶ διασπαραχθέντα καὶ ἀποθανόντα ἀναστῆναι, εἰς οὐρανόν τε ἀνεληλυθέναι ἱστορῶσι, καὶ ὄνον[1] ἐν τοῖς μυστηρίοις αὐτοῦ παραφέρωσιν[2], οὐχὶ τὴν προλελεγμένην ὑπὸ Μωσέως[3] ἀναγραφεῖσαν Ἰακὼβ τοῦ πατριάρχου προφητείαν μεμιμῆσθαι αὐτὸν νοῶ ;

3 Ἐπὰν δὲ τὸν [fol. 124 r° : A] Ἡρακλέα *ἰσχυρὸν* καὶ περινοστήσαντα πᾶσαν τὴν γῆν, καὶ αὐτὸν τῷ Διῒ ἐξ Ἀλκμήνης γενόμενον, καὶ ἀποθανόντα εἰς οὐρανὸν ἀνεληλυθέναι λέγωσιν[4], οὐχὶ τὴν Ἰσχυρὸς[5] *ὡς γίγας δραμεῖν ὁδὸν αὐτοῦ*, περὶ Χριστοῦ λελεγμένην γραφὴν ὁμοίως μεμιμῆσθαι[6] νοῶ ; Ὅταν δὲ τὸν Ἀσκληπιὸν νεκροὺς ἀνεγείραντα καὶ τὰ ἄλλα πάθη θεραπεύσαντα παραφέρη[7], οὐχὶ τὰς περὶ Χριστοῦ ὁμοίως προφητείας μεμιμῆσθαι τοῦτον καὶ ἐπὶ τούτῳ φημί ; **4** Ἐπεὶ δὲ οὐκ ἀνιστόρησα πρὸς ὑμᾶς τοιαύτην γραφήν, ἣ σημαίνει τὸν Χριστὸν ταῦτα ποιήσειν, καὶ[8] μιᾶς τινὸς ἀναγκαίως ἐπιμνησθήσομαι, ἐξ ἧς καὶ συνεῖναι[9] ὑμῖν δυνατόν, πῶς καὶ τοῖς[10] *ἐρήμοις* γνώσεως θεοῦ, λέγω δὲ τοῖς ἔθνεσιν, οἳ καὶ *ὀφθαλμοὺς ἔχοντες οὐχ ἑώρων οὐδὲ καρδίαν ἔχοντες συνίεσαν*, τὰ ἐξ ὕλης κατα- [p. 191 : B]-σκευάσματα προσκυνοῦντες, ὁ Λόγος προέλεγεν ἀρνηθῆναι αὐτὰ καὶ ἐλπίζειν ἐπὶ τοῦτον τὸν Χριστόν.

5 Εἴρηται δὲ οὕτως · (Is. 35, 1)*Εὐφράνθητι ἔρημος ἡ διψῶσα, ἀγαλλιάσθω ἔρημος καὶ ἐξανθείτω*[11] *ὡς κρίνον.* (2)*Καὶ ἐξανθήσει καὶ ἀγαλλιάσεται τὰ ἔρημα τοῦ Ἰορδάνου, καὶ ἡ δόξα τοῦ Λιβάνου ἐδόθη αὐτῇ καὶ ἡ τιμὴ τοῦ Καρμήλου. Καὶ ὁ λαός μου ὄψεται τὸ ὕψος κυρίου καὶ τὴν δόξαν τοῦ θεοῦ.* (3) *Ἰσχύσατε χεῖρες ἀνειμέναι καὶ γόνατα παραλελυμένα.* (4)*Παρακαλεῖσθε* [fol. 124 v° : A] *οἱ ὀλιγόψυχοι τῇ καρδίᾳ, ἰσχύσατε, μὴ φοβεῖσθε. Ἰδοὺ ὁ θεὸς ἡμῶν κρίσιν ἀνταποδίδωσι καὶ ἀνταποδώσει · αὐτὸς ἥξει καὶ σώσει ἡμᾶς.* (5)*Τότε ἀνοιχθήσονται ὀφθαλμοὶ τυφλῶν, καὶ ὦτα κωφῶν ἀκούσονται ·* (6)*τότε ἁλεῖται ὡς ἔλαφος χωλός*[12], *καὶ τρανὴ ἔσται γλῶσσα μογγιλάλων*[13], *ὅτι ἐρράγη ἐν ἐρήμῳ ὕδωρ καὶ φάραγξ ἐν γῇ*[14] *διψώσῃ, καὶ* (7)*ἡ ἄνυδρος ἔσται εἰς ἕλη, καὶ εἰς διψῶσαν γῆν πηγὴ ὕδατος ἔσται.* **6** *Πηγὴ ὕδατος ζῶντος* παρὰ θεοῦ ἐν τῇ *ἐρήμῳ* γνώσεως θεοῦ τῇ τῶν ἐθνῶν *γῇ* ἀνέβλυσεν οὗτος ὁ Χριστός, ὃς καὶ ἐν τῷ γένει ὑμῶν πέφανται,

1 Ὄνον *in marg. codd., prop.* Steph., Lange, *coni.* Troll., Otto, Arch., Goodsp. : οἶνον *in textu codd., cett. edd.* **2** Παραφέρωσιν (cf. Dial. 69, 3 ; I Apol. 54, 10) : περιφέρωσιν *prop.* Thirlb. **3** Μωσέως : Μωϋσέως Otto, Mign., Goodsp. **4** Λέγωσιν : –η– *sup. l. corr.* A **5** Ἰσχυρὸς Thirlb., Troll., Otto, Arch., Marc. (cf. I Apol. 54, 9) : ἰσχυρὸν *codd., cett. edd.* **6** Μεμιμῆσθαι *edd.* : μεμιμεῖσθαι A μεμεῖσθαι B μεμιμῆσθαι αὐτὸν Marc. **7** Παραφέρῃ : παραφέρωσιν *coni.* Marc. **8** Καὶ : κἂν *coni.* Marc. **9** Συνεῖναι : συνιέναι *prop.* Pearson **10** Τοῖς *edd.* : τῆς *codd.* **11** Ἐξανθείτω *edd. a* Mar. : ἐξανθήτω *codd.*, Steph. ἀνθείτω LXX **12** Χωλός *codd.*, Goodsp., Marc. : ὁ χωλός *cett. edd.* **13** Μογγιλάλων (*ut mult. mss.* LXX) : μογιλάλων Otto, Mign., Goodsp. **14** Γῇ *codd., edd. ab* Otto, Troll. : τῇ *cett. edd.*

vigne, qu'il mourut mis en pièces[4], qu'il est ressuscité, puis est monté au ciel, lorsque dans ses mystères on fait paraître un âne[5], est-ce que je ne comprends pas qu'il a imité la [a]prophétie du patriarche Jacob, transcrite par Moïse, et rapportée plus haut[6] ?

3 Et lorsque d'Héraklès on dit qu'il fut *fort*, qu'il parcourut toute la terre, que lui aussi, né d'Alkmène à Zeus, monta au ciel après sa mort[7], est-ce que je ne comprends pas qu'il a imité de même cette Écriture prononcée sur le[8] Christ : [b]fort *comme un géant, à courir sa carrière*[9] ? Lorsqu'il montre Asclépios réveillant les morts et guérissant les autres souffrances, ne dirai-je pas que là encore il a imité de même les prophéties se rapportant au Christ[10] ? **4** Mais puisque je ne vous ai pas cité une telle Écriture indiquant que le Christ accomplira ces choses, il faut bien que je vous en rappelle au moins quelqu'une, d'après laquelle vous pourrez comprendre comment, même ceux qu'avait [c]*désertés* la connaissance de Dieu – j'entends les nations[11] –, qui [d]*ayant des yeux ne virent point, ayant un cœur ne comprirent point*, adorant des objets fabriqués de matière, le Verbe annonça qu'ils y renonceraient pour espérer en ce Christ.

5 En voici les paroles : (*Is.* 35, 1)*Que se réjouisse le désert altéré, que le désert tressaille et fleurisse comme le lis.* (2)*Les déserts du Jourdain fleuriront et tressailliront : à elle sera donnée la gloire du Liban et l'honneur du Carmel. Mon peuple verra l'élévation du Seigneur*[12]*, et la gloire de Dieu.* (3)*Fortifiez-vous, mains défaillantes et genoux affaiblis.* (4)*Consolez-vous, vous qui avez le cœur pusillanime, soyez forts, ne craignez pas ! Voici que notre Dieu rend et rendra un jugement. Il viendra et nous sauvera.* (5)*Alors se dessilleront les yeux des aveugles, et les oreilles des sourds entendront ;* (6)*alors le boiteux bondira comme un cerf, nette sera la langue des bègues, car une eau dans le désert a jailli, ainsi qu'une ravine en la terre altérée ;* (7)*ce qui était aride deviendra marais, et pour la terre altérée naîtra une source d'eau*[13].

6 C'est une [e]*source d'eau vive*[14] qu'au [f]*désert* de la connaissance de Dieu – la [g]*terre* des nations – ce Christ a fait jaillir[15] d'auprès de Dieu ; lui qui est apparu dans votre race[16], a [h]*guéri*[17] ceux qui, [i]*de naissance* et selon la chair

a Cf. *Gen.* 49, 11 **b** *Ps.* 18, 6 **c** cf. *Is.* 35, 1.6 **d** cf. *Ps.* 113, 12-13 et *Is.* 6, 10 **e** cf. *Is.* 35, 7 ; *Jn.* 4, 10.14 **f** cf. *Is.* 35, 1.6 **g** *ibid.*, 6.7 **h** cf. *Is.* 53, 5 **i** cf. *Jn.* 9, 1.

καὶ τοὺς *ἐκ γενετῆς* καὶ κατὰ τὴν σάρκα πηροὺς καὶ *κωφοὺς* καὶ *χωλοὺς ἰάσατο*, τὸν μὲν *ἅλλεσθαι*[1], τὸν δὲ καὶ *ἀκούειν*, τὸν δὲ καὶ *ὁρᾶν* τῷ λόγῳ αὐτοῦ ποιήσας · καὶ *νεκροὺς* δὲ ἀναστήσας καὶ ζῆν ποιήσας, καὶ[2] διὰ τῶν ἔργων ἐδυσώπει τοὺς τότε ὄντας ἀνθρώπους ἐπιγνῶναι αὐτόν. **7** Οἱ δὲ καὶ ταῦτα ὁρῶντες γινόμενα φαντασίαν μαγικὴν γίνεσθαι ἔλεγον · καὶ γὰρ μάγον εἶναι αὐτὸν ἐτόλμων λέγειν καὶ λαοπλάνον. Αὐτὸς δὲ καὶ ταῦτα ἐποίει πείθων καὶ[3] τοὺς ἐπ' αὐτὸν πιστεύειν μέλλοντας, ὅτι, κἂν τις, ἐν λώβῃ τινὶ σώματος ὑπάρχων[4], φύλαξ τῶν παραδεδομένων ὑπ' αὐτοῦ [p. 192 : B] διδαγμάτων ὑπάρξῃ, ὁλόκληρον αὐτὸν ἐν τῇ δευτέρᾳ αὐτοῦ παρουσίᾳ [fol. 125 r° : A] μετὰ τοῦ καὶ *ἀθάνατον* καὶ *ἄφθαρτον* καὶ ἀλύπητον ποιῆσαι ἀναστήσει.

70. 1 Ὅταν δὲ οἱ τὰ τοῦ Μίθρου[5] μυστήρια παραδιδόντες λέγωσιν ἐκ πέτρας γεγενῆσθαι[6] αὐτόν, καὶ σπήλαιον καλῶσι τὸν τόπον ἔνθα μυεῖν[7] τοὺς πειθομένους αὐτῷ παραδιδοῦσιν, ἐνταῦθα οὐχὶ τὸ εἰρημένον ὑπὸ Δανιήλ, ὅτι *Λίθος ἄνευ χειρῶν ἐτμήθη ἐξ ὄρους μεγάλου*, μεμιμῆσθαι αὐτοὺς ἐπίσταμαι, καὶ τὰ ὑπὸ Ἠσαΐου[8] ὁμοίως, οὗ καὶ τοὺς λόγους πάντας μιμήσασθαι ἐπεχείρησαν ; Δικαιοπραξίας γὰρ λόγους καὶ παρ' ἐκείνοις λέγεσθαι ἐτεχνάσαντο. **2** Τοὺς δὲ εἰρημένους λόγους τοῦ Ἠσαΐου ἀναγκαίως ἀνιστορήσω ὑμῖν, ὅπως ἐξ αὐτῶν γνῶτε ταῦθ' οὕτως ἔχειν.

Εἰσὶ δὲ οὗτοι · (*Is.* 33, 13) *Ἀκούσατε οἱ πόρρωθεν, ἃ ἐποίησα · γνώσονται*[9] *οἱ ἐγγίζοντες τὴν ἰσχύν μου.* (14)*Ἀπέστησαν οἱ ἐν Σιὼν ἄνομοι [ἄνομοι]*[10] · *λήψεται τρόμος τοὺς ἀσεβεῖς. Τίς ἀναγγέλει ὑμῖν*[11] *τὸν τόπον τὸν αἰώνιον ;* (15)*Πορευόμενος*[12] *ἐν δικαιοσύνῃ, λαλῶν εὐθεῖαν ὁδόν, μισῶν ἀνομίαν καὶ ἀδικίαν, καὶ τὰς χεῖρας ἀφωσιωμένος*[13] *ἀπὸ δώρων, βαρύνων ὦτα ἵνα μὴ ἀκούσῃ κρίσιν ἄδικον αἵματος, καμμύων*[14] *τοὺς ὀφθαλμοὺς ἵνα*

1 Ἅλλεσθαι *corr.* Steph. : ἅλεσθαι (aor. 2) *codd.*, Arch. **2** Καὶ : *del.* Marc. **3** Καὶ : *del.* Marc. **4** Ὑπάρχων ...ὑπάρξῃ : ὑπάρξῃ ...ὑπάρχων Marc. **5** Μίθρου : Μίθρα *coni.* Marc. (*ex* Dial. 78, 6 ; I Apol. 66, 4) **6** Γεγενῆσθαι : γεγεννῆσθαι *prop.* Thirlb., *coni.* Arch. **7** Μυεῖν : μυεῖσθαι *prop.* Mar. (*ex* Dial. 78, 6) **8** Τὰ ὑπὸ Ἠσαΐου Thirlb., *edd. ab* Otto (cf. Dial. 78, 6) : τὰ ὑπ' Ἠσαΐου Otto (*olim*), Troll. ταῦτα Ἠσαΐου *vel* τὸ ὑπ' Ἠσαΐου *prop.* Mar. ταῦτα τοῦ Ἠσαΐου *prop.* Thirlb. ταῦτα ποιῆσαι *codd.*, *cett. edd.* **9** Γνώσονται *codd.*, Mar., Mign., *edd. ab* Otto, Troll. : καὶ γνώσονται *cett. edd.* γνώσατε (imper.) *prop.* Arcerius ἀκούσονται ...γνώσονται LXX **10** Ἄνομοι *del.* Thirlb., Mar., Mign., Otto, Arch., Marc. (*om.* LXX, B *add.*² *in marg.*) **11** *Post* ὑμῖν *addit* LXX ὅτι πῦρ καίεται Τίς ἀναγγελεῖ ὑμῖν : *om. codd.*, *edd.*, LXX *codd.* 88, 147, 770 *addendum* Périon, Arch. **12** Πορευόμενος, λαλῶν, μισῶν, ἀφωσιωμένος *prop.* Thirlb., Mar., *coni. edd. ab* Otto (*ex* LXX) : πορευόμενον, λαλοῦντα, μισοῦντα ἀφωσιωμένον *codd.*, *cett. edd.* **13** Ἀφωσιωμένος : ἀποσειόμενος LXX **14** Καμμύων *edd.* (= LXX) : καμύων *codd.*

étaient [a]aveugles[18], *sourds*[19] et *boiteux*[20], faisant par sa Parole *bondir* celui-ci, *entendre* celui-là, et *voir* cet autre encore. Il a ressuscité et [b]fait vivre des *morts*, et par ses œuvres confondu les hommes d'alors pour qu'ils le reconnaissent[21]. **7** Ceux qui voyaient ces choses arriver disaient qu'il s'agissait d'illusions magiques : car ils ont osé soutenir qu'il était [c]mage et qu'il [d]« égarait le peuple »[22]. Mais lui accomplissait ces choses pour persuader à ceux qui devaient croire en lui que si un homme, fût-il mutilé dans son corps, garde les enseignements transmis par lui, il le ressuscitera intègre[23] dans sa seconde parousie, et le fera en outre [e]*immortel, incorruptible* et impassible[24].

Les mystères de Mithra sont une imitation diabolique de Prophéties relatives à la naissance du Christ, et à l'Eucharistie.

70. 1 Et lorsque ceux qui confèrent[1] les mystères de Mithra[2] disent qu'il est né d'une « pierre » ; lorsqu'ils appellent « grotte » l'endroit où, selon la tradition, se fait l'initiation de ceux qui croient en lui, est-ce que je ne sais pas qu'ils ont imité là ce qui est dit par Daniel : [f]*Une pierre, sans le secours d'aucune main, s'est détachée de la grande montagne*[3], et de même celles d'Isaïe, dont ils ont entrepris d'ailleurs d'imiter toutes les paroles ! Car ils[4] ont eu l'habileté de faire en sorte que chez eux aussi on prononce des paroles sur la pratique de la justice[5]. **2** Mais il est nécessaire que je vous rapporte les paroles d'Isaïe, afin que vous sachiez par elles qu'il en est ainsi.

Les voici : (*Is.* 33, 13)*Écoutez, vous qui êtes loin, les choses que j'ai faites ; et ceux qui sont près connaîtront ma force.* (14)*Ils se sont retirés les pécheurs qui étaient en Sion ; un tremblement saisira les impies. Qui vous annoncera le lieu éternel ?* (15)*Celui qui marche dans la justice, qui parle selon la voie droite, qui hait l'iniquité et l'injustice, et dont les mains restent pures de présents, qui bouche ses oreilles pour ne pas écouter le jugement injuste du sang, qui ferme les yeux afin de ne pas voir l'injustice :* (16)*celui-là habitera*

a Cf. *Is.* 35, 5-6 ; *Matth.* 11, 5 ; *Lc.* 7, 21-22 ; *Jn.* 9, 1 **b** cf. *Lc.* 7, 22 **c** cf. *Matth.* 9, 34 ; 12, 24 ; *Mc.* 3, 22 ; *Lc.* 11, 15 **d** cf. *Matth.* 27, 63 **e** cf. *I Cor.* 15, 50 s. **f** cf. *Dan.* 2, 34.

μὴ ἴδῃ ἀδικίαν · (16)οὗτος οἰκήσει ἐν ὑψηλῷ σπηλαίῳ πέτρας ἰσχυρᾶς. **3** *Ἄρτος δοθήσεται* [fol. 125 v° : A] *αὐτῷ, καὶ τὸ ὕδωρ αὐτοῦ πιστόν. (17)Βασιλέα μετὰ δόξης ὄψεσθε, καὶ οἱ ὀφθαλμοὶ ὑμῶν ὄψονται*[1] *πόρρωθεν. (18)Ἡ ψυχὴ ὑμῶν μελετήσει φόβον κυρίου*[2]*. Ποῦ ἔστιν ὁ γραμματικός ; ποῦ εἰσιν οἱ βουλεύοντες*[3] *; Ποῦ ἔστιν ὁ ἀριθμῶν τοὺς τρεφομένους, (19)μικρὸν καὶ μέγαν λαόν ; Ὧι οὐ συνεβουλεύσαντο, οὐδὲ ᾔδεισαν βάθη φωνῶν, ὥστε μὴ ἀκοῦσαι · λαὸς πε*-[p. 193 : B]-*φαυλισμένος, καὶ οὐκ ἔστι τῷ ἀκούοντι σύνεσις.*

4 Ὅτι μὲν οὖν καὶ < λέγει >[4] ἐν ταύτῃ τῇ προφητείᾳ περὶ τοῦ *ἄρτου*, ὃν *παρέδωκεν* ἡμῖν ὁ ἡμέτερος Χριστὸς *ποιεῖν εἰς ἀνάμνησιν* τοῦ σεσωματοποιῆσθαι[5] αὐτὸν διὰ τοὺς πιστεύοντας εἰς αὐτόν, δι' οὓς καὶ παθητὸς γέγονε, καὶ περὶ τοῦ *ποτηρίου*, ὃ *εἰς ἀνάμνησιν* τοῦ *αἵματος* αὐτοῦ *παρέδωκεν εὐχαριστοῦντας ποιεῖν*, φαίνεται. Καὶ ὅτι *βασιλέα* τοῦτον αὐτὸν *μετὰ δόξης ὀψόμεθα*, αὕτη ἡ προφητεία δηλοῖ. **5** Καὶ ὅτι *λαός*, ὁ εἰς αὐτὸν πιστεύειν προεγνωσμένος, *μελετήσει<ν>*[6] *φόβον κυρίου* προέγνωστο, αὗται αἱ λέξεις τῆς προφητείας βοῶσι. Καὶ ὅτι τὰ *γράμματα* τῶν γραφῶν ἐπίστασθαι λογιζόμενοι, καὶ *ἀκούοντες* τῶν προφητειῶν, *οὐκ* ἔχουσι *σύνεσιν*, ὁμοίως αὗται αἱ γραφαὶ κεκράγασιν. Ὅταν δέ, ὦ Τρύφων, ἔφην, ἐκ παρθένου γεγεννῆσθαι τὸν Περσέα ἀκούσω[7], καὶ τοῦτο[8] μιμήσασθαι τὸν πλάνον ὄφιν συνίημι.

71. 1 Ἀλλ' οὐχὶ τοῖς διδασκάλοις ὑμῶν πείθομαι, μὴ συντεθειμένοις[9] [fol. 126 r° : A] καλῶς ἐξηγεῖσθαι[10] τὰ ὑπὸ τῶν παρὰ Πτολεμαίῳ τῷ Αἰγυπτίων γενομένῳ βασιλεῖ ἑβδομήκοντα πρεσβυτέρων, ἀλλ' αὐτοὶ ἐξηγεῖσθαι πειρῶνται. **2** Καὶ ὅτι πολλὰς γραφὰς τέλεον περιεῖλον ἀπὸ τῶν ἐξηγήσεων τῶν γεγενημένων ὑπὸ τῶν παρὰ Πτολεμαίῳ γεγενημένων, πρεσβυτέρων, ἐξ ὧν διαρρήδην οὗτος αὐτὸς ὁ σταυρωθεὶς ὅτι[11] θεὸς καὶ ἄνθρωπος καὶ σταυρούμενος καὶ ἀποθνήσκων κεκηρυγμένος ἀποδείκνυται, εἰδέναι ὑμᾶς βούλομαι · ἅς, ἐπειδὴ ἀρνεῖσθαι πάντας[12] τοὺς ἀπὸ τοῦ γένους ὑμῶν ἐπίσταμαι, ταῖς τοιαύταις ζητήσεσιν οὐ προσβάλλω, ἀλλ' ἐπὶ

1 Ὄψονται : ὄψ. γῆν Marc. (*ex* LXX) **2** Κυρίου (= LXX *codd.* Alexandr., 26, 88, 538, versio sahid., *Ep. Barnabae* 11, 5) : *delendum* Thirlb. **3** Βουλεύοντες : συμβουλεύοντες Marc. (*ex* LXX) **4** Λέγει *add.* Otto, Arch. : προλέγει *post* προφητείᾳ *add.* Marc. *om. codd.*, *cett. edd.* **5** Τοῦ σεσωματοποιῆσθαι *prop.* Thirlb., *coni.* Otto, Arch. : τοῦ γε σωματοποιήσασθαι αὐτὸν Marc. τοῦ τε σωματοποιήσασθαι *codd.*, *cett. edd.* **6** Μελετήσειν *edd. a* Sylb. : μελετήσει *codd.*, Steph. **7** Ἀκούσω : ἀκούω *prop.* Thirlb., *coni.* Troll., Marc. (*ex* Dial. 69, 1.2 ; 76, 1) **8** Καὶ τοῦτο : καὶ κατὰ τοῦτο τὰ Ἡσαΐου Marc. **9** Συντεθειμένοις : συντιθεμένοις *prop.* Sylb. **10** Ἐξηγεῖσθαι : ἐξηγῆσθαι (*tempore praeterito*) *prop.* Sylb., *coni.* Marc. **11** Ὅτι : ὅτι ἐστὶ καὶ Marc. **12** Πάντας : αὐτὰς πάντας Marc.

dans la grotte élevée d'une forte pierre[6]. **3** *Le pain lui sera donné, et son eau fiable.* (17)*C'est un roi avec gloire que vous verrez*[7], *et vos yeux verront de loin.* (18)*Votre âme pratiquera la crainte du Seigneur. Où est-il, le scribe ? Où sont les conseillers ? Où est celui qui compte ceux qui sont nourris,* (19)*gros et menu peuple ? Ils n'ont pas tenu conseil avec lui, et ils n'ont point connu le fond de ses paroles ; aussi n'ont-ils pas entendu : peuple avili, à celui qui écoute manque l'intelligence.*

4 Il parle donc aussi – c'est clair – dans cette prophétie, du [a]*pain* que notre Christ nous *a confié la tradition* de *faire en mémorial*[8] de ce qu'il s'est fait *chair*[9] pour ceux qui ont foi en lui, et pour lesquels encore il s'est fait souffrant, et de [b]la *coupe*[10] qu'*en mémorial* de son *sang il a prescrit* de *faire* en *actions de grâces.* Que de plus, nous le [c]*verrons Roi dans la gloire*, la prophétie elle-même le montre. **5** Qu'il était en outre prévu que le [d]*peuple*[11] dont on savait d'avance qu'il aurait foi en lui [e]*pratiquerait la crainte du Seigneur*, les termes mêmes de la prophétie le crient. Et que ceux qui se croient versés dans la [f]*lettre* des Écritures[12], ou [g]*entendent* les prophéties, [h]*n*'en ont *point l'intelligence*, les Écritures elles-mêmes le proclament aussi[13]. Mais lorsque, Tryphon, dis-je, il m'arrive d'entendre conter que Persée est né d'une vierge[14], je comprends qu'il s'agit, là encore, d'une imitation du serpent d'erreur[15].

La traduction d'Is. 7, 14 par les LXX est rejetée par les juifs, qui ont fait disparaître de l'Écriture certaines prophéties proclamant clairement la mise en Croix du Christ et sa divinité.

71. 1 Du reste[1], je ne fais pas confiance à vos didascales, qui ne reconnaissant point exacte la traduction[2] que les soixante-dix Anciens établirent auprès de Ptolémée, le roi d'Égypte, s'emploient à faire eux-mêmes leur propre traduction[3]. **2** Il est par ailleurs – je veux que vous le sachiez – beaucoup d'Écritures qu'ils ont entièrement fait disparaître[4] de la traduction élaborée par les Anciens auprès de Ptolémée : elles démontraient clairement que celui-là, qui fut mis en croix[5], est proclamé *Dieu*, *homme*, *crucifié* et *mort.* Ces traductions, je le sais, sont rejetées par tous ceux de votre race. Aussi ne les ferai-je pas intervenir dans les questions qui nous occupent ; et je m'en

a Cf. *Is.* 33, 16 ; *I Cor.* 11, 24.26 et *Lc.* 22, 19 **b** cf. *I Cor.* 11, 25.26 ; *Lc.* 22, 19 ; *Is.* 33, 16 **c** *Is.* 33, 17 **d** *ibid.*, 19 **e** *ibid.*, 18 **f** *ibid.*, 18 **g** *ibid.*, 19 **h** *ibid.*, 19.

τὰς[1] ἐκ τῶν ὁμολογουμένων ἔτι παρ' ὑμῖν τὰς ζητήσεις ποιεῖν ἔρχομαι[2].

3 Καὶ γὰρ ὅσας ὑμῖν ἀνήνε-[p. 194 : B]-γκα ταύτας γνωρίζετε, πλὴν ὅτι περὶ τῆς λέξεως τῆς *Ἰδοὺ ἡ παρθένος ἐν γαστρὶ λήψεται*, ἀντείπατε, λέγοντες εἰρῆσθαι · *Ἰδοὺ ἡ νεᾶνις ἐν γαστρὶ λήψεται*. Καὶ ὑπεσχόμην ἀπόδειξιν ποιήσασθαι οὐκ εἰς Ἐζεκίαν, ὡς ἐδιδάχθητε, τὴν προφητείαν εἰρῆσθαι, ἀλλ' εἰς τοῦτον τὸν ἐμὸν Χριστόν · καὶ δὴ[3] τὴν ἀπόδειξιν ποιήσομαι.

4 – Καὶ ὁ Τρύφων εἶπε · Πρῶτον ἀξιοῦμεν εἰπεῖν σε ἡμῖν καί τινας[4] ὧν λέγεις τέλεον παραγεγράφθαι[5] γραφῶν.

72. 1 – Κἀγὼ εἶπον · Ὡς ὑμῖν φίλον, πράξω. Ἀπὸ μὲν οὖν τῶν ἐξηγήσεων, ὧν ἐξηγήσατο Ἔσδρας εἰς τὸν νόμον τὸν περὶ τοῦ πάσχα, τὴν [fol. 126 v° : A] ἐξήγησιν ταύτην ἀφείλοντο[6] · (Esdr. ?)*Καὶ εἶπεν Ἔσδρας τῷ λαῷ* · (cf. *I Cor.* 5, 7) *Τοῦτο τὸ πάσχα ὁ σωτὴρ ἡμῶν καὶ ἡ καταφυγὴ ἡμῶν. Καὶ ἐὰν διανοηθῆτε καὶ ἀναβῇ ὑμῶν[7] ἐπὶ τὴν καρδίαν, ὅτι μέλλομεν[8] αὐτὸν ταπεινοῦν ἐν σημείῳ, καὶ[9] μετὰ ταῦτα ἐλπίσωμεν[10] ἐπ' αὐτόν, οὐ μὴ ἐρημωθῇ ὁ τόπος οὗτος εἰς τὸν ἅπαντα χρόνον, λέγει ὁ θεὸς τῶν δυνάμεων · ἂν[11] δὲ μὴ πιστεύσητε αὐτῷ μηδὲ εἰσακούσητε τοῦ κηρύγματος αὐτοῦ, ἔσεσθε ἐπίχαρμα τοῖς ἔθνεσι.*

2 Καὶ ἀπὸ τῶν διὰ Ἱερεμίου λεχθέντων ταῦτα περιέκοψαν · *Ἐγὼ ὡς ἀρνίον < ἄκακον >[12], φερόμενον τοῦ θύεσθαι. Ἐπ' ἐμὲ ἐλογίζοντο λογισμόν, λέγοντες · Δεῦτε, ἐμβάλωμεν ξύλον εἰς τὸν ἄρτον αὐτοῦ καὶ ἐκτρίψωμεν αὐτὸν ἐκ γῆς ζώντων, καὶ τὸ ὄνομα αὐτοῦ οὐ μὴ μνησθῇ οὐκέτι.* **3** Καὶ ἐπειδὴ αὕτη ἡ περικοπή, ἡ ἐκ τῶν λόγων τοῦ Ἱερεμίου, ἔτι ἐστιν ἐγγεγραμμένη ἔν τισιν ἀντιγράφοις τῶν ἐν συναγωγαῖς Ἰουδαίων[13] (πρὸ γὰρ ὀλίγου χρόνου ταῦτα ἐξέκοψαν[14]), ἐπειδὰν[15] καὶ ἐκ τούτων τῶν λόγων ἀποδεικνύηται ὅτι ἐβουλεύσαντο Ἰουδαῖοι περὶ αὐ-[p 195 : B]-τοῦ τοῦ Χριστοῦ, ἀναιρεῖν αὐτὸν σταυρώσαντες βουλευσάμενοι,

1 Τὰς (γραφάς) : τὸ (...ποιεῖν) *prop.* Thirlb. **2** Ἔρχομαι (cf. Dial. 115, 4 ; 120, 5) : εὔχομαι (*profiteor*) *prop.* Mar. (cf. I Apol. 15, 6), *vel* ποιῶν **3** Δὴ : ἤδη *coni.* Thirlb., Marc. (cf. Dial. 39, 7 ; 43, 3 ; 55, 1 ; 56, 12 ; 58, 2 ; 60, 4 ; I Apol. 30) **4** Τινας ὧν : τίνας (*quasi pro* ὧν *scriptum esset* οὖν) *coni.* Steph., Jebb **5** Παραγεγράφθαι (cf. Dial. 73, 5) : περιγεγράφθαι *prop.* Thirlb. περικοψάντων Eus. **6** Ἀφείλοντο : A *corr. ex* –αντο **7** Ὑμῶν : ὑμῖν *prop.* Thirlb. **8** Μέλλομεν : ἐμέλλομεν (*quia futurum erat ut...*) *prop.* Mar. *habemus* Lact. **9** Καὶ : κἂν (*si saltem ...speremus*) *prop.* Mar., ἐὰν Otto **10** Ἐλπίσωμεν : ἐλπίσομεν Jo. Davies (ad. Lact. *Epit.*, p. 137) *sperabimus* Lact. **11** Ἂν : ἐὰν *coni.* Otto, Mign. **12** Ἄκακον *add.* Thirlb., Otto, Troll., Arch., Marc. (*ex* LXX, Dial. 72, 3) : *om. codd.*, *cett. edd.* **13** Ἰουδαίων : τῶν Ἰουδαίων Marc. **14** Πρὸ – ἐξέκοψαν : *in semicirculis edd. a* Mar. **15** Ἐπειδὰν : ἐπειδὰν δὲ Marc.

vais faire porter l'examen sur celles qui sont encore reconnues chez vous.

3 Car toutes celles que je vous ai rapportées, vous les reconnaissez, sauf que pour l'expression [a]*Voici que la vierge concevra* vous vous déclarez en désaccord, et prétendez qu'il est dit *Voici que la jeune fille concevra.* J'ai promis[6] de faire la démonstration que la prophétie ne s'applique pas à Ézéchias, comme on vous l'a enseigné, mais à celui qui est pour moi le Christ. Eh bien, cette démonstration, je vais la faire[7].

4 Tryphon dit :

— Nous préférerions que tu nous cites d'abord certaines des Écritures qui, d'après toi, ont été entièrement supprimées.

Exemples de passages mutilés : Esdras et Jérémie.

72. 1 Je dis :

— Je ferai comme il vous plaît. Ainsi donc, des explications qu'Esdras a données [b]sur la loi de la Pâque, ils ont ôté celle-ci : [c]*Esdras dit au peuple :* [d]*Cette Pâque est notre Sauveur et notre refuge. Si vous réfléchissez et qu'il vous monte au cœur que nous devons l'humilier sur un signe*[1], *et qu'ensuite nous espérerons en lui, ce lieu ne sera point à jamais déserté, dit le Dieu des Puissances ; mais si vous ne croyez pas en lui et si vous n'écoutez pas sa proclamation, vous serez pour les nations un objet de dérision*[2].

2 Des paroles prononcées par l'intermédiaire de Jérémie, ils ont retranché ce passage : [e]*Je suis comme un agneau innocent, emmené pour être sacrifié. Sur moi ils ont formé un dessein, disant : Allons, jetons du bois dans son pain, et nous l'éliminerons de la terre des vivants, et de son nom jamais plus on ne se souviendra*[3]. **3** Or ce passage, tiré des paroles de Jérémie, figure encore sur certaines des copies qui se trouvent dans les synagogues des juifs[4] (il n'y a pas longtemps en effet qu'ils l'ont retranché) ; et quand il est démontré, d'après ces paroles aussi, que les juifs ont tenu conseil sur la personne du Christ, décidant de le crucifier et de le mettre à mort, lorsque lui-même apparaît, selon la prédiction

a *Is.* 7, 14 **b** cf. *II Esdr.* 6, 19-21 ? sur *Exod.* 12 **c** *Esdr.* ? **d** cf. *I Cor.* 5, 7 **e** *Jér.* 11, 19.

καὶ[1] αὐτὸς μηνύεται, ὡς[2] καὶ διὰ τοῦ Ἡσαΐου προεφητεύθη, *ὡς πρόβατον ἐπὶ σφαγὴν ἀγόμενος*, καὶ ἐνθάδε *ὡς ἀρνίον ἄκακον* δηλοῦται[3] · ὥστ'[4] ἀπορούμενοι ἐπὶ τὸ βλασφημεῖν [fol. 127 r° : A] χωροῦσι.

4 Καὶ ἀπὸ τῶν λόγων τοῦ αὐτοῦ Ἱερεμίου ὁμοίως ταῦτα περιέκοψαν · (*Jér.* ?) *Ἐμνήσθη δὲ κύριος ὁ θεὸς ἅγιος*[5] *Ἰσραὴλ τῶν νεκρῶν αὐτοῦ, τῶν κεκοιμημένων εἰς γῆν χώματος, καὶ κατέβη πρὸς αὐτοὺς εὐαγγελίσασθαι*[6] *αὐτοῖς τὸ σωτήριον αὐτοῦ* [7].

73. 1 Καὶ ἀπὸ τοῦ ἐνενηκοστοῦ πέμπου ψαλμοῦ τῶν διὰ Δαυῒδ λεχθέντων λόγων λέξεις βραχείας ἀφείλοντο ταύτας · *ἀπὸ τοῦ ξύλου*. Εἰρημένου γὰρ τοῦ λόγου · *Εἴπατε < ἐν >*[8] *τοῖς ἔθνεσιν · Ὁ κύριος ἐβασίλευσεν ἀπὸ τοῦ ξύλου*, ἀφῆκαν · *Εἴπατε ἐν τοῖς ἔθνεσιν · Ὁ κύριος ἐβασίλευσεν*. **2** *Ἐν* δὲ *τοῖς ἔθνεσι* περὶ οὐδενὸς ὡς *θεοῦ* καὶ *κυρίου* ἐλέχθη ποτὲ ἀπὸ τῶν τοῦ γένους ὑμῶν ἀνθρώπων ὅτι *ἐβασίλευσεν*, ἀλλ' ἢ περὶ τούτου μόνου τοῦ σταυρωθέντος, ὃν καὶ σεσῶσθαι ἀναστάντα ἐν τῷ αὐτῷ ψαλμῷ τὸ πνεῦμα τὸ ἅγιον λέγει, μηνύον ὅτι οὐκ ἔστι ὅμοιος *τοῖς τῶν ἐθνῶν θεοῖς* · ἐκεῖνα γὰρ *εἴδωλά* ἐστι *δαιμονίων*. **3** Ἀλλ' ὅπως τὸ λεγόμενον νοήσητε, τὸν παύτα ψαλμὸν ἀπαγγελῶ ὑμῖν.

Ἔστι δὲ οὗτος · (*Ps.* 95, 1) *Ἄισατε τῷ κυρίῳ ᾆσμα καινόν, ᾄσατε τῷ κυρίῳ πᾶσα ἡ γῆ.* (2)*Ἄισατε τῷ κυρίῳ καὶ εὐλογήσατε τὸ ὄνομα αὐτοῦ · εὐαγγελίζεσθε ἡμέραν ἐξ ἡμέρας τὸ σωτήριον αὐτοῦ.* (3)*Ἀναγγείλατε ἐν τοῖς ἔθνεσι τὴν δόξαν αὐτοῦ, ἐν πᾶσι τοῖς λαοῖς τὰ θαυμάσια αὐτοῦ ·* (4)*ὅτι μέγας κύριος καὶ αἰνετὸς σφόδρα, φοβερός ἐστιν ὑπὲρ* [fol. 127 v° : A] *πάντας τοὺς θεούς ·* (5)*ὅτι πάντες οἱ θεοὶ τῶν ἐθνῶν δαιμόνια, ὁ δὲ κύριος τοὺς* [p. 196 : B] *οὐρανοὺς ἐποίησεν.* (6)*Ἐξομολόγησις καὶ ὡραιότης ἐνώπιον αὐτοῦ, ἁγιωσύνη καὶ μεγαλοπρέπεια ἐν τῷ ἁγιάσματι αὐτοῦ.* (7)*Ἐνέγκατε τῷ κυρίῳ, αἱ πατριαὶ τῶν ἐθνῶν, ἐνέγκατε τῷ κυρίῳ δόξαν καὶ τιμήν,* (8)*ἐνέγκατε τῷ κυρίῳ δόξαν ἐν*[9] *ὀνόματι αὐτοῦ.* **4** *Αἴρετε θυσίας καὶ εἰσπορεύεσθε εἰς τὰς αὐλὰς αὐτοῦ,* (9)*προσκυνήσατε τῷ κυρίῳ ἐν αὐλῇ ἁγίᾳ αὐτοῦ. Σαλευθήτω ἀπὸ προσώπου αὐτοῦ πᾶσα ἡ γῆ.* (10)*Εἴπατε ἐν τοῖς ἔθνεσιν · Ὁ κύριος ἐβασίλευσεν*[10]. *Καὶ γὰρ κατώρθωσε*

1 Καὶ : καὶ ὅτι ὡς σφάγιον Marc. **2** Ὡς : ὡς γὰρ Marc. **3** Ὡς – δηλοῦται : *in semicirculis* Marc. **4** Ὥστ' Otto, Arch. : ὧν *codd.*, *cett. edd.* *delendum* Thirlb. *del.* Marc. **5** Ἅγιος *prop.* Sylb., *coni.* Otto, Arch., Marc. (ut IREN., *Adv. Haer.* III, 20, 4) : ἀπὸ *codd.*, *cett. edd.* **6** Εὐαγγελίσασθαι : ἀναγγελίσασθαι Mar., Mign., Troll. **7** Αὐτοῦ : αὐτοῦ σῶσαι αὐτούς Marc. (*ex* Iren., loc. cit.) **8** Ἐν : *edd.* (*ex* LXX ; Dial. 73, 4) *om. codd.*, Goodsp. **9** Ἐν : *om.* LXX, B **10** Ἐβασίλευσεν : ἐβ. ἀπὸ τοῦ ξύλου Otto, Troll., Arch.

faite par Isaïe, [a]*mené à l'abattoir ainsi qu'une brebis,* et qu'il est présenté ici [b]*comme un agneau innocent*[5], alors ils sont dans l'embarras et ont recours au blasphème[6].

4 C'est encore des paroles du même Jérémie qu'ils ont retranché ce passage : [c]*Le Seigneur Dieu, saint d'Israël*[7]*, s'est souvenu de ses morts, qui se sont endormis dans la terre du tombeau, et il est descendu vers eux pour leur annoncer la bonne nouvelle de son Salut*[8].

Les mots « du haut du bois » ont été retranchés du Psaume 95.

73. 1 Et encore, du Psaume 95 dans les paroles de David ils ont ôté cette brève expression : *du haut du bois.* Il était dit en effet : [d]*Dites parmi les nations : « Le Seigneur a régné du haut du bois »*[1] ; ils ont laissé *Dites parmi les nations : « Le Seigneur a régné »*[2]. **2** Or [e]*parmi les nations* il n'a jamais été dit d'aucun des hommes de votre race qu'il a [f]*régné* comme [g]*Dieu* et [h]*Seigneur,* sinon de ce seul crucifié[3] dont l'Esprit Saint dit aussi, dans le même psaume, qu'il a été [i]sauvé et qu'il est ressuscité[4], indiquant [j]qu'il n'est point semblable aux *dieux des nations*, car ceux-ci sont *des idoles de démons*[5]. **3** Mais pour que vous compreniez ce qui est dit, je vais vous citer le psaume en son entier[6].

Le voici : (*Ps.* 95, 1 ; cf. *I Chron.* 16, 23-33)*Chantez au Seigneur un chant nouveau, chantez au Seigneur, toute la terre.* (2)*Chantez au Seigneur et bénissez son nom, annoncez, de jour en jour, la bonne nouvelle de son salut.* (3)*Annoncez dans les nations sa gloire, dans tous les peuples ses merveilles,* (4)*car c'est un Seigneur grand, très digne de louanges ; redoutable est-il par-dessus tous les dieux,* (5)*car tous les dieux des nations sont des démons, tandis que le Seigneur a fait les cieux.* (6)*Louange et beauté demeurent en sa présence, sainteté et magnificence dans son sanctuaire.* (7)*Apportez au Seigneur, familles des nations,* (8)*apportez au Seigneur gloire et honneur, apportez au Seigneur gloire en son nom.* **4** *Prenez des offrandes et entrez en ses parvis,* (9)*adorez le Seigneur en son parvis sacré. Que frémisse devant lui toute la terre !* (10)*Dites parmi les nations : « Le Seigneur a régné*[7]*, car il redressé le monde, qui ne sera pas ébranlé ; il jugera les peuples dans la*

a *Is.* 53, 7 **b** *Jér.* ? **c** *Jér.* ? ; cf. *I Petr.* 4, 6 **d** *Ps.* 95, 10 **e** cf. *Ps.* 95, 10 **f** cf. *Ps.* 95, 10 ; *Ps.* 46, 9 **g** cf. *Ps.* 46, 6 etc. **h** cf. *Ps.* 95, 1 etc. ; *Ps.* 46, 6 **i** cf. *Ps.* 95, 2 **j** cf. *Ps.* 95, 4-5 ; *I Chron.* 16, 26.

τὴν οἰκουμένην, ἥτις οὐ σαλευθήσεται · κρινεῖ λαοὺς ἐν εὐθύτητι. (11)*Εὐφραινέσθωσαν οἱ οὐρανοὶ καὶ ἀγαλλιάσθω ἡ γῆ, σαλευθήσεται ἡ θάλασσα καὶ τὸ πλήρωμα αὐτῆς.* (12)*Χαρήσεται τὰ πεδία καὶ πάντα τὰ ἐν αὐτοῖς, ἀγαλλιάσονται πάντα τὰ ξύλα τοῦ δρυμοῦ* (13)*ἀπο προσώπου κυρίου, ὅτι ἔρχεται, ὅτι ἔρχεται κρῖναι τὴν γῆν. Κρινεῖ τὴν οἰκουμένην ἐν δικαιοσύνῃ καὶ λαοὺς ἐν τῇ ἀληθείᾳ αὐτοῦ.*

5 – Καὶ ὁ Τρύφων · Εἰ μέν, ὡς ἔφης, εἶπε, παρέγραψάν[1] τι ἀπὸ τῶν γραφῶν οἱ ἄρχοντες τοῦ λαοῦ, θεὸς δύναται ἐπίστασθαι · ἀπίστῳ δὲ ἔοικε τὸ τοιοῦτον.

6 – Ναί, ἔφην, ἀπίστῳ ἔοικε · φοβερώτερον γάρ ἐστι τῆς μοσχοποιΐας, ἣν[2] ἐποίησαν ἐπὶ γῆς[3] μάννα πεπλησμένοι, καὶ[4] τοῦ τὰ τέκνα [fol. 128 r° : A] θύειν τοῖς δαιμονίοις, ἢ τοῦ αὐτοὺς *τοὺς*[5] *προφήτας* ἀνῃρηκέναι. Ἀλλὰ δή, ἔφην, μοι[6] νομίζεσθε[7] μηδὲ ἀκηκοέναι ἃς[8] εἶπον περικεκοφέναι[9] αὐτοὺς γραφάς. Ὑπὲρ αὐταρκείας[10] γὰρ αἱ τοσαῦται προανιστορημέναι εἰσὶν εἰς ἀπόδειξιν τῶν ζητηθέντων μετὰ τῶν λεχθήσεσθαι μελλόντων[11] παρ' ὑμῖν[12] παραπεφυλαγμένων.

74. 1 – Καὶ ὁ Τρύφων ἔφη · Ὅτι δι' ἡμᾶς ἀ-[p. 197 : B]-ξιώσαντας ἀνιστόρησας αὐτάς, ἐπιστάμεθα. Περὶ δὲ τοῦ ψαλμοῦ τούτου, ὃν τελευταῖον ἔφης ἀπὸ τῶν Δαυὶδ λόγων, οὐ δοκεῖ μοι εἰς ἄλλον τινὰ εἰρῆσθαι ἀλλ' εἰς τὸν πατέρα, τὸν καὶ *τοὺς οὐρανοὺς* καὶ *τὴν γῆν ποιήσαντα* · σὺ δ' αὐτὸν φῂς εἰς τὸν παθητὸν τοῦτον, ὃν καὶ Χριστὸν εἶναι σπουδάζεις ἀποδεικνύναι, εἰρῆσθαι.

2 – Καὶ ἀπεκρινάμην · Διὰ λέξεως, ἣν[13] τὸ ἅγιον πνεῦμα ἐν τούτῳ τῷ ψαλμῷ ἀνεφθέγξατο, νοήσατε λέγοντός μου, παρακαλῶ, καὶ γνώσεσθε οὔτε κακῶς με λέγειν οὐθ' ὑμᾶς[14] ὄντως κεκηλῆσθαι · οὕτως γὰρ ἂν καὶ πολλὰ ἄλλα νοῆσαι τῶν ὑπὸ τοῦ ἁγίου πνεύματος εἰρημένων καθ' ἑαυτοὺς γενόμενοι δυνήσεσθε. (*Ps.* 95, 1 ; cf. *I Chron.* 16, 23-24) *Ἄισατε τῷ κυρίῳ ᾆσμα καινόν, ᾄσατε τῷ κυρίῳ πᾶσα ἡ γῆ.* (2) *Ἄισατε τῷ κυρίῳ καὶ εὐλογήσατε τὸ ὄνομα αὐτοῦ · εὐαγγελίζεσθε ἡμέραν ἐξ ἡμέρας τὸ σωτήριον αὐτοῦ*

1 Παρέγραψαν : περιέγραψαν *in marg. codd.*, Steph. (*ad calcem*), Sylb., Jebb, Thirlb. (cf. Dial. 71, 4) **2** Ἣν : ἧς *in marg.* A, *in textu* B, *ad calcem* Steph. **3** Γῆς : γῆς τῆς ἐρήμου Marc. (*ex* Exod. 16, 14 ; Dial. 20, 4) **4** Καὶ : ἢ *coni.* Marc. **5** Τοὺς : *om.* Mar. **6** Μοι : μὴ *prop.* Thirlb. **7** Νομίζεσθε : νομίζετε (*existimate*) *prop.* Sylb. **8** Ἃς : ἃ *prop.* Pearson, *coni.* Troll. **9** Περικεκοφέναι *prop.* Thirlb., *coni. edd. ab* Otto (cf. Dial. 72, 2 : περιέκοψαν ; 72, 3 : ἐξέκοψαν) : περὶ τοῦ κεκλοφέναι (*furto sublatas*) *codd.*, *cett. edd.* παρακεκλοφέναι *prop.* Thirlb. **10** Ὑπὲρ αὐταρχείας : ὑπεραυταρχεῖς *prop.* Thirlb. **11** Μελλόντων : μελλουσῶν *prop.* Otto μελλόντων λόγων Marc. **12** Ὑμῖν Thirlb., *edd. ab* Otto (cf. Dial. 71, 2 ; 120, 5) : ἡμῖν *codd.*, *cett. edd.* **13** Ἣν : ἃ *prop.* Thirlb. **14** Ὑμᾶς : ἡμᾶς *prop.* Mar. (cf. Dial. 9, 1).

droiture. (11)*Que se réjouissent les cieux et tressaille la terre, que frémisse la mer et tout ce qu'elle renferme.* (12)*Les champs exulteront et tout ce qui s'y trouve, tous les arbres de la forêt tressailliront* (13)*devant la face du Seigneur, car il vient, car il vient pour juger la terre. Il jugera le monde dans la justice, et les peuples en sa vérité ».*

5 Tryphon : — Si, comme tu le dis, reprit-il, les chefs du peuple[8] ont supprimé quelque partie des Écritures, Dieu peut le savoir ; mais une telle chose semble incroyable[9].

6 — Oui, dis-je, cela semble incroyable, car c'est chose plus terrible encore que d'avoir fabriqué un [a]veau d'or[10], comme le firent ceux qui avaient été repus de [b]la manne recueillie à terre, que d'immoler ses enfants aux démons[11] ou d'avoir [c]tué *les prophètes* eux-mêmes[12]. Mais, dis-je, vous me paraissez n'avoir pas même entendu parler des Écritures dont j'ai dit qu'ils les avaient mutilées : il est vrai que, pour démontrer ce dont nous disputons, toutes celles que j'ai rapportées sont plus que suffisantes, avec les textes que je dois encore citer, et qui ont été conservés parmi vous.

Le Psaume 95 n'est pas dit du Père, mais du Salut par la Croix.

74. 1 Tryphon dit :

— C'est sur notre demande, nous le savons, que tu les as rapportées. Mais pour ce psaume, que tu viens de citer en dernier lieu des paroles de David, il ne me semble pas qu'il ait été dit d'un autre que du Père, qui [d]*fit les cieux* et *la terre.* Or toi, tu prétends qu'il a été dit de celui-là qui fut « souffrant » et dont tu t'efforces de démontrer qu'il est aussi Christ.

2 Je répondis :

— Considérez de près, je vous prie, tandis que je vous parle, l'expression que l'Esprit saint a proférée dans ce psaume : vous reconnaîtrez alors que je ne me trompe pas, et que vous n'avez pas été leurrés. Car vous pourrez ainsi comprendre, une fois rentrés en vous[1], beaucoup d'autres choses parmi celles qui ont été dites par l'Esprit Saint : (*Ps.* 95, 1 ; cf. *I Chron.* 16, 23-24)*Chantez au Seigneur un chant nouveau, chantez au Seigneur, toute la terre.* (2)*Chantez au Seigneur et bénissez son nom, annoncez, de jour en jour, la bonne nouvelle de son Salut*[2],

a Cf. *Exod.* 32 **b** cf. *Exod.* 16, 4-35 ; *Nombr.* 11, 7-9 ; *Deut.* 8, 3 **c** cf. *Matth.* 23, 31 et *Lc.* 13, 34 **d** cf. *Ps.* 95, 1.5.9.11.13.

(3)< *'Αναγγείλατε ἐν τοῖς ἔθνεσι τὴν δόξαν αὐτοῦ* >[1] *ἐν πᾶσι τοῖς λαοῖς τὰ θαυμάσια αὐτοῦ.*

3 Ὡς τῷ *θεῷ* καὶ πατρὶ τῶν ὅλων *ᾄδοντας* καὶ *ψάλλοντας* τοὺς [fol. 128 v° : A] ἀπὸ *πάσης τῆς γῆς* γνόντας τὸ *σωτήριον* τοῦτο μυστήριον, τουτέστι τὸ πάθος τοῦ Χριστοῦ, δι' οὗ τούτους ἔσωσεν, ἐνδιάγοντας κελεύει, ἐπιγνόντας ὅτι καὶ *αἰνετὸς* καὶ *φοβερὸς* καὶ *ποιητὴς τοῦ τε οὐρανοῦ* καὶ τῆς γῆς ὁ τοῦτο τὸ *σωτήριον* ὑπὲρ τοῦ ἀνθρωπείου γένους ποιήσας, τὸν[2] καὶ μετὰ τὸ σταυρωθῆναι ἀποθνήσκοντα[3] καὶ *βασιλεύειν πάσης τῆς γῆς* κατηξιωμένον ὑπ' αὐτοῦ, ὡς καὶ διὰ... < *** >[4]

1 'Αναγγείλατε – αὐτοῦ *addendum* Otto, *add.* Marc. (*ex* LXX ; Dial. 73, 3) *om. codd., cett. edd.* : 'Αναγγείλατε – τὰ θαυμάσια αὐτοῦ *om.* I Apol. 41, 1 **2** Τὸν : καὶ γνόντας τὸν Marc. **3** 'Αποθνήσκοντα : ἀπ. καὶ ἀναστάντα Marc. **4** Ὡς καὶ διὰ Δαυὶδ ἐλέχθη Marc. *Post* διὰ *lacunam indicavere* Périon, Lange, Sylb., *alii.*

(3) < *Annoncez aux peuples sa gloire* >, *dans tous les peuples ses merveilles.*

3 C'est comme s'ils s'adressaient au [a]*Dieu* Père de l'univers[3] qu'il ordonne à ceux de [b]*toute la terre*, qui connaissent le mystère de ce [c]*Salut*[4] – j'entends la souffrance du Christ[5], par lequel[6] il les a sauvés –, de [d]*chanter* et [e]*jouer* [f]constamment, en reconnaissant qu'il est [g]*digne de louange*, [h]*redoutable*, et qu'il [i]*a fait le ciel* et la terre, celui qui a opéré ce [j]*Salut* pour le genre humain, lui que, après[7] sa mort sur la Croix, le Père jugé bon de faire [k]*régner sur toute la terre*, comme par…[8]

a Cf. *Ps*. 46, 7.8 ; *Ps*. 95, 5.7 **b** cf. *Ps*. 95, 1 **c** cf. *Ps*. 95, 2 **d** cf. *Ps*. 95. 1.2 **e** cf. *Ps*. 46, 7.8 **f** cf. *Ps*. 95, 2 **g** cf. *Ps*. 95, 4 **h** cf. *Ps*. 95, 4 ; *Ps*. 46, 3 **i** cf. *Ps*. 95, 5 **j** cf. *Ps*. 95, 2 **k** cf. *Ps*. 46, 8 ; cf. *Ps*. 95, 10 s.

Catena in *Ps.* 2, 3[1]

Σχόλια τοῦ β' ψαλμοῦ.
Εἰς τὸ[2] *Διαρρήξωμεν τοὺς δεσμοὺς αὐτοὺ*[3].
Τοῦ ἁγίου 'Ιουστίνου φιλοσόφου καὶ μάρτυρος
ἐκ τοῦ β' λόγου περὶ τοῦ εἰ παθητὸς ὁ Χριστός[4].

< Λόγος Β' >[5]

Φανερὸν[6] ὅτι οὐ περὶ *ἐθνῶν* ἀλλοφύλων, ἀλλὰ περὶ τοῦ 'Ισραὴλ λέγει, τούτῳ συμφωνοῦντος τοῦ δι' Ἱερεμίου εἰρημένου[7] · (*Jér.* 2, 19) *Πικρόν σοι τὸ καταλιπεῖν με*[8], *λέγει κύριος ὁ θεός σου*[9]. (20) *Ὅτι ἀπ' αἰῶνος συνέτριψας τὸν*[10] *ζυγόν σου, καὶ διέρρηξας τοὺς δεσμούς σου, καὶ εἶπας · Οὐ δουλεύσω*[3], *ἀλλὰ πορεύσομαι ἐπὶ πᾶν ὄρος*[12] *ὑψηλὸν καὶ ὑποκάτω παντὸς ξύλου κατασκίου*[13], *ἐκεῖ διαλυθήσομαι*[14] *ἐν πορνείᾳ*[15].

Πολλάκις[16] μὲν οὖν, *διέρρησον*[17] *τὸν* τοῦ θεϊκοῦ φόβου *δεσμὸν* καὶ *τὸν ζυγὸν συνέτριβον* τοῦ νόμου *ἐπισπώμενοι ὡς σχοινίῳ μακρῷ τὰς*

1 *Catenam primus edidit Latine* Dan. Barbaro (Aurea in quinquaginta Davidicos psalmos Catena, Venetiis 1569, p. 15 = B). *Ex cod Barocciano* 223 (*saec.* XV *exeuntis* = O) *catenam primum Graece ed.* Jo. E. Grabe (Spicilegium patrum ut et haereticorum saec I-III, vol. II, Oxonii 1700, p. 174 s.), *qui textum Dialogi parti deperditae recte attribuit* (= Jebb, p. 407) ; Maran, Fr. XIV (XXIV), *PG* VI, 1597 ; Otto, Fr. XX, *CAC* III³, Ienae 1879, p. 264 s.). *Ex codd. Vaticano* gr. 744 (saec. X, f. 2ʳ = V) *et parisino gr. 163* (saec. XIV, f. 11ʳ = P) *catenam ed.* Jo. Mercati (Biblica 22 [1941], p. 354-62). Cf. G. Karo et Jo. Lietzmann, « Catenarum Graecarum Catalogus », Nachrichten Göttingen, Philol.-hist. Kl., 1902, p. 1-66, *praesertim* p. 50. (M. MARCOVICH, p. 315.) **2** Εἰς τὸ P : *om.* V **3** Διαρρήξωμεν τοὺς δεσμοὺς αὐτοὺ P : διαρρήξωμεν V **4** Ὁ Χριστός V P : *Iustini martyris* B **5** Λόγος B *add.* Thirlb., Arch., Marc. : cf. Io. Damasceni *Sacr. parall.* Fr. 102 Holl (= *Dial.* 82, 3 πᾶς – θεοῦ) τοῦ αὐτοῦ ἐκ τοῦ πρὸς Τρύφωνα β' λόγου *et Catenam* in *Ps.* 2, 3 (*in Lacuna*) ἐκ τοῦ β' λόγου περὶ τοῦ εἰ παθητὸς ὁ Χριστός **6** Φανερὸν ὅτι V P : *om.* O B **7** Ἀλλὰ – εἰρημένου V P : φησὶν ἀλλὰ περὶ τοῦ (+ *Israel* B) συμφωνοῦντος τοῖς ἔθνεσιν κατὰ τὸ εἰρημένον ὑπὸ Ἱερεμίου O B **8** Με V P : ἐμὲ O : σε ἐμέ LXX (*om.* σε codd. 88, 87 *a. corr.*, 538) **9** *Post* λέγει κύριος ὁ θεός σου *add.* LXX : καὶ οὐκ εὐδόκησα ἐπὶ σοί, λέγει κύριος ὁ θεός σου **10** Τὸν : *om.* O (et LXX cod. Venetus) **11** Οὐ δουλεύσω V P et LXX : οὐ δουλεύσω σοι O B et LXX codd. Vatic. (B), Marchalianus (Q *a. corr.*), Venetus (V), rec. Luciani et al. **12** Πᾶν ὄρος : πάντα βουνὸν LXX **13** Κατασκίου V P et LXX : καὶ O B **14** Διαλυθήσομαι V P O : διαχυθήσομαι Marc. (*ex* LXX) **15** Ἐν πορνείᾳ V P : ἐν τῇ πορνείᾳ μου O = LXX **16** Πολλάκις – ῥηθήσεται : *soli praebent* V P **17** Διέρρησον : διερήσσον V.

FRAGMENT

Scholie sur le Psaume 2
A propos de (l'expression) : *Brisons ses liens !*
De saint Justin, Philosophe et Martyr
Extrait du second Livre sur la question du Christ souffrant.

[SECOND ENTRETIEN AVEC TRYPHON]

Il est évident qu'il ne parle pas des [a]*peuples* étrangers, mais d'Israël, s'accordant en cela avec ce que dit Jérémie : (*Jér.* 2, 19)*Il est amer pour toi de m'abandonner, dit le Seigneur ton Dieu,* (20)*car depuis longtemps tu as brisé ton joug, et rompu tes liens, et tu as dit : « je ne serai plus dans la servitude, mais je m'en irai sur toute montagne élevée et sous tout arbre verdoyant, et là je m'adonnerai à la prostitution ».*

De fait ils ont souvent [b]*rompu les liens* de la divine crainte et [c]*brisé le joug* de la Loi, [d]*tirant leurs péchés comme par un long cordeau*[1], et finalement, lorsqu'ils [e]*lièrent les mains et les pieds*[2] du Christ crucifié, [f]*les cordeaux sont pour moi tombés*, dit-il, *des meilleurs*, d'abord ceux par lesquels il fut *lié*, ensuite ceux de [g]*l'héritage*. C'est pourquoi, juste après, il dit : [h]*l'héritage qui m'est échu est le meilleur*, certainement la vocation[3] qui a lieu aujourd'hui de [i]*nations* [j]*étendues*[4] [k]*mesurées au cordeau*[5], desquelles par la suite il sera question.

a *Ps.* 2, 1 **b** *Ps.* 2, 3 ; *Jér.* 2, 19 **c** *Jér.* 2, 19 ; cf. *Ps.* 2, 3 **d** cf. *Is.* 5, 18 **e** cf. *Ps.* 21, 17 ; *Is.* 3, 9 **f** *Ps.* 15, 6a **g** cf. *Ps.* 15, 6b **h** *ibid.* **i** *Is.* 54, 3 ; cf. *Ps.* 2, 8 **j** *Is.* 54, 2 **k** *Is.* 54, 2 ; cf. *Gen.* 28, 14 ; 9, 27.

ἁμαρτίας, τελέως δὲ τότε ὅτε *συνέδησαν χεῖρας καὶ πόδας* τοῦ σταυρουμένου[1] Χριστοῦ, *σχοινία γάρ μοί*[2] φησιν *ἐπέπεσον*[3] *τῶν κρατίστων*[4], πρῶτον[5] οἷς *ἐδεσμεύθη*, εἶτα τῆς *κληρονομίας*. Διὰ τοῦτο ἑξῆς φησι · *καὶ γὰρ ἡ κληρονομία μου κρατίστη μοί ἐστι*, πάντως ἡ νῦν ἐξ *ἐθνῶν* τῶν *πλατυνομένων σχοινισμάτων* κλῆσις, περὶ ὧν ἐν τοῖς μεταξὺ ῥηθήσεται.

74. 4 < * > (*Deut.* 31, 16) < *Καὶ εἶπεν κύριος πρὸς Μωσῆν · Ἰδοὺ σὺ κοιμᾷ μετὰ τῶν πατέρων σου, καὶ ἀναστὰς ὁ λαὸς οὗτος ἐκπορνεύσει ὀπίσω θεῶν ἀλλοτρίων* >[6] *τῆς γῆς, εἰς ἣν οὗτος εἰσπορεύεται αὐτήν, καὶ ἐγκαταλείψουσί με, καὶ διασκεδάσουσι τὴν διαθήκην μου, ἣν διεθέμην αὐτοῖς.* (17)< *Καὶ ὀγισθήσομαι θυμῷ αὐτοῖς* >[7] *ἐν τῇ ἡμέρᾳ ἐκείνῃ καὶ καταλείψω αὐτοὺς καὶ ἀποστρέψω τὸ πρόσωπόν μου ἀπ' αὐτῶν · καὶ ἔσται* [p. 198 : B] *κατάβρωμα, καὶ εὑρήσουσιν αὐτὸν κακὰ πολλὰ καὶ θλίψεις. Καὶ ἐρεῖ τῇ*[8] *ἡμέρᾳ ἐκείνῃ · Διότι οὐκ ἔστι κύριος ὁ θεός μου ἐν ἡμῖν, εὕροσάν*[9] *με τὰ κακὰ ταῦτα.* (18)*Ἐγὼ δὲ ἀποστροφῇ ἀποστρέψω τὸ πρόσωπόν μου ἀπ' αὐτῶν τῇ ἡμέρᾳ ἐκείνῃ, διὰ πάσας τὰς κακίας ἃς ἐποίησαν, ὅτι ἐπέστρεψαν ἐπὶ θεοὺς ἀλλοτρίους.*

75. 1 Ἐν δὲ τῷ βιβλίῳ τῆς Ἐξόδου, ὅτι αὐτοῦ τὸ *ὄνομα* τοῦ θεοῦ καὶ Ἰησοῦς ἦν, ὃ λέγει τῷ *Ἀβραὰμ*[10] μὴ *δεδηλῶσθαι*[11] μηδὲ τῷ *Ἰακώβ*[12], διὰ Μωσέως[13] ἐν μυστηρίῳ ὁμοίως ἐξηγγέλθη, καὶ ἡμεῖς νενοήκαμεν. Οὕτως δὲ εἴρηται · (*Exod.* 20, 22)*Καὶ εἶπε κύριος τῷ Μωσεῖ*[14] · *Εἰπὲ τῷ λαῷ τούτῳ* · (*Exod.* 23, 20) *Ἰδοὺ ἐγὼ* [fol. 129 r° : A] *ἀποστέλλω τὸν ἄγγελόν μου πρὸ προσώπου σου, ἵνα φυλάσσῃ σε ἐν τῇ ὁδῷ, ὅπως εἰσαγάγῃ σε εἰς τὴν γῆν ἣν ἡτοίμασά σοι.* (21)*Πρόσεχε αὐτῷ καὶ εἰσάκουε αὐτοῦ, μὴ ἀπείθει αὐτῷ. Οὐ γὰρ μὴ ὑποστείληταί*[15] *σε · τὸ γὰρ ὄνομά μού ἐστὶν ἐπ' αὐτῷ.*

1 Τοῦ σταυρωμένου Mercati : σταυρωμένου τοῦ P σταυρωμένου V **2** Μοι V = LXX : *om.* P **3** Ἐπέπεσον V P et LXX rec. Luciani *codd. aliquot* : ἐπέπεσαν LXX **4** Τῶν κρατίστων V P : ἐν τοῖς κρατίστοις LXX. **5** Πρῶτον : πρῶτον μὲν Marc. **6** Καὶ – ἀλλοτρίων *add.* Marc. : *om. codd., cett. edd.* **7** Καὶ – αὐτοῖς *add.* Marc. : *om. codd., edd.* **8** Τῇ : ἐν τῇ Marc. (ex LXX) **9** Εὕροσάν (LXX) : εὕρησάν Steph., Sylb., Mor. **10** Τῷ Ἀβραὰμ : τῷ Ἀ. μηδὲ τῷ Ἰσαάκ *prop.* Périon (*ex* Exod. 6, 3), *coni.* Marc. **11** Δεδηλῶσθαι : δηλῶσαι *prop.* Périon (*e loc. cit.* : οὐκ ἐδήλωσα) **12** Ὃ – Ἰακώβ : *in semicirculis* Marc. **13** Μωσέως : Μωϋσέως Mign., Otto, Goodsp. **14** Μωσεῖ *corr. ex* Μωσῇ A : Μωϋσεῖ Mign., Otto, Goodsp. (*hic et infra* 75, 2.4) **15** Ὑποστείληταί A, *edd.* (= LXX) : ἀποστείληταί B.

74. 4 ... < (*Deut.* 31, 16) *Le Seigneur dit à Moïse : « Voici que tu te couches avec tes pères, et ce peuple ira se prostituer à la suite des dieux des étrangers,*> *au pays dans lequel il pénètre, et ils m'abandonneront, et ils rompront mon alliance, celle que j'avais établie pour eux* (17)*Ma colère s'enflammera contre eux, en ce jour-là. Et je les abandonnerai, et je détournerai d'eux ma face ; et il sera dévoré, et il sera atteint de maux nombreux et de tribulations. Et il dira ce jour-là : 'C'est parce que le Seigneur mon Dieu n'est pas parmi nous que ces maux m'ont atteint'.* (18)*Mais moi je détournerai d'eux absolument ma face, en ce jour-là, à cause de tout le mal qu'ils auront fait, en se tournant vers d'autres dieux ».*

« Jésus » et « ange » sont des noms divins.
Témoignage tiré de l'Exode.

75. 1 Dans le livre de l'*Exode*, il fut de la même façon[1], par l'intermédiaire de Moïse, annoncé en mystère – et nous l'avons compris également – que le *nom* de Dieu lui-même était aussi Jésus[2], [a]ce qu'il affirme n'avoir été *révélé* ni à *Abraham* ni à *Jacob*[3]. Voici en quels termes : [b]*Le Seigneur dit à Moïse : « Dis à ce peuple* (*Exod.* 23, 20)*Voici que j'envoie mon ange devant ta face, pour qu'il te garde en chemin, afin de t'introduire dans le pays que je t'ai préparé.* (21)*Donne-lui attention, et écoute-le ; ne lui sois point rebelle. Il ne t'abandonnera point, car mon nom est sur lui ».*

a Cf. *Exod.* 6, 3 **b** *Exod.* 20, 22.

2 Τίς οὖν *εἰς τὴν γῆν εἰσήγαγε* τοὺς πατέρας ὑμῶν[1] ; Ἤδη ποτὲ νοήσατε ὅτι ὁ ἐν τῷ ὀνόματι τούτῳ[2] ἐπονομασθεὶς Ἰησοῦς, πρότερον Αὐσῆς καλούμενος. Εἰ γὰρ τοῦτο νοήσετε, καὶ ὅτι τὸ *ὄνομα* αὐτοῦ < τοῦ >[3] εἰπόντος τῷ Μωσεῖ · *τὸ γὰρ ὄνομά μού ἐστιν ἐπ᾽ αὐτῷ*, Ἰησοῦς ἦν, ἐπιγνώσεσθε. Καὶ γὰρ καὶ Ἰσραὴλ αὐτὸς ἦν καλούμενος, καὶ τὸν Ἰακὼβ τούτῳ τῷ ὀνόματι ὁμοίως μετωνομάκει. **3** Ὅτι δὲ καὶ *ἄγγελοι* καὶ *ἀπόστολοι* τοῦ θεοῦ λέγονται οἱ *ἀγγέλλειν* τὰ παρ᾽ αὐτοῦ *ἀποστελλόμενοι* προφῆται, ἐν τῷ Ἡσαΐᾳ δεδήλωται. Λέγει γὰρ ἐκεῖ ὁ Ἡσαΐας · *Ἀπόστειλόν με*. Καὶ ὅτι προφήτης ἰσχυρὸς καὶ μέγας γέγονεν ὁ ἐπονομασθεὶς τῷ Ἰησοῦ ὀνόματι, φανερὸν πᾶσίν ἐστιν. **4** Εἰ οὖν ἐν τοσαύταις μορφαῖς οἴδα-[p. 199 : B]-μεν πεφανερῶσθαι τὸν θεὸν ἐκεῖνον[4] τῷ Ἀβραὰμ καὶ τῷ Ἰακὼβ καὶ τῷ Μωσεῖ, πῶς ἀποροῦμεν καὶ ἀπιστοῦμεν κατὰ τὴν τοῦ πατρὸς τῶν ὅλων βουλὴν καὶ ἄνθρωπον αὐτὸν διὰ παρθένου γεννηθῆναι μὴ δεδυνῆσθαι, καὶ ταῦτα ἔχοντες [fol. 129 v° : A] γραφὰς τοσαύτας[5], ἐξ ὧν συννοῆσαι ἔστι διαρρήδην ὅτι κατὰ τὴν τοῦ πατρὸς βουλὴν καὶ τοῦτο γέγονεν ;

76. **1** Ὅταν γὰρ *ὡς υἱὸν ἀνθρώπου* λέγῃ Δανιὴλ τὸν παραλαμβάνοντα τὴν *αἰώνιον βασιλείαν*, οὐκ αὐτὸ τοῦτο αἰνίσσεται ; Τὸ γὰρ *ὡς υἱὸν ἀνθρώπου* εἰπεῖν, φαινόμενον μὲν καὶ γενόμενον[6] *ἄνθρωπον* μηνύει[7], οὐκ ἐξ ἀνθρωπίνου δὲ σπέρματος ὑπάρχοντα δηλοῖ. Καὶ τὸ *λίθον* τοῦτον εἰπεῖν *ἄνευ χειρῶν τμηθέντα*, ἐν μυστηρίῳ τὸ αὐτὸ κέκραγε · τὸ γὰρ *ἄνευ χειρῶν* εἰπεῖν αὐτὸν *ἐκτετμῆσθαι* < δηλοῖ >[8] ὅτι οὐκ ἔστιν ἀνθρωπίνον ἔργον, ἀλλὰ τῆς βουλῆς τοῦ προβάλλοντος αὐτὸν πατρὸς τῶν ὅλων θεοῦ. **2** Καὶ τὸ Ἡσαΐαν φάναι · *Τὴν γενεὰν αὐτοῦ τίς διηγήσεται* ; ἀνεκδιήγητον[9] ἔχοντα τὸ γένος αὐτὸν ἐδήλου · οὐδεὶς γάρ[10], ἄνθρωπος ὢν ἐξ ἀνθρώπων, ἀνεκδιήγητον ἔχει τὸ γένος.

1 Ὑμῶν ; Ἤδη Thirlb., Troll., *edd. ab* Otto : ὑμῶν, ἤδη *cett. edd.* **2** Τούτῳ : τούτου *prop.* Lange **3** Τοῦ *prop.* Mar., *add. edd. ab* Otto : *om. codd., cett. edd.* **4** Ἐκεῖνον *prop.* Sylb., Thirlb., *coni.* Arch., Goodsp., Marc. (cf. 56, 15 ; 60, 3) : ἐκείνῳ *codd., cett. edd.* **5** Τοσαύτας *prop.* Lange, Thirlb., *coni.* Otto, Troll., Arch., Marc. (*ut* 68, 1 ; 73, 6 ; 100, 6) : τοιαύτας *codd., cett. edd.* **6** Γενόμενον : λεγόμενον *coni.* Sylb. **7** Μηνύει : αὐτὸν μηνύει *coni.* Marc. **8** Δηλοῖ *prop.* Sylb. *coni.* Otto, Arch., Marc. : *om. codd., cett. edd.* ἐδήλου *prop.* Mar. **9** Ἀνεκδιήγητον : οὐκ *ante* ἀνεκδ. *eras.* A **10** Γάρ : δέ *prop.* Thirlb.

2 Qui donc a [a]*introduit* vos pères *dans le pays* ? Comprenez avant tout que c'était celui qui était nommé par ce nom de Jésus, celui [b]qu'auparavant on appelait Ausès. Car une fois que vous l'aurez compris, vous reconnaîtrez encore que le *nom* de celui-là qui dit à Moïse [c]*Mon nom est sur lui*, c'était Jésus (Josué)[4]. Or, il s'appelait aussi Israël[5], et [d]c'est de même en ce nom qu'il avait changé le nom de Jacob[6]. **3** Que les prophètes [e]*envoyés* pour *annoncer* ce qui vient de lui sont dits [f]*anges* et *envoyés* de Dieu[7], cela paraît aussi en Isaïe. Isaïe dit en effet quelque part : [g]*Envoie-moi.* Que par ailleurs celui qui reçut le nom de Jésus (Josué) fut un *prophète* puissant et grand[8], c'est pour tous évident. **4** Et, puisque nous savons donc que ce Dieu s'est manifesté sous tant de formes à Abraham, à Jacob et à Moïse[9], pourquoi notre embarras et notre réticence à croire que selon la volonté du Père de l'univers il ait aussi pu naître homme d'une vierge[10], quand nous disposons de tant d'Écritures d'où l'on peut clairement comprendre que cela encore est arrivé selon la volonté du Père[11] ?

D'autres prophéties attestent la nature humaine et divine du Christ, ainsi que sa mission rédemptrice.

76. 1 Car lorsque Daniel désigne [h]*comme un fils d'homme* celui qui reçoit la [i]*royauté éternelle*[1], n'est-ce pas à cela même qu'il fait allusion ? Le désigner [j]*comme un fils d'homme* c'est indiquer, certes, qu'il est apparu et devenu *homme*[2], mais c'est aussi montrer qu'il ne le fut point d'une semence humaine[3]. Et lorsqu'il dit qu'il est une [k]*pierre détachée sans le secours d'aucune main*[4], c'est en mystère la même chose qu'il proclame ; car dire qu'il fut *détaché sans le secours d'aucune main* c'est montrer qu'il n'est pas œuvre humaine[5], mais celle de la volonté du Dieu[6], Père de l'univers, qui l'a produit[7]. **2** Et lorsqu'Isaïe disait [l]*Sa génération, qui la racontera ?*[8], il montrait que son origine est « ineffable » : personne en effet, s'il est homme d'entre les hommes, ne possède une origine « ineffable ».

a Cf. *Exod.* 23, 20 **b** cf. *Nombr.* 13, 16 **c** *Exod.* 23, 21 ; cf. *Nombr.* 13, 17 **d** cf. *Gen.* 32, 28 ; 35, 10 **e** cf. *Exod.* 23, 20 **f** *ibid.* **g** *Is.* 6, 8 **h** cf. *Dan.* 7, 13 **i** *ibid.*, 14.27 **j** *ibid.*, 13 **k** *Dan.* 2, 34 **l** *Is.* 53, 8.

Καὶ τὸ τὸν Μωσέα[1] εἰπεῖν *πλυνεῖν*[2] αὐτὸν *τὴν στολὴν* αὐτοῦ[3] *ἐν αἵματι σταφυλῆς*, οὐχ ὃ καὶ ἤδη πολλάκις πρὸς ὑμᾶς παρακεκαλυμμένως προπεφητευκέναι[4] αὐτὸν εἶπον ἐστίν, ὅτι *αἷμα* μὲν ἔχειν αὐτὸν προεμήνυεν, ἀλλ' οὐκ ἐξ ἀνθρώπων, ὃν τρόπον τὸ τῆς ἀμπέλου αἷμα οὐκ ἄνθρωπος ἐγέννησεν ἀλλ' ὁ θεός ; **3** Καὶ Ἡσαΐας δὲ *μεγάλης βουλῆς ἄγγελον* αὐτὸν εἰπών, οὐχὶ τούτων ὧνπερ ἐδίδαξεν ἐλθὼν[5] διδάσκαλον αὐτὸν γεγενῆσθαι[6] προεκήρυσσεν ; Ἃ γὰρ *μεγάλα* [fol. 130 r° : A] *ἐβεβούλευτο* ὁ πατὴρ εἴς τε πάντας τοὺς εὐαρέστους γενομένους αὐτῷ καὶ γενησομένους ἀνθρώπους, καὶ τοὺς ἀποστάντας τῆς *βουλῆς* [p. 200 : B] αὐτοῦ ὁμοίως ἀνθρώπους ἢ ἀγγέλους, οὗτος μόνος ἀπαρακαλύπτως ἐδίδαξεν, εἰπών · **4** *Ἥξουσιν ἀπὸ ἀνατολῶν καὶ δυσμῶν*[7], *καὶ ἀνακλιθήσονται μετὰ Ἀβραὰμ καὶ Ἰσαὰκ καὶ Ἰακὼβ ἐν τῇ βασιλείᾳ τῶν οὐρανῶν · οἱ δὲ υἱοὶ τῆς βασιλείας ἐκβληθήσονται εἰς τὸ σκότος τὸ ἐξώτερον.* **5** Καί · *Πολλοὶ ἐροῦσί μοι τῇ ἡμέρᾳ ἐκείνῃ · Κύριε, κύριε, οὐ τῷ σῷ ὀνόματι ἐφάγομεν καὶ ἐπίομεν καὶ ποεφητεύσαμεν καὶ δαιμόνια ἐξεβάλομεν ; Καὶ ἐρῶ αὐτοῖς · Ἀναχωρεῖτε ἀπ' ἐμοῦ.* Καὶ ἐν ἄλλοις λόγοις, οἷς καταδικάζειν τοὺς ἀναξίους μὴ σῴζεσθαι μέλλει[8], ἔφη ἐρεῖν · *Ὑπάγετε εἰς τὸ σκότος τὸ ἐξώτερον, ὃ ἡτοίμασεν ὁ πατὴρ τῷ Σατανᾷ καὶ τοῖς ἀγγέλοις αὐτοῦ.*

6 Καὶ πάλιν ἐν ἑτέροις λόγοις ἔφη · *Δίδωμι ὑμῖν ἐξουσίαν καταπατεῖν ἐπάνω ὄφεων καὶ σκορπίων καὶ σκολοπενδρῶν καὶ ἐπάνω πάσης δυνάμεως τοῦ ἐχθροῦ.* Καὶ νῦν ἡμεῖς, οἱ πιστεύοντες ἐπὶ τὸν σταυρωθέντα ἐπὶ Ποντίου Πιλάτου Ἰησοῦν κύριον ἡμῶν, *τὰ δαιμόνια* πάντα καὶ πνεύματα πονηρὰ ἐξορκίζοντες *ὑποτασσόμενα* ἡμῖν ἔχομεν. Εἰ γὰρ[9] διὰ τῶν προφητῶν παρακεκαλυμμένως κεκή-[fol. 130 v° : A]-ρυκτο παθητὸς γενησόμενος ὁ Χριστὸς καὶ μετὰ ταῦτα πάντων κυριεύσων, ἀλλ' οὖν γε ὑπ' οὐδενὸς νοεῖσθαι ἐδύνατο, μέχρις αὐτὸς ἔπεισε τοὺς ἀποστόλους ἐν ταῖς γραφαῖς ταῦτα κεκηρύχθαι διαρρήδην. **7** Ἐβόα γὰρ πρὸ τοῦ σταυρωθῆναι · *Δεῖ τὸν υἱὸν τοῦ ἀνθρώπου πολλὰ παθεῖν καὶ ἀποδοκιμασθῆναι ὑπὸ τῶν γραμματέων καὶ Φαρισαίων*[10], *καὶ* σταυρωθῆναι *καὶ τῇ τρίτῃ ἡμέρᾳ ἀναστῆναι.* Καὶ Δαυὶδ δὲ *πρὸ ἡλίου καὶ σελήνης ἐκ*

1 Μωσέα : Μωϋσέα Otto, Goodsp. **2** Πλυνεῖν *prop.* Sylb., *coni.* Otto, Troll., Arch. (cf. 63, 2) : πλύνειν *codd.*, *cett. edd.* **3** Αὐτοῦ : αὑτοῦ Steph., Sylb. **4** Προπεφητευκέναι *in textu codd.*, *edd. ab* Otto (cf. 54, 1 : προπεφητευμένον) : πεπροφητευκέναι *in marg. codd.*, *cett. edd.* **5** Ἐλθὼν : ἐθνῶν *prop.* Nolte **6** Γεγενῆσθαι : γενήσεσθαι *prop.* Sylb. **7** Καὶ δυσμῶν : *om.* Mar. **8** Μέλλει *edd. a* Sylb. : μέλλειν *codd.*, Steph. Cf. 61, 1 (ἔχει), 70, 5 (μελετήσει) **9** Εἰ γὰρ : εἰ καὶ γὰρ *prop.* Thirlb., *coni.* Marc. **10** Φαρισαίων *edd.* : Φαρισσαίων *codd.*

Et quand Moïse dit qu' [a]*Il lavera son vêtement dans le sang de la grappe*, n'est-ce pas ce qu'à plusieurs reprises déjà je vous ai dit qu'il avait de manière voilée prophétisé : par avance il a déclaré qu'il aurait certes du *sang*, mais non pas un sang venu des hommes, de la même manière que le sang de la vigne, ce n'est pas l'homme qui le produit, mais Dieu[9] ? **3** Et Isaïe encore, lorsqu'il l'appelait [b]*ange du grand dessein*[10], n'annonçait-il pas ainsi par avance qu'il était le didascale[11] de ce qu'il est venu enseigner ? Ces *grandes* choses, en effet, que le Père avait inscrit dans son *dessein* pour tous ceux qui lui sont ou lui deviendront agréables, comme pour ceux, hommes ou anges[12], qui se sont éloignés de ce *dessein*[13], lui seul les a ouvertement[14] enseignées, en disant : **4** [c]*Ils viendront du Levant et de l'Occident, et ils prendront part au festin avec Abraham, Isaac et Jacob, dans le royaume des cieux ; mais les fils du royaume seront rejetés dans les ténèbres extérieures*[15]. **5** Et : [d]*Beaucoup me diront en ce jour-là : « Seigneur, Seigneur, n'avons-nous pas en ton nom mangé, bu, prophétisé et chassé les démons ? ». Et je leur dirai : « Éloignez-vous de moi »*[16]. Et voici encore d'autres paroles par lesquelles, il l'a dit, il doit prononcer la condamnation de ceux qui sont indignes d'être sauvés : [e]*Allez-vous en dans les ténèbres extérieures, que le Père a préparées à Satan et à ses anges*[17] *!*

6 Il dit encore, en d'autres paroles : [f]*Je vous donne le pouvoir de marcher sur les serpents, les scorpions, les scolopendres, et sur toute puissance de l'Ennemi*[18]. Et nous, aujourd'hui, qui croyons au crucifié sous Ponce Pilate, Jésus, notre Seigneur, nous exorcisons tous [g]*les démons* et esprits mauvais, et ils nous sont *soumis*[19]. Car si, [h]par les prophètes il avait été annoncé, de façon voilée, que le Christ serait « souffrant », pour exercer ensuite sa souveraineté sur toute chose, personne, il est vrai, ne le pouvait comprendre, jusqu'à ce qu'il ait [i]persuadé les Apôtres que dans les Écritures ces choses se trouvaient expressément annoncées[20]. **7** Il s'est écrié en effet, avant d'être crucifié : [j]*Il faut que le Fils de l'homme*[21] *souffre beaucoup, qu'il soit rejeté par les Scribes et les Pharisiens, qu'il soit* crucifié[22] *et que le troisième jour il ressuscite*. Et David a proclamé qu' [k]*avant le soleil et la lune* il naîtrait [l]*du sein*[23], selon la volonté du Père[24], et il a montré que comme [m]*Christ*[25], il serait un [n]*Dieu* [o]*fort*[26] et [p]*adorable*[27].

a *Gen.* 49, 11 **b** cf. *Is.* 9, 6 **c** *Matth.* 8, 11-12 ; cf. *Lc.* 13, 28-29 **d** *Matth.* 7, 22-23 ; cf. *Lc.* 13, 26-27 **e** *Matth.* 25, 41 **f** *Lc.* 10, 19 **g** cf. *Lc.* 10, 17 **h** cf. *Act.* 26, 22-23 ? **i** cf. *Lc.* 24, 25 s. **j** *Matth.* 16, 21 ; *Mc.* 8, 31 ; *Lc.* 9, 22 **k** cf. *Ps.* 71, 5.17 **l** cf. *Ps.* 109, 3 **m** cf. *Ps.* 44, 8 **n** cf. *Ps.* 44, 7.8 **o** cf. *Ps.* 18, 6 **p** cf. *Ps.* 44, 13 et 71, 11.

γαστρὸς γεννηθήσεσθαι αὐτὸν κατὰ τὴν τοῦ [p. 201 : B] πατρὸς βουλὴν ἐκήρυξε, καὶ *θεὸν ἰσχυρὸν* καὶ *προσκυνητόν*, *Χριστὸν* ὄντα, ἐδήλωσε.

77. 1 – Καὶ ὁ Τρύφων εἶπεν · Ὅτι μὲν οὖν[1] καὶ τοιαῦτα καὶ τοσαῦτα ἱκανὰ δυσωπῆσαί ἐστι, σύμφημί σοι · ὅτι δὲ ἀπαιτῶ σε τὸν λόγον, ὃν[2] πολλάκις προεβάλλου[3], ἀποδεῖξαι, εἰδέναι < σε >[4] βούλομαι. Περαίωσον οὖν καὶ αὐτὸν ἡμῖν, ἵνα ἴδωμεν καὶ[5] ὡς ἐκεῖνον εἰς Χριστὸν τοῦτον τὸν ὑμέτερον ἀποδεικνύεις εἰρῆσθαι · ἡμεῖς γὰρ εἰς Ἐζεκίαν αὐτὸν λέγομεν πεπροφητεῦσθαι.

2 – Κἀγω ἔφην · Ὡς βούλεσθε[6], καὶ τοῦτο πράξω · ἀποδείξατε δέ μοι ὑμεῖς πρῶτον ὅτι εἰς τὸν Ἐζεκίαν εἴρηται, ὅτι[7] *πρὶν ἢ γνῶναι* αὐτὸν *καλεῖν πατέρα ἢ μητέρα, ἔλαβε δύναμιν Δαμασκοῦ καὶ τὰ σκῦλα Σαμαρείας*[8] *ἔναντι βασιλέως Ἀσσυρίων*. Οὐ γὰρ ὡς βούλεσθε [fol. 131 r° : A] ἐξηγεῖσθαι συγχωρηθήσεται ὑμῖν, ὅτι Ἐζεκίας ἐπολέμησε τοῖς ἐν *Δαμασκῷ* ἢ ἐν *Σαμαρείᾳ ἔναντι βασιλέως Ἀσσυρίων*. *Πρὶν ἢ* γὰρ *γνῶναι τὸ παιδίον καλεῖν πατέρα ἢ μητέρα*, ὁ προφητικὸς Λόγος ἔφη, *λήψεται δύναμιν Δαμασκοῦ καὶ σκῦλα Σαμαρείας ἔναντι βασιλέως Ἀσσυρίων*. **3** Εἰ γὰρ μὴ μετὰ προσθήκης ταῦτα[9] εἶπε τὸ προφητικὸν πνεῦμα · *Πρὶν ἢ γνῶναι τὸ παιδίον καλεῖν πατέρα ἢ μητέρα λήψεται δύναμιν Δαμασκοῦ καὶ σκῦλα Σαμαρείας*, ἀλλὰ μόνον εἰρήκει · *Καὶ τέξεται υἱὸν καὶ λήψεται δύναμιν Δαμασκοῦ καὶ σκῦλα Σαμαρείας*, ἐδύνασθε λέγειν · Ἐπειδὴ προεγίνωσκεν ὁ θεὸς μέλλειν αὐτὸν *λήψεσθαι* ταῦτα, προειρήκει. Νῦν δὲ μετὰ τῆς προσθήκης ταύτης εἴρηκεν ἡ προφητεία · *Πρὶν ἢ γνῶναι τὸ παιδίον καλεῖν πατέρα ἢ μητέρα λήψεται δύναμιν Δαμασκοῦ καὶ σκῦλα Σαμαρείας*. Καὶ [p. 202 : B] οὐδενὶ τῶν ἐν Ἰουδαίοις ποτὲ συμβεβηκέναι τοῦτο ἀποδεῖξαι ἔχετε, ἡμεῖς δὲ ἔχομεν ἀποδεῖξαι τοῦτο γενόμενον ἐν τῷ ἡμετέρῳ Χριστῷ. **4** Ἅμα γὰρ τῷ γεννηθῆναι αὐτὸν μάγοι ἀπὸ Ἀρραβίας[10] παραγενόμενοι προσεκύνησαν αὐτῷ, πρότερον ἐλθόντες πρὸς Ἡρώδην τὸν ἐν τῇ γῇ ὑμῶν τότε βασιλεύοντα, ὃν ὁ Λόγος καλεῖ *βασιλέα* [fol. 131 v° : A] *Ἀσσυρίων* διὰ τὴν ἄθεον καὶ ἄνομον αὐτοῦ γνώμην. Ἐπίστασθε γὰρ τοιαῦτα, ἔφην, ἐν παραβολαῖς καὶ ὁμοιώσεσι πολλάκις λαλοῦν τὸ ἅγιον πνεῦμα · οἷον πεποίηκε καὶ πρὸς τὸν λαὸν ἅπαντα τὸν

1 Οὖν : *om.* Mar. **2** Ὃν *prop.* Thirlb., *coni. edd. ab* Otto : ὧν *codd.*, *cett. edd.* **3** Προεβάλλου : προεβάλου *prop.* Sylb. **4** Σε Sylb., Troll., *edd. ab* Otto (cf. 39, 3 ; 71, 2) : *om. codd.*, *cett. edd.* **5** Καὶ : *del.* Marc. **6** Βούλεσθε A : βούλεσθαι (–ε *sup. l.*) B, Mar. (βούλεσθε Mign.) **7** Ὅτι : ἢ ὅτι *vel* καὶ ὅτι *prop.* Thirlb., διότι Marc. (*ex* LXX ; Dial.) **8** Σαμαρείας : –εί– *ex corr.* A **9** Ταῦτα : ταύτης *coni.* Marc. (*ut infra*) **10** Ἀρραβίας : Ἀραβίας Mor., Mign. (*ita etiam deinceps*).

La prophétie d'Is. 8, 4 ne s'applique pas à Ézéchias, mais au Christ, visité par les mages au lieu de sa naissance.

77. 1 Tryphon dit :

— Que tant et de si bonnes raisons soient de nature à jeter le trouble, je te l'accorde ; mais je te demande aussi – je veux que tu le saches – de fournir la démonstration de ce passage que tu as souvent mis en avant[1]. Finis-en donc pour nous, avec lui également, afin que nous voyions aussi comment tu démontres qu'il fut dit de votre Christ ; car nous affirmons, pour notre part, qu'il fut prophétisé au sujet d'Ézéchias[2].

2 Je repris :

— Comme vous voulez ; je vais le faire aussi. Mais vous, démontrez-moi d'abord qu'il est dit d'Ézéchias qu' [a]*avant de savoir appeler « père » ou « mère »,* il a *pris la puissance de Damas et les dépouilles de Samarie en présence du roi des Assyriens.* On ne peut en effet vous accorder, comme vous le voulez interpréter, qu'Ézéchias a fait la guerre contre *Damas* ou *Samarie en présence du roi des Assyriens*[3]. Car c'est, dit le Verbe prophétique, *avant que l'enfant sache appeler « père » ou « mère »*, qu'*il prendra la puissance de Damas et les dépouilles de Samarie en présence du roi des Assyriens.* **3** Car si l'Esprit prophétique n'avait pas précisé *avant que l'enfant sache appeler « père » ou « mère », il prendra la puissance de Damas et les dépouilles de Samarie en présence du roi des Assyriens*, et s'il avait dit seulement : *Elle enfantera un fils et il prendra la puissance de Damas et les dépouilles de Samarie*, vous pourriez dire : « c'est parce que Dieu prévoyait qu'il les *prendrait* qu'il l'a prédit ». Mais voilà que la prophétie comporte cette précision : *avant que l'enfant sache appeler « père » ou « mère », il prendra la puissance de Damas et les dépouilles de Samarie*[4]. Or vous ne pouvez démontrer que cela se soit produit pour personne parmi les juifs, alors que nous, nous pouvons démontrer que cela s'est accompli en notre Christ. **4** De fait, dès qu'il fut né, des mages venus d'Arabie[5] l'adorèrent[6], après avoir été, auparavant, trouver Hérode, qui régnait alors en votre pays, lui que le Verbe appelle [c]*roi des Assyriens*, à cause de ses dispositions athées et impies[7]. Car vous savez, dis-je, que l'Esprit Saint exprime souvent de telles choses en paraboles et similitudes[8] ; c'est aussi ce qu'il fit pour tout le peuple de Jérusalem, à qui il disait souvent : [d]*Ton père est Amorrhéen et ta mère Hétéenne*[9].

a *Is.* 8, 4 **b** *ibid.* **c** *ibid.* **d** *Éz.* 16, 3.

ἐν Ἱεροσολύμοις, πολλάκις φῆσαν πρὸς αὐτούς · *Ὁ πατήρ σου Ἀμορραῖος καὶ ἡ μήτηρ σου Χετταία.*

78. 1 Καὶ γὰρ οὗτος ὁ βασιλεὺς Ἡρώδης, μαθὼν παρὰ τῶν πρεσβυτέρων τοῦ λαοῦ ὑμῶν, τότε *ἐλθόντων* πρὸς αὐτὸν[1] τῶν ἀπὸ Ἀρραβίας *μάγων*, καὶ εἰπόντων ἐξ *ἀστέρος* τοῦ ἐν τῷ οὐρανῷ φανέντος ἐγνωκέναι ὅτι *βασιλεὺς* γεγέννηται[2] ἐν τῇ χώρᾳ ὑμῶν, καὶ *ἤλθομεν προσκυνῆσαι αὐτόν*[3], καὶ *ἐν Βηθλεὲμ* τῶν πρεσβυτέρων εἰπόντων, ὅτι *γέγραπται* ἐν τῷ *προφήτῃ* οὕτως · *Καὶ σὺ Βηθλεέμ, γῆ Ἰούδα, οὐδαμῶς ἐλαχίστη εἶ ἐν τοῖς ἡγεμόσιν Ἰούδα · ἐκ σοῦ γὰρ ἐξελεύσεται ἡγούμενος, ὅστις ποιμανεῖ τὸν λαόν μου.* **2** Τῶν ἀπὸ Ἀρραβίας οὖν μάγων *ἐλθόντων* εἰς Βηθλεὲμ καὶ *προσκυνησάντων* τὸ παιδίον καὶ *προσενεγκάντων αὐτῷ δῶρα, χρυσὸν καὶ λίβανον καὶ σμύρναν,* ἔπειτα[4] κατ'[5] ἀποκάλυψιν, μετὰ τὸ *προσκυνῆσαι* τὸν παῖδα ἐν Βηθλεέμ, ἐκελεύσθησαν μὴ ἐπανελθεῖν *πρὸς* τὸν *Ἡρώδην.* **3** Καὶ Ἰωσὴφ δέ, ὁ τὴν Μαρίαν *μεμνηστευμένος, βουληθεὶς* πρότερον [fol. 132 r° : A] ἐκβαλεῖν τὴν μνηστὴν αὐτῷ[6] Μαριάμ, νομίζων [p. 203 : B] ἐγκυμονεῖν αὐτὴν ἀπὸ συνουσίας ἀνδρός, τουτέστιν ἀπὸ πορνείας, δι' ὁράματος κεκέλευστο μὴ ἐκβαλεῖν *τὴν γυναῖκα* αὐτοῦ, εἰπόντος αὐτῷ τοῦ *φανέντος ἀγγέλου* ὅτι *ἐκ πνεύματος ἁγίου* ὃ ἔχει κατὰ γαστρός *ἐστι.* **4** Φοβηθεὶς οὖν, οὐκ ἐκβέβληκεν αὐτήν, ἀλλά, *ἀπογραφῆς* οὔσης ἐν τῇ Ἰουδαίᾳ τότε *πρώτης* ἐπὶ *Κυρηνίου*[7], ἀνεληλύθει ἀπὸ *Ναζαρέτ,* ἔνθα ᾤκει, *εἰς Βηθλεέμ,* ὅθεν ἦν, *ἀπογράψασθαι* · ἀπὸ γὰρ τῆς κατοικούσης τὴν γῆν ἐκείνην φυλῆς Ἰούδα τὸ γένος ἦν[8]. Καὶ αὐτὸς ἅμα τῇ Μαρίᾳ κελεύεται *ἐξελθεῖν εἰς Αἴγυπτον* καὶ εἶναι *ἐκεῖ* ἅμα τῷ *παιδίῳ,* ἄχρις ἂν αὐτοῖς πάλιν ἀποκαλυφθῇ ἐπανελθεῖν εἰς τὴν Ἰουδαίαν.

5 *Γεννηθέντος*[9] δὲ τότε τοῦ παιδίου *ἐν Βηθλεέμ,* ἐπειδὴ Ἰωσὴφ οὐκ εἶχεν ἐν τῇ κώμῃ ἐκείνῃ που[10] καταλῦσαι, ἐν *σπηλαίῳ*[11] τινὶ σύνεγγυς τῆς κώμης κατέλυσε · καὶ τότε, αὐτῶν ὄντων ἐκεῖ, *ἐτετόκει* ἡ Μαρία τὸν Χριστὸν καὶ *ἐν φάτνῃ αὐτὸν* ἐτεθείκει, ὅπου *ἐλθόντες* οἱ ἀπὸ Ἀρραβίας μάγοι[12] εὗρον αὐτόν.

1 Αὐτὸν : αὐτοὺς *coni.* Marc. **2** Γεγέννηται Thirlb., Otto, Arch., Marc. (cf. 78, 5) : γεγένηται *codd., cett. edd.* **3** Αὐτόν *in textu codd., edd.* (cf. 78, 2.7, etc.) : αὐτῷ *in marg. codd.* (cf. Matth. 2, 11 ; Dial. 78, 9 ; 88, 1 etc.) **4** Ἔπειτα *prop.* Lange, *coni. edd ab* Otto : ἐπειδὴ *codd., cett. edd.* (*idem error* 81, 4) **5** Κατ' Otto, Arch. : κατὰ *codd., cett. edd.* **6** Αὐτῷ : αὐτοῦ *prop.* Thirlb. **7** Κυρηνίου *edd.* : Κυρινίου *codd.* **8** Ἀπὸ – ἦν *in semicirculis* Marc. **9** Γεννηθέντος : ὑπάρχοντος *prop.* Périon **10** Που Otto, Troll., Arch., Goodsp. : ποῦ *codd., cett. edd.* **11** Ἐν σπηλαίῳ : ἐν δὲ σπ. Mar. **12** Μάγοι *in marg.* B² : μάγγοι *in textu codd.*, Steph.

La visite des mages d'Arabie était annoncée par Isaïe
en signe que les puissances démoniaques seraient soumises au Christ dès sa naissance.

78. 1 Ce roi Hérode, en effet, s'enquit[1] auprès des Anciens de votre peuple, car les *mages* d'Arabie étaient alors *venus* le trouver pour lui dire qu'ils avaient reconnu, [a]à l'apparition d'un *astre* dans le ciel, qu'un *roi* était né dans votre pays, et (pour lui dire aussi) : [b]*nous sommes venus l'adorer* ; les Anciens dirent [c]*C'est à Bethléem, car il est écrit* dans *le prophète* [d]*Et toi, Bethléem, territoire de Juda, tu n'es certes pas la moindre parmi les territoires de Juda, car de toi naîtra un guide, qui paîtra mon peuple*[2]. **2** Les mages d'Arabie [e]*vinrent* donc à Bethléem ; ils *adorèrent* l'enfant et *lui offrirent des présents, de l'or, de l'encens et de la myrrhe* ; puis, [f]par révélation, après avoir *adoré* l'enfant à Bethléem, ils reçurent l'ordre de ne pas retourner *vers Hérode.* **3** Or Joseph[3], [g]le *fiancé* de Marie, qui avait *voulu* d'abord renvoyer celle qui lui était promise, Marie, la croyant enceinte par le commerce d'un homme, c'est-à-dire par fornication[4], [h]reçut en vision l'ordre de ne pas renvoyer sa *femme* : l'*ange* qui lui *apparut* lui dit que ce qu'elle portait dans son sein *venait de l'Esprit Saint*[5]. **4** Rempli de crainte, [i]il ne la renvoya donc pas. [j]Mais, comme avait lieu alors, en Judée, le *premier recensement* de *Quirinius*[6], de *Nazareth* où il habitait, il monta *se faire inscrire à Bethléem*, d'où il était : car il était originaire de la tribu de Juda qui habitait cette contrée. [k]Il reçoit l'ordre de *partir* avec Marie *en Égypte*[7], et d'y rester avec l'*enfant*, [l]jusqu'à ce qu'une nouvelle révélation leur dise de retourner en Judée.

5 [m]L'enfant était alors *né à Bethléem*[8] ; [n]comme Joseph n'avait pas où loger en ce village, [o]c'est dans une *grotte*[9] toute proche de ce village qu'il s'installa ; et tandis qu'il étaient là, Marie [p]*enfanta* le Christ et *le* plaça *dans une mangeoire* : [q]*à leur arrivée*, les mages d'Arabie l'y trouvèrent.

a Cf. *Matth.* 2, 1-2 **b** *ibid.*, 2 **c** *ibid.*, 5 **d** *ibid.*, 6 et *Mich.* 5, 1 **e** *Matth.* 2, 11 **f** *ibid.*, 12 **g** cf. *Math.* 1, 18-19 **h** *ibid.*, 20 **i** cf. *Matth.* 1, 24 **j** cf. *Lc.* 2, 1-5 **k** cf. *Matth.* 2, 13 **l** *ibid.*, 19-22 **m** *ibid.*, 1 **n** cf. *Lc.* 2, 7 **o** cf. *Protév. de Jacq.* 18, 1 **p** cf. *Lc.* 2, 7 **q** cf. *Matth.* 2, 11 ; *Lc.* 2, 16.

6 Ὅτι δὲ Ἡσαΐας καὶ περὶ τοῦ συμβόλου τοῦ κατὰ τὸ *σπήλαιον* προεκεκηρύχει, ἀνιστόρησα ὑμῖν, ἔφην, καὶ δι' αὐτοὺς δὲ τοὺς σήμερον σὺν ὑμῖν ἐλθόντας πάλιν τῆς περικοπῆς ἐπιμνησθήσομαι, εἶπον · καὶ ἀνιστόρησα [fol. 132 v° : A] ἣν καὶ προέγραψα ἀπὸ τοῦ Ἡσαΐου περικοπήν, εἰπὼν[1] διὰ τοὺς λόγους ἐκείνους τοὺς τὰ[2] Μίθρα μυστήρια παραδιδόντας, ἐν τόπῳ ἐπικαλουμένῳ παρ' αὐτοῖς *σπηλαίῳ* μυεῖσθαι ὑπ' αὐτῶν[3], ὑπὸ τοῦ διαβόλου ἐνεργηθῆναι[4] εἰπεῖν.

7 Καὶ ὁ *Ἡρώδης*, μὴ ἐπανελθόντων πρὸς αὐτὸν τῶν ἀπὸ Ἀρραβίας μάγων, ὡς ἠξίωσεν αὐτοὺς ποιῆσαι, ἀλλὰ κατὰ τὰ κελευσθέντα αὐτοῖς *δι' ἄλλης* [p. 204 : B] *ὁδοῦ εἰς τὴν χώραν αὐτῶν* ἀπαλλαγέντων, καὶ τοῦ Ἰωσὴφ ἅμα τῇ Μαρίᾳ καὶ τῷ παιδίῳ, ὡς καὶ αὐτοῖς ἀποκεκάλυπτο, ἤδη ἐξελθόντων *εἰς Αἴγυπτον*, οὐ γινώσκων τὸν παῖδα, ὃν ἐληλύθεισαν *προσκυνῆσαι* οἱ μάγοι, *πάντας* ἁπλῶς *τοὺς παῖδας τοὺς ἐν Βηθλεὲμ* ἐκέλευσεν ἀναιρεθῆναι. **8** Καὶ τοῦτο ἐπεπροφήτευτο μέλλειν γίνεσθαι *διὰ Ἱερεμίου*, εἰπόντος δι' αὐτοῦ τοῦ ἁγίου πνεύματος οὕτως · ***Φωνὴ***[5] *ἐν Ῥαμᾶ ἠκούσθη, κλαυθμὸς καὶ ὀδυρμὸς πολύς · Ῥαχὴλ κλαίουσα τὰ τέκνα αὐτῆς, καὶ οὐκ ἤθελε παρακληθῆναι, ὅτι οὐκ εἰσί.* Διὰ οὖν τὴν *φωνήν*, ἣ ἔμελλεν *ἀκούεσθαι* ἀπὸ *Ῥαμᾶ*, τουτέστιν ἀπὸ τῆς Ἀρραβίας (ἔστι γὰρ καὶ μέχρι τοῦ νῦν τόπος καλούμενος ἐν Ἀρραβίᾳ Ῥαμᾶ[6]), *κλαυθμὸς* ἔμελλεν τὸν τόπον καταλαμβάνειν, ὅπου *Ῥαχήλ*, ἡ γυνὴ Ἰακώβ, τοῦ ἐπικληθέντος Ἰσραήλ, τοῦ ἁγίου πατριάρχου, τέθαπται, τουτέστι τὴν Βηθλεέμ, [fol. 133 r° : A] *κλαιουσῶν* τῶν γυναικῶν *τὰ τέκνα* τὰ ἴδια τὰ ἀνῃρημένα καὶ μὴ *παράκλησιν* ἐχουσῶν ἐπὶ τῷ συμβεβηκότι αὐταῖς.

9 Καὶ γὰρ τὸ εἰπεῖν τὸν Ἡσαΐαν · *Λήψεται δύναμιν Δαμασκοῦ καὶ σκῦλα Σαμαρείας*, τὴν τοῦ πονηροῦ δαίμονος, τοῦ ἐν *Δαμασκῷ* οἰκοῦντος, *δύναμιν* ἐσήμαινε νικηθήσεσθαι τῷ Χριστῷ ἅμα τῷ γεννηθῆναι · ὅπερ δείκνυται γεγενημένον. Οἱ γὰρ μάγοι, οἵτινες *ἐσκυλευμένοι*[7] ἦσαν πρὸς πάσας κακὰς πράξεις, τὰς ἐνεργουμένας ὑπὸ τοῦ δαιμονίου ἐκείνου, *ἐλθόντες* καὶ *προσκυνήσαντες* τῷ Χριστῷ φαίνονται ἀποστάντες τῆς *σκυλευσάσης* αὐτοὺς *δυνάμεως* ἐκείνης, ἣν ἐν μυστηρίῳ ἐσήμαινεν ἡμῖν ὁ Λόγος οἰκεῖν ἐν *Δαμασκῷ*.

10 Ἁμαρτωλὸν δὲ καὶ [p. 205 : B] ἄδικον οὖσαν ἐν παραβολῇ τὴν *δύναμιν* ἐκείνην καλῶς *Σαμαρείαν*[8] καλεῖ. Ὅτι δὲ *Δαμασκὸς* τῆς ἀρραβικῆς γῆς ἦν καὶ ἔστιν, εἰ καὶ νῦν προσνενέμηται τῇ Συροφοινίκῃ

1 Εἰπὼν : ἐπειπὼν *coni.* Marc. **2** Τὰ Μίθρα : τὰ τοῦ Μίθρα (*vel* τὰ μιθριακά, *vel* τὰ Μίθρου) *prop.* Thirlb., *coni.* Marc. Cf. Dial. 70, 1 ; I Apol. 66, 4 **3** Αὐτῶν : αὐτοῦ *prop.* Mar. **4** Ἐνεργηθῆναι : ἐνεργηθέντας *coni.* Marc. **5** Φωνὴ : φωνῇ *codd.* **6** Ἔστι – Ῥαμᾶ *in semicirculis edd.* **7** Ἐσκυλευμένοι : ἐσκ. ἕτοιμοι Marc. **8** Σαμάρειαν : Σαμαρείαν Goodsp., Marc. (*tacite*).

6 Je vous ai déjà rapporté, dis-je, qu'Isaïe a également proclamé à l'avance ce qui a trait au symbole relatif à la [a]*grotte*[10] ; mais pour ceux qui sont venus aujourd'hui avec vous, je vais, dis-je, rappeler le passage[11]. Et je répétai le passage que j'ai transcrit plus haut, ajoutant que c'est à cause de ces paroles que ceux qui confèrent les mystères de Mithra, ont été poussés par le diable à dire que l'initiation se pratique par eux[12] en un lieu qu'ils appellent *grotte*.

7 [b]*Hérode*, comme les mages d'Arabie ne revenaient point vers lui, [c]ainsi qu'il leur avait demandé de le faire – ils étaient au contraire, [d]selon l'ordre reçu, repartis *pour leur pays par un autre chemin*, tandis que [e]Joseph, avec Marie et l'enfant, selon ce qui leur avait été révélé, étaient déjà partis *pour l'Égypte* –, ignorant quel enfant les mages étaient venus [f]*adorer*, [g]fit égorger absolument *tous les enfants de Bethléem*[13]. **8** Et c'est là l'événement dont l'accomplissement futur avait été prophétisé [h]*par l'intermédiaire de Jérémie*, quand l'Esprit Saint disait par lui : [i]*Une voix en Rama s'est fait entendre, lamentation et longue plainte : c'est Rachel qui pleure ses enfants, et refuse d'être consolée, car ils ne sont plus.* C'est donc par la *voix* qui devait *se faire entendre* de *Rama*, c'est-à-dire de l'Arabie – car il est, encore de nos jours, une localité d'Arabie nommée Rama[14] –, qu'une *lamentation* devait envahir le lieu où *Rachel*, la femme de Jacob, surnommé Israël, le saint patriarche, est enterrée, c'est-à-dire Bethléem, tandis que les femmes *se lamentaient* sur leurs propres *enfants* massacrés, *inconsolables* de ce qui leur arrivait.

9 Car la parole d'Isaïe [j]*Il prendra la puissance de Damas et les dépouilles de Samarie*, signifiait que la *puissance* du mauvais démon qui habitait à *Damas*[15] serait vaincue par le Christ au moment même[16] de sa naissance, ce qui, c'est prouvé, s'est effectivement produit. Les mages en effet, livrés comme des *dépouilles* à toutes sortes de mauvaises actions, auxquelles les avait poussés ce démon[17], [k]*vinrent*, *adorèrent* le Christ, et apparurent affranchis de la *puissance* qui avait fait d'eux des *dépouilles*, et dont le Verbe signifie pour nous, en mystère, qu'elle habitait à *Damas*[18].

10 Cette [l]*puissance* pécheresse[19] et injuste, c'est à bon droit qu'en parabole il l'appelle *Samarie*. Que d'autre part *Damas* ait été et soit encore de la terre d'Arabie, même si elle se trouve aujourd'hui assignée à la Syrophénicie[20],

a Cf. *Is.* 33, 16 **b** cf. *Matth.* 2, 16 **c** *ibid.*, 8 **d** *ibid.*, 12 **e** *ibid.*, 13-14 **f** *ibid.*, 11 **g** *ibid.*, 16 **h** cf. *Matth.* 2, 17 **i** *Jér.* 31, 15 ; *Matth.* 2, 18 **j** *Is.* 8, 4 **k** cf. *Matth.* 2, 11 **l** cf. *Is.* 8, 4.

λεγομένη[1], οὐδ' ὑμῶν τινες ἀρνήσασθαι δύνανται. Ὥστε καλὸν ἂν εἴη ὑμᾶς, ὦ ἄνδρες, ἃ μὴ νενοήκατε, παρὰ τῶν λαβόντων χάριν ἀπὸ τοῦ θεοῦ ἡμῶν τῶν Χριστιανῶν μανθάνειν, ἀλλὰ μὴ κατὰ πάντα ἀγωνίζεσθαι τὰ ὑμέτερα διδάγματα κρατύνειν, ἀτιμάζοντας τὰ τοῦ θεοῦ.

11 Διὸ καὶ εἰς ἡμᾶς *μετετέθη* [fol. 133 v° : A] ἡ χάρις αὕτη, ὡς Ἡσαΐας φησὶν εἰπὼν οὕτως · (*Is*. 29, 13) *Ἐγγίζει μοι ὁ λαὸς οὗτος · τοῖς χείλεσιν αὐτῶν τιμῶσί με, ἡ δὲ καρδία αὐτῶν πόρρω ἀπέχει ἀπ' ἐμοῦ · μάτην δὲ σέβονταί με, ἐντάλματα ἀνθρώπων καὶ διδασκαλίας διδάσκοντες.* (14)*Διὰ τοῦτο ἰδοὺ ἐγὼ προσθήσω τοῦ μεταθεῖναι*[2] *τὸν λαὸν τοῦτον, καὶ μεταθήσω αὐτούς, καὶ ἀφελῶ*[3] *τὴν σοφίαν τῶν σοφῶν αὐτῶν, τὴν δὲ σύνεσιν τῶν συνετῶν ἀθετήσω.*

79. 1 – Καὶ ὁ Τρύφων, ὑπαγανακτῶν μέν, αἰδούμενος δὲ τὰς γραφάς, ὡς ἐδηλοῦτο ἀπὸ τοῦ προσώπου αὐτοῦ, εἶπε πρός με · Τὰ μὲν τοῦ θεοῦ ἅγιά ἐστιν, αἱ δὲ ὑμέτεραι ἐξηγήσεις τετεχνασμέναι εἰσίν, ὡς φαίνεται καὶ ἐκ τῶν ἐξηγημένων ὑπὸ σοῦ, μᾶλλον δὲ καὶ βλάσφημοι · ἀγγέλους γὰρ πονηρευσαμένους καὶ ἀποστάντας τοῦ θεοῦ λέγεις.

2 – Κἀγὼ ἐνδοτικώτερον τῇ φωνῇ, παρασκευάσαι αὐτὸν βουλόμενος πρὸς τὸ ἀκούειν μου, ἀπεκρινάμην λέγων · Ἄγαμαί σου, ἄνθρωπε, τὸ εὐλαβὲς τοῦτο, καὶ εὔχομαι τὴν αὐτὴν διάθεσίν σε[4] ἔχειν καὶ περὶ ὃν διακονεῖν γεγραμμένοι εἰσὶν οἱ ἄγγελοι, ὡς Δανιὴλ φησιν, ὅτι[5] (*Dan*. 7, 13)*Ὡς υἱὸς ἀνθρώπου πρὸς τὸν παλαιὸν τῶν ἡμερῶν προσάγε*-[p 206 : B]-*ται*[6], (14)*καὶ αὐτῷ δίδοται πᾶσα βασιλεία εἰς τὸν αἰῶνα τοῦ αἰῶνος.* Ἵνα δὲ γνωρίζῃς, εἶπον, ὦ ἄνθρωπε, μὴ ἡμετέρᾳ[7] τόλμῃ χρησαμένους τὴν ἐξήγησιν [fol 134 r° : A] ταύτην, ἣν μέμφῃ, πεποιῆσθαι ἡμᾶς, μαρτυρίαν σοι ἀπ' αὐτοῦ τοῦ Ἡσαΐου δώσω, ὅτι *πονηροὺς ἀγγέλους* κατῳκηκέναι καὶ κατοικεῖν λέγει καὶ[8] *ἐν Τάνει*, τῇ Αἰγυπτίᾳ χώρᾳ.

3 Εἰσὶ δὲ οἱ λόγοι οὗτοι · (*Is*. 30, 1)*Οὐαὶ τέκνα ἀποστάται, τάδε*[9] *λέγει κύριος · Ἐποιήσατε βουλὴν οὐ δι' ἐμοῦ καὶ συνθήκας οὐ διὰ τοῦ πνεύματός μου, προσθεῖναι ἁμαρτίας ἐφ' ἁμαρτίαις ·* (2)*οἱ πονηρευόμενοι*[10] *καταβῆναι εἰς Αἴγυπτον, ἐμὲ δὲ οὐκ ἠρώτησαν, τοῦ βοηθηθῆναι ὑπὸ Φαραὼ καὶ σκεπασθῆναι σκέπην Αἰγυπτίων.* (3)*Ἔσται γὰρ ὑμῖν ἡ σκέπη Φαραὼ εἰς αἰσχύνην, καὶ τοῖς πεποιθόσιν ἐπ' Αἰγυπτίους ὄνειδος,* (4)*ὅτι*

1 Εἰ – λεγομένη : *ut glossema del.* Marc. **2** Μεταθεῖναι : -εῖ- *corr. ex* -ῆ- A **3** Ἀφελῶ (= Dial. 32, 5) : ἀπολῶ LXX, NT, *Dial.* 123, 4 **4** Σε *edd.* : τε *codd.* **5** Ὅτι : ὅτε *prop.* Thirlb., *coni.* Marc. **6** Προσάγεται : προσήγαγον οἱ ἄγγελοι *prop.* Thirlb. **7** Ἡμετέρᾳ : ὑμετέρᾳ *prop.* Thirlb. **8** Καὶ : *del.* Marc. **9** Τάδε : τὰ δὲ Mar. (τάδε Mign.) **10** Πονηρευόμενοι : πορευόμενοι *prop.* Périon, *coni.* Otto, Arch., Marc. (*ex* LXX).

personne, même parmi vous ne le saurait nier. Aussi serait-ce pour vous une belle chose, amis[21], que d'apprendre ce que vous ne comprenez point de ceux qui en ont reçu de Dieu la grâce, nous autres chrétiens, plutôt que d'employer tous vos efforts à faire prévaloir vos enseignements, en méprisant ceux de Dieu.

11 C'est à nous, en effet, que cette grâce a été [a]*transférée*, comme le déclare Isaïe, en ces termes : (*Is.* 29, 13)*Ce peuple s'approche de moi : de leurs lèvres ils m'honorent, mais leur cœur est éloigné de moi ; en vain ils me vénèrent, enseignant préceptes et enseignements d'hommes.* (14 ; cf. *I Cor.* 1, 19)*C'est pourquoi, voici : je renouvellerai le transfert de ce peuple, et je les transférerai*[22]*, j'enlèverai la sagesse à ses sages, et des intelligents je rejetterai*[23] *l'intelligence.*

La révolte des anges est attestée en plusieurs endroits des Écritures.

79. 1 Tryphon, animé à la fois, ainsi qu'il paraissait sur son visage, par l'irritation et le respect de l'Écriture, me dit :

— Les paroles de Dieu sont saintes, mais vos interprétations sont artificieuses[1], comme le manifestent aussi les passages interprétés par toi. Bien plus, ce sont des blasphèmes : tu prétends en effet que des anges se sont mal conduits, et éloignés de Dieu[2].

2 D'un ton plus complaisant, car je voulais le préparer à m'écouter, je répondis :

— J'apprécie, mon ami, cette vénération, et je te prie d'avoir la même disposition envers celui dont il est écrit que [b]les anges le servent, comme le dit Daniel, que[3] (*Dan.* 7, 13)*Comme un Fils d'homme*[4] *il est conduit vers l'Ancien des jours,* (14)*et il lui est donné toute royauté pour l'éternité de l'éternité.* Et pour que tu saches bien, ami, dis-je, que cette interprétation, que tu réprouves, n'est point le fait de notre propre audace, je m'en vais te donner un témoignage tiré d'Isaïe lui-même : il dit que de [c]*mauvais anges* ont habité aussi, et habitent encore[5], *à Tanis*, en Égypte.

3 Voici ces paroles : (*Is.* 30, 1)*Malheur à vous, enfants apostats. Ainsi parle le Seigneur : « Vous avez conçu un dessein en dehors de moi, et des alliances en dehors de mon esprit, en sorte qu'aux péchés s'ajoutent les péchés.* (2)*Vous vous conduisez mal*[6] *: descendus en Égypte, sans m'avoir consulté, vous vous réfugiez au pouvoir de Pharaon, et vous vous abritez à l'ombre des Égyptiens.* (3)*L'ombre de Pharaon pour vous deviendra honte, et opprobre pour ceux qui se fient à l'Égypte,* (4)*car il est à Tanis des chefs, anges*

a Cf. *Is.* 29, 14 **b** cf. *Dan.* 7, 10 **c** cf. *Is.* 30, 4.

εἰσὶν ἐν Τάνει ἀρχηγοὶ ἄγγελοι πονηροί. (5)*Μάτην κοπιάσουσι πρὸς λαόν, ὃς οὐκ ὠφελήσει αὐτοὺς εἰς βοήθειαν, ἀλλ' εἰς αἰσχύνην καὶ ὄνειδος.*

4 'Αλλὰ καὶ Ζαχαρίας φησίν, ὡς καὶ αὐτὸς ἐμνημόνευσας, ὅτι (*Zach.* 3, 1)*ὁ διάβολος εἱστήκει ἐκ δεξιῶν 'Ιησοῦ τοῦ ἱερέως, ἀντικεῖσθαι αὐτῷ,* (2)*καὶ εἰπεῖν < κύριον >*[1] · *'Επιτιμήσαι σοι κύριος, ὁ ἐκλεξάμενος*[2] *'Ιερουσαλήμ.* Καὶ πάλιν ἐν τῷ 'Ιὼβ γέγραπται, ὡς καὶ αὐτὸς ἔφης, ὅτι *οἱ ἄγγελοι ἦλθον στῆναι ἔμπροσθεν κυρίου, καὶ ὁ διάβολος ἅμα αὐτοῖς ἐληλύθει.* Καὶ ὑπὸ Μωσέως[3] ἐν ἀρχῇ τῆς Γενέσεως *ὄφιν* πλανήσαντα τὴν Εὔαν γεγραμμένον ἔχομεν καὶ *κεκατηραμένον.* Καὶ ἐν Αἰγύπτῳ ὅτι μάγοι ἐπείρησαν[4] ἐξι-[fol 134 v° : A]-σοῦσθαι τῇ δυνάμει τῇ ἐνεργουμένῃ διὰ τοῦ *πιστοῦ θεράποντος* Μωσέως ὑπὸ τοῦ θεοῦ, ἔγνωμεν. Καὶ Δαυὶδ ὅτι *Οἱ θεοὶ τῶν ἐθνῶν δαιμόνιά εἰσιν* εἶπεν, ἐπίστασθε.

80. 1 [p. 207 : B] – Καὶ ὁ Τρύφων πρὸς ταῦτα ἔφη · Εἶπον πρός σε, ὦ ἄνθρωπε, ὅτι ἀσφαλὴς[5] ἐν πᾶσι σπουδάζεις εἶναι ταῖς γραφαῖς προσπλεκόμενος. Εἰπὲ δέ μοι, ἀληθῶς[6] ὑμεῖς *ἀνοικοδομηθῆναι* τὸν τόπον 'Ιερουσαλὴμ τοῦτον[7] ὁμολογεῖτε, καὶ συναχθήσεσθαι τὸν λαὸν ὑμῶν καὶ εὐφρανθῆναι σὺν τῷ Χριστῷ, ἅμα τοῖς πατριάρχαις καὶ τοῖς προφήταις καὶ τοῖς ἀπὸ[8] τοῦ ἡμετέρου γένους ἢ καὶ τῶν προσηλύτων γενομένων[9] πρὶν ἐλθεῖν ὑμῶν τὸν Χριστόν, προσδοκᾶτε, ἤ, ἵνα δόξῃς περικρατεῖν ἡμῶν[10] ἐν ταῖς ζητήσεσι, πρὸς τὸ ταῦτα ὁμολογεῖν ἐχώρησας[11] ;

2 – Κἀγὼ εἶπον · Οὐχ οὕτω τάλας ἐγώ, ὦ Τρύφων, ὡς ἕτερα λέγειν παρ' ἃ φρονῶ. 'Ωμολόγησα οὖν σοι καὶ πρότερον ὅτι ἐγὼ μὲν καὶ ἄλλοι πολλοὶ ταῦτα[12] φρονοῦμεν, ὡς καὶ πάντως ἐπίστασθαι[13] τοῦτο γενησόμενον · πολλοὺς δ' αὖ καὶ τῶν τῆς καθαρᾶς καὶ εὐσεβοῦς ὄντων Χριστιανῶν

1 Κύριον *addendum* Mar., *add.* Otto, Arch., Marc. (*ex* LXX, Dial. 115, 2) : *om. codd., cett. edd. De structura* ὅτι... εἱστήκει ...καὶ εἰπεῖν, cf. 45, 3 **2** 'Εκλεξάμενος *prop.* Thirlb., *coni.* Otto, Troll., Arch., Marc. (*ex* LXX, Dial. 115, 2) : ἐκδεξάμενος *codd., cett. edd.* **3** Μωσέως : Μωϋσέως Mign., Otto, Goodsp. (*hic et infra*) **4** 'Επείρησαν (*vel* ἐποίησαν) *prop.* Mar., *coni.* Otto, Arch. : πάντα ἐποίησαν Marc. ἦσαν *codd., cett. edd.* **5** 'Ασφαλὴς : ἀσφ. ἔσῃ εἰ. Marc. *om. codd., cett. edd.* **6** Εἶπὲ δέ μοι · ἀληθῶς ὑμεῖς A, *edd. a* Mar. : εἰπὲ δέ μοι ἀληθῶς · ὑμεῖς *cett. edd.* εἶπε δὲ μοι ἀληθως ὑμεῖς B **7** Τὸν – τοῦτον : τὸν τ. τοῦτον 'Ιερ. *transp.* Marc. **8** 'Απὸ : ἁγίοις *prop.* Donaldson (*A critical History of Christian Literature*, II, p. 260), *coni.* Otto, Arch., Marc. Cf. 72, 4 (ἀπὸ *pro* ἅγιος) ; 26, 1 ; 139, 4 **9** Τῶν π. γενομένων : τοῖς π. γενομένοις *prop.* Thirlb. **10** Τὸν Χριστόν – ἡμῶν A, *edd.* : *om* B¹ τῶν χρηστῶν προσδοκᾶτε, ἤ, οἴνῳ δόξῃς περικρατεῖν ἡμῶν *add.* B² *in marg.* **11** 'Εχώρησας : ἐχώρισας *prop.* Orell (*Iust. M. loc. aliq. sel.*, p. 29) **12** Ταῦτα : τοῦτο *prop.* Thirlb. **13** 'Επίστασθαι *prop.* Thirlb., Mar., Orell., *coni.* Arch., Marc. Cf. Dial. 18, 3 ; 30, 3 ; 32, 1 ; 55, 3 ; 60, 2 ; 90, 2 ; 93, 4 ; 107, 2 ; 114, 4 ; 132, 1 ; I Apol. 21, 5 ; 60, 11 ; 68, 8 (ὡς [καὶ] + inf.) : ἐπίστασθε *codd., cett. edd.*

mauvais. (5)*Leurs efforts seront vains pour un peuple qui ne leur sera point utile pour le secours, mais pour la honte et l'opprobre ».*

4 Zacharie dit encore, comme tu l'as toi-même rappelé[7], que (*Zach.* 3, 1)*le diable se tenait à la droite de Jésus le prêtre, pour s'opposer à lui.* (2)*Et le Seigneur dit : « Que le Seigneur te réprouve, lui qui a choisi Jérusalem ».* A nouveau en Job, il est écrit, comme tu l'as toi-même dit, que [a]*les anges vinrent se placer en face du Seigneur, et le diable avec eux était venu.* Moïse aussi écrit, au début de la Genèse, que [b]le serpent qui avait égaré Ève [c]fut *maudit*[8]. C'est en Égypte encore, nous l'avons appris, que [d]les mages ont entrepris d'égaler la puissance exercée par Dieu, en la personne de Moïse, le [e]*serviteur fidèle*[9]. David aussi, vous le savez, a dit que [f]*les dieux des nations sont des démons*[10].

Opinion de Justin sur la résurrection et sur le Millénaire.
Hérésies chrétiennes.

80. 1 Tryphon repartit :

— Je t'ai dit, ami, que tu avais soin d'être persuasif, en demeurant attaché aux Écritures[1]. Mais dis-moi, professez-vous réellement que ce lieu de Jérusalem doit être [g]*rebâti*[2] ? que vous espérez que votre peuple y sera rassemblé et s'y réjouira en compagnie du Christ, avec les patriarches, les prophètes et ceux de notre race[3], ou même parmi ceux qui se sont faits prosélytes avant que votre Christ ne vînt ? Ou bien est-ce pour paraître l'emporter sur nous, dans nos investigations, que tu t'es réfugié dans cette déclaration ?

2 Je dis :

— Je ne suis pas assez misérable, Tryphon, pour affirmer autre chose que ce que je crois. Ainsi t'ai-je déclaré, dans ce qui précède, que moi-même et beaucoup d'autres avions de telles vues, au point de savoir parfaitement que cela doit arriver. Beaucoup, en revanche, même chrétiens de doctrine pure et

a *Job.* 1, 6 ; 2, 1 **b** cf. *Gen.* 3, 1-6 **c** *ibid.*, 14 **d** cf. *Exod.* 7-8 **e** cf. *Nombr.* 12, 7 et *Hébr.* 3, 2.5 **f** *Ps.* 95, 5 et *I Chron.* 16, 26 **g** cf. *Zach.*, 1, 16 ?

γνώμης τοῦτο μὴ γνωρίζειν ἐσήμανά σοι. **3** Τοὺς γὰρ λεγομένους μὲν Χριστιανούς, ὄντας δὲ ἀθέους καὶ ἀσεβεῖς αἱρεσιώτας, ὅτι κατὰ πάντα βλάσφημα καὶ ἄθεα καὶ ἀνόητα διδάσκουσιν, ἐδήλωσά σοι. Ὅτι[1] δ' οὐκ [fol. 135 r° : A] ἐφ' ὑμῶν μόνων τοῦτο λέγειν με ἐπίστασθε, τῶν γεγενημένων ἡμῖν λόγων ἁπάντων, ὡς δύναμίς μου[2], σύνταξιν ποιήσομαι[3], ἐν οἷς καὶ τοῦτο ὁμολογοῦντά με, ὃ καὶ πρὸς ὑμᾶς ὁμολογῶ, ἐγγράψω. Οὐ γὰρ ἀνθρώποις μᾶλλον ἢ *ἀνθρωπίνοις διδάγμασιν* αἱροῦμαι ἀκολουθεῖν, ἀλλὰ *θεῷ* καὶ τοῖς παρ' ἐκείνου διδάγμασιν.

4 Εἰ γὰρ καὶ συνεβάλετε ὑμεῖς τισι λεγομένοις Χριστιανοῖς, καὶ τοῦτο μὴ ὁμολογοῦσιν, ἀλλὰ καὶ βλασφημεῖν τολμῶσι τὸν θεὸν Ἀβραὰμ καὶ τὸν θεὸν Ἰσαὰκ καὶ τὸν θεὸν Ἰακώβ, οἳ καὶ λέγουσι μὴ εἶναι νεκρῶν ἀνάστασιν, ἀλλὰ ἅμα τῷ ἀπο-[p. 208 : B]-θνήσκειν τὰς ψυχὰς αὐτῶν ἀναλαμβάνεσθαι εἰς τὸν οὐρανόν, μὴ ὑπολάβητε αὐτοὺς Χριστιανούς, ὥσπερ οὐδὲ Ἰουδαίους, ἄν τις ὀρθῶς ἐξετάσῃ, ὁμολογήσειεν εἶναι τοὺς Σαδδουκαίους ἢ τὰς ὁμοίας αἱρέσεις Γενιστῶν καὶ Μεριστῶν καὶ Γαλιλαίων καὶ Ἑλληνιανῶν[4] καὶ Φαρισαίων Βαπτιστῶν[5] (καὶ μὴ ἀηδῶς ἀκούσητέ μου πάντα ἃ φρονῶ λέγοντος[6]), ἀλλὰ λεγομένους μὲν Ἰουδαίους καὶ τέκνα Ἀβραάμ, καὶ *χείλεσιν ὁμολογοῦντας τὸν θεόν*, ὡς αὐτὸς κέκραγεν ὁ θεός, *τὴν δὲ καρδίαν πόρρω ἔχειν ἀπ' αὐτοῦ.*

5. Ἐγὼ δέ, καὶ εἴ τινές εἰσιν ὀρθογνώμονες κατὰ πάντα Χριστιανοί, καὶ σαρκὸς ἀνάστασιν γενήσεσθαι ἐπιστάμεθα καὶ χίλια ἔτη ἐν Ἱερουσαλὴμ οἰκοδομηθείσῃ [fol. 135 v° : A] καὶ κοσμηθείσῃ καὶ πλατυνθείσῃ, < ὡς >[7] οἱ προφῆται Ἰεζεκιὴλ καὶ Ἡσαΐας καὶ οἱ ἄλλοι ὁμολογοῦσιν.

81. 1 Οὕτως γὰρ Ἡσαΐας περὶ τῆς χιλιονταετηρίδος ταύτης εἶπεν · (*Is.* 65, 17) *Ἔσται γὰρ ὁ οὐρανὸς καινὸς καὶ ἡ γῆ καινή, καὶ οὐ μὴ μνησθῶσι τῶν προτέρων οὐδὲ μὴ ἐπέλθῃ αὐτῶν ἐπὶ τὴν καρδίαν,* (18)*ἀλλ' εὐφροσύνην καὶ ἀγαλλίαμα εὑρήσουσιν < ἐν >*[8] *αὐτῇ, ὅσα ἐγὼ κτίζω*[9] · *ὅτι ἰδοὺ ἐγὼ ποιῶ τὴν Ἱερουσαλὴμ ἀγαλλίαμα καὶ τὸν λαόν μου εὐφροσύνην,* (19)*καὶ ἀγαλλιάσομαι ἐπὶ Ἱερουσαλὴμ καὶ εὐφρανθήσομαι ἐπὶ τῷ λαῷ μου. Καὶ οὐκέτι οὐ μὴ ἀκουσθῇ ἐν αὐτῇ φωνὴ κλαυθμοῦ οὐδὲ φωνὴ κραυγῆς,* (20)*καὶ*

1 Ὅτι ...ἐπίστασθε : ὅπως ...ἐπιστῆσθε *coni.* Marc. (*ut sciatis* Mar., Otto) **2** Μου : μοι *prop.* Sylb., *coni.* Marc. (cf. I Apol. 67, 5 : ὅση δύναμις αὐτῷ) **3** Ποιήσομαι : ποιήσωμαι Mor. **4** Ἑλληνιανῶν : Ἑλληλιανῶν (*vel* Ἡλιακῶν *vel* Ἑλκεσαίων) *prop.* Thirlb., Otto., *coni.* Marc. Ἑλενιανῶν *prop.* Arch. (*Cels.* 5, 62) **5** Φαρισσαίωνβαπτιστῶν (*sic*) *codd. cum ligatura subscripta (hyphen) in cod.* A : Φ. B. Steph. Φ., B. Mign. Φ. καὶ B. *prop.* Lange, Grotius (ad Mc. 7, 4), *coni. edd. ab* Otto **6** Καὶ – λέγοντος *in semicirculis edd. a* Mar. **7** Ὡς *prop.* Thirlb., Mar., Orell. (*loc. cit.*), *add.* Otto, Troll., Arch., Goodsp. : ποιήσειν ὡς Marc. (cf. 81, 4) *om. codd. cett. edd.* **8** Ἐν *edd.* (*ex* LXX) : *om. codd.* **9** Ὅσα ἐγὼ κτίζω : *om.* LXX.

pieuse, ne le reconnaissent pas, je te l'ai signalé. **3** Car ceux, chrétiens de nom, qui sont en vérité des hérétiques impies et athées, n'enseignent en tout point que blasphèmes, impiétés et folies, je te l'ai montré[4]. Et puisque ce n'est pas uniquement pour vous que je tiens ces propos, vous le savez[5], de tout ce dont nous nous sommes entretenus, comme je le pourrai[6], je ferai un ouvrage, où je confirmerai par écrit ce que devant vous je déclare. Car plutôt qu'à des hommes ou des [a]*enseignements humains*, je préfère adhérer à [b]*Dieu* et aux enseignements qui viennent de lui[7].

4 S'il vous arrive de rencontrer aussi de prétendus chrétiens, n'admettant point cela, qui ont de plus l'audace de blasphémer le Dieu d'Abraham, le Dieu d'Isaac et le Dieu de Jacob[8], et qui disent qu'il n'est pas de résurrection des morts, mais qu'à l'instant de la mort leurs âmes sont enlevées au ciel[9], ne les tenez pas pour chrétiens ; pas plus qu'on ne saurait, à bien considérer, reconnaître pour juifs les Sadducéens[10] ou les sectes[11] similaires des Génistes, Méristes, Galiléens, Helléniens, Pharisiens-Baptistes[12] (et ne vous froissez pas de m'entendre dire tout ce que je pense) : bien qu'appelés juifs et « enfants d'Abraham », ils [c]*honorent Dieu des lèvres*, comme s'écrie Dieu lui-même, *mais leur cœur est loin de lui.*

5 Pour moi, comme tous les chrétiens parfaitement orthodoxes[13], nous savons qu'il y aura une [d][14]résurrection de la chair, ainsi que mille années[15] dans Jérusalem [e]rebâtie[16], [f]ornée et agrandie[17], comme les prophètes Ézéchiel[18], Isaïe et les autres l'affirment.

Prophéties sur le Millénaire tirées d'Isaïe et de l'Apocalypse.

81. 1 Voici comment Isaïe a parlé de cette période de mille années : (*Is.* 65, 17)*Le ciel, en effet, sera nouveau, et la terre nouvelle*[1]. *On ne se souviendra pas des choses du passé, elles ne reviendront pas en leur cœur ;* (18)*mais c'est une allégresse et une jubilation qu'en elle on trouvera, autant de choses que je crée ; car voici que je fais de Jérusalem une jubilation, et de mon peuple une allégresse,* (19)*et je jubilerai sur Jérusalem et me réjouirai sur mon peuple. Et l'on n'entendra plus en elle la voix du gémissement ni la voix de la plainte.* (20)*Là, plus de nouveau-né au jours prématurés, ni de vieillard qui*

a Cf. *Is.* 29, 13 ; *Matth.* 15, 9 ; *Mc.* 7, 7 **b** cf. *Act.* 5, 29 ? **c** cf. *Is.* 29, 13 ; *Matth.* 15, 8 ; *Mc.* 7, 6
d cf. *Éz.* 37, 7-8 ; 12-14 ; *Is.* 45, 23-24 ; *Rom.* 14, 11 **e** cf. *Is.* 65, 21 **f** cf. *Éz.* 40, s. ?

οὐ μὴ γένηται ἔτι ἐκεῖ ἄωρος ἡμέραις[1] *καὶ πρεσβύτης ὃς οὐκ ἐμπλήσει τὸν χρόνον αὐτοῦ · ἔσται γὰρ ὁ νέος υἱὸς ἑκατὸν ἐτῶν, ὁ δὲ ἀποθνῄσκων ἁμαρτωλὸς υἱὸς ἑκατὸν ἐτῶν καὶ ἐπικατάρατος ἔσται.* **2** (21)*Καὶ οἰκοδομήσουσιν οἰκίας καὶ αὐτοὶ ἐνοικήσουσι, καὶ καταφυ-*[p. 209 : B]-*τεύσουσιν ἀμπελῶνας καὶ αὐτοὶ φάγονται*[2] *τὰ γενήματα*[3] *αὐτῶν*[4]. (22)*Οὐ μὴ οἰκοδομήσωσι*[5] *καὶ ἄλλοι κατοικήσουσι, καὶ οὐ μὴ φυτεύσωσι καὶ ἄλλοι φάγονται · κατὰ γὰρ τὰς*[6] *ἡμέρας τοῦ ξύλου τῆς ζωῆς αἱ ἡμέραι τοῦ λαοῦ μου ἔσονται, τὰ ἔργα τῶν πόνων αὐτῶν πλεονάσουσιν*[7]. (23)*Οἱ ἐκλεκτοί μου οὐ μὴ πονέσουσιν εἰς κενὸν οὐδὲ τεκνοποιήσουσιν εἰς κατάραν ·* [fol. 136 r° : A] *ὅτι σπέρμα δίκαιον καὶ εὐλογημένον ὑπὸ κυρίου ἔσονται, καὶ ἔγγονα*[8] *αὐτῶν μετ᾽ αὐτῶν.* (24)*Καὶ ἔσται πρὶν ἢ κεκράξαι αὐτοὺς ἐγὼ ἐπακούσομαι αὐτῶν · ἔτι λαλούντων αὐτῶν ἐρῶ · Τί ἐστι ;* (25)*Τότε λύκοι καὶ ἄρνες ἅμα βοσκηθήσονται, καὶ λέων ὡς βοῦς φάγεται ἄχυρα, ὄφις δὲ γῆν ὡς ἄρτον. Οὐκ ἀδικήσουσιν οὐδὲ λυμανοῦνται ἐπὶ τῷ ὄρει*[9] *τῷ ἁγίῳ, λέγει κύριος.*

3 Τὸ οὖν εἰρημένον ἐν τοῖς λόγοις τούτοις, ἔφην · *Κατὰ γὰρ τὰς ἡμέρας τοῦ ξύλου*[10] *αἱ ἡμέραι τοῦ λαοῦ μου ἔσονται, τὰ ἔργα τῶν πόνων αὐτῶν*[11] νενοήκαμεν[12] · ὅτι χίλια ἔτη ἐν μυστηρίῳ μηνύει. Ὡς γὰρ τῷ Ἀδὰμ εἴρητο, ὅτι *ᾗ δ᾽ ἂν ἡμέρᾳ φάγῃ ἀπὸ τοῦ ξύλου, ἐν ἐκείνῃ ἀποθανεῖται*, ἔγνωμεν[13] αὐτὸν μὴ ἀναπληρώσαντα χίλια ἔτη, συνήκαμεν καὶ τὸ εἰρημένον, ὅτι *Ἡμέρα*[14] *κυρίου*[15] *ὡς χίλια ἔτη*, εἰς τοῦτο συνάγει<ν>[16].

4 Καὶ ἔπειτα[17] καὶ παρ᾽ ἡμῖν ἀνήρ τις, ᾧ ὄνομα Ἰωάννης, εἷς τῶν ἀποστόλων τοῦ Χριστοῦ, ἐν Ἀποκαλύψει γενομένῃ αὐτῷ *χίλια ἔτη* ποιήσειν ἐν Ἱερουσαλὴμ τοὺς τῷ ἡμετέρῳ Χριστῷ πιστεύσαντας

1 Ἡμέραις : *om.* LXX **2** Φάγονται *codd.*, Troll., *edd. ab* Otto (= LXX) : φάγωνται *cett. edd.* **3** Γενήματα (= LXX) : γεννήματα *prop.* Thirlb., *coni.* Troll., Mign., Otto, Arch. **4** *Post* αὐτῶν *omn. edd. usque ad* Troll. *add.* Καὶ τὸν οἶνον πίωνται (πίονται Troll.), *ex multis* LXX *mss.* : *om. codd.*, *cett. edd.* **5** Οἰκοδομήσωσι ...φυτεύσωσι : οὐ μὴ οἰκοδομήσουσι καὶ οὐ μὴ φυτεύσουσιν *in marg.* A. (*ex* LXX), *om.* B **6** Τὰς *edd.* (cf. 81, 3) : τῆς *codd.* **7** Πλεονάσουσιν : παλαιώσουσιν (*ex* LXX) *prop.* Grabe (*De vitiis LXX interpretum versioni ante Origenis aevum illatis*, p. 39 s.), Thirlb., *coni.* Otto, Arch., Goodsp. **8** Ἔγγονα : ἔκγονα *prop.* Thirlb. τὰ ἔγγονα Marc. (*ex* LXX) **9** Ὄρει : ὄρει μου Marc. (*ex* LXX *codd.* 88, 62, 544 *et al.*) **10** Τοῦ ξύλου : τοῦ ξύλου τῆς ζωῆς Sylb., Mor., Marc. (*ex* LXX) **11** Αὐτῶν : αὐτῶν παλαιώσουσι Otto, Arch., Goodsp. πλεονάσουσι(ν) Thirlb., Mign., Marc. **12** Νενοήκαμεν · ὅτι : νενοήκαμεν ὅτι *edd. ab* Otto νενοήκαμεν, ὅτι *cett. edd.* **13** Ἔγνωμεν : καὶ ἔγνωμεν *prop.* Thirlb., *coni.* Marc. **14** Ἡμέρα : ἡ ἡμέρα *prop.* Otto **15** Κυρίου : κυρίῳ *prop.* Sylb. (*ex* LXX *et* II Pt. 3, 8) **16** Συνάγειν *prop.* Thirlb., Mar., *coni. edd. ab* Otto : συνάγει *codd.*, *cett. edd.* συνήκαμεν δὲ καὶ ὅτι..., ὅτι ...συνάγει *prop.* Sylb., Lange, Mar. συνήκαμεν ὅτι καὶ τὸ εἰρ., ὅτι Orell (*Iust. M. loc. aliq. sel.*, p. 29) **17** Ἔπειτα *edd. ab* Otto (cf. 78, 2) : ἐπειδὴ *codd.*, *cett. edd.* ἔτι δὲ *prop.* Nolte.

n'accomplisse son temps. Car le fils encore jeune aura cent ans, c'est à cent ans encore que le fils pécheur mourra, et qu'il sera maudit. **2** (21)*On bâtira des maisons et soi-même on les habitera, on plantera des vignes et l'on en mangera soi-même les produits.* (22)*On ne bâtira pas pour que d'autres habitent, on ne plantera pas afin que d'autres mangent. Car c'est comme les jours de l'arbre de la vie*[2] *que seront les jours de mon peuple, elles seront abondantes*[3] *les œuvres de leurs peines.* (23)*Mes élus ne peineront pas en vain, ils ne procréeront pas pour la malédiction : ils seront une race juste et bénie du Seigneur, et leurs enfants avec eux.* (24)*Avant qu'ils aient crié, je les exaucerai ; ils parleront encore que je dirai : « Qu'y-a-t-il ? ».* (25)*Alors loups et agneaux pâtureront ensemble, et le lion comme un bœuf mangera le fourrage, et le serpent aura comme pain la poussière. Ils ne commettront pas d'injustice, ni ne se souilleront sur la montagne sainte, dit le Seigneur.*

3 Or, ajoutai-je, l'expression qui dit en ce passage : [a]*Car c'est comme les jours de l'arbre que seront les jours de mon peuple* (désigne), nous l'entendons, *les œuvres de leurs peines* : c'est mille années qu'elle indique en mystère[4]. De fait, comme à Adam il avait été dit que [b]*le jour où* il *mangerait de l'arbre*, serait celui de sa *mort*, nous savons qu'il n'a pas atteint les mille années, et comprenons aussi que la parole [c]*Un jour du Seigneur est comme mille ans*[5], se rapporte à cela[6].

4 D'ailleurs, chez nous, un homme du nom de Jean, l'un des apôtres du Christ, a prophétisé, dans l'*Apocalypse*[7] qui lui fut faite, que ceux qui auront cru à notre Seigneur [d]passeront *mille ans* à Jérusalem[8] ; après quoi

a *Is.* 65, 22 **b** cf. *Gen.* 2, 17 **c** *Ps.* 89, 4 ; cf. *II Pierre*, 3, 8 **d** *Apoc.* 20, 5-6.

προεφήτευσε, καὶ μετὰ ταῦτα τὴν καθολικὴν καί, συνελόντι φάναι, *αἰωνίαν* ὁμοθυμαδὸν ἅμα πάντων *ἀνάστασιν* γενήσεσθαι καὶ *κρίσιν*. Ὅπερ καὶ ὁ κύριος ἡμῶν εἶπεν, ὅτι *Οὔτε γαμήσουσιν οὔτε γαμηθήσονται*[1], [p. 210 : B] *ἀλλὰ ἰσάγγελοι ἔσονται, τέκνα τοῦ θεοῦ τῆς*[2] [fol. 136 v° : A] *ἀναστάσεως ὄντες*.

82. 1 Παρὰ γὰρ ἡμῖν καὶ μέχρι νῦν προφητικὰ χαρίσματά ἐστιν, ἐξ οὗ καὶ αὐτοὶ συνιέναι ὀφείλετε, ὅτι τὰ πάλαι ἐν τῷ γένει ὑμῶν ὄντα εἰς ἡμᾶς *μετετέθη*. Ὅνπερ δὲ τρόπον καὶ *ψευδοπροφῆται* ἐπὶ τῶν παρ' ὑμῖν γενομένων ἁγίων προφητῶν ἦσαν, καὶ παρ' ἡμῖν νῦν πολλοί εἰσι καὶ *ψευδοδιδάσκαλοι*[3], οὓς φυλάσσεσθαι προεῖπεν ἡμῖν ὁ ἡμέτερος κύριος, ὡς *ἐν μηδενὶ ὑστερεῖσθαι* ἡμᾶς, ἐπισταμένους ὅτι προγνώστης ἦν τῶν μετὰ τὴν ἀνάστασιν αὐτοῦ τὴν ἀπὸ τῶν νεκρῶν καὶ ἄνοδον τὴν εἰς οὐρανὸν μελλόντων γίνεσθαι ἡμῖν. **2** Εἶπε γὰρ ὅτι *φονεύεσθαι* καὶ *μισεῖσθαι διὰ τὸ ὄνομα αὐτοῦ* μέλλομεν, καὶ ὅτι *ψευδοπροφῆται καὶ ψευδόχριστοι πολλοὶ ἐπὶ τῷ ὀνόματι αὐτοῦ παρελεύσονται καὶ πολλοὺς πλανήσουσιν* · ὅπερ καὶ ἔστι.

3 *Πολλοὶ* γὰρ ἄθεα καὶ βλάσφημα καὶ ἄδικα *ἐν ὀνόματι αὐτοῦ* παραχαράσσοντες ἐδίδαξαν, καὶ[4] τὰ ἀπὸ τοῦ ἀκαθάρτου πνεύματος διαβόλου[5] ἐμβαλλόμενα ταῖς διανοίαις αὐτῶν ἐδίδαξαν καὶ διδάσκουσι μέχρι νῦν · οὓς ὁμοίως ὑμῖν μεταπείθειν μὴ πλανᾶσθαι ἀγωνιζόμεθα, εἰδότες ὅτι πᾶς ὁ δυνάμενος λέγειν τὸ ἀληθὲς καὶ μὴ λέγων κριθήσεται ὑπὸ τοῦ θεοῦ[6], ὡς διὰ τοῦ Ἰεζεκιὴλ διεμαρτύρατο ὁ θεός, εἰπὼν ὅτι *Σκοπὸν τέθεικά σε* [fol. 137 r° : A] *τῷ οἴκῳ Ἰούδα... Ἐὰν ἁμάρτῃ ὁ ἁμαρτωλὸς καὶ μὴ διαμαρτύρῃ αὐτῷ, αὐτὸς μὲν τῇ ἁμαρτίᾳ αὐτοῦ ἀπολεῖται, παρὰ σοῦ δὲ τὸ αἷμα αὐτοῦ ἐκζητήσω · ἐὰν δὲ διαμαρτύρῃ αὐτῷ, ἀθῷος ἔσῃ*.

4 Διὰ δέος οὖν καὶ ἡμεῖς σπουδάζομεν ὁμιλεῖν κατὰ τὰς γραφάς, ἀλλ' οὐ διὰ φιλοχρηματίαν ἢ [p. 211 : B] φιλοδοξίαν ἢ φιληδονίαν · ἐν οὐδενὶ γὰρ τούτων ἐλέγξαι ἡμᾶς ὄντας δύναταί τις. Οὐδὲ γὰρ ὁμοίως τοῖς *ἄρχουσι* τοῦ λαοῦ τοῦ ὑμετέρου θέλομεν ζῆν, οὓς ὀνειδίζει ὁ θεὸς λέγων · *Οἱ ἄρχοντες ὑμῶν κοινωνοὶ κλεπτῶν, φιλοῦντες δῶρα, διώκοντες*

1 Γαμηθήσονται A, *edd.* : γαμήσονται B **2** Τῆς : καὶ τῆς Zahn (*Geschichte des Ntl. Kanons*, II, p. 486), Marc. **3** Ψευδοδιδάσκαλοι : ψευδοπροφῆται καὶ ψευδοδιδάσκαλοι Marc. (*ex* Mt. 7, 15) **4** Καὶ : ἀλλὰ καὶ Marc. **5** Διαβόλου : *ut glossema del.* Marc. **6** Πᾶς – θεοῦ : *exscripsit* Io. Damasc., *Sacr. parall.*, Fr. 102 Holl (τοῦ αὐτοῦ ἐκ τοῦ πρὸς Τρύφωνα Β' λόγου).

aura lieu la *résurrection* générale, et, en un mot, [a]*éternelle*[9], unanime[10], de tous les hommes ensemble, ainsi que le *jugement*. C'est ce que notre Seigneur a dit lui aussi[11] : [b]*Ils ne prendront point de femme ni ne seront donnés en mariage, mais ils seront comme des anges, car ils seront enfants du Dieu de la résurrection*[12].

L'apparition des hérésies et la permanence des charismes prophétiques attestent la vérité du message de Jésus. Les exégèses juives sont erronées et blasphématoires.

82. 1 Car[1] il y a chez nous, même encore aujourd'hui, des charismes prophétiques[2], ce qui doit vous faire comprendre à vous même aussi que ceux qui existaient jadis en votre race nous ont été [c]*transférés*[3]. Et de même [d]qu'il y eut des *faux prophètes* du temps des saints prophètes qui furent chez vous[4], de même aujourd'hui y-a-t-il aussi chez nous beaucoup de *faux didascales*[5], contre qui, à l'avance, notre Seigneur [e]nous a mis en garde. Aussi ne sommes-nous [f]*en rien pris au dépourvu*, puisque nous savons qu'il connaissait à l'avance[6] ce qui devait nous arriver après sa résurrection d'entre les morts et sa montée au ciel. **2** Il a dit en effet que nous serions [g]*mis à mort* et *haïs*[7] *à cause de son nom*, et que [h]*faux prophètes et faux christs se présenteraient nombreux en son nom et en égareraient beaucoup*[8], ce qui est le cas.

3 [i]*Nombreux*, en effet, sont ceux qui ont enseigné, en les marquant du sceau de *son nom*, des doctrines athées, blasphématoires et iniques ; ils ont enseigné et enseignent encore aujourd'hui ce que l'esprit impur, le diable, a jeté dans leur esprit[9] : eux comme vous, nous luttons pour les dissuader de leur erreur, convaincus que tout homme qui peut dire la Vérité[10] et ne la dit point sera jugé par Dieu, comme Dieu en témoigne par l'intermédiaire d'Ézéchiel, lorsqu'il dit : [j]*Je t'ai établi sentinelle sur la maison de Juda... Si le pécheur pèche et que tu ne l'avertisse pas, lui-même périra par son propre péché, mais c'est à toi que je demanderai son sang. Si au contraire tu l'avertis, tu seras innocent*[11].

4 C'est donc la crainte[12] qui nous donne ce zèle de parler selon les Écritures, et non l'amour des richesses, de la gloire ou du plaisir : personne en effet ne peut nous convaincre de rien de tout cela. Nous ne sommes pas non plus, comme les *chefs* de votre peuple, attachés à la vie, eux que Dieu réprimande en ces termes : [k]*Vos chefs sont des compagnons de voleurs, ils aiment les*

a Cf. *Hébr.* 6, 2 **b** *Lc.* 20, 35-36 **c** cf. *Is.* 29, 14 **d** cf. *II Petr.* 2, 1 ? **e** cf. *Matth.* 7, 15 **f** cf. *I Cor.* 1, 7 **g** cf. *Matth.*10, 21-22 ; 24, 9 ; *Mc.* 13, 13 ; *Lc.* 21, 17 **h** cf. *Matth.* 24, 5.11.24 ; *Mc.* 13, 22 **i** cf. *Matth.* 24, 5.11.24 et pll. **j** *Éz.* 3, 17-19 et 33, 7-9 **k** *Is.* 1, 23.

ἀνταπόδομα. Εἰ δέ τινας καὶ ἐν ἡμῖν τοιούτους γνωρίζετε, ἀλλ' οὖν γε τὰς γραφὰς καὶ τὸν Χριστὸν διὰ τοὺς τοιούτους μὴ βλασφημῆτε καὶ παρεξηγεῖσθαι σπουδάζητε.

83. 1 Καὶ γὰρ τὸ *Λέγει κύριος τῷ κυρίῳ μου · κάθου ἐκ δεξιῶν μου, ἕως ἂν θῶ τοὺς ἐχθρούς σου ὑποπόδιον τῶν ποδῶν σου,* εἰς Ἐζεκίαν εἰρῆσθαι ἐτόλμησαν ὑμῶν οἱ διδάσκαλοι ἐξηγήσασθαι, ὡς κελευσθέντος αὐτοῦ *ἐν δεξιᾷ* τοῦ ναοῦ *καθεσθῆναι,* ὅτε προσέπεμψεν αὐτῷ ὁ βασιλεὺς Ἀσσυρίων ἀπειλῶν, καὶ ἐσημάνθη αὐτῷ διὰ τοῦ Ἡσαΐου *μὴ φοβεῖσθαι* αὐτόν. Καὶ ὅτι μὲν γέγονε τὰ λεχθέντα ὑπὸ Ἡσαΐου οὕτως, καὶ *ἀπεστράφη ὁ βασιλεὺς Ἀσσυρίων* τοῦ μὴ πολεμῆσαι τὴν [fol. 137 v° : A] Ἱερουσαλὴμ ἐν ἡμέραις τοῦ Ἐζεκίου, *καὶ ἄγγελος κυρίου ἀνεῖλεν ἐκ τῆς παρεμβολῆς τῶν Ἀσσυρίων* εἰς *ἑκατὸν ὀγδοήκοντα πέντε χιλιάδας,* καὶ ἐπιστάμεθα καὶ ὁμολογοῦμεν.

2 Ὅτι δὲ εἰς αὐτὸν οὐκ εἴρηται ὁ ψαλμός, δῆλον. Ἔχει γὰρ οὕτως · (Ps. 109, 1) *Λέγει κύριος τῷ κυρίῳ μου · Κάθου ἐκ δεξιῶν μου, ἕως ἂν θῶ τοὺς ἐχθρούς σου ὑποπόδιον τῶν ποδῶν σου.* (2) *Ῥάβδον δυνάμεως ἐξαποστελεῖ*[1] *ἐπὶ Ἱερουσαλήμ, καὶ κατακυριεύσει ἐν μέσῳ τῶν ἐχθρῶν σου.* (3)... *Ἐν*[2] *λαμπρότητι τῶν ἁγίων πρὸ*[3] *ἑωσφόρου ἐγέννησά σε.* (4) *Ὤμοσε κύριος καὶ οὐ μεταμεληθήσεται · Σὺ ἱερεὺς εἰς τὸν αἰῶνα κατὰ τὴν τάξιν Μελχισεδέκ.*

3 Ὅτι οὖν Ἐζεκίας οὐκ ἔστιν *ἱερεὺς εἰς τὸν αἰῶνα κατὰ τὴν τάξιν Μελχισε*-[p. 212 : B]-*δέκ,* τίς οὐχ ὁμολογεῖ ; Καὶ ὅτι οὐκ ἔστιν ὁ λυτρούμενος τὴν Ἱερουσαλήμ, τίς οὐκ ἐπίσταται ; Καὶ ὅτι *ῥάβδον δυνάμεως* αὐτὸς οὐκ *ἀπέστειλεν* εἰς *Ἱερουσαλὴμ καὶ κατεκυρίευσεν ἐν μέσῳ τῶν ἐχθρῶν* αὐτοῦ, ἀλλ' ὁ θεὸς ἦν ὁ ἀποστρέψας ἀπ' αὐτοῦ κλαίοντος καὶ ὀδυρομένου τοὺς πολεμίους, τίς οὐ γινώσκει ; **4** Ὁ δὲ ἡμέτερος Ἰησοῦς, οὐδέπω ἐνδόξως ἐλθών, *ῥάβδον δυνάμεως εἰς Ἱερουσαλὴμ ἐξαπέστειλε,* τὸν[4] Λόγον τῆς κλήσεως καὶ τῆς μετανοίας πρὸς τὰ *ἔθνη* ἅπαντα, ὅπου τὰ *δαιμόνια* ἀπεκυρίευεν αὐτῶν, ὥς φησι Δαυΐδ · *Οἱ θεοὶ τῶν ἐθνῶν δαιμόνια,* καὶ *ἰσχυρὸς* ὁ Λόγος πέπεικε πολλοὺς καταλιπεῖν δαιμόνια, [fol. 138 r° : A] οἷς ἐδούλευον, καὶ ἐπὶ τὸν παντοκράτορα θεὸν δι' αὐτοῦ πιστεύειν, ὅτι *δαιμόνιά* εἰσιν *οἱ θεοὶ τῶν*

1 Ἐξαποστελεῖ : ἐξ. κύριος Marc. (*ex* LXX ; Dial. 32, 6 ; I Apol. 45, 3) **2** Ἐν : ἐν τῇ Marc. (cf. 83, 4) ἐν ταῖς λαμπρότησι LXX ; Dial. 32, 6 ; 63, 3 ; I Apol. 45, 4 **3** Πρὸ : ἐκ γαστρὸς πρὸ Marc. (cf. 83, 4 ; LXX ; Dial. ; Apol.) **4** Τὸν : τουτέστι τὸν Marc.

présents et courent les récompenses[13]. Et si chez nous aussi vous en connaissez de tels, n'allez pas, à cause d'eux, blasphémer les Écritures et le Christ, en mettant tous vos soins à mal interpréter[14].

Le Psaume 109 n'est pas dit d'Ézéchias, mais du Christ.

83. 1 C'est ainsi que[1] cette parole [a]*Le Seigneur dit à mon Seigneur : « Assieds-toi à ma droite, jusqu'à ce que je fasse de tes ennemis l'escabeau de tes pieds »*, vos didascales ont eu l'audace de l'interpréter en la rapportant à Ézéchias, comme s'il avait reçu l'ordre de *s'asseoir à la droite* du Temple, [b]lorsqu'en le menaçant le roi d'Assyrie lui envoya des messagers, [c]et qu'il lui fut signifié par l'intermédiaire d'Isaïe de *ne point* le *craindre*. Or les paroles d'Isaïe, c'est vrai, se sont réalisées : [d]*le roi d'Assyrie s'en est retourné*, renonçant à assiéger Jérusalem au temps d'Ézéchias, [e]et *un ange du Seigneur*[2] *a frappé dans le camp des Assyriens* jusqu'à *cent quatre-vingt-cinq mille hommes*, nous le savons et le reconnaissons.

2 Que le psaume n'a pas été dit sur Ézéchias, c'est évident. En voici le texte : (*Ps.* 109, 1)*Le Seigneur dit à mon Seigneur : « Assieds-toi à ma droite, jusqu'à ce que je fasse de tes ennemis l'escabeau de tes pieds.* (2)*Il enverra un sceptre de puissance sur Jérusalem, et il dominera au milieu de tes ennemis.* (3)*...Dans la splendeur des saints...*[3] *avant l'aurore, je t'ai engendré.* (4)*Le Seigneur a juré, et il ne se repentira pas : tu es prêtre pour l'éternité selon l'ordre de Melchisédech »*[4].

3 Ézéchias n'est pas [f]*prêtre pour l'éternité selon l'ordre de Melchisédech*[5], qui ne le reconnaîtrait ? Et il n'est pas celui qui rachète Jérusalem[6], qui l'ignore ? Il n'a pas [g]*envoyé* lui-même *un sceptre de puissance* à *Jérusalem*[7], et n'a pas [h]*dominé au milieu de ses ennemis*, mais c'est Dieu qui de lui, pleurant et gémissant, a détourné les *ennemis*, qui ne le sait ? **4** C'est notre Jésus, alors qu'il n'était pas encore venu *dans la gloire*[8], qui a [i]*envoyé à Jérusalem un sceptre de puissance*, le Verbe de vocation[9] et de pénitence[10], (destiné) à toutes les *nations*[11] là où les *démons*[12] les dominaient, comme dit David : [j]*Les dieux des nations sont des démons.* Et son Verbe *puissant*[13] en a convaincu beaucoup d'abandonner les démons, qu'ils servaient, et de croire par lui au Dieu tout-puissant, puisqu' [k]ils sont *des démons, les dieux des nations*[14]. Et l'expression [l]*dans la splendeur des saints, du sein, avant l'aurore, je t'ai engendré*, c'est au Christ qu'elle s'applique, comme nous l'avons déjà dit[15].

a *Ps.* 109, 1 **b** cf. *Is.* 37, 9 s. ; *IV Rois* 19, 9 s. **c** cf. *Is.* 37, 5 s. ; *IV Rois* 19, 6 s. **d** cf. *Is.* 37, 37 ; *IV Rois* 19, 36 **e** cf. *Is.* 37, 36 ; *IV Rois* 19, 35 **f** *Ps.* 109, 4 **g** cf. *Ps.* 109, 2 **h** *ibid.* **i** cf. *Ps.* 109, 2 **j** *Ps.* 95, 5 **k** *ibid.* **l** *Ps.* 109, 3.

ἐθνῶν[1]. Καὶ τὸ *Ἐν τῇ λαμπρότητι τῶν ἁγίων, ἐκ γαστρὸς πρὸ ἑωσφόρου ἐγέννησά σε* τῷ Χριστῷ εἴρηται, ὡς προέφημεν.

84. 1 Καὶ τὸ *Ἰδοὺ ἡ παρθένος ἐν γαστρὶ λήψεται καὶ τέξεται υἱὸν* εἰς τοῦτον προείρητο. Εἰ γὰρ μὴ ἐκ *παρθένου* οὗτος, περὶ οὗ Ἡσαΐας ἔλεγεν, ἔμελλε[2] γεννᾶσθαι, εἰς ὃν[3] τὸ ἅγιον πνεῦμα ἐβόα · *Ἰδοὺ κύριος αὐτὸς ἡμῖν*[4] *δώσει σημεῖον · ἰδοὺ ἡ παρθένος ἐν γαστρὶ λήψεται καὶ τέξεται υἱόν* ; Εἰ γὰρ ὁμοίως τοῖς ἄλλοις ἅπασι *πρωτοτόκοις* καὶ οὗτος γεννᾶσθαι ἐκ συνουσίας ἔμελλε, τί καὶ ὁ θεὸς *σημεῖον*, ὃ μὴ πᾶσι[5] τοῖς πρωτοτόκοις κοινόν ἐστιν, ἔλεγε[6] ποιεῖν ; **2** Ἀλλ' ὅπερ ἐστὶν ἀληθῶς *σημεῖον* καὶ πιστὸν τῷ γένει τῶν ἀνθρώπων ἔμελλε γίνεσθαι, τουτέστι διὰ παρθενικῆς μήτρας τὸν *πρωτότοκον τῶν πάντων ποιημάτων* σαρκοποιηθέντα ἀληθῶς παιδίον γενέσθαι, προλαβὼν αὐτὸ διὰ τοῦ προφητικοῦ πνεύματος κατὰ ἄλλον [p. 213 : B] καὶ ἄλλον τρόπον, < ὡς >[7] ἀνιστόρησα ὑμῖν, προεκήρυξεν, ἵνα ὅταν γένηται δυνάμει καὶ βουλῇ τοῦ τῶν ὅλων ποιητοῦ γενόμενον γνωσθῇ · ὡς καὶ ἀπὸ *πλευρᾶς μιᾶς* τοῦ Ἀδὰμ ἡ Εὔα γέγονε, καὶ ὥσπερ τἆλλα πάντα ζῷα Λόγῳ θεοῦ τὴν ἀρχὴν ἐγεννήθη.

3 Ὑμεῖς δὲ καὶ ἐν τούτοις παραγράφειν τὰς ἐξηγήσεις, ἃς ἐξηγήσαντο οἱ πρεσβύτεροι ὑμῶν [fol. 138 v° : A] παρὰ Πτολεμαίῳ τῷ τῶν Αἰγυπτίων βασιλεῖ γενομένῳ[8], τολμᾶτε, λέγοντες μὴ ἔχειν τὴν γραφὴν ὡς ἐκεῖνοι ἐξηγήσαντο, ἀλλ' · *Ἰδού*, φησίν, *ἡ νεᾶνις ἐν γαστρὶ ἕξει*, ὡς μεγάλων πραγμάτων σημαινομένων, εἰ γυνὴ ἀπὸ συνουσίας τίκτειν ἔμελλεν, ὅπερ πᾶσαι αἱ νεάνιδες γυναῖκες ποιοῦσι πλὴν τῶν στειρῶν, ἃς καὶ αὐτὰς βουληθεὶς ὁ θεὸς γεννᾶν ποιῆσαι δυνατός.

4 Ἡ μήτηρ γὰρ τοῦ Σαμουὴλ μὴ τίκτουσα διὰ βουλὴν θεοῦ τέτοκε, καὶ ἡ γυνὴ τοῦ ἁγίου πατριάρχου Ἀβραάμ, καὶ Ἐλισάβετ[9] ἡ τὸν βαπτιστὴν Ἰωάννην τεκοῦσα καὶ ἄλλαι τινὲς ὁμοίως. Ὥστε οὐκ[10] ἀδύνατον ὑπολαμβάνειν δεῖ ὑμᾶς πάντα[11] δύνασθαι τὸν θεὸν ὅσα βούλεται. Καὶ μάλιστα, ἐπειδὴ ἐπεπροφήτευτο[12] μέλλειν γίνεσθαι, μὴ παραγράφειν ἢ

1 Ὅτι – ἐθνῶν *ut glossema del.* Thirlb., Marc. **2** Ἔμελλε *codd.*, Arch., Goodsp., Marc. : ἔμελλεν Steph., Mar., Mign., Otto **3** Ὃν : ὃ *prop.* Thirlb. **4** Ἡμῖν *codd.*, Mar., Mign., Otto, Arch., Goodsp. : ὑμῖν Marc. (*ex* LXX) *om. cett. edd.* **5** Μὴ πᾶσι : *ex corr.* A **6** Ἔλεγε : ἔμελλε (*ut antea et paulo post*) *prop.* Sylb. **7** Ὡς *addendum* Sylb. *et alii*, *add.* Otto, Troll., Arch., Marc. : *om. codd.*, *cett. edd.* **8** Γενομένῳ (cf. 71, 1) : γενομένοι 68, 7 **9** Ἐλισάβετ : Ἐλισώβετ Mar (Mign. *tacite correxit*) **10** Οὐκ : οὐδὲν *coni.* Marc. **11** Πάντα : πάντα τε Marc. **12** Ἐπεπροφήτευτο : –τό τι Marc.

La Prophétie d'Is. 7, 14 ne peut s'appliquer qu'au Christ,
même si les juifs en rejettent la traduction par les LXX.

84. 1 C'est encore de lui qu'il fut prédit[1] [a]*Voici : la vierge concevra et enfantera un fils*. Car si ce n'était pas d'une *vierge* que celui dont parlait Isaïe devait naître, à propos de qui l'Esprit Saint s'écriait-il [b]*Voici que le Seigneur lui-même nous donnera un signe ; voici : la vierge concevra et enfantera un fils* ? S'il devait en effet naître lui aussi, comme tous les autres [c]*premiers-nés*, d'un commerce charnel, pourquoi donc Dieu a-t-il dit qu'il faisait un *signe*[2], ce qui n'est pas commun à tous les *premiers-nés* ? **2** Ce qui est en vérité un [d]*signe* et devait devenir digne de foi pour la race des hommes, c'est que d'un sein virginal le [e]*premier-né de toute créature*[3] s'étant véritablement[4] fait chair est né enfant, et qu'ayant anticipé cela, il l'a proclamé par avance, de diverses manières, par l'intermédiaire de l'Esprit prophétique, comme je l'ai déjà mentionné, afin que l'on sache, lorsque l'événement arriverait[5], qu'il s'était accompli par la puissance et la volonté[6] du Créateur de l'univers ; comme [f]d'*une seule côte* d'Adam Ève a été faite[7], et de même que [g]tous les autres êtres vivants ont été produits au commencement par le Verbe de Dieu[8].

3 Mais vous, sur ces points encore, vous osez faire fi des interprétations que vos anciens ont élaborées auprès de Ptolémée, le roi des Égyptiens : vous soutenez que l'Écriture n'a pas ce qui correspond à leur interprétation, mais qu'elle dit [h]*Voici, la jeune fille concevra*, comme si de grandes choses étaient signifiées, quand une femme doit enfanter d'un commerce charnel : c'est ce que font toutes les jeunes femmes, sauf les stériles, et même celles-là, Dieu, lorsqu'il le veut, peut les faire enfanter.

4 C'est ainsi que la mère de Samuel, qui n'enfantait pas, [i]a par la volonté[9] de Dieu enfanté ; et aussi [j]la femme du saint patriarche Abraham, et [k]Élisabeth, qui a enfanté Jean-Baptiste, et quelques autres de même[10]. Aussi ne devez-vous concevoir qu'il soit impossible à Dieu de faire tout ce qu'il veut[11]. Et surtout, lorsqu'un événement a été annoncé, n'ayez pas l'audace d'altérer le texte ou l'interprétation des prophéties, car ce n'est qu'à vous-mêmes que vous ferez tort, tandis qu'à Dieu vous ne nuirez pas.

a *Is.* 7, 14 **b** *ibid.* **c** cf. *Col.* 1, 15 **d** cf. *Is.* 7, 14 **e** cf. *Col.* 1, 15 ; *Prov.* 8, 22 **f** cf. *Gen.* 2, 21-22 **g** cf. *Gen.* 1, 20 s. **h** *Is.* 7, 14 **i** cf. *I Rois*, 1, 20 **j** cf. *Gen.* 21, 2 **k** cf. *Lc.* 1, 7.57.

παρεξηγεῖσθαι τολμᾶτε τὰς προφητείας, ἐπεὶ ἑαυτοὺς μόνους ἀδικήσετε, τὸν δὲ θεὸν οὐ βλάψετε.

85. **1** Καὶ γὰρ τὴν προφητείαν τὴν λέγουσαν· *Ἄρατε πύλας οἱ ἄρχοντες ὑμῶν, καὶ ἐπάρθητε πύλαι αἰώνιοι, ἵνα εἰσέλθῃ ὁ βασιλεὺς τῆς δόξης*, ὁμοίως εἰς τὸν Ἐζεκίαν τολμῶσί τινες ἐξ ὑμῶν ἐξηγεῖσθαι εἰρῆσθαι, ἄλλοι δὲ εἰς Σολομῶνα. Οὐ δὲ[1] εἰς τοῦτον οὐδὲ εἰς ἐκεῖνον οὔτε εἰς ἄλλον ἁπλῶς λεγόμενον ὑμῶν *βασιλέα* δυνατὸν ἀποδειχθῆναι εἰρῆσθαι, εἰς δὲ μόνον τοῦτον τὸν [fol. 139 r : A] [p. 214 : B] ἡμέτερον Χριστόν, τὸν *ἀειδῆ καὶ ἄτιμον* φανέντα, ὡς Ἡσαΐας ἔφη καὶ Δαυῒδ καὶ πᾶσαι αἱ γραφαί, ὅς ἐστι *κύριος τῶν δυνάμεων* διὰ τὸ θέλημα τοῦ δόντος αὐτῷ πατρός, ὃς καὶ ἀνέστη ἐκ νεκρῶν καὶ ἀνῆλθεν εἰς τὸν οὐρανόν, ὡς καὶ ὁ ψαλμὸς καὶ αἱ ἄλλαι γραφαὶ ἐδήλουν, καὶ *κύριον* αὐτὸν *τῶν δυνάμεων* κατήγγελλον, ὡς καὶ νῦν ἐκ τῶν ὑπ' ὄψιν γινομένων ῥᾷον ὑμᾶς πεισθῆναι[2], ἐὰν θέλητε.

2 Κατὰ γὰρ τοῦ ὀνόματος αὐτοῦ τούτου τοῦ υἱοῦ τοῦ θεοῦ καὶ *πρωτοτόκου πάσης κτίσεως* καὶ διὰ παρθένου γεννηθέντος καὶ παθητοῦ γενομένου ἀνθρώπου, καὶ σταυρωθέντος ἐπὶ Ποντίου Πιλάτου ὑπὸ τοῦ λαοῦ ὑμῶν καὶ ἀποθανόντος, καὶ ἀναστάντος ἐκ νεκρῶν καὶ ἀναβάντος εἰς τὸν οὐρανόν, πᾶν *δαιμόνιον* ἐξορκιζόμενον νικᾶται καὶ *ὑποτάσσεται*. **3** Ἐὰν δὲ κατὰ παντὸς ὀνόματος τῶν παρ' ὑμῖν γεγενημένων ἢ βασιλέων ἢ δικαίων ἢ προφητῶν ἢ πατριαρχῶν ἐξορκίζητε ὑμεῖς, οὐχ *ὑποταγήσεται* οὐδὲν τῶν *δαιμονίων* · ἀλλ' εἰ ἄρα ἐξορκίζοι τις ὑμῶν κατὰ τοῦ θεοῦ Ἀβραὰμ καὶ θεοῦ Ἰσαὰκ καὶ θεοῦ Ἰακώβ, ἴσως *ὑποταγήσεται*. Ἤδη μέντοι οἱ ἐξ ὑμῶν ἐπορκισταὶ[3] τῇ τέχνῃ, ὥσπερ καὶ τὰ ἔθνη, χρώμενοι ἐξορκίζουσι καὶ θυμιάμασι καὶ καταδέσμοις χρῶνται, εἶπον[4].

4 Ὅτι δὲ καὶ *ἄγγελοι* καὶ *δυνάμεις* εἰσίν, οἷς ὁ Λόγος ὁ τῆς προφητείας [fol. 139 v° : A] τῆς διὰ Δαυῒδ < κελεύει >[5] *ἐπᾶραι τὰς πύλας, ἵνα εἰσέλθῃ* οὗτος ὁ ἐκ νεκρῶν ἀναστὰς *κύριος τῶν δυνάμεων* κατὰ τὸ θέλημα τοῦ πατρός, Ἰησοῦς Χριστός, ὁ λόγος τοῦ Δαυῒδ ὁμοίως ἀπέδειξεν, οὗ καὶ πάλιν ἐπιμνησθήσομαι διὰ τούτους τοὺς μὴ καὶ χθὲς συνόντας ἡ-[p. 215 : B]-μῖν, δι' οὓς καὶ πολλὰ τῶν χθὲς εἰρημένων ἐπὶ κεφαλαίων λέγω.

1 Οὐ δὲ *edd. ab* Otto : οὐδὲ *cett. edd.* **2** Πεισθῆναι Otto, Mign., Arch., Goodsp : πεισθεῖναι *codd.*, Steph. **3** Ἐπορκισταὶ : cf. II Apol. 6, 6 (ἐπορκίζοντες) Otto **4** Εἶπον cf. 45, 3 et 78, 6 (εἶπον) ; 126, 5 (ἔλεγον) ; 52, 1 (ἔφην) ; 63, 1 (ἔφη) : ἐπῶν (« solemnes adiurandi formulae ») *prop.* Casaubon (*Ad Marc. Anton.*, I, 6) **5** Κελεύει Sylb., Marc. (cf. 36, 5) : λέγει *vel* ἐπικελεύει ἆραι *prop.* Otto. *om. codd., cett. edd.*

Le Psaume 23 ne s'applique ni à Ézéchias ni à Salomon, mais au Christ. Les répétitions de Justin sont nécessaires à l'œuvre de conversion.

85. 1 Quant à la prophétie qui dit [a]*Levez vos portes, princes, levez-vous, portes éternelles, et le Roi de gloire entrera*, certains d'entre vous osent semblablement l'interpréter en l'appliquant à Ézéchias, d'autres à Salomon[1]. Or il est impossible de démontrer qu'elle s'applique à celui-ci ou à celui-là ou à aucun autre de ceux qui sur vous eurent le titre de *roi* : elle s'applique uniquement à notre Christ, qui se montra [b]*sans apparence* et *sans honneur*, comme l'a dit Isaïe, avec David et toutes les Écritures[2], qui est [c]*Seigneur des puissances*[3], par la volonté du Père qui le lui a octroyé, qui est en outre ressuscité des morts et monté au ciel[4], comme l'ont montré le psaume et les autres Écritures, le déclarant aussi *Seigneur des Puissances*, comme aujourd'hui encore, les événements qui se produisent sous vos yeux vous en peuvent aisément convaincre[5], si vous le voulez bien.

2 Car s'il est exorcisé au nom de ce Fils de Dieu, [d]*premier-né de toute création*[6], enfanté par une vierge, qui s'est fait homme souffrant, crucifié sous Ponce-Pilate par votre peuple, mort, ressuscité[7] des morts, et monté au ciel, tout [e]*démon* se trouve vaincu et *soumis*[8]. **3** Lorsque, au contraire, vous n'exorcisez qu'au nom de l'un de ceux qui furent chez vous rois, justes, prophètes ou patriarches[9], nul parmi les [f]*démons* ne sera *soumis*. Si toutefois l'un de vous venait à exorciser par le Dieu d'Abraham, le Dieu d'Isaac et le Dieu de Jacob[10], sans doute[11] alors seraient-ils *soumis*. Mais aujourd'hui, dis-je, vos conjureurs exorcisent en usant, comme les nations, d'artifices, et ils emploient fumigations et nœuds[12] magiques.

4 C'est à des [g]*anges* et des *puissances* que le Verbe de la prophétie proférée par l'intermédiaire de David ordonne de [h]*lever les portes*, *afin qu'entre* ce [i]*Seigneur des puissances* ressuscité des morts selon la volonté du Père, Jésus-Christ ; c'est ce que démontre également la parole de David que je vais vous rappeler encore pour ceux qui n'étaient pas avec nous hier[13] ; car c'est bien pour eux que je rapporte sommairement beaucoup des choses qui ont été dites hier.

a *Ps.* 23, 7 **b** cf. *Is.* 53, 2-3 **c** *Ps.* 23, 10 **d** *Col.* 1, 15 **e** cf. *Lc.* 10, 17 **f** *ibid.* **g** cf. *Ps.* 148, 2 **h** cf. *Ps.* 23, 7 **i** *ibid.*, 10.

5 Καὶ νῦν πρὸς ὑμᾶς ἐὰν τοῦτο λέγω, εἰ καὶ ἐταυτολόγησα[1] πολλάκις, οὐκ ἄτοπον εἰπεῖν[2] ἐπίσταμαι · γελοῖον μὲν γὰρ πρᾶγμά ἐστιν[3] ὁρᾶν τὸν ἥλιον καὶ τὴν σελήνην καὶ τὰ ἄλλα[4] ἄστρα τὴν αὐτὴν ὁδὸν ἀεὶ καὶ τὰς[5] τροπὰς τῶν ὡρῶν ποιεῖσθαι, καὶ τὸν ψηφι<στι>κὸν[6] ἄνδρα, εἰ ἐξετάζοιτο[7] τὰ δὶς δύο πόσα ἐστί, διὰ τὸ πολλάκις εἰρηκέναι ὅτι τέσσαρα, < οὐ >[8] παύσεσθαι τοῦ πάλιν λέγειν ὅτι τέσσαρα, καὶ τὰ ἄλλα ὁμοίως ὅσα παγίως ὁμολογεῖται ἀεὶ ὡσαύτως λέγεσθαι καὶ ὁμολογεῖσθαι[9], τὸν[10] δὲ ἀπὸ τῶν γραφῶν τῶν προφητικῶν ὁμιλίας ποιούμενον ἐὰν καὶ μὴ τὰς αὐτὰς ἀεὶ λέγειν γραφάς, ἀλλ' ἡγεῖσθαι ἑαυτὸν βέλτιον τῆς[11] γραφῆς γεννήσαντα εἰπεῖν.

6 Ἔστιν οὖν ὁ λόγος, δι' οὗ ἐσήμανα[12] τὸν θεὸν δηλοῦν[13] ὅτι καὶ *ἄγγελοί* εἰσιν *ἐν οὐρανῷ* καὶ *δυνάμεις*, οὗτος · (*Ps.* 148, 1)*Αἰνεῖτε τὸν κύριον ἐκ τῶν οὐρανῶν, αἰνεῖτε αὐτὸν ἐν τοῖς ὑψίστοις* ·(2)*αἰνεῖτε αὐτόν, πάντες οἱ ἄγγελοι αὐτοῦ, αἰνεῖτε αὐτόν, πᾶσαι αἱ δυνάμεις αὐτοῦ.* [fol. 140 r° : A] – Καὶ Μνασέας δέ τις ὀνόματι τῶν συνελθόντων αὐτοῖς τῇ δευτέρᾳ ἡμέρᾳ εἶπε · Καὶ ἡμεῖς χαίρομεν πάλιν πειρωμένου σου τὰ αὐτὰ λέγειν δι' ἡμᾶς.

7 – Κἀγὼ εἶπον · Ἀκούσατε, φίλοι, τίνι γραφῇ πειθόμενος ταῦτα πράττω. Ἰησοῦς ἐκέλευσεν *ἀγαπᾶν* καὶ *τοὺς ἐχθρούς*, ὅπερ καὶ διὰ Ἡσαΐου ἐκεκήρυκτο διὰ πλειόνων, ἐν οἷς καὶ τὸ μυστήριον τῆς πάλιν γενέσεως[14] ἡμῶν, καὶ ἁπλῶς πάντων τῶν τὸν Χριστὸν ἐν *Ἰερουσαλὴμ* φανήσεσθαι *προσδοκώντων* καὶ δι' ἔργων εὐαρεστεῖν αὐτῷ σπουδαζόντων.

8 Εἰσὶ δὲ οἱ διὰ Ἡσαΐου λόγοι οὗτοι · (*Is.* 66, 5)*Ἀκούσατε τὸ ῥῆμα κυρίου, οἱ τρέμον*-[p. 216 : B]-*τες τὸ ῥῆμα αὐτοῦ. Εἴπατε · ἀδελφοὶ ἡμῶν, τοῖς μισοῦσιν ὑμᾶς καὶ βδελυσσομένοις τὸ ὄνομα κυρίου δοξασθῆναι*[15]*. Ὤφθη ἐν τῇ εὐφροσύνῃ αὐτῶν, κἀκεῖνοι αἰσχυνθήσονται.* (6)*Φωνὴ κραυγῆς ἐκ πόλεως, φωνὴ λαοῦ*[16]*, φωνὴ κυρίου ἀποδιδόντος ἀνταπόδοσιν τοῖς*

1 Ἐταυτολόγησα : ἐπαυτολόγησα *codd.*, Steph. **2** Εἰπεῖν : ποιεῖν *prop.* Thirlb., *coni.* Marc. **3** Ἐστιν : ἔσται *coni.* Marc. **4** Ἄλλα *codd.*, *edd. a* Mar. : *om. cett. edd.* **5** Τὰς : τὰς αὐτὰς *prop.* Otto **6** Ψηφιστικὸν *edd.* : ψηφικὸν *codd.* **7** Ἐξετάζοιτο *prop.* Lange, Mar., *coni.* Troll., *edd. ab* Otto : ἐξετάζοι τὸ *codd.*, *cett. edd.* **8** Οὐ *prop.* Lange, Mar., *coni.* Troll., *edd. ab* Otto : *om. codd.*, *cett. edd.* **9** Ὁμολογεῖσθαι : ποιεῖσθαι *prop.* Thirlb. **10** Τὸν *edd.* : τῶν *codd.* **11** Τῆς : τι *prop.* Thirlb., *coni.* Marc. **12** Ἐσήμανα *prop.* Thirlb., Mar., *coni.* Troll., *edd. ab* Otto : ἐσήμανε *codd.*, *cett. edd.* **13** Δηλοῦν : δηλῶν *prop.* Pearson **14** Τῆς πάλιν γενέσεως (*vel* τῆς παλιγγενεσίας) *prop.* Sylb., *transp.* Otto, Troll., Arch., Marc. (cf. 118, 2 : τῇ πάλιν παρουσίᾳ) : πάλιν τῆς γενέσεως *codd.*, *cett. edd.* **15** Καὶ – δοξασθῆναι : καὶ βδ., τὸ ὄ. κ. δοξασθῆναι (« ut nomen Domini glorificetur ») Mar., Mign., Otto ἵνα τὸ ὄ. κ. δοξασθῇ καὶ ὀφθῇ Marc. (*ex* LXX) **16** Λαοῦ *codd.*, Troll., Otto, Arch., Goodsp. : ἐκ λαοῦ Marc. (*ex* LXX *codd.* 763 *a. corr.* et 534) ἐκ ναοῦ *cett. edd.* (*ex* LXX).

5 Et si je dis cela devant vous maintenant, même au prix de fréquentes répétitions, c'est que je sais ne rien dire d'absurde. Ce qui est ridicule, c'est de voir le soleil et la lune, et tous les autres astres, reproduire toujours le même itinéraire et le cours des saisons ; le mathématicien à qui l'on demande combien font deux fois deux, bien qu'il ait maintes fois déjà répondu : quatre, ne pas renoncer à répéter encore que cela fait quatre ; que toutes les autres choses solidement admises, soient de même toujours dites et reconnues, et de laisser celui qui appuie ses propos sur les Écritures prophétiques ne pas citer aussi toujours les mêmes Écritures, mais croire avoir trouvé à dire quelque chose de meilleur que l'Écriture[14].

6 Voici donc la parole par laquelle j'ai indiqué que Dieu montrait qu'il y a des *anges* dans le *ciel*, ainsi que des *puissances* : (*Ps.* 148, 1)*Louez le Seigneur du haut des cieux, louez-le dans les hauteurs,* (2)*Louez-le, tous ses anges, louez-le tous qui êtes ses puissances.*

Alors un certain Mnaseas[15], l'un de ceux qui s'était joint à eux le second jour, dit :

— Ce nous est une joie que tu veuilles bien répéter les mêmes choses à cause de nous.

7 Je repris :

— Écoutez, amis, par quelle Écriture je suis convaincu d'agir de la sorte. Jésus a ordonné [a]d'*aimer* même ses *ennemis*, ce qui avait été proclamé aussi par Isaïe en plusieurs versets[16], dans lesquels (il annonçait aussi) le mystère de notre seconde naissance[17], la nôtre et celle de tous ceux absolument qui [b]*attendent*[18] que le Christ apparaisse à *Jérusalem*, et mettent par leurs œuvres tous leurs soins à lui plaire.

8 Voici donc les paroles dites par l'intermédiaire d'Isaïe : (*Is.* 66, 5)*Écoutez la parole du Seigneur, vous qui tremblez à sa parole. Dites : « nos frères » à ceux qui vous haïssent et qui ont en horreur que le nom du Seigneur soit glorifié. Il s'est fait voir en leur bonheur, et ceux-là seront pris de honte.* (6)*Dans la ville, la voix d'une lamentation, voix du peuple, voix du Seigneur qui rend leur rétribution aux superbes.* (7)*Avant que*

a Cf. *Matth.* 5, 44 ; *Lc.* 6, 27 **b** cf. *Is.* 66, 9 et *Gen.* 49, 10.

ὑπερηφάνοις. (7)*Πρὶν ἢ τὴν ὠδίνουσαν τεκεῖν, καὶ πρὶν ἐλθεῖν τὸν πόνον τῶν ὠδίνων, ἐξέτεκεν*[1] *ἄρσεν.* **9** (8)*Τίς ἤκουσε τοιοῦτον, καὶ τίς ἑώρακεν οὕτως, εἰ ὤδινεν ἡ γῆ ἐν μιᾷ ἡμέρᾳ, εἰ δὲ καὶ τέκοι ἔθνος εἰς ἅπαξ, ὅτι ὤδινε καὶ ἔτεκε Σιὼν τὰ παιδία αὐτῆς ;* (9)*Ἐγὼ < δὲ >*[2] *ἔδωκα τὴν προσδοκίαν ταύτην καὶ οὐ γεννώσῃ*[3]*, εἶπε κύριος. Ἰδοὺ ἐγὼ γεννῶσαν καὶ στεῖραν ἐποίησα, λέγει κύριος.* (10)*Εὐφράνθητι, Ἱερουσαλήμ, καὶ πανηγυρίσατε* [fol. 140 v° : A] *πάντες οἱ ἀγαπῶντες αὐτήν · χαίρετε*[4] *πάντες ὅσοι πενθεῖτε ἐπ᾽ αὐτήν,* (11)*ἵνα θηλάσητε καὶ ἐμπλησθῆτε ἀπὸ μασθοῦ παρακλήσεως αὐτῆς, ἵνα ἐκθηλάσαντες τρυφήσητε ἀπὸ εἰσόδου δόξης αὐτοῦ*[5]*.*

86. 1 Καὶ ταῦτα εἰπὼν προσέθηκα · Ὅτι δέ, μετὰ[6] τὸ σταυρωθῆναι τοῦτον ὃν *ἔνδοξον* πάλιν παραγενήσεσθαι ἀποδεικνύουσιν αἱ γραφαί, σύμβολον εἶχε τοῦ *ξύλου τῆς ζωῆς*[7], ὃ *ἐν τῷ παραδείσῳ* πεφυτεῦσθαι ἐλέλεκτο, καὶ τῶν[8] γενησομένων[9] πᾶσι τοῖς δικαίοις, ἀκούσατε. Μωσῆς[10] μετὰ *ῥάβδου* ἐπὶ τὴν τοῦ *λαοῦ ἀπολύτρωσιν* ἐπέμφθη, καὶ ταύτην ἔχων μετὰ *χεῖρας ἐν* ἀρχῇ τοῦ λαοῦ διέτεμε τὴν *θάλασσαν*, διὰ ταύτης[11] ἀπὸ τῆς *πέτρας ὕδωρ* ἀναβλύσαν ἑώρα · καὶ *ξύλον βαλὼν* εἰς τὸ ἐν *Μερρᾷ ὕδωρ, πικρὸν ὄν, γλυκὺ* ἐποίησε. **2** *Ῥάβδους* βαλὼν Ἰακὼβ εἰς τὰς *ληνοὺς* τῶν ὑδάτων *ἐγκισσῆ*-[p. 217 : B]-*σαι τὰ πρόβατα* τοῦ μητραδέλφου, ἵνα τὰ γεννώμενα ἐξ αὐτῶν κτήσηται, ἐπέτυχεν · ἐν *ῥάβδῳ* αὐτοῦ διελη<λυ>θέναι[12] τὸν ποταμὸν ὁ αὐτὸς Ἰακὼβ καυχᾶται. *Κλίμακα* ἔφη ἑωρᾶσθαι αὐτῷ, καὶ τὸν θεὸν *ἐπ᾽ αὐτῆς ἐστηρίχθαι* ἡ γραφὴ δεδήλωκε · καὶ ὅτι οὐκ ὁ πατὴρ ἦν, ἀπὸ τῶν γραφῶν ἀπεδείξαμεν[13]. Καὶ ἐπὶ *λίθου καταχέας ἔλαιον ἐν* τῷ αὐτῷ *τόπῳ* Ἰακὼβ *στήλην* τῷ *ὀφθέντι* αὐτῷ *θεῷ ἀληλιφέναι*[14] ὑπ᾽ αὐτοῦ τοῦ *ὀφθέντος* αὐτῷ [fol. 141 r° : A] θεοῦ μαρτυρεῖται.

1 Ἐξέτεκεν : ἐξέφυγεν καὶ ἔτεκεν Marc. (*ex* LXX) **2** Δὲ *edd.* (*ex* LXX) : *om. codd.*, Goodsp. **3** Γεννώσῃ : γρ(άφεται) οὐ γεννόσω *in marg. codd.* γεννήσω *prop.* Thirlb. (*ex* rec. Luciani = TM), *coni.* Marc. **4** Χαίρετε : χ. χαράν Marc. (ex *codd.* Alexandr., 88, 91, 565, 239, 410, 449, 538, 544) χαρᾷ LXX **5** Αὐτοῦ : αὐτῆς LXX **6** Μετὰ : καὶ *prop.* Sylb., Jebb, Thirlb. ὅτι δὲ οὗτος, ὃν μετὰ τὸ σταυρ. ἔνδ. *prop.* Otto **7** Σύμβολον – ζωῆς : οἶμαι σύμβολον ἔχοντα τὸν σταυρὸν τοῦ ξύλου τῆς ζωῆς θέλει (« videtur mihi dicere [Christum rediturum] habentem crucem ut signum ligni vitae ») *in marg.* A γραφαί] οἶμαι σύμβολον – θέλει [σύμβολον κτλ. *in textu* B **8** Τῶν : περὶ τῶν Marc. **9** Γενησομένων : γενομένων *prop.* Thirlb. γενομένων καὶ Marc. **10** Μωσῆς : Μωϋσῆς Mign., Otto, Goodsp. **11** Ταύτης : ταύτης τε Marc. **12** Διεληλυθέναι *edd. a* Mar. : διεληθέναι *codd.* διελελυληθέναι Steph. **13** Καὶ – ἀπεδείξαμεν *in semicirculis* Thirlb. **14** Ἀληλιφέναι *edd. ab* Otto : ἀλιληφέναι *codd.*, Steph. ἀληλειφέναι Mar.

n'enfante la femme en douleurs, et avant que ne vienne l'épreuve des douleurs, elle a mis au monde un mâle. **9** (8)*Qui a entendu rien de tel, et qui a vu rien de semblable, que la terre en un jour connaisse les douleurs, et mette d'un seul coup une nation au monde ? car Sion a été dans les douleurs, et a mis au monde ses enfants.* (9)*Pour moi j'ai fait don de cette attente même à celle qui n'enfantait pas, dit le Seigneur. Voici que j'ai fait la féconde ainsi que la stérile, dit le Seigneur.* (10)*Réjouis-toi, Jérusalem, rassemblez-vous en fête, vous tous qui l'aimez ; soyez tous dans la joie vous qui meniez son deuil,* (11)*afin d'être allaités jusqu'au rassasiement à la mamelle de sa consolation, et qu'une fois allaités vous goûtiez les délices de l'entrée de sa gloire à lui*[19].

Figures du « bois de la Croix » contenues dans les Écritures.

86. 1 Après quoi j'ajoutai[1] :

— Écoutez donc comment celui dont les Écritures montrent qu'il doit à nouveau revenir[2] *dans la gloire*[3], a eu pour symbole, après avoir été crucifié, [a]*l'arbre de vie*[4] qui, est-il dit, fut planté *dans le paradis*[5], ainsi que ce qui devait arriver à tous les justes[6] : [b]C'est avec un *bâton* que Moïse fut envoyé [c]pour la *rédemption* du *peuple*, et [d]le tenant en *main*, à la tête du peuple, il divisa *la mer*[7]. [e]C'est par lui qu'il voyait jaillir l'*eau* du *rocher*[8]. [f]C'est un *morceau de bois* qu'il *jeta* dans *les eaux* de *Merrha*, quand d'*amères* qu'elles étaient il les rendit *douces*[9]. **2** [g]En jetant des *bâtons* dans les *auges*, Jacob obtint que les *brebis* de son oncle maternel *devinssent grosses* afin de s'approprier leurs petits[10]. [h]C'est avec son *bâton* que le même Jacob se vante d'avoir traversé le fleuve. [i]Une *échelle*[11], est-il dit, lui est apparue, et l'Écriture montre que Dieu [j]*était appuyé sur elle* ; or ce n'était pas le Père, nous l'avons prouvé[12] d'après les Écritures. Et quand [k]sur une *pierre* Jacob, en ce même *lieu*, a *versé de l'huile*, [l]il lui est rendu témoignage, par le *Dieu* lui-même qui lui est *apparu*, qu'il a *oint* une *stèle* au Dieu qui lui est apparu[13].

a Cf. *Gen.* 2, 9 **b** cf. *Exod.* 4, 2-4.17 etc. **c** cf. *Exod.* 6, 6 ; 15, 13 **d** cf. *Exod.* 14, 16.21 **e** cf. *Exod.* 17, 5-6 et *Nombr.* 20, 7-11 **f** cf. *Exod.* 15, 22-27 **g** cf. *Gen.* 30, 37-38 **h** cf. *Gen.* 32, 10 **i** cf. *Gen.* 28, 12 **j** *ibid.*, 13 **k** cf. *Gen.* 28, 16.18 **l** cf. *Gen.* 31, 13.

3 Καὶ ὅτι *λίθος* Χριστὸς διὰ πολλῶν γραφῶν συμβολικῶς ἐκηρύσσετο, ὁμοίως ἀπεδείξαμεν · καὶ ὅτι τὸ χρῖσμα πᾶν, εἴτε ἐλαίου εἴτε στακτῆς εἴτε τῶν ἄλλων τῶν τῆς συνθέσεως τοῦ μύρου χρισμάτων, τούτου ἦν, ὁμοίως ἀπεδείξαμεν, τοῦ Λόγου λέγοντος · *Διὰ τοῦτο ἔχρισέ σε, ὁ θεός, ὁ θεός σου, ἔλαιον ἀγαλλιάσεως παρὰ τοὺς μετόχους σου.* Καὶ γὰρ οἱ βασιλεῖς πάντες καὶ οἱ χριστοὶ ἀπὸ τούτου μετέσχον καὶ *βασιλεῖς* καλεῖσθαι καὶ *χριστοί* · ὃν τρόπον καὶ αὐτὸς ἀπὸ τοῦ πατρὸς ἔλαβε τὸ *βασιλεὺς*[1] καὶ *Χριστὸς* καὶ *ἱερεὺς* καὶ *ἄγγελος*, καὶ ὅσα ἄλλα τοιαῦτα[2] ἔχει ἢ ἔσχε. **4** *Ῥάβδος ἡ Ἀαρὼν βλαστὸν κομίσασα* ἀρχιερέα αὐτὸν ἀπέδειξε. *Ῥάβδον ἐκ ῥίζης Ἰεσσαὶ* γενήσεσθαι τὸν Χριστὸν Ἡσαΐας προεφήτευσε. Καὶ Δαυῒδ *ὡς τὸ ξύλον τὸ πεφυτευμένον παρὰ τὰς διεξόδους τῶν ὑδάτων, ὃ τὸν καρπὸν αὐτοῦ δώσειν*[3] *ἐν καιρῷ αὐτοῦ*[4], *καὶ τὸ φύλλον αὐτοῦ οὐκ ἀπορρυήσεσθαι*, φησὶν εἶναι τὸν δίκαιον. Καὶ *ὡς φοῖνιξ ἀνθήσειν*[5] *ὁ δίκαιος* εἴρηται.

5 Ἀπὸ[6] ξύλου *τῷ Ἀβραὰμ ὤφθη ὁ θεός*, ὡς γέγραπται, *πρὸς τῇ δρυῒ*[7] *τῇ*[8] *Μαμβρῇ*[9]. *Ἑβδομήκοντας* ἰτέας[10] καὶ *δώδεκα πηγὰς* εὗρεν ὁ λαὸς διαβὰς τὸν Ἰορδάνην. Ἐν *ῥάβδῳ* καὶ *βακτηρίᾳ*[11] *πα*-[p. 218 : B]-*ρακεκλῆσθαι* ὑπὸ τοῦ θεοῦ Δαυῒδ λέγει. **6** *Ξύλον* Ἐλισσαῖος [fol. 141 v° : A] βαλὼν *εἰς τὸν Ἰορδάνην* ποταμὸν ἀνήνεγκε *τὸν σίδηρον* τῆς ἀξίνης, ἐν ᾗ *πεπορευμένοι ἦσαν οἱ υἱοὶ τῶν προφητῶν* κόψαι *ξύλα* εἰς οἰκοδομὴν τοῦ *οἴκου*, ἐν ᾧ τὸν νόμον καὶ τὰ προστάγματα τοῦ θεοῦ λέγειν καὶ μελετᾶν ἐβούλοντο · ὡς καὶ ἡμᾶς βεβαπτισμένους ταῖς βαρυτάταις ἁμαρτίαις, ἃς ἐπράξαμεν, διὰ τοῦ σταυρωθῆναι ἐπὶ τοῦ ξύλου καὶ δι' ὕδατος ἁγνίσαι ὁ Χριστὸς ἡμῶν ἐλυτρώσατο καὶ *οἶκον* εὐχῆς καὶ προσκυνήσεως ἐποίησε. Καὶ *ῥάβδος* ἦν ἡ δείξασα Ἰούδαν πατέρα τῶν ἀπὸ Θάμαρ διὰ μέγα μυστήριον γεννηθέντων.

87. 1 – Καὶ ὁ Τρύφων, εἰπόντος μου ταῦτα, ἔφη · Μή με λοιπὸν ὑπολάμβανε, ἀνατρέπειν πειρώμενον τὰ ὑπὸ σοῦ λεγόμενα[12], πυνθάνεσθαι ὅσα ἂν πυνθάνομαι, ἀλλὰ βούλεσθαι μανθάνειν περὶ τούτων αὐτῶν ὧν ἂν

1 Βασιλεὺς : β. εἶναι *prop.* Lange, λέγεσθαι Mar., καλεῖσθαι Otto **2** Τοιαῦτα : τ. ὀνόματα Troll., Marc. [119] **3** Δώσειν A : δώσει B, Goodsp. (= LXX) δ. ...καὶ ...ἀπορρυήσεσθαι μέλλει *prop.* Sylb., ἔφη Mar., φησὶ Troll. **4** Αὐτοῦ : αὑτοῦ Mign. **5** Ἀνθήσειν Sylb., *edd. ab* Otto : ἀνθίσειν *codd., cett. edd.* ἀνθήσει LXX **6** Ἀπὸ : ἐπὶ *in marg. codd.* ὑπὸ *prop.* Sylb. **7** Δρυῒ *edd.* : δριῒ *codd.* **8** Τῇ : ἐν τῇ *in marg. codd., ad calcem* Steph. **9** Μαμβρῇ Thirlb., *edd. ab* Otto : Μαμβρῆ *codd., cett. edd.* (cf. 56, 1) **10** Ἰτέας : στελέχη φοινίκων LXX **11** Βακτηρίᾳ : βακτηρίῳ Otto, Mign. **12** Τὰ ὑπὸ σοῦ λεγόμενα : τὰ ὑπ' ἐμοῦ ὁμολογούμενα *prop.* Thirlb.

3 Or le Christ, par beaucoup d'Écritures, était annoncé symboliquement comme *pierre* : nous l'avons également démontré[14]. Et nous avons de même démontré que tout onguent, soit d'huile d'olive, soit d'huile parfumée de myrrhe, ou tout autre des onguents à base de myrrhe, se rapportait à lui, car le Verbe a dit : [a]*C'est pourquoi, ô Dieu, ton Dieu t'a oint d'une huile d'allégresse, de préférence à tes compagnons*[15]. Tous les rois en effet, et tous les oints tiennent de[16] celui-là leurs titres de *rois* et de *christs*, de la même manière qu'il a lui-même reçu du Père ceux de *roi*, *Christ*, *prêtre* et *ange*, et tous les autres semblables qu'il a ou qu'il a eus[17]. **4** [b]Le *bâton d'Aaron*, en *donnant des bourgeons*, a démontré qu'il serait Grand prêtre[18]. [c]La *tige de la souche de Jessé*[19], a prophétisé Isaïe, serait le Christ. David dit que le juste est [d]*comme l'arbre planté près d'un cours d'eau, qui donnera son fruit en son temps, et son feuillage ne tombera pas*[20]. Et [e]*comme le palmier*, est-il dit, *le juste fleurira*[21].

5 C'est d'un arbre que *Dieu s'est fait voir d'Abraham*, ainsi qu'il est écrit : [f]*près du chêne de Mambré*[22]. [g]Le peuple traversant le Jourdain[23] trouva *soixante-dix* saules et *douze sources*[24]. [h]C'est par le *bâton* et la *houlette* que David dit avoir été *réconforté* par Dieu. **6** [i]C'est en jetant un *bâton* dans le fleuve du *Jourdain* qu'Élisée fit surnager *le fer* de la hache[25] avec laquelle *les fils des prophètes* étaient *venus* couper le *bois* destiné à la construction de la *maison* où ils voulaient lire et méditer la Loi et les préceptes de Dieu. Et c'est ainsi que de nous[26], submergés[27] par les péchés les plus lourds que nous avions commis – nous qu'il a rachetés par sa crucifixion sur le bois et la purification de l'eau – le Christ a fait une *maison* de prière et d'adoration[28]. [j]C'est encore un *bâton* qui a désigné Juda comme père des enfants qui par un grand mystère sont nés de Thamar[29].

Comment celui qui reçut au baptême les puissances de l'Esprit Esprit pouvait-il être aussi un Dieu préexistant ?

87. 1 Tryphon, lorsque j'eus parlé, dit[1] :

— Ne va pas croire, à présent, que je cherche à remettre en cause ce que tu as dit[2], en interrogeant autant que je le fais : c'est que je veux m'instruire des

a *Ps.* 44, 8 **b** cf. *Nombr.* 17, 8 **c** cf. *Is.* 11, 1 **d** *Ps.* 1, 3 **e** *Ps.* 91, 13 **f** *Gen.* 18, 1 **g** cf. *Exod.* 15, 27 et *Nombr.* 33, 9 **h** *Ps.* 22, 4 **i** *IV Rois*, 6, 1-7 **j** cf. *Gen.* 38, 25-26.

ἐρωτῶ. **2** Εἰπὲ οὖν μοι, διὰ τοῦ Ἡσαΐου εἰπόντος τοῦ Λόγου[1] · (*Is.* 11, 1) *Ἐξελεύσεται ῥάβδος ἐκ τῆς ῥίζης Ἰεσσαί, καὶ ἄνθος ἀναβήσεται ἐκ τῆς ῥίζης Ἰεσσαί,* (2)*καὶ ἀναπαύσεται ἐπ' αὐτὸν πνεῦμα θεοῦ, πνεῦμα σοφίας καὶ συνέσεως, πνεῦμα βουλῆς καὶ ἰσχύος, πνεῦμα γνώσεως καὶ εὐσεβείας,* (3)*καὶ ἐμπλήσει αὐτὸν πνεῦμα φόβου θεοῦ,* καὶ ὁμολογήσας[2] ταῦτα πρός με[3], ἔλεγεν, εἰς[4] Χριστὸν εἰρῆσθαι, καὶ θεὸν αὐτὸν προϋπάρχοντα λέγεις, καὶ κατὰ τὴν βουλὴν τοῦ θεοῦ σαρκοποιηθέντα αὐτὸν [fol. 142 r° : A] λέγεις διὰ τῆς παρθένου γεγεννῆσθαι ἄνθρωπον, πῶς δύναται ἀποδειχθῆναι προϋπάρχων, ὅστις διὰ τῶν δυνάμεων τοῦ πνεύματος τοῦ ἁγίου, ἃς καταριθμεῖ ὁ Λόγος διὰ Ἡσαΐου, *πλη*-[p. 219 : B]-*ροῦται* ὡς ἐνδεὴς τούτων ὑπάρχων ;

3 – Κἀγὼ ἀπεκρινάμην · Νουνεχέστατα μὲν καὶ συνετώτατα ἠρώτησας · ἀληθῶς γὰρ ἀπόρημα δοκεῖ εἶναι · ἀλλ' ἵνα εἰδῆς[5] καὶ τὸν περὶ τούτων λόγον, ἄκουε ὧν λέγω. Ταύτας τὰς κατηριθμημένας τοῦ πνεύματος δυνάμεις οὐχ ὡς ἐνδεοῦς αὐτοῦ τούτων ὄντος φησὶν ὁ Λόγος ἐπεληλυθέναι *ἐπ' αὐτόν,* ἀλλ' ὡς ἐπ' ἐκεῖνον *ἀνάπαυσιν* μελλουσῶν ποιεῖσθαι, τουτέστιν ἐπ' αὐτοῦ πέρας ποιεῖσθαι, τοῦ μηκέτι ἐν τῷ γένει ὑμῶν κατὰ τὸ παλαιὸν ἔθος προφήτας γενήσεσθαι, ὅπερ καὶ ὄψει ὑμῖν ἰδεῖν ἔστι · μετ' ἐκεῖνον γὰρ οὐδεὶς ὅλως προφήτης παρ' ὑμῖν γεγένηται.

4 Καὶ ὅτι οἱ παρ' ὑμῖν προφῆται, ἕκαστος μίαν τινὰ ἢ καὶ δευτέραν δύναμιν παρὰ τοῦ θεοῦ λαμβάνοντες, ταῦτα ἐποίουν καὶ ἐλάλουν ἃ καὶ ἡμεῖς ἀπὸ τῶν γραφῶν ἐμάθομεν[6], κατανοήσατε[7] καὶ τὰ ὑπ' ἐμοῦ λεγόμενα. *Σοφίας* μὲν γὰρ *πνεῦμα* Σολομὼν ἔσχε, *συνέσεως* δὲ καὶ *βουλῆς* Δανιήλ, *ἰσχύος* δὲ καὶ *εὐσεβείας* Μωσῆς[8], καὶ Ἡλίας *φόβου*[9] καὶ *γνώσεως* Ἡσαΐας · καὶ οἱ ἄλλοι αὖ ὁμοίως ἢ μίαν ἕκαστος ἢ ἐναλλὰξ ἄλλην [fol. 142 v° : A] τινὰ μετ' ἄλλης δυνάμεως ἔσχον, οἷον καὶ Ἰερεμίας καὶ οἱ δώδεκα καὶ Δαυῒδ καὶ οἱ ἄλλοι ἁπλῶς ὅσοι γεγόνασι παρ' ὑμῖν προφῆται.

5 *Ἀνεπαύσατο* οὖν, τουτέστιν *ἐπαύσατο,* ἐλθόντος ἐκείνου, μεθ' ὅν, τῆς οἰκονομίας ταύτης τῆς[10] ἐν ἀνθρώποις αὐτοῦ γενομένοις χρόνοις, *παύσασθαι* ἔδει αὐτὰ ἀφ' ὑμῶν, καὶ ἐν τούτῳ *ἀνάπαυσιν* λαβόντα πάλιν,

1 Λόγου : λογίου *vel* θεοῦ *prop.* Wolf **2** Καὶ ὁμολογήσας : ἐπεὶ ὡμολόγησας *prop.* Sylb., Jebb, Thirlb. ὡς ὡμολόγησας *coni.* Marc. καὶ ὁμολογήσας – ἄνθρωπον *in semicirculis* Mar., Otto **3** Ταῦτα πρός με : πρός με ταῦτα *transp.* Marc. **4** Εἰς : εἰ *prop.* Pearson **5** Εἰδῆς *codd.*, Goodsp., Marc. : ἴδῃς *cett. edd.* **6** Ἐμάθομεν : ἐμ. ἐννοήσαντες Marc. **7** Κατανοήσατε A *p. corr.* : κατενοήσατε A *a. corr. ut vid.* κατανοήσετε *coni.* Marc. **8** Μωσῆς : Μωϋσῆς Otto, Mign., Goodsp. **9** Φόβου : φ. θεοῦ Marc. (*ex* Dial. 87, 2 *et* 39, 2) **10** Τῆς *ego* : τοῖς *codd.*, *edd.*

choses mêmes sur lesquelles je questionne. **2** Dis-moi donc : lorsque le Verbe déclare par l'intermédiaire d'Isaïe : (*Is.* 11, 1)*Un rameau sortira de la souche de Jessé, et une tige s'élèvera de la souche de Jessé ;* (2)*sur lui reposera l'Esprit de Dieu, Esprit de sagesse et d'intelligence, Esprit de conseil et de force, Esprit de science et de piété*[3], (3)*l'Esprit de la crainte de Dieu le remplira* (il me concédait[4], disait-il, que cela était dit du Christ), tu déclares qu'il fut un Dieu préexistant, et que selon la volonté de Dieu il s'est fait chair pour naître homme par la vierge. Comment est-il possible de démontrer qu'était préexistant celui qui est *rempli* par les puissances du Saint Esprit que le Verbe énumère par l'intermédiaire d'Isaïe, tout comme s'il s'en trouvait dépourvu ?

3 Je répondis :

— Voilà assurément une question très fine et fort intelligente : il semble, en effet qu'il ait vraiment là une difficulté. Mais pour bien voir encore la raison de cela, écoute ce que je vais dire. Ces puissances de l'Esprit qui sont énumérées, si le Verbe déclare qu'elles sont venues *sur lui*, ce n'est pas qu'il en ait été dépourvu, mais parce qu'elles devaient trouver [a]*sur lui* un *repos*, c'est-à-dire trouver un *achèvement* en lui[5], si bien qu'en votre race il ne devait plus y avoir, comme par le passé, de prophètes, ce que vous pouvez constater de vos propres yeux : après lui, en effet, il n'y a plus eu absolument aucun prophète parmi vous.

4 Vos prophètes, qui avaient reçu de Dieu chacun l'une ou l'autre de ces Puissances, ont agi et parlé comme nous l'avons nous aussi appris des Écritures, faites-y bien attention, ainsi qu'à ce que je dis. Ainsi donc, c'est Salomon qui eut [b]l'*Esprit* de *sagesse*, Daniel celui d'*intelligence* et de *conseil*, Moïse de *force* et de *piété*, Élie de *crainte* et Isaïe de *science* ; et les autres de même : chacun eut une Puissance ou alternativement l'une ou l'autre, tel Jérémie, les douze, David, et en un mot tous les autres prophètes que vous avez eus.

5 Il s'est donc [c]*reposé*, c'est-à-dire qu'il a *cessé* (l'Esprit prophétique)[6], quand fut venu celui après qui, une fois révolus les temps de cette économie que parmi les hommes il a réalisée[7], ces choses devaient *disparaître* de chez vous, et en lui à nouveau trouver à *reposer*[8], conformément à la prophétie, pour

a Cf. *Is.* 11, 2 **b** *ibid.* **c** *ibid.*

ὡς ἐπεπροφήτευτο, γενήσεσθαι[1] *δόματα*, ἃ ἀπὸ τῆς χάριτος τῆς δυνάμεως [p. 220 : B] τοῦ πνεύματος ἐκείνου τοῖς ἐπ' αὐτὸν πιστεύουσι *δίδωσιν*, ὡς ἄξιον ἕκαστον ἐπίσταται. **6** < Καὶ >[2] ὅτι ἐπεπροφήτευτο τοῦτο μέλλειν γίνεσθαι ὑπ' αὐτοῦ μετὰ τὴν εἰς οὐρανὸν ἀνέλευσιν αὐτοῦ, εἶπον μὲν ἤδη καὶ πάλιν λέγω. Εἶπεν οὖν · *'Ανέβη εἰς ὕψος, ᾐχμαλώτευσεν αἰχμαλωσίαν, ἔδωκε δόματα τοῖς υἱοῖς τῶν ἀνθρώπων.* Καὶ πάλιν ἐν ἑτέρᾳ προφητείᾳ εἴρηται · (*Joël* 3, 1)*Καὶ ἔσται μετὰ ταῦτα , ἐκχεῶ τὸ πνεῦμά μου ἐπὶ πᾶσαν σάρκα...* (2)*καὶ ἐπὶ τοὺς δούλους μου καὶ ἐπὶ τὰς δούλας μου, καὶ προφητεύσουσι.*

88. 1 Καὶ παρ' ἡμῖν ἔστιν ἰδεῖν καὶ θηλείας καὶ ἄρσενας, χαρίσματα ἀπὸ τοῦ πνεύματος τοῦ θεοῦ ἔχοντας. Ὥστε οὐ διὰ τὸ εἶναι αὐτὸν ἐνδεῆ[3] δυνάμεως ἐπεπροφήτευτο ἐλεύσεσθαι *ἐπ' αὐτὸν* τὰς δυνάμεις τὰς κατηριθμημένας ὑπὸ Ἠσαΐου, ἀλλὰ διὰ τὸ ἐπέκεινα μὴ μέλλειν ἔσεσθαι. Μαρτύριον δὲ καὶ τοῦτο ἔστω ὑμῖν, [fol. 143 r° : A] ὃ ἔφην πρὸς ὑμᾶς γεγονέναι ὑπὸ τῶν < ἀπὸ >[4] Ἀρραβίας μάγων, οἵτινες ἅμα τῷ γεννηθῆναι τὸ παιδίον ἐλθόντες *προσεκύνησαν αὐτῷ*. **2** Καὶ γὰρ γεννηθεὶς δύναμιν τὴν αὐτοῦ[5] ἔσχε · καὶ αὐξάνων κατὰ τὸ κοινὸν τῶν ἄλλων ἁπάντων ἀνθρώπων, χρώμενος τοῖς ἁρμόζουσιν, ἑκάστῃ αὐξήσει τὸ οἰκεῖον ἀπένειμε, τρεφόμενος τὰς πάσας τροφάς, καὶ *τριάκοντα ἔτη* ἢ πλείονα ἢ καὶ ἐλάσσονα μείνας, μέχρις οὗ προελήλυθεν Ἰωάννης *κῆρυξ* αὐτοῦ τῆς παρουσίας[6] καὶ τὴν τοῦ βαπτίσματος ὁδὸν προϊών, ὡς καὶ προαπέδειξα. **3** Καὶ τότε *ἐλθόντος* τοῦ Ἰησοῦ *ἐπὶ τὸν Ἰορδάνην* ποταμόν, ἔνθα ὁ Ἰωάννης ἐβάπτιζε, < καὶ >[7] κατελθόντος τοῦ Ἰησοῦ ἐπὶ τὸ ὕδωρ, [καὶ] πῦρ ἀνήφθη[8] ἐν τῷ Ἰορδάνῃ, καὶ ἀνα-[p. 221 : B]-δύντος αὐτοῦ *ἀπὸ τοῦ ὕδατος ὡς περιστερὰν τὸ ἅγιον πνεῦμα* ἐπιπτῆναι *ἐπ' αὐτὸν* ἔγραψαν οἱ ἀπόστολοι αὐτοῦ τούτου τοῦ Χριστοῦ ἡμῶν.

4 Καὶ οὐχ ὡς ἐνδεᾶ αὐτὸν τοῦ βαπτισθῆναι[9] ἢ τοῦ ἐπελθόντος ἐν εἴδει *περιστερᾶς* πνεύματος οἴδαμεν αὐτὸν ἐληλυθέναι ἐπὶ τὸν ποταμόν, ὥσπερ οὐδὲ τὸ γεννηθῆναι αὐτὸν καὶ σταυρωθῆναι ὡς ἐνδεὴς τούτων ὑπέμεινεν, ἀλλ' ὑπὲρ τοῦ γένους τοῦ τῶν ἀνθρώπων, ὃ ἀπὸ τοῦ Ἀδὰμ ὑπὸ θάνατον

1 Γενήσεσθαι : γεννήσεσθαι Mar. (γενήσεσθαι Mign.) **2** Καὶ *addendum* Thirlb., *add.* Otto, Arch., Marc. : ὅτι δὲ *prop.* Sylb. ὅτι *codd.*, *cett. edd.* **3** Ἐνδεῆ : ἐνδεᾶ *infra* 88, 4 **4** Ἀπὸ Thirlb., Otto, Arch., Marc. (*ut alibi constanter*) : *om. codd.*, *cett. edd.* **5** Αὐτοῦ : αὑτοῦ *prop.* Semisch (*Justin*, P. II, p. 80) **6** Τῆς παρουσίας : τ. π. ὢν Marc. **7** Καὶ *deleto* καὶ *post* ὕδωρ *huc transp.* Marc. : ὕδωρ, καὶ *codd.*, *cett. edd.* **8** Ἀνήφθη : ἀνῆφθαι *alii* (Thirlb.) **9** Βαπτισθῆναι B, *edd.* : βαπισθῆναι A.

devenir des [a]*dons* que par la grâce de la puissance de cet Esprit il *accorde* à ceux qui croient en lui, selon qu'il en sait chacun digne[9]. **6** Il avait été prophétisé que cela arriverait par lui après sa remontée[10] au ciel, je l'ai déjà affirmé[11], et je le répète. Il a donc été dit : [b]*Il est monté sur la hauteur, a fait captive la captivité, et accordé des dons aux fils des hommes.* Et il est dit encore dans une autre prophétie : (*Joël* 3, 1)*Et il arrivera après cela que je répandrai mon esprit sur toute chair…,* (2)*sur mes serviteurs et sur mes servantes, et ils prophétiseront.*

Si les puissances de l'esprit sont venues sur lui,
ce n'est pas qu'il en ait été dépourvu, mais parce qu'en lui elles se sont « reposées »,
pour être dispensées à ceux qui en sont dignes.

88. 1 Or l'on peut voir chez nous des femmes et des hommes qui de l'Esprit de Dieu ont reçu des charismes[1]. Aussi n'est-ce pas parce qu'il était dépourvu de Puissance qu'il fut prophétisé que viendraient [c]*sur lui* les Puissances énumérées par Isaïe, mais parce que par la suite il n'en devait plus exister. Que vous en soit témoin ce qui, je vous l'ai dit[2], fut accompli par les mages d'Arabie : [d]au moment même[3] où avait lieu la naissance de l'enfant, ils vinrent *l'adorer*[4]. **2** Car c'est dès qu'il naquit, qu'il eut sa Puissance ; et [e]tandis qu'il grandissait comme le commun de tous les autres hommes, il usa de ce qui convenait, accorda à chaque étape de la croissance ce qui lui est propre, se nourrit de toutes sortes de nourritures[5], et [f]demeura *trente années* (peut-être plus ou même moins), jusqu'à ce que fût venu Jean, *héraut* de sa parousie, qui le précédait sur le chemin du baptême, comme je l'ai déjà montré[6]. **3** [g]Jésus *vint* alors *au* fleuve du *Jourdain*, là où Jean baptisait ; et tandis que Jésus descendait dans l'eau, du feu s'alluma dans le Jourdain[7] ; et [h]alors qu'il remontait *de l'eau*, *l'Esprit Saint comme une colombe* voltigea *sur lui*[8] : ce sont les propres apôtres de celui qui est notre Christ qui l'ont écrit.

4 Or s'il s'est rendu au fleuve, ce n'est pas – nous le savons – qu'il ait eu besoin d'être baptisé ou que [i]l'*Esprit* Saint vienne sur lui sous la forme d'une *colombe* ; de même s'il souffrit d'être engendré et crucifié, ce n'est pas davantage par besoin de cela, mais pour la race des hommes qui, depuis Adam, était tombée au pouvoir de la mort et de l'erreur du serpent, chacun

a *Ps.* 67, 19 ; cf. *Éphés.* 4, 8 **b** *ibid.* **c** cf. *Is.* 11, 2 **d** cf. *Matth.* 2, 11 **e** cf. *Lc.* 2, 40.52 **f** cf. *Lc.* 3, 23 **g** cf. *Matth.* 3, 13 ; *Mc.* 1, 9 **h** cf. *Lc.* 3, 21-22 ; *Matth.* 3, 16 ; *Mc.* 1, 10 **i** cf. *Lc.* 3, 21-22 pll.

καὶ[1] πλάνην τὴν τοῦ ὄφεως ἐπεπτώκει, παρὰ τὴν ἰδίαν αἰτίαν ἑκάστου αὐτῶν πονηρευσαμένου. **5** Βουλόμενος [fol. 143 v° : A] γὰρ τούτους ἐν ἐλευθέρᾳ προαιρέσει καὶ αὐτεξουσίους γενομένους, τούς τε ἀγγέλους καὶ τοὺς ἀνθρώπους, ὁ θεὸς πράττειν ὅσα ἕκαστον ἐνεδυνάμωσε δύνασθαι[2] ποιεῖν, ἐποίησεν, εἰ μὲν τὰ εὐάρεστα αὐτῷ αἱροῖντο, καὶ ἀφθάρτους καὶ ἀτιμωρήτους αὐτοὺς τηρῆσαι, ἐὰν δὲ πονηρεύσωνται, ὡς αὐτῷ δοκεῖ, ἕκαστον κολάζειν.

6 Καὶ γὰρ οὐδὲ τὸ *καθεσθέντα* αὐτὸν *ὄνῳ εἰσελθεῖν εἰς Ἱεροσόλυμα*, ὡς ἀπεδείξαμεν πεπροφητεῦσθαι, δύναμιν αὐτῷ ἐνεποίει εἰς τὸ Χριστὸν εἶναι, ἀλλὰ τοῖς ἀνθρώποις γνώρισμα ἔφερεν ὅτι αὐτός ἐστιν ὁ Χριστός, ὅνπερ τρόπον καὶ ἐπὶ τοῦ Ἰωάννου ἔδει γνώρισμα τοῖς ἀνθρώποις εἶναι, ὅπως ἐπιγνῶσι τίς ἐστιν ὁ Χριστός.

7 Ἰωάννου γὰρ καθεζομένου ἐπὶ τοῦ Ἰορδάνου καὶ *κηρύσσοντος βάπτισμα μετανοίας*, καὶ *ζώνην δερματίνην καὶ ἔνδυμα ἀπὸ τριχῶν καμήλου* μόνον φοροῦντος καὶ μηδὲν *ἐσθίοντος* πλὴν *ἀκρίδας* καὶ *μέλι ἄγριον*, οἱ ἄνθρωποι ὑπελάμβανον αὐτὸν εἶναι τὸν Χριστόν · πρὸς οὓς καὶ αὐτὸς ἐβόα · *Οὐκ εἰμὶ ὁ Χριστός, ἀλλὰ φωνὴ βοῶντος · ἥξει γὰρ ὁ ἰσχυρότερός μου, οὗ οὐκ εἰμὶ ἱκανὸς τὰ ὑποδήματα* [p. 222 : B] *βαστάσαι*. **8** Καὶ ἐλθόντος τοῦ Ἰησοῦ ἐπὶ τὸν Ἰορδάνην, καὶ *νομιζομένου Ἰωσὴφ τοῦ τέκτονος υἱοῦ* ὑπάρχειν, καὶ ἀειδοῦς, ὡς αἱ γραφαὶ ἐκήρυσσον, φαινομένου, καὶ τέκτονος νομιζομένου [fol. 144 r° : A] (ταῦτα γὰρ τὰ τεκτονικὰ ἔργα[3] εἰργάζετο ἐν ἀνθρώποις ὤν, *ἄροτρα καὶ ζυγά*, διὰ τούτων καὶ τὰ τῆς δικαιοσύνης σύμβολα διδάσκων καὶ ἐνεργῆ[4] βίον[5]), *τὸ πνεῦμα* οὖν *τὸ ἅγιον* καὶ[6] διὰ τοὺς ἀνθρώπους, ὡς προέφην, ἐν εἴδει[7] *περιστερᾶς* ἐπέπτη[8] αὐτῷ, καὶ *φωνὴ ἐκ τῶν οὐρανῶν* ἅμα ἐληλύθει, ἥτις καὶ διὰ Δαυῒδ λεγομένη, ὡς ἀπὸ προσώπου αὐτοῦ λέγοντος ὅπερ αὐτῷ ἀπὸ τοῦ πατρὸς ἔμελλε λέγεσθαι · *Υἱός μου εἶ σύ, ἐγὼ σήμερον γεγέννηκά*[9] *σε* · τότε γένεσιν αὐτοῦ λέγων γίνεσθαι τοῖς ἀνθρώποις[10], ἐξ ὅτου ἡ γνῶσις αὐτοῦ ἔμελλε γίνεσθαι · [*Υἱός μου εἶ σύ, ἐγὼ σήμερον γεγέννηκά σε*][11].

1 Καὶ : διὰ *prop.* Thirlb. κατὰ *coni.* Marc. **2** Δύνασθαι : *del.* Marc. **3** Τεκτονικὰ ἔργα *in textu codd., edd.* : τεκτονικὰ ὄργανα *in marg. codd.* **4** Ἐνεργῆ *prop.* Wolf, Mar., *coni.* Sylb., Mor., *edd. ab* Otto (cf. 96, 2 ; 102, 5) : ἀεργῆ *codd., Steph.* οὐκ ἀεργῆ *prop.* Lange **5** Ταῦτα – βίον *in semicirculis edd. a* Steph. **6** Καὶ : *post.* βίον *transp.* Marc. **7** Εἴδει *edd.* : εἴδη *codd.* **8** Ἐπέπτη A *corr. ex* ἔπτη **9** Γεγέννηκα A *corr. ex* γεγένηκα **10** Τοῖς ἀνθρώποις : *post* ἔμελλε γίνεσθαι *transponendum* Thirlb. *post.* ἐξ ὅτου *transp.* Marc. **11** Υἱός – γεγέννηκά σε : *ut glossema delendum* Mar., *del. edd. ab* Otto.

faisant le mal par[9] sa propre faute[10]. **5** Dieu en effet les voulant dotés du libre arbitre et autonomes – anges et hommes – les avait façonnés de telle sorte qu'ils fissent tout ce qu'il avait rendu chacun capable de faire[11] : s'ils choisissaient ce qui lui est agréable, il les conserverait à l'abri de la corruption et du châtiment ; et s'ils faisaient le mal, il châtierait chacun, comme il lui semblerait bon.

6 Quant à [a]son *entrée sur un âne à Jérusalem* – qui, nous l'avons montré[12], avait été prophétisée – elle n'a pas non plus réalisé en lui la Puissance d'être Christ, mais elle offrait aux hommes un signe de reconnaissance (manifestant) qu'il était bien le Christ ; de la même façon qu'il fallait qu'au temps de Jean un signe de reconnaissance fût donné aux hommes, afin qu'ils reconnussent la personne du Christ.

7 Lorsque Jean, en effet, se tenait au Jourdain [c]*annonçant le baptême de pénitence*[13], [d]vêtu seulement d'une *ceinture de peau et d'un vêtement de poils de chameau*, ne *mangeant* rien que *des sauterelles* et *du miel sauvage*, [e]les hommes se figuraient que c'était lui le Christ ; à ceux-là lui-même criait : [f]*Je ne suis pas le Christ, mais la voix de celui qui crie ;* [g]*il viendra celui qui est plus fort que moi, dont je ne suis pas digne de porter les sandales.* **8** Et lorsque Jésus s'en vint au Jourdain, [h]on le *croyait fils de Joseph le charpentier* ; il était [i]*sans apparence*[14], comme l'avaient proclamé les Écritures ; [j]on le croyait *charpentier* – [k]car tandis qu'il était parmi les hommes, il fabriquait ces ouvrages des charpentiers[15], *des charrues et des jougs*[16], enseignant à la fois par là les symboles de la justice et une vie active. L'*Esprit Saint* donc, et cela à cause des hommes, comme je viens de le dire[17], [l]voltigea[18] au-dessus de lui sous la forme d'une *colombe*, et au même moment *une voix* vint *des cieux* qui s'était exprimée aussi par l'intermédiaire de David, disant comme en son nom propre ce qui devait être dit au Christ de la part du Père : [m]*Tu es mon fils, aujourd'hui je t'ai engendré*[19] : sa naissance, disait-il, avait lieu pour les hommes, à l'instant imminent de sa reconnaissance[20].

a Cf. *Matth.* 21, 1-9 ; *Mc.* 11, 1 s. ; *Lc.* 19, 28 s. **b** cf. *Gen.* 49, 11 et *Zach.* 9, 9 **c** cf. *Lc.* 3, 3 ; *Mc.* 1, 4 **d** cf. *Matth.* 3, 4 ; *Mc.* 1, 6 **e** cf. *Lc.* 3, 15 **f** cf. *Jn.* 1, 20.23 **g** cf. *Matth.* 3, 11 ; *Lc.* 3, 16 ; *Mc.* 1, 7 **h** cf. *Matth.* 13, 55 ; *Mc.* 6, 3 ; *Lc.* 3, 23 **i** cf. *Is.* 53, 2-3 **j** cf. *Mc.* 6, 3 **k** cf. *Év. de Thomas*, 13, 1 **l** cf. *Lc.* 3, 21-22 ; *Matth.* 3, 16 ; *Mc.* 1, 10 **m** *Lc.* 3, 22 ; cf. *Ps.* 2, 7.

89. 1 – Καὶ ὁ Τρύφων · Εὖ ἴσθι, ἔφη, ὅτι καὶ πᾶν τὸ γένος ἡμῶν τὸν Χριστὸν ἐκδέχεται, καὶ ὅτι πᾶσαι αἱ γραφαί, ἃς ἔφης, εἰς αὐτὸν εἴρηνται[1], ὁμολογοῦμεν · καὶ[2] ὅτι τὸ Ἰησοῦς ὄνομα δεδυσώπηκέ με, τῷ[3] τοῦ Ναυῆ υἱῷ ἐπικληθέν, ἐνδο<τι>κῶς[4] ἔχειν καὶ πρὸς τοῦτο[5], καὶ τοῦτό φημι. **2** Εἰ δὲ καὶ ἀτίμως οὕτως σταυρωθῆναι[6] τὸν Χριστόν, ἀποροῦμεν · *ἐπικατάρατος* γὰρ ὁ σταυρούμενος ἐν τῷ *νόμῳ* λέγεται εἶναι · ὥστε πρὸς τοῦτο ἀκμὴν δυσπείστως ἔχω. Παθητὸν μὲν τὸν Χριστὸν ὅτι αἱ γραφαὶ κηρύσσουσι, φανερόν ἐστιν · εἰ δὲ διὰ τοῦ ἐν τῷ νόμῳ κεκατηραμένου πάθους, βουλόμεθα μαθεῖν, εἰ ἔχεις καὶ περὶ τούτου ἀποδεῖξαι.

3 – Εἰ μὲν μὴ ἔμελλε [fol. 144 v° : A] πάσχειν ὁ Χριστός, φημὶ αὐτῷ ἐγώ, μηδὲ προεῖπον οἱ προφῆται ὅτι *ἀπὸ τῶν ἀνομιῶν τοῦ λαοῦ ἀχθήσεται εἰς θάνατον* καὶ *ἀτιμωθήσεται* καὶ μαστιχθήσεται καὶ *ἐν τοῖς ἀνόμοις λογισθήσεται* καὶ *ὡς πρόβα*-[p. 223 : B]-*τον ἐπὶ σφαγὴν ἀχθήσεται*, οὗ τὸ *γένος* ἐξηγήσασθαι ἔχειν οὐδένα φησὶν[7] ὁ προφήτης, καλῶς εἶχε θαυμάζειν. Εἰ δὲ τοῦτό ἐστι τὸ χαρακτηρίζον αὐτὸν καὶ πᾶσι μηνύον, πῶς οὐχὶ καὶ ἡμεῖς θαρροῦντες πεπιστεύκαμεν εἰς αὐτόν ; Καὶ ὅσοι νενοήκασι τὰ τῶν προφητῶν, τοῦτον φήσουσιν, οὐκ ἄλλον, εἰ μόνον ἀκούσειαν ὅτι οὗτος[8] ἐσταυρωμένος[9].

90. 1 – Καὶ ἡμᾶς οὖν, ἔφη, προβίβασον ἐκ τῶν γραφῶν, ἵνα σοι πεισθῶμεν καὶ ἡμεῖς. Παθεῖν μὲν γὰρ καὶ *ὡς πρόβατον ἀχθήσεσθαι* οἴδαμεν · εἰ δὲ καὶ σταυρωθῆναι καὶ οὕτως αἰσχρῶς καὶ ἀτίμως ἀποθανεῖν[10] διὰ τοῦ[11] *κεκατεραμένου* ἐν τῷ *νόμῳ* θανάτου, ἀπόδειξον ἡμῖν · ἡμεῖς γὰρ οὐδ' εἰς ἔννοιαν τούτου ἐλθεῖν δυνάμεθα.

2 – Οἶσθα, ἔφην, ὅτι ὅσα εἶπον καὶ ἐποίησαν οἱ προφῆται, ὡς καὶ ὡμολογήθη ὑμῖν[12], παραβολαῖς καὶ τύποις ἀπεκάλυψαν[13], ὡς μὴ ῥᾳδίως τὰ

1 Εἴρηνται *Sylb.*, *edd. a Mar.* : εὕρηνται *codd.*, Steph., Jebb **2** Καὶ *add.* A *corr.* **3** Τῷ : τὸ τῷ Marc. **4** Ἐνδοτικῶς Otto, Arch., Marc. (cf. 79, 2 : ἐνδοτικώτερον) : ἐκδότως *codd.*, *cett. edd.* **5** Τοῦτο : τοῦτον *prop.* Lange, Otto, *coni.* Marc. **6** Σταυρωθῆναι : στ. ἔδει *vel* ἐχρῆν *prop.* Sylb. (*sed pariter* 90, 1 Otto) **7** Φησὶν : ὥς φησιν Marc. **8** Οὗτος : οὗτός ἐστιν ὁ Marc. **9** *Post* ἐσταυρωμένος Thirlb. et Mar. *interrogationis signum collocarunt* **10** Ἀποθανεῖν : ἀπ. ἔμελλε *vel* ἔδει *prop.* Sylb. (cf. 89, 2) **11** Τοῦ *corr. ex* τὸ A **12** Ὑμῖν : ἡμῖν *prop.* Mar. **13** Ἀπεκάλυψαν (*revelarunt*) : ἐπεκάλυψαν (*contexterunt*) *prop.* Thirlb.

Le Christ « souffrant » annoncé dans les Écritures peut-il être celui qui a subi la « malédiction » de la Croix ?

89. 1 Tryphon[1] : — Sache bien, dit-il, que notre race toute entière attend le Christ ; et toutes les Écritures que tu as citées sont dites à son sujet, nous le reconnaissons ; quant au nom de Jésus [a]qui fut en surnom attribué au fils de Navé[2], il m'a fort troublé, au point que, je l'avoue, je me sens enclin à céder là aussi. **2** Pourtant, quant à savoir si le Christ doit subir l'infamie de la crucifixion, nous demeurons perplexes, car [b]*le* crucifié, est-il dit dans la Loi, *est maudit*[3] ; aussi ne suis-je pas encore sur ce point disposé à te croire. Que les Écritures proclament un Christ « souffrant »[4], c'est évident ; mais que ce soit de la souffrance maudite dans la Loi, nous aimerions l'apprendre, si tu peux nous en faire aussi la démonstration.

3 — Si le Christ, lui dis-je, ne devait pas souffrir, et si les prophètes n'avaient point prédit qu' [c]*à cause des péchés du peuple* il devait *être conduit à la mort*, [d]*déshonoré*, flagellé[5] et [e]*mis au rang des coupables*, [f]*comme une brebis conduit à l'abattoir*, lui dont le prophète dit que [g]personne ne peut expliquer[6] *sa génération*, on aurait lieu de s'étonner[7]. Mais si c'est là ce qui le distingue et le révèle[8] à tous, comment ne croirions-nous pas nous aussi résolument en lui ? Et tous ceux qui ont compris les paroles des prophètes diront que c'est lui, et nul autre, dès qu'ils auront appris qu'il fut crucifié.

Moïse lui-même a donné, lors du combat contre Amalek, le premier « signe » de la Croix.

90. 1 — Achève donc, dit-il, d'instruire notre progrès d'après les Écritures, afin qu'à notre tour nous soyons convaincus par toi. Qu'il doive souffrir[1] et être [h]*conduit comme une brebis*, nous le savons en effet ; mais qu'il doive être crucifié[2] et mourir en un tel degré de honte et d'infamie, [i]de la mort *maudite* dans la *Loi*, démontre-le nous, car nous ne parvenons pas même à le concevoir.

2 — Tu sais, dis-je, que tout qu'ils ont dit ou fait, les prophètes, comme vous en êtes convenus[3], l'ont révélé[4] en types ou paraboles[5] : aussi la plus grande partie n'en est-elle pas pour tous facile à comprendre, car ils

a Cf. *Nombr.* 13, 16 **b** cf. *Deut.* 21, 23 et *Gal.* 3, 13 **c** cf. *Is.* 53, 8 **d** *ibid.,* 3 **e** *ibid.*, 12 **f** *ibid.*, 7 **g** *ibid.*, 8 **h** *Is.* 53, 7 **i** cf. *Deut.* 21, 23 et *Gal.* 3, 13.

πλεῖστα ὑπὸ πάντων νοηθῆναι, κρύπτοντες τὴν ἐν αὐτοῖς ἀλήθειαν, ὡς καὶ πονέσαι τοὺς ζητοῦντας εὑρεῖν καὶ μαθεῖν.

– Οἱ δὲ ἔφησαν · [fol. 145 r° : A] Καὶ[1] ὡμολογήθη ἡμῖν.

3 – Ἀκούοις ἂν οὖν, φημί, τὸ μετὰ τοῦτο. Μωσῆς[2] γὰρ πρῶτος ἐξέφανεν αὐτοῦ ταύτην τὴν δοκοῦσαν κατάραν δι᾽ ὧν ἐποίησε σημείων.

– Τίνων τούτων, ἔφη, λέγεις ;

4 – Ὅτε ὁ λαός, φημί, *ἐπολέμει* τῷ *Ἀμαλὴκ* καὶ ὁ τοῦ Ναυῆ υἱός, ὁ ἐπονομασθεὶς τῷ Ἰησοῦ ὀνόματι, τῆς μάχης ἦρχεν, αὐτὸς Μωσῆς ηὔχετο τῷ θεῷ *τὰς χεῖρας* ἑκατέρωσ<ε>[3] *ἐκπετάσας*, Ὢρ δὲ καὶ Ἀαρὼν ὑπεβάσταζον αὐτὰς πανῆμαρ, ἵνα μὴ κοπωθέντος αὐτοῦ χαλασθῶσιν. Εἰ γὰρ ἐνεδεδώκει τι τοῦ σχήματος τούτου τοῦ τὸν σταυρὸν μιμουμένου, ὡς γέγραπται ἐν ταῖς [p. 224 : B] Μωσέως γραφαῖς ὁ λαὸς ἡττᾶτο · εἰ δὲ ἐν τῇ τάξει ἔμενε ταύτῃ, Ἀμαλὴκ ἐνικᾶτο τοσοῦτον, καὶ ἰσχύων[4] διὰ τοῦ σταυροῦ ἴσχυεν. **5** Οὐ γάρ, ὅτι οὕτως ηὔχετο Μωσῆς, διὰ τοῦτο κρείσσων[5] ὁ λαὸς ἐγίνετο, ἀλλ᾽ ὅτι, ἐν ἀρχῇ τῆς μάχης τοῦ ὀνόματος τοῦ Ἰησοῦ ὄντος, αὐτὸς τὸ σημεῖον τοῦ σταυροῦ ἐποίει. Τίς γὰρ οὐκ ἐπίσταται ὑμῶν, ὅτι μάλιστα μὲν ἡ μετὰ οἴκτου καὶ δακρύων εὐχὴ μειλίσσεται τὸν θεὸν καὶ ἡ ἐν πρηνεῖ κατακλίσει καὶ ἐν γόνασιν ὀκλάσαντός τινος ; Τοῦτὸν δὲ τὸν τρόπον ἐπὶ *λίθου*[6] καθεζόμενος οὔτε αὐτὸς ηὔξατο οὔτε ἄλλος ὕστερον. Ἔχει δὲ καὶ ὁ *λίθος* σύμβολον, ὡς ἀπέδειξα, πρὸς τὸν Χριστόν.

91. 1 Καὶ γὰρ δι᾽ ἄλλου[7] μηνύων τὴν ἰσχὺν τοῦ μυστηρίου τοῦ σταυροῦ [fol. 145 v° : A] ὁ θεὸς διὰ Μωσέως[8] εἶπεν ἐν[9] εὐλογίᾳ, ἣν εὐλόγει τὸν Ἰωσήφ · (*Deut.* 33, 13) *Ἀπὸ εὐλογίας κυρίου ἡ γῆ αὐτοῦ, ἀπὸ ὡρῶν οὐρανοῦ*[10] *καὶ δρόσων, καὶ ἀπὸ ἀβύσσου πηγῶν κάτωθεν,* (14)*καὶ καθ᾽ ὥραν γεννημάτων ἡλίου τροπῶν*[11]*, καὶ ἀπὸ συνόδων μηνῶν,* (15)*καὶ ἀπὸ κορυφῆς ὀρέων ἀρχῆς, καὶ ἀπὸ κορυφῆς βουνῶν, καὶ ποταμῶν*[12] *ἀεννάων,* (16)*καὶ καρπῶν γῆς πληρώσεως. Καὶ τὰ δεκτὰ τῷ ὀφθέντι ἐν τῇ βάτῳ ἔλθοισαν*

1 Καὶ : ναὶ *prop.* Sylb. **2** Μωσῆς : Μωϋσῆς Otto, Mign., Goodsp. (*hic et infra*) **3** Ἑκατέρωσε *prop.* Thirlb., *coni.* Marc. : ἑκατέρως *codd.*, *cett. edd.* ἑκατέρας *prop.* Sylb. **4** Ἰσχύων : ἰσχ. ὁ λαὸς Marc. **5** Κρείσσων : κρείττων Otto, Arch. (cf. Dial. 1, 5) **6** Ἐπὶ λίθου : Μωσῆς ἐπὶ λ. Marc. **7** Ἄλλου : ἄλλου τύπου Marc. **8** Μωσέως : Μωϋσέως Mign., Otto, Goodsp. (*hic et infra* : 92, 4) **9** Ἐν *add. sup. l.* A **10** Οὐρανοῦ (= LXX) : οὐρανῶν Mar., Mign., Troll. **11** Καθ᾽ ὥραν γεννημάτων ...τροπῶν Thirlb., Otto, Arch., Goodsp. (*ex* LXX) : καθαρῶν γενήματα ...τρόπον A, B (τρόπων : ο *sup. l.*), Steph. (τροπῶν), *cett. edd.* καθ᾽ ὥραν γενομένων *prop.* Troll. **12** Καὶ ποταμῶν : *om.* TM, LXX. *delendum* Thirlb., Smit Sibinga, p. 148.

cachaient la vérité qui s'y trouvent, en sorte que se donnent de la peine ceux qui cherchent à trouver et à s'instruire[6].

Ils dirent :

— Nous en sommes nous aussi convenus.

3 — Écoute donc, dis-je, ce qui suit : C'est Moïse le premier[7] qui, par les signes[8] qu'il a opérés, a produit au grand jour ce qui a l'apparence[9] de sa malédiction.

— Quels sont ces signes dont tu parles, dit-il ?

4 — Lorsque [a]le peuple, dis-je, *combattait Amalek*[10], et que le fils de Navé, surnommé Jésus[11], était en tête[12] du combat, Moïse pour sa part priait Dieu, *les mains étendues*[13] de chaque côté[14]. Or et Aaron les soutenaient tout le jour, afin que la fatigue ne les lui fasse pas abaisser. Car s'il venait à relâcher quelque chose de cette attitude[15] qui imitait la Croix, selon qu'il est écrit dans les Écritures de Moïse, le peuple avait le dessous ; mais s'il demeurait dans cette position, Amalek se trouvait vaincu[16] d'autant : le plus fort l'était donc par la force de la Croix. **5** Ce n'est pas parce que Moïse priait ainsi[17] que le peuple gagnait l'avantage, mais parce que, tandis qu'en tête du combat était le nom de Jésus, lui-même représentait le signe de la Croix[18]. Qui de vous ne sait que la prière qui fléchit Dieu, est surtout celle s'accompagne de lamentations et de larmes[19], lorsque l'on se prosterne les genoux pliés ?

Tel qu'il se tenait sur la [b]*pierre* Moïse n'a plus ainsi prié, ni personne d'autre par la suite. Quant à la *pierre*, elle aussi, comme je l'ai montré[20], a une signification symbolique par rapport au Christ.

Moïse a annoncé le « mystère » de la Croix
dans la bénédiction de Joseph et par le « signe » du serpent d'airain.

91. 1 Indiquant d'une autre manière la force du mystère de la Croix, Dieu a dit, par l'intermédiaire de Moïse, dans la bénédiction adressée à Joseph[1] : (*Deut.* 33, 13)*C'est par la bénédiction du Seigneur qu'existe son pays, par les saisons du ciel ainsi que les rosées, par l'abîme des sources qui viennent d'en bas,* (14)*et par les fruits que donne, périodiquement, la course du soleil ; par les conjonctions des mois,* (15)*par le sommet des monts antiques, et par le sommet des collines, par les fleuves éternels* (16)*et par les produits d'une terre d'abondance. Que la faveur de celui qui s'est fait voir dans le*

a Cf. *Exod.* 17, 8 s. **b** cf. *Exod.* 17, 12.

ἐπὶ κεφαλὴν Ἰωσὴφ καὶ ἐπὶ κορυφῆς. Δοξασθεὶς ἐν ἀδελφοῖς (17)*πρωτότοκος*[1], *ταύρου τὸ κάλλος αὐτοῦ, κέρατα μονοκέρωτος τὰ κέρατα αὐτοῦ, ἐν αὐτοῖς ἔθνη κερατιεῖ ἅμα ἕως ἀπὸ ἄκρου*[2] *τῆς γῆς.*

2 *Μονοκέρωτος* γὰρ *κέρατα* οὐδενὸς ἄλλου πράγματος ἢ σχήματος[3] ἔχοι[4] ἄν τις εἰπεῖν καὶ ἀποδεῖξαι, εἰ μὴ τοῦ τύπου ὃς τὸν σταυρὸν δείκνυσιν. Ὄρθιον γὰρ τὸ ἕν ἐστι ξύλον, ἀφ' οὗ ἐστι τὸ ἀνώτατον μέρος εἰς *κέρας* ὑπερηρμένον, ὅταν τὸ ἄλλο ξύλον προσαρμοσθῇ, καὶ ἑκατέρωθεν ὡς *κέρα*-[p. 225 : B]-*τα* τῷ *ἑνὶ κέρατι* παρεζευγμένα τὰ ἄκρα φαίνηται[5]· καὶ τὸ ἐν τῷ μέσῳ πηγνύμενον[6] ὡς[7] *κέρας* καὶ αὐτὸ ἐξέχον ἐστίν, ἐφ' ᾧ ἐποχοῦνται οἱ σταυρούμενοι, καὶ βλέπεται ὡς *κέρας* καὶ αὐτὸ σὺν τοῖς ἄλλοις *κέρασι* συνεσχηματισμένον καὶ πεπηγμένον. **3** Καὶ τὸ · *Ἐν αὐτοῖς ἔθνη κερατιεῖ ἅμα ἕως ἀπ' ἄκρου τῆς γῆς* δηλωτικόν ἐστι τοῦ *νῦν* γεγενημένου πράγματος ἐν πᾶσι τοῖς *ἔθνεσι. Κερατισθέντες* [fol. 146 r° : A] γάρ, τουτέστι κατανυγέντες, οἱ ἐκ πάντων τῶν *ἐθνῶν* διὰ τούτου τοῦ μυστηρίου εἰς τὴν θεοσέβειαν ἐτράπησαν ἀπὸ τῶν ματαίων εἰδώλων καὶ δαιμόνων, τοῖς δὲ ἀπίστοις τὸ αὐτὸ σχῆμα εἰς κατάλυσιν καὶ καταδίκην δηλοῦται · ὃν τρόπον ἐν τῷ ἀπ' Αἰγύπτου ἐξελθόντι λαῷ[8] διά τε τοῦ τύπου τῆς ἐκτάσεως τῶν χειρῶν τοῦ Μωϋσέως[9] καὶ τῆς τοῦ Ναυῆ υἱοῦ ἐπικλήσεως τοῦ ὀνόματος Ἰησοῦ ὁ Ἀμαλὴκ μὲν ἡττᾶτο, Ἰσραὴλ δὲ ἐνίκα.

4 Καὶ διὰ τοῦ τύπου δὲ καὶ *σημείου* τοῦ[10] κατὰ τῶν *δακόντων* τὸν[11] Ἰσραὴλ *ὄφεων* ἡ ἀνάθεσις φαίνεται γεγενημένη ἐπὶ σωτηρίᾳ τῶν *πιστευόντων*[12] ὅτι διὰ τοῦ σταυροῦσθαι μέλλοντος θάνατος γενήσεσθαι ἔκτοτε προεκηρύσσετο τῷ *ὄφει*, σωτηρία δὲ τοῖς κατα*δακνομένοις* ὑπ' αὐτοῦ καὶ προσφεύγουσι τῷ τὸν ἐσταυρωμένον[13] υἱὸν αὐτοῦ πέμψαντι εἰς *τὸν κόσμον* · οὐ γὰρ ἐπὶ *ὄφιν* ἡμᾶς[14] *πιστεύειν* τὸ προφητικὸν πνεῦμα διὰ

1 Ἐν ἀδελφοῖς πρωτότοκος, ταύρου *codd.*, Steph., Thirlb., Troll., *edd. ab* Otto (*etiam* Tertullianus, *Adv. Marc.*, III, 18, 3 = *Adv. Jud.*, 10, 7) : ἐν ἀδελφοῖς · πρωτότοκος ταύρου *cett. edd.* καὶ ἐπὶ κορυφῆς δοξασθέντος ἐν ἀδελφοῖς. Πρωτοτόκου ταυροῦ *prop.* Troll. **2** Ἀπὸ : ἀπ' Steph., Mar., Mign., Otto ἐπ' ἄκρου (= « ad summum usque terrae ») Tert., *loc. cit.* ἀπ' ἀκροῦ γῆς LXX **3** Σχήματος : σκ. εἰκόνισμα *prop.* Sylb. **4** Ἔχοι *codd.*, *edd. a* Mar. : ἔχει *cett. edd.* **5** Φαίνηται : φαίνεται *prop.* Otto. **6** Πηγνύμενον : π. ξύλον Marc. **7** Ὡς : εἰς *ut paulo ante prop.* Otto **8** Ἐν τῷ ...ἐξελθόντι λαῷ : ἐν τῷ ...ἐξελθεῖν τὸν λαὸν *prop.* Otto (*ex* I Apol. 60, 2) **9** Μωϋσέως : Μωϋσέος A Μω(υ *sup. l.*)σέος B Μωσέως Arch. **10** Τοῦ : τούτου *prop.* Thirlb., *coni.* Marc. cf. 78, 6 (τοῦ συμβόλου τοῦ κατὰ τὸ σπήλαιον) ; 94, 2 (διὰ τοῦ σημείου τούτου) **11** Τῶν ...τὸν *prop.* Sylb., *coni. edd. ab* Otto (cf. 134, 1 : τῶν ὄφεων τῶν δακόντων ὑμᾶς) : τῶν ...τῷ *cett. edd.* τὸν ...τῷ *codd.* τῷ Ἰσρ. ἡ ἀνάθεσις *prop.* Sylb. **12** Πιστευόντων : π. ἐπὶ τὸν ἐσταυρωμένον Marc. **13** Τὸν ἐσταυρωμένον : τῶν ἐσταυρωμένων Steph. ἐσταυρωμένον *del.* Marc. **14** Ἡμᾶς : ὑμᾶς *prop.* Thirlb. (cf. *cap.* 112).

buisson vienne sur la tête de Joseph, et sur son front. Glorifié (17)*premier-né parmi ses frères, d'un taureau il a la beauté, ses cornes sont les cornes d'un unicorne ; avec elles, il frappera les nations ensemble jusqu'au bout de la terre*[2].

2 Les [a]*cornes de l'unicorne*[3], personne ne saurait affirmer ni démontrer en effet qu'elles correspondent à une réalité ou une forme autre que celle du type qui représente la Croix : la pièce de bois unique est verticale, sa partie supérieure s'élevant en *corne* lorsque l'autre pièce de bois s'y trouve ajustée ; et de chaque côté, comme *des cornes* adjointes à cette *corne unique*, apparaissent les extrémités. Et ce qui est fixé au milieu, c'est encore une saillie semblable à *une corne* sur laquelle sont portés les crucifiés : elle aussi a l'aspect d'*une corne*, en étant assemblée et fixée avec les autres *cornes*. **3** Quant à l'expression [b]*avec elles, il frappera les nations ensemble jusqu'au bout de la terre*, elle désigne la réalité accomplie de nos jours dans toutes *les nations* : *frappés de ses cornes*, c'est-à-dire pénétrés de remords[4], les hommes de toutes *nations*[5] ont abandonné, à cause de ce mystère, et pour se convertir à la piété, vaines idoles et démons[6] ; mais pour ceux qui ne croient pas, la même figure se présente en signe de ruine et de condamnation. De même, lorsque le peuple sortait d'Égypte, c'est à travers le type que formaient [c]l'extension des mains de Moïse et la désignation[7] du fils de Navé par le nom de Jésus, qu'Amalek était vaincu, et Israël[8] vainqueur.

4 C'est encore dans le type et le [d]*signe* opposé aux *serpents* qui *mordaient* Israël[9] que l'on peut découvrir l'érection de l'offrande[10] destinée au Salut de ceux qui [e]*croient* que, par celui qui devait être crucifié, la mort était dès lors – était-il proclamé – réservée au *serpent*, et le Salut à ceux qui, *mordus* par lui, auraient trouvé refuge[11] en Celui qui a envoyé son fils crucifié au [f]*monde*. Car ce n'est certes pas au *serpent* que l'Esprit prophétique, par l'intermédiaire de Moïse, nous a appris à *croire*, puisque dès l'origine il le montre [g]*maudit* par Dieu, et signifie dans Isaïe qu'il sera [h]*mis à mort* comme un ennemi avec la *grande épée*[12], qui est le Christ.

a *Deut.* 33, 17 **b** *ibid.* **c** cf. *Exod.*, 17, 8 s. **d** *Nombr.* 21, 6-9 **e** cf. *Jn.* 3, 15.16 **f** *ibid.*, 16 **g** cf. *Gen.* 3, 14 **h** cf. *Is.* 27, 1.

Μωσέως ἐδίδασκεν, ὁπότε καὶ *κατηρᾶσθαι*[1] αὐτὸν τὴν ἀρχὴν ὑπὸ τοῦ θεοῦ δηλοῖ, καὶ ἐν τῷ Ἡσαΐᾳ *ἀναιρεθήσεσθαι* ὡς πολέμιον *διὰ τῆς μεγάλης μαχαίρας*, ἥτις ἐστιν ὁ Χριστός, σημαίνει.

92. 1 Εἰ οὖν τις μὴ μετὰ μεγάλης χάριτος τῆς παρὰ θεοῦ λάβοι νοῆσαι τὰ εἰρημένα [p. 226 : B] καὶ γεγενημένα ὑπὸ τῶν προφητῶν, οὐδὲν αὐτὸν ὀνήσει τὸ τὰς ῥήσεις δοκεῖν λέγειν[2] ἢ τὰ γεγενημένα, εἰ μὴ λόγον ἔχει καὶ[3] περὶ αὐτῶν ἀποδιδόναι. Ἀλλὰ [fol. 146 v° A] μήτι γε καὶ εὐκαταφρόνητα δόξει τοῖς πολλοῖς ὑπὸ τῶν μὴ νοούντων αὐτὰ λεγόμενα ; **2** Εἰ γάρ τις ἐξετάζειν βούλοιτο ὑμᾶς, ὅτι[4] Ἐνὼχ καὶ Νῶε ἅμα τοῖς τέκνοις, καὶ εἴ τινες ἄλλοι τοιοῦτοι γεγόνασι, μήτε ἐν περιτομῇ γενόμενοι μήτε σαββατίσαντες *εὐηρέστησαν τῷ θεῷ*, τίς ἡ αἰτία τοῦ δι' ἄλλων προστατῶν[5] καὶ νομοθεσίας μετὰ τοσαύτας γενεὰς ἀξιοῦν τὸν θεὸν δικαιοῦσθαι τοὺς μὲν[6] ἀπὸ Ἀβραὰμ μέχρι Μωσέως[7] διὰ περιτομῆς, τοὺς δὲ ἀπὸ Μωσέως καὶ διὰ περιτομῆς καὶ τῶν ἄλλων ἐντολῶν, τουτέστι σαββάτου καὶ θυσιῶν καὶ σποδῶν[8] καὶ προσφορῶν, εἰ μή[9], ὡς προείρηται ὑπ' ἐμοῦ, ἀποδείξετε ὅτι διὰ τὸ τὸν θεόν, προγνώστην ὄντα, ἐγνωκέναι ἄξιον γενησόμενον τὸν λαὸν ὑμῶν ἐκβληθῆναι ἀπὸ τῆς Ἱερουσαλὴμ καὶ μηδένα ἐπιτρέπεσθαι εἰσελθεῖν ἐκεῖ ; **3** Οὐδαμόθεν γὰρ ἀλλαχόθεν ἐστὲ γνωριζόμενοι, ὡς προέφην, εἰ μὴ ἀπὸ τῆς περὶ τὴν σάρκα περιτομῆς. Οὐδὲ γὰρ Ἀβραὰμ διὰ τὴν περιτομὴν δίκαιος εἶναι ὑπὸ τοῦ θεοῦ ἐμαρτυρήθη, ἀλλὰ διὰ τὴν πίστιν · πρὸ τοῦ γὰρ περιτμηθῆναι αὐτὸν εἴρηται περὶ αὐτοῦ οὕτως · *Ἐπίστευσε δὲ Ἀβραὰμ τῷ θεῷ*[10]*, καὶ ἐλογίσθη αὐτῷ εἰς δικαιοσύνην.*

4 Καὶ ἡμεῖς οὖν, ἐν[11] ἀκροβυστίᾳ τῆς σαρκὸς ἡμῶν *πιστεύοντες τῷ θεῷ* διὰ τοῦ Χριστοῦ καὶ περιτομὴν ἔχοντες τὴν [fol. 147 r° : A] ὠφελοῦσαν ἡμᾶς τοὺς κεκτημένους[12], τουτέστι τῆς καρδίας, *δίκαιοι* καὶ εὐάρεστοι τῷ θεῷ ἐλπίζομεν φανῆναι, ἐπειδὴ καὶ ἤδη μεμαρτυρήμεθα [p. 227 : B] διὰ τῶν

1 Κατηρᾶσθαι (*tempore praeterito*) *prop.* Sylb. *coni. edd. ab* Otto (cf. 93, 4 : κατηραμένον ; 112, 2 : κατηράσατο) : καταρᾶσθαι *codd.*, *cett. edd.* κεκατηρᾶσθαι (*pro* καὶ καταρᾶσθαι : cf. 79, 2 : κεκατηραμένου) *prop.* Nolte **2** Δοκεῖν λέγειν : δοκεῖν νοεῖν λέγειν Marc. **3** Καὶ : *post* μὴ *transp.* Marc. **4** Ὅτε : ὅτι *coni.* Marc. **5** Προστατῶν : προσταγῶν *prop.* Sylb. **6** Τοὺς μὲν *transp. edd. ab* Otto : μὲν τοὺς *codd.*, *cett. edd.* **7** Μωσέως : Μωϋσέως Mign., Otto, Goodsp. (*hic et infra*) **8** Σποδῶν : σπονδῶν *prop.* Thirlb., Mar., Otto, *coni.* Marc. (*ex* Dial. 22, 6 et 118, 2) *Sed c.* 13, 1 : μηκέτι αἵμασι τράγων καὶ προβάτων ἢ σποδῷ δαμάλεως ἢ σεμιδάλεως προσφοραῖς καθαριζομένοις Otto **9** Εἰ μὴ ...ἐκεῖ ; *edd. ab* Otto : εἰ μὴ ...ἐκεῖ. *cett. edd.* τί ἕξετε ἀποκρίνασθαι *subaudiendum* Lange, τί ἀποδείξετε Otto, « calumniis appetetur deus » Mar. **10** Ἀβραὰμ τῷ θεῷ (= LXX) : τῷ θεῷ Ἀβραάμ *transp.* Steph., Mar., Otto **11** Ἐν : οἱ ἐν Marc. **12** Τοὺς κεκτημένους : τοὺς τὴν ἀλήθειαν κεκτ. Marc.

Les Écritures ne paraissent contradictoires qu'à ceux qui n'ont point reçu la grâce de les comprendre.

92. 1 Si quelqu'un, donc[1], entreprend sans le secours d'une grande grâce[2] reçue de Dieu de comprendre ce qui par les prophètes fut dit ou accompli, il ne lui servira de rien de vouloir rapporter paroles ou événements, s'il n'est point en mesure d'en rendre raison aussi. Sinon, ne paraîtront-elles pas méprisables au plus grand nombre, les choses rapportées par ceux qui ne les comprennent pas ?

2 Supposez que quelqu'un veuille vous demander pour quelle raison, tandis qu'Énoch, Noé avec leurs enfants, et les autres semblables, [a]*furent agréables à Dieu* sans être circoncis ni célébrer le sabbat, Dieu a jugé bon, après tant de générations, qu'à travers d'autres chefs[3] et une autre législation, les uns, d'Abraham à Moïse, fussent justifiés par la circoncision, les autres, depuis Moïse, par la circoncision et les autres préceptes[4], c'est-à-dire le sabbat, les sacrifices, les cendres et les offrandes, (que répondrez-vous alors), si vous ne démontrez pas, comme je l'ai déjà fait[5], que c'était parce que Dieu, qui connaît l'avenir[6], savait que votre peuple mériterait d'être chassé de Jérusalem[7], et qu'il ne serait permis à personne d'y rentrer ? **3** Car vous n'avez nul autre signe distinctif, comme je l'ai déjà dit[8], que la circoncision selon la chair[9]. Or même Abraham n'a pas reçu de Dieu témoignage qu'il était juste à cause de la circoncision, mais à cause de sa foi : car avant qu'il ait été circoncis, voici ce qu'il est dit de lui : [b]*Abraham crut à Dieu, et cela lui fut imputé à justice*[10].

4 Pour nous donc, qui dans l'incirconcision de la chair *croyons à Dieu* par le Christ, et avons la circoncision dont l'acquisition est pour nous bénéfique, j'entends celle du cœur[11], nous espérons paraître *justes* et agréables à Dieu, puisque déjà nous avons reçu de lui témoignage par les Écritures

a Cf. *Gen.* 5, 22.24 et 6, 8 **b** *Gen.* 15, 6 ; cf. *Gal* 3, 6 et *Rom.* 4, 3.

προφητικῶν λόγων ὑπ' αὐτοῦ[1]. Τὸ δὲ σαββατίζειν καὶ τὰς προσφορὰς φέρειν κελευσθῆναι ὑμᾶς, καὶ τόπον[2] εἰς ὄνομα τοῦ θεοῦ ἐπικληθῆναι ἀνασχέσθαι τὸν κύριον, ἵνα[3], ὡς εἴρηται, μὴ εἰδωλολατροῦντες καὶ ἀμνημονοῦντες τοῦ θεοῦ ἀσεβεῖς καὶ ἄθεοι γένησθε[4], ὡς ἀεὶ φαίνεσθε γεγενημένοι. **5** Καὶ ὅτι διὰ ταῦτα ἐνετέταλτο ὁ θεὸς τὰς περὶ σαββάτων καὶ προσφορῶν ἐντολάς, προαποδέδεικταί μοι διὰ τῶν προειρημένων · διὰ δὲ τοὺς σήμερον ἐλθόντας καὶ τὰ αὐτὰ σχεδὸν πάντα βούλομαι ἀναλαμβάνειν.

Επεί, εἰ μὴ τοῦτό ἐστι, συκοφαντηθήσεται ὁ θεός, ὡς μήτε πρόγνωσιν ἔχων μήτε τὰ αὐτὰ δίκαια πάντας διδάσκων καὶ εἰδέναι καὶ πράττειν (πολλαὶ γὰρ γενεαὶ[5] ἀνθρώπων πρὸ Μωσέως φαίνονται γεγενημέναι[6]), καὶ οὐκ ἔστι[7] λόγος ὁ λέγων ὡς [οὐκ][8] *Ἀληθὴς* ὁ *θεὸς* καὶ *δίκαιος καὶ πᾶσαι αἱ ὁδοὶ αὐτοῦ κρίσεις*, καὶ *οὐκ ἔστιν ἀδικία ἐν αὐτῷ*. **6** Ἐπειδὴ δὲ *ἀληθὴς* ὁ λόγος, καὶ θεὸς ὑμᾶς τοιούτους μὴ εἶναι ἀσυνέτους καὶ φιλαύτους αἰεὶ[9] βούλεται, ὅπως[10] σωθῆτε[11] μετὰ τοῦ Χριστοῦ, τοῦ εὐαρεστοῦντος τῷ θεῷ καὶ μεμαρτυρημένου, ὡς προέφην, διὰ τῶν ἁγίων προφητικῶν [fol. 147 v° : A] λόγων τὴν ἀπόδειξιν ποιήσας.

93. 1 Τὰ γὰρ ἀεὶ καὶ δι' ὅλου δίκαια καὶ *πᾶσαν δικαιοσύνην* παρέχει ἐν παντὶ γένει ἀνθρώπων, καὶ ἔστι πᾶν γένος γνωρίζον ὅτι μοιχεία κακὸν καὶ πορνεία καὶ ἀνδροφονία[12] καὶ ὅσα ἄλλα τοιαῦτα. Κἂν πάντες πράττωσιν αὐτά, ἀλλ' οὖν γε τοῦ ἐπίστασθαι ἀδικοῦντες, ὅταν πράττωσι ταῦτα, οὐκ ἀπηλλαγμένοι εἰσί, πλὴν ὅσοι [p. 228 : B] ὑπὸ ἀκαθάρτου

1 Οὐδαμόθεν – ὑπ' αὐτοῦ : *in semicirculis* Mar. **2** Τόπον : τὸ τόπον Marc. **3** Ἵνα : ἐγένετο ἵνα *prop.* Lange, « factum est ...ne » Otto ἦν ἵνα *coni.* Marc. **4** Γένησθε : *corr. ex* γίνεσθε A **5** Γενεαὶ B, *edd.* : γεναιαὶ A **6** Πολλαὶ – γεγενημέναι *in semicirculis edd. a* Mar. **7** Οὐκ ἔστι = « non valet », « non viget amplius » Nolte, Otto : καὶ οὐκ ἔστιν ἀληθὴς λόγος ὁ λέγων ὡς ἀληθὴς (*vel* ἀληθινὸς *vel* εὐθὺς) ὁ κύριος καὶ δίκαιος *prop.* Mar. καὶ οὐκ ἔστιν ἀληθὴς λόγος ὁ λέγων ὡς ἀληθὴς ὁ θεὸς καὶ δίκαιος κτλ. Otto (*olim*), Troll. καὶ οὐκ ἔστιν ἀληθὴς ὁ λόγος ὁ λέγων ὡς δίκαιος ὁ θεὸς *aut* ...ὡς εὐθὺς (Ps. 91, 15) ὁ θεὸς καὶ δίκαιος, *aut* ...ὡς θεὸς ἀληθὴς καὶ δίκαιος *prop.* Thirlb. καὶ οὐκ ἔσται (*prop.* Thirlb., Otto) ἀληθὴς ὁ λόγος ὁ λέγων ὡς ἀληθὴς ὁ θεὸς κτλ. Marc. **8** Οὐκ : *delendum* Thirlb., *del. edd. ab* Otto **9** Μὴ εἶναι : *post* φιλαύτους *transp.* Marc. **10** Ὅπως : φροντίσατε ὅπως *prop.* Lange, Sylb. πιστεύετε ὅπως *coni.* Marc. **11** Σωθῆτε : σ. καὶ ἦτε Marc. ὅπως σωθῆτε μετὰ τῶν (*vel* μεθ' ἡμῶν τῶν, *vel* μετὰ τῶν ἀπὸ τῶν ἐθνῶν) διὰ τοῦ Χριστοῦ τούτου εὐαρεστούντων τῷ θεῷ καὶ μεμαρτυρημένων *prop.* Thirlb. **12** Ἀνδροφονία *in textu* : ἀνδρομανία *in marg. codd.*

prophétiques. S'il vous a par ailleurs été ordonné de célébrer le sabbat et de présenter des offrandes, et si le Seigneur a permis qu'un lieu fût choisi pour invoquer le nom de Dieu, c'était, comme il a été dit, pour éviter qu'en adorant les idoles et en oubliant Dieu, vous ne deveniez impies et athées, comme vous vous êtes toujours montrés[12]. **5** C'est à cause de cela que Dieu vous a donné les prescriptions touchant le sabbat et les offrandes : j'en ai déjà fait la démonstration par ce qui a été dit précédemment ; mais pour ceux qui sont venus aujourd'hui, je souhaite à nouveau reprendre à peu près tout.

Car, s'il n'en est pas ainsi[13], Dieu se trouvera faussement accusé[14] de ne pas posséder la prescience, de ne pas enseigner toujours et à tous la connaissance et la pratique de la même justice[15] – car à l'évidence il y eut de nombreuses générations d'hommes avant Moïse –, et elle se trouve abolie la Parole qui dit que [a]*Dieu* est *vrai* et *juste*, que *toutes ses voies sont des jugements* et qu' *il n'est point d'injustice en lui.* **6** Mais parce que cette Parole est *vraie*[16], Dieu ne vous veut pas non plus toujours ainsi inintelligents et imbus de vous-mêmes, afin que vous soyez sauvés avec[17] le Christ, lui qui a été agréable à Dieu[18] et a reçu de lui témoignage, comme je l'ai déjà dit[19], en fondant sur les saintes paroles prophétiques ma démonstration.

C'est une même justice que Dieu enseigne en tout temps et à tous les hommes.
Elle est comprise dans deux préceptes du Christ, que les juifs ne respectent pas.

93. 1 Car ce qui est éternellement et absolument juste, ce qui est [b]*entière justice*[1], Dieu le propose en toute race d'hommes, et toute race sait bien qu'il est mal de se livrer à l'adultère, à la fornication, au meurtre[2], ainsi qu'aux autres choses de nature semblable. Et même si tous s'adonnent à ces pratiques, du moins ne laissent-ils pas d'avoir conscience, tandis qu'ils s'y adonnent, de commettre une injustice – excepté tous ceux qui, pleins d'un esprit impur, et corrompus par leur éducation, des mœurs dépravées ou de méchantes coutumes, ont perdu les notions naturelles[3], ou plus exactement les ont éteintes en eux ou bien les maintiennent réduites au silence[4].

a *Deut.* 32, 4 ; cf. *Ps.* 91, 16 **b** cf. *Matth.* 3, 15.

πνεύματος ἐμπεφορημένοι καὶ[1] ἀνατροφῆς[2] καὶ ἐθῶν φαύλων καὶ νόμων πονηρῶν διαφθαρέντες τὰς φυσικὰς ἐννοίας ἀπώλεσαν, μᾶλλον δὲ ἔσβεσαν ἢ ἐπεσχημένας ἔχουσιν.

2 Ἰδεῖν γὰρ ἔστι καὶ τοὺς τοιούτους[3] μὴ τὰ αὐτὰ παθεῖν βουλομένους ἅπερ αὐτοὶ τοὺς ἄλλους διατιθέασι, καὶ ἐν συνειδήσεσιν ἐχθραῖς ταῦτα ὀνειδίζοντας ἄλλοις[4] ἅπερ[5] ἐργάζονται. Ὅθεν μοι δοκεῖ καλῶς εἰρῆσθαι ὑπὸ τοῦ ἡμετέρου κυρίου καὶ σωτῆρος Ἰησοῦ Χριστοῦ, *ἐν δυσὶν ἐντολαῖς πᾶσαν δικαιοσύνην καὶ εὐσέβειαν πληροῦσθαι* · εἰσὶ δὲ αὗται · *Ἀγαπήσεις κύριον τὸν θεόν σου ἐξ ὅλης τῆς καρδίας σου καὶ ἐξ ὅλης τῆς ἰσχύος σου, καὶ τὸν πλησίον σου ὡς σεαυτόν*. Ὁ γὰρ *ἐξ ὅλης τῆς καρδίας καὶ ἐξ ὅλης τῆς ἰσχύος ἀγαπῶν τὸν θεόν*, πλήρης θεοσεβοῦς γνώμης ὑπάρχων, οὐδένα ἄλλον τιμήσει *θεόν* · καὶ *ἄγγελον* ἐκεῖνον ἂν τιμήσει[6] θεοῦ βουλομένου, τὸν *ἀγαπώμενον* ὑπ' αὐτοῦ [fol. 148 r° : A] τοῦ κυρίου καὶ θεοῦ. Καὶ *ὁ τὸν πλησίον ὡς ἑαυτὸν ἀγαπῶν*, ἅπερ *<ἑ>αυτῷ*[7] βούλεται ἀγαθά, κἀκείνῳ βουλήσεται · οὐδεὶς δὲ *ἑαυτῷ* κακὰ βουλήσεται. **3** Ταὐτ<ὰ>[8] οὖν τῷ *πλησίον* καὶ εὔξαιτ' ἂν καὶ ἐργάσαιτο γενέσθαι[9], ἅπερ καὶ *ἑαυτῷ*, *ὁ τὸν πλησίον ἀγαπῶν* · *πλησίον* δὲ ἀνθρώπου οὐδὲν ἄλλο ἐστὶν ἢ τὸ ὁμοιοπαθὲς καὶ λογικὸν ζῷον, ὁ ἄνθρωπος. Διχῇ οὖν τῆς *πάσης δικαιοσύνης* τετμημένης, πρός τε *θεὸν* καὶ ἀνθρώπους, ὅστις, φησὶν ὁ Λόγος, *ἀγαπᾷ κύριον τὸν θεὸν ἐξ ὅλης τῆς καρδίας καὶ ἐξ ὅλης τῆς ἰσχύος, καὶ τὸν πλησίον ὡς ἑαυτόν*, δίκαιος ἀληθῶς ἂν εἴη.

4 Ὑμεῖς δὲ οὔτε πρὸς *θεὸν* οὔτε πρὸς τοὺς προφήτας οὔτε πρὸς *ἑαυ*-[p. 229 : B]-*τοὺς* φιλίαν ἢ *ἀγάπην* ἔχοντες οὐδέποτε ἐδείχθητε, ἀλλ', ὡς δείκνυται, καὶ εἰδωλολάτραι[10] πάντοτε καὶ φονεῖς τῶν δικαίων εὑρίσκεσθε, ὡς καὶ μέχρις αὐτοῦ τοῦ Χριστοῦ *τὰς χεῖρας ἐπιβαλεῖν* ὑμᾶς καὶ μέχρι νῦν ἐπιμένειν τῇ κακίᾳ ὑμῶν, καταρωμένους καὶ τῶν τοῦτον τὸν ἐσταυρωμένον ὑφ' ὑμῶν ἀποδεικνύντων εἶναι τὸν Χριστόν · καὶ πρὸς

1 Καὶ : ἢ *prop.* Thirlb., *coni.* Marc. **2** Ἀνατροφῆς : ὑπὸ φαυλῆς (*vel* κακῆς) ἀνατροφῆς *prop.* Steph. (in edit. *Ep. ad Diogn.*, p. 54) ὑπὸ κακῆς ἀνατροφῆς *coni* Marc. ὑπ' ἀνατροφῆς κακῆς *prop.* Troll. *Sed* I Apol. 61, 10 : ἐν ἔθνεσι φαύλοις καὶ πονηραῖς ἀναστροφαῖς γεγόναμεν Otto **3** Τοιούτους *codd.*, Mar., Troll., *edd. ab* Otto : *om. cett. edd.* **4** Ἄλλοις *prop.* Lange, *coni.* Marc. : ἀλλήλοις *codd.*, *cett. edd.* **5** Ἅπερ : ἅπερ αὐτοὶ Marc. **6** Τιμήσει Fr. Schnitzer (*Neue Jenaische Allg. Lit.-Zeitung*, 1845, Nr. 71, p. 281) Otto, Mign., Arch., Marc. : τιμήσῃ *cett. edd.* τιμήση *codd.* τιμῆσαι (*potentiali modo*) *prop.* Sylb. τιμήσειε (*honoraverit*) Nolte (*ut infra* : εὔξαιτ' ἂν et ἂν εἴη) **7** Ἑαυτῷ *prop.* Thirlb., *coni. edd. ab* Otto (cf. 93, 2.3) : αὐτῷ *cett. edd.* αὐτω *codd.* αὑτῷ Galland, Mign. **8** Ταὐτὰ *prop.* Thirlb., *coni.* Otto, Marc. : ταὐτ' *codd.*, *cett. edd.* **9** Γενέσθαι : *post* ἂν *transp.* Marc. **10** Εἰδωλολάτραι : εἰδολολάτραι *codd.*

2 On peut voir en effet de tels hommes qui ne veulent pas subir ce que précisément ils imposent aux autres, et qui, dans leurs consciences hostiles, font le reproche aux autres[5] des actes qu'ils commettent. Aussi est-ce à juste titre, me semble-t-il, qu'il fut dit par notre Seigneur et Sauveur Jésus-Christ qu' [a]*entière justice et piété s'accomplissent*[6] [b]*en deux commandements.* Les voici : [c]*Tu aimeras le Seigneur ton Dieu de tout ton cœur, de toute ta force, et ton prochain comme toi-même*[7]. Car si l'on *aime Dieu de tout son cœur et de toute sa force*, et qu'on se trouve rempli de pieuses dispositions, on n'honorera aucun autre *Dieu*[8] ; et celui qu'on viendra sans doute à honorer, sur la volonté de Dieu, c'est cet *ange* qui du Seigneur et Dieu lui-même est *aimé*[9]. Et si l'on *aime son prochain comme soi-même*, le bien qu'à *soi même* l'on souhaite, à celui-là aussi on le souhaitera : or personne à *soi-même* ne voudra du mal[10]. **3** Il devrait donc, celui qui [d]*aime son prochain*, prier et faire en sorte que les choses se réalisent pour ce *prochain*, comme s'il s'agissait de *lui-même.* Or le *prochain* de l'homme, ce n'est autre que l'animal soumis aux mêmes affections[11] et doué de raison[12] : l'homme. [e]*L'entière justice* se trouve donc partagée en deux : envers *Dieu* et envers les hommes, et quiconque, dit le Verbe[13], *aime le Seigneur de tout son cœur et de toute sa force, et son prochain comme lui-même*, sera véritablement juste.

4 Mais vous, tant à l'égard de *Dieu*, que des prophètes ou de *vous-mêmes*[14], vous n'avez jamais montré que vous ayez quelque *amour* ou affection ; au contraire, comme c'est démontré, vous êtes partout reconnus comme idolâtres[15], meurtriers des justes[16], au point d'avoir [f]*porté les mains* jusque sur le Christ lui-même[17], et de persévérer, aujourd'hui encore, dans votre malice, en maudissant[18] même ceux qui démontrent que celui que vous avez crucifié était le Christ. De plus, vous croyez devoir démontrer que

a Cf. *Matth.* 3, 15 **b** cf. *Matth.* 22, 40 **c** *Matth.* 22, 37-39 ; *Mc.* 12, 30-31 ; *Lc.* 10, 27 ; cf. *Deut.* 6, 5 **d** *Matth.* 22, 37-39 ; *Mc.* 12, 30-31 ; *Lc.* 10, 27 ; cf. *Deut.* 6, 5 **e** cf. *Matth.* 3, 15 **f** cf. *Matth.* 26, 50 ; *Mc.* 14, 46.

τούτοις ἐκεῖνον μὲν ὡς ἐχθρὸν θεοῦ καὶ *κατηραμένον*[1] ἀξιοῦτε ἀποδεικνύναι ἐσταυρῶσθαι, ὅπερ τῆς ἀλογίστου ὑμῶν γνώμης ἔργον ἐστίν. **5** Ἔχοντες γὰρ ἀφορμὰς ἀπὸ τῶν γενομένων σημείων διὰ Μωσέως[2] συνιέναι ὅτι οὗτός ἐστιν, οὐ βούλεσθε, ἀλλὰ καὶ πρὸς [fol. 148 v° : A] τούτοις, ἡμᾶς ἀλογεῖν[3] δύνασθαι ὑπολαμβάνοντες, συζητεῖτε ὅπερ ὑμῖν συμβαίνει, καὶ ὑμεῖς ἀπορεῖτε λόγων, ὅταν εὐτόνῳ τινὶ Χριστιανῷ συμβάλητε.

94. 1 Εἴπατε γάρ μοι, οὐχὶ θεὸς ἦν ὁ[4] ἐντειλάμενος διὰ Μωσέως[5] μήτε εἰκόνα μήτε *ὁμοίωμα* μήτε τῶν *ἐν οὐρανῷ ἄνω* μήτε τῶν ἐπὶ *γῆς* ὅλως *ποιῆσαι*, καὶ αὐτὸς ἐν τῇ ἐρήμῳ διὰ τοῦ[6] Μωσέως τὸν *χαλκοῦν ὄφιν* ἐνήργησε γενέσθαι, καὶ *ἐπὶ σημεῖον ἔστησε*, δι᾽ οὗ *σημείου* ἐσῴζοντο οἱ ὀφιόδηκτοι, καὶ ἀναίτιός ἐστιν ἀδικίας ; **2** Μυστήριον γὰρ διὰ τούτου, ὡς προέφην, ἐκήρυσσε, δι᾽ οὗ καταλύειν μὲν τὴν δύναμιν τοῦ ὄφεως, τοῦ καὶ τὴν παράβασιν ὑπὸ τοῦ Ἀδὰμ γενέσθαι ἐργασαμένου, ἐκήρυσσε[7], σωτηρίαν δὲ τοῖς πιστεύουσιν ἐπὶ τοῦτον τὸν διὰ τοῦ *σημείου* τούτου, τουτέστι τοῦ σταυροῦ[8], θανατοῦσθαι μέλλοντα ἀπὸ τῶν δηγμάτων τοῦ ὄφεως, ἅπερ εἰσὶν αἱ κακαὶ πράξεις, εἰδωλολατρεῖαι καὶ ἄλλαι ἀδικίαι. **3** Ἐπεὶ εἰ μὴ τοῦτο νοηθήσεται, δότε μοι λόγον ὅτου χάριν *τὸν χαλκοῦν* [p. 230 : B] *ὄφιν* Μωσῆς[9] *ἐπὶ σημείου*[10] *ἔστησε*, καὶ προ<σ>βλέπειν[11] αὐτὸν[12] τοὺς δακνομένους ἐκέλευσε, καὶ ἐθεραπεύοντο οἱ δακνόμενοι, καὶ ταῦτα αὐτὸς κελεύσας μηδενὸς ὅλως *ὁμοίωμα ποιεῖν*.

4 – Καὶ ὁ ἕτερος τῶν τῇ δευτέρᾳ ἀφιγμένων εἶπεν · Ἀληθῶς εἶπας · οὐκ ἔχομεν λόγον διδόναι · καὶ γὰρ ἐγὼ περὶ τούτου πολλάκις τοὺς [fol. 149 r° : A] διδασκάλους ἠρώτησα, καὶ οὐδείς μοι λόγον ἀπέδωκεν. Ὥστε

1 Κατηραμένον : κεκατηραμένον *prop.* Nolte (cf. 91, 4) **2** Μωσέως : Μωϋσέως Otto, Mign., Goodsp. **3** Ἀλογεῖν : ἀλόγους ποιεῖν Marc. **4** Ὁ *sup. l. add.* A **5** Μωσέως : Μωϋσέως Otto, Mign., Goodsp. (*sic et paulo post*) **6** Διὰ τοῦ : διὰ τοῦ αὐτοῦ (*vel* δι᾽ αὐτοῦ) *prop.* Thirlb., *coni.* Marc. **7** Ἐκήρυσσε : προεκήρυσσε Marc. (*ex* Dial. 91, 4) **8** Τουτέστι τοῦ σταυροῦ, θανατοῦσθαι μέλλοντα *prop.* Thirlb., *coni.* Otto, Arch., Goodsp. (cf. 90, 5 : τὸ σημεῖον τοῦ σταυροῦ) : τουτέστι τοῦ σταυροῦσθαι, θανατοῦσθαι μέλλοντα *prop.* Thirlb. τουτέστι τοῦ σταυροῦ, ἀποθανεῖν μέλλοντα *prop.* Troll. (τουτέστι τοῦ σταυροῦ) σῶσαι αὐτοὺς μέλλοντα *coni.* Marc. τουτέστι τὸν σταυροῦσθαι μέλλοντα *codd. cett. edd.* **9** Μωσῆς : Μωϋσῆς Otto, Mign., Goodsp. **10** Ἐπὶ σημείου *codd., edd. a Mar.* : ἐπὶ σημεῖον (*ut supra* 94, 1) *cett. edd.* **11** Προσβλέπειν *corr.* Sylb. : προβλέπειν *codd.*, Steph., Jebb, Thirlb., Goodsp. Cf. I Apol. 60, 3 (ἐὰν προσβλέπητε τῷ τύπῳ τούτῳ) **12** Αὐτὸν *in textu codd.* : αὐτῷ *in marg. codd.*, Troll. (cf. I Apol. 60, 3).

s'il a subi ce sort, c'est comme ennemi de Dieu et *maudit*[19], alors que c'est là l'œuvre de votre jugement dénué de raison. **5** Car bien que disposant, avec les signes[20] accomplis par Moïse, des moyens de comprendre que c'est lui, vous vous y refusez ; bien plus, en croyant pouvoir nous réduire au silence[21] vous posez toutes les questions qui vous viennent à l'esprit : or vous-mêmes ne savez plus quoi dire, quand vous êtes confrontés à un chrétien tenace.

Le serpent d'airain, prescrit par Dieu à Moïse,
ne contredisait pas l'interdiction des images.

94. 1 Dites-moi en effet, n'était-ce pas Dieu qui prescrivait par l'intermédiaire de Moïse de [a]ne *faire* absolument aucune image ni *représentation* des choses qui sont *dans le ciel en haut* ou de celles qui sont sur *terre*[1] ? Et n'est-ce pas lui cependant qui [b]au désert a suscité la fabrication, par Moïse, du *serpent d'airain*, et l'a fait [c]*dresser sur un signe*[2], *signe* par lequel étaient sauvés ceux que les serpents avaient mordus ? N'est-il pas alors coupable[3] d'injustice ? **2** C'est que par là, comme je l'ai dit[4], il proclamait un mystère : il proclamait d'une part qu'il détruirait la puissance du serpent[5], qui avait mis en œuvre la transgression d'Adam, d'autre part [d]le Salut pour ceux qui *croient* en celui qui par ce *signe*, c'est-à-dire la Croix, devait mourir des morsures du serpent, à savoir les actions mauvaises, idolâtries et autres injustices[6]. **3** Car si on ne l'entend pas ainsi, expliquez-moi pourquoi Moïse [e]*a dressé le serpent d'airain sur un signe*, et ordonné à ceux qui avaient été mordus de le regarder, et pourquoi ceux qui avaient été mordus se trouvaient guéris, cela bien qu'il ait lui-même ordonné de [f]*ne faire* aucune *représentation.*

4 Et le second de ceux qui étaient venus le deuxième jour dit :

— Ce que tu dis est vrai. Nous ne pouvons donner d'explication : j'ai moi-même souvent interrogé les didascales sur ce point, et aucun ne m'a répondu[7]. Ce que tu as à dire, dis-le donc : nous t'écoutons attentivement révéler le mystère, et comment[8] les enseignements des prophètes peuvent être discrédités[9].

a Cf. *Exod.* 20, 4 **b** cf. *Nomb.* 21, 6-9 **c** *ibid.*, 9 **d** cf. *Jn.* 3, 15 **e** *Nomb.* 21, 9 **f** cf. *Exod.* 20, 4.

λέγε συ ἃ λέγεις[1] · προσέχομεν γάρ σοι μυστήριον ἀποκαλύπτοντι, καὶ δι' ὧν[2] τὰ τῶν προφητῶν διδάγματα συκοφαντητά ἐστι.

5 – Κἀγώ · Ὅνπερ οὖν τρόπον τὸ *σημεῖον* διὰ τοῦ χαλκοῦ ὄφεως γενέσθαι ὁ θεὸς ἐκέλευσε καὶ ἀναίτιός ἐστιν, οὕτω[3] δὴ καὶ ἐν τῷ νόμῳ κατάρα κεῖται κατὰ τῶν σταυρουμένων ἀνθρώπων · οὐκ ἔτι δὲ καὶ κατὰ τοῦ Χριστοῦ τοῦ θεοῦ κατάρα κεῖται, δι' οὗ σῴζει πάντας τοὺς κατάρας ἄξια πράξαντας.

95. 1 Καὶ γὰρ πᾶν γένος ἀνθρώπων εὑρεθήσεται *ὑπὸ κατάραν* ὂν κατὰ τὸν νόμον Μωσέως[4]. *Ἐπικατάρατος*[5] γὰρ εἴρηται *πᾶς ὅς οὐκ ἐμμένει ἐν* < *πᾶσι* >[6] *τοῖς γεγραμμένοις ἐν τῷ βιβλίῳ τοῦ νόμου*[7] *τοῦ ποιῆσαι αὐτά.* Καὶ[8] οὐδεὶς ἀκριβῶς *πάντα* ἐποίησεν, οὐδ' ὑμεῖς τολμήσετε ἀντειπεῖν · ἀλλ' εἰσὶν οἳ μᾶλλον καὶ ἧττον ἀλλήλων τὰ ἐντεταλμένα ἐφύλαξαν. Εἰ δὲ οἱ ὑπὸ τὸν νόμον τοῦτον *ὑπὸ κατάραν* φαίνονται εἶναι, διὰ τὸ μὴ *πάντα* φυλάξαι, οὐχὶ πολὺ μᾶλλον πάντα τὰ ἔθνη φανήσονται *ὑπὸ κατάραν* ὄντα, καὶ εἰδωλολατροῦντα καὶ παιδοφθοροῦντα καὶ τὰ ἄλλα κακὰ ἐργαζόμενα ; **2** Εἰ οὖν καὶ τὸν ἑαυτοῦ Χριστὸν ὑπὲρ τῶν ἐκ παντὸς γένους ἀνθρώπων ὁ πατὴρ τῶν ὅλων τὰς πάντων *κατάρας* ἀναδέ-[p. 231 : B]-ξασθαι ἐβουλήθη, [fol. 149 v° : A] εἰδὼς ὅτι ἀναστήσει αὐτὸν σταυρωθέντα καὶ ἀποθανόντα, διὰ τί ὡς *κεκατηραμένου* τοῦ ὑπομείναντος κατὰ τὴν τοῦ πατρὸς βουλὴν ταῦτα παθεῖν τὸν λόγον ποιεῖτε, καὶ οὐχὶ μᾶλλον ἑαυτοὺς θρηνεῖτε ; Εἰ γὰρ καὶ ὁ πατὴρ αὐτοῦ καὶ αὐτὸς[9] παθεῖν ταῦτα αὐτὸν ὑπὲρ τοῦ ἀνθρωπείου γένους ἐνήργησεν, ὑμεῖς οὐχ ὡς γνώμῃ θεοῦ ὑπηρετοῦντες τοῦτο ἐπράξατε · οὐδὲ γὰρ *τοὺς προφήτας ἀναιροῦντες* εὐσέβειαν εἰργάσασθε.

3 Καὶ μή τις ὑμῶν λεγέτω · Εἰ ὁ πατὴρ αὐτὸν ἠθέλησε ταῦτα παθεῖν, ἵνα *τῷ μώλωπι αὐτοῦ ἴασις* γένηται τῷ γένει τῶν ἀνθρώπων, ἡμεῖς οὐδὲν ἠδικήσαμεν. Εἰ μὲν οὖν μετανοοῦντες ἐπὶ τοῖς ἡμαρτημένοις καὶ ἐπιγνόντες τοῦτον εἶναι τὸν Χριστὸν καὶ φυλάσσοντες αὐτοῦ τὰς ἐντολὰς ταῦτα φήσετε, ἄφεσις ὑμῖν τῶν ἁμαρτιῶν ὅτι ἔσται προεῖπον. **4** Εἰ δὲ αὐτοῦ τε ἐκείνου καὶ τῶν εἰς ἐκεῖνον πιστευόντων καταρᾶσθε καί, ὁπόταν ἐξουσίαν ἔχητε, ἀναιρεῖτε, πῶς οὐχὶ καὶ τὸ ἐκείνῳ *ἐπιβεβληκέναι τὰς*

1 Λέγεις : λέγειν ἔχεις Marc. **2** Καὶ δι' ὧν *ego* : δι' ὧν καὶ *codd., edd.* **3** Οὕτω : οὕτως Otto **4** Μωσέως : Μωϋσέως Otto, Migne., Goodsp. **5** Μωσέως. Ἐπικατάρατος γὰρ εἰρήται πᾶς... : ἐπικατάρατος γάρ, εἴρηται, πᾶς... Thirlb. ὑπὸ κατάραν ὄν. Κατὰ... Mar. **6** Πᾶσι *prop.* Thirlb. (*ex* LXX, Dial. 95, 1 : πάντα), *add.* Otto, Troll., Arch., Marc. (πᾶσιν) : *om. codd., cett. edd.* **7** Τοῦ νόμου : τ. ν. τούτου Marc. (*ex* LXX) **8** Καὶ : καὶ ὅτι *prop.* Sylb., Troll., *coni.* Marc. (cf. 33, 1), *vel* οὐδ' – ἀντειπεῖν *in semicirculis prop.* Otto **9** Καὶ αὐτὸς : *ut glossema del.* Marc.

5 Moi : — De même, donc, que Dieu a ordonné le [a]*signe* qui se manifestait par le *serpent d'airain*, et demeure innocent, de même, assurément, il y a dans la Loi [b]une malédiction contre les crucifiés ; mais contre le Christ de Dieu, par qui il sauve tous ceux qui ont commis des actes dignes de malédiction, la malédiction cesse de s'appliquer[10].

La « malédiction » de la Croix sauve ceux qui sont maudits,
c'est-à-dire toute l'humanité,
puisqu'est « maudit » quiconque n'a pas respecté l'ensemble de la Loi.

95. 1 Car alors toute race humaine se trouvera [c]*sous le coup de la malédiction* définie selon la Loi de Moïse[1] : [d]*Est appelé maudit*, en effet, *quiconque ne persévère pas dans l'accomplissement de tout*[2] *ce qui est écrit dans le Livre de la Loi.*

Or personne n'a *tout* respecté à la perfection, vous-mêmes n'oseriez affirmer le contraire ; mais certains ont, plus ou moins que d'autres, observé les choses prescrites. Et si ceux qui sont soumis à cette Loi, semblent tomber *sous le coup de la malédiction*, parce qu'ils n'ont pas *tout* observé, à cette *malédiction* toutes les nations ne sembleront-elles pas d'autant plus exposées qu'elles sont idolâtres, corrompent les enfants[3] et commettent les autres crimes[4]. **2** Si donc le Père de l'univers a voulu que son Christ assume, pour ceux qui sont de toute race d'hommes[5], les *malédictions* de tous, sachant bien qu'il le ressusciterait après sa crucifixion et sa mort, pourquoi parlez-vous comme d'un [e]*maudit* de celui qui a accepté ces souffrances selon la volonté de son Père[6] ? Pourquoi ne pleurez-vous pas plutôt sur vous-mêmes ? Car si son Père lui-même a fait en sorte qu'il endurât ces souffrances pour le genre humain[7], ce n'est point le dessein de Dieu que vous avez servi[8] en agissant comme vous l'avez fait[9], pas plus qu'en [f]*tuant les prophètes*[10] vous n'accomplissiez un acte de piété.

3 Et qu'aucun d'entre vous n'aille déclarer : « Si le Père a voulu qu'il endure ces souffrances pour que [g]*par sa meurtrissure* le genre humain *trouve* sa *guérison*, nous ne sommes en rien coupables d'iniquité ». Certes, si vous dites cela[11] en vous repentant de vos péchés, en reconnaissant qu'il est le Christ et en observant ses préceptes, j'ai déjà dit[12] qu'il y aurait pour vous rémission des péchés. **4** Mais si au contraire vous le maudissez, lui et ceux qui croient en lui[13], si, chaque fois que vous en avez le pouvoir, vous les mettez à mort,

a Cf. *Nombr.* 21, 9 **b** cf. *Deut.* 21, 23 **c** cf. *Gal.* 3, 10 **d** *Deut.* 27, 26 ; cf. *Gal.* 3, 10 **e** cf. *Deut.* 21, 23 **f** cf. *Is.* 57, 1 etc. **g** cf. *Is.* 53, 5.

χεῖρας ὑμῶν, ὡς παρὰ ἀδίκων καὶ ἁμαρτωλῶν καὶ μέχρις[1] ὅλου σκληροκαρδίων καὶ ἀσυνέτων, ἐκζητηθήσεται ;

96. 1 Καὶ γὰρ τὸ εἰρημένον ἐν τῷ νόμῳ, ὅτι *Ἐπικατάρατος πᾶς ὁ κρεμάμενος ἐπὶ ξύλου*, οὐχ ὡς τοῦ θεοῦ *καταρωμένου* τούτου τοῦ ἐσταυρωμένου, [fol. 150 r° : A] ἡμῶν τονοῖ τὴν ἐλπίδα *ἐκκρεμαμένην*, ἀπὸ τοῦ σταυρωθέντος Χριστοῦ, ἀλλ' ὡς προειπόντος τοῦ θεοῦ τὰ[2] ὑφ' ὑμῶν καὶ πάντων[3] τῶν ὁμοίων ὑμῖν, μὴ ἐπισταμένων[4] τοῦτον εἶναι τὸν *πρὸ πάντων* ὄντα καὶ[5] *αἰώνιον* τοῦ θεοῦ *ἱερέα* καὶ *βασιλέα* καὶ *Χριστὸν* μέλλοντα[6] γίνεσθαι.
2 Ὅπερ καὶ ὄψει ἰδεῖν ὑμῖν ἔστι γινόμενον · ὑ-[p. 232 : B]-μεῖς γὰρ ἐν ταῖς συναγωγαῖς ὑμῶν *καταρᾶσθε* πάντων τῶν ἀπ' ἐκείνου γενομένων[7] Χριστιανῶν, καὶ[8] τὰ ἄλλα ἔθνη, ἃ καὶ ἐνεργῆ τὴν *κατάραν* ἐργάζονται, ἀναιροῦντα τοὺς μόνον ὁμολογοῦντας ἑαυτοὺς εἶναι Χριστιανούς · οἷς ἡμεῖς ἅπασι λέγομεν, ὅτι *Ἀδελφοὶ ἡμῶν* ἐστε, ἐπίγνωτε μᾶλλον τὴν ἀλήθειαν τοῦ θεοῦ. Καὶ μὴ πειθομένων ἡμῖν μήτε ἐκείνων μήτε ὑμῶν, ἀλλὰ ἀρνεῖσθαι ἡμᾶς τὸ ὄνομα τοῦ Χριστοῦ ἀγωνιζομένων, θανατοῦσθαι μᾶλλον αἱρούμεθα καὶ ὑπομένομεν, πεπεισμένοι ὅτι πανθ' ὅσα ὑπέσχηται ὁ θεὸς διὰ τοῦ Χριστοῦ ἀγαθὰ ἀποδώσει ἡμῖν. **3** Καὶ πρὸς τούτοις πᾶσιν εὐχόμεθα ὑπὲρ ὑμῶν, ἵνα ἐλεηθῆτε ὑπὸ τοῦ Χριστοῦ. Οὗτος γὰρ ἐδίδαξεν ἡμᾶς καὶ *ὑπὲρ τῶν ἐχθρῶν εὔχεσθαι*, εἰπών · *Γίνεσθε χρηστοὶ*[9] καὶ *οἰκτίρμονες, ὡς καὶ ὁ πατὴρ ὑμῶν ὁ οὐράνιος*. Καὶ γὰρ τὸν παντοκράτορα θεὸν *χρηστὸν* καὶ *οἰκτίρμονα* ὁρῶμεν, *τὸν ἥλιον αὐτοῦ ἀνατέλλοντα ἐπὶ ἀχαρίστους* [fol. 150 v° : A] *καὶ δικαίους*[10], καὶ *βρέχοντα* ἐπὶ ὁσίους *καὶ πονηρούς*, οὓς πάντας ὅτι καὶ κρίνειν μέλλει ἐδίδαξε.

97. 1 Καὶ γὰρ οὐδὲ τὸ μέχρις ἑσπέρας μεῖναι τὸν προφήτην Μωσῆν[11], ὅτε *τὰς χεῖρας αὐτοῦ* ὑπεβάσταζον *Ὢρ* καὶ *Ἀαρών*, ἐπὶ τοῦ σχήματος τούτου εἰκῆ[12] γέγονε. Καὶ γὰρ ὁ κύριος σχεδὸν μέχρις ἑσπέρας ἔμεινεν ἐπὶ τοῦ ξύλου, καὶ πρὸς ἑσπέραν ἔθαψαν αὐτόν · εἶτα ἀνέστη τῇ τρίτῃ ἡμέρᾳ.

1 Μέχρις *corr. ex* μέχρι A **2** Τὰ *edd. ab* Otto : τὸν *prop.* Sylb., Pearson τὸ *codd., cett. edd.* **3** Ὑμῶν καὶ πάντων *transp.* Marc. : πάντων ὑμῶν καὶ *codd., cett. edd.* **4** Ἐπισταμένων *prop.* Thirlb., Mar., *coni. edd. ab* Otto : ἐπιστάμενον *codd., cett. edd.* **5** Καὶ *add.* A (πρὸ – ὄντα *in ras.*) **6** Μέλλοντα : μέλλον (*servato* τὸ) *prop.* Thirlb., Mar., *coni.* Otto (*olim*), Troll. **7** Γενομένων : λεγομένων *prop.* Sylb. et Reith, *coni.* Marc. (cf. 63, 5) **8** Καὶ : ὡς καὶ Marc. **9** Χρηστοὶ (= *loc. cit.*) : χριστοὶ *codd.* **10** Ἀχαρίστους καὶ δικαίους ...ὁσίους καὶ πονηρούς : πονηροὺς καὶ ἀγαθούς ...δικαίους καὶ ἀδίκους Mt. ἀχάριστους καὶ πονηρούς Lc. **11** Μωσῆν : Μωϋσῆν Otto, Mign., Goodsp. **12** Εἰκῆ : –ῆ *in ras.* A.

comment ne vous sera-t-il pas aussi[14] demandé compte pour avoir [a]*porté* vos *mains sur* lui, comme à des gens injustes, pécheurs, tout à fait durs de cœur et inintelligents[15] ?

C'est par les juifs, et non par Dieu, que sont « maudits » le Christ et les chrétiens.

96. 1 Car le fait qu'il soit dit dans la Loi [b]*Maudit soit quiconque est attaché au bois*[1] renforce notre foi *attachée* au Christ crucifié : ce crucifié n'est pas *maudit* de Dieu, mais Dieu prédit ce que vous et tous vos semblables deviez faire, en ignorant qu'il était Celui qui est [c]*avant toute chose*[2], et devait devenir [d]*prêtre éternel*[3] de Dieu, *Roi* et *Christ*[4].

2 Cela, vous en pouvez voir l'accomplissement de vos propres yeux : vous-mêmes, dans vos synagogues, *maudissez* en effet ceux qui à sa suite sont devenus chrétiens[5] ; et quant aux autres peuples, ils mettent en oeuvre la *malédiction*, en faisant disparaître ceux qui n'ont que le tort de s'avouer chrétiens. A tous nous disons : « Vous êtes [e]*nos frères*, reconnaissez plutôt la vérité de Dieu ». Et quand ni eux ni vous n'êtes fléchis par nous, et luttez tout au contraire pour nous faire renier le nom du Christ, nous préférons endurer plutôt d'être mis à mort, persuadés que tous les biens que Dieu a promis par le Christ, il nous les donnera comme rétribution. **3** Et en plus de tout cela, nous prions pour vous[6], afin que vous obteniez du Christ miséricorde. Car il nous a enseigné [f]de *prier* aussi pour nos *ennemis*, lorsqu'il disait : [g]*Soyez bons et compatissants*[7] *comme votre Père céleste.* Nous voyons en effet le Dieu Tout-Puissant, *bon* et *compatissant* [h]*faire lever son soleil sur les ingrats et sur les justes, faire pleuvoir sur les* saints *et sur les méchants*, eux qu'il doit tous juger, comme il l'a enseigné[8].

Autres prophéties de la Croix, tirées des Psaumes et d'Isaïe.

97. 1 Du reste, ce n'est pas par hasard que Moïse le prophète[1] est resté [i]jusqu'au soir[2] dans cette attitude, tandis qu'*Or* et *Aaron lui* soutenaient *les mains*[3] : le Seigneur est aussi resté [j]presque jusqu'au soir sur le [k]*bois* (de la

a Cf. *Matth.* 26, 50 ; *Mc.* 14, 46 **b** cf. *Gal.* 3, 13 ; *Deut.* 21, 23 **c** cf. *Col.* 1, 15 **d** cf. *Ps.* 109, 4 **e** cf. *Is.* 66, 5 **f** cf. *Matth.* 5, 44 ; *Lc.* 6, 27-28 **g** cf. *Lc.* 6, 36 ; *Éphés.* 4, 32 **h** cf. *Matth.* 5, 45 ; *Lc.* 6, 35 **i** cf. *Exod.* 17, 12 **j** cf. *Matth.* 27, 57 ; *Mc.* 15, 42 **k** cf. *Deut* 21, 23.

Τοῦτο διὰ Δαυῒδ οὕτως ἐκπεφώνητο[1] · (*Ps.* 3, 5)*Φωνῇ μου πρὸς κύριον ἐκέκραξα, καὶ ἐπήκουσέ μου ἐξ ὄρους ἁγίου αὐτοῦ.* (6)*Ἐγὼ ἐκοιμήθην καὶ ὕπνωσα · ἐξηγέρθην, ὅτι κύριος ἀντελάβετό μου.* **2** Καὶ διὰ Ἡσαΐου[2] ὁμοίως εἴρητο περὶ τούτου, δι' οὗ τρόπου ἀποθνῄσκειν ἔμελλεν, οὕτως · *Ἐξεπέτα*-[p. 233 : B]-*σά μου τὰς χεῖρας < ὅλην τὴν ἡμέραν >*[3] *ἐπὶ λαὸν*[4] *ἀπειθοῦντα καὶ ἀντιλέγοντα, τοῖς πορευομένοις*[5] *ἐν ὁδῷ οὐ καλῇ.* Καὶ ὅτι ἔμελλεν ἀνίστασθαι, αὐτὸς Ἡσαΐας ἔφη · *Ἡ ταφὴ αὐτοῦ ἦρται*[6] *ἐκ τοῦ μέσου.* Καί · *Δώσω*[7] *τοὺς πλουσίους ἀντὶ τοῦ θανάτου αὐτοῦ.* **3** Καὶ ἐν ἄλλοις πάλιν λόγοις[8] Δαυῒδ εἰς τὸ πάθος καὶ τὸν σταυρὸν ἐν παραβολῇ μυστηριώδει οὕτως εἶπεν ἐν εἰκοστῷ πρώτῳ ψαλμῷ · (*Ps.* 21, 17) *Ὤρυξαν χεῖράς μου καὶ πόδας μου,* (18)*ἐξηρίθμησαν πάντα τὰ ὀστᾶ μου · αὐτοὶ δὲ κατενόησαν καὶ ἐπεῖδόν με.* (19)*Διεμερίσαντο τὰ ἱμάτιά μου ἑαυτοῖς, καὶ ἐπὶ τὸν ἱματισμόν μου ἔβαλον κλῆρον.* [fol. 151 r° : A] Ὅτε γὰρ ἐσταύρωσαν αὐτόν, ἐμπήσσοντες[9] τοὺς *ἥλους τὰς χεῖρας καὶ τοὺς πόδας* αὐτοῦ *ὤρυξαν*, καὶ οἱ σταυρώσαντες αὐτὸν *ἐμέρισαν τὰ ἱμάτια* αὐτοῦ *ἑαυτοῖς, λαχμὸν βάλλοντες* ἕκαστος κατὰ τὴν τοῦ *κλήρου* ἐπιβολὴν ὃ[10] ἐκλέξασθαι ἐβεβούλητο.

4 Καὶ τοῦτον αὐτὸν τὸν ψαλμὸν οὐκ εἰς τὸν Χριστὸν εἰρῆσθαι λέγετε, κατὰ πάντα τυφλώττοντες, καὶ μὴ συνιέντες ὅτι οὐδεὶς ἐν τῷ γένει ὑμῶν λεχθείς ποτε βασιλεὺς Χριστὸς[11] *πόδας* καὶ *χεῖρας ὠρύγη* ζῶν καὶ διὰ τούτου τοῦ μυστηρίου ἀποθανών[12], τουτέστι τοῦ σταυρωθῆναι, εἰ μὴ μόνος οὗτος ὁ Ἰησοῦς.

98. 1 Καὶ τὸν πάντα δὲ ψαλμὸν εἴποιμι ἄν, ὅπως καὶ τὸ πρὸς τὸν πατέρα εὐσεβὲς αὐτοῦ ἀκούσητε, καὶ ὡς εἰς ἐκεῖνον πάντα ἀναφέρει, ὡς[13] αὐτὸς δι' ἐκείνου καὶ σωθῆναι ἀπὸ τοῦ θανάτου τούτου αἰτῶν, ἅμα τε δηλῶν ἐν τῷ ψαλμῷ ὁποῖοι ἦσαν οἱ ἐπισυνιστάμενοι κατ' αὐτοῦ, καὶ ἀποδεικνύων ὅτι ἀληθῶς γέγονεν ἄνθρωπος ἀντιληπτικὸς παθῶν[14].

2 Ἔστι δὲ οὗτος · (*Ps.* 21, 2) *Ὁ θεός, ὁ θεός μου, πρόσχες μοι. Ἵνα τί ἐγκατέλιπές με ; Μακρὰν ἀπὸ τῆς σωτηρίας μου οἱ λόγοι τῶν* [p. 234 : B]

1 Ἐκπεφώνητο : *corr. ex* ἐπε– A **2** Ἡσαΐου : Ἠσ. δὲ Marc. **3** Ὅλην τὴν ἡμέραν : *om. codd., edd.* Cf. Dial. 24, 4 **4** Λαὸν : *corr. ex* τὸν λαὸν A **5** Πορευομένοις Steph. (*ad calcem*), *edd.*, LXX. Cf. Dial. 24, 4 ; I Apol. 35, 3 ; 38, 1 ; 49, 3 : πονηρευομένοις *codd.* **6** Ἦρται : cf. 16, 5 **7** Καί · Δώσω *edd. ab* Otto : καὶ δώσω *codd., cett. edd.* **8** Λόγοις : λόγος *antea* Mor. **9** Ἐμπήσσοντες : ἐμπήξαντες *prop.* Arcerius **10** Ὃ : ἐφ' ὃ *prop.* Mar. (*ut in psalmo* : ἐπὶ τὸν ἱματ. μου ἔβαλον κλῆρον) **11** Χριστὸς : *ut glossema del.* Otto, Arch. β. καὶ Χρ. *vel* β. ἢ Χρ. *prop.* Thirlb., Mar. **12** Ἀποθανών : ἀπέθανεν Marc. **13** Ὡς : *del.* Marc. **14** Ἀντιληπτικὸς παθῶν *prop.* Sylb., *coni. edd. ab.* Otto (cf. 103, 8 : ἀντιλαμβάνετο τῶν γινομένων) : ἀντιληπτικῶς παθῶν *codd., cett. edd.* ἀντιληπτικῶς παθών *ad calcem* Steph.

Croix), [a]et c'est vers le soir qu'ils le mirent au tombeau, après quoi il ressuscita le troisième jour.

Voici comment David s'exprime sur ce point : (*Ps.* 3, 5)*Ma voix a crié vers le Seigneur, et il m'a entendu de sa montagne sainte.* (6)*Je me suis étendu, et me suis endormi ; je me suis éveillé car le Seigneur m'a repris*[4]. **2** Et de même, par l'intermédiaire d'Isaïe, voici ce qu'il est dit sur la façon dont il devait mourir : [b]*J'ai étendu mes mains tout le jour*[5] *sur un peuple infidèle et contradicteur, sur ceux qui s'avançaient dans une voie qui n'est pas bonne.* Quant à sa future résurrection, le même Isaïe en a parlé : [c]*Son tombeau a été enlevé du milieu (des hommes)*[6] ; et encore : [d]*Je livrerai les riches*[7] *en échange de sa mort*[8]. **3** Et dans d'autres passages encore, David parle de la Passion et de la Croix en une mystérieuse parabole. C'est au Psaume 21 : (*Ps.* 21, 17)*Ils ont percé mes mains et mes pieds,* (18)*ils ont compté tous mes os ; ils m'ont considéré et observé ;* (19)*ils se sont partagé mes habits, et sur mon vêtement ils ont jeté le sort*[9]. En effet, lorsqu'ils le crucifièrent, [e]ils *percèrent* ses *mains* et ses *pieds* en y enfonçant les *clous*, et ceux qui l'avaient crucifié [f]*se partagèrent* ses *vêtements* : ils tirèrent au *sort*, chacun *jetant* les dés sur ce qu'il voulait choisir[10].

4 Ce même psaume, prétendez-vous, n'était pas dit du Christ[11] : dans votre entier aveuglement vous ne comprenez pas que personne en votre race n'a jamais porté le titre de *roi-Christ*[12] en ayant eu de son vivant les [g]*pieds* et les *mains percés*, et en étant mort par ce mystère – j'entends celui de la crucifixion – si ce n'est ce seul Jésus.

Le Psaume 21, prophétie de la Passion.

98. 1 Laissez-moi vous citer tout le psaume, pour que vous entendiez quelle fut sa piété envers son Père, comment il lui rapporte tout, comment il lui demande de le faire échapper à cette mort, tout en montrant, dans le psaume, quels genres d'hommes étaient ceux qui complotaient contre lui, et en prouvant qu'il s'est réellement fait homme susceptible d'éprouver des souffrances[1].

2 Le voici : (*Ps.* 21, 2)*Ô Dieu, mon Dieu, donne-moi ton attention. Pourquoi m'as-tu abandonné ? Loin de mon Salut, les paroles de mes fautes*[2]. (3)*Mon Dieu, j'appellerai le*

a Cf. *Matth.* 27, 60 ; *Mc.* 15, 46 ; *Lc.* 23, 53 **b** *Is.* 65, 2 **c** *Is.* 57, 2 **d** *Is.* 53, 9 **e** cf. *Évang. de Pierre*, 21 ; *Jn.* 20, 25 **f** *Matth.* 27, 35 ; *Mc.* 15, 24 ; *Lc.* 23, 34 ; *Évang. de Pierre*, 12 **g** cf. *Ps.* 21, 17.

παραπτωμάτων μου. (3)*Ὁ θεός μου, κεκράξομαι ἡμέρας πρὸς σὲ καὶ οὐκ εἰσακούσῃ, καὶ νυκτὸς καὶ οὐκ εἰς ἄνοιαν ἐμοί.* (4)*Σὺ δὲ ἐν ἁγίῳ κατοικεῖς, ὁ ἔπαινος, [τοῦ]* [1] *Ἰσραήλ.* (5)*Ἐπὶ σοὶ ἤλπισαν οἱ πατέρες ἡμῶν, ἤλπισαν καὶ ἐρρύσω*[2] *αὐτούς ·* (6)*πρὸς σὲ* [fol. 151 v° : A] *ἐκέκραξαν καὶ ἐσώθησαν, ἐπὶ σοὶ ἤλπισαν καὶ οὐ κατῃσχύνθησαν.* **3** (7)*Ἐγὼ δέ εἰμι σκώληξ καὶ οὐκ ἄνθρωπος, ὄνειδος ἀνρώπων καὶ ἐξουθένημα λαοῦ.* (8)*Πάντες οἱ θεωροῦντές με ἐξεμυκτήρισάν με, καὶ ἐλάλησαν χείλεσιν, ἐκίνησαν κεφαλήν ·* (9)*Ἤλπισεν ἐπὶ κύριον, ῥυσάσθω αὐτόν, σωσάτω αὐτόν, ὅτι θέλει αὐτόν.* (10) *Ὅτι σὺ εἶ ὁ ἐκσπάσας με ἐκ γαστρός*[3]*, ἡ ἐλπίς μου ἀπὸ μασθῶν τῆς μητρός μου ·* (11)*ἐπὶ σὲ ἐπερρίφην ἐκ μήτρας, ἀπὸ γαστρὸς μητρός μου θεός μου εἶ σύ.* (12)*Μὴ ἀποστῇς ἀπ' ἐμοῦ, ὅτι θλῖψις ἐγγύς, ὅτι οὐκ ἔστιν ὁ βοηθῶν μοι.* **4** (13)*Περιεκύκλωσάν με μόσχοι πολλοί, ταῦροι πίονες περιέσχον με ·* (14)*ἤνοιξαν ἐπ' ἐμὲ τὸ στόμα αὐτῶν ὡς λέων ἁρπάζων καὶ ὠρυόμενος.* (15)*Ὡσεὶ ὕδωρ ἐξεχύθη καὶ διεσκορπίσθη πάντα τὰ ὀστᾶ μου. Ἐγενήθη*[4] *ἡ καρδία μου ὡσεὶ κηρὸς τηκόμενος ἐν μέσῳ τῆς κοιλίας μου ·* (16)*ἐξηράνθη ὡς ὄστρακον ἡ ἰσχύς μου, καὶ ἡ γλῶσσά μου κεκόλληται*[5] *τῷ λάρυγγί μου, καὶ εἰς χοῦν θανάτου κατήγαγές με ·* (17)*ὅτι ἐκύκλωσάν με κύνες πολλοί, συναγωγὴ πονηρευομένων περιέσχον με. Ὤρυξαν χεῖράς μου καὶ πόδας μου,* (18)*ἐξηρίθμησαν πάντα τὰ ὀστᾶ μου · αὐτοὶ δὲ κατενόησαν καὶ ἐπεῖδόν με.* **5** (19)*Διεμερίσαντο τὰ ἱμάτιά μου ἑαυτοῖς, καὶ ἐπὶ τὸν ἱματισμόν μου ἔβαλον κλῆρον.* (20)*Σὺ δέ, κύριε,* [fol. 152 r° : A] *μὴ μακρύνῃς τὴν βοήθειάν σου ἀπ' ἐμοῦ · εἰς τὴν ἀντίληψίν μου πρόσχες.* (21)*Ῥῦσαι ἀπὸ ῥομφαίας τὴν ψυχήν μου καὶ* [p. 235 : B] *ἐκ χειρὸς κυνὸς τὴν μονογενῆ μου ·* (22)*σῶσόν με ἐκ στόματος λέοντος καὶ ἀπὸ κεράτων μονοκερώτων τὴν ταπείνωσίν μου.* (23)*Διηγήσομαι τὸ ὄνομά σου τοῖς ἀδελφοῖς μου, ἐν μέσῳ ἐκκλησίας ὑμνήσω σε.* (24)*Οἱ φοβούμενοι τὸν κύριον αἰνέσατε αὐτόν, ἅπαν τὸ σπέρμα Ἰακὼβ δοξάσατε αὐτόν, φοβηθήτωσαν ἀπ' αὐτοῦ ἅπαν τὸ σπέρμα Ἰσραήλ.*

1 Τοῦ : *del.* Arch., Marc. (cf. 100, 1) **2** Ἐρρύσω (= LXX ; Dial. 101, 1) *prop.* Sylb., Mar., *coni.* Marc. : ἐρύσω *codd., cett. edd.* **3** Ἐκ γαστρός : ἐκ τῆς γ. Thirlb. **4** Ἐγενήθη (= LXX ; Dial. 102, 1) *edd.* : ἐγεννήθη *codd.* **5** Κεκόλληται (= LXX ; Dial. 102, 1.5 ; 103, 9) *edd.* : κεκώλυται *codd.*

jour vers toi, et tu n'entendras pas, la nuit aussi, et ce n'est point ignorance de ma part. (4)*Mais toi, tu habites dans le sanctuaire, ô louange, Israël !* (5)*En toi ont espéré nos pères, ils ont espéré et tu les délivras ;* (6)*vers toi ils ont crié, et ils furent sauvés, en toi ils ont espéré, et ils ne furent point humiliés.* **3** (7)*Pour moi, je suis un ver, et non un homme, opprobre des humains, et objet de mépris pour le peuple.* (8)*Tous ceux qui me contemplaient m'ont avec le nez tourné en dérision ; ils ont murmuré des lèvres, ils ont hoché la tête :* (9)*« Il a espéré dans le Seigneur, qu'il le délivre, qu'il le sauve, puisque c'est lui qu'il veut ».* (10)*Oui, c'est toi qui m'as arraché au ventre maternel, mon espérance depuis les seins de ma mère ;* (11)*vers toi je me suis élancé dès le sein maternel ; dès le sein de ma mère, c'est toi qui es mon Dieu.* (12)*Ne t'éloigne pas de moi, car la détresse est proche, car il n'y a personne pour me secourir.* **4** (13)*Des veaux nombreux m'ont encerclé, et de gras taureaux m'ont cerné :* (14)*ils ont ouvert contre moi leur gueule, ainsi que le lion qui déchire et rugit.* (15)*Comme l'eau, se répandent et se disloquent tous mes os. Mon cœur est devenu comme cire fondant au sein de mes entrailles.* (16)*Comme un tesson d'argile s'est desséchée ma force, ma langue colle à mon palais, et tu m'as étendu en poussière de mort.* (17)*Car des chiens nombreux font cercle autour de moi, congrégation de méchants, ils m'ont enveloppé. Ils m'ont percé mains et pieds,* (18)*ils ont compté tous mes os ; ils m'ont considéré et observé.* **5** (19)*Ils se sont partagé mes habits, et sur mon vêtement ils ont jeté le sort.* (20)*Mais toi, Seigneur, n'éloigne pas de moi ton secours. Considère mon épreuve.* (21)*Délivre mon âme de l'épée, de la patte du chien celle qui m'est unique.* (22)*Sauve-moi de la gueule du lion, et des cornes des unicornes mon abaissement.* (23)*Je raconterai ton nom à mes frères, au milieu de la convocation je te chanterai.* (24)*Vous qui craignez le Seigneur, louez-le ; descendance de Jacob, glorifiez-le tous ; que le craigne toute la descendance d'Israël*[β].

99. 1 Καὶ εἰπὼν ταῦτα ἐπήνεγκα · Ὅλον οὖν τὸν ψαλμὸν οὕτως ἀποδείξω ὑμῖν εἰς τὸν Χριστὸν εἰρημένον, δι' ὧν[1] πάλιν αὐτὸν ἐξηγοῦμαι.

Ὃ οὖν εὐθὺς λέγει · *Ὁ θεός, ὁ θεός μου, πρόσχες μοι. Ἵνα τί ἐγκατέλιπές με ;* τοῦτο ἄνωθεν προεῖπεν ὅπερ ἐπὶ[2] Χριστοῦ ἔμελλε λέγεσθαι[3]. Σταυρωθεὶς γὰρ εἶπεν · *Ὁ θεός, ὁ θεός, ἵνα τί ἐγκατέλιπές με ;*

2 Καὶ τὰ ἑξῆς · (Ps. 21, 2)*Μακρὰν ἀπὸ τῆς σωτηρίας μου οἱ λόγοι τῶν παραπτωμάτων μου.* (3)*Ὁ θεός μου, κεκράξομαι ἡμέρας πρὸς σὲ καὶ οὐκ εἰσακούσῃ, καὶ νυκτὸς καὶ οὐκ εἰς ἄνοιαν*[4] *ἐμοί*, ὥσπερ καὶ αὐτὰ[5] ἃ ποιεῖν ἔμελλε, ἐλέλεκτο. Τῇ γὰρ ἡμέρᾳ, ᾗπερ ἔμελλε σταυροῦσθαι, τρεῖς τῶν μαθητῶν αὐτοῦ παραλαβὼν εἰς τὸ ὄρος τὸ λεγόμενον Ἐλαιών[6], παρακείμενον εὐθὺς τῷ ναῷ τῷ ἐν Ἱερουσαλήμ, ηὔχετο λέγων · *Πάτερ, εἰ δυνατόν ἐστι, παρελθέτω* [fol. 152 v° : A] *τὸ ποτήριον τοῦτο ἀπ' ἐμοῦ.* Καὶ μετὰ τοῦτο εὐχόμενος λέγει · (ibid.)*Μὴ ὡς ἐγὼ βούλομαι, ἀλλ' ὡς σὺ θέλεις* · δηλῶν διὰ τούτων ὅτι ἀληθῶς παθητὸς ἄνθρωπος γεγένηται. **3** Ἀλλ' ἵνα μή τις λέγῃ · Ἠγνόει οὖν ὅτι μέλλει πάσχειν · ἐπάγει ἐν τῷ ψαλμῷ εὐθύς · *καὶ οὐκ εἰς ἄνοιαν ἐμοί.* Ὅνπερ[7] τρόπον οὐδὲ τῷ θεῷ *εἰς ἄνοιαν* ἦν τὸ ἐρωτᾶν τὸν Ἀδὰμ ποῦ ἐστιν, οὐδὲ τὸν Κάϊν ποῦ Ἄβελ, ἀλλ' εἰς τὸ ἕκαστον ἐλέγξαι ὁποῖός ἐστι, καὶ εἰς ἡμᾶς τὴν γνῶσιν πάντων διὰ τοῦ ἀναγραφῆναι ἐλθεῖν, καὶ οὗτος[8] ἐσήμαινεν οὐκ *εἰς ἄνοιαν* τὴν ἑαυτοῦ[9] ἀλλὰ τῶν νομιζόντων μὴ εἶναι αὐτὸν Χριστόν, ἀλλ' ἡγουμένων θανατώσειν αὐτὸν καὶ ὡς κοινὸν [p. 236 : B] ἄνθρωπον ἐν ᾅδου μενεῖν[10].

100. 1 Τὸ δὲ ἀκόλουθον · *Σὺ δὲ ἐν ἁγίῳ κατοικεῖς, ὁ ἔπαινος,* [τοῦ][11] *Ἰσραήλ* · ἐσήμαινεν ὅτι[12] *ἐπαίνου* ἄξιον καὶ θαυμασμοῦ μέλλει ποιεῖν, μετὰ τὸ σταυρωθῆναι ἀνίστασθαι μέλλων τῇ τρίτῃ ἡμέρᾳ ἐκ νεκρῶν, ὃ ἀπὸ *τοῦ πατρὸς* αὐτοῦ *λαβὼν* ἔχει. Ὅτι γὰρ καὶ *Ἰακὼβ* καὶ *Ἰσραὴλ* καλεῖται ὁ Χριστός, ἀπέδειξα · καὶ οὐ μόνον ἐν τῇ εὐλογίᾳ καὶ Ἰωσὴφ καὶ Ἰούδα τὰ περὶ αὐτοῦ κεκηρύχθαι ἐν μυστηρίῳ[13] ἀπέδειξα, καὶ[14] ἐν τῷ

1 Δι' ὧν πάλιν αὐτὸν *transp. edd. ab* Otto : πάλιν αὐτὸν δι' ὧν *codd., cett. edd.* **2** Ἐπὶ : ὑπὸ *prop.* Arcerius, Sylb., *coni.* Arch., Marc. **3** Λέγεσθαι (*paulo post* : εἶπεν) : γενέσθαι *prop.* Sylb. **4** Ἄνοιαν (= LXX ; Dial. 98, 2 ; 99, 3 *ter*) : ἄγνοιαν *vel* ἄνοιαν (cf. 99, 3 : Ἠγνόει οὖν...) *prop.* Sylb. **5** Ὥσπερ καὶ αὐτὰ : καὶ αὐτὰ ὥσπερ *transp.* Marc. **6** Ἐλαιών (*olivetum*) : Ἐλαιῶν (*olivarum*) *prop.* Thirlb., Mar. (*ex* Dial. 103, 1) **7** Ὅνπερ : ὅνπερ γὰρ Marc. **8** Οὗτος *prop.* Mar. *coni.* Otto, Arch., Marc. : οὕτως *codd., cett. edd.* οὕτως καὶ (*ex* Dial. 54, 2 ; 60, 5 ; 113, 3) *prop.* Otto **9** Τὴν ἑαυτοῦ : τὴν ἑαυτοῦ εἶναι Marc. **10** Μενεῖν *prop.* Thirlb., *coni.* Otto, Arch., Marc. : μένειν *codd., cett. edd.* **11** Τοῦ *del.* Arch., Marc. (cf. 98, 2) **12** Ὅτι : ὅτι τι Marc. **13** Μυστηρίῳ : μηστυρίῳ *codd.* μυστυρίῳ (*sic*) Steph. **14** Καὶ : ἀλλὰ καὶ Marc.

Psaume 21-2-3 :
La Passion assumée.

99. 1 Après quoi, j'ajoutai : Tel est donc le psaume : pour vous démontrer qu'il fut tout entier dit du Christ, j'en reprends l'exposé.

Son début : [a]*Ô Dieu, mon Dieu, donne-moi ton attention. Pourquoi m'as-tu abandonné ?* annonçait anciennement ce qui devait être dit au temps du Christ. Car, sur la Croix, il s'écria : [b]*Ô Dieu, mon Dieu, pourquoi m'as-tu abandonné ?*

2 Et ce qui suit : (*Ps.* 21, 2)*Loin de mon Salut, les paroles de mes fautes.* (3)*Mon Dieu, j'appellerai le jour vers toi, et tu n'entendras pas, la nuit aussi, et ce n'est point ignorance de ma part*, est dit conformément à cela même qu'il devait faire. Car le jour où il devait être crucifié, il prit avec lui trois de ses disciples pour aller sur la montagne dite « Olivaie », située juste en face du Temple de Jérusalem[1], et il pria en disant : [c]*Père, si c'est possible, que passe loin de moi*[2] *cette coupe !* Puis, poursuivant sa prière : [d]*Non pas comme je veux, mais comme toi tu veux*[3], montrant par là qu'il s'était fait homme véritablement exposé à la souffrance[4]. **3** Mais pour qu'on n'aille pas dire : « Il ne savait donc pas qu'il allait souffrir ! », il ajoute aussitôt dans le psaume : [e]*et ce n'est point ignorance de ma part.* De la même façon que ce ne fut pas *ignorance de la part* de Dieu que de demander [f]à Adam où il était, et [g]à Cain où était Abel[5], mais pour faire à chacun d'eux reproche de l'homme qu'il était, et pour que jusqu'à nous parvienne par écrit la connaissance de toute chose[6], de même aussi Jésus a signifié par là non *point* son *ignorance*[7], mais celle de ceux qui pensaient qu'il n'était pas le Christ, présumant qu'il mourrait et qu'il demeurerait dans l'Hadès[8] comme un homme ordinaire.

Psaume 21, 4 :
Résurrection et Rédemption par le Fils de Dieu incarné.
Eve et Marie.

100. 1 Ce qui vient ensuite : [h]*Mais toi, tu habites dans le sanctuaire, ô louange, Israël*[1] *!* signifiait qu'il devait accomplir une chose digne de *louange* et d'admiration, en s'apprêtant, après sa crucifixion, à ressusciter le troisième jour d'entre les morts, [i]ce qu'il *tient de son Père*[2]. Que le Christ, en effet,

a *Ps.* 21, 2 **b** *Matth.* 27, 46 et *Mc.* 15, 34 **c** *Matth.* 26, 39 ; cf. *Mc.* 14, 36 ; *Lc.* 22, 42 **d** *ibid.*
e *Ps.* 21, 3 **f** cf. *Gen.* 3, 9 **g** cf. *Gen.* 4, 9 **h** *Ps.* 21, 4 **i** cf. *Jn.* 10, 18.

εὐαγγελίῳ δὲ[1] γέγραπται εἰπών · *Πάντα μοι παραδέδοται ὑπὸ τοῦ πατρός, καὶ οὐδεὶς γινώσκει τὸν πατέρα εἰ μὴ ὁ υἱός, οὐδὲ τὸν υἱὸν εἰ μὴ ὁ πατὴρ καὶ οἷς ἂν ὁ υἱὸς* [fol. 153 r° : A] *ἀποκαλύψῃ.* **2** *᾿Απεκάλυψεν* οὖν ἡμῖν πάντα ὅσα καὶ ἀπὸ τῶν γραφῶν διὰ τῆς χάριτος αὐτοῦ νενοήκαμεν, γνόντες αὐτὸν *πρωτότοκον* μὲν τοῦ θεοῦ καὶ *πρὸ πάντων τῶν κτισμάτων*[2], καὶ τῶν πατριαρχῶν υἱόν, ἐπειδή, διὰ τῆς ἀπὸ γένους αὐτῶν παρθένου σαρκοποιηθείς, καὶ[3] ἄνθρωπος ἀειδής, *ἄτιμος* καὶ παθητὸς ὑπέμεινε γενέσθαι.

3 ῞Οθεν καὶ ἐν τοῖς λόγοις αὐτοῦ ἔφη, ὅτε περὶ τοῦ *πάσχειν* αὐτὸν μέλλειν διελέγετο, ὅτι *Δεῖ τὸν υἱὸν τοῦ ἀνθρώπου πολλὰ παθεῖν καὶ ἀποδοκιμασθῆναι ὑπὸ τῶν Φαρισαίων*[4] *καὶ γραμματέων, καὶ* σταυρωθῆναι *καὶ τῇ τρίτῃ ἡμέρᾳ ἀναστῆναι. Υἱὸν* οὖν *ἀνθρώπου* ἑαυτὸν ἔλεγεν, ἤτοι ἀπὸ τῆς γεννήσεως τῆς διὰ παρθένου, ἥτις ἦν, ὡς ἔφην, ἀπὸ τοῦ Δαυῒδ καὶ ᾿Ιακὼβ καὶ ᾿Ισαὰκ καὶ ᾿Αβραὰμ γένους, ἢ διὰ τὸ εἶναι αὐτὸν[5] τὸν ᾿Αβραὰμ[6] πατέρα καὶ τούτων τῶν κατηριθμημένων, ἐξ ὧν κατάγει ἡ Μαρία τὸ γένος · καὶ γὰρ πατέρας τῶν γεννωμένων ταῖς θυγατράσιν αὐ-[p. 237 : B]-τῶν τέκνων τοὺς τῶν θηλειῶν γεννήτορας ἐπιστάμεθα. **4** Καὶ γὰρ *υἱὸν θεοῦ, Χριστόν*, κατὰ τὴν τοῦ πατρὸς αὐτοῦ ἀποκάλυψιν ἐπιγνόντα αὐτὸν ἕνα τῶν μαθητῶν αὐτοῦ, *Σίμωνα* πρότερον καλούμενον, ἐπωνόμασε *Πέτρον*. Καὶ *υἱὸν θεοῦ* γεγραμμένον αὐτὸν ἐν τοῖς ᾿Απομνημονεύμασι τῶν ἀποστόλων αὐτοῦ ἔχοντες καὶ [fol. 153 v° : A] *υἱὸν* αὐτὸν λέγοντες νενοήκαμεν ὄντα[7] καὶ *Πρὸ πάντων ποιημάτων* ἀπὸ τοῦ πατρὸς δυνάμει αὐτοῦ καὶ βουλῇ προελθόντα, ὃς καὶ *σοφία* καὶ *ἡμέρα* καὶ *ἀνατολὴ*[8] καὶ *μάχαιρα* καὶ *λίθος* καὶ *ῥάβδος* καὶ *᾿Ιακὼβ* καὶ *᾿Ισραὴλ* κατ' ἄλλον καὶ ἄλλον τρόπον ἐν τοῖς τῶν προφητῶν λόγοις προσηγόρευται[9], καὶ διὰ τῆς παρθένου ἄνθρωπον[10] γεγονέναι, ἵνα καὶ[11] δι' ἧς ὁδοῦ ἡ ἀπὸ τοῦ ὄφεως παρακοὴ τὴν ἀρχὴν ἔλαβε, διὰ[12] ταύτης τῆς ὁδοῦ καὶ κατάλυσιν λάβῃ.

5 Παρθένος γὰρ οὖσα Εὔα καὶ ἄφθορος, τὸν λόγον τὸν ἀπὸ τοῦ ὄφεως *συλλαβοῦσα*, παρακοὴν καὶ *θάνατον ἔτεκε* · πίστιν δὲ καὶ *χαρὰν λαβοῦσα* Μαρία ἡ παρθένος, εὐαγγελιζομένου αὐτῇ *Γαβριὴλ ἀγγέλου* ὅτι *πνεῦμα*

1 Δὲ : δὴ *coni.* Marc. **2** Πρὸ – κτισμάτων : πρὸ – κτ. ὄντα Marc. **3** Καὶ : *post* ἀειδὴς *transponendum* Thirlb., *transp.* Otto, Arch. **4** Φαρισαίων : cf. 17, 4 **5** Αὐτὸν : αὐτοῦ *prop.* Mar. **6** ᾿Αβραὰμ : ᾿Αδὰμ *prop.* Thirlb., *coni.* Otto, Arch., Marc. **7** ῎Οντα : *om.* Mar., Mign. καὶ ὄντα *transp.* Marc. **8** ῾Ημέρα καὶ ἀνατολὴ : ἡμέρας ἀνατολὴ *prop.* Troll. **9** ῝Ος – προσηγόρευται : *in semicirculis* Marc. **10** ῎Ανθρωπον *prop.* Grabe (ad Iren. *Adv. Haer.*, V, 19, 1), Mar., *coni.* Otto, Troll., Arch., Marc. : ἄνθρωπος *codd., cett. edd.* γέγονε *vel* προείρηται, ὑπέμεινεν *prop.* Sylb. **11** Καὶ : *del.* Marc. **12** Διὰ : καὶ διὰ Mar., Mign.

s'appelle aussi *Jacob* et *Israël*, je l'ai démontré[3]. Et non seulement dans la bénédiction de Joseph et de Juda j'ai prouvé[4] que ce qui le concerne est proclamé en mystère, mais encore dans l'Évangile[5] il est écrit[6] qu'il a dit : [a]*Tout m'a été remis par le Père, et personne ne connaît le Père sinon le Fils, ni le Fils sinon le Père et ceux à qui le Fils l'a dévoilé*[7]. **2** Il nous a donc [b]*dévoilé* tout ce que par sa grâce nous entendons des Écritures[8], sachant qu'il est [c]*Premier-né* de Dieu, *avant toutes les créatures*[9], et fils des patriarches, puisque, devenu chair par la vierge qui était de leur race, il a enduré, de surcroît, de se faire homme [d]sans apparence, *sans honneur* et souffrant.

3 Aussi disait-il en ses propres discours, lorsqu'il évoquait ses *souffrances* futures, qu' [e]*il* fallait *que le Fils de l'Homme souffre beaucoup, qu'il soit rejeté par les Pharisiens et les scribes, qu'il soit* crucifié[10], *et ressuscite le troisième jour*. Il se disait donc *Fils de l'homme*, soit à cause de sa naissance d'une vierge qui, comme je l'ai dit[11], était de la race de David[12], de Jacob, d'Isaac et d'Abraham, soit parce qu'Abraham[13] lui-même était aussi le père de ceux qui ont été énumérés, et dont Marie descend par la race : car nous savons que ceux qui ont engendré des femmes sont également pères des enfants nés de leurs filles. **4** [f]A l'un de ses disciples qui, sur une révélation de son Père, l'avait reconnu comme *Fils de Dieu*, comme *Christ*, et qui s'appelait auparavant *Simon*, il donna le surnom de *Pierre*[14]. Nous le trouvons encore appelé *Fils de Dieu*[15] dans les Mémoires de ses Apôtres[16], et lorsque nous le disons *Fils*, nous comprenons qu'il l'est, et qu' [g]*avant toutes les œuvres*[17], il est venu du Père par la Puissance et la Volonté de celui-ci[18], lui qui est encore appelé [h]*Sagesse*, [i]*jour*, [j]*Levant*, [k]*épée*, [l]*pierre*, [m]*bâton*, [n]*Jacob*, [o]*Israël*[19], et d'autres manières encore dans les paroles des prophètes ; nous comprenons aussi que par la vierge il s'est fait homme, afin que par la voie même où la désobéissance causée par le serpent avait trouvé son principe, par cette même voie elle trouvât aussi sa dissolution.

5 C'est alors qu'elle était vierge, en effet, et sans corruption, qu'Ève [p]*conçut* la parole qui venait du serpent, et *enfanta* désobéissance et *mort*. C'est à l'inverse fidélité et [q]*grâce*[20] que *conçut* Marie la vierge, lorsqu'elle reçut de [r]*l'ange Gabriel* la bonne nouvelle que [s]l'*Esprit* du Seigneur *sur* elle *viendrait*, que *la*

a *Matth.* 11, 27 ; *Lc.* 10, 22 **b** *ibid.* **c** cf. *Col.* 1, 15.17 ; *Prov.* 8, 22 **d** cf. *Is.* 53, 2-3 **e** *Mc.* 8, 31 ; *Lc.* 9, 22 ; cf. *Matth.* 16, 21 **f** cf. *Matth.* 16, 15-18 ; *Mc.* 3, 16 ; *Lc* 6, 14 **g** cf. *Col.* 1, 17 ; *Prov.* 8, 22 **h** cf. *Prov.* 8, 1, s. **i** cf. *Gen.* 2, 4 ; *Ps.* 117, 24 ? **j** cf. *Zach.* 6, 12 **k** cf. *Is.* 27, 1 **l** cf. *Dan.* 2, 34 **m** cf. *Is.* 11, 1 **n** cf. *Ps.* 23, 6 **o** cf. *Ps.* 71, 18 **p** cf. *Jacq.*, 1, 15 **q** cf. *Protév. de Jacq.* 12, 2 ? **r** *Lc.* 1, 26 ; *Protév. de Jacq.*, 11, 2-3 ; 12, 2 **s** *Lc.* 1, 35.

κυρίου *ἐπ' αὐτὴν ἐπελεύσεται* καὶ *δύναμις ὑψίστου ἐπισκιάσει* αὐτήν, *διὸ καὶ τὸ γεννώμενον* ἐξ αὐτῆς *ἅγιόν* ἐστιν[1] *υἱὸς θεοῦ*, ἀπεκρίνατο · *Γένοιτό μοι κατὰ τὸ ῥῆμά σου.* **6** Καὶ διὰ ταύτης γεγέννηται οὗτος, περὶ οὗ τὰς τοσαύτας γραφὰς ἀπεδείξαμεν εἰρῆσθαι, δι' οὗ ὁ θεὸς τόν τε ὄφιν καὶ τοὺς ὁμοιωθέντας[2] ἀγγέλους καὶ ἀνθρώπους καταλύει, ἀπαλλαγὴν δὲ τοῦ θανάτου τοῖς μεταγινώσκουσιν ἀπὸ τῶν φαυλῶν καὶ πιστεύουσιν εἰς αὐτὸν ἐργάζεται.

101. 1 Τὰ δὲ ἀκόλουθα τοῦ ψαλμοῦ ταῦτα ἐν οἷς λέγει · (*Ps.* 21. 5) *Ἐπὶ σοὶ ἤλπισαν οἱ πατέρες ἡμῶν, ἤλπισαν* [fol. 154 r° : A] *καὶ ἐρρύσω αὐτούς* · (6)*πρὸς σὲ ἐκέκρα*-[p. 238 : B]-*ξαν < καὶ ἐσώθησαν, ἐπὶ σοὶ ἤλπισαν >*[3] *καὶ οὐ κατῃσχύνθησαν* · (7) *Ἐγὼ δέ εἰμι σκώληξ καὶ οὐκ ἄνθρωπος, ὄνειδος ἀνθρώπων καὶ ἐξουδένωμα*[4] *λαοῦ* · δηλωτικά ἐστι τοῦ καὶ *πατέρας* αὐτὸν ὁμολογεῖν τοὺς *ἐλπίσαντας* ἐπὶ τὸν θεὸν καὶ *σωθέντας* ὑπ' αὐτοῦ, οἵτινες καὶ *πατέρες* ἦσαν τῆς παρθένου, δι' ἧς ἐγεννήθη ἄνθρωπος γενόμενος, καὶ αὐτὸς *σωθήσεσθαι*[5] ὑπὸ τοῦ αὐτοῦ θεοῦ μηνύων, ἀλλ' οὐ τῇ αὐτοῦ βουλῇ ἢ ἰσχύϊ πράττειν τι *καυχώμενος.*

2 Καὶ γὰρ ἐπὶ γῆς τὸ αὐτὸ ἔπραξε · λέγοντος[6] αὐτῷ τινος · *Διδάσκαλε ἀγαθέ*, ἀπεκρίνατο · *Τί με λέγεις ἀγαθόν ; Εἷς ἐστιν ἀγαθός, ὁ πατήρ μου ὁ ἐν τοῖς οὐρανοῖς.* Τὸ δὲ εἰπεῖν · *Ἐγώ εἰμι σκώληξ καὶ οὐκ ἄνθρωπος, ὄνειδος ἀνθρώπων καὶ ἐξουθένημα λαοῦ* ἅπερ φαίνεται καὶ ὄντα καὶ γενόμενα[7] αὐτῷ προέλεγεν. *Ὄνειδος* μὲν γὰρ ἡμῖν, τοῖς εἰς αὐτὸν πιστεύουσιν *ἀνθρώποις*, πανταχοῦ ἐστιν · *Ἐξουθένημα* δὲ *τοῦ λαοῦ*, ὅτι ὑπὸ τοῦ *λαοῦ* ὑμῶν *ἐξουδενωθεὶς*[8] καὶ ἀτιμωθεὶς ταῦτα ἔπαθεν ἅπερ διεθήκατε αὐτόν.

3 Καὶ τὰ ἀκόλουθα · (*Ps.* 21, 8)*Πάντες οἱ θεωροῦντές με ἐξεμυκτήρισάν με, καὶ ἐλάλησαν ἐν χείλεσιν, ἐνίκησαν κεφαλήν* · (9)*Ἤλπισεν ἐπὶ κύριον, ῥυσάσθω αὐτόν, < σωσάτω αὐτόν >*[9], *ὅτι θέλει αὐτόν* · τὰ αὐτὰ ὁμοίως ἐγγίνεσθαι αὐτῷ προεῖπεν. Οἱ γὰρ *θεωροῦντες* αὐτὸν ἐσταυρωμένον

1 Ἔστιν : ἔσται *prop.* Sylb., *coni.* Marc. κληθήσεται Lc. **2** Ὁμοιωθέντας : ὁμ. αὐτῷ Marc. **3** Καὶ – ἤλπισαν : *add.* Thirlb., Otto, Troll., Arch., Marc. (*ex* Dial. 98, 2 *et quae paulo post leguntur* : τοὺς ἐλπίσαντας ...καὶ σωθέντας) : *om. codd., cett. edd.* **4** Ἐξουδένωμα : ἐξουθένωμα *vel* ἐξουθένημα *prop.* Otto, *coni.* Mign. Cf. Dial. 98, 3 (ἐξουθένημα) ; 101, 2 (ἐξουθένημα *bis* ; ἐξουδενωθείς) ; 131, 2 (ἐξουθενημένου) ; I Apol. 63, 16 (ἐξουθενηθῆναι) **5** Σωθήσεσθαι : τοὺς πατέρας σωθ. Troll. **6** Λέγοντος : καὶ λ. Mor. λ. γὰρ *prop.* Thirlb., *coni.* Marc. **7** Γενόμενα *prop.* Sylb. : γινόμενα *codd., edd.* **8** Ἐξουδενωθεὶς : ἐξουθενωθεὶς *coni.* Steph., Mar., Mign., Otto ἐξουθενηθεὶς *prop.* Otto **9** Σωσάτω αὐτόν *add.* Thirlb., Otto, Arch. (*ex* LXX, Dial. 98, 3, *et quae paulo post leguntur* : σωσάτω αὐτὸν ὁ θεός) : *om. codd., cett. edd.*

Puissance du Très-Haut la *couvrirait de son ombre, si bien que l'être saint qui naîtrait* d'elle serait *Fils de Dieu.* Et elle répondit : [a]*Qu'il en soit pour moi selon ta parole*[21].
6 Et c'est par elle qu'il fut enfanté, celui dont, nous l'avons montré, parlent tant d'Écritures, celui par qui Dieu détruit le serpent avec les anges et les hommes qui lui ressemblent, et opère la délivrance de la mort pour ceux qui se repentent de leurs mauvaises actions et croient en lui.

Psaume 21, 5-9 :
Humiliation du Christ sur la Croix, et Rédemption.

101. 1 Voici la suite du psaume ; il y est dit : (*Ps.* 21, 5)*En toi ont espéré nos pères, ils ont espéré et tu les délivras ;* (6)*vers toi ils ont crié, et ils furent sauvés, en toi ils ont espéré, et ils ne furent point humiliés.* (7)*Pour moi, je suis un ver, et non un homme, opprobre des hommes, et rebut*[1] *du peuple.* Il y reconnaît manifestement comme *pères* ceux qui ont *espéré* en Dieu et ont été *sauvés* par lui, eux qui furent également *pères* de la Vierge[2], par laquelle il fut engendré et devint homme ; et lui-même, indique-t-il, sera *sauvé* par le même Dieu, sans se [b]*glorifier* de rien faire par sa propre volonté ou par sa propre force[3].
2 C'est bien là en effet ce qu'il fit sur la terre : A quelqu'un qui lui disait [c]*Bon Maître*, il répondit : *Pourquoi me dis-tu bon ? Un seul est bon, mon Père qui est dans les cieux*[4]. Et quand il dit : [d]*Pour moi, je suis un ver, et non un homme, opprobre des humains, et objet de mépris pour le peuple*, c'était la prédiction de ce qui à l'évidence se produit et lui est arrivé[5]. *Opprobre* pour nous, les *hommes* qui croyons en lui, il l'est en tout lieu ; et *objet de mépris pour le peuple*, car après avoir été par votre *peuple méprisé* et [e]déshonoré, il a souffert ce que vous lui avez infligé.
3 Et la suite : (*Ps.* 21, 8)*Tous ceux qui me contemplaient m'ont avec le nez tourné en dérision ; ils ont murmuré des lèvres, ils ont hoché la tête :* (9)*« Il a espéré dans le Seigneur, qu'il le délivre, qu'il le sauve, puisque c'est lui qu'il veut »*, annonçait également que les mêmes choses lui arriveraient ; car ceux qui le *contemplaient*

a *Lc.* 1, 38 **b** cf. *Gal.* 6, 13.14 ? **c** *Matth.* 19, 16-17 ; *Mc.* 10, 17-18 ; *Lc.* 18, 18-19 **d** *Ps.* 21, 7 **e** cf. *Is.* 53, 3.

τὰς[1] *κεφαλὰς* ἕκαστος *ἐκίνουν* καὶ [fol. 154 v° : A] τὰ *χείλη* διέστρεφον[2], καὶ τοῖς *μυξωτῆρσιν* ἐν ἀλλ<ήλ>οις[3] διαρρινοῦντες[4] ἔλεγον εἰρωνευόμενοι ταῦτα ἃ καὶ ἐν τοῖς Ἀπομνημονεύμασι τῶν ἀποστόλων αὐτοῦ γέγραπται · *Υἱὸν θεοῦ ἑαυτὸν ἔλεγε, καταβὰς περιπατείτω · σωσάτω αὐτὸν ὁ θεός.*

102. 1 Καὶ τὰ ἑξῆς · (Ps. 21, 10) ... *Ἡ ἐλπίς μου ἀπὸ μασθῶν τῆς μητρός μου ·* (11)*ἐπὶ σὲ ἐπερρίφην ἐκ μήτρας, ἀπὸ γαστρὸς μητρός μου θεός μου εἶ σύ,* (12)< *Μὴ ἀπόστῃς ἀπ' ἐμοῦ, ὅτι θλῖψις ἐγγύς,* >[5] *ὅτι οὐκ ἔστιν ὁ βοηθῶν μοι.* (13)*Περιεκύ-*[p. 239 : B]*-κλωσάν με μόσχοι πολλοί, ταῦροι πίονες περιέσχον με ·* (14)*ἤνοιξαν ἐπ' ἐμὲ τὸ στόμα αὐτῶν ὡς λέων ἁρπάζων καὶ ὠρυόμενος.* (15)*Ὡσεὶ ὕδωρ ἐξεχύθη καὶ διεσκορπίσθη πάντα τὰ ὀστᾶ μου. Ἐγενήθη ἡ καρδία μου ὡσεὶ κηρὸς τηκόμενος ἐν μέσῳ τῆς κοιλίας μου ·* (16)*ἐξηράνθη ὡς ὄστρακον ἡ ἰσχύς μου, καὶ ἡ γλῶσσά μου κεκόλληται τῷ λάρυγγί μου...* · τῶν γεγενημένων[6] τὴν προαγγελίαν ἐποιεῖτο.

2 Τὸ γὰρ *Ἡ ἐλπίς μου ἀπὸ μαστῶν τῆς μητρός μου.* Ἅμα γὰρ τῷ[7] γεννηθῆναι αὐτὸν ἐν Βηθλεέμ, ὡς προέφην, παρὰ τῶν ἀπὸ Ἀρραβίας μάγων μαθὼν Ἡρώδης ὁ βασιλεὺς τὰ κατ' αὐτόν, ἐπεβούλευσεν ἀνελεῖν αὐτόν, καὶ κατὰ τὴν τοῦ θεοῦ κέλευσιν Ἰωσὴφ λαβὼν αὐτὸν ἅμα τῇ Μαρίᾳ ἀπῆλθεν εἰς Αἴγυπτον · μετὰ γὰρ τὸ κηρύξαι αὐτὸν τὸν παρ' αὐτοῦ λόγον ἀνδρωθέντα ὁ πατὴρ θανατωθήσεσθαι αὐτὸν [fol. 155 r° : A] ἐκεκρίκει ὃν ἐγεγεννήκει. **3** Ἐὰν δέ τις ἡμῖν λέγῃ · Μὴ γὰρ οὐκ ἠδύνατο ὁ θεὸς μᾶλλον τὸν Ἡρώδην ἀποκτεῖναι ; προλαβὼν λέγω · Μὴ γὰρ οὐκ ἠδύνατο ὁ θεὸς τὴν ἀρχὴν καὶ τὸν ὄφιν ἐξᾶραι τοῦ μὴ εἶναι, καὶ μὴ εἰπεῖν ὅτι *Καὶ ἔχθραν θήσω ἀνὰ μέσον αὐτοῦ καὶ τῆς γυναικός, καὶ τοῦ σπέρματος αὐτοῦ καὶ τοῦ σπέρματος αὐτῆς* ; Μὴ γὰρ οὐκ ἠδύνατο εὐθὺς πλῆθος ἀνθρώπων ποιῆσαι ; **4** Ἀλλ', ὡς ἐγίνωσκε καλὸν εἶναι γενέσθαι, ἐποίησεν αὐτεξουσίους πρὸς δικαιοπραξίαν καὶ ἀγγέλους καὶ ἀνθρώπους, καὶ χρόνους ὥρισε μέχρις οὗ ἐγίνωσκε καλὸν εἶναι τὸ αὐτεξούσιον ἔχειν αὐτούς · καὶ ὅτι[8] καλὸν εἶναι ὁμοίως ἐγνώριζε, καὶ καθολικὰς καὶ μερικὰς

1 Τὰς (= N.T.) : καὶ Otto, Mign., Arch. **2** Τὰ χείλη διέστρεφον : ἐξέστρεφον τὰ χ. I Apol. 38, 8 ἐλάλησαν ἐν χείλεσιν Ps. 21, 8 **3** Ἀλλήλοις *prop.* Sylb., *coni. edd. ab* Otto : ἄλλοις *codd.*, *cett. edd.* ἐναμίλλοις *vel* ἐναύλοις *prop.* Sylb., ἐναλλὰξ Mar. **4** Διαρρινοῦντες (*a v.* ῥίς, -νός) *prop.* Sylb., *coni. edd. ab* Otto : διερινοῦντες *codd.*, *cett. edd.* **5** Μὴ – ἐγγύς *add.* Marc. (*ex* Dial. 102, 6 ; 103, 1 ; 98, 3) : *om. codd.*, *cett. edd.* **6** Γεγενημένων : γενησομένων *prop.* Sylb. **7** Τῷ *edd. a* Sylb. (cf. 78, 9 ; 80, 4 ; 88, 1 ; 103, 6 ; 106, 4) : τὸ *codd.*, Steph. **8** Ὅτι A (*supra* : ὡς ἐγίνωσκε...) : ὅτε *prop.* Thirlb. (*in add.*), Troll.

crucifié [a]*hochaient* tous *de la tête*, tordaient leurs *lèvres*, et [b]remuant les *narines*[6] de l'un à l'autre en reniflant, ils disaient, feignant de s'interroger, ce qui est aussi écrit dans les Mémoires de ses Apôtres : [c]*Il s'est dit Fils de Dieu, qu'il descende et qu'il marche ; que Dieu le sauve*[7] *!*

Psaume 21, 10-16 :
Accomplissement de la volonté divine en diverses circonstances de la vie du Christ.

102. 1 Et ce qui vient après : (*Ps.* 21, 10)...*mon espérance depuis les seins de ma mère ;* (11)*vers toi je me suis élancé dès le sein maternel ; dès le sein de ma mère, c'est toi qui es mon Dieu.* (12)*ne t'éloigne pas de moi, car la détresse est proche, car il n'y a personne pour me secourir.* (13)*Des veaux nombreux m'ont encerclé, et de gras taureaux m'ont cerné :* (14)*ils ont ouvert contre moi leur gueule, ainsi que le lion qui déchire et rugit.* (15)*Comme l'eau se répandent et se disloquent tous mes os. Mon cœur est devenu comme cire fondant au sein de mes entrailles.* (16)*Comme un tesson d'argile s'est desséchée ma force, et ma langue colle à mon palais*..., constituait l'annonce de ce qui s'est produit.

2 C'est le cas de l'expression [d]...*mon espérance depuis les seins de ma mère.* [e]Au moment même, en effet où il naissait à Bethléem, comme je l'ai déjà dit[1], le roi Hérode, informé à son sujet par les mages venus d'Arabie, conçut le projet de le faire mourir ; mais sur l'ordre de Dieu, [f]Joseph le prit avec Marie, et partit en Égypte. Car le Père avait arrêté que celui qu'il avait engendré serait mis à mort une fois arrivé à l'âge d'homme, et après avoir proclamé la Parole reçue de lui[2]. **3** Et si quelqu'un nous dit : « Dieu n'aurait-il pas pu[3], plutôt, tuer Hérode ? », je réponds par avance : Dieu n'aurait-il pas pu aussi, dès l'origine, exclure de l'existence le serpent, au lieu de dire : [g]*Je placerai une inimitié entre lui et la femme, entre sa descendance à lui et sa descendance à elle* ? N'aurait-il pas pu d'emblée faire un grand nombre d'hommes ? **4** Mais, comme il trouvait bon que cela fût, il fit les anges et les hommes autonomes envers[4] la pratique de la justice, et il fixa le terme des temps durant lesquels il trouvait bon qu'ils eussent cette liberté. Et parce qu'il estimait de même que c'était bon, il fit des jugements généraux et particuliers[5] ; la liberté

a Cf. *Ps.* 21, 8 ; *Matth.* 27, 39 ; *Mc.* 15, 29 **b** cf. *Lc.* 23, 35 **c** cf. *Matth.* 27, 40-43 ; *Mc.* 15, 31-32 ; *Lc.* 23, 35 **d** *Ps.* 21, 10 **e** cf. *Matth.* 2, 1 s. **f** cf. *Matth.* 2, 13-15 **g** *Gen.* 3, 15.

κρίσεις ἐποίει, πεφυλαγμένου μέντοι τοῦ αὐτεξουσίου. Ὅθεν φησὶν ὁ Λόγος καὶ ἐν τῇ ἐπὶ[1] τοῦ πύργου καταβολῇ καὶ τῇ τῶν γλωσσῶν πολυφθογγίᾳ καὶ ἐξαλλοιώσει ταῦτα · *Καὶ εἶπε κύριος · Ἰδου γέ*-[p. 240 : B]-*νος ἕν καὶ χεῖλος ἕν πάντων, καὶ τοῦτο ἤρξαντο ποιῆσαι · καὶ νῦν οὐκ ἐκλείψει ἐξ αὐτῶν πάντα ὅσα ἂν ἐπιθῶνται ποιεῖν.*

5 Καὶ τό τε[2] *Ἐξηράνθη ὡς ὄστρακον ἡ ἰσχύς μου, καὶ ἡ γλῶσσά μου κεκόλληται τῷ λάρυγγί μου,* ὁμοίως τῶν ὑπ' αὐτοῦ μελλόντων γίνεσθαι κατὰ τὸ τοῦ πατρὸς θέλημα προαγγελία ἦν. Ἡ γὰρ τοῦ *ἰσχυροῦ* αὐτοῦ λόγου δύναμις, δι' ἧς [fol. 155 v° : A] ἀεὶ ἤλεγχε τοὺς συζητοῦντας αὐτῷ Φαρισαίους[3] καὶ γραμματεῖς καὶ ἁπλῶς τοὺς ἐν τῷ γένει ὑμῶν διδασκάλους, ἐποχὴν ἔσχε δίκην πολυΰδρου καὶ *ἰσχυρᾶς* πηγῆς, ἧς τὸ ὕδωρ ἀπεστράφη, σιγήσαντος αὐτοῦ καὶ μηκέτι ἐπὶ Πιλάτου ἀποκρίνασθαι μηδὲν μηδενὶ βουλομένου, ὡς ἐν τοῖς Ἀπομνημονεύμασι τῶν ἀποστόλων αὐτοῦ δεδήλωται, ὅπως καὶ τὸ διὰ Ἡσαΐου εἰρημένον καρπὸν ἐνεργῆ ἔχῃ, ὅπου εἴρηται · *Κύριος δίδωσί μοι γλῶσσαν τοῦ γνῶναι ἡνίκα με δεῖ εἰπεῖν λόγον.*

6 Τὸ δὲ καὶ εἰπεῖν αὐτόν · (*Ps.* 21, 11)...*Θεός μου εἶ σύ,* (12)*μὴ ἀποστῇς ἀπ' ἐμοῦ* διδάσκοντος[4] ἅμα ὅτι ἐπὶ *θεὸν* τὸν πάντα[5] ποιήσαντα *ἐλπίζειν* δεῖ πάντας καὶ παρ' ἐκείνου μόνου *σωτηρίαν* καὶ *βοήθειαν* ζητεῖν, ἀλλὰ μή, ὡς τοὺς λοιποὺς[6] τῶν ἀνθρώπων, διὰ γένος ἢ πλοῦτον ἢ ἰσχὺν ἢ σοφίαν νομίζειν δύνασθαι *σῴζεσθαι* · ὁποῖον καὶ ὑμεῖς ἀεὶ[7] ἐπράξατε, ποτὲ μὲν μοσχοποιήσαντες, ἀεὶ δὲ ἀχάριστοι καὶ φονεῖς τῶν δικαίων καὶ τετυφωμένοι διὰ τὸ γένος φαινόμενοι. **7** Εἰ γὰρ ὁ υἱὸς τοῦ θεοῦ φαίνεται < μήτε >[8] διὰ τὸ εἶναι υἱὸς μήτε κατὰ τὸ εἶναι ἰσχυρὸς μήτε διὰ τὸ σοφὸς[9] λέγων[10] δύνασθαι *σῴζεσθαι*, ἀλλὰ πρὸς τὸ ἀναμάρτητος εἶναι, ὡς Ἡσαΐας φησίν, μηδὲ μέχρι φωνῆς ἡμαρτηκέναι αὐτόν, [p. 241 : B] *ἀνομίαν* γὰρ [fol. 156 r° : A] *οὐκ ἐποίησεν οὐδὲ δόλον τῷ στόματι*[11], ἄνευ τοῦ θεοῦ *σωθήσεσθαι* μὴ δύνασθαι, πῶς ὑμεῖς ἢ καὶ οἱ ἄλλοι οἱ ἄνευ τῆς *ἐλπίδος* ταύτης *σωθήσεσθαι* προσδοκῶντες οὐχ ἑαυτοὺς ἀπατᾶν λογίζεσθε ;

1 Ἐπὶ (cf. 53, 1 : ἐπὶ τῆς ...παρουσίας ; 128, 1 : ἐπὶ τῆς κρίσεως ; ἐπὶ τοῦ κατακλυσμοῦ) : *del.* Otto, Arch., Marc. (cf. 120, 3 : ἐν τῷ Ἰούδα) ἐπὶ τῇ τοῦ *prop.* Thirlb. **2** Καὶ τό τε : καὶ τὸ *vel* τό τε *vel* τό γε *prop.* Sylb. καὶ τὸ δὲ *prop.* Otto καὶ τό γε *coni.* Marc. **3** Φαρισαίους Mor., Troll., Mign., *edd. ab.* Otto : Φαρισσαίους *codd.*, *cett. edd.* (cf. 17, 4) **4** Διδάσκοντος (*scil.* ἐστί) Otto (cf. Dial. 105, 2 : μηνύοντος ; 105, 1 : διδασκαλία καὶ προαγγελία ; 42, 3 ; 103, 2 : δηλωτικὸν ; I Apol. 32, 9 : σημαντικὸν) : ὡς διδάσκοντος Marc. **5** Πάντα : τὰ πάντα *prop.* Otto (*ex* Dial. 55, 2 ; 56, 11 ; I Apol. 16, 7) **6** Λοιποὺς : πλείους *vel* πλείστους *vel* πολλοὺς *vel* ἀλόγους *coni. alii* (Thirlb) **7** Ἀεὶ : ἀεὶ δὲ Mar., Troll. ἀεὶ δὴ Mign. **8** Μήτε Sylb., Mor., Thirlb., Troll., *edd. ab* Otto : *om. codd.*, *cett. edd.* **9** Σοφὸς : σ. εἶναι Sylb., Mor. **10** Λέγων : *post* φαίνεται *transp.* Marc. **11** Ὡς – στόματι : *in semicirculis* Marc.

pourtant demeurait préservée. Voilà pourquoi le Verbe, lorsqu'eut lieu la construction de la tour, la confusion des langues et leur altération[6], s'exprime ainsi : [a]*Le Seigneur dit : Voici qu'à eux tous ils ne font qu'une race, et une seule lèvre, et ils ont commencé cette entreprise ; rien désormais ne leur manquera de tout ce qu'ils décideront de faire*[7].

5 L'expression : [b]*Comme un tesson d'argile s'est desséchée ma force, et ma langue colle à mon palais*, était elle aussi, de même, une annonce des choses qui devaient s'accomplir par lui selon la volonté du Père. Car la *force* de son Verbe puissant, par lequel il confondit toujours les Pharisiens et les scribes qui discutaient avec lui, et, en somme, tous les didascales vivant en votre race, s'interrompit ainsi qu'une abondante et *puissante*[8] source, dont on a détourné les eaux : [c]il se tut[9], et ne voulut plus, en présence de Pilate, rien répondre à personne, comme c'est indiqué dans les Mémoires de ses Apôtres, afin que dans les faits ce qui est exprimé par Isaïe portât aussi son fruit[10] ; c'est l'endroit où il est dit : [d]*Le Seigneur me donne une langue, pour connaître quand je dois prononcer une parole*[11].

6 Et lorsqu'il dit [e]*... c'est toi qui es mon Dieu. Ne t'éloigne pas de moi...*, c'est pour enseigner à la fois que tous doivent *espérer* en *Dieu* le Créateur de toute chose, rechercher près de lui seulement *Salut* et *secours*[12], et ne point penser, comme le reste des hommes, qu'on puisse être *sauvé* à cause de sa race, de sa richesse, de sa force ou de sa sagesse. Conduite qui fut aussi toujours la vôtre : vous qui jadis [f]avez fabriqué un veau d'or, mais vous montrez toujours ingrats, meurtriers des justes, aveuglés par l'orgueil d'être de votre race. **7** Car si le Fils de Dieu affirme manifestement ne pouvoir être *sauvé* ni par sa qualité de fils, ni parce qu'il est fort, ni parce qu'il est sage[13], et en dépit du fait qu'il soit sans péché[14], comme le dit Isaïe, et n'ait pas même péché en parole – car [g]*il n'a pas commis d'injustice, et nulle fraude ne s'est trouvée dans sa bouche* – ne pouvoir être *sauvé* sans Dieu, comment vous et les autres qui, sans cette *espérance* vous attendez à être *sauvés* n'avez-vous pas conscience de vous tromper vous-mêmes[15] ?

a *Gen.* 11, 6 **b** *Ps.* 21, 16 **c** cf. *Matth.* 27, 13-14 ; *Mc.* 15, 4-5 ; *Lc.* 23, 9 **d** *Is.* 50, 4 **e** *Ps.* 21, 11-12 **f** cf. *Exod.* 32 **g** *Is.* 53, 9.

103. 1 Τὰ δὲ ἑξῆς εἰρημένα ἐν τῷ ψαλμῷ · (*Ps.* 21, 12) ...*ὅτι θλῖψις ἐγγύς, ὅτι οὐκ ἔστιν ὁ βοηθῶν μοι.* (13)*Περιεκύκλωσάν με μόσχοι πολλοί, ταῦροι πίονες περιέσχον με* · (14)*ἤνοιξαν ἐπ᾽ ἐμὲ τὸ στόμα αὐτῶν ὡς λέων ἁρπάζων καὶ ὠρυόμενος* · (15)*ὡσεὶ ὕδωρ ἐξεχύθη καὶ διεσκορπίσθη πάντα τὰ ὀστᾶ μου* · τῶν ὁμοίως αὐτῷ συμβάντων προαγγελία ἦν. Ἐκείνης γὰρ τῆς νυκτός, ὅτε ἀπὸ τοῦ Ὄρους[1] *τῶν Ἐλαιῶν* ἐπῆλθον αὐτῷ οἱ ἀπὸ τοῦ λαοῦ ὑμῶν[2] ὑπὸ τῶν Φαρισαίων[3] καὶ γραμματέων κατὰ τὴν διδασκαλίαν[4] ἐπιπεμφθέντες, *ἐκύκλωσαν* αὐτὸν οὓς *μόσχους κεραπιστὰς* καὶ προώλεις ὁ Λόγος ἔλεγε.

2 Καὶ τὸ ...*Ταῦροι πίονες περιέσχον με* εἰπεῖν τοὺς[5] καὶ αὐτοὺς μὲν[6] τὰ ὅμοια τοῖς *μόσχοις* ποιήσαντας, ὅτε ἤχθη πρὸς τοὺς διδασκάλους[7] ὑμῶν, προέλεγεν · οὓς ὡς *ταύρους* διὰ τοῦτο ὁ Λόγος εἶπεν, ἐπειδὴ τοὺς *ταύρους* τοῦ εἶναι *μόσχους*[8] αἰτίους οἴδαμεν. Ὡς οὖν πατέρες εἰσὶ τῶν *μόσχων* οἱ *ταῦροι*, οὕτως οἱ διδάσκαλοι ὑμῶν τοῖς τέκνοις αὐτῶν αἴτιοι ἦσαν τοῦ ἐξελθόντας εἰς τὸ Ὄρος τῶν Ἐλαιῶν συλλαβεῖν [fol. 156 v° : A] αὐτὸν καὶ ἄγειν ἐπ᾽ αὐτούς. Καὶ τὸ εἰπεῖν ...*ὅτι οὐκ ἔστιν ὁ βοηθῶν* δηλωτικὸν[9] καὶ αὐτὸ τοῦ γενομένου. Οὐδεὶς γὰρ οὐδὲ μέχρις[10] ἑνὸς ἀνθρώπου *βοηθεῖν* αὐτῷ ὡς ἀναμαρτήτῳ *βοηθὸς*[11] ὑπῆρχε.

3 Καὶ τὸ *Ἤνοιξαν ἐπ᾽ ἐμὲ τὸ στόμα αὐτῶν ὡς λέων ὠρυόμενος* δηλοῖ τὸν βασι-[p. 242 : B]-λέα τῶν Ἰουδαίων τότε ὄντα, καὶ αὐτὸν Ἡρώδην λεγόμενον, διάδοχον γεγενημένον Ἡρώδου τοῦ, ὅτε ἐγεγέννητο, *ἀνελόντος πάντας τοὺς ἐν Βηθλεὲμ* ἐκείνου τοῦ καιροῦ γεννηθέντας *παῖδας*, διὰ τὸ ὑπονοεῖν ἐν αὐτοῖς πάντως εἶναι τὸν περὶ οὗ εἰρήκεισαν αὐτῷ οἱ ἀπὸ Ἀρραβίας ἐλθόντες μάγοι · μὴ ἐπιστάμενος[12] τὴν τοῦ ἰσχυροτέρου πάντων βουλήν, ὡς *εἰς Αἴγυπτον τῷ Ἰωσὴφ* καὶ τῇ Μαρίᾳ ἐκεκελεύκει ἀπαλλαγῆναι λαβοῦσι *τὸ παιδίον*, καὶ εἶναι *ἐκεῖ* ἄχρις ἂν πάλιν αὐτοῖς ἀποκαλυφθῇ ἐπανελθεῖν εἰς τὴν χώραν αὐτῶν · κἀκεῖ ἦσαν ἀπελθόντες ἄχρις ἂν ἀπέθανεν ὁ ἀποκτείνας τὰ ἐν Βηθλεὲμ παιδία Ἡρώδης καὶ Ἀρχέλαος αὐτὸν διεδέξατο · καὶ οὗτος ἐτελεύτα πρὶν τὸν Χριστὸν τὴν[13] οἰκονομίαν τὴν κατὰ τὸ βούλημα τοῦ πατρὸς γεγενημένην ὑπ᾽ αὐτοῦ ἐπὶ

1 Ἀπὸ τοῦ Ὄρους : ἐπὶ τοῦ Ὄρους *prop.* Thirlb., *coni.* Marc. ἐπὶ τὸ Ὄρος *prop.* Mar., *coni.* Arch. (*ex* Dial. 103, 2.7 ; 99, 2 : εἰς τὸ Ὄρος) εἰς τὸ Ὄρος Mt. 26, 30 ; Mc. 14, 26 ; cf. Lc. 22, 39 **2** Οἱ – ὑμῶν : οἱ – ὑμῶν υἱοὶ Marc. **3** Φαρισαίων : Φαρισσαίων *codd.* (cf. 17, 4 ; 102, 5) **4** Κατὰ τὴν διδασκαλίαν : καὶ τῶν διδασκάλων *prop.* Thirlb., Mar., *coni.* Arch. *post* Λόγος *transp.* Marc. (*ex* Dial. 105, 1 : διδασκαλία καὶ προαγγελία) **5** Τοὺς : τ. πατέρας αὐτῶν Marc. **6** Μὲν : μὴν *coni.* Marc. **7** Πρὸς τοὺς διδασκάλους : πρὸς αὐτούς τοὺς διδασκάλους *prop.* Thirlb. **8** Μόσχους : μόσχοις *prop.* Thirlb. **9** Δηλωτικὸν *codd.*, *edd.* (*scil.* ἐστί Otto). Cf. 102, 6 (διδάσκοντος) **10** Μέχρις *corr.* *ex* μέχρι A **11** Βοηθὸς : βουληθεὶς *prop.* Pearson **12** Ἐπιστάμενος : ἐπισταμένου (δὲ) *prop.* Otto **13** Τὴν : εἰς τὴν *prop.* Mar. κατὰ τὴν Marc.

Psaume 21,12-16 :
Arrestation du Christ au Mont des Oliviers, silence opposé à ses juges.

103. 1 Ce qui est dit ensuite dans le psaume : (*Ps.* 21, 12)...*car la détresse est proche, car il n'y a personne pour me secourir.* (13)*Des veaux nombreux m'ont encerclé, et de gras taureaux m'ont cerné :* (14)*ils ont ouvert contre moi leur gueule, ainsi que le lion qui déchire et rugit.* (15)*Comme l'eau se répand, tous mes os se disloquent*, était également une annonce de ce qui lui est arrivé. C'est cette nuit-là en effet, où [a]du[1] *Mont des Oliviers* se jetaient sur lui ceux de votre peuple qui, selon l'enseignement reçu[2], avaient été envoyés [b]par les Pharisiens et les Scribes, que l'*encerclèrent* ceux que le Verbe appelait [c]*des veaux cornus* et prématurément funestes[3].

2 Quant à l'expression [d]...*de gras taureaux m'ont cerné*, elle annonçait ceux qui eux aussi agirent tout comme[4] les *veaux* : lorsqu'il fut conduit devant vos didascales. Si le Verbe appelle ces derniers *taureaux*, c'est parce que nous savons bien que les *taureaux* sont cause qu'il y a des *veaux*. De même, donc, que les *taureaux* sont pères des *veaux*, de même vos didascales furent-ils cause que leurs enfants[5] sortirent vers le Mont des Oliviers pour se saisir de lui et le leur amener. Et l'expression [e]...*car il n'y a personne pour me secourir* montre bien elle aussi ce qui est arrivé. [f]Il ne s'est trouvé personne en effet, pas même un seul homme, qui fût assez *secourable* pour lui prêter *secours*, lui qui était [g]sans péché.

3 Et l'expression [h]*ils ont ouvert contre moi leur gueule, ainsi que le lion qui déchire et rugit* désigne celui qui était alors le roi des juifs, et qui portait aussi le nom d'Hérode[6] : c'était le successeur de cet Hérode qui, lors de sa naissance, [i]avait fait *mettre à mort tous les enfants* nés *à Bethléem* en ce temps-là, comptant que parmi eux se trouverait sûrement celui dont lui avaient parlé les mages venus d'Arabie. C'est qu'il méconnaissait le dessein de Celui qui, plus puissant que tout, [j]avait donné l'ordre *à Joseph* et Marie de partir *en Égypte* en emmenant *l'enfant*, et d'*y* rester jusqu'à ce qu'une nouvelle révélation les fît revenir en leur pays. [k]Ils restèrent éloignés jusqu'au jour où, [l]Hérode étant mort qui avait fait tuer les enfants de Bethléem, [m]Archélaüs[7] lui succéda. Lui-même, d'ailleurs, mourait avant que le Christ, parachevant ainsi l'économie fixée par le dessein du Père, n'en vînt à être crucifié[8].

a Cf. *Matth.* 26, 30.47 ; *Mc.* 14, 26.43 ; *Lc.* 22, 39.47 **b** cf. *Matth.* 26, 3-4.47 **c** cf. *Exod.* 21, 29 ? **d** *Ps.* 21, 13 **e** *Ps.* 21, 12 **f** cf. *Ps.* 21, 12 + *Is.* 63, 5 ; *Matth.* 26, 56 et *Mc.* 14, 50.52 **g** cf. *Is.* 53, 9 **h** *Ps.* 21, 14 **i** cf. *Matth.* 2, 16 **j** *ibid.*, 13-14 **k** *ibid.*, 15.19-23 **l** cf. *Matth.* 2, 19 **m** cf. *Matth.* 2, 22.

τῷ[1] σταυρωθῆναι ἐλθεῖν. **4** Ἡρώδου δέ, τοῦ[2] Ἀρχέλαον διαδεξαμένου, λαβόντος τὴν ἐξουσίαν τὴν ἀπονεμηθεῖσαν αὐτῷ, ᾧ καὶ Πιλᾶτος χαριζόμενος δεδεμένον [fol. 157 r° : A] τὸν Ἰησοῦν ἔπεμψε καὶ τοῦτο γενησόμενον προειδὼς ὁ θεὸς εἰρήκει οὕτως[3] · *Καὶ < δήσαντες >[4] αὐτὸν εἰς Ἀσσυρίου<ς>[5] ἀπήνεγκαν ξένια τῷ βασιλεῖ.*

5 Ἢ *λέοντα* τὸν *ὠρυόμενον* ἐπ' αὐτὸν ἔλεγε τὸν διάβολον, ὃν Μωϋσῆς[6] μὲν *ὄφιν* καλεῖ, ἐν δὲ τῷ Ἰὼβ καὶ τῷ Ζαχαρίᾳ *διάβολος* κέκληται, καὶ ὑπὸ τοῦ Ἰησοῦ *Σατανᾶς* προσηγόρευται, ὄνομα ἀπὸ τῆς πράξεως ἧς ἔπραξε σύνθετον κτησάμενον αὐτὸν μηνύων[7] · τὸ γὰρ σατᾶ[8] ἐν[9] τῇ Ἰουδαίων καὶ Σύρων φωνῇ ἀποστάτης ἐστί, τὸ δὲ *νᾶς* ὄνομα ἐξ οὗ ἡ ἑρμηνεία[10] ὄφις ἐκλήθη [ταυτόν ἐστι Σατᾶ τῇ Ἑβραίων ἑρμηνευθείσῃ φωνῇ][11] · ἐξ ὧν [p. 243 : B] ἀμφοτέρων τῶν εἰρημένων ἓν ὄνομα γίνεται *Σατανᾶς*. **6** Καὶ γὰρ οὗτος ὁ διάβολος ἅμα τῷ ἀναβῆναι αὐτὸν ἀπὸ τοῦ ποταμοῦ τοῦ Ἰορδάνου, τῆς φωνῆς αὐτῷ[12] λεχθείσης · *Υἱός μου εἶ σύ, ἐγὼ σήμερον γεγέννηκά σε* · ἐν τοῖς Ἀπομνημονεύμασι τῶν ἀποστόλων γέγραπται προσελθὼν αὐτῷ καὶ πειράζων μέχρι τοῦ εἰπεῖν αὐτῷ · *Προσκύνησόν μοι* · καὶ ἀποκρίνασθαι αὐτῷ τὸν Χριστόν · *Ὕπαγε ὀπίσω μου, Σατανᾶ*[13] · *κύριον τὸν θεόν σου προσκυνήσεις καὶ αὐτῷ μόνῳ λατρεύσεις*. Ὡς γὰρ τὸν Ἀδὰμ ἐπλάνησεν, ἔλεγε[14] καὶ τοῦτον[15] δυνηθῆναι ἐργάσασθαί τι.

7 Καὶ τὸ · *Ὡσεὶ ὕδωρ ἐξεχύθη<ν>*[16] *καὶ διεσκορπίσθη πάντα τὰ ὀστᾶ μου, ἐγενήθη ἡ καρδία μου ὡσεὶ κηρὸς* [fol. 157 v° : A] *τηκόμενος ἐν μέσῳ τῆς κοιλίας μου* ὅπερ γέγονεν αὐτῷ ἐκείνης τῆς νυκτός, ὅτε ἐπ' αὐτὸν ἐξῆλθον εἰς τὸ Ὄρος τῶν Ἐλαιῶν συλλαβεῖν αὐτόν, προαγγελία ἦν. **8** Ἐν γὰρ τοῖς Ἀπομνημονεύμασιν, ἅ φημι ὑπὸ τῶν ἀποστόλων αὐτοῦ καὶ τῶν ἐκείνοις παρακολουθησάντων συντετάχθαι, < γέγραπται >[17] ὅτι

1 Τῷ : τὸ *prop.* Sylb. **2** Τοῦ *prop.* Sylb., *coni.* Otto, Arch., Marc. : τὸν *codd.*, *cett. edd.* τοῦ τὸν *prop.* Sylb. **3** Οὕτως : οὕτω Mar., Mign. **4** Δήσαντες *add.* Otto, Arch., Marc. (*ex* δεδεμένον) : *om. codd.*, *cett. edd.* **5** Ἀσσυρίους Marc. (*ex* LXX) : Ἀσσυρίου *codd.*, *cett. edd.* **6** Μωϋσῆς : Μωσῆς Arch. **7** Μηνύων : μηνύοντος *prop.* Otto, Marc. **8** Σατᾶ *edd. ab* Otto : σατὰ Mor. σατὰν *codd.*, *cett. edd.* **9** Ἐν Otto, Arch. : *om. codd.*, *cett. edd.* **10** Ἡ ἑρμηνεία : τῇ ἑρμηνείᾳ *prop.* Mar. **11** Ταυτόν – φωνῇ *ut glossema del. edd. ab* Otto : τοῦτ' ἐστὶ κατὰ τὴν Ἑβραίων ἑρμηνευθεῖσαν φωνήν *prop.* Mar. ταὐτόν ἐστι κατὰ τὴν Ἑβρ. ἑρμηνευθεῖσαν φωνήν *prop.* Semisch (*Justin*, P. I., p. 214) **12** Αὐτῷ : αὐτοῦ Mar., Mign., Troll. **13** Σατανᾶ : Σ. · γέγραπται · Marc. (*ex* Dial. 125, 4 ; Mt., Lc.) **14** Ἔλεγε : ἔθελε *alii* (Thirlb.) **15** Καὶ τοῦτον : καὶ κατὰ τοῦτον *prop.* Thirlb. **16** Ἐξεχύθην *prop.* Mar. : ἐξεχύθη *codd.*, *edd.* (= Dial. 98, 4 ; 102, 1) **17** Γέγραπται *prop.* Thirlb., Mar., *add. edd. ab* Otto : *om. codd.*, *cett. edd.*

4 Hérode donc, le successeur d'Archélaüs[9], avait pris le pouvoir qui lui était échu. Pilate, pour lui être agréable, [a]lui envoya Jésus [b]enchaîné[10] ; et c'est parce qu'il en prévoyait aussi l'événement, que Dieu a dit : [c]*Et l'ayant enchaîné, ils l'emmenèrent en Assyrie*[11]*, comme présent au roi.*

5 Ou bien alors le [d]*lion* qui *rugissait* contre lui désignait ce diable[12] que Moïse appelle [e]*serpent*, qui en [f]Job et [g]Zacharie est appelé *diable*, et à qui [h]Jésus s'adresse en le nommant *Satanas*, indiquant par là qu'il a reçu un nom composé d'après l'action qu'il a accomplie[13]. Car *Sata*, dans la langue des Juifs et des Syriens signifie « apostat », et *nas* est le mot d'où l'on traduit « serpent ». De ces deux expressions un seul nom est formé : *Satanas*[14]. **6** C'est ce diable qui, au moment où Jésus [i]remontait du Jourdain[15], et où la voix venait de lui dire [j]*Tu es mon fils, moi, aujourd'hui, je t'ai engendré*[16], selon qu'il est écrit dans les Mémoires des Apôtres, s'approcha de lui et le tenta au point de lui dire : [k]*Adore-moi* ! Mais le Christ lui répondit : [l]*Arrière, Satanas ! Tu adoreras le Seigneur ton Dieu, et lui seul tu serviras.* Car de même qu'il avait égaré Adam, contre celui-là aussi il présumait possible de tenter quelque entreprise.

7 L'expression : [m]*Comme l'eau je me suis épanché*[17]*, et tous mes os se sont disloqués. Mon cœur est devenu comme cire fondant au sein de mes entrailles*, était aussi une prédiction : c'est ce qui lui est arrivé cette nuit-là, lorsqu'ils [n]l'agressèrent, au Mont des Oliviers, pour se saisir de lui. **8** Car dans les Mémoires qui, comme je le dis, ont été composés par ses apôtres et leurs disciples, il est écrit que [o]coulait *une sueur semblable à des caillots de sang*, tandis qu'il *priait* en

a Cf. *Lc.* 23, 7-8 **b** cf. *Jn.* 18, 24 ? **c** *Os.* 10, 6 **d** *Ps.* 21, 14 ; *I Petr.* 5, 8 **e** cf. *Gen.* 3, 1 s. **f** cf. *Job.* 1, 6 s. **g** cf. *Zach.* 3, 1-2 **h** cf. *Matth.* 4, 10 **i** cf. *Lc.* 4, 1 ? **j** *Lc.* 3, 22 ; cf. *Ps.* 2, 7 **k** cf. *Matth.* 4, 9 ; *Lc.* 4, 7 **l** *Matth.* 4, 10 ; 16, 23 et *Lc.* 4, 8 ; cf. *Deut.* 6, 13 **m** *Ps.* 21, 15 **n** cf. *Matth.* 26, 30.47 ; *Mc.* 14, 26.43 ; *Lc.* 22, 39.47 **o** cf. *Lc.* 22, 44.

ἱδρῶς ὡσεὶ θρόμβοι κατεχεῖτο, αὐτοῦ *εὐχομένου* καὶ λέγοντος · Παρελθέτω[1], *εἰ δυνατόν, τὸ ποτήριον τοῦτο* · ἐντρόμου τῆς *καρδίας*[2] δηλονότι οὔσης καὶ τῶν *ὀστῶν* ὁμοίως καὶ[3] ἐοικυίας τῆς *καρδίας κηρῷ τηκομένῳ εἰς τὴν κοιλίαν*, ὅπως εἰδῶμεν ὅτι ὁ πατὴρ τὸν ἑαυτοῦ υἱὸν καὶ ἐν τοιούτοις πάθεσιν ἀληθῶς γεγονέναι δι' ἡμᾶς βεβούληται, καὶ μὴ λέγωμεν ὅτι ἐκεῖνος, τοῦ θεοῦ υἱὸς ὤν, οὐκ ἀντελαμβάνετο τῶν γινομένων καὶ συμβαινόντων αὐτῷ.

9 Καὶ τὸ *'Εξηράνθη ὡς ὄστρακον ἡ ἰσχύς μου, καὶ ἡ γλῶσσά μου κεκόλληται τῷ λάρυγγί μου*, ὅπερ[4] προεῖπον, [p. 244 : B] τῆς σιγῆς, ἐν[5] μηδενὶ μηδὲν ἀποκρινόμενος ὁ πάντας ἐλέγχων ἀσόφους τοὺς παρ' ὑμῖν διδασκάλους[6], προαγγελία ἦν.

104. 1 Καὶ τὸ (*Ps.* 21. 16) ...*Εἰς χοῦν θανάτου κατήγαγές με* · (17)*ὅτι ἐκύκλωσάν με κύνες πολλοί*[7], *συναγωγὴ πονηρευομένων περιέσχον με* · *ὤρυξαν χεῖράς μου καὶ πόδας μου,* (18)*ἐξηρίθμησαν πάντα τὰ ὀστᾶ μου* · *αὐτοὶ δὲ κατενόησαν καὶ ἐπεῖδόν με* · [fol. 158 r° : A] (19)*διεμερίσαντο τὰ ἱμάτιά μου ἑαυτοῖς, καὶ ἐπὶ τὸν ἱματισμόν μου ἔβαλον κλῆρον*, ὡς προεῖπον, προαγγελία ἦν διὰ ποίου θανάτου καταδικάζειν αὐτὸν ἔμελλεν ἡ *συναγωγὴ* τῶν *πονηρευομένων*, οὓς καὶ *κύνας* καλεῖ, καὶ *κυνηγοὺς* μηνύων[8], ὅτι καὶ[9] αὐτοὶ οἱ *κυνηγήσαντες*[10] *συνήχθησαν* [οἱ][11] ἀγωνιζόμενοι ἐπὶ τῷ καταδικάσασθαι[12] αὐτόν · ὅπερ καὶ ἐν τοῖς 'Απομνημονεύμασι τῶν ἀποστόλων αὐτοῦ γέγραπται γενόμενον. **2** Καὶ ὅτι μετὰ τὸ σταυρωθῆναι αὐτὸν *ἐμέρισαν* ἑαυτοῖς οἱ σταυρώσαντες αὐτὸν *τὰ ἱμάτια* αὐτοῦ, ἐδήλωσα.

105. 1 Τὰ δὲ ἀκόλουθα τοῦ ψαλμοῦ · (*Ps.* 21, 20)*Σὺ δέ, κύριε, μὴ μακρύνῃς τὴν βοήθειάν σου ἀπ' ἐμοῦ* · *εἰς τὴν ἀντίληψίν μου πρόσχες* · (21)*ῥῦσαι ἀπὸ ῥομφαίας τὴν ψυχήν μου καὶ ἐκ χειρὸς κυνὸς τὴν μονογενῆ μου*[13] · (22)*σῶσόν με ἐκ στόματος λέοντος καὶ ἀπὸ κεράτων μονοκερώτων τὴν ταπείνωσίν μου* · ὁμοίως πάλιν διδασκαλία καὶ προαγγελία τῶν ὄντων

1 Παρελθέτω : Πάτερ, παρ. Marc. (*ex* Dial. 99, 2 ; Mt., Lc.) **2** Τῆς καρδίας : αὐτοῦ τ. κ. Marc. (ex Dial. 103, 7 : ἡ καρδία μου) **3** Καὶ : *om.* Mar., Mign. **4** Ὅπερ : ὥσπερ *coni.* Marc. **5** 'Εν : ἐν ᾗ ...ἀπεκρίνετο *prop.* Sylb. ἐν ᾗ ...ἀποκρινόμενος *coni.* Marc. ἦν ἐσίγησε *vel* ἦν ἐπὶ Πιλάτου ἐσίγησε *prop.* Thirlb. **6** 'Εν – διδασκάλους : *in semicirculis* Mar., Mign., Troll., Otto **7** Κύνες πολλοί : ἐν ἄλλοις κύνες καὶ κυνηγοὶ πολλοί, *in marg.* A, *in textu* Steph. *om.* B, Mar., Troll., *edd. ab* Otto **8** Μηνύων : μηνύει Marc. **9** Καὶ *huc transp.* Marc., *prop.* Thirlb. : *ante* συνήχθησαν *codd.*, *cett. edd.* **10** Κυνηγήσαντες : κ. ἦσαν *vel* οἷον κυνηγήσοντες *prop.* Sylb. **11** Οἱ : *delendum* Thirlb., *del.* Marc. **12** Καταδικάσασθαι : ἐπὶ τῷ καταδικασθῆναι αὐτόν *in marg.* A., *ad calcem* Steph. **13** Τὴν μονογενῆ μου (= LXX, Dial. 98, 5 ; 105, 2) : τὸν μονογενῆ σου *prop.* Mar.

disant : [a]*Que s'éloigne, si c'est possible, cette coupe*[18] *!* C'est que son *cœur*, assurément, était tout chancelant, de même que ses *os*, et ce [b]*cœur* lui semblait *une cire fondant au sein de* ses *entrailles*, afin que nous sachions qu'à cause de nous, le Père voulait aussi que son Fils connût véritablement[19] de semblables souffrances, et pour que nous n'allions point dire que, Fils de Dieu, celui-là n'était pas affecté par ce qui se passait et qui lui arrivait.

9 Quant au verset : [c]*Comme un tesson d'argile s'est desséchée ma force, et ma langue colle à mon palais*, il annonçait, je l'ai dit[20], son silence : car [d]il ne répondit sur aucun point, lui qui confondait le défaut de sagesse de tous vos didascales.

Psaume 21,16-19 :
Condamnation du Christ, crucifixion, partage de ses vêtements.

104. 1 Et ces paroles : (*Ps.* 21. 16)*...et tu m'as étendu en poussière de mort.* (17)*Car des chiens nombreux font cercle autour de moi, congrégation de méchants, ils m'ont enveloppé. Ils m'ont percé mains et pieds,* (18)*ils ont compté tous mes os ; ils m'ont considéré et observé.* (19)*Ils se sont partagé mes habits, et sur mon vêtement ils ont jeté le sort* : comme j'ai déjà dit[1], elles annonçaient à quelle sorte de mort la *congrégation*[2] des *méchants* devait le condamner ; il les appelle *chiens*, en montrant également qu'il y a des *chasseurs*, car ceux qui avaient *conduit la meute* s'étaient eux aussi *agrégés*[3], [e]en mettant tous leurs soins à le faire condamner. Cela aussi est écrit dans les Mémoires de ses Apôtres. **2** Qu'après sa crucifixion ceux qui l'avaient crucifié [f]*se partagèrent* ses *vêtements*, je l'ai montré[4].

Psaume 21, 20-22 :
Mort sur la Croix et Salut des âmes.

105. 1 La suite du psaume : (*Ps.* 21, 20)*Mais toi, Seigneur, n'éloigne pas de moi ton secours. Considère mon épreuve*[1]. (21)*Délivre mon âme de l'épée, et de la patte du chien celle qui m'est unique*[2]. (22)*Sauve-moi de la gueule du lion, et des cornes des unicornes mon abaissement*, enseignait et annonçait encore, de la même façon, ses qualités et

a Cf. *Matth.* 26, 39 ; *Mc.* 14, 36 ; *Lc.* 22, 42 **b** *Ps.* 21, 15 **c** *Ps.* 21, 16 **d** cf. *Matth.* 27, 13-14 ; *Mc.* 15, 4-5 ; *Lc.* 23, 9 **e** cf. *Matth.* 26, 57.59 ; *Mc.* 14, 53.55 **f** *Ps.* 21, 19 ; cf. *Matth.* 27, 35 ; *Mc.* 15, 24 ; *Lc.* 23, 34.

αὐτῷ καὶ συμβαίνειν μελλόντων. *Μονογενὴς* γὰρ ὅτι ἦν τῷ πατρὶ τῶν ὅλων οὗτος, ἰδίως ἐξ αὐτοῦ λόγος καὶ δύναμις[1] γεγεννημένος[2], καὶ ὕστερον ἄνθρωπος διὰ τῆς παρθένου γενόμενος, ὡς ἀπὸ τῶν ᾿Απομνημονευμάτων ἐμάθομεν, προεδήλωσα.

2 Καὶ [p. 245 : B] ὅτι σταυρωθεὶς ἀπέθανεν, ὁμοίως προεῖπε. Τὸ γὰρ (*Ps.* 21, 21) *῾Ρῦσαι ἀπὸ ῥομφαίας τὴν* [fol. 158 v° : A] *ψυχήν μου καὶ ἐκ χειρὸς κυνὸς τὴν μονογενῆ μου* · (22)*σῶσόν με ἐκ στόματος λέοντος καὶ ἀπὸ κεράτων μονοκερώτων τὴν ταπείνωσίν μου* ὁμοίως μηνύοντος[3] δι᾿ οὗ πάθους ἔμελλεν ἀποθνήσκειν, τουτέστι σταυροῦσθαι · τὸ γὰρ *κεράτων μονοκερώτων* ὅτι τὸ σχῆμα τοῦ σταυροῦ ἐστι μόνου[4] προεξηγησάμην ὑμῖν. **3** Καὶ τὸ *ἀπὸ ῥομφαίας καὶ*[5] *στόματος λέοντος* καὶ *ἐκ χειρὸς κυνὸς* αἰτεῖν αὐτὸν τὴν *ψυχὴν* σωθῆναι, ἵνα μηδεὶς κυριεύσῃ τῆς *ψυχῆς* αὐτοῦ αἴτησις ἦν, ἵνα, ἡνίκα ἡμεῖς πρὸς τῇ ἐξόδῳ τοῦ βίου γινόμεθα τὰ αὐτὰ αἰτῶμεν τὸν θεόν, τὸν δυνάμενον ἀποστρέψαι πάντα ἀναιδῆ[6] πονηρὸν ἄγγελον μὴ λαβέσθαι ἡμῶν τῆς *ψυχῆς*.

4 Καὶ ὅτι μένουσιν[7] αἱ ψυχαὶ ἀπέδειξα[8] ὑμῖν ἐκ τοῦ καὶ τὴν Σαμουὴλ ψυχὴν κληθῆναι ὑπὸ τῆς ἐγγαστριμύθου, ὡς ἠξίωσεν ὁ Σαούλ. Φαίνεται δὲ καὶ ὅτι πᾶσαι αἱ ψυχαὶ τῶν οὕτως[9] δικαίων καὶ προφητῶν ὑπὸ ἐξουσίαν ἔπιπτον τῶν τοιούτων δυνάμεων, ὁποία δὴ καὶ ἐν τῇ ἐγγαστριμύθῳ ἐκείνῃ ἐξ αὐτῶν τῶν πραγμάτων ὁμολογεῖται. **5** ῞Οθεν καὶ ὁ θεὸς[10] διδάσκει ἡμᾶς καὶ[11] διὰ τοῦ υἱοῦ αὐτοῦ τὸ πάντως ἀγωνίζεσθαι δι<καί>ους[12] γίνεσθαι, καὶ πρὸς τῇ ἐξόδῳ αἰτεῖν μὴ ὑπὸ τοιαύτην τινὰ δύναμιν ὑποπεσεῖν τὰς ψυχὰς ἡμῶν, φαίνεται[13] [fol. 159 r° : A]. Καὶ γὰρ ἀποδιδοὺς τὸ πνεῦμα ἐπὶ τῷ σταυρῷ εἶπε · *Πάτερ, εἰς χεῖράς σου παρατίθεμαι τὸ πνεῦμά μου*, ὡς καὶ ἐκ τῶν ᾿Απομνημονευμάτων καὶ τοῦτο ἔμαθον.

6 Καὶ γὰρ πρὸς τὸ ὑπερβάλλειν τὴν Φαρισαίων[14] πολιτείαν τοὺς μαθη-[p. 246 : B]-τὰς αὐτοῦ συνωθῶν, εἰ δὲ μή γε, ἐπίστασθαι ὅτι οὐ σωθήσονται, ταῦτα εἰρηκέναι ἐν τοῖς ᾿Απομνημονεύμασι γέγραπται · *᾿Εὰν*

1 Δύναμις : δ. αὐτοῦ *prop.* Thirlb. δ. θεοῦ Marc. (*ex* N.T. *et* Dial. 61) **2** Γεγεννημένος *prop.* Thirlb., *coni. edd. ab* Otto (*ex* Dial. 43, 7 ; I Apol. 21, 1 *etc.*) : γεγενημένος *codd.*, *cett. edd.* **3** Μηνύοντος (*scil.* ἐστί) Otto. (cf. 102, 6 : διδάσκοντος) : ὡς μηνύοντος Marc. **4** ᾿Εστι μόνου : ἐσήμαινε *vel* σημαίνει *prop.* Thirlb. σημαίνει μόνου Marc. **5** Καὶ : καὶ ἐκ Marc. **6** ᾿Αναιδῆ : *del.* Marc. **7** Μένουσιν : μ. ἐν ᾅδου Marc. (*pro* ἀναιδῆ : 105, 3) **8** ᾿Απέδειξα : ἀποδεῖξαι ἔχω Marc. ἂν ἀποδείξαιμι *vel* ἀποδείξαιμι ἂν *prop.* Nolte **9** Τῶν οὕτως : οὕτως τῶν *transp.* Marc. **10** ῾Ο θεὸς *prop.* Thirlb., Mar., *coni.* Otto, Arch., Marc. (*mox enim* : καὶ διὰ τοῦ υἱοῦ αὐτου) : οὗτος *codd.*, *cett. edd.* **11** Καὶ : *del.* Marc. **12** Δικαίους *prop.* Sylb., Thirlb., *coni. edd. ab* Otto : δι᾿ οὓς *codd.* (*cum signo correctionis* A), *cett. edd.* **13** Φαίνεται : *del.* Thirlb., Otto, Arch., Marc. **14** Φαρισαίων : cf. 17, 4.

ce qui devait lui arriver : [a]*Fils unique* du Père de l'univers, Verbe et Puissance proprement[3] engendré de lui, dans la suite fait homme par la vierge, ainsi que nous l'avons appris des Mémoires des Apôtres[4], il l'était en effet, je l'ai déjà montré.

2 Et sa mort sur la Croix, il l'a prédite de même. Les paroles (*Ps.* 21, 21)*Délivre mon âme de l'épée, et de la patte du chien celle qui m'est unique.* (22)*Sauve-moi de la gueule du lion, et des cornes des unicornes mon abaissement*[5], indiquaient en effet le genre de souffrance dont il devait mourir, c'est-à-dire la crucifixion. Car *les cornes des unicornes*, je vous l'ai déjà expliqué[6], ne sont rien d'autre qu'une figure de la Croix. **3** Et lorsqu'il demande que son [b]*âme* soit sauvée[7] *de l'épée, de la gueule du lion, et de la patte du chien*, c'était une prière pour que nul ne se rende maître de son *âme* ; en sorte que, lorsque nous en arrivons à l'issue de la vie, nous demandions les mêmes choses à Dieu, lui qui peut empêcher tout impudent mauvais ange de s'emparer de notre *âme*.

4 Car les âmes survivent, je vous l'ai démontré de ce fait même que [c]l'âme de Samuel fut invoquée par la ventriloque, à la demande de Saül[8]. Il est donc manifeste que toutes les âmes de ceux qui furent ainsi justes ou prophètes tombaient au pouvoir de semblables Puissances : et c'est précisément, dans le cas de cette ventriloque, ce que les faits eux-mêmes attestent. **5** Dieu nous enseigne donc, par son fils aussi, de lutter constamment pour devenir des justes, et, à l'issue de la vie, de demander que nos âmes ne tombent pas au pouvoir de quelque Puissance semblable à celle-là, c'est évident. Car lorsqu'il rendit l'esprit sur la Croix[9], il dit : [d]*Père, entre tes mains je remets mon esprit*, ce que cette fois encore, j'ai appris des Mémoires.

6 Et quand il exhortait ses apôtres à dépasser la conduite des Pharisiens, sachant bien que sinon, ils ne seraient pas sauvés, il est écrit dans les Mémoires qu'il dit ceci : [e]*Si votre justice*[10] *n'abonde pas plus que celle des Scribes et des Pharisiens, vous n'entrerez pas dans le royaume des cieux.*

a Cf. *Jn.* 1, 14.18 **b** *Ps.* 21, 21 et 22 **c** cf. *I Rois* 28, 7 s. **d** cf. *Lc.* 23, 46 **e** *Matth.* 5, 20.

μὴ περισσεύσῃ ὑμῶν ἡ δικαιοσύνη πλεῖον τῶν γραμματέων καὶ Φαρισαίων, οὐ μὴ εἰσέλθητε εἰς τὴν βασιλείαν τῶν οὐρανῶν.

106. **1** Καὶ ὅτι ἠπίστατο τὸν *πατέρα* αὐτοῦ *πάντα* παρέχειν αὐτῷ, ὡς ἠξίου, καὶ ἀνεγερεῖν[1] αὐτὸν *ἐκ τῶν νεκρῶν*, καὶ[2] πάντας τοὺς *φοβουμένους* τὸν θεὸν προέτρεπεν *αἰνεῖν* τὸν θεὸν διὰ τὸ ἐλεῆσαι καὶ[3] διὰ τοῦ μυστηρίου τοῦ σταυρωθέντος τούτου πᾶν γένος τῶν πιστευόντων ἀνθρώπων, καὶ ὅτι *ἐν μέσῳ τῶν ἀδελφῶν* αὐτοῦ *ἔστη*, τῶν ἀποστόλων[4], οἵτινες, μετὰ τὸ ἀναστῆναι αὐτὸν ἐκ νεκρῶν καὶ πεισθῆναι ὑπ' αὐτοῦ ὅτι καὶ πρὸ τοῦ παθεῖν ἔλεγεν αὐτοῖς ὅτι *ταῦτα* αὐτὸν *δεῖ*[5] *παθεῖν* καὶ *ἀπὸ*[6] *τῶν προφητῶν* ὅτι προεκεκήρυκτο ταῦτα, μετενόησαν ἐπὶ τὸ ἀφίστασθαι αὐτοῦ ὅτε ἐσταυρώθη[7] καὶ μετ' αὐτῶν διάγων *ὕμνησε* τὸν θεόν, ὡς καὶ ἐν τοῖς 'Απομνημονεύμασι τῶν ἀποστόλων[8] δηλοῦται γεγενημένον, τὰ λείποντα τοῦ ψαλμοῦ ἐδήλωσεν. **2** [fol. 159 v° : A] Ἔστι δὲ ταῦτα · (*Ps.* 21. 23)*Διηγήσομαι τὸ ὄνομά σου*[9] *τοῖς ἀδελφοῖς μου, ἐν μέσῳ ἐκκλησίας ὑμνήσω σε.* (24)*Οἱ φοβούμενοι τὸν κύριον αἰνέσατε αὐτόν, ἅπαν τὸ σπέρμα 'Ιακώβ, δοξάσατε αὐτόν, φοβηθήτωσαν αὐτὸν ἅπαν τὸ σπέρμα 'Ισραήλ.*

3 Καὶ τὸ εἰπεῖν μετωνομακέναι αὐτὸν *Πέτρον* ἕνα τῶν ἀποστόλων, καὶ γεγράφθαι ἐν τοῖς 'Απομνημονεύμασιν αὐτοῦ[10] γεγενημένον καὶ τοῦτο, μετὰ τοῦ καὶ ἄλλους δύο *ἀδελφούς*, υἱοὺς *Ζεβεδαίου* ὄντας ἐπωνομακέναι[11] *ὀνόματι* τοῦ *Βοανεργές, ὅ ἐστιν Υἱοὶ βρον*-[p. 247 : B]-*τῆς*, σημαντικὸν ἦν τοῦ αὐτὸν ἐκεῖνον εἶναι, δι' ο<ῦ>[12] καὶ τὸ ἐπώνυμον 'Ιακὼβ[13] τῷ 'Ισραὴλ ἐπιληθέντι ἐδόθη καὶ τὸ Αὐσῆ[14] ὄνομα 'Ιησοῦς ἐπεκλήθη, δι' οὗ ὀνόματος καὶ εἰσήχθη εἰς τὴν ἐπηγγελμένην τοῖς πατριάρχαις γῆν ὁ περιλειφθεὶς ἀπὸ τῶν ἀπ' Αἰγύπτου ἐξελθόντων λαός.

4 Καὶ ὅτι ὡς *ἄστρον* ἔμελλεν *ἀνατέλλειν* αὐτὸς διὰ τοῦ γένους τοῦ 'Αβραάμ, Μωϋσῆς[15] παρεδήλωσεν[16] οὕτως εἰπών · *'Ανατελεῖ ἄστρον ἐξ 'Ιακώβ, καὶ ἡγούμενος ἐξ 'Ισραήλ.* Καὶ ἄλλη δὲ γραφή φησιν · *'Ιδοὺ ἀνήρ,*

1 'Ανεγερεῖν *prop.* Sylb., *coni. edd. ab* Otto : ἀνήγειρεν *codd.*, *cett. edd.* ὃς καὶ ἀνήγειρεν *prop.* Lange **2** Καὶ : καὶ ὅτι Marc. **3** Καὶ : καὶ σῶσαι *prop.* Sylb., *coni.* Marc. **4** Τῶν ἀποστόλων : τουτέστι τ. ἀπ. Marc. **5** Δεῖ : ἔδει Marc. **6** 'Απὸ : ὑπὸ *prop.* Mar., *coni.* Otto, Arch., Marc. **7** Οἵτινες – ἐσταυρώθη : *in semicirculis* Mar., Mign., Otto, Marc. **8** Τῶν ἀποστόλων : τ. ἀπ. αὐτοῦ Marc. **9** Σου : μου *prop.* Otto **10** Αὐτοῦ : τῶν ἀποστόλων αὐτοῦ Marc. αὐτῶν *prop.* Otto **11** 'Επωνομακέναι *codd.*, Goodsp. (*infra enim* : ἐπώνυμον) : μετωνομακέναι (*ut supra*) Steph. Mar., Mign., Otto, Arch., Marc. **12** Δι' οὗ *prop.* Lange, Casaubon (*Adv. Baron.*, p. 258), Thirlb., Mar., *coni. edd. ab* Otto : διὸ *codd.*, *cett. edd.* **13** 'Ιακὼβ : τῷ 'Ιακὼβ Marc. **14** Τὸ Αὐσῆ : τῷ Αὐσῆ *prop.* Thirlb., *coni. edd. ab* Otto **15** Μωϋσῆς : Μωσῆς Arch. **16** Παρεδήλωσεν : προεδήλωσεν *prop.* Thirlb., *coni.* Marc.

Psaume 21, 23-24 :
Le Christ, « Jacob », « Israël », « Astre » et « Levant ».

106. 1 Il savait que [a]son *Père* lui accordait *tout*[1], comme il le demandait, [b]et qu'il le réveillerait [c]*d'entre les morts*, et il a exhorté tous ceux qui [d]*craignent* Dieu à *louer* Dieu d'avoir, jusque par le mystère de ce crucifié, pris en pitié toute la race des hommes croyants. De plus, [e]*Il s'est tenu au milieu de* ses *frères*, les Apôtres. Après sa résurrection d'entre les morts, et lorsqu'ils eurent été convaincus par lui qu'avant même de souffrir il leur avait dit qu'il [f]*devait endurer ces souffrances*, et que cela avait été, *dès*[2] *les prophètes*, proclamé à l'avance, ils se repentirent de s'être éloignés de lui lors de sa crucifixion[3]. Et tandis qu'il vivait avec eux, [g]il *chanta des hymnes* à Dieu, comme l'attestent les Mémoires des Apôtres. C'est ce que montre la suite du psaume. **2** La voici : (*Ps.* 21., 23)*Je raconterai ton*[4] *nom à mes frères, au milieu de la convocation je te chanterai.* (24)*Vous qui craignez le Seigneur, louez-le ; descendance de Jacob, glorifiez-le tous ; que le craigne toute la descendance d'Israël.*

3 Quand il est dit qu'il [h]changea le *nom* de l'un des Apôtres en celui de *Pierre*[5] – événement qui lui aussi se trouve consigné dans ses[6] Mémoires – outre qu'il a changé encore le *nom* des deux *frères*, fils de *Zébédée*, en celui de *Boanergès*, *c'est-à-dire « fils du tonnerre »*[7], c'était là le signe qu'il était bien celui par qui [i]son surnom fut donné à Jacob devenu Israël, et [j]le nom d'Ausès changé en Jésus[8], nom par lequel fut introduit dans la terre promise aux patriarches le peuple survivant de ceux qui étaient sortis d'Égypte[9].

4 Il devait *se lever* comme *un astre* par la race d'Abraham, Moïse[10] l'a donné à entendre en ces termes : [k]*Il se lèvera un astre de Jacob, et un guide*[11] *d'Israël.* Et une autre Écriture dit : [l]*Voici un homme : Levant*[12] *est son nom.* Aussi [m]lorsqu'un *astre* se *leva*, dans le ciel également[13], au moment même de sa naissance, ainsi qu'il est écrit dans les Mémoires de ses Apôtres, les *mages* d'Arabie, comprenant à ce signe, s'en vinrent et *l'adorèrent*[14].

a Cf. *Matth.* 11, 27 ; *Lc.* 10, 22 ; *Jn.* 13, 3 **b** cf. *Matth.* 16, 21 ; *Mc.* 8, 31 ; *Lc.* 9, 22 **c** cf. *Lc.* 24, 46 ? **d** cf. *Ps.* 21, 24 **e** cf. *Lc.* 24, 36 ; *Jn.* 20, 17 ; *Ps.* 21, 23 **f** cf. *Lc.* 24, 25-27 ; 44-46 ; *Évang. de Pierre*, 26 **g** cf. *Matth.* 26, 30 ; *Mc.* 14, 26 ; *Ps.* 21, 23 **h** cf. *Mc.* 3, 16-17 ; *Év. de Pierre* ? **i** cf. *Gen.* 32, 28 ; 35, 10 **j** cf. *Nombr.* 13, 16 **k** cf. *Nombr.*, 24, 17 **l** *Zach.* 6, 12 **m** cf. *Matth.* 2, 2.9.11.

ἀνατολὴ ὄνομα αὐτῷ. Ἀνατείλαντος οὖν καὶ[1] ἐν οὐρανῷ ἅμα τῷ γεννηθῆναι αὐτὸν *ἀστέρος*, ὡς γέγραπται ἐν τοῖς Ἀπομνημονεύμασι τῶν ἀποστόλων αὐτοῦ, οἱ ἀπὸ Ἀρραβίας[2] *μάγοι*, ἐκ τούτου ἐπι-[fol. 160 r° : A]-γνόντες, παρεγένοντο καὶ *προσεκύνησαν αὐτῷ.*

107. **1** Καὶ ὅτι τῇ τρίτῃ ἡμέρᾳ ἔμελλεν ἀναστήσεσθαι μετὰ τὸ σταυρωθῆναι, γέγραπται ἐν τοῖς[3] Ἀπομνημονεύμασιν ὅτι οἱ ἀπὸ τοῦ γένους ὑμῶν συζητοῦντες αὐτῷ ἔλεγον, ὅτι Δεῖξον ἡμῖν *σημεῖον*. Καὶ *ἀπεκρίνατο* αὐτοῖς· *Γενεὰ πονηρὰ καὶ μοιχαλὶς σημεῖον ἐπιζητεῖ, καὶ σημεῖον οὐ δοθήσεται αὐτοῖς εἰ μὴ τὸ σημεῖον Ἰωνᾶ*. Καὶ ταῦτα λέγοντος αὐτοῦ παρακεκαλυμμένα[4] ἦν νοεῖσθαι ὑπὸ τῶν ἀκουόντων ὅτι μετὰ τὸ σταυρωθῆναι αὐτὸν τῇ τρίτῃ ἡμέρᾳ ἀναστήσεται. **2** Καὶ *πονηροτέραν*[5] τὴν *γενεὰν* ὑμῶν καὶ *μοιχαλίδα* μᾶλλον τῆς Νινευϊτῶν πόλεως ἐδήλου, οἵτινες, τοῦ Ἰωνᾶ *κηρύξαντος* αὐτοῖς μετὰ τὸ ἐκβρασθῆναι αὐτὸν τῇ τρίτῃ ἡμέρᾳ ἀπὸ τῆς *κοιλίας* τοῦ *ἁδροῦ* ἰχθύος ὅτι μετὰ τεσσαράκοντα[6] ἡμέρας παμπληθεὶ ἀπολοῦνται, *νηστείαν* ἁπλῶς πάντων ζῴων, *ἀνθρώπων* τε *καὶ* ἀλόγων[7], μετὰ *σακκο*φορίας καὶ ἐκ-[p 248 : B]-τενοῦς ὀλολυγμοῦ καὶ ἀπὸ τῶν καρδιῶν ἀληθινῆς μετανοίας αὐτῶν καὶ ἀποταγῆς τῆς πρὸς ἀδικίαν[8] *ἐκήρυξαν*, πιστεύσαντες ὅτι ἐλεήμων ὁ θεὸς καὶ φιλάνθρωπός ἐστιν ἐπὶ πάντας τοὺς μετατιθεμένους ἀπὸ τῆς κακίας, ὡς καὶ αὐτὸν τὸν *βασιλέα* τῆς πόλεως ἐκείνης καὶ τοὺς *μεγιστάνας* ὁμοίως σακκοφορήσαντας [fol. 160 v° : A] προσμεμενηκέναι τῇ νηστείᾳ καὶ τῇ ἱκεσίᾳ, καὶ ἐπιτυχεῖν μὴ *καταστραφῆναι* τὴν πόλιν αὐτῶν.

3 Ἀλλὰ καὶ τοῦ Ἰωνᾶ ἀνιωμένου ἐπὶ τῷ τῇ τεσσαρακοστῇ[9] ἡμέρᾳ, ὡς ἐκήρυξε, μὴ καταστραφῆναι τὴν πόλιν, διὰ[10] τῆς οἰκονομίας τοῦ ἐκ τῆς γῆς ἀνατεῖλαι αὐτῷ κικυῶνα[11], ὑφ᾽ ὃν *καθεζόμενος ἐσκιάζετο* ἀπὸ

1 Καὶ : *del.* Marc. 2 Ἀρραβίας : Ἀραβίας B, Mign. 3 Ἐν τοῖς : ἐν τοῖς αὐτοῖς *prop.* Otto, *add.* Marc. 4 Παρακεκαλυμμένα *edd. a* Mar. : παρακεκαλυμένα *codd.* 5 Πονηροτέραν : π. οὖν Marc. 6 Μετὰ τεσσαράκοντα *prop.* Arcerius, Credner (*Beiträge z. Einl. in d. Bibl. Schrr.*, t. II, p. 282), Hilgenfeld (*Theol. Jahrbb.*, IX, p. 414), *ut* T.M., Aq., Theod., Symm. (*Ion.* 3, 4) : μετὰ ἐν ἄλλοις [*vacat spatiuum litt.* 11 : *fuit* γράφεται] τεσσαρακοντατρεῖς *codd.*, Steph., Jebb, Thirlb. μετὰ (ἐν ἄλλοις τρεῖς) τεσσαρακοντατρεῖς Sylb., Mor. μετὰ (ἐν ἄλλοις τεσσαράκοντα) τρεῖς Mar. μετὰ τρεῖς (ἐν ἄλλοις τεσσαράκοντα) Mign. μετὰ τρεῖς *edd. ab* Otto τρεῖς ἡμέραι LXX 7 Ἀνθρώπων τ. κ. ἀλόγων : οἱ ἄνθρωποι καὶ τὰ κτήνη LXX 8 Πρὸς ἀδικίαν : προτέρας ἀδικίας *prop.* Sylb. 9 Τεσσαρακοστῇ Arcerius, Credner, Hilgenfeld : τρίτῃ *edd. ab* Otto τῇ (τεσσαρακοστῇ) τρίτῃ Mar., Mign. τῇ τεσσαρακοστῇ τρίτῃ *codd.*, *cett. edd.* 10 Διὰ : ὁ θεὸς διὰ Marc. 11 Κικυῶνα ...κικυῶν ...κικυῶνος Credner, Otto, Arch. : σικυῶνα... σικυῶν (σικυῶν Thirlb.) ...σικυῶνος *codd.*, *cett. edd.* κολόκυνθα = σικυός *vel* σίκυς LXX.

Le « signe » de Jonas, prophétie de la Résurrection.

107. 1 Il devait ressusciter[1] le troisième jour après sa crucifixion. Aussi est-il écrit dans les Mémoires que ceux de votre race qui disputaient avec lui dirent : [a]Donne-nous *un signe*. Et *il* leur *répondit* : *« Race perverse et adultère, qui réclame un signe ; de signe, il ne leur en sera point donné d'autre que le signe de Jonas »*[2]. A ces paroles voilées, les auditeurs pouvaient comprendre qu'après sa crucifixion, il ressusciterait le troisième jour. **2** Il montrait aussi que votre [b]*race* est plus *perverse* et plus *adultère* que la cité de Ninive[3] ; car lorsque, [c]rejeté le troisième jour du *ventre* du *gros poisson*, Jonas leur *annonça* qu'après quarante jours[4] ils périraient en masse, ils *proclamèrent un jeûne* pour tous les êtres vivants, *hommes et* bêtes, avec port de sacs, violentes lamentations, vraie pénitence du fond du cœur[5], et renoncement à l'injustice : ils croyaient que Dieu est accessible à la pitié et qu'il est philanthrope à l'égard de tous ceux qui se détournent du mal[6]. Si bien que, *le roi* lui-même de cette cité et *les grands* s'étant mis eux aussi à porter des sacs, et à persévérer dans le jeûne et la supplication, il advint que leur ville ne fut point *détruite*.

3 [d]Or Jonas s'irritait de ce qu'au quarantième jour, la cité n'était pas détruite, ainsi qu'il l'avait proclamé. Par l'économie[7] du ricin[8] surgi[9] pour lui de terre – sous lequel il *était assis* pour *se mettre à l'abri* des ardeurs du soleil

a Cf. *Matth.* 12, 38-39 et 16, 1.4 **b** *ibid.* **c** cf. *Jon.* 2, 11-3, 9 **d** cf. *Jon.* 4, 1 s.

καύματος (ἦν δὲ ὁ κικυῶν [κολόκυνθα][1] αἰφνίδιος[2], μήτε φυτεύσαντος τοῦ Ἰωνᾶ μήτε ποτίσαντος, ἀλλ' ἐξαίφνης ἐπανατείλας αὐτῷ *σκιὰν* παρέχειν[3]), καὶ τῆς ἄλλης[4] ξηρᾶναι αὐτόν, ἐφ' ᾧ *ἐλυπεῖτο* Ἰωνᾶς, καὶ[5] ἤλεγξεν αὐτὸν οὐ δικαίως ἀθυμοῦντα ἐπὶ τῷ μὴ κατεστράφθαι τὴν Νινευϊτῶν πόλιν, λέγων · **4** (*Jon.*, 4, 10)*Σὺ ἐφείσω περὶ*[6] *τοῦ κικυῶνος, οὗ*[7] *οὐκ ἐκοπίασας ἐν αὐτῷ, οὔτε ἐξέθρεψας αὐτόν, ὅς ὑπὸ νύκτα αὐτοῦ ἦλθε καὶ ὑπὸ νύκτα αὐτοῦ ἀπώλετο* · (11)*κἀγὼ οὐ φείσομαι ὑπὲρ Νινευΐ, τῆς πόλεως τῆς μεγάλης, ἐν ᾗ κατοικοῦσι πλείους ἢ δώδεκα μυριάδες ἀνδρῶν, οἵ οὐκ ἔγνωσαν ἀνὰ μέσον δεξιᾶς αὐτῶν καὶ ἀνὰ μέσον ἀριστερᾶς αὐτῶν, καὶ κτήνη πολλά.*

108. **1** Καὶ ταῦτα οἱ ἀπὸ τοῦ γένους ὑμῶν ἐπιστάμενοι ἅπαντες γεγενημένα ὑπὸ τοῦ Ἰωνᾶ, καὶ τοῦ Χριστοῦ παρ' ὑμῖν βοῶντος ὅτι *τὸ σημεῖον Ἰωνᾶ* δώσει ὑμῖν, προτρεπόμενος ἵνα κἂν μετὰ τὸ ἀναστῆναι αὐτὸν ἀπὸ τῶν νεκρῶν [p. 249 : B] μετα-[fol. 161 r° : A]-νοήσητε ἐφ' οἷς ἐπράξατε κακοῖς καὶ ὁμοίως Νινευΐταις προσκλαύσητε τῷ θεῷ, ὅπως καὶ τὸ ἔθνος καὶ ἡ πόλις ὑμῶν μὴ ἁλῷ καταστραφεῖσα, ὡς κατεστράφη, **2** Καὶ[8] οὐ μόνον οὐ μετενοήσατε, μαθόντες αὐτὸν ἀναστάντα ἐκ νεκρῶν, ἀλλ', ὡς προεῖπον, ἄνδρας χειροτονήσαντες ἐκλεκτοὺς εἰς πᾶσαν τὴν οἰκουμένην ἐπέμψατε, κηρύσσοντας[9] ὅτι αἵρεσίς τις ἄθεος καὶ ἄνομος ἐξήγερται ἀπὸ Ἰησοῦ τινος Γαλιλαίου *πλάνου,* ὃν σταυρωσάντων ἡμῶν, *οἱ μαθηταὶ αὐτοῦ κλέψαντες αὐτὸν* ἀπὸ τοῦ μνήματος *νυκτός,* ὁπόθεν[10] κατετέθη ἀφηλωθεὶς ἀπὸ τοῦ σταυροῦ, πλανῶσι τοὺς ἀνθρώπους λέγοντες ἐξηγέρθαι αὐτὸν *ἐκ νεκρῶν* καὶ *εἰς οὐρανὸν* ἀνεληλυθέναι[11] κατειπόντες[12] δεδιδαχέναι[13] καὶ[14] ταῦτα ἅπερ κατὰ τῶν ὁμολογούντων Χριστὸν καὶ διδάσκαλον καὶ υἱὸν θεοῦ εἶναι παντὶ γένει ἀνθρώπων ἄθεα καὶ ἄνομα καὶ ἀνόσια λέγετε. **3** Πρὸς τούτοις[15] καὶ ἁλούσης ὑμῶν τῆς πόλεως καὶ *τῆς γῆς ἐρημωθείσης* οὐ μετανοεῖτε, ἀλλὰ καὶ καταρᾶσθαι αὐτοῦ καὶ τῶν πιστευόντων εἰς αὐτὸν πάντων τολμᾶτε. Καὶ ἡμεῖς ὑμᾶς καὶ τοὺς δι'

1 Κολόκυνθα : *del.* Arch. **2** Ἦν – αἰφνίδιος : *in semicirculis* Steph., Jebb ἦν – παρέχειν *edd. ab* Otto (*ut glossema*) **3** Παρέχειν : παρεῖχεν *prop.* Sylb. **4** Καὶ τῆς ἄλλης (*suppl.* ἡμέρας) *prop.* Lange, Thirlb., *coni.* Marc. (*ex* Jon. 4, 7 : τῇ ἐπαύριον) : κἀκ τῆς ἄλλης *cett. edd.* (*suppl.* οἰκονομίας Otto, Arch.) ἀλέης *vel* ἀλέας (*caloris*) *vel* εἵλης *pro* τῆς ἄλλης *prop.* Sylb. **5** Καὶ : *del.* Marc. **6** Περὶ : ὑπὲρ *prop.* Thirlb. (*ex* LXX) **7** Οὗ : περὶ οὗ Marc. (*ex* LXX ὑπὲρ ἧς) *om.* B **8** Καὶ : *delendum* Mar. *del.* Thirlb., Marc. *om. Dial.* 17, 1 **9** Κηρύσσοντας : κηρύσσοντες *prop.* Mar. (*ex* Dial. 17, 1 : λέγοντες) **10** Ὁπόθεν (κλέψαντες) : ὅπου (κατετέθη) Sylb. ὁπόθι Marc. **11** Ἀνεληλυθέναι : ἀνεληθυθέναι *codd.*, Steph. **12** Κατειπόντες (*ut* χειροτονήσαντες) : καὶ κατείποντας Marc. (*ex* κηρύσσοντας) **13** Δεδιδαχέναι : δ. αὐτὸν Marc. **14** Καὶ : *del.* Marc. **15** Πρὸς τούτοις : π. τ. δὲ Marc.

(le ricin était subitement poussé, sans que Jonas l'ait planté ni arrosé : sur-le-champ, il s'était dressé pour lui fournir de *l'ombre*) puis séché, le lendemain – ce dont Jonas *s'affligea*, Dieu, lui reprocha de s'être injustement découragé de ce que la ville n'était pas détruite, lui disant : **4** (*Jon.*, 4, 10)*Tu t'es apitoyé sur le ricin, à propos duquel tu n'avais pas pris de peine, et que tu n'avais point nourri, lui qui vint en sa nuit, et en sa nuit périt.* (11)*Et moi, je n'aurai pas pitié de Ninive, la grande ville, où vivent plus de douze myriades d'hommes qui ne savent point distinguer leur droite de leur gauche, avec des bêtes en grand nombre ?*

Le « signe » de Jonas non compris par les juifs.
Après la Résurrection, loin de faire pénitence, ils ont envoyé par toute la terre des émissaires chargés de répandre la calomnie sur les chrétiens.

108. 1 Ces choses accomplies par Jonas, tous ceux de votre race les connaissaient[1] ; et le Christ, proclamant parmi vous qu'il vous donnerait [a]*le signe de Jonas*, vous avait exhortés à faire pénitence de vos mauvaises actions, au moins après sa résurrection d'entre les morts, et, tels les Ninivites, à gémir devant Dieu, pour que votre nation ainsi que votre ville ne se trouvent pas prises et détruites, comme elles l'ont été[2]. **2** Or, non seulement vous ne vous êtes pas repentis, après avoir appris qu'il était ressuscité des morts, mais, comme je l'ai déjà dit[3], vous avez choisi, en les élisant, des hommes qui furent envoyés par toute la terre habitée. [b]Ils proclamaient qu'une hérésie qui détourne de Dieu et de la Loi[4] avait été suscitée par [c]la *séduction*[5] d'un certain Jésus, Galiléen ; quand nous l'eûmes crucifié, disaient-ils, [d]ses *disciples* le *dérobèrent*, *pendant la nuit*, du tombeau dans lequel il avait été placé après avoir été [e]décloué de la Croix : [f]et ils égarent les hommes en affirmant qu'il est [g]réveillé *des morts* et [h]monté *au ciel*. Et vous l'accusez en outre d'avoir professé ces doctrines que, pour combattre ceux qui le reconnaissent comme Christ, didascale et fils de Dieu[6], vous dénoncez à tout le genre humain comme détournant de Dieu, de sa Loi et de ses décrets. **3** Bien plus, loin de vous repentir en voyant votre ville prise et [i]*votre terre dévastée*[7], vous avez l'audace, au contraire, de le maudire, lui et tous ceux qui croient en lui. Tandis que nous, nous n'éprouvons de haine ni pour vous ni pour ceux qui par vous

a Cf. *Matth.* 12, 38-39 et 16, 1.4 **b** cf. *Matth.* 28, 15 **c** cf. *Matth.* 27, 63 **d** cf. *Matth.* 28, 13 ; *Év. de Pierre*, 21 **e** cf. *Év. de Pierre*, 21 **f** cf. *Matth.* 27, 63-64 **g** *ibid.* **h** cf. *Mc.* 16, 19 ; *Lc.* 24, 51 ; *Act.* 1, 9-11 **i** cf. *Is.* 1, 7.

ὑμᾶς τοιαῦτα καθ' ἡμῶν ὑπειληφότας οὐ μισοῦμεν, ἀλλ εὐχόμεθα κἂν νῦν μετανοήσαντας πάντας ἐλέους τυχεῖν παρὰ τοῦ εὐσπλάγχνου καὶ *πολυελέου* πατρὸς τῶν [fol. 161 v° : A] ὅλων θεοῦ.

109. 1 'Αλλ' ὅτι τὰ ἔθνη μετανοεῖν[1] ἀπὸ τῆς κακίας, ἐν ᾗ *πλανώμενοι* ἐπολιτεύοντο, ἀκούσαντα τὸν ὑπὸ[2] τῶν ἀποστόλων αὐτοῦ ἀπὸ Ἱερουσαλὴμ κηρυχθέντα < καὶ >[3] δι' αὐτῶν[4] μαθόντα[5] λόγον, καὶ[6] λόγους βραχεῖς λέγοντός μου ἀπὸ προφητείας Μιχαίου, ἑνὸς τῶν δώδεκα, ἀνάσχεσθε.

2 Εἰσὶ δὲ οὗτοι · (*Mich.* 4, 1)*Καὶ ἔσται ἐπ' ἐσχάτου ἡμερῶν*[7] *ἐμφανὲς τὸ ὄρος κυρίου, ἕτοι*-[p. 250 : B]-*μον ἐπ' ἄκρου*[8] *τῶν ὀρέων, ἐπηρμένον αὐτὸ ὑπὲρ τοὺς βουνούς* · (2)*καὶ ποταμωθήσονται*[9] *ἐπ' αὐτῷ λαοί, καὶ πορεύσονται ἔθνη πολλά, καὶ ἐροῦσι · Δεῦτε, ἀναβῶμεν εἰς τὸ ὄρος κυρίου, καὶ εἰς τὸν οἶκον τοῦ θεοῦ 'Ιακώβ, καὶ φωτιοῦσιν ἡμᾶς*[10] *τὴν ὁδὸν αὐτοῦ, καὶ πορευσόμεθα ἐν ταῖς τρίβοις αὐτοῦ. Ὅτι ἐκ Σιὼν ἐξελεύσεται νόμος καὶ λόγος κυρίου ἐξ Ἱερουσαλήμ,* (3)*καὶ κρινεῖ ἀνὰ μέσον λαῶν πολλῶν καὶ ἐλέγξει ἔθνη ἰσχυρὰ ἕως μακράν · καὶ συγκόψουσι τὰς μαχαίρας αὐτῶν εἰς ἄροτρα καὶ τὰς ζιβύνας*[11] *αὐτῶν εἰς δρέπανα, καὶ οὐ μὴ ἄρῃ ἔθνος ἐπ' ἔθνος μάχαιραν, καὶ οὐ μὴ μάθωσιν ἔτι πολεμεῖν.* **3** (4)*Καὶ καθίσεται ἀνὴρ ὑποκάτω ἀμπέλου αὐτοῦ καὶ ὑποκάτω συκῆς αὐτοῦ, καὶ οὐκ ἔσται ὁ ἐκφοβῶν, ὅτι στόμα κυρίου τῶν δυνάμεων ἐλάλησεν* · (5)*ὅτι πάντες οἱ λαοὶ πορεύσονται ἐν ὀνόματι θεῶν αὐτῶν, ἡμεῖς δὲ πορευσόμεθα ἐν ὀνόματι κυρίου θεοῦ ἡμῶν εἰς τὸν αἰῶνα.* [fol. 162 r° : A] (6)*Καὶ ἔσται*[12] *ἐν τῇ ἡμέρᾳ ἐκείνῃ, συνάξω τὴν ἐκτεθλιμμένην, καὶ τὴν ἐξωσμένην ἀθροίσω καὶ ἣν ἐκάκωσα,* (7)*καὶ θήσω τὴν ἐκτεθλιμμένην εἰς ὑπόλειμμα καὶ τὴν ἐκπεπιεσμένην*[13] *εἰς ἔθνος ἰσχυρόν · καὶ βασιλεύσει κύριος ἐπ' αὐτῶν ἐν τῷ ὄρει Σιὼν ἀπὸ τοῦ νῦν καὶ ἕως τοῦ αἰῶνος.*

1 Μετανοεῖν : μ. ἔμελλον *prop.* Sylb., Mar., Otto, *add.* Marc. **2** Ὑπὸ *prop.* Thirlb., *coni.* Otto, Arch., Marc. : ἀπὸ *codd.*, *cett. edd.* **3** Καὶ *addendum.* Mar., *add.* Otto, Arch., Goodsp. τοῦ *coni.* Marc. *om. codd.*, *cett. edd.* **4** Αὐτῶν : αὐτοὺς *prop.* Sylb., *coni.* Marc. **5** Μαθόντα *prop.* Mar., *coni.* Otto, Arch., Goodsp. : παθόντος (= Χριστοῦ) Marc. παθόντα *codd.*, *cett. edd.* **6** Καὶ : κἂν *coni.* Marc. **7** Ἡμερῶν : τῶν ἡμ. Marc. (*ex* LXX) **8** 'Επ' ἄκρου *codd.*, Mar., Mign., Troll., *edd. ab* Otto : ἀπ' ἄκρου *cett. edd.* ἐπὶ τὰς κορυφὰς LXX **9** Ποταμωθήσονται Fr. Field (*Origenis Hexapla*, Oxonii 1875) *ad loc* (cf. Is. 2, 2 Aquila : ποταμωθήσονται *et* Jr. 28, 44 Aquila), Rahlfs, ZNTW 20 (1921), p. 194 s., Marc. : ποταμὸν θήσονται *codd.*, *cett. edd.* σπεύσουσιν LXX **10** Ἡμᾶς : ἡμῖν Marc. (*ex* LXX) **11** Τὰς ζιβύνας (cod. Alex.) *codd*, *edd.* : τὰ δόρατα LXX **12** Ἔσται (= LXX) : ἔτι Marc. **13** 'Εκπεπιεσμένην *codd.*, Mar., Troll., *edd. ab* Otto : ἐκπεπεισμένην *cett. edd.* ἀπωσμένην LXX.

conçoivent contre nous[8], mais nous prions pour que, même en vous convertissant maintenant[9], vous trouviez tous pitié auprès de Dieu, Père de l'univers [a]miséricordieux[10] et [b]*plein de compassion*[11].

Les nations ont entendu le Verbe qui, de Jérusalem, était proclamé par les Apôtres. Prophétie de Michée.

109. 1 Les nations, pour leur part, devaient faire pénitence du mal où elles vivaient *égarées*[1], en entendant le Verbe qui, de Jérusalem[2], était proclamé par ses Apôtres, et en en recevant l'enseignement par leur intermédiaire[3]. Souffrez que sur ce point je vous cite quelques courtes paroles de la prophétie de Michée, l'un des douze[4].

2 Les voici : (*Mich.* 4, 1)*Tout à la fin des jours, deviendra visible la montagne du Seigneur*[5], *établie au sommet des montagnes ; elle sera élevée au-dessus des collines ;* (2)*sur elle afflueront*[6] *les peuples, et vers elle s'avanceront des nations nombreuses, qui diront : Venez, et montons à la montagne du Seigneur, et à la maison du Dieu de Jacob*[7] *: ils nous éclaireront*[8] *sa voie, et dans ses sentiers nous nous avancerons. Car de Sion sortira la Loi, et de Jérusalem le Verbe du Seigneur*[9] *;* (3)*il jugera entre des peuples nombreux, et il accusera des nations puissantes, jusqu'aux contrées lointaines. Ils forgeront leurs glaives en charrues, et leurs lances en serpes ; jamais plus nation contre une autre nation ne lèvera l'épée, et on n'apprendra plus à mener une guerre.* **3** (4)*L'homme s'assiéra au-dessous de sa vigne, et dessous son figuier, et il n'y aura personne pour l'effrayer, car la bouche du Seigneur des Puissances a parlé.* (5)*Tous les peuples, en effet, s'avanceront au nom de leurs dieux, mais nous, nous nous avancerons au nom du Seigneur notre Dieu, à jamais et toujours.* (6)*Voici qu'en ce jour-là, je recueillerai celle qui est opprimée, et je rassemblerai celle qui est rejetée, et que j'ai mise à mal :* (7)*de celle qui est opprimée, je ferai un reste*[10], *et de celle qui est accablée une nation forte. Et le Seigneur régnera sur eux, au mont Sion, dès maintenant et pour toujours*[11].

a Cf. *Éphés.* 4, 32 ; *I Petr.* 3, 8 ? **b** cf. *Jon.* 4, 2 ?

110. **1** Καὶ τελέσας ταῦτα ἐπεῖπον · Καὶ ὅτι οἱ[1] διδάσκαλοι ὑμῶν, ὦ ἄνδρες, τοὺς πάντας λόγους τῆς περικοπῆς ταύτης εἰς τὸν Χριστὸν ὁμολογοῦσιν εἰρῆσθαι ἐπίσταμαι · καὶ αὐτὸν ὅτι οὐδέπω φασὶν ἐληλυθέναι, καὶ τοῦτο γινώσκω · εἰ δὲ καὶ ἐληλυθέναι λέγουσιν, οὐ γινώσκεται ὅς ἐστιν, ἀλλ' ὅταν ἐμφανὴς καὶ ἔνδοξος γένηται, τότε γνωσθήσεται ὅς ἐστι, φασί. **2** Καὶ τότε τὰ εἰρημένα ἐν τῇ περικοπῇ ταύτῃ φασὶν ἀποβήσεσθαι, [p. 251 : B] ὡς μηδενὸς μηδέπω καρποῦ ἀπὸ τῶν λόγων τῆς προφητείας γενομένου · ἀλόγιστοι, μὴ συνιέντες, ὅπερ διὰ πάντων τῶν λόγων ἀποδέδεικται, ὅτι δύο παρουσίαι αὐτοῦ κατηγγελμέναι εἰσί · μία μέν, ἐν ᾗ παθητὸς καὶ *ἄδοξος* καὶ *ἄτιμος* καὶ σταυρούμενος κεκήρυκται, ἡ δὲ δευτέρα, ἐν ᾗ *μετὰ δόξης ἀπὸ τῶν οὐρανῶν* παρέσται, ὅταν καὶ *ὁ* τῆς ἀποστασίας *ἄνθρωπος*, ὁ καὶ *εἰς τὸν ὕψιστον ἔξαλλα*[2] *λαλῶν*[3], ἐπὶ τῆς γῆς ἄνομα τολμήσῃ εἰς ἡμᾶς τοὺς Χριστιανούς, οἵτινες, ἀπὸ τοῦ *νόμου* καὶ τοῦ *λόγου τοῦ ἐπελθόντος*[4] ἀπὸ *Ἱερουσαλὴμ* διὰ τῶν τοῦ Ἰησοῦ [fol. 162 v° : A] ἀποστόλων τὴν θεοσέβειαν ἐπιγνόντες, ἐπὶ τὸν θεὸν Ἰακὼβ καὶ θεὸν Ἰσραὴλ κατεφύγομεν.

3 Καὶ οἱ πολέμου καὶ ἀλληλοφονίας[5] καὶ πάσης κακίας μεμεστωμένοι ἀπὸ πάσης τῆς γῆς τὰ πολεμικὰ ὄργανα ἕκαστος, *τὰς μαχαίρας εἰς ἄροτρα* καὶ *τὰς ζιβύνας* εἰς γεωργικά[6], μετεβάλομεν, καὶ γεωργοῦμεν εὐσέβειαν, δικαιοσύνην, φιλανθρωπίαν, πίστιν, ἐλπίδα τὴν παρ' αὐτοῦ τοῦ πατρὸς διὰ τοῦ σταυρωθέντος[7], *ὑπὸ τὴν ἄμπελον* τὴν ἑαυτοῦ ἕκαστος *καθεζόμενοι*, τουτέστι μόνῃ τῇ γαμετῇ γυναικὶ ἕκαστος χρώμενοι · ὅτι γὰρ ὁ Λόγος ὁ προφητικὸς λέγει · *Καὶ ἡ γυνὴ αὐτοῦ ὡς ἄμπελος εὐθηνοῦσα*, ἐπίστασθε. **4** Καὶ ὅτι οὐκ ἔστιν ὁ *ἐκφοβῶν* καὶ δουλαγωγῶν ἡμᾶς, τοὺς ἐπὶ τὸν Ἰησοῦν πεπιστευκότας κατὰ πᾶσαν τὴν γῆν, φανερόν ἐστι. Κεφαλοτομούμενοι γὰρ καὶ σταυρούμενοι καὶ θηρίοις παραβαλλόμενοι[8] καὶ δεσμοῖς καὶ πυρὶ καὶ πάσαις ταῖς ἄλλαις βασάνοις ὅτι οὐκ ἀφιστάμεθα τῆς ὁμολογίας, δηλόν ἐστιν, ἀλλ' ὅσῳπερ ἂν τοιαῦτά τινα γίνηται, τοσούτῳ μᾶλλον ἄλλοι πλειόνες πιστοὶ καὶ θεοσεβεῖς διὰ τοῦ ὀνόμα-[p. 252 : B]-τος τοῦ Ἰησοῦ γίνονται. Ὁποῖον ἐὰν ἀμπέλου τις ἐκτέμῃ τὰ καρποφορήσαντα μέρη, εἰς τὸ ἀναβλαστῆσαι ἑτέρους κλάδους

1 Οἱ : *om.* Mar. **2** Ἔξαλλα : βλάσφημα καὶ τολμηρά Dial. 32, 3 ῥήματα εἰς τὸν ὕψιστον λαλήσει (Dan. 7, 25) *et* ἐπὶ τὸν θεὸν τῶν θεῶν ἔξαλλα λαλήσει (*ibid.*, 11, 36) LXX λόγους πρὸς τὸν θεὸν λαλήσει (Dan. 7, 25) *et* λαλήσει ὑπέρογκα (*ibid.*, 11, 36) Theodot. **3** Λαλῶν, ἐπὶ τῆς γῆς ἄνομα τολμήσῃ : λαλῶν ἐπὶ τ. γ., ἄνομα τ. Mar. **4** Ἐπελθόντος : ἐξελθόντος *prop.* Thirlb., *coni. edd. ab* Otto **5** Ἀλληλοφονίας : ἀλληλοφωνίας *codd.* **6** Γεωργικά : γ. ὄργανα Marc. (*ex* Irenaeo, *Adv. Haer.*, IV, 34, 4) **7** Σταυρωθέντος : Marc. *add.* δοθεῖσαν ἡμῖν ἔχοντες (*ex* Dial. 96, 1 ; 139, 4) **8** Παραβαλλόμενοι : *post* βασάνοις *transp.* Marc.

La prophétie de Michée ne s'est qu'en partie réalisée par la conversion des nations. Le reste s'accomplira lors de la seconde parousie.

110. 1 Ayant achevé, j'ajoutai : vos didascales, mes amis, reconnaissent, je le sais, que les paroles de ce passage se réfèrent toutes au Messie[1]. Ils affirment d'autre part, je le sais aussi, qu'il n'est point encore venu ; et s'il est venu, déclarent-ils, [a]on ne sait qui il est[2] ; c'est, disent-ils, lorsqu'il se manifestera dans la gloire, qu'on saura qui il est. **2** Alors, déclarent-ils, ce qui est évoqué dans ce passage se réalisera, comme si aucune des paroles de la prophétie n'avait encore porté de fruit[3]. Insensés, qui ne comprennent pas ce qui par toutes les paroles se trouve démontré : que deux parousies ont été proclamées, l'une où il est annoncé [b]souffrant, [c]*sans gloire* et [d]*sans honneur*[4], crucifié ; la seconde où [e]*avec gloire*, [f]*du haut des cieux*[5] il paraîtra, lorsque [g]*l'homme de* l'apostasie[6], [h]qui *contre le Très-Haut profère des insolences*, osera sur la terre ses iniquités, contre nous, les chrétiens, qui, par la [i]*Loi* et le *Verbe venu depuis*[7] *Jérusalem* avec les Apôtres de Jésus, avons appris à connaître la piété, et nous sommes réfugiés[8] vers le [j]*Dieu de Jacob* et le Dieu d'Israël[9].

3 Nous qui étions remplis de guerre, de meurtre mutuel, et de toute sorte de mal, [k]en tout lieu de la terre[10] nous avons transformé [l]nos instruments de guerre, *les épées en charrues*[11], et les *lances* en outils de culture[12]. Et nous cultivons la piété, la justice, l'amour de nos semblables, la foi, l'espérance qui vient du Père[13] lui-même par le crucifié, chacun étant [m]*assis dessous sa* propre *vigne*, je veux dire jouissant de son unique et légitime femme, car le Verbe prophétique dit, vous le savez : [n]*Sa femme est comme une vigne féconde*[14]. **4** Et [o]qu'*il n'y* ait *personne pour* nous *effrayer* et pour nous asservir, nous qui [p]en tout lieu de la terre[15] avons cru en Jésus, c'est chose manifeste : on nous tranche la tête, on nous crucifie, on nous livre aux bêtes, aux chaînes, au feu, et à toutes les autres sortes de tortures, et pourtant, vous voyez, nous ne renonçons pas[16] à notre profession de foi ; au contraire, plus nous sommes soumis à de tels traitements, et plus s'accroît le nombre de ceux qui, par le nom de Jésus[17], accèdent à la foi et à la piété. Ainsi, quand d'une vigne on taille les parties qui ont porté des fruits, elle donne, en repoussant, de nouveaux sarments

a Cf. *Jn.* 7, 27 **b** cf. *Is.* 53, 3-4 **c** *ibid.*, 3 **d** *ibid.*, 2 **e** cf. *Is.* 33, 17 ; *Matth.* 25, 31 **f** cf. *Dan.* 7, 13-14 ; *Matth.* 24, 30 **g** cf. *II Thess.* 2, 3 **h** cf. *Dan.* 7, 25 et 11, 36 **i** cf. *Mich.* 4, 2 **j** *ibid.* **k** cf. *Ps.* 18, 5 **l** cf. *Mich.* 4, 3 **m** *ibid.*, 4, 4 **n** *Ps.* 127, 3 **o** cf. *Mich.* 4, 4 **p** cf. *Ps.* 18, 5.

καὶ εὐθαλεῖς καὶ καρποφόρους ἀναδίδωσι, τὸν αὐτὸν τρόπον καὶ ἐφ' ἡμῶν γίνεται · ἡ γὰρ φυ-[fol. 163 r° : A]-τευθεῖσα ὑπὸ τοῦ θεοῦ *ἄμπελος* καὶ σωτῆρος Χριστοῦ ὁ λαὸς αὐτοῦ ἐστι.

5 Τὰ δὲ λοιπὰ τῆς προφητείας ἐν τῇ δευτέρᾳ αὐτοῦ παρουσίᾳ ἀποβήσεται. *Τὴν* γὰρ *ἐκτεθλιμμένην < καὶ ἐξωσμένην >*[1], τουτέστιν ἀπὸ τοῦ κόσμου, ὅσον[2] ἐφ' ὑμῖν καὶ τοῖς ἄλλοις ἅπασιν ἀνθρώποις, οὐ[3] μόνον ἀπὸ τῶν κτημάτων τῶν ἰδίων ἕκαστος τῶν Χριστιανῶν ἐκβέβληται ἀλλὰ καὶ τοῦ κόσμου παντός, ζῆν μηδενὶ Χριστιανῷ συγχωροῦντες[4]. **6** Ὑμεῖς δὲ ἐπὶ τὸν λαὸν ὑμῶν συμβεβηκέναι τοῦτό φατε. Εἰ δὲ ἐξεβλήθητε πολεμηθέντες, δικαίως μὲν ὑμεῖς ταῦτα πεπόνθατε, ὡς αἱ γραφαὶ πᾶσαι μαρτυροῦσιν · ἡμεῖς δέ, οὐδὲν τοιοῦτον πράξαντες μετὰ τὸ ἐπιγνῶναι τὴν ἀλήθειαν τοῦ θεοῦ, μαρτυρούμεθα ὑπὸ τοῦ θεοῦ, σὺν τῷ δικαιοτάτῳ καὶ μόνῳ *ἀσπίλῳ* καὶ ἀναμαρτήτῳ Χριστῷ ὅτι ἀπὸ γῆς *αἰρόμεθα*. Βοᾷ γὰρ Ἡσαΐας · *Ἰδοὺ ὡς ὁ δίκαιος ἀπώλετο, καὶ οὐδεὶς ἐκδέχεται τῇ καρδίᾳ · καὶ*[5] *ἄνδρες δίκαιοι αἴρονται, καὶ οὐδεὶς κατανοεῖ.*

111. 1 Καὶ ὅτι δύο παρουσίας συμβολικῶς[6] γενήσεσθαι τούτου τοῦ Χριστοῦ καὶ ἐπὶ[7] Μωσέως[8] προελέγετο, προεῖπον διὰ τοῦ συμβόλου τῶν ἐν τῇ νηστείᾳ προσφερομένων τράγων.

Καὶ πάλιν ἐν οἷς ἐποίησαν Μωσῆς[9] καὶ Ἰησοῦς τὸ αὐτὸ προκηρυσσόμενον συμβολικῶς ἦν καὶ λεγόμενον. Ὁ μὲν γὰρ αὐτῶν τὰς χεῖρας ἐκτείνας ἐπὶ τοῦ βουνοῦ μέχρις [fol. 163 v° : A] ἑσπέρας ἔμενεν, ὑποβασταζομένων τῶν [p. 253 : B] χειρῶν, ὃ οὐδενὸς ἄλλου τύπον δείκνυσιν ἢ τοῦ σταυροῦ[10], ὁ δὲ τῷ Ἰησοῦ ὀνόματι μετονομασθεὶς ἦρχε τῆς μάχης, καὶ ἐνίκα Ἰσραήλ.

2 Ἦν δὲ καὶ τοῦτο ἐπ' ἀμφοτέρων τῶν ἁγίων ἀνδρῶν ἐκείνων καὶ προφητῶν τοῦ θεοῦ νοῆσαι γεγενημένον, ὅτι ἀμφότερα τὰ μυστήρια εἷς αὐτῶν βαστάσαι οὐκ ἦν δυνατός, λέγω δὲ τὸν τύπον τοῦ σταυροῦ καὶ τὸν τύπον τῆς τοῦ ὀνόματος ἐπικλήσεως · ἑνὸς γὰρ μόνου ἡ ἰσχὺς αὕτη ἐστι καὶ ἦν καὶ ἔσται, οὗ καὶ τὸ ὄνομα πᾶσα ἀρχὴ δέδιεν, ὠδίνουσα ὅτι δι' αὐτοῦ καταλύεσθαι μέλλουσιν. Ὁ οὖν παθητὸς ἡμῶν καὶ σταυρωθεὶς

1 Καὶ ἐξωσμένην *addendum* Mar., *add.* Otto, Arch. : τότε συνάξει, καὶ ἀωροίσει τὴν ἐξωσμένην *addendum* Thirlb., *add.* Marc. (*ex* Mich. 4, 6 = Dial. 109, 3) *om. codd., cett. edd.* **2** Ὅσον : ὅσον γὰρ Marc. **3** Οὐ : οἷς οὐ *prop.* Thirlb. **4** Συγχωροῦντες : –οῦσι *prop.* Sylb., –οῦσιν Otto – οῦντων *coni.* Marc. **5** Καὶ (= LXX, Dial., 16, 5 ; I Apol. 48, 5) : *om.* Mar. **6** Συμβολικῶς : *post* Χριστοῦ *aut ante* προελέγετο *transponere prop.* Otto *post* ὅτι *transp.* Marc. **7** Ἐπὶ (cf. 99, 1 : ἐπὶ Χριστοῦ ; 119, 1 : ἐπὶ Μωσέως) : ὑπὸ *prop.* Sylb., *coni.* Arch., Goodsp., Marc. **8** Μωσέως : Μωϋσέως Otto, Mign., Goodsp. **9** Μωσῆς : Μωϋσῆς Otto, Mign., Goodsp. **10** Ὃ – σταυροῦ *in semicirculis* Marc.

qui fleurissent aussi, puis portent des fruits. Il en va de même pour nous : car la [a]*vigne* plantée par le Christ, Dieu et Sauveur, c'est son peuple[18].

5 Quant au reste de la prophétie, c'est lors de son second avènement qu'il se réalisera. Lorsqu'il dit [b]*celle qui est opprimée* et *rejetée*, cela s'entend hors du monde[19] : pour autant qu'il dépend de vous[20], et de tous les autres hommes, chaque chrétien est chassé non seulement de ses propres biens, mais encore du monde entier, car à aucun chrétien on ne permet de vivre. **6** Vous dites, quant à vous, que cette prophétie s'est réalisée sur votre peuple. Mais si vous avez été chassés, après avoir été vaincus à la guerre, il est juste[21] que vous ayez eu à subir cette épreuve, comme toutes les Écritures en témoignent. Tandis que nous, qui une fois connue la vérité de Dieu[22], n'avons rien fait de semblable, nous recevons de Dieu témoignage qu'avec le Christ très juste, unique [c]*immaculé* et [d]exempt de péché[23], nous sommes [e]*enlevés de terre*[24]. Car Isaïe s'écrie : [f]*Voici que périt le juste, et nul n'y prête attention en son cœur ; des hommes justes sont enlevés, et personne n'y songe*[25] *!*

Les deux parousies et le double sens de la crucifixion étaient annoncés par le symbole des deux boucs, l'attitude de Moïse lors du combat contre Amalek, le sang de la Pâque à la sortie d'Égypte, et le cordeau d'écarlate confié à Raab.

111. 1 Au temps de Moïse aussi, deux parousies[1] de ce Christ ont été symboliquement annoncées : je l'ai déjà dit en évoquant le symbole des [g]boucs offerts à l'occasion du jeûne[2].

Et dans [h]ce que firent Moïse et Josué[3], la même chose encore se trouvait symboliquement proclamée à l'avance et dite. L'un d'eux, les mains étendues, resta sur la colline jusqu'au soir[4], tandis qu'on lui soutenait les mains, ce qui ne peut représenter que le type de la Croix ; l'autre, surnommé Jésus, était à la tête du combat, et Israël était vainqueur[5].

2 On pouvait, en ces deux saints hommes et prophètes[6] de Dieu, comprendre encore ceci : c'est qu'aucun d'eux ne pouvait à lui seul porter les deux mystères, j'entends le type de la Croix et le type du nom substitué. Un seul a disposé, dispose et disposera d'une semblable force[7], celui dont toute Puissance redoute le nom[8], angoissée de savoir qu'elles sont destinées à être par lui détruites. Notre Christ souffrant et crucifié n'a donc pas été [i]*maudit*

a Cf. *Jn.* 15, 1-2 ? **b** cf. *Mich.* 4, 6 **c** cf. *I Petr.* 1, 19 **d** cf. *Is.* 53, 9 **e** cf. *Is.* 53, 8 **f** *Is.* 57, 1 **g** cf. *Lév.* 16, 7 s. **h** cf. *Exod.* 17, 8 s. **i** cf. *Deut.* 21, 23.

Χριστὸς οὐ *κατηράθη* ὑπὸ τοῦ νόμου, ἀλλὰ μόνος σώσειν τοὺς μὴ ἀφισταμένους τῆς πίστεως[1] αὐτοῦ ἐδήλου[2].

3 Καὶ τοὺς ἐν Αἰγύπτῳ δὲ σωθέντας, ὅτε ἀπώλλυντο τὰ πρωτότοκα τῶν Αἰγυπτίων, τὸ τοῦ πάσχα ἐρρύσατο αἷμα, τὸ ἑκατέρωσε τῶν *σταθμῶν* καὶ τοῦ ὑπερθύρου χρισθέν. Ἦν *γὰρ τὸ πάσχα* ὁ *Χριστός*, ὁ *τυθεὶς* ὕστερον, ὡς καὶ Ἡσαΐας ἔφη · Αὐτὸς *ὡς πρόβατον ἐπὶ σφαγὴν ἤχθη*. Καὶ ὅτι ἐν ἡμέρᾳ τοῦ πάσχα συνελάβετε αὐτὸν καὶ ὁμοίως ἐν τῷ πάσχα ἐσταυρώσατε, γέγραπται. Ὡς δὲ τοὺς ἐν Αἰγύπτῳ ἔσωσε τὸ αἷμα τοῦ πάσχα, οὕτως καὶ τοὺς πιστεύσαντας ῥύσεται ἐκ θανάτου τὸ αἷμα τοῦ Χριστοῦ. **4** Ἔμελλεν οὖν ὁ θεὸς πλανᾶσθαι, [fol. 164 r° : A] εἰ μὴ τὸ *σημεῖον* τοῦτο ἐπὶ τῶν θυρῶν ἐγεγόνει ; Οὔ φημι ἐγώ, ἀλλ' ὅτι προεκήρυσσε τὴν μέλλουσαν δι' αἵματος τοῦ Χριστοῦ γενήσεσθαι σωτηρίαν τῷ γένει τῶν ἀνθρώπων.

Καὶ γὰρ τὸ[3] σύμβολον τοῦ *κοκκίνου σπαρτίου*[4], οὗ ἔδωκαν ἐν Ἱεριχῷ οἱ ἀπὸ Ἰησοῦ τοῦ Ναυῆ πεμφθέντες κατάσκοποι *Ῥαὰβ τῇ πόρνῃ*, εἰπόντες προσδῆσαι αὐ-[p. 254 : B]-τὸ *τῇ θυρίδι*, δι' ἧς αὐτοὺς ἐχάλασεν ὅπως λάθωσι τοὺς πολεμίους, ὁμοίως τὸ σύμβολον τοῦ αἵματος τοῦ Χριστοῦ ἐδήλου, δι' οὗ οἱ πάλαι *πόρνοι* καὶ ἄδικοι ἐκ πάντων τῶν ἐθνῶν σῴζονται, ἄφεσιν ἁμαρτιῶν λαβόντες καὶ μηκέτι ἁμαρτάνοντες.

112. **1** Ὑμεῖς δέ, ταῦτα ταπεινῶς ἐξηγούμενοι, πολλὴν ἀσθένειαν καταψηφίζεσθε τοῦ θεοῦ, εἰ ταῦτα οὕτως ψιλῶς ἀκούοιτε καὶ μὴ τὴν δύναμιν ἐξετάζοιτε τῶν εἰρημένων. Ἐπεὶ καὶ Μωϋσῆς[5] οὕτω παράνομος ἂν κριθείη · αὐτὸς < γὰρ >[6] παραγγείλας μηδενὸς *ὁμοίωμα* γίνεσθαι, μήτε τῶν ἐπὶ[7] τῷ *οὐρανῷ* μήτε τῶν ἐπὶ *γῆς* ἢ θαλάσσης[8], ἔπειτα *ὄφιν χαλκοῦν* αὐτὸς *ἐποίει*, καὶ *στήσας ἐπὶ σημείου* τινὸς ἐκέλευσεν εἰς αὐτὸν ὁρᾶν τοὺς *δεδηγμένους*[9] · οἱ δ' ἐσῴζοντο εἰς αὐτὸν ἀποβλέποντες. **2** Ὁ *ὄφις* ἄρα νοηθήσεται σεσωκέναι τὸν λαὸν τότε, ὅν, προεῖπον[10],

1 Πίστεως *prop.* Sylb., Mar., *coni.* Troll., *edd ab* Otto : γῆς τέως *codd.*, *cett. edd.* **2** Ἐδήλου : ἐδηλοῦτο *prop.* Mar. **3** Τὸ : *om.* Mar., Mign. **4** Σπαρτίου : *corr. ex* σπορτίου A **5** Μωϋσῆς : Μωσῆς Arch. **6** Γὰρ *edd. ab* Otto : αὐτός · παραγγείλας γὰρ *prop.* Mar. αὐτός, ὃς Thirlb. *om. codd.* (*ob similitudinem syllabae* παρ-, *ut* Mar. *vidit*), *cett. edd.* **7** Ἐπὶ : ἐν *prop.* Otto, *coni.* Marc. (*ex* LXX : ἐν τῷ οὐρανῷ ἄνω *et* Dial. 94, 1 : ἐν οὐρανῷ ἄνω) ἐπὶ τοῦ οὐρανοῦ *prop.* Sylb. **8** Θαλάσσης : ὑπὸ θ. Marc. (*ex* LXX : ἐν τοῖς ὕδασιν ὑποκάτω τῆς γῆς) **9** Δεδηγμένους : δ. ὑπ' ὄφεως Marc. (*ex* LXX : οἱ ὀφιόδηκτοι) **10** Προεῖπον : *in semicirculis* Steph., Mar., Mign. ὡς πρ. *prop.* Sylb., *coni.* Otto, Troll., Arch., Marc. (*ex* Dial. 5, 6 ; 47, 2 ; 104, 1 ; 108, 2 ; 125, 4 ; 131, 4 ; 140, 1).

par la Loi[9], mais il a fait connaître que seul il sauverait ceux qui ne seraient pas éloignés de sa foi[10].

3 Ceux qui en Égypte ont été sauvés, tandis que périssaient les premiers-nés des Égyptiens, c'est le sang de la Pâque qui les a préservés, [a]celui dont on avait oint[11] les *montants* et le linteau des portes. [b]*Car la Pâque*, c'était le *Christ*, qui *fut* plus tard *immolé*, ainsi que le dit Isaïe : [c]*Comme une brebis, il a été conduit à l'abattoir*[12]. C'est le jour de la Pâque que vous l'avez emmené, et c'est également le jour de la Pâque que vous l'avez crucifié[13] : c'est écrit. Et de même que le sang de la Pâque a sauvé ceux qui étaient en Égypte, de même aussi le sang du Christ préservera de la mort ceux qui auront cru. **4** Est-ce donc que Dieu se serait égaré, si ce [d]*signe*[14] ne s'était trouvé sur les portes ? Ce n'est pas cela que je dis, mais qu'il proclamait à l'avance le Salut qui, par le sang du Christ, devait advenir pour le genre humain.

Quant au symbole du [e]*cordeau d'écarlate*[15], qu'à Jéricho les espions envoyés par Jésus, fils de Navé, donnèrent à *Raab la prostituée*, en lui disant de le suspendre *à la fenêtre* par laquelle elle les avait faits sortir afin qu'ils échappent à leurs ennemis, il offrait également le symbole du sang du Christ, par qui sont sauvés[16] ceux qui jadis étaient, dans toutes les nations, livrés à l'injustice et la *prostitution*, en recevant rémission des péchés, et en n'en commettant plus.

Seule l'interprétation chrétienne d'épisodes tels que celui du serpent d'airain permet de résoudre leur apparente contradiction avec la Loi. Les didascales n'ont qu'une lecture « terre-à-terre » des Écritures.

112. 1 Mais vous, qui donnez de ces choses une courte interprétation, vous assignez à Dieu une bien grande faiblesse[1], en entendant tout cela de façon si sommaire, sans rechercher la force[2] de ce qui est dit. Avec une telle méthode, même Moïse, pourrait être accusé de transgresser la Loi : car c'est lui-même qui, ayant personnellement proscrit [f]toute *représentation* des choses qui se trouvent dans *le ciel*, sur *la terre* ou dans la mer, [g]*fit* par la suite un *serpent d'airain*[3], qu'il *dressa sur un* certain[4] *signe* et ordonna de regarder à ceux qui avaient été *mordus* : or ils étaient sauvés, quand ils gardaient sur lui les yeux fixés. **2** Pensera-t-on alors que dans ces circonstances, le peuple dut son salut au *serpent*, lui dont j'ai déjà dit[5] que Dieu [h]l'a maudit au commencement,

a Cf. *Exod.* 12, 7 **b** cf. *I Cor.* 5, 7 **c** *Is.* 53, 7 **d** cf. *Exod.* 12, 13 **e** cf. *Jos.* 2, 18-21
f cf. *Exod.* 20, 4 **g** cf. *Nombr.* 21, 8-9 **h** cf. *Gen.* 3, 14.

κατηράσατο ὁ θεὸς τὴν ἀρχήν, καὶ *ἀνελεῖ*[1] διὰ τῆς *μεγάλης μαχαίρας*, ὡς Ἡσαΐας βοᾷ ; Καὶ οὕτως ἀφρόνως παραδεξόμεθα τὰ τοιαῦτα, [fol. 164 v° : A] ὡς οἱ διδάσκαλοι ὑμῶν φασι, καὶ οὐ[2] σύμβολα ; Οὐχὶ δὲ ἀνοίσομεν ἐπὶ τὴν εἰκόνα τοῦ σταυρωθέντος Ἰησοῦ τὸ *σημεῖον*, ἐπεὶ καὶ Μωϋσῆς[3] διὰ τῆς ἐκτάσεως τῶν χειρῶν σὺν τῷ ἐπικληθέντι Ἰησοῦ ὀνόματι καὶ[4] νικᾶν τὸν λαὸν ὑμῶν εἰργάζοντο ; **3** Οὕτω γὰρ καὶ τοῦ ἀπορεῖν περὶ ὧν ἐποίησεν ὁ νομοθέτης παυσόμεθα. Οὐ γὰρ καταλιπὼν[5] τὸν θεὸν ἐπὶ θηρίον, δι᾽ οὗ ἡ παράβασις καὶ παρακοὴ τὴν ἀρχὴν ἔλαβεν, ἔπειθε τὸν λαὸν ἐλπίζειν. Καὶ ταῦτα μετὰ πολλοῦ νοῦ καὶ μυστηρίου γέγονε καὶ ἐρρέθη διὰ τοῦ μακαρίου προφήτου · καὶ οὐδέν ἐστιν ὅ τις μέμψασθαι δικαίως ἔχει[6] τῶν λελεγμέ-[p. 255 : B]-νων ἢ γεγενημένων ὑπὸ πάντων ἁπλῶς τῶν προφητῶν, ἐὰν τὴν γνῶσιν τὴν ἐν αὐτοῖς[7] ἔχητε.

4 Ἐὰν δὲ ὅσοι[8] διδάσκαλοι ὑμῶν, διὰ τί *κάμηλοι* μὲν[9] θήλειαι ἐν τῷδε[10] τῷ τόπῳ [οὐ][11] λέγονται, ἢ τί εἰσιν αἱ λεγόμεναι *κάμηλοι* θήλειαι, ἢ διὰ τί *σεμιδάλεως* μέτρα τόσα καὶ *ἐλαίου* μέτρα τόσα ἐν ταῖς *προσφοραῖς*, μόνα ἐξηγοῦνται[12] ὑμῖν, καὶ ταῦτα ταπεινῶς καὶ χαμερπῶς, τὰ δὲ μεγάλα καὶ ἄξια ζητήσεως μηδέποτε τολμῶσι λέγειν μήδε ἐξηγεῖσθαι, ἢ καὶ ἡμῶν ἐξηγουμένων παραγγέλλουσιν ὑμῖν μηδὲ ὅλως ἐπαΐειν μηδὲ εἰς κοινωνίαν λόγων ἐλθεῖν, οὐχὶ[13] δικαίως ἀκούσονται ἅπερ πρὸς αὐτοὺς [fol. 165 r° : A] ἔφη ὁ ἡμέτερος κύριος Ἰησοῦς Χριστός · (*Matth.* 23, 27) *Τάφοι κεκονιαμένοι, ἔξωθεν φαινόμενοι ὡραῖοι καὶ ἔσωθεν γέμοντες ὀστέων νεκρῶν*, (*ibid.*, 23) *τὸ ἡδύοσμον ἀποδεκατοῦντες*[14], *τὴν δὲ κάμηλον καταπίνοντες, τυφλοὶ ὁδηγοί* ; **5** Ἐὰν οὖν μὴ τῶν διδαγμάτων τῶν *ἑαυτοὺς ὑψούντων* καὶ θελόντων *ῥαββὶ ῥαββὶ καλεῖσθαι* καταφρονήσητε, καὶ μετὰ τοιαύτης ἐνστάσεως καὶ[15] νοῦ τοῖς προφητικοῖς λόγοις προσέλθητε, ἵνα *τὰ αὐτὰ πάθητε ὑπὸ* τῶν ὑμετέρων ἀνθρώπων ἃ *καὶ αὐτοὶ* οἱ προφῆται ἔπαθον, οὐ δύνασθε ὅλως οὐδὲν ἀπὸ τῶν προφητικῶν[16] ὠφέλιμον λαβεῖν.

1 Ἀνελεῖ *prop.* Thirlb., *coni. edd. ab* Otto (*e loc. cit.* : ἀνελεῖ, *et* Dial. 91, 4 : ἀναιρεθήσεσθαι) : ἀνεῖλε *codd.*, *cett. edd.* **2** Οὐ : οὐχ ὡς Marc. **3** Μωϋσῆς : Μωσῆς Arch. **4** Καὶ : *del.* Marc. **5** Καταλιπὼν : καταλιπόντα *prop.* Thirlb. **6** Ἔχει : ἔχοι *coni.* Marc. **7** Τὴν ἐν αὐτοῖς : τῆς ἐν αὐτοῖς ἀληθείας Marc. (*ex* Dial. 90, 2) **8** Ὅσοι *prop.* Mar., *coni.* Otto, Arch., Goodsp. : οὕτως οἱ *prop.* Thirlb. ὡς *del.* Marc. ὡς οἱ *codd.*, *cett. edd.* **9** Μὲν : μόναι *coni.* Marc. **10** Τῷδε : τῷ δὲ Mar. **11** Οὐ : *del.* Lange, Marc. **12** Προσφοραῖς, μόνα ἐξηγοῦνται *edd. a* Mar. : προσφοραῖς μόνα, ἐξηγοῦνται *cett. edd.* **13** Ἐλθεῖν, οὐχὶ : ἐλθεῖν. Οὐχὶ Mar. (Mign. *tacite colon exhibuit*) **14** Ἀποδεκατοῦντες : ἀποδ., οἱ διϋλίζοντες τὸν κώπωνα *add.* Lange, Sylb., Mor. (*ex* Mt. 23, 24) **15** Καὶ : τοῦ *coni.* Marc. **16** Προφητικῶν : πρ. λόγων Marc.

et le [a]*fera*[6] *périr* avec *la grande épée*, comme s'écrie Isaïe[7] ? Serons-nous assez insensés pour prendre de telles choses comme le font vos didascales, et non comme des symboles ? Ne nous faut-il pas rapporter ce *signe* à l'image de Jésus crucifié, puisque c'est encore [b]Moïse[8], par l'extension de ses mains, et avec lui celui qui avait reçu le surnom de Jésus, qui opéraient la victoire de votre peuple ? **3** C'est bien de cette manière que nous mettrons un terme aux difficultés soulevées par les actes du Législateur. Il n'a point, en effet, abandonné Dieu, en persuadant au peuple de mettre son espoir dans un animal [c]par lequel la transgression[9] et la désobéissance avaient trouvé leur origine. C'est avec beaucoup de sens et de mystère que ces choses eurent lieu et furent dites par le bienheureux prophète[10]. Et de tout ce qu'ont dit ou fait l'ensemble des prophètes, il n'est absolument rien qu'on puisse légitimement reprendre, si du moins vous disposez de cette science[11] qui était en eux.

4 Mais si vos didascales, tous autant qu'ils sont, se bornent à vous expliquer pourquoi en tel endroit, sont mentionnées des [d]femelles de *chameaux*, ou ce que sont les femelles de *chameaux* en question, ou encore pourquoi [e]tant de mesures de *froment*, et tant de mesures d'*huile* dans les *oblations*[12] – tout cela de façon courte et terre-à-terre[13] – alors que[14] les points importants et dignes d'examen, jamais ils ne se risquent ni à les évoquer ni à les expliquer (ils vont même jusqu'à vous interdire de prêter aucunement l'oreille à nos explications, et d'avoir commerce avec nous[15]), ne sera-ce pas justice s'ils s'entendent adresser les paroles que notre Seigneur Jésus-Christ leur disait : (*Matth.* 23, 27)*Sépulcres blanchis, au dehors qui semblent beaux, mais sont remplis, à l'intérieur, d'ossements de cadavres*[16]. (*ibid.*, 23)*Vous payez la dîme de la menthe,* (*ibid.*, 24)*et vous avalez le chameau, conducteurs aveugles* ? **5** Si donc vous ne rejetez pas avec mépris les enseignements de ceux qui [f]*s'exaltent eux-mêmes* et veulent [g]*être appelés Rabbi, Rabbi*, si vous n'abordez point les paroles prophétiques avec une opiniâtreté et une disposition d'esprit telles, [h]que vous vous exposiez à *souffrir*, *de la part de* vos congénères, *autant qu*'ont pu souffrir les prophètes *eux-mêmes*, il est exclu que des écrits prophétiques vous puissiez tirer aucun profit[17].

a Cf. *Is.* 27, 1 **b** cf. *Exod.* 17, 8 s. **c** cf. *Gen.* 3 **d** cf. *Gen.* 32, 15 **e** cf. *Lév.* 2 ; 6, 7-16 et *Nombr.* 15, 4-11 **f** cf. *Matth.* 23, 12 **g** *ibid.*, 7 **h** cf. *I Thess.* 2, 14-15.

113. 1 Ὃ δὲ λέγω τοιοῦτόν ἐστι · Ἰησοῦν, ὡς προέφην πολλάκις, Αὐσῆν καλούμενον, ἐκεῖνον τὸν μετὰ τοῦ Χαλὲβ *κατάσκοπον* εἰς *τὴν Χαναὰν* ἐπὶ τὴν *γῆν*[1] *ἀποσταλέντα*, Ἰησοῦν Μωσῆς[2] ἐκάλεσε[3]. Τοῦτο σὺ οὐ ζητεῖς δι' ἣν αἰτίαν ἐποίησεν, οὐκ ἀπορεῖς, οὐδὲ φιλοπευστεῖς · τοιγαροῦν λέληθέ σε ὁ Χριστός, καὶ ἀναγινώσκων οὐ συνίῃς, οὐδὲ νῦν, ἀκούων ὅτι Ἰησοῦς ἐστιν ὁ Χριστὸς ἡμῶν[4], [p. 256 : B] συλλογίζῃ οὐκ ἀργῶς οὐδ' ὡς ἔτυχεν ἐκείνῳ τεθεῖσθαι τοὔνομα. **2** Ἀλλὰ διὰ τί μὲν ἓν ἄλφα πρώτῳ προσετέθη τῷ[5] Ἀβραὰμ ὀνόματι, θεολογεῖς, καὶ διὰ τί ἓν ῥῶ τῷ Σάρρας ὀνόματι, ὁμοίως κομπολογεῖς · διὰ τί δὲ τὸ πατρόθεν ὄνομα τῷ Αὐσῇ, τῷ υἱῷ Ναυῆ, ὅλον μετωνόμασται[6] τῷ Ἰησοῦ, οὐ ζητεῖς ὁμοίως. **3** Ἐπεὶ δέ[7], [fol. 165 v° : A] οὐ μόνον μετωνομάσθη[8] αὐτοῦ[9] τὸ ὄνομα, ἀλλὰ καὶ διάδοχος γενόμενος Μωσέως[10], μόνος τῶν ἀπ' Αἰγύπτου ἐξελθόντων ἐν ἡλικίᾳ τοιαύτῃ ὄντων εἰσήγαγεν εἰς τὴν ἁγίαν γῆν τὸν περιλειφθέντα λαόν · καὶ ὃν τρόπον ἐκεῖνος εἰσήγαγεν εἰς τὴν ἁγίαν γῆν τὸν λαόν, οὐχὶ Μωσῆς, καὶ ὡς ἐκεῖνος ἐν κλήρῳ διένειμεν αὐτὴν τοῖς εἰσελθοῦσι μετ' αὐτοῦ, οὕτως καὶ Ἰησοῦς ὁ Χριστὸς *τὴν διασπορὰν* τοῦ λαοῦ *ἐπιστρέψει*, καὶ διαμεριεῖ *τὴν ἀγαθὴν γῆν* ἑκάστῳ, οὐκέτι δὲ κατὰ ταῦτα[11]. **4** Ὁ μὲν γὰρ πρόσκαιρον ἔδωκεν αὐτοῖς τὴν κληρονομίαν, ἅτε οὐ Χριστὸς ὁ θεὸς ὢν οὐδὲ υἱὸς θεοῦ, ὁ δὲ μετὰ τὴν ἁγίαν[12] ἀνάστασιν *αἰώνιον* ἡμῖν τὴν *κατάσχεσιν δώσει*. *Τὸν ἥλιον ἔστησεν* ἐκεῖνος, μετονομασθεὶς πρότερον τῷ Ἰησοῦ ὀνόματι καὶ λαβὼν ἀπὸ τοῦ πνεύματος αὐτοῦ ἰσχύν. Ὅτι γὰρ Ἰησοῦς ἦν ὁ Μωσεῖ καὶ τῷ Ἀβραὰμ καὶ τοῖς ἄλλοις ἁπλῶς πατριάρχαις φανεὶς καὶ ὁμιλήσας, τῷ τοῦ πατρὸς θελήματι ὑπηρετῶν, ἀπέδειξα · ὃς καὶ ἄνθρωπος γεννηθῆναι διὰ τῆς παρθένου Μαρίας ἦλθε[13], καὶ[14] ἔστιν[15] ἀεί, ἐρῶ[16].

1 Ἐπὶ τὴν γῆν : *dictum pro* ἐπὶ τὴν τῆς γῆς ἐπίσκεψιν Sylb. ἐπὶ τὴν *del.* Marc. **2** Μωσῆς : Μωϋσῆς Otto, Mign., Goodsp. (*similiter postea* : Μωσέως, Μωσῆς, Μωσεῖ) **3** Ἐκάλεσε : ἐπεκάλεσε Marc. **4** Ἡμῶν : ἡ– *ex corr.* A **5** Τῷ : τοῦ *prop.* Thirlb., *coni.* Marc. **6** Μετωνόμασται *edd.* : μετονόμασται *codd.* **7** Οὐ ζητεῖς ὁμοίως. Ἐπεὶ δὲ *edd. ab* Otto (ἐπεὶ δέ, *prop.* Mar.) : οὐ ζητεῖς ὁμοίως ; Ἐπειδὴ Mar., Mign. Οὐ ζητεῖς. Ὁμοίως ἐπειδὴ *codd. cett. edd.* (cf. 122, 4) **8** Μετωνομάσθη *edd.* : μετονομάσθη *codd.* **9** Αὐτοῦ : αὐτῷ *prop.* Thirlb. **10** *Post* Μωσέως Marc. *lacunam indicavit exspectans* : ἐνεπλήσθη τοῦ πνεύματος αὐτοῦ (*ex* Dial. 113, 4 et 49, 7) **11** Ταὐτά *prop.* Lange, *coni. edd. ab* Otto : ταῦτα *codd.*, *cett. edd.* **12** Ἁγίαν : ἁγίων *prop.* Thirlb. **13** Ἦλθε : ἤθελε *prop.* Sylb., Otto ὑπέμεινεν, ὡς ὁ πατὴρ ἤθελε Marc. **14** Καὶ : καὶ ὅτι *prop.* Mar, *coni.* Marc. **15** Ἔστιν : ἔσται *coni.* Marc. **16** Ἐρῶ : *del.* Otto, Arch., Goodsp. (*ut glossema*) ἐν οὐρανῷ *prop.* Thirlb. – ἀεὶ, ἐρῶ *prop.* Mar.

Le changement de nom d'Ausès en Josué (Jésus) est plus chargé de signification que l'ajout d'une lettre aux noms d'Abram ou de Sara.
Josué, figure du Christ. Signification véritable de la circoncision pratiquée au Jourdain.

113. 1 Voici ce que je dis[1] : Jésus, comme je l'ai souvent répété[2], s'appelait Ausès, lui qui, [a]en compagnie de Caleb[3], avait été *envoyé* comme *éclaireur* dans la *terre de Canaan* : [b]et Moïse l'a appelé Jésus. Tu ne te demandes pas pour quelle raison il a fait cela, tu n'y vois nulle difficulté, nul motif de t'interroger[4]. C'est que le Christ te demeure caché, et tu lis sans comprendre. Et même maintenant, en entendant déclarer que Jésus est notre Christ, tu ne sais pas conclure que ce nom ne lui a pas été imposé sans raison et au hasard. **2** Tu te livres, en revanche, à de théologiques spéculations[5] pour expliquer pourquoi [c]un *a* fut ajouté au premier nom d'Abraham, et de même façon tu débats bruyamment [d]sur l'addition d'un *r* à celui de Sarah. Mais lorsqu'il faut chercher pourquoi [e]le nom patronymique d'Ausès, fils de Navé, fut tout entier changé en celui de Jésus, voilà que ton ardeur n'est plus du tout la même ![6] **3** Or, non seulement son nom a été changé, mais étant devenu le [f]successeur de Moïse, [g]seul[7] parmi ceux de son âge qui étaient sortis d'Égypte, il [h]introduisit dans la Terre sainte le peuple survivant[8] ; et de même que ce fut lui qui introduisit le peuple dans la Terre sainte, et non Moïse, de même que ce fut lui qui [i]la partagea au sort à ceux qui y étaient entrés avec lui, de même c'est Jésus-Christ qui [j]*opérera le retour*[9] *de la dispersion* du peuple et partagera [k]*la bonne terre*[10] à chacun, mais non plus de la même façon[11]. **4** Car le premier leur a donné un héritage provisoire, n'étant ni Christ-Dieu[12], ni Fils de Dieu ; lui, au contraire, après la sainte résurrection, nous [l]*donnera* une *possession éternelle*[13]. Celui-là avait [m]*arrêté le soleil*[14], ayant auparavant [n]reçu le surnom de Jésus, et tiré de son[15] esprit une force[16]. Mais c'était bien Jésus qui était apparu [o]à Moïse, [p]à Abraham, à tous les autres patriarches, et leur avait parlé, servant ainsi la volonté de son Père : cela, je l'ai montré[17] ; et c'est encore lui qui est venu pour se faire homme par la vierge Marie, et il demeure éternellement, je m'en vais l'exposer[18].

a Cf. *Nombr.* 13, 17 s. **b** *ibid.*, 16 **c** cf. *Gen.* 17, 5 **d** *ibid.*, 15 **e** cf. *Nombr.* 13, 16 **f** cf. *Nombr.* 27, 18.23 ; *Deut.* 34, 9 **g** cf. *Nombr.* 14, 29-31 ; 26, 65 ; 32, 11-12 **h** cf. *Jos.* 3 s. ; 5, 4-7 **i** cf. *Jos.* 13 s. **j** cf. *Is.* 49, 6 **k** cf. *Deut.* 31, 20 **l** cf. *Gen.* 17, 8 ; 48, 4 **m** cf. *Jos.* 10, 12-14 **n** cf. *Nombr.* 13, 16 **o** cf. *Exod.* 3 **p** cf. *Gen.* 18 ; 28, 10-15 ; 31, 11 ; 35, 9-10.

5 Οὗτος γάρ ἐστιν ἀφ᾽ οὗ καὶ δι᾽ οὗ[1] καὶ *τὸν οὐρανὸν καὶ τὴν γῆν*[2] ὁ πατὴρ μέλλει καινουργεῖν, οὗτός ἐστιν ὁ ἐν *Ἱερουσαλὴμ αἰώνιον φῶς* λάμπειν μέλλων, οὗτός ἐστιν ὁ *κατὰ τὴν τάξιν Μελχισεδὲκ βασιλεὺς Σαλὴμ* καὶ *αἰώνιος ἱερεὺς ὑψίστου* ὑπάρχων.

6 Ἐκεῖνος λέγεται δευτέραν [fol. 166 r° : A] περιτομὴν *μαχαίραις πετρίναις* τὸν λα-[p. 257 : B]-ὸν *περιτετμηκέναι*, ὅπερ κήρυγμα ἦν τῆς περιτομῆς ταύτης ἧς περιέτεμεν ἡμᾶς αὐτὸς Ἰησοῦς Χριστὸς ἀπὸ τῶν λίθων καὶ τῶν ἄλλων εἰδώλων[3], καὶ θημωνιὰς[4] ποιήσας[5] τῶν ἀπὸ ἀκροβυστίας, τουτέστιν ἀπὸ τῆς πλάνης τοῦ κόσμου[6], *ἐν παντὶ τόπῳ* περιτμηθέντων *πετρίναις μαχαίραις*, τοῖς[7] Ἰησοῦ τοῦ κυρίου ἡμῶν λόγοις. Ὅτι γὰρ *λίθος* καὶ *πέτρα* ἐν παραβολαῖς ὁ Χριστὸς διὰ τῶν προφητῶν ἐκηρύσσετο, ἀποδέδεικταί μοι. **7** Καὶ τὰς *μαχαίρας* οὖν τὰς *πετρίνας* τοὺς λόγους αὐτοῦ ἀκουσόμεθα, δι᾽ ὧν ἀπὸ τῆς ἀκροβυστίας οἱ[8] πλανώμενοι τοσοῦτοι *καρδίας περιτομὴν* περιετμήθησαν, ἣν περιτμηθῆναι καὶ τοὺς ἔχοντας τὴν ἀπὸ τοῦ Ἀβραὰμ ἀρχὴν λαβοῦσαν περιτομὴν ὁ θεὸς διὰ τοῦ Ἰησοῦ προὔτρεπεν ἔκτοτε, καὶ[9] τοὺς εἰσελθόντας εἰς τὴν γῆν ἐκείνην τὴν ἁγίαν δευτέραν περιτομὴν *πετρίναις μαχαίραις* εἰπὼν[10] τὸν Ἰησοῦν περιτετμηκέναι αὐτούς.

114. 1 Ἔσθ᾽ ὅτε γὰρ τὸ ἅγιον πνεῦμα καὶ ἐναργῶς[11] πράττεσθαί τι, ὃ *τύπος τοῦ μέλλοντος* γίνεσθαι ἦν, ἐποίει, ἔσθ᾽ ὅτε δὲ καὶ λόγους ἐφθέγξατο περὶ τῶν ἀποβαίνειν μελλόντων, φθεγγόμενον αὐτοὺς ὡς τότε γινομένων ἢ καὶ γεγενημένων · ἣν τέχνην ἐὰν μὴ εἰδῶσιν οἱ ἐντυγχάνοντες, οὐδὲ παρακολουθῆσαι τοῖς τῶν προφητῶν [fol. 166 v° : A] λόγοις, ὡς δεῖ, δυνήσονται. Παραδείγματος δὲ χάριν λόγους τινὰς προφητικοὺς εἴποιμ᾽ ἄν, ὅπως παρακολουθήσητε τῷ λεγομένῳ.

2 Ὅταν λέγῃ διὰ Ἡσαΐου · *Αὐτὸς ὡς πρόβατον ἐπὶ σφαγὴν ἤχθη, καὶ ὡς ἀμνὸς ἐναντίον τοῦ κείραντος*[12], ὡς[13] ἤδη τοῦ πάθους γενομένου[14]

1 Καὶ δι᾽ οὗ *huc transp.* Marc. : *post.* τὴν γῆν *codd., cett. edd.* **2** Καὶ τὸν οὐρανὸν καὶ τὴν γῆν : (ἀφ᾽ οὗ) καὶ ὁ οὐρανὸς καὶ ἡ γῆ *vel* ὁ ποιήσας τὸν οὐρανὸν καὶ τὴν γῆν, *vel* ἀφ᾽ οὗ φεύξεται ὁ οὐρανὸς καὶ ἡ γῆ (cf. Apoc. 20, 11) *prop.* Thirlb. **3** Ὅπερ – εἰδώλων : *in semicirculis* Mar., Mign., Otto, Marc. **4** Θημωνιὰς : θημωνιὰν *coni.* Marc. **5** Ποιήσας : ποιῆσαι *prop.* Mar., *coni.* Marc. **6** Τουτέστιν – κόσμου : *in semicirculis* Marc. **7** Τοῖς : τουτέστι τοῖς Marc. (τουτέστι – λόγοις *in semicirculis*). **8** Ἀπὸ τῆς ἀκροβυστίας οἱ : οἱ ἀπὸ τῆς ἀκρ. *transp.* Marc. **9** Καὶ : *del.* Marc. **10** Εἰπὼν *prop.* Thirlb., Mar., *coni. edd. ab* Otto : εἶπον *codd., cett. edd.* **11** Ἐναργῶς (cf. 54, 1) : ἐνεργῶς *in marg.* A, *in textu* B, *ad calcem* Steph. **12** Κείραντος Codex Sinaïticus *p. corr.*, Alexandr., Venetus, Act. 8, 32 *et al.* : κείροντος (*ex* LXX ; Dial. 13, 5 ; I Apol. 50, 10) Thirlb., Otto (*suppl.* ἐστί), Troll. κίραντος Aq. **13** Ὡς : ἄφωνος ὡς Sylb., Mor., Jebb, Marc. οὕτως οὐκ ἀνοίγει τὸ στόμα *addendum* Mar. (*ex* LXX) **14** Γενομένου : γινομένου Otto.

5 C'est à partir de lui[19] lui en effet, et à travers lui que le Père doit [a]renouveler *le ciel* et *la terre*[20] ; c'est lui qui doit [b]briller, *lumière*[21] *éternelle*, à *Jérusalem* ; c'est lui qui demeure [c]*roi de Salem*[22] *selon l'ordre de Melchisédech*, et le *prêtre éternel*[23] *du Très-haut*.

6 Celui-là, est-il dit, [d]*a circoncis* le peuple d'une seconde circoncision[24], *avec des couteaux de pierre*[25], ce qui était l'annonce de cette circoncision par laquelle Jésus-Christ en personne nous a circoncis des pierres et des autres idoles, [e]ayant fait des monceaux de ceux qui étaient du prépuce[26] – c'est-à-dire de l'égarement du monde[27] – et qui, [f]*en tout lieu*[28], ont été circoncis avec des *couteaux de pierre*, les paroles de Jésus, notre Seigneur. Car le Christ était en parabole annoncé comme *pierre* et *rocher* par les prophètes, je l'ai prouvé[29]. **7** Quant aux [g]*couteaux de pierre*, nous les entendrons donc de ses paroles, par lesquelles tant d'égarés incirconcis ont reçu la [h]*circoncision du cœur*, circoncision dont, dès cette époque, par l'intermédiaire de Jésus, Dieu exhortait à se faire circoncire ceux-là aussi qui ont la circoncision trouvant son origine avec Abraham, en disant que même ceux qui étaient entrés dans cette Terre sainte, Jésus (Josué) les avait circoncis d'une seconde circoncision, *avec des couteaux de pierre*[30].

Quelques règles pour comprendre le langage prophétique.
La seconde circoncision « avec des couteaux de pierre ».

114. 1 Tantôt, en effet, l'Esprit saint a fait qu'il se produise de façon visible quelque chose qui était une [i]*figure typique de l'avenir*, tantôt il a proféré des paroles sur ce qui devait arriver, les proférant comme s'il parlait d'événements alors en cours ou même déjà passés[1]. Procédé que ne sauraient ignorer ceux qui abordent les paroles des prophètes sans rester incapables d'en suivre le sens ainsi qu'il convient[2]. Comme exemple, laissez-moi vous citer quelques prophéties, afin que de ce qui est dit[3] vous suiviez le sens.

2 Lorqu'il dit, par l'intermédiaire d'Isaïe : [j]*Comme une brebis, il a été conduit à l'abattoir ; il est comme un agneau devant celui qui l'a tondu*[4], il parle comme si la

a Cf. *Is.* 65, 17 ; *Apoc.* 21, 1 **b** cf. *Is.* 60, 1. 19-20 **c** cf. *Gen.* 14, 18 et *Ps.* 109, 4 ; *Hébr.* 5, 6.10 **d** cf. *Jos.* 5, 2-3 **e** cf. *Gen.* 31, 46 et *Jos.* 5, 4 **f** cf. *Mal.* 1, 11 **g** cf. *Jos.* 5, 2-3 **h** cf. *Rom.* 2, 29 ? **i** cf. *Rom.* 5, 14 **j** *Is.* 53, 7.

λέγει. Καὶ ὅταν πάλιν λέγῃ · *Ἐγὼ ἐξεπέ*-[p. 258 : B]-*τασα τὰς χεῖράς μου ἐπὶ λαὸν ἀπειθοῦντα καὶ ἀντιλέγοντα*, καὶ ὅταν λέγῃ · *Κύριε, τίς ἐπίστευσε τῇ ἀκοῇ ἡμῶν* ; < ὡς >[1] ἤδη γεγενημένων πραγμάτων ἐξαγγελίαν οἱ λόγοι σημαίνοντες λελεγμένοι εἰσί. Καὶ γὰρ ἐν παραβολῇ *λίθον* πολλαχοῦ καλεῖν ἀπέδειξα τὸν Χριστὸν καὶ ἐν τροπολογίᾳ *Ἰακὼβ* καὶ *Ἰσραήλ*. **3** Καὶ πάλιν ὅταν λέγῃ · *Ὄψομαι τοὺς οὐρανούς, ἔργα τῶν δακτύλων σου*, ἐὰν μὴ ἀκούω τῶν λόγων[2] αὐτοῦ τὴν ἐργασίαν, οὐ *συνετῶς* ἀκούσομαι, ὥσπερ ὑμῶν οἱ διδάσκαλοι ἀξιοῦσιν, οἰόμενοι χεῖρας καὶ πόδας καὶ δακτύλους καὶ ψυχὴν ἔχειν ὡς σύνθετον ζῷον τὸν πατέρα τῶν ὅλων καὶ ἀγέννητον θεόν, οἵτινες καὶ διὰ τοῦτο[3] ὦφθαι τῷ Ἀβραὰμ καὶ τῷ Ἰακὼβ αὐτὸν τὸν πατέρα διδάσκουσι.

4 Μακάριοι οὖν ἡμεῖς οἱ περιτμηθέντες *πετρίναις μαχαίραις* τὴν δευτέραν περιτομήν. Ὑμῶν μὲν γὰρ ἡ πρώτη διὰ σιδήρου γέγονε καὶ γίνεται · σκληροκάρδιοι γὰρ μένετε · ἡμῶν δὲ ἡ περιτομή, ἥτις δευτέρα ἀριθμῷ, [fol. 167 r° : A] μετὰ τὴν ὑμετέραν φανερωθεῖσα, διὰ *λίθων ἀκροτόμων*, τουτέστι διὰ τῶν λόγων τῶν διὰ τῶν *ἀποστόλων*[4] τοῦ *ἀκρογωνιαίου λίθου* καὶ τοῦ[5] *ἄνευ χειρῶν τμηθέντος*[6], περιτέμνει ἡμᾶς ἀπό τε εἰδωλολατρείας καὶ πάσης ἁπλῶς κακίας · ὧν αἱ καρδίαι οὕτως περιτετμημέναι εἰσὶν ἀπὸ τῆς πονηρίας, ὡς καὶ χαίρειν ἀποθνῄσκοντας διὰ τὸ ὄνομα τὸ τῆς καλῆς πέτρας, καὶ *ζῶν ὕδωρ* ταῖς καρδίαις τῶν δι᾽ αὐτοῦ ἀγαπησάντων τὸν πατέρα τῶν ὅλων βρυούσης, καὶ ποτιζούσης τοὺς βουλομένους τὸ *τῆς ζωῆς ὕδωρ* πιεῖν. **5** Ἀλλὰ ταῦτα μὲν[7] οὐ νοεῖτε [p. 259 : B] λέγοντος[8] · ἃ γὰρ ποιῆσαι τὸν Χριστὸν πεπροφήτευται οὐ νενοήκατε, οὐδὲ ἡμῖν προσάγουσιν ὑμᾶς τοῖς γεγραμμένοις πιστεύετε. Ἱερεμίας μὲν γὰρ οὕτω βοᾷ · (cf. *Jér.* 2, 13)*Οὐαὶ ὑμῖν, ὅτι ἐγκατελίπετε*[9] *πηγὴν ζῶσαν καὶ ὠρύξατε ἑαυτοῖς λάκκους συντετριμμένους, οἳ οὐ δυνήσονται συνέχειν ὕδωρ.* (cf. *Is.* 16, 1)*Μὴ ἔρημον ᾖ οὗ ἐστι τὸ ὄρος Σιών ;* (cf. *Jér.* 3, 8) *Ὅτι Ἱερουσαλὴμ βιβλίον ἀποστασίου ἔδωκα ἔμπροσθεν ὑμῶν.*

115. 1 Ἀλλὰ Ζαχαρίᾳ, ἐν παραβολῇ δεικνύντι τὸ μυστήριον τοῦ Χριστοῦ καὶ ἀποκεκρυμμένως κηρύσσοντι, πιστεῦσαι ὀφείλετε[10]. Ἔστι δὲ τὰ

1 Ὡς *add.* Otto, Troll., Mign., Arch., Marc. : *om. codd., cett. edd.* **2** Τῶν λόγων : τοῦ Λόγου *prop.* Lange, *coni. edd. ab* Otto τὸν Λόγον *prop.* Mar. **3** Καὶ διὰ τοῦτο : διὰ τοῦτο καὶ *transp.* Marc. **4** Τῶν ἀποστόλων : τ. ἀπ. κηρυχθέντων Marc. (*ex* Dial. 113, 6 *et* I Apol. 42, 4) **5** Καὶ τοῦ : τοῦ καὶ *prop.* Thirlb. **6** Τουτέστι – τμηθέντος : *in semicirculis* Marc. **7** Μὲν : μου *coni.* Marc. **8** Λέγοντος : *supple* ἐμοῦ Otto **9** Ἐγκατελίπετε : ἐμὲ ἐγκ. Marc. (*ex* LXX) **10** Ὀφείλετε (cf. 67, 2 ; 68, 4 ; 82, 1) : ὠφείλετε (*tempore praeterito*) *prop.* Sylb. *post* ὀφείλετε, ἠθελήσατε *in ras* A, *in marg.* B.

Passion avait déjà eu lieu. Et lorsqu'il dit encore : [a]*J'ai étendu mes mains, tout le jour, sur un peuple infidèle et contradicteur*[5], ou bien : [b]*Seigneur, qui a cru au bruit de nos paroles*[6] *?* ces expressions sont formulées comme si elles avaient pour sens l'annonce de choses déjà arrivées. J'ai par ailleurs prouvé que le Christ, par symbole, est souvent appelé *pierre*, ou encore par figure *Jacob* et *Israël*[7]. **3** Lorsqu'il dit encore : [c]*Je verrai les cieux, œuvres de tes doigts*[8], si je n'entends pas (par là) l'œuvre de sa Parole[9], c'est [d]sans *intelligence*[10] que j'entends, conformément à l'opinion de vos didascales, qui pensent que le Père de l'univers et le Dieu inengendré[11] a des mains, des pieds, des doigts et une âme[12], comme un animal composé, et qui, pour cette raison, enseignent également que c'est le Père lui-même qui est apparu [e]à Abraham et [f]Jacob[13].

4 Bienheureux[14] donc sommes-nous, qui avons été circoncis [g]*avec des couteaux de pierre*, de la seconde circoncision. Car la vôtre – la première[15] – s'est faite et se fait encore par le fer[16] : aussi demeurez-vous durs de cœur[17]. Mais notre circoncision, elle, seconde par le nombre puisqu'apparue après la vôtre, c'est avec des [h]*pierres taillées à vive arête* – c'est-à-dire les paroles prêchées par les [i]*apôtres* de la *pierre angulaire* et [j]*taillée sans le secours d'aucune main*[18] – qu'elle nous circoncit de l'idolâtrie et de tout mal[19]. Nos cœurs sont à ce point circoncis de la perversité[20] que nous nous réjouissons de mourir au nom de la belle pierre d'où [k]*l'eau vive*[21] jaillit[22], pour les cœurs de ceux qui par Lui accèdent à l'amour du Père de l'univers, et désaltère ceux qui souhaitent s'abreuver avec l'*eau de la vie*[23]. **5** Mais quand je dis cela, vous ne comprenez pas : vous n'avez point compris ce qu'il était prédit qu'accomplirait le Christ, et ne nous croyez pas lorsque nous vous donnons accès aux Écritures. Aussi Jérémie s'écrie-t-il : (cf. *Jér.* 2, 13)*Malheur à vous, qui avez abandonné la source vive et vous êtes creusé des citernes fissurées qui ne pourront retenir l'eau*[24] *!* (cf. *Is.* 16, 1)*Le désert n'est-il pas sur le lieu du mont Sion ?* (cf. *Jér.* 3, 8)*Car à Jérusalem j'ai donné devant vous le libelle de répudiation*[25].

Josué (Jésus), fils de Navé, et « Jésus le Grand prêtre » selon la Prophétie de Zacharie.
L'exégèse juive ne s'attache qu'à des détails.

115. 1 A Zacharie[1] vous devez accorder foi, quand il expose en parabole le mystère du Christ, et l'annonce de manière cachée.

a *Is.* 65, 2 **b** *Is.* 53, 1 **c** *Ps.* 8, 4 **d** cf. *Is.* 29, 14 ; 5, 21 **e** cf. *Gen.* 18 **f** *ibid.*, 28, 13 s. ; 35, 9 s. **g** cf. *Jos.* 5, 2 **h** *ibid.* **i** cf. *Is.* 28, 16 ; *I Petr.* 2, 6 ; *Éphés.* 2, 20 **j** cf. *Dan.* 2, 34 **k** cf. *Jér.* 2, 13 ; *Jn.* 4, 10.14 ; *Apoc.* 22, 1.17 ; 21, 6.

λεγόμενα ταῦτα · (Zach. 2, 10)*Χαῖρε καὶ εὐφραίνου, θύγατερ Σιών, ὅτι ἰδοὺ ἐγὼ ἔρχομαι καὶ κατασκηνώσω ἐν μέσῳ σου, λέγει κύριος.* (11)*Καὶ προστεθήσονται*[1] *ἔθνη* [fol. 167 v° : A] *πολλὰ πρὸς κύριον ἐν τῇ ἡμέρᾳ ἐκείνῃ, καὶ ἔσονταί μοι εἰς λαόν · καὶ κατασκηνώσω ἐν μέσῳ σου, καὶ γνώσονται ὅτι κύριος τῶν δυνάμεων ἀπέσταλκέ με πρός σε.* **2** (12)*Καὶ κατακληρονομήσει κύριος τὸν Ἰούδαν τὴν μερίδα*[2] *αὐτοῦ ἐπὶ τὴν γῆν τὴν ἁγίαν, καὶ ἐκλέξεται ἔτι*[3] *τὴν Ἱερουσαλήμ.* (13)*Εὐλαβείσθω πᾶσα σὰρξ ἀπὸ προσώπου κυρίου, ὅτι ἐξεγήγερται ἐκ νεφελῶν ἁγίων αὐτοῦ.* (ibid., 3, 1)*Καὶ ἔδειξέ μοι Ἰησοῦν τὸν ἱερέα τὸν μέγαν, ἑστῶτα πρὸ προσώπου ἀγγέλου < κυρίου >*[4] *· καὶ < ὁ >*[5] *διάβολος εἱστήκει ἐκ δεξιῶν αὐτοῦ, τοῦ ἀντικεῖσθαι αὐτῷ.* (2)*Καὶ εἶπε κύριος πρὸς τὸν διάβολον · Ἐπιτιμήσαι κύριος ἐν σοί, ὁ ἐκλεξάμενος τὴν Ἱερουσαλήμ. Οὐχὶ ἰδοὺ τοῦτο δαλὸς ἐξεσπασμένος ἐκ πυρός ;*

3 Μέλλοντί τε τῷ Τρύφωνι ἀποκρίνεσθαι καὶ ἀντιλέγειν μοι ἔφην · Πρῶτον ἀνάμεινον καὶ ἄκουσον ἃ λέγω. Οὐ γὰρ ἣν ὑπο-[p. 260 : B]-λαμβάνεις ἐξήγησιν ποιεῖσθαι μέλλω, ὡς μὴ γεγενημένου ἱερέως τινὸς Ἰησοῦ ὀνόματι ἐν τῇ Βαβυλωνίᾳ γῇ, ὅπου αἰχμάλωτος ὁ λαὸς ὑμῶν[6]. Ὅπερ εἰ καὶ ἐποίουν, ἀπέδειξα ὅτι ἦν[7] μὲν Ἰησοῦς ἱερεὺς ἐν τῷ γένει ὑμῶν, τοῦτον δὲ αὐτὸν οὐκ ἐν τῇ ἀποκαλύψει αὐτοῦ ἑωράκει ὁ προφήτης, ὥσπερ οὐδὲ τὸν *διάβολον* καὶ τὸν *τοῦ κυρίου ἄγγελον* οὐκ αὐτοψίᾳ ἐν καταστάσει ὤν, ἑωράκει, ἀλλ' ἐν ἐκστάσει, ἀποκαλύψεως αὐτῷ γεγενημένης. **4** [fol. 168 r° : A] Νῦν δὲ λέγω ὅτι, ὅνπερ τρόπον διὰ τοῦ Ἰησοῦ ὀνόματος τῷ Ναυῆ υἱῷ[8] καὶ δυνάμεις καὶ πράξεις τινὰς προκηρυσσούσας τὰ ὑπὸ τοῦ ἡμετέρου κυρίου μέλλοντα γίνεσθαι πεποιηκέναι ἔφη<ν>[9], οὕτω[10] καὶ τὴν ἐπὶ τοῦ ἐν Βαβυλῶνι Ἰησοῦ ἱερέως γενομένου ἐν τῷ λαῷ ὑμῶν ἀποκάλυψιν ἔρχομαι νῦν ἀποδεῖξαι ἀποκήρυξιν[11] εἶναι τῶν ὑπὸ τοῦ ἡμετέρου ἱερέως καὶ θεοῦ καὶ Χριστοῦ, υἱοῦ τοῦ πατρὸς τῶν ὅλων, γίνεσθαι μελλόντων.

1 Προστεθήσονται (= T. M.) : καταφεύξονται Dial. 119, 3 (= LXX) **2** Τὴν μερίδα (= LXX W : pap. Washington) : καὶ τὴν μερίδα Steph., Thirlb., Mar., Mign., Otto, Arch. (*ex* LXX codd. Sinait. *p. corr.*, Alexandr., *al.*) **3** Ἔτι *prop.* Thirlb., *coni. edd. ab* Otto : ἐπὶ *codd.*, *cett. edd.* καὶ αἱρετιεῖ ἔτι τὴν Ἱερ. LXX **4** Κυρίου *add. edd. ab.* Otto (*ex* Dial. 115, 3 : τὸν τοῦ κυρίου ἄγγελον ; 116, 1 : ὁ ἄγγελος τοῦ θεοῦ) : *om codd.*, *cett. edd.* **5** Ὁ *add.* Marc. (*ex* LXX et *Dial.* 79, 4) : *om. codd.*, *cett. edd.* **6** Ὁ λαὸς ὑμῶν : ὁ λ. ὑ. ἦν Marc. **7** Ἀπέδειξα ὅτι ἦν μὲν : ἀπ. ὅτι, ἣν (= εἰ ἦν) μὲν *prop.* Mar., *coni.* Otto ἀπ. ἂν ὅτι εἰ καὶ ἦν μὲν Marc. ὅπερ εἴ τινες ἐποίουν, καὶ ἐγώγε ἂν ἀπ. ὅτι ἦν *prop.* Troll. ὅπερ εἰκῇ (*frustra*) ἐποίουν ἀποδείξας ὅτι ἦν Nolte ἀπέδειξας *prop.* Lange **8** Τῷ Ναυῆ υἱῷ : τὸν Ν. υἱὸν *aut* πεποιῆσθαι *pro* πεποιηκέναι *prop.* Sylb., Mar., Otto **9** Ἔφην *prop.* Thirlb., Otto, *coni.* Marc. : ἔφη *codd*, *cett. edd.* **10** Οὕτω : οὕτως Otto **11** Ἀποκήρυξιν : προκήρυξιν *prop.* Sylb., *coni. edd. ab* Otto.

Voici le texte : (*Zach.* 2, 10)*Réjouis-toi et sois heureuse, fille de Sion, car me voici qui viens, et au milieu de toi je planterai ma tente, dit le Seigneur.* (11)*Des nations nombreuses viendront en ce jour là se joindre*[2] *au Seigneur, et deviendront pour moi un peuple. Je planterai ma tente au milieu de toi, et elles connaîtront que le Seigneur des Puissances m'a envoyé vers toi.* **2** (12)*Le Seigneur recevra Juda en héritage, sa part*[3] *sur la Terre sainte, et il choisira*[4] *encore Jérusalem.* (13)*Que craigne toute chair devant le Seigneur, car il a surgi de ses saintes nuées.* (*ibid.*, 3, 1)*Il m'a montré Jésus, le Grand prêtre, qui se tenait devant l'ange du Seigneur, et le diable se tenait à sa droite, pour être son adversaire.* (2)*Et le Seigneur dit au diable : « Que le Seigneur te réprouve, lui qui a choisi Jérusalem. N'est-ce pas là un tison arraché au feu ? ».*

3 Comme Tryphon allait répondre et me contredire. Je lui dis :

— Patiente d'abord et écoute ce que je dis. Car je ne m'apprête pas à donner l'explication que tu soupçonnes, et nier qu'il y ait eu un prêtre du nom de Jésus au pays de Babylone, où votre peuple avait été emmené en captivité[5]. Et même si je le faisais, j'ai montré[6] qu'il y a bien eu, en votre race, un Jésus prêtre, mais que ce n'est point là celui que le prophète a vu dans sa révélation[7], pas plus qu'il n'a vu le [a]*diable* et *l'ange du Seigneur* de ses propres yeux et à l'état normal, mais en extase[8], sous l'effet d'une révélation. **4** Je l'affirme à présent : de même que j'ai dit[9] que grâce au nom de Jésus qu'il avait reçu[10], le fils de Navé avait accompli des prodiges et certaines actions annonciatrices de ce qui devait arriver par notre Seigneur, de même maintenant je m'en vais démontrer que la révélation à propos de Jésus prêtre à Babylone, en votre peuple, était une annonce[11] de ce qui devait arriver par notre prêtre, Dieu, Christ, et Fils du Père de l'univers.

a Cf. *Zach.* 3, 1.

5 Ἤδη μέντοι ἐθαύμαζον, ἔφην, διὰ τί καὶ πρὸ μικροῦ ἡσυχίαν ἠγάγετε ἐμοῦ λέγοντος, ἢ πῶς οὐκ ἐπελάβεσθέ μου εἰπόντος ὅτι ὁ τοῦ Ναυῆ υἱὸς τῶν ἐξελθόντων ἀπ' Αἰγύπτου ὁμηλίκων μόνος εἰσῆλθεν εἰς τὴν ἁγίαν γῆν καὶ οἱ γεγραμμένοι ἀφήλικες τῆς γενεᾶς ἐκείνης. Ὥσπερ γὰρ αἱ μυῖαι ἐπὶ τὰ ἕλκη προστρέχετε καὶ ἐφίπτασθε. **6** Κἂν γὰρ μυρία τι εἴπῃ καλῶς, ἓν δὲ μικρὸν ὁτιοῦν[1] εἴη μὴ εὐάρεστον ὑμῖν ἢ μὴ νοούμενον ἢ μὴ πρὸς τὸ ἀκριβές, τῶν μὲν πολλῶν καλῶν οὐ πεφροντίκατε, τοῦ δὲ μικροῦ ῥηματίου ἐπιλαμβάνεσθε καὶ κατασκευάζειν αὐτὸ ὡς ἀσέ-[p. 261 : B]-βημα καὶ ἀδίκημα σπουδάζετε, ἵνα τῇ αὐτῇ ὁμοίᾳ[2] κρίσει ὑπὸ τοῦ θεοῦ κρινόμενοι πολὺ μᾶλλον ὑπὲρ τῶν μεγάλων τολμημάτων, εἴτε κακῶν πράξεων εἴτε φαύλων ἐξηγή-[fol. 168 v° : A]-σεων, ἃς παραποιοῦντες ἐξηγεῖσθε, λόγον δώσητε[3]. Ὃ γὰρ κρίμα κρίνετε, δίκαιόν ἐστιν ὑμᾶς κριθῆναι.

116. 1 Ἀλλ' ἵνα τὸν λόγον τὸν περὶ τῆς ἀποκαλύψεως Ἰησοῦ Χριστοῦ[4] τοῦ ἁγίου ἀποδιδῶ ὑμῖν, ἀναλαμβάνω τὸν λόγον καί φημι κἀκείνην τὴν ἀποκάλυψιν εἰς ἡμᾶς τοὺς ἐπὶ τὸν Χριστὸν *ἀρχιερέα* τοῦτον[5] τὸν σταυρωθέντα πιστεύοντας γεγενῆσθαι · οἵτινες, ἐν *πορνείαις* καὶ ἁπλῶς πάσῃ *ῥυπαρᾷ* πράξει ὑπάρχοντες, διὰ τῆς παρὰ τοῦ ἡμετέρου Ἰησοῦ κατὰ τὸ θέλημα τοῦ πατρὸς αὐτοῦ χάριτος τὰ *ῥυπαρὰ* πάντα ἃ ἠμφιέσμεθα κακά, ἀπεδυσάμεθα, οἷς *ὁ διάβολος* ἐφέστηκεν ἀεὶ *ἀντικείμενος* καὶ *πρὸς* ἑαυτὸν *ἕλκειν πάντας* βουλόμενος, καὶ *ὁ ἄγγελος* τοῦ θεοῦ, τουτέστιν ἡ δύναμις τοῦ θεοῦ ἡ πεμφθεῖσα ἡμῖν διὰ Ἰησοῦ Χριστοῦ, *ἐπιτιμᾷ* αὐτῷ καὶ ἀφίσταται[6] ἀφ' ἡμῶν. **2** Καὶ ὥσπερ *ἀπὸ πυρὸς ἐξεσπασμένοι* ἐσμέν, ἀπὸ μὲν τῶν ἁμαρτιῶν τῶν προτέρων καθαρισθέντες, ἀπὸ δὲ τῆς θλίψεως καὶ τῆς πυρώσεως, ἣν πυροῦσιν ἡμᾶς *ὅ* τε *διάβολος* καὶ οἱ αὐτοῦ ὑπηρέται πάντες[7], ἐξ ὧν καὶ πάλιν ἀποσπᾷ[8] ἡμᾶς Ἰησοῦς ὁ υἱὸς τοῦ θεοῦ · ἐνδῦσαι[9] ἡμᾶς τὰ ἡτοιμασμένα ἐνδύματα, ἐὰν πράξωμεν αὐτοῦ τὰς ἐντολάς, ὑπέσχετο, καὶ *αἰώνιον*[10] *βασιλείαν* προνοῆσαι ἐπήγγελται. **3** Ὃν γὰρ τρόπον *Ἰησοῦς* ἐκεῖνος, ὁ λεγόμενος ὑπὸ τοῦ προφήτου [fol. 169 r° : A]

1 Ὁτιοῦν : ὁτοιοῦν *codd.*, *Steph.* **2** Ὁμοίᾳ : καὶ ὁμ. *prop.* Sylb., Mar. ἢ ὁμ. *add.* Otto, Marc. **3** Δώσητε : δώσετε Troll., *edd. ab* Otto δῶτε *vel* δῴητε *prop.* Sylb. **4** Ἰησοῦ Χριστοῦ τοῦ ἁγίου : Ζαχαρίου (*omissis verbis* τοῦ ἁγίου), *vel* Ἰησοῦ καὶ τοῦ ἀγγέλου, *vel* καὶ τοῦ ἀγγέλου τοῦ κυρίου, *vel* Ἰησοῦ τοῦ ἱερέως τοῦ μεγάλου (*Zach.* 3., 1.8.6.11) *prop.* Thirlb. Ζαχαρίου τοῦ ἁγίου *prop.* Otto (*ex* Dial. 32, 2 : τοῦ ἁγίου Δανιήλ ; 55, 2 : τοῦ ἁγίου Δαυίδ) Ἰησοῦ Χριστοῦ τοῦ ἁγίου Ζαχαρίου Marc. **5** Τοῦτον : τοῦ θεοῦ *coni.* Marc. **6** Ἀφίσταται (*scil.* ὁ διάβολος) : ἀφίστησι (*scil.* ὁ ἄγγελος τοῦ θεοῦ) *prop.* Sylb. **7** Πάντες : ἀπαλλαγέντες *prop.* Sylb. πάντες σωθέντες Marc. **8** Ἀποσπᾷ : ἀποσπάσας *seu* ἀποσπῶν *prop.* Sylb. ἀποσπᾶν *prop.* Mar. **9** Ἐνδῦσαι : καὶ ἐνδ. *vel* ὃς ἐνδ. *prop.* Mar. ἐνδ. γὰρ Marc. **10** Αἰώνιον *edd.* : αἰώνιαν *codd.*

5 Au reste, continuai-je, je me suis étonné que vous restiez tranquilles, voilà quelques instants, tandis que je parlais, et que vous ne m'ayez pas arrêté quand je disais[12] que le fils de Navé, seul parmi ceux de son âge qui étaient sortis d'Égypte, était entré dans la Terre sainte, avec les jeunes gens de cette génération dont parle l'Écriture. Car vous êtes comme les mouches : sur les plaies vous accourez et voltigez[13]. **6** Quand bien même on dirait dix mille bonnes choses, pour peu qu'un seul détail n'ait pas votre agrément, soit incompris de vous, ou encore inexact, des nombreuses bonnes choses vous ne vous souciez pas, mais de ce propos de détail vous vous saisissez, et à le présenter comme une impiété et comme une injustice vous mettez tous vos soins. Aussi, puisque c'est d'un jugement à la même mesure que vous serez jugés par Dieu, les comptes que vous rendrez[14] pour vos grandes audaces, vos mauvaises actions, et les piètres exégèses que vous déduisez par falsification, n'en seront que plus lourds. [a]Il est juste, en effet, que vous soyez jugés, avec le jugement dont vous jugez vous-mêmes[15].

La prophétie de Zacharie s'applique au Christ, « Grand prêtre »
et à ceux qu'il a rachetés par son sacrifice.

116. 1 Mais pour vous rendre compte de la révélation relative à Jésus-Christ[1] le saint, je reprends mon propos et j'affirme que cette révélation s'est faite aussi en référence à[2] nous qui croyons au Christ, ce *Grand prêtre*[3] crucifié : nous vivions dans la [b]*débauche*[4] et absolument en toutes sortes de [c]*souillures*[5] : par la grâce qui provient de notre Jésus, selon la volonté de son Père, nous avons [d]dépouillé toutes les *souillures* – les perversités[6] – dont nous étions revêtus[7]. Et tandis que [e]*le diable* nous [f]menace, éternel [g]*adversaire*[8], méditant [h]d'*attirer tous les hommes à* lui, [i]*l'ange* de Dieu – c'est-à-dire la Puissance de Dieu qui nous est envoyée par l'intermédiaire de Jésus-Christ[9] – le [j]*réprouve*, et il s'éloigne de nous. **2** Nous sommes devenus comme [k]*arrachés au feu*, ayant de nos anciens [l]péchés été [m]purifiés, comme de l'oppression et de cette brûlure dont nous brûlent [n]*le diable* et tous ses serviteurs. A ceux-ci, Jésus le Fils de Dieu nous [o]arrache encore[10]. Il a promis de [p]nous revêtir des vêtements préparés, si nous accomplissions ses commandements, et annoncé qu'il pourvoirait[11] au [q]*royaume éternel*[12]. **3** De même que ce [r]*Jésus*, appelé

a Cf. *Matth.* 7, 2 **b** cf. *I Esdr.* 10, 18 ? **c** cf. *Zach.* 3, 3.4 **d** *ibid.*, 3 **e** *ibid.*, 1.2 **f** *ibid.*, 1 **g** *ibid.* **h** cf. *Jn.* 12, 32 **i** cf. *Zach.* 3, 1 **j** *ibid.*, 2 **k** cf. *Zach.* 3, 2 **l** *ibid.*, 4 **m** *ibid.*, 5 **n** *ibid.*, 1.2 **o** *ibid.*, 2 **p** *ibid.*, 4-7 **q** cf. *Dan.* 7, 27 **r** cf. *Zach.* 3, 1.

ἱερεύς, [p. 262 : B] *ῥυπαρὰ ἱμάτια* ἐφάνη φορῶν διὰ τὸ γυναῖκα πόρνην λελέχθαι εἰληφέναι αὐτόν, καὶ *δαλὸς ἐξεσπασμένος ἐκ πυρὸς* ἐκλήθη διὰ τὸ ἄφεσιν ἁμαρτιῶν εἰληφέναι, *ἐπιτιμηθέντος* καὶ[1] τοῦ *ἀντικειμένου* αὐτῷ *διαβόλου*, οὕτως ἡμεῖς, οἱ διὰ τοῦ Ἰησοῦ ὀνόματος ὡς *εἷς ἄνθρωπος* πιστεύσαντες[2] εἰς τὸν ποιητὴν τῶν ὅλων θεόν, διὰ τοῦ ὀνόματος τοῦ πρωτοτόκου αὐτοῦ υἱοῦ *τὰ ῥυπαρὰ ἱμάτια*, τουτέστι τὰς ἁμαρτίας, *ἀπημφιεσμένοι*, πυρωθέντες διὰ τοῦ λόγου τῆς κλήσεως αὐτοῦ, ἀρχιερατικὸν τὸ ἀληθινὸν γένος ἐσμὲν τοῦ θεοῦ, ὡς καὶ αὐτὸς ὁ θεὸς μαρτυρεῖ, εἰπὼν ὅτι *ἐν παντὶ τόπῳ ἐν τοῖς ἔθνεσι θυσίας* εὐαρέστους αὐτῷ καὶ *καθαρὰς* προσφέροντες[3]. Οὐ δέχεται δὲ παρ᾽ οὐδενὸς *θυσίας* ὁ θεός, εἰ μὴ διὰ τῶν *ἱερέων* αὐτοῦ.

117. 1 Πάσας[4] οὖν [οἳ][5] *διὰ τοῦ ὀνόματος* τούτου *θυσίας*, ἃς παρέδωκεν Ἰησοῦς ὁ Χριστὸς γίνεσθαι, τουτέστιν ἐπὶ τῇ *εὐχαριστίᾳ* τοῦ *ἄρτου* καὶ τοῦ *ποτηρίου*, τὰς *ἐν παντὶ τόπῳ* τῆς γῆς γινομένας ὑπὸ τῶν Χριστιανῶν, προλαβὼν[6] ὁ θεὸς μαρτυρεῖ εὐαρέστους ὑπάρχειν αὐτῷ · τὰς δὲ ὑφ᾽ ὑμῶν καὶ δι᾽ ἐκείνων ὑμῶν τῶν ἱερέων γινομένας ἀπαναίνεται, λέγων · (*Mal.* 1, 10) ...*καὶ τὰς θυσίας ὑμῶν οὐ προσδέξομαι ἐκ τῶν χειρῶν ὑμῶν* · (11)*διότι ἀπὸ ἀνατολῆς ἡλίου ἕως δυσμῶν τὸ ὄνομά μου δεδόξασται* < *καὶ ἐν παντὶ τόπῳ θυμίαμα προσάγεται τῷ ὀνόματί μου καὶ θυσία καθαρά · διότι μέγα τὸ ὄνομά μου* >[7], λέγει, *ἐν τοῖς ἔθνεσιν*, (12)*ὑμεῖς δὲ βεβηλοῦτε αὐτό.*

2 Καὶ[8] μέχρι [fol. 169 v° : A] *νῦν* φιλονεικοῦντες λέγετε ὅτι τὰς μὲν ἐν Ἱερουσαλὴμ ἐπὶ[9] τῶν ἐκεῖ τότε οἰκούντων Ἰσραηλιτῶν καλουμένων *θυσίας οὐ προσδέχεται* ὁ θεός, τὰς δὲ δι-[p. 263 : B]-ὰ τῶν ἐν τῇ διασπορᾷ τότε δὴ ὄντων ἀπὸ τοῦ γένους ἐκείνου ἀνθρώπων εὐχὰς προσίεσθαι αὐτὸν εἰρηκέναι, καὶ τὰς εὐχὰς αὐτῶν *θυσίας* καλεῖν. Ὅτι μὲν οὖν καὶ εὐχαὶ καὶ εὐχαριστίαι, ὑπὸ τῶν ἀξίων γινόμεναι, τέλειαι μόναι καὶ εὐάρεστοί

1 Καὶ : *del.* Marc. **2** Πιστεύσαντες *prop.* Thirlb., *coni.* Otto, Troll., Mign., Arch., Goodsp. (cf. 133, 6 : ἡμᾶς, τοὺς πιστεύσαντας δι᾽ αὐτοῦ τῷ θεῷ καὶ πατρὶ τῶν ὅλων) : πάντες ἔσονται *codd.*, *cett. edd.* πάντες πιστεύσαντες *coni.* Marc. πάντες πιστεύοντες *prop.* Sylb. **3** Προσφέροντες (*scil.* εἰσίν) : προσφέρομεν *vel* θυσίαι εὐάρεστοι καὶ καθαραὶ προσφέρονται *prop.* Thirlb. προσφέρουσιν *coni.* Marc. προσάγεται LXX προσφέρεται Dial. 28, 5 *et* LXX cod. 544 **4** Πάσας *prop.* Jebb, *coni. edd. ab* Otto : πάντας *codd.*, *cett. edd.* **5** Οἱ *delendum* Steph. (*ad calcem*), Jebb, Mar., *del. edd. ab* Otto. πάντας ...οἳ ...τούτου αὐτῷ προσφέρουσι θυσίας *prop.* Lange, ...προσφέρομεν Marc. **6** Προλαβὼν (cf. 35, 2 : ἃ γὰρ προλαβὼν ...ἔφη) : προσλαβὼν *prop.* Sylb. (*ex* Dial. 117, 2 : προσδέχεσθαι) **7** Καὶ – μου *fortasse addendum* Mar., Otto, Arch., *addidi* : *om. codd.*, *edd.* **8** Καὶ : καὶ γὰρ Marc. **9** Ἐπὶ : ἀπὸ *coni.* Marc.

[a]*prêtre* par le prophète, est apparu portant des [b]*vêtements souillés* pour avoir épousé, est-il dit, une prostituée[13], et qu'il fut désigné comme [c]*tison arraché au feu* pour avoir obtenu [d]rémission des péchés[14] – alors que [e]*le diable*, son *adversaire*, se trouvait [f]*réprouvé* –, de même nous qui, par le nom de Jésus-Christ, avons [g]comme *un seul* homme[15] cru en Dieu créateur de l'univers, qui par le nom[16] de son Fils premier-né avons [h]*dépouillé les vêtements souillés* – c'est-à-dire les péchés[17] –, enflammés[18] par le Verbe de sa vocation[19], nous sommes la véritable race archiprêtresse[20] de Dieu. Dieu lui-même le témoigne lorsqu'il dit qu' [i]*en tout lieu parmi les nations on offre des sacrifices* agréables et *purs*[21]. Or Dieu ne reçoit de *sacrifices* de personne, sinon par l'intermédiaire de ses *prêtres*[22].

Seul le sacrifice eucharistique, qui commémore celui du Christ, est agréé par Dieu.
Il est universel, comme Malachie l'avait prophétisé.
La prière juive, qui s'est substituée aux sacrifices du Temple,
n'est pratiquée que dans la Diaspora.

117. 1 Tous les *sacrifices*[1], donc, qui se font [j]*au nom* de celui-là, ceux dont [k]Jésus-Christ a prescrit l'accomplissement – c'est-à-dire ceux qui, lors de [l]l'*Eucharistie*[2] du *pain* et de la *coupe*, sont [m]*en tout lieu* de la terre[3] offerts par les chrétiens –, par avance Dieu témoigne qu'ils lui sont agréables[4]. Mais ceux qui sont offerts par vous et par l'intermédiaire de ceux qui sont vos prêtres[5], il les refuse, en déclarant : (*Mal.* 1, 10)... *je n'accepterai pas vos sacrifices de vos mains.* (11)*car depuis le lever du soleil jusqu'au couchant, mon nom est glorifié, < et en tout lieu un sacrifice est offert en mon nom, un sacrifice pur, car mon nom est grand >*, dit-il[6], *parmi les nations*[7], (12)*tandis que vous, vous le profanez.*

2 Aujourd'hui encore, par goût de la querelle[8], vous dites que ce sont les [n]*sacrifices* offerts à Jérusalem, parmi ceux qui y vivaient alors, appelés Israélites[9], que Dieu *n'accepte pas*. En revanche, les prières émanant des hommes de cette race qui se trouvaient alors dans la dispersion, il aurait dit les agréer, appelant ces prières [o]*sacrifices*. Or que les prières comme les actions de grâce[10], si elles sont présentées par ceux qui en sont dignes[11], soient les seuls *sacrifices* parfaits et agréables à Dieu, je l'affirme moi aussi.

a Cf. *Zach.* 3, 1 **b** *ibid.*, 3 **c** *ibid.*, 2 **d** *ibid.*, 4 **e** *ibid.*, 1 **f** *ibid.*, 2 **g** cf. *Gal.* 3, 28 **h** cf. *Zach.* 3, 4 **i** cf. *Mal.* 1, 11 **j** *ibid.* **k** cf. *I Cor.* 11, 24-25 ; *Lc.* 22, 19 **l** cf. *Matth.* 26, 26 s. et pll. **m** cf. *Ps.* 18, 5 **n** cf. *Mal.* 1, 10 **o** cf. *Mal.* 1, 11.

εἰσι τῷ θεῷ *θυσίαι*, καὶ αὐτός φημι. **3** Ταῦτα[1] γὰρ μόνα καὶ Χριστιανοὶ *παρέλαβον* ποιεῖν, καὶ ἐπ' *ἀναμνήσει* δὲ[2] τῆς τροφῆς αὐτῶν ξηρᾶς τε καὶ ὑγρᾶς, ἐν ᾗ καὶ τοῦ πάθους, ὃ πέπονθε δι' αὐτοὺ<ς> ὁ υἱὸς τοῦ θεοῦ[3], μέμνηνται[4] · οὗ *τὸ ὄνομα βεβηλωθῆναι κατὰ πᾶσαν τὴν γῆν* καὶ *βλασφημεῖσθαι* οἱ ἀρχιερεῖς τοῦ λαοῦ ὑμῶν καὶ διδάσκαλοι εἰργάσαντο, ἃ *ῥυπαρὰ* καὶ αὐτὰ[5] ἐνδύματα, περιτεθέντα ὑφ' ὑμῶν πᾶσι τοῖς ἀπὸ τοῦ ὀνόματος τοῦ 'Ιησοῦ γενομένοις[6] Χριστιανοῖς, δείξει αἰρόμενα ἀφ' ἡμῶν ὁ θεός, ὅταν πάντας ἀναστήσῃ, καὶ τοὺς μὲν ἐν *αἰωνίῳ* καὶ ἀλύτῳ *βασιλείᾳ ἀφθάρτους* καὶ *ἀθανάτους* καὶ ἀλύπους καταστήσῃ, τοὺς δὲ εἰς κόλασιν αἰώνιον πυρὸς[7] καταπέμψῃ.

4 Ὅτι δὲ ἑαυτοὺς πλανᾶτε καὶ ὑμεῖς καὶ οἱ διδάσκαλοι ὑμῶν, ἐξηγούμενοι ὅτι περὶ τῶν ἀπὸ τοῦ γένους ὑμῶν ἐν τῇ διασπορᾷ ὄντων ἔλεγεν ὁ Λόγος ὅτι τὰς εὐχὰς αὐτῶν *καὶ θυσίας καθαρὰς καὶ* εὐαρέστους *ἐν παντὶ τόπῳ γενο*-[fol. 170 r° : A]-*μένας* ἔλεγεν, ἐπίγνωτε ὅτι ψεύδεσθε καὶ ἑαυτοὺς κατὰ πάντα ἀπατᾶν πειρᾶσθε, ὅτι πρῶτον μὲν οὐδὲ *νῦν ἀπὸ ἀνατολῶν ἡλίου ἕως δυσμῶν* ἐστιν ὑμῶν τὸ γένος, ἀλλ' ἔστι τὰ *ἔθνη* ἐν οἷς οὐδέπω οὐδεὶς ὑμῶν τοῦ γένους ᾤκησεν. **5** Οὐδὲ ἓν γὰρ ὅλως ἐστί τι[8] γένος ἀνθρώπων, εἴτε βαρβάρων εἴτε Ἑλλήνων εἴτε [p. 264 : B] ἁπλῶς ᾡτινιοῦν ὀνόματι προσαγορευομένων, ἢ ἁμαξοβίων ἢ ἀοίκων καλουμένων ἢ *ἐν σκηναῖς κτηνοτρόφων οἰκούντων*[9], ἐν οἷς μὴ διὰ τοῦ ὀνόματος τοῦ σταυρωθέντος 'Ιησοῦ εὐχαὶ καὶ εὐχαριστίαι τῷ πατρὶ καὶ ποιητῇ τῶν ὅλων γίνωνται[10]. Εἶτα δὲ[11] ὅτι κατ' ἐκεῖνο τοῦ καιροῦ, ὅτε ὁ προφήτης Μαλαχίας τοῦτο ἔλεγεν, οὐδέπω ἡ διασπορὰ ὑμῶν ἐν πάσῃ τῇ γῇ, ἐν ὅσῃ νῦν γεγόνατε, ἐγεγένητο, ὡς καὶ ἀπὸ τῶν γραφῶν ἀποδείκνυται.

118. 1 Ὥστε μᾶλλον παυσάμενοι τοῦ φιλεριστεῖν μετανοήσατε *πρὶν ἐλθεῖν τὴν μεγάλην ἡμέραν* τῆς κρίσεως, ἐν ᾗ *κόπτεσθαι* μέλλουσι πάντες

1 Ταῦτα ...μόνα : ταύτας ...μόνας *prop.* Thirlb., *coni.* Marc. **2** Δὲ : γε (*quidem*) *prop.* Nolte δὴ *coni.* Marc. **3** Δι' αὐτοὺς ὁ υἱὸς τοῦ θεοῦ *prop.* Thirlb., Mar., *coni.* Troll., Mign., *edd. ab* Otto (cf. 70, 4 : δι' οὓς καὶ παθητὸς γέγονε) : δι' αὐτοῦ ὁ θεὸς τοῦ θεοῦ *codd.*, *cett. edd.* **4** Μέμνηνται *edd. ab* Otto : μέμνηται *codd.*, *cett. edd.* **5** Καὶ αὐτὰ : καὶ αὐχμηρὰ Orell (Otto) καὶ αὐτὰ ὄντα Marc. **6** Γενομένοις : λεγομένοις *prop.* Sylb., *coni.* Marc. (cf. 63, 5) **7** Πυρὸς : διὰ πυρὸς Marc. (*ex* I Apol 12, 2 : αἰωνίαν διὰ πυρὸς καταδίκην ; 45, 6 : κόλασιν διὰ πυρὸς αἰωνίαν) κόλασιν αἰωνίου πυρὸς *prop.* Thirlb., Orell (ex Dial. 120, 5 : ἐπὶ τὴν καταδίκην τοῦ ἀσβέστου πυρὸς) **8** Τι *prop.* Sylb., *coni. edd. ab* Otto : τὸ *codd.*, *cett. edd.* **9** Εἴτε – οἰκούντων : *in semicirculis* Marc. **10** Γίνωνται Steph., Thirlb., Troll., *edd. ab* Otto : γίνονται *codd.*, *cett. edd.* **11** Εἶτα δὲ *prop.* Mar., *coni. edd. ab* Otto, Arch., Goodsp. (*ex* Dial. 117, 4 : πρῶτον μὲν) : εἰδότες *codd.*, *cett. edd.*

3 Car c'est cela[12] seul que les chrétiens [a]*ont reçu prescription* de faire, et en particulier[13] dans le [b]*mémorial*[14] de leur repas – aliments et liquides –, à l'occasion duquel ils commémorent aussi la Passion que pour eux souffrit le Fils de Dieu[15]. Lui dont les Grands prêtres et les didascales de votre peuple ont [c]par toute la terre[16] travaillé à faire [d]*profaner* et [e]*blasphémer le nom* : ces [f]vêtements *souillés*[17] jetés par vous sur tous ceux qui, par le nom de Jésus, sont devenus chrétiens, Dieu manifestera qu'ils sont [g]ôtés de nous, quand il ressuscitera tous les hommes, [h]et qu'il établira les uns – [i]*incorruptibles*, *immortels* et exempts d'affliction[18] –, en un [j]*éternel*[19] et indissoluble *royaume*, et jettera les autres au supplice éternel du feu.

4 Vous vous trompez vous-mêmes, vous et vos didascales, lorsque vous comprenez que c'est en référence à ceux de votre race qui se trouvaient dans la dispersion, que le Verbe a dit : [k]leurs prières et leurs *sacrifices* sont *purs* et agréables *en tout lieu*[20]. Reconnaissez que vous n'êtes pas de bonne foi, et qu'en tout point c'est vous-mêmes que vous vous efforcez d'abuser. Tout d'abord parce que, même aujourd'hui, votre race ne se trouve pas [l]*depuis le lever du soleil jusqu'au couchant*, mais qu'il est des [m]*nations* parmi lesquelles encore personne de votre race n'a jamais habité[21]. **5** Or il n'est absolument aucune race humaine, barbares, Grecs, ou de quelque autre nom qu'ils se trouvent désignés – qu'ils s'appellent « Vivants-en-chariot »[22], ou bien « Sans-maison »[23], ou encore qu'ils [n]*vivent sous des tentes et s'occupent des troupeaux*[24] –, chez qui, par le nom du crucifié Jésus, des prières et actions de grâce ne soient adressées au Père et Créateur de l'univers. D'autre part, comme le montrent aussi les Écritures, à l'époque où le prophète Zacharie prononçait ces paroles, votre diaspora n'avait pas encore atteint l'ensemble des contrées où vous êtes aujourd'hui parvenus.

Exhortation à la repentance.

118. 1 Aussi feriez-vous mieux de renoncer à votre goût pour la querelle, et de faire pénitence [o]*avant que ne vienne le grand jour* du jugement[1], où doivent [p]*se frapper la poitrine* tous ceux de vos *tribus* qui ont *percé* ce Christ, comme j'ai

a Cf. *I Cor.* 11, 23 **b** cf. *I Cor.* 11, 24 ; *Lc.* 22, 19 **c** cf. *Is.* 52, 5 **d** cf. *Mal.* 1, 12 **e** cf. *Is.* 52, 5 **f** cf. *Zach.* 3, 3.4 **g** *ibid.* **h** cf. *Matth.* 13, 42-43 ; 25, 41.46 et *Apoc.* 21, 4-8 **i** cf. *I Cor.* 15, 50 s. **j** cf. *Dan.* 7, 27 **k** cf. *Mal.* 1, 11 **l** *ibid.* **m** *ibid.* **n** cf. *Gen.* 4, 20 **o** cf. *Mal.* 4, 4 **p** cf. *Zach.* 12, 10.12 ; *Jn.* 19, 37 ; *Apoc.*, 1, 7.

οἱ ἀπὸ τῶν φυλῶν[1] ὑμῶν *ἐκκεντήσαντες* τοῦτον τὸν Χριστόν, ὡς ἀπὸ γραφῆς ἀπέδειξα προειρημένον. Καὶ ὅτι *ὤμοσε κύριος*[2] *κατὰ τὴν τάξιν Μελχισεδέκ*, καὶ τί τὸ προειρημένον ἐστίν, ἐξηγησάμην. Καὶ ὅτι περὶ τοῦ θάπτεσθαι μέλλοντος καὶ ἀνίστασθαι Χριστοῦ ἦν ἡ προφητεία τοῦ Ἡσαΐου, φήσαντος · *Ἡ ταφὴ αὐτοῦ ἦρται*[3] *ἐκ τοῦ μέσου*, προεῖπον. Καὶ ὅτι *κριτὴς* [fol. 170 v° : A] *ζώντων καὶ νεκρῶν ἁπάντων* αὐτὸς οὗτος ὁ Χριστός, εἶπον ἐν πολλοῖς. **2** Καὶ Νάθαν δὲ ὁμοίως περὶ τούτου λέγων πρὸς Δαυῒδ οὕτως ἐπήνεγκεν · (*II Rois*, 7, 14) *Ἐγὼ ἔσομαι αὐτῷ εἰς πατέρα, καὶ αὐτὸς ἔσται μοι εἰς υἱόν,* (15)*Καὶ τὸ ἔλεός μου οὐ μὴ ἀποστήσω ἀπ᾽ αὐτοῦ, καθὼς ἐποίησα*[4] *ἀπὸ τῶν ἔμπροσθεν αὐτοῦ...* · (16)*καὶ στήσω αὐτὸν ἐν τῷ οἴκῳ μου καὶ ἐν τῇ βασιλείᾳ αὐτοῦ ἕως αἰῶνος*. Καὶ τὸν *ἡγούμενον δὲ ἐν τῷ οἴκῳ*[5] οὐκ ἄλλον Ἰεζεκιὴλ λέγει ἢ τοῦτον αὐτόν. Οὗτος γὰρ ἐξαίρετος ἱερεὺς καὶ *αἰώνιος βασιλεύς*, ὁ Χριστός, ὡς υἱὸς θεοῦ · οὗ ἐν τῇ πάλιν πα-[p. 265 : B]-ρουσίᾳ μὴ δόξητε λέγειν Ἡσαΐαν ἢ τοὺς ἄλλους προφήτας *θυσίας ἀφ᾽ αἱμάτων* ἢ *σπονδῶν* ἐπὶ τὸ θυσιαστήριον ἀναφέρεσθαι, ἀλλὰ ἀληθινοὺς καὶ πνευματικοὺς[6] *αἴνους* καὶ εὐχαριστίας.

3 Καὶ οὐ[7] μάτην ἡμεῖς εἰς τοῦτον πεπιστεύκαμεν, οὐδ᾽ ἐπλανήθημεν ὑπὸ τῶν οὕτως διδαξάντων, ἀλλὰ καὶ θαυμαστῇ προνοίᾳ θεοῦ τοῦτο γέγονεν, ἵνα ἡμεῖς ὑμῶν, τῶν νομιζομένων οὐκ ὄντων δὲ οὔτε φιλοθέων οὔτε συνετῶν, *συνετώτεροι* καὶ θεοσεβέστεροι εὑρεθῶμεν διὰ τῆς κλήσεως τῆς *καινῆς* καὶ *αἰωνίου διαθήκης* τουτέστι τοῦ Χριστοῦ. **4** Τοῦτο θαυμάζων Ἡσαΐας ἔφη · (*Is.* 52, 15) ...*καὶ συνέξουσι βασιλεῖς τὸ στόμα αὐτῶν · ὅτι οἷς οὐκ ἀνηγγέλη περὶ αὐτοῦ*[8] *ὄψονται, καὶ οἳ οὐκ ἀκηκόασι* < *συνήσουσι* >[9]. (*Is.* 53, 1)*Κύριε, τίς ἐπίστευσε τῇ ἀκοῇ ἡμῶν ; Καὶ ὁ βραχίων κυρίου τίνι* [fol. 171 r° : A] *ἀπεκαλύφθη* ; Καὶ ταῦτα λέγων, ἔφην, ὦ Τρύφων, ὡς ἐγχωρεῖ, διὰ τοὺς σήμερον σὺν σοὶ ἀφιγμένους ταὐτὰ[10] λέγειν πειρῶμαι[11], βραχέως μέντοι καὶ περικεκομμένως.

5 – Κἀκεῖνος · Εὖ ποιεῖς, ἔφη · κἂν διὰ πλειόνων δὲ καὶ τὰ αὐτὰ πάλιν λέγῃς, χαίρειν με καὶ τοὺς συνόντας τῇ ἀκροάσει[12] γίνωσκε.

1 Φυλῶν *prop.* Sylb., Wolf, Mar., *coni* Troll., Mign., *edd. ab Otto* (*ex* LXX ; Dial. 32, 2 ; 126, 1 ; I Apol. 52, 12) : φαυλῶν Mar. φαύλων *codd., cett. edd.* **2** Κύριος : συ ἱερεὺς εἰς τὸν αἰῶνα *add.* Marc. (*ex* LXX *et Iustino*) **3** Ἦρται : ἦρται Otto, Arch. **4** Ἐποίησα : ἀπέστησα Marc. (*ex* LXX) **5** Οἴκῳ : οἴκῳ τοῦ θεοῦ Marc. **6** Ἀληθινοὺς καὶ πνευματικοὺς αἴνους καὶ εὐχαριστίας : –νους καὶ –κους, αἰν. κ. εὐχ. Mar., Mign. –νὰς καὶ –κὰς, αἰν. κ. εὐκ. *prop.* Thirlb. –νὰς καὶ –κὰς, τουτέστιν αἰν. κ. εὐκ. Marc. **7** Οὐ : οὐ μόνον οὐ Marc. **8** Αὐτοῦ (= LXX, Dial. 13, 3 ; I Apol. 50, 4) *prop.* Thirlb., *coni. edd. ab* Otto (*cui accedunt* Troll., Mign.) : αὐτῶν *codd., cett. edd.* **9** Συνήσουσι *edd.* (*ex* LXX *et* Iustino) : *om. codd.* **10** Ταὐτὰ *codd.*, Troll., *edd. ab* Otto : ταῦτα *cett. edd.* **11** Πειρῶμαι : πειράσομαι *coni.* Marc. (*ex* Dial. 43, 8 ; 45, 1; 56, 4 *etc.*) **12** Ἀκροάσει B, *edd.* : ἀ/ἀκροάσει A.

démontré[2], d'après l'Écriture, que c'était prédit. J'ai aussi expliqué[3] que [a]*le Seigneur a juré selon l'ordre de Melchisédech*, ainsi que le sens de cette prédiction. J'ai de même déjà dit[4] que c'est au Christ qui devait être mis au tombeau, puis ressusciter, que se rapporte la prophétie d'Isaïe déclarant : [b]*Son tombeau a été enlevé du milieu [des hommes].* Et j'ai maintes fois répété que ce Christ en personne est [c]*juge de tous, vivants et morts*[5]. **2** Et Nathan pareillement, parlant de lui, adresse à David cet avertissement : (*II Rois*, 7, 14)*Je serai pour lui un père, et lui sera pour moi un fils...* ; (15)*et je ne détournerai pas de lui ma miséricorde, comme je l'ai fait à ses ancêtres...* (16)*Je l'établirai dans ma maison et dans son royaume pour toujours.* Quant à [d]*celui qui commande dans la maison*, dont parle Ézéchiel, ce n'est autre que lui. Car il est le prêtre choisi[6] et le [e]*roi éternel*, le Christ, en tant que Fils de Dieu. Et n'allez pas croire que dans sa seconde parousie, Isaïe ou les autres prophètes parlent d'offrir sur l'autel [f]des *sacrifices sanglants* ou des *libations*[7] : il ne s'agit que de [g]*louanges* véritables et spirituelles, et d'actions de grâce[8].

3 Et ce n'est pas en vain[9] qu'en lui nous avons cru ; nous n'avons pas non plus été trompés par ceux qui nous ont transmis un tel enseignement : c'est au contraire par l'effet de la merveilleuse Providence de Dieu que cela est advenu, pour que nous, plus que vous qui – à tort – estimez aimer Dieu et être [h]*intelligents*, soyons trouvés encore plus *intelligents*[10] et pieux, par la vocation[11] de [i]l'*alliance nouvelle*[12] et *éternelle*[13], c'est-à-dire du Christ. **4** C'est là ce qui émerveillait[14] Isaïe, lorsqu'il disait : (*Is.* 52, 15)*...et les rois fermeront la bouche ; car ceux à qui rien n'avait été annoncé sur lui verront, et ceux qui n'avaient pas entendu comprendront.* (*Is.* 53, 1)*Seigneur, qui a cru au bruit de nos paroles, et à qui le bras du seigneur a-t-il été découvert*[15] *?*

Dans ce que je viens de dire, Tryphon, ajoutai-je, je m'efforce, autant qu'il est possible, à l'intention de ceux qui sont venus avec toi aujourd'hui, de répéter les mêmes choses ; je le fais toutefois avec brièveté et avec concision[16].

5 Lui : — Tu fais bien, dit-il. Car même si pour l'essentiel tu répètes les mêmes choses, sache que moi et mes compagnons, c'est avec plaisir que nous t'écoutons.

a Cf. *Ps.* 109, 4 **b** cf. *Is.* 57, 2 **c** cf. *Dan.* 7, 26 et *Act.* 10, 42 ; *II Tim.* 4, 1 ; *I Pierre*, 4, 5, etc.
d cf. *Éz.* 44, 3 **e** cf. *II Rois*, 7, 16 **f** cf. *Is.* 1, 11-13 ; *Jér.* 7, 22 ; *Ps.* 49, 13 ; *Éz.* 45-46
g cf. *Ps.* 49, 14 **h** cf. *Is.* 29, 14 ; 5, 21 **i** cf. *Jér.* 31, 31 ; 32, 40 ; *Is.* 55, 3 ; 61, 8 et *Hébr.* 13, 20.

119. 1 – Ἐγώ τε αὖ εἶπον · Οἴεσθε ἂν ἡμᾶς ποτε, ὦ ἄνδρες, νενοηκέναι δυνηθῆναι ἐν ταῖς γραφαῖς ταῦτα, εἰ μὴ θελήματι τοῦ θελήσαντος[1] αὐτὰ ἐλάβομεν χάριν τοῦ νοῆσαι ; Ἵνα γένηται[2] καὶ τὸ λελεγμένον ἐπὶ[3] Μωσέως[4] · **2** (*Deut.* 32, 16)*Παρώξυνάν με ἐπ' ἀλλοτρίοις, ἐν βδελύγμασιν*[5] *αὐτῶν ἐξεπίκρανάν με,* (17)*ἔθυσαν δαιμονίοις*[6] *οἷς οὐκ οἴδασι · καινοὶ καὶ πρόσφατοι ἥκασιν, οὓς οὐκ ᾔδεισαν οἱ πατέρες αὐτῶν.* (18)*Θεὸν τὸν γεννήσαντά σε ἐγκατέλιπες, καὶ ἐπελάθου θεοῦ τοῦ τρέφον*-[p. 266 : B]-*τός σε.* (19)*Καὶ εἶδε κύριος, καὶ ἐζήλωσε, καὶ παρωξύνθη δι' ὀργὴν υἱῶν αὐτοῦ καὶ θυγατέρων,* (20)*καὶ εἶπεν · Ἀποστρέψω τὸ πρόσωπόν μου ἀπ' αὐτῶν, καὶ δείξω τί ἔσται αὐτοῖς ἐπ' ἐσχάτων, ὅτι γενεὰ ἐξεστραμμένη ἐστίν, υἱοὶ οἷς οὐκ ἔστι πίστις ἐν αὐτοῖς.* (21)*Αὐτοὶ παρεζήλωσάν με ἐπ' οὐ θεῷ, παρώργισάν με ἐν τοῖς εἰδώλοις αὐτῶν · κἀγὼ παραζηλώσω αὐτοὺς ἐπ' οὐκ ἔθνει, ἐπ' ἔθνει ἀσυνέτῳ παροργιῶ αὐτούς ·* (22)*ὅτι πῦρ ἐκκέκαυται ἐκ τοῦ θυμοῦ μου, καὶ καυθήσεται ἕως ᾅδου*[7] *· καταφάγεται τὴν γῆν καὶ τὰ γεννήματα αὐτῆς,* [fol. 171 v° : A] *φλέξει θεμέλια ὀρέων.* (23)*Συνάξω εἰς αὐτοὺς κακά.*

3 Καὶ μετὰ τὸ *ἀναιρεθῆναι* τὸν *δίκαιον* ἐκεῖνον ἡμεῖς λαὸς ἕτερος ἀνεθήλαμεν[8], καὶ ἐβλαστήσαμεν στάχυες καινοὶ καὶ εὐθαλεῖς, ὡς ἔφασαν οἱ προφῆται · *Καὶ καταφεύξονται ἔθνη πολλὰ ἐπὶ τὸν κύριον ἐν ἐκείνῃ τῇ ἡμέρᾳ εἰς λαόν*[9], *καὶ κατασκηνώσουσιν ἐν μέσῳ τῆς γῆς πάσης.* Ἡμεῖς δὲ οὐ μόνον *λαός*, ἀλλὰ καὶ *λαὸς ἅγιός* ἐσμεν, ὡς ἐδείξαμεν ἤδη. *Καὶ καλέσουσιν*[10] *αὐτὸν λαὸν ἅγιον, λελυτρωμένον ὑπὸ κυρίου.*

4 Οὐκοῦν οὐκ[11] εὐκαταφρόνητος δῆμός ἐσμεν οὐδὲ βάρβαρον φῦλον οὐδὲ ὁποῖα Καρῶν ἢ Φρυγῶν ἔθνη, ἀλλὰ καὶ ἡμᾶς *ἐξελέξατο ὁ θεός*, καὶ *ἐμφανὴς ἐγενήθη τοῖς μὴ ἐπερωτῶσιν αὐτόν. Ἰδοὺ θεός*[12] *εἰμι*, φησί, *τῷ ἔθνει*[13], *οἳ οὐκ ἐπεκαλέσαντο τὸ ὄνομά μου.* Τοῦτο γάρ ἐστιν ἐκεῖνο τὸ *ἔθνος*, ὃ πάλαι τῷ Ἀβραὰμ ὁ θεὸς ὑπέσχετο, καὶ *πατέρα πολλῶν ἐθνῶν* θήσειν ἐπηγγείλατο, οὐκ Ἀρράβων[14], οὐδ' Αἰγυπτίων οὐδ' Ἰδουμαίων λέγων · ἐπεὶ καὶ Ἰσμαὴλ *μεγάλου* πατὴρ *ἔθνο<υ>ς*[15] ἐγένετο καὶ Ἡσαῦ,

1 Θελήσαντος : λαλήσαντος *prop.* Thirlb., *coni.* Marc. **2** Ἵνα γένηται : ἵνα δὲ φανερὸν ὑμῖν γένηται Marc. **3** Ἐπὶ : ὑπὸ *prop.* Sylb., *coni.* Arch. **4** Μωσέως : Μωϋσέως Otto, Mign., Goodsp. *Post* Μωσέως ἐρῶ · ἔστι δὲ ταῦτα *add.* Marc. **5** Βδελύγμασιν *edd.* : βδελίγμασιν *codd.* **6** *Post* δαιμονίοις *legendum* καὶ οὐ Θεῷ, θεοῖς Thirlb., Marc. (*ex* LXX) **7** Ἕως ᾅδου : ἕως ᾅδου κάτω *prop.* Otto, *add.* Marc. (*ex* LXX. ; I Apol. 60, 9) **8** Ἀνεθήλαμεν *edd.* : ἀνεθάλαμεν *codd.* **9** Εἰς λαόν : καὶ ἔσονται αὐτῷ εἰς λ. Marc. (*ex* LXX) καὶ ἔσονται μοι Dial. 115, 1 **10** Καὶ καλέσουσιν : καὶ οὕτως λέγει Ἡσαΐας · Καλέσουσιν *prop.* Troll. καὶ καλέσει LXX **11** Οὐκοῦν οὐκ : οὐκοῦν οὐ μόνον οὐκ Marc. **12** Θεός : *om.* LXX, Dial. 24, 4 *et* I Apol. 49, 1 **13** Φησί, τῷ ἔθνει : φημὶ τῷ ἔθνει (*dico genti*) *prop.* Otto. εἶπα LXX **14** Ἀρράβων : Ἀράβων Mign. **15** Ἔθνους *edd.* : ἔθνος *codd.*

Les chrétiens sont le « peuple saint » annoncé par les prophètes, et la « nation nombreuse » promise à Abraham.

119. 1 Je repris :

— Croyez-vous, amis, que nous aurions jamais pu comprendre ces choses, dans les Écritures, si par la volonté de celui qui les a voulues nous n'avions point reçu la grâce de comprendre[1] ? C'est bien pour qu'advienne aussi ce qui avait été dit au temps de Moïse :

2 (*Deut.* 32, 16)*Ils m'ont contrarié par leurs dieux étrangers, par leurs abominations ils m'ont exaspéré ;* (17)*ils ont sacrifié à des démons qu'ils ne connaissaient pas, nouveaux et récents, ils sont venus, inconnus de leurs pères.* (18)*Le Dieu qui t'a engendré, tu l'as abandonné, et tu as oublié le Dieu qui t'a nourri.* (19)*Et le Seigneur l'a vu, et il s'est irrité, et de colère il fut exaspéré contre ses fils et ses filles,* (20)*et il a dit : « Je détournerai d'eux mon visage, et je montrerai ce qu'il adviendra d'eux à la fin, car c'est une génération dévoyée, des fils en lesquels il n'y a point de foi*[2]. (21)*Ils m'ont rendu jaloux par ce qui n'est pas Dieu, et ils m'ont irrité avec leurs idoles. Et moi je les rendrai jaloux par une non-nation*[3]*, par une nation privée d'intelligence*[4]*, je les irriterai.* (22)*Car de ma colère un feu s'est embrasé, et il brûlera jusqu'au fond de l'Hadès. Il dévorera la terre et ses produits, il consumera les assises des monts.* (23)*J'entasserai sur eux les maux ».*

3 Et après que ce [a]*juste* eut été *enlevé*[5], nous avons refleuri en un autre peuple, et nous avons germé, épis nouveaux et prospères, comme l'ont dit les prophètes[6] : [b]*De nombreuses nations se réfugieront*[7] *vers le Seigneur, ce jour-là, en un peuple, et ils dresseront leurs tentes au milieu de la terre entière.* Or nous ne sommes pas seulement un [c]*peuple*, mais encore un [d]*peuple saint*, comme nous l'avons déjà montré[8] : [e]*Et ils l'appelleront peuple saint, racheté par le Seigneur.*

4 Nous ne sommes donc pas une gent méprisable, une tribu barbare ou quelques nations de Cariens ou de Phrygiens[9], mais [f]*Dieu* nous a *choisis*, même nous, et [g]*s'est manifesté à ceux qui ne le sollicitaient pas. Voici, je suis Dieu*, dit-il[10], *pour la nation, ceux qui n'invoquaient point mon nom.* Cette *nation*, en effet, c'est celle que Dieu jadis promettait à Abraham, lorsqu'il annonçait qu'il le ferait [h]*père de nations nombreuses* : ce n'est ni des Arabes, ni des Égyptiens, ni des Iduméens qu'il voulait parler (car Ismaël aussi fut père d'une [i]*grande nation*, de même [j]qu'Ésaü, et il y a de nos jours un grand nombre d'Ammonites). Mais Noé fut le père d'Abraham lui-même, et en définitive de tout le genre humain, et d'autres encore eurent une autre descendance[11].

a Cf. *Is.* 3, 10 et 57, 1 **b** *Zach.* 2, 15 **c** *ibid.* **d** *Is.* 62, 12 ; cf. *Dan.* 7, 27 ; *I Petr.* 2, 9 **e** *Is.* 62, 12 **f** cf. *Deut.* 7, 6 ; 14, 2 **g** cf. *Is.* 65, 1 **h** cf. *Gen.* 17, 5 **i** cf. *Gen.* 21, 18 **j** cf. *Gen.* 36, 1-8 ; 9-19.

καὶ ᾿Αμμανιτῶν[1] ἐστι [p. 267 : B] νῦν πολὺ πλῆθος. Νῶε δὲ καὶ αὐτοῦ ᾿Αβραὰμ πατὴρ ἦν καὶ ἁπλῶς παντὸς ἀνθρώπων γένους, ἄλλοι δὲ ἄλλων πρόγονοι.

5 Τί οὖν πλέον ἐνθάδε ὁ Χριστὸς χαρίζεται τῷ ᾿Αβραάμ ; Ὅτι[2] διὰ τῆς ὁμοίας κλήσεως φωνῇ ἐκάλεσεν αὐτόν, εἰπὼν *ἐξελθεῖν ἀπὸ τῆς γῆς* ἐν ᾗ ᾤκει. Καὶ ἡμᾶς δὲ ἅπαντας δι᾿ ἐκείνης τῆς φωνῆς ἐκάλεσε, καὶ *ἐξήλθομεν* [fol. 172 r° : A] ἤδη ἀπὸ τῆς πολιτείας, ἐν ᾗ ἐζῶμεν κατὰ τὰ κοινὰ τῶν ἄλλων τῆς γῆς οἰκητόρων κακῶς ζῶντες · καὶ σὺν τῷ ᾿Αβραὰμ τὴν ἁγίαν κληρονομήσομεν γῆν, εἰς τὸν ἀπέραντον αἰῶνα τὴν κληρονομίαν ληψόμενοι, *τέκνα τοῦ ᾿Αβραὰμ* διὰ τὴν ὁμοίαν *πίστιν* ὄντες. **6** Ὃν γὰρ τρόπον ἐκεῖνος τῇ φωνῇ τοῦ *θεοῦ ἐπίστευσε* καὶ *ἐλογίσθη αὐτῷ εἰς δικαιοσύνην*, τὸν αὐτὸν τρόπον καὶ ἡμεῖς τῇ φωνῇ τοῦ θεοῦ, τῇ διά τε[3] τῶν ἀποστόλων τοῦ Χριστοῦ λαληθείσῃ πάλιν καὶ τῇ διὰ τῶν προφητῶν κηρυχθείσῃ ἡμῖν, *πιστεύσαντες* μέχρι τοῦ ἀποθνῄσκειν πᾶσι τοῖς ἐν τῷ κόσμῳ ἀπεταξάμεθα. Ὁμοιόπιστον οὖν τὸ[4] *ἔθνος* καὶ θεοσεβὲς καὶ δίκαιον, *εὐφραῖνον τὸν πατέρα*, ὑπισχνεῖται αὐτῷ, ἀλλ᾿ οὐχ ὑμᾶς, οἷς *οὐκ ἔστι πίστις ἐν αὐτοῖς*.

120. 1 ᾿Οράτε μέντοι ὡς καὶ τῷ ᾿Ισαὰκ τὰ αὐτὰ καὶ τῷ ᾿Ιακὼβ ὑπισχνεῖται. Οὕτω γὰρ λέγει τῷ ᾿Ισαάκ · *Καὶ εὐλογηθήσονται ἐν τῷ σπέρματί σου πάντα τὰ ἔθνη τῆς γῆς* · τῷ δὲ ᾿Ιακώβ · *Καὶ εὐλογηθήσονται ἐν σοὶ πᾶσαι αἱ φυλαὶ τῆς γῆς καὶ ἐν τῷ σπέρματί σου.* Οὐκέτι τοῦτο τῷ Ἡσαῦ οὐδὲ τῷ Ῥουβὶμ λέγει οὐδὲ ἄλλῳ τινί, ἀλλ᾿[5] ἐκείνοις ἐξ ὧν ἔμελλεν ἔσεσθαι κατὰ τὴν οἰκονομίαν τὴν διὰ τῆς παρθένου Μαρίας ὁ Χριστός.

2 [p. 268 : B] Εἴγε δὲ καὶ τὴν εὐλογίαν ᾿Ιούδα καταμάθοις, ἴδοις ἂν ὃ λέγω. Μερίζεται γὰρ τὸ *σπέρμα* ἐξ ᾿Ιακώβ, καὶ διὰ ᾿Ιούδα καὶ Φαρὲς καὶ ᾿Ιεσσαὶ [fol. 172 v° : A] καὶ Δαυῒδ κατέρχεται. Ταῦτα δ᾿ ἦν σύμβολα ὅτι τινὲς τοῦ γένους ὑμῶν εὑρεθήσονται *τέκνα ᾿Αβραάμ*[6], καὶ ἐν *μερίδι* τοῦ Χριστοῦ εὑρισκόμενοι[7], ἄλλοι δὲ *τέκνα* μὲν *τοῦ ᾿Αβραάμ, ὡς ἡ ἄμμος δὲ*

1 ᾿Αμμανιτῶν *edd. ab* Otto : ᾿Αμανιτῶν *codd., cett. edd.* **2** Τί ...τῷ ᾿Αβραάμ ; Ὅτι ...ᾤκει. : τί ...τῷ ᾿Αβρ., ὅτι (Thirlb. *praefert* ὅτε) ...ᾤκει ; Jebb, Thirlb. τί ...τῷ ᾿Αβρ., ὅτι ...ᾤκει · *codd.* **3** Τῇ διά τε : τῇ τε διὰ *prop.* Credner (*Gesch. d. n. T. Kanon*, Ber. 1860, p. 13.124) *vel delendum* τῇ – καὶ (*De Librr. N. T. inspiratione...*, Ien. 1828, p. 55) **4** Τὸ : τι *prop.* Orell (*Iust. Mart. loc. aliq. sel.*, p. 35) **5** ᾿Αλλ᾿ (cf. 74, 1 : ἀλλ᾿ εἰς τὸν πατέρα) : ἀλλ᾿ ἢ *prop.* Thirlb. **6** ᾿Αβραάμ : τοῦ ᾿Αβρ. Marc. **7** Εὑρισκόμενοι : *post* τοῦ ᾿Αβραὰμ *transp.* Marc. ἐρριζωμένοι (*ex* Sap. Sir., 24, 12 : Ἐρρίζωσα ἐν λαῷ δεδοξασμένῳ, ἐν μερίδι κυρίου κληρονομίας αὐτοῦ) *prop.* Thirlb.

5 Qu'est-ce donc que le Christ[12] a accordé là de plus à Abraham ? C'est que par une même vocation, de sa voix[13], il l'a convoqué, lui disant [a]de *sortir de la terre* où il habitait ; et nous aussi, par cette voix il nous a convoqués, et nous sommes *sortis*, désormais, de la manière de vivre qui était la nôtre, quand, partageant la conduite des autres nations qui habitent la terre, nous vivions dans le mal. Et avec Abraham, nous hériterons de la Terre sainte, héritage que nous recevrons pour une éternité sans fin, [b]étant *fils d'Abraham* par une même[14] *foi.* **6** De même, en effet, que celui-là [c]*eut foi en* la voix de *Dieu*, et que *cela lui fut imputé à justice*, de même nous aussi, en la voix de Dieu – celle qui à nouveau nous fut adressée par les apôtres du Christ, et que les prophéties nous avaient annoncée – nous avons *eu foi*, allant jusqu'à la mort, et à toutes les choses qui se trouvent au monde nous avons renoncé[15]. C'est donc d'une *nation* ayant la même foi, pieuse et juste, et [d]*agréable au Père*, qu'il lui fait la promesse, et non pas de vous, [e]*en lesquels il n'y a point de foi.*

La promesse d'une descendance universelle à été faite aussi à Isaac et Jacob, de qui le Christ descend par Marie.
C'est au Christ que s'appliquent la bénédiction de Juda et le symbole du martyre d'Isaïe.
La double descendance constituée des nations et des juifs convertis au Christ.

120. 1 Considérez cependant comment ces mêmes promesses, il les adresse aussi à Isaac et à Jacob[1]. C'est ainsi, en effet, qu'il parle à Isaac : [f]*en ta descendance seront bénies toutes les nations de la terre* ; et à Jacob : [g]*En toi seront bénies toutes les tribus de la terre, et en ta descendance.* Il n'a plus dit cela ni à Ésaü, ni à Ruben, ni à aucun autre, mais à ceux-là seuls dont devait naître le Christ, selon l'économie réalisée par l'intermédiaire de la vierge Marie[2].

2 Si tu examinais encore la bénédiction de Juda, tu verrais ce que je dis, car la [h]*descendance* de Jacob se partage[3], et se prolonge par Juda, Pharès, Jessé et David. C'était là un symbole que quelques-uns de votre race seraient trouvés *enfants d'Abraham*, se trouvant également dans la [i]*part*[4] du Christ, tandis que d'autres, sont bien *enfants d'Abraham*, mais [j]*ainsi que le sable qui est*

a Cf. *Gen.* 12, 1 **b** cf. *Gal.* 3, 7 **c** cf. *Gen.* 15, 5 ; *Gal.* 3, 6 **d** cf. *Prov.* 10, 1 **e** cf. *Deut.* 32, 20 **f** cf. *Gen.* 26, 4 **g** cf. *Gen.* 28, 14 **h** *ibid.* **i** cf. *Deut.* 32, 9 ; *Zach.* 2, 12 **j** cf. *Gen.* 22, 17.

ἢ ἐπὶ[1] *τὸ χεῖλος τῆς θαλάσσης* ὄντες, ἥτις ἄγονός τε καὶ *ἄκαρπος*, πολλὴ[2] μὲν καὶ ἀναρίθμητος ὑπάρχουσα, οὐδὲν δὲ ὅλως καρπογονοῦσα, ἀλλὰ μόνον τὸ ὕδωρ τῆς *θαλάσσης* πίνουσα · ὅπερ καὶ τὸ ἐν τῷ γένει ὑμῶν πολὺ πλῆθος ἐλέγχεται, πικρίας μὲν διδάγματα καὶ ἀθεότητος συμπίνοντες, τὸν δὲ τοῦ θεοῦ λόγον ἀποπτύοντες.

3 Φησὶ γοῦν καὶ ἐν τῷ ᾿Ιούδᾳ · *Οὐκ ἐκλείψει ἄρχων ἐξ ᾿Ιούδα καὶ ἡγούμενος ἐκ τῶν μηρῶν αὐτοῦ, ἕως ἂν ἔλθῃ ᾧ ἀπόκειται*[3] · *καὶ αὐτὸς ἔσται προσδοκία ἐθνῶν.* Καὶ τοῦτο ὅτι οὐκ[4] εἰς ᾿Ιούδαν ἐρρέθη ἀλλ᾿ εἰς τὸν Χριστόν, φαίνεται · καὶ γὰρ ᾿Ιούδαν πάντες οἱ ἀπὸ τῶν *ἐθνῶν* πάντων οὐ *προσδοκῶμεν*, ἀλλὰ ᾿Ιησοῦν, τὸν καὶ τοὺς πατέρας *ὑμῶν ἐξ Αἰγύπτου ἐξαγαγόντα.* Μέχρι γὰρ τῆς παρουσίας τοῦ Χριστοῦ ἡ προφητεία προεκήρυσσεν · *῞Εως ἂν ἔλθῃ ᾧ ἀπόκειται · καὶ αὐτὸς ἔσται προσδοκία ἐθνῶν.* **4** *᾿Ελήλυθε* τοιγαροῦν, ὡς καὶ ἐν πολλοῖς ἀπεδείξαμεν, καὶ *προσδοκᾶται* πάλιν παρέσεσθαι *ἐπάνω τῶν νεφελῶν* ᾿Ιησοῦς, οὗ *τὸ ὄνομα βεβηλοῦτε* ὑμεῖς καὶ *βεβηλοῦσθαι ἐν πάσῃ τῇ γῇ* ἐξεργάζεσθε. Δυνατὸν δὲ ἦν μοι, ἔφην, ὦ ἄνδρες, μάχεσθαι πρὸς [p. 269 : B] ὑμᾶς περὶ τῆς λέξεως, ἣν [fol. 173 r° : A] ὑμεῖς ἐξηγεῖσθε λέγοντες εἰρῆσθαι · *῞Εως ἂν ἔλθῃ τὰ ἀποκείμενα αὐτῷ* · ἐπειδὴ οὐχ οὕτως ἐξηγήσαντο οἱ ἑβδομήκοντα, ἀλλ᾿ *῞Εως ἂν ἔλθῃ ᾧ ἀπόκειται.* **5** ᾿Επειδὴ δὲ τὰ ἀκόλουθα μηνύει ὅτι περὶ Χριστοῦ εἴρηται (οὕτω γὰρ ἔχουσι · *Καὶ αὐτὸς ἔσται προσδοκία ἐθνῶν*[5]), οὐ περὶ τοῦ λεξειδίου[6] συζητῆσαι ὑμῖν ἔρχομαι, ὅνπερ τρόπον οὐδὲ ἀπὸ τῶν μὴ ὁμολογουμένων ὑφ᾿ ὑμῶν γραφῶν, ὧν καὶ ἀνιστόρησα, ἀπὸ λόγων ῾Ιερεμίου τοῦ προφήτου καὶ ῎Εσδρα καὶ Δαυΐδ, τὴν ἀπόδειξιν τὴν περὶ τοῦ Χριστοῦ ποιήσασθαι ἐσπούδασα, ἀλλ᾿ ἀπὸ τῶν ὁμολογουμένων μέχρι νῦν ὑφ᾿ ὑμῶν · ἃ εἰ ἐνενοήκεισαν οἱ διδάσκαλοι ὑμῶν, εὖ ἴστε ὅτι ἀφανῆ ἐπεποιήκεισαν, ὡς καὶ τὰ περὶ τὸν θάνατον ῾Ησαΐου, ὃν πρίονι ξυλίνῳ ἐπρίσατε, μυστήριον[7] καὶ αὐτὸ τοῦ Χριστοῦ, τοῦ τέμνειν ὑμῶν τὸ γένος διχῇ μέλλοντος, καὶ τοὺς μὲν ἀξίους σὺν τοῖς ἁγίοις πατριάρχαις καὶ προφήταις τῆς *αἰωνίου βασιλείας* καταξιοῦν μέλλοντος[8], τοὺς δὲ ἐπὶ τὴν καταδίκην τοῦ ἀσβέστου πυρὸς σὺν τοῖς ὁμοίοις[9] ἀπειθέσι καὶ ἀμεταθέτοις ἀπὸ πάντων τῶν *ἐθνῶν* πέμψειν ἤδη φήσαντος. **6** (*Matth.* 8, 11 ; cf. *Lc.* 13, 28-29) *῞Ηξουσι γάρ,* εἶπεν, *ἀπὸ δυσμῶν καὶ ἀνατολῶν, καὶ ἀνακλιθήσονται*[10] *μετὰ ᾿Αβραὰμ καὶ ᾿Ισαὰκ καὶ ᾿Ιακὼβ ἐν*

1 ᾿Επὶ : παρὰ LXX **2** Πολλὴ *edd.* : πολὴ *codd.* **3** ῟Ω ἀπόκειται Arch., Goodsp. : τὰ ἀποκείμενα αὐτῷ *codd.*, *cett. edd.* **4** Οὐκ : οὐχ *codd.*, Steph. **5** ῞Ουτω – ἐθνῶν *in semicirculis edd.* **6** Λεξειδίου : λεξιδίου *prop.* Orell. (*Iust. M.*, *loc. aliq. sel.*, p. 35) **7** Μυστήριον : μ. ὂν Marc. **8** Μέλλοντος : *del.* Marc. (καταξιοῦν ...ἤδη φήσαντος) **9** ῾Ομοίοις : ὁμοίως *prop.* Sylb. **10** ᾿Ανακλιθήσονται *edd.* : –κληθ– *codd.*

au bord de la mer, stérile et [a]*sans fruit*[5] ; il est certes abondant et aussi innombrable, mais totalement inapte à produire du fruit, et il ne boit que l'eau de la *mer*. C'est ce qu'en votre race le plus grand nombre est convaincu de faire : ils boivent ensemble des doctrines d'amertume[6] et d'impiété, et rejettent en crachant la parole de Dieu.

3 Aussi est-il dit, à propos de Juda : [b]*Il ne manquera pas de prince à Juda, ni de guide*[7] *issu de ses cuisses, jusqu'à ce que vienne celui à qui c'est réservé*[8] *; et lui-même sera l'attente des nations*[9]. Que cela n'ait pas été dit à propos de Juda, mais à propos du Christ, c'est évident : car ce n'est pas Juda que nous tous, de toutes les *nations*, nous *attendons*, mais Jésus, lui qui a également [c]*guidé*[10] vos pères *hors de l'Égypte*. C'est « jusqu'à la parousie du Christ », en effet, que signifiait la prophétie proclamant à l'avance : *jusqu'à ce que vienne celui à qui c'est réservé ; et lui-même sera l'attente des nations*. **4** Il est donc [d]*venu*, comme en plusieurs endroits nous l'avons démontré, et on [e]*attend* qu'il paraisse à nouveau, lui Jésus, [f]*au-dessus des nuées*[11], lui dont vous avez [g]*profané* – et travaillez encore à faire *profaner*[12] –, [h]en toute la terre[13], *le nom*.

Je pourrais bien, dis-je, amis, vous livrer bataille au sujet de l'expression que vous interprétez comme s'il était dit [i]*jusqu'à ce que viennent les choses qui lui sont réservées*. Car ce n'est pas ainsi que les Septante ont traduit, mais : *Jusqu'à ce que vienne celui à qui c'est réservé*. **5** Mais comme ce qui suit indique qu'il est question du Christ (le texte porte en effet : [j]*et lui même sera l'attente des nations*), je ne vais pas me mettre à discuter avec vous à propos de ce simple mot : pas plus que je n'ai cherché à établir ma démonstration relative au Christ d'après des Écritures que vous ne reconnaissez pas, – et que j'ai elles aussi rappelées – c'est-à-dire d'après des passages de Jérémie le prophète, d'Esdras et de David[14], mais d'après celles qui jusqu'ici encore sont reconnues par vous.

Si vos didascales les avaient comprises, sachez bien qu'ils les auraient fait disparaître[15], comme pour celles qui ont trait à la mort d'Isaïe, lui que vous avez scié avec une scie de bois, autre symbole du Christ[16], qui doit scinder en deux votre race, déclarer les uns dignes, en compagnie des saints patriarches et prophètes, du [k]*royaume éternel*[17], ayant dit, quant aux autres, qu'il les enverrait au châtiment du feu inextinguible[18], avec leurs semblables, de toutes les *nations*, qui n'auront accepté ni de croire ni de se convertir[19]. **6** (*Matth.* 8, 11 ; cf. *Lc.* 13, 28-29)*Ils viendront*, a-t-il dit, *du Levant et de l'Occident, et ils*

a Cf. *Matth.* 13, 22 et *Mc.* 4, 19 **b** cf. *Gen.* 49, 10 **c** cf. *Exod.* 13, 9, etc. **d** cf. *Gen.* 49, 10 **e** *ibid.* **f** cf. *Dan.* 7, 13 ; *Matth.* 26, 64 ; *Mc.* 14, 62 **g** cf. *Mal.* 1, 11-12 **h** cf. *Is.* 52, 5 **i** cf. *Gen.* 49, 10 **j** *ibid.* **k** cf. *Dan.* 7, 27.

τῇ βασιλείᾳ τῶν οὐρανῶν · (12)*οἱ δὲ υἱοὶ τῆς βασιλείας ἐκβληθήσονται εἰς τὸ σκότος τὸ ἐξώτερον* [fol. 173 v° : A].

Καὶ ταῦτα, εἶπον[1], ὅτι[2] οὐδὲν οὐδενὸς φροντίζω[3] ἢ τοῦ τἀληθὲς λέγειν, λέγοιμι, οὐδένα δυσωπήσεσθαι μέλλων, κἂν[4] δέῃ παραυτίκα ὑφ' ὑμῶν μελισθῆναι. Οὐδὲ γὰρ ἀπὸ τοῦ γένους τοῦ ἐμοῦ, λέγω δὲ τῶν Σα-[p. 270 : B]-μαρέων, τινὸς φροντίδα ποιούμενος, ἐγγράφως Καίσαρι προσομιλῶν, εἶπον πλανᾶσθαι αὐτοὺς πειθομένους τῷ ἐν τῷ γένει αὐτῶν μάγῳ Σίμωνι, ὃν θεὸν *ὑπεράνω*[5] *πάσης ἀρχῆς καὶ ἐξουσίας καὶ δυνάμεως* εἶναι λέγουσι.

121. 1 Καὶ ἡσυχίαν ἀγόντων αὐτῶν <ἐπ>έφερον[6] · Διὰ[7] Δαυῒδ περὶ τούτου λέγων τοῦ Χριστοῦ, ὦ φίλοι, οὐκέτι *ἐν τῷ σπέρματι* αὐτοῦ εἶπεν *εὐλογηθήσεσθαι τὰ ἔθνη*, ἀλλὰ *ἐν αὐτῷ*.

Οὕτω δὲ[8] ἐκεῖ ἐστι · *Τὸ ὄνομα*[9] *αὐτοῦ εἰς τὸν αἰῶνα, ὑπὲρ*[10] *τὸν ἥλιον ἀνατελεῖ · καὶ ἐνευλογηθήσονται ἐν αὐτῷ πάντα τὰ ἔθνη*[11]. Εἰ δὲ *ἐν* τῷ Χριστῷ *εὐλογεῖται τὰ ἔθνη πάντα*, καὶ ἐκ *πάντων τῶν ἐθνῶν* ἐπὶ τοῦτον πιστεύομεν, καὶ αὐτός ἐστιν ὁ Χριστός, καὶ ἡμεῖς οἱ δι' αὐτοῦ *εὐλογημένοι*.

2 Τὸν μὲν *ἥλιον* ὁ θεὸς ἐδεδώκει πρότερον[12] εἰς τὸ *προσκυνεῖν* αὐτόν, ὡς γέγραπται, καὶ οὐδένα οὐδέποτε ἰδεῖν ἔστιν ὑπομείναντα διὰ τὴν πρὸς τὸν *ἥλιον* πίστιν ἀποθανεῖν · διὰ δὲ τὸ ὄνομα τοῦ Ἰησοῦ ἐκ παντὸς γένους ἀνθρώπων καὶ ὑπομείναντας καὶ ὑπομένοντας πάντα πάσχειν ὑπὲρ τοῦ μὴ ἀρνήσασθαι αὐτὸν ἰδεῖν ἔστι. Πυρωδέστερος γὰρ αὐτοῦ *ὁ τῆς ἀληθείας* καὶ σοφίας *λόγος* καὶ φωτεινό-[fol. 174 r° : A]-τερος μᾶλλον τῶν *ἡλίου* δυνάμεών ἐστι, καὶ εἰς τὰ βάθη τῆς καρδίας καὶ τοῦ νοῦ εἰσδύνων. Ὅθεν καὶ ὁ Λόγος ἔφη · *Ὑπὲρ τὸν ἥλιον ἀνατελεῖ τὸ ὄνομα αὐτοῦ*. Καὶ πάλιν *Ἀνατολὴ ὄνομα αὐτοῦ* Ζαχαρίας φησί. Καὶ περὶ τοῦ αὐτοῦ λέγων εἶπεν, ὅτι *Ὄψονται*[13] *φυλὴ κατὰ φυλήν*.

1 Εἶπον *prop.* Périon, Lange : εἶπεν *codd.*, Steph., Jebb, Thirlb. εἰπὼν *prop.* Sylb. **2** Ὅτι : ἔτι *prop.* Sylb., ἅτε Thirlb. ὡς *coni.* Marc. **3** Φροντίζω *prop.* Thirlb., *coni.* Otto, Arch., Goodsp. : φροντίζων *codd.*, *cett. edd.* **4** Κἂν : κἂν με Marc. **5** Ὑπεράνω *edd. ab* Otto : ὑπὲρ ἄνω *codd.*, Steph., Mar., Migne. **6** Ἐπέφερον *prop.* Sylb., *coni. edd. ab* Otto (*ex* Dial. 56, 22 ; 59, 1.3 ; 66, 4 ; 69, 1 ; 126, 6 ; 130, 1) : ἔφερον *codd.*, *cett. edd.* **7** Διὰ Δαυῒδ : Διὸ Δ. *prop.* Pearson *supple* ἡ γραφή Mar., Reith, *vel* ὁ Λόγος Troll., *vel* ὁ Θεός Thirlb., Otto ὁ θεὸς *add.* Marc. **8** Δὲ : γὰρ *coni.* Marc. **9** Τὸ ὄνομα : ἔσται *addendum pro* τ. ὄν. Otto, *add.* Marc. (*ex* Dial. 34, 6) ἔστω LXX **10** Εἰς τὸν αἰῶνα, ὑπὲρ : εἰς τὸν αἰῶνα ὑπὲρ Mar., Migne. **11** Πάντα τὰ ἔθνη : πᾶσαι αἱ φυλαὶ τῆς γῆς LXX, Dial. 34, 6 **12** Πρότερον : πρ. τοῖς ἔθνεσι Marc. (*ex* LXX ; Dial. 55, 1) **13** Ὄψονται *codd.*, Steph., Jebb, Thirlb. : κόψονται *prop.* Périon, Lange, *coni.* Mar., Migne., *edd.* ab Otto (ex *loc. cit.* ; Dial. 32, 2).

prendront part au festin, avec Abraham, Isaac, et Jacob[20], *dans le royaume des cieux,* (12)*tandis que les fils du royaume seront rejetés dans les ténèbres du dehors.*

Et cela, ajoutai-je, comme je ne me soucie de rien d'autre que de dire la vérité[21], je l'affirmerais, sans redouter personne, quand même je devrais, sur le champ, être par vous mis en pièces. Car je n'ai pas non plus eu souci de quiconque de ma race[22] – c'est-à-dire des Samaritains – lorsque je m'adressai par écrit à César[23], pour lui dire qu'ils étaient trompés en croyant à Simon, mage en leur race, qu'ils affirment être Dieu, [a]*au-dessus de toute Principauté, de toute Autorité et de toute Puissance*[24].

La foi universelle en Jésus « lumière des nations » atteste qu'il est le Christ.

121. 1 Comme ils restaient sans réaction, j'ajoutai : (le Verbe), parlant de ce Christ par l'intermédiaire de David, amis, n'a plus dit que les *nations* seraient *bénies* [b]*en sa descendance*[1], mais [c]*en lui.*

Voici le passage : [d]*Son nom est pour l'éternité, au-dessus du soleil il s'élèvera ; en lui seront bénies toutes les nations*[2]. Or si *dans* le Christ il *bénit toutes les nations,* comme de *toutes les nations* nous croyons en lui, c'est lui qui est le Christ, et nous-mêmes ceux qui par son intermédiaire sont *bénis.*

2 Le *soleil,* Dieu [e]l'avait tout d'abord donné à *adorer*[3], ainsi qu'il est écrit ; or jamais on n'a pu voir personne endurer de mourir pour la foi au *soleil.* Pour le nom du Christ[4] au contraire, de toutes races d'hommes, on en peut voir qui ont enduré et endurent[5] de tout subir plutôt que de le renier. Car il est plus ardent[6], son [f]*Verbe de vérité* et de sagesse[7], plus lumineux[8] encore que les puissances[9] du *soleil,* et il [g]pénètre jusque dans les profondeurs du cœur et de l'esprit. Voilà pourquoi le Verbe a dit : [h]*Au-dessus du soleil s'élèvera son nom* ; et Zacharie dit encore : [i]*Levant est son nom* ; et c'est en parlant du même qu'il a déclaré qu'ils [j]*verraient, tribu par tribu*[10].

a *Éphés* 1, 21 **b** cf. *Gen.* 28, 14 et 26, 4 **c** cf. *Ps.* 71, 17 **d** *ibid.* **e** cf. *Deut.* 4, 19 **f** cf. *Éphés.* 1, 13 ; *Col.* 1, 5 ; *II Tim.* 2, 15 ; *Jacq.* 1, 18 **g** cf. *Hébr.* 4, 12 ? **h** *Ps.* 71, 17 **i** *Zach.* 6, 12 **j** cf. *Zach.* 12, 10.12 ; *Is.* 52, 10.15.

3 Εἰ δὲ[1] ἐν τῇ *ἀτίμῳ* καὶ ἀειδεῖ καὶ *ἐξουθενημένῃ* πρώτῃ παρουσίᾳ αὐτοῦ τοσοῦτον ἔλαμψε καὶ ἴσχυσεν, ὡς ἐν μηδενὶ γένει ἀγνοεῖσ-[p 271 : B]-θαι αὐτὸν καὶ ἀπὸ παντὸς[2] μετάνοιαν πεποιῆσθαι ἀπὸ τῆς παλαιᾶς κακῆς ἑκάστου γένους πολιτείας, ὥς τε[3] *καὶ τὰ δαιμόνια ὑποτάσσεσθαι αὐτοῦ τῷ ὀνόματι* καὶ *πάσας* τὰς *ἀρχὰς* καὶ τὰς βασιλείας τούτου τὸ ὄνομα παρὰ πάντας τοὺς ἀποθανόντας δεδοικέναι, οὐκ[4] ἐκ παντὸς τρόπου ἐν τῇ ἐνδόξῳ αὐτοῦ παρουσίᾳ καταλύσει πάντας τοὺς *μισήσαντας* αὐτὸν καὶ τοὺς αὐτοῦ ἀδίκως[5] ἀποστάντας, τοὺς δὲ ἰδίους ἀναπαύσει, ἀποδιδοὺς αὐτοῖς τὰ *προσδοκώμενα* πάντα ;

4 Ἡμῖν οὖν ἐδόθη καὶ ἀκοῦσαι καὶ συνεῖναι[6] καὶ σωθῆναι διὰ τούτου τοῦ Χριστοῦ καὶ τὰ τοῦ πατρὸς ἐπιγνῶναι πάντα. Διὰ τοῦτο ἔλεγε πρὸς αὐτόν · *Μέγα σοί ἐστι τοῦ κληθῆναί σε παῖδά μου, τοῦ στῆσαι τὰς φυλὰς τοῦ Ἰακὼβ καὶ τὰς διασπορὰς τοῦ Ἰσραὴλ ἐπιστρέψαι. Τέθεικά σε εἰς φῶς ἐθνῶν, τοῦ εἶναί σε εἰς σωτηρίαν αὐτῶν ἕως ἐσχάτου τῆς γῆς.*

122. **1** Ταῦτα ὑμεῖς μὲν εἰς τὸν γηόραν[7] καὶ τοὺς προσηλύτους[8] [fol. 174 v° : A] εἰρῆσθαι νομίζετε, τῷ ὄντι δὲ εἰς ἡμᾶς εἴρηται τοὺς διὰ Ἰησοῦ *πεφωτισμένους*. Ἦ[9] γὰρ ἂν κἀκείνοις *ἐμαρτύρει* ὁ Χριστός · *νῦν* δὲ *διπλότερον*[10] *υἱοὶ γεέννης*, ὡς αὐτὸς εἶπε, γίνονται[11]. Οὐ πρὸς ἐκείνους οὖν οὐδὲ τὰ διὰ τῶν προφητῶν εἰρημένα λέλεκται, ἀλλὰ πρὸς ἡμᾶς, περὶ ὧν ὁ Λόγος λέγει · (cf. *Is.* 42, 16) *Ἄξω ἐν ὁδῷ τυφλοὺς ἣν οὐκ ἔγνωσαν, καὶ τρίβους οὓς οὐκ ᾔδεισαν πατήσουσι.* (cf. *Is.* 43, 10)*Κἀγὼ μάρτυς, λέγει κύριος ὁ θεός, καὶ ὁ παῖς μου ὃν ἐξελεξάμην.*

2 Τίσιν οὖν *μαρτυρεῖ* ὁ Χριστός ; Δῆλον ὡς τοῖς πεπιστευκόσιν. Οἱ δὲ προσήλυτοι οὐ μόνον οὐ πιστεύουσιν, ἀλλὰ *διπλότερον ὑμῶν βλασφημοῦσιν* εἰς *τὸ ὄνομα* αὐτοῦ, καὶ ἡμᾶς τοὺς εἰς ἐκεῖνον πιστεύοντας καὶ φονεύειν καὶ αἰκίζειν βούλονται · κατὰ πάντα γὰρ ὑμῖν ἐξομοιοῦσθαι σπεύδουσι. **3** Καὶ πάλιν ἐν ἄλλοις βοᾷ · (*Is.* 42, 6) *Ἐγὼ κύριος*[12] *ἐκάλεσά σε τῇ*

1 Δὲ : γὰρ *prop.* Thirlb., *coni.* Marc. **2** Ἀπὸ παντὸς : ὑπὸ π. *prop.* Nolte ἐκ π. (*ex* Dial. 1, 2 ; 27, 5 ; 41, 4 ; 46, 2 ; 47, 3 ; 48, 3 ; 49, 1 ; 56, 14 ; 65, 2 ; 67, 11), *vel* πάντως, *vel* τοὺς ἀπὸ παντὸς γένους *prop.* Otto ἐκ π. *coni.* Marc. **3** Ὥς τε *prop.* Thirlb., *coni.* Marc. : ὥστε *cett. edd.* **4** Οὐκ *prop.* Thirlb., *coni.* Otto, Troll., Arch., Goodsp. : πῶς οὐκ *prop.* Thirlb., *coni.* Marc. οὓς *codd.*, *cett. edd.* **5** Ἀδίκως : *ante* μισήσαντας *transp.* Thirlb., Marc. (*ex* I Apol. 1, 1 ; 4, 5 ; 14, 3 ; 20, 3 ; 45, 6) **6** Συνεῖναι : συνιέναι *prop.* Pearson **7** Γηόραν (γη ό ραν *cum lineola superscripta codd.*) : γηώραν *vel* γειώραν *prop.* Otto, τοὺς γειώρας Galland **8** Καὶ – προσηλύτους : *fortasse glossema* Otto **9** Ἦ *edd. a* Mar. (cf. 140, 3) : ἢ *codd.*, *cett. edd.* **10** Διπλότερον : δ. ὑμῶν Marc. (*ex* Mt. 23, 15 *et* Dial. 122, 2) **11** Γίνονται (*vel* λέγονται) *prop.* Thirlb., *coni.* Marc. : γίνεσθε *codd.*, *cett. edd.* γίνεσθαι ποιεῖτε *prop.* Steph. (in edit. *Ep. ad Diogn.*, p. 88) **12** Κύριος : κ. ὁ θεός Marc. (*ex* LXX ; Dial. 26, 2 ; 65, 4).

3 Si dans sa première parousie[11] – qui fut [a]*sans honneur*, [b]sans *apparence*, et [c]*objet de mépris* – il a montré tant d'éclat et de force[12] qu'en aucune race il ne demeure inconnu, et que l'on y fait sans réserve pénitence de la mauvaise conduite autrefois propre à chaque race, que d'autre part[13] [d]*même les démons sont soumis à son nom*[14], et les [e]*Principautés* comme les Royautés redoutent *toutes* son nom[15] plus encore que tous les morts, ne va-t-il pas, en sa parousie glorieuse, détruire entièrement tous ceux qui l'ont [f]*haï*[16], ainsi que ceux qui injustement se sont détournés de lui, et donner le repos[17] à ceux qui sont les siens, leur ayant accordé tout ce qu'ils [g]*attendaient* ?

4 Il nous a donc été donné d'entendre, de comprendre, et d'être sauvés[18] par ce Christ, [h]et d'apprendre à connaître toutes les choses du Père. Voilà pourquoi il lui a dit : [i]*C'est pour toi une grande chose d'être appelé mon serviteur, d'établir les tribus de Jacob, et de ramener*[19] *les dispersés d'Israël. Je t'ai établi lumière des nations, afin que tu deviennes leur Salut jusqu'à l'extrémité de la terre.*

La « lumière des nations » n'est pas la Loi, adoptée par les prosélytes,
mais le Christ dont les nations sont l'« héritage ».

122. 1 Vous croyez, vous, que ces paroles se rapportent au géoras et aux prosélytes[1], alors qu'en réalité elles ont été dites de nous, qui avons été [j]*illuminés* par l'intermédiaire de Jésus ; car (s'il en était autrement), le Christ aurait assurément [k]*témoigné* pour eux aussi. Au contraire, c'est [l]*deux fois plus*[2], comme il l'a dit lui-même, qu'ils sont devenus *fils de la Géhenne*[3]. Ce n'est donc point sur eux qu'ont été prononcées ces paroles des prophètes, mais sur nous, dont le Verbe dit : (cf. *Is.* 42, 16)*Je pousserai des aveugles sur une route qu'ils ne connaissaient pas, et ils fouleront aux pieds des sentiers qu'ils ignoraient ;* (cf. *Is.* 43, 10)*Et moi je suis témoin, dit le Seigneur Dieu, avec mon serviteur que j'ai choisi*[4].

2 Pour qui donc le Christ [m]*témoigne*-t-il ? Il est clair que c'est pour ceux qui [n]auront cru. Or les prosélytes non seulement ne croient pas, mais [o]*deux fois plus que vous* ils [p]*blasphèment* contre son *nom*[5], et nous qui croyons en lui, ils veulent nous mettre à mort et nous tourmenter : en tout point ils s'efforcent de vous ressembler. **3** Ailleurs encore, il s'écrie : (*Is.* 42, 6)*Moi, le Seigneur, je t'ai appelé par la justice, je te prendrai par la main et te fortifierai, et je t'établirai alliance de*

a Cf. *Is.* 53, 3 **b** *ibid.*, 2 **c** cf. *Ps.* 21, 7 **d** cf. *Lc.* 10, 17 **e** cf. *I. Cor.* 15, 24 ; *Éphés.* 1, 21 ; 3, 10 ; *Col.* 1, 16 ; 2, 15 **f** cf. *Deut.* 32, 43 ? *Prov.* 8, 36 ? **g** cf. *Gen.* 49, 10 **h** cf. *Jn.* 14, 7 ? **i** *Is.* 49, 6 **j** cf. *Is.* 49, 6 **k** cf. *Is.* 43, 10 **l** cf. *Matth.* 23, 15 **m** cf. *Is.* 43, 10 **n** cf. *Is.* 43, 10 ? **o** cf. *Matth.* 23, 15 **p** cf. *Is.* 52, 5.

δικαιοσύνῃ, καὶ κρατήσω τῆς χειρός σου καὶ[1] *ἰσχύσω σε,* [p. 272 : B] *καὶ θήσω σε εἰς διαθήκην γένους, εἰς φῶς ἐθνῶν,* (7)*ἀνοῖξαι ὀφθαλμοὺς τυφλῶν, ἐξαγαγεῖν ἐκ δεσμῶν*[2] *πεπεδημένους.* Ἐπεὶ καὶ ταῦτα, ὦ ἄνδρες, πρὸς τὸν Χριστὸν καὶ περὶ τῶν *ἐθνῶν* τῶν *πεφωτισμένων* εἴρηται. Ἢ πάλιν ὑμεῖς ἐρεῖτε · Πρὸς τὸν νόμον λέγει καὶ τοὺς προσηλύτους ταῦτα ;

4 – Καὶ ὥσπερ ἐν θεάτρῳ ἀνέκραγόν τινες τῶν τῇ δευτέρᾳ ἀφιγμένων · Ἀλλὰ τί ; Οὐ πρὸς τὸν νόμον λέγει καὶ τοὺς *φωτιζομένους* ὑπ' αὐτοῦ ; Οὗτοι δέ εἰσιν οἱ προσήλυτοι.

5 [fol. 175 r° : A] – Οὔκ, ἔφην, ἀπιδὼν πρὸς τὸν Τρύφωνα. Ἐπεὶ εἰ νόμος εἶχε τὸ *φωτίζειν* τὰ *ἔθνη* καὶ τοὺς ἔχοντας αὐτόν, τίς χρεία *καινῆς διαθήκης* ; Ἐπεὶ δὲ[3] *καινὴν διαθήκην* καὶ *νόμον αἰώνιον* καὶ *πρόσταγμα* ὁ θεὸς προεκήρυσσε πέμψειν, οὐχὶ τὸν *παλαιὸν* νόμον ἀκουσόμεθα καὶ τοὺς προσηλύτους αὐτοῦ, ἀλλὰ τὸν Χριστὸν καὶ τοὺς προσηλύτους[4] αὐτοῦ, ἡμᾶς[5] τὰ *ἔθνη*, οὓς *ἐφώτισεν*, ὥς πού φησιν · *Οὕτω λέγει κύριος · Καιρῷ δεκτῷ ἐπήκουσά σου, καὶ ἐν ἡμέρᾳ σωτηρίας ἐβοήθησά σοι, καὶ ἔδωκά σε εἰς διαθήκην ἐθνῶν, τοῦ καταστῆσαι τὴν γῆν καὶ κληρονομίαν κληρονομῆσαι ἐρήμους.*

6 Τίς οὖν ἡ *κληρονομία* τοῦ Χριστοῦ ; Οὐχὶ τὰ *ἔθνη* ; Τίς ἡ *διαθήκη* τοῦ θεοῦ ; Οὐχ ὁ Χριστός ; Ὡς καὶ ἀλλαχοῦ φησιν · (*Ps.* 2, 7) *Υἱός μου εἶ σύ, ἐγὼ σήμερον γεγέννηκά σε* · (8)*αἴτησαι παρ' ἐμοῦ, καὶ δώσω σοι ἔθνη τὴν κληρονομίαν σου, καὶ τὴν κατάσχεσίν σου τὰ πέρατα τῆς γῆς.*

123. 1 Ὡς οὖν πάντα ταῦτα εἴρηται πρὸς τὸν Χριστὸν καὶ τὰ *ἔθνη*, οὕτως κἀκεῖνα εἰρῆσθαι νομίζετε. Οὐδὲν γὰρ χρῄζουσιν οἱ προσήλυτοι *διαθήκης* < *καινῆς* >[6], εἰ, ἑνὸς καὶ τοῦ αὐτοῦ πᾶσι τοῖς περιτεμνομένοις κειμένου νόμου, περὶ ἐκείνων οὕτως ἡ γρα-[p. 273 : B]-φὴ λέγει · *Καὶ προστεθήσεται καὶ ὁ γηόρας πρὸς αὐτούς, καὶ προστεθήσεται πρὸς τὸν οἶκον Ἰακώβ.* Καὶ ὅτι[7] μὲν *προσήλυτος* ὁ[8] *περιτεμνόμενος* εἰς < τὸ > τῷ

1 Καὶ : *om.* Mar. καὶ ἐνισχύσω LXX **2** Δεσμῶν *edd.* (*ex* LXX) : δυσμῶν *codd.* **3** Ἐπεὶ δὲ *prop.* Thirlb., Mar., *coni. edd. ab* Otto (cf. 113, 3) : ἐπειδὴ *codd.*, *cett. edd.* **4** Προσηλύτους B, *edd.* : προσηλήτους A **5** Ἡμᾶς : τουτέστιν ἡμᾶς Marc. **6** Καινῆς *addidi* : διαθ. ἐθνῶν Marc. *om. codd.*, *cett. edd.* **7** Ὅτι : ἔτι *prop.* Thirlb., *coni.* Marc. **8** Ὁ : *ante* προσήλυτος *transp.* Marc.

la race, lumière des nations, (7)*pour ouvrir les yeux des aveugles, pour délivrer de leurs liens les enchaînés*...[6] Car ces paroles aussi, amis, se rapportent au Christ[7] et aux *nations* qui ont reçu la *lumière*. Ou bien affirmerez-vous encore : « C'est de la Loi qu'il parle, et des prosélytes, en prononçant ces mots » ?

4 Alors, comme au théâtre, quelques-uns parmi ceux qui étaient venus le second jour s'écriaient à haute voix :

— Mais quoi ? Ne parle-t-il pas de la Loi et de ceux qui ont été [a]*illuminés* par elle ? Les voilà les prosélytes !

5 — Non point, dis-je, en me retournant vers Tryphon. Car si la Loi pouvait [b]*illuminer* les *nations* et ceux qui la possèdent, quel besoin aurait-on d'une [c]*alliance nouvelle*[8] ? Puisque Dieu a par avance proclamé qu'il enverrait une *alliance nouvelle*, une *Loi éternelle*[9], ainsi qu'une [d]*ordonnance*[10], ce n'est pas [e]l'*ancienne* Loi[11], que nous entendrons là, ni ses prosélytes, mais le Christ et ses prosélytes, nous autres – les *nations* – qu'il a *illuminés*, comme il dit quelque part : [f]*Ainsi parle le Seigneur : « Au temps favorable, je t'ai exaucé, et au jour du Salut je t'ai secouru, et je t'ai établi alliance des nations, pour fonder le pays et prendre en héritage des endroits déserts »*[12].

6 Quel est donc [g]l'*héritage* du Christ ? Ne sont-ce point les *nations*[13] ? Qu'est-ce que [h]l'*alliance* de Dieu ? N'est-ce pas le Christ ? Selon qu'il dit ailleurs encore : (*Ps.* 2, 7)*Tu es mon fils ; moi, aujourd'hui, je t'ai engendré ;* (8)*demande-moi, et je te donnerai les nations pour héritage, et pour ta possession les confins de la terre.*

L'interprétation juive de l'expression « lumière des nations » est absurde.
Les chrétiens sont, par le Christ, le véritable Israël.

123. 1 De même, donc, que toutes ces choses sont dites en vue du Christ et des *nations*, de même devez-vous considérer que les autres[1] elles aussi l'ont été. Les prosélytes, en effet, n'ont aucunement besoin d'*alliance nouvelle* puisque, une seule et même Loi s'imposant à tous les circoncis, l'Écriture dit à leur sujet : [i]*Le Géoras sera aussi adjoint à eux, et il sera adjoint à la maison de Jacob.* [j]Le *prosélyte* qui s'est fait *circoncire* pour se rapprocher du peuple est *comme un autochtone*[2], tandis que nous, qui avons été jugés dignes d'être appelés « peuple », nous sommes également une « nation », du fait de notre incirconcision[3].

a Cf. *Is.* 42, 6 **b** *ibid.* **c** cf. *Jér.* 31, 31 **d** cf. *Ps.* 2, 7 ? **e** cf. *II Cor.* 3, 14 ? **f** *Is.* 49, 8 **g** *ibid.* **h** *ibid.* **i** *Is.* 14, 1 **j** cf. *Lév.* 19, 34 ; *Exod.* 12, 48.

λαῷ[1] προσκεχωρηκέναι ἐστὶν *ὡς αὐτόχθων*, ἡμεῖς δέ, λαὸς [fol. 175 v° : A] κεκλῆσθαι ἠξιωμένοι ὁμοίως[2] ἔθνος[3] ἐσμὲν διὰ τὸ ἀπερίτμητοι εἶναι.

2 Πρὸς δὲ καὶ γελοῖόν ἐστιν[4] ἡγεῖσθαι ὑμᾶς τῶν μὲν προσηλύτων αὐτῶν[5] *ἀνεῷχθαι* τὰ ὄμματα, ὑμῶν δὲ οὔ, καὶ ὑμᾶς[6] μὲν ἀκούειν *τυφλοὺς* καὶ *κωφούς*, ἐκείνους δὲ *πεφωτισμένους*. Καὶ ἔτι[7] γελοιότερον ἀποβήσεται ὑμῖν τὸ πρᾶγμα, εἰ τὸν[8] νόμον τοῖς *ἔθνεσι* δεδόσθαι φήσετε, ὑμεῖς < δὲ >[9] οὐκ[10] ἐκεῖνον τὸν νόμον ἔγνωτε[11]. **3** Ηὐλαβεῖσθε[12] γὰρ ἂν τὴν τοῦ θεοῦ *ὀργήν*, καὶ *υἱοὶ ἄνομοι* καὶ ῥεμβεύοντες οὐκ ἂν ἦτε, δυσωπούμενοι ἀκούειν ἑκάστοτε λέγοντος αὐτοῦ · *Υἱοί, οἷς οὐκ ἔστι πίστις ἐν αὐτοῖς* · καί · (Is. 42, 19)*Τίς τυφλὸς ἀλλ' ἢ οἱ παῖδές μου, καὶ κωφὸς ἀλλ' ἢ οἱ κυριεύοντες αὐτῶν ; Καὶ ἐτυφλώθησαν οἱ δοῦλοι τοῦ θεοῦ.* (20)*Εἴδετε*[13] *πολλάκις, καὶ οὐκ ἐφυλάξασθε · ἀνεῳγμένα τὰ ὦτα ὑμῶν, καὶ οὐκ ἠκούσατε* ;

4 Ἢ[14] καλὸς ὑμῶν ὁ ἔπαινος τοῦ θεοῦ, καὶ θεοῦ *μαρτυρία δούλοις*[15] πρέπουσα ; Οὐκ αἰσχύνετε πολλάκις ταὐτὰ[16] ἀκούοντες, οὐδ'[17] ἀπειλοῦντος τοῦ θεοῦ φρίσσετε, ἀλλ' ἦ *λαὸς μωρὸς* καὶ *σκληροκάρδιός*[18] ἐστε. *Διὰ τοῦτο ἰδοὺ προσθήσω τοῦ μεταθεῖναι*[19] *τὸν λαὸν τοῦτον, λέγει κύριος, καὶ μεταθήσω αὐτούς, καὶ ἀπολῶ*[20] *τὴν σοφίαν τῶν σοφῶν καὶ τὴν σύνεσιν τῶν συνετῶν κρύψω.* Εὐλόγως. Οὐ γὰρ *σοφοί* ἐστε οὐδὲ *συνετοί*, ἀλλὰ δριμεῖς καὶ πανοῦργοι · *σοφοὶ εἰς τὸ κακοποιῆσαι μόνον*, γνῶναι δὲ βουλὴν [fol. 176 r° : A] θεοῦ κεκρυμμένην [p. 274 : B] ἢ διαθήκην κυρίου πιστὴν ἢ *τρίβους αἰωνίους* εὑρεῖν ἀδύνατοι[21].

1 Εἰς τὸ τῷ λαῷ *edd. ab* Otto : εἰς τῷ λαῷ Mar., Mign. ἐν τῷ (*vel* ἐν τῷ τῷ) λαῷ *prop.* Thirlb. εἰ *p. corr.* (εἰς *a. corr.*) τῷ καλῷ A εἰς τῷ καλῷ *in textu* (εἰς τῷ λαῷ *in marg.*²) B εἰ τῷ λαῷ ...προσκεχωρηκέναι Steph., Jebb, Thirlb. εἰ τῷ λαῷ προσκεχώρηκεν Sylb., Mor. **2** Ὁμοίως : ὅμως *prop.* Lange **3** Ἔθνος : ἔθνη *prop.* Thirlb., *coni.* Marc. **4** Ἐστιν : ἔσται *coni.* Marc. (*ex* ἀποβήσεται *et* φήσετε) **5** Αὐτῶν : *post* ὑμῶν δὲ *transp.* Marc. **6** Ὑμῶν ...ὑμᾶς Lange, Troll., Mign., Otto, Arch., Goodsp. : ἡμῶν ...ἡμᾶς *codd., cett. edd.* **7** Ἔτι *prop.* Thirlb., Mar., *coni. edd. ab* Otto : ὅτι *codd., cett. edd.* **8** Τὸν : τὸν μὲν Marc. **9** Δὲ *add.* Thirlb., *edd. ab* Otto : *om. codd., cett. edd.* **10** Οὐκ Otto, Arch., Goodsp. : οὔτε *codd., cett. edd.* (δὲ οὔτε Marc.) **11** *Post* ἔγνωτε *lacunam indicavit* Marc. (= οὔτε τοῦ θεοῦ ἠκούσατε) **12** *Ante* ηὐλαβεῖσθε *iterum lacunam indicavit* Marc. (= Ἀλλὰ ἑαυτοὺς ἀπατᾶτε) **13** Εἴδετε *prop.* Thirlb., Mar., *coni. edd. ab* Otto, Troll. (*ex* LXX) : εἰ δέ γε *codd., cett. edd.* **14** Ἢ *prop.* Thirlb., *coni. edd. ab* Otto (cf. 122, 3 : Ἢ πάλιν ὑμεῖς ἐρεῖτε...) ἦ *prop.* Troll. εἰ *codd., cett. edd.* **15** Θεοῦ μαρτυρία δούλοις : μαρτυρία δούλοις θεοῦ *prop.* Thirlb. μαρτυρία θεοῦ δούλοις *transp.* Marc. **16** Ταὐτὰ *edd. ab* Otto : ταῦτα *codd., cett. edd.* **17** Οὐδὲ : οὐδ' Otto, Arch. **18** Σκληροκάρδιος : ἀκάρδιος *prop.* Thirlb. (*ex* Ierem. 5, 21), **19** Μεταθεῖναι *edd.* : μεταθῆναι *codd.* μετατεθῆναι LXX **20** Ἀπολῶ (= LXX, NT) : ἀφελῶ Dial. 32, 5 ; 78, 11 **21** Ἀδύνατοι : ἀσύνετοι *prop.* Thirlb.

2 Il est du reste ridicule de votre part de penser que les [a]yeux des prosélytes eux-mêmes ont été *ouverts*[4], et les vôtres non, d'entendre parler de vous comme de gens [b]*aveugles* et [c]*sourds*, et d'eux comme s'ils avaient été [d]*illuminés*[5]. Et la chose serait plus ridicule encore pour vous si vous prétendiez que la Loi a été donnée aux *nations*, tandis que vous, cette Loi, vous ne l'auriez pas connue[6]. **3** Car vous auriez alors[7] à craindre la [e]*colère* de Dieu[8], et ne seriez-vous pas ces [f]*fils sans loi*[9] et égarés[10], troublés de l'entendre sans cesse vous dire : [g]*Fils en lesquels il n'y a point de foi !* et (*Is.* 42, 19)*Qui est aveugle, sinon mes enfants, et sourd sinon ceux qui les gouvernent ? Ils ont été aveuglés, les serviteurs de Dieu.* (20)*Vous saviez, souvent, et n'avez point pris garde ; elles étaient ouvertes, vos oreilles, et vous n'avez pas entendu.*

4 Est-elle belle la louange qui vous vient de Dieu ? Et de la part de Dieu, est-ce là [h]*témoignage*[11] pour des [i]*serviteurs* ? Vous ne rougissez pas, en entendant si souvent ces mêmes reproches, et lorsque Dieu menace, vous ne frémissez point : vous êtes assurément un [j]*peuple insensé*, et au *cœur endurci*[12]. [k]*C'est pourquoi, voici : je renouvellerai le transfert de ce peuple, dit le Seigneur, je les transférerai, j'enlèverai leur sagesse aux sages, et ferai disparaître l'intelligence des intelligents*[13]. C'est bien à juste titre. Car vous n'êtes ni *sages*, ni *intelligents*, mais acerbes et fourbes : [l]*Sages uniquement pour commettre le mal*, mais incapables de connaître la volonté cachée[14] de Dieu, la [m]fidèle alliance[15] du Seigneur, ou encore de trouver les [n]*sentiers éternels*.

a Cf. *Is.* 42, 7 **b** *Is.* 42, 7.16.19 **c** cf. *Is.* 42, 19 **d** cf. *Is.* 49, 6 **e** cf. *Is.* 42, 25 ; 57, 16 ? **f** cf. *Is.* 57, 3 **g** *Deut.* 32, 20 **h** cf. *Is.* 43, 10 **i** cf. *Is.* 42, 19 **j** cf. *Jér.* 5, 21 **k** *Is.* 29, 14 ; cf *Cor.* 1, 19 **l** cf. *Jér.* 4, 22 **m** cf. *Is.* 55, 3 **n** cf. *Jér.* 6, 16.

5 Τοιγαροῦν · Ἐγερῶ[1], φησί[2], *τῷ Ἰσραὴλ καὶ τῷ Ἰούδα σπέρμα ἀνθρώπων καὶ σπέρμα κτηνῶν.* Καὶ διὰ Ἡσαΐου περὶ ἄλλου Ἰσραὴλ οὕτω φησί · (*Is.* 19, 24)*Τῇ ἡμέρᾳ ἐκείνῃ ἔσται τρίτος Ἰσραὴλ*[3] *ἐν τοῖς Ἀσσυρίοις καὶ Αἰγυπτίοις, εὐλογημένος ἐν τῇ γῇ,* (25)*ἣν εὐλόγησε κύριος Σαβαὼθ λέγων · Εὐλογημένος ἔσται ὁ λαός μου*[4] *ὁ ἐν Αἰγύπτῳ καὶ ὁ ἐν Ἀσσυρίοις, καὶ ἡ κληρονομία μου Ἰσραήλ.* **6** *Εὐλογοῦντος* οὖν τοῦ θεοῦ καὶ *Ἰσραὴλ* τοῦτον τὸν *λαὸν* καλοῦντος καὶ *κληρονομίαν* αὐτοῦ βοῶντος εἶναι, πῶς οὐ μετανοεῖτε ἐπί τε τῷ ἑαυτοὺς ἀπατᾶν, ὡς μόνοι *Ἰσραὴλ* ὄντες, καὶ ἐπὶ τῷ καταρᾶσθαι τὸν *εὐλογημένον* τοῦ θεοῦ *λαόν* ; Καὶ γὰρ ὅτε πρὸς τὴν Ἱερουσαλὴμ καὶ τὰς πέριξ αὐτῆς ἔλεγε χώρας, οὕτω πάλιν ἐπεῖπε · *Καὶ γεννήσω ἐφ' ὑμᾶς ἀνθρώπους, τὸν λαόν μου Ἰσραήλ, καὶ κληρονομήσουσιν ὑμᾶς καὶ ἔσεσθε αὐτοῖς εἰς κατάσχεσιν, καὶ οὐ μὴ προστεθῆτε ἔτι ἀτεκνωθῆναι ἀπ' αὐτῶν.*

7 – Τί οὖν ; φησὶν ὁ Τρύφων. Ὑμεῖς *Ἰσραήλ* ἐστε, καὶ περὶ ὑμῶν λέγει ταῦτα ;

– Εἰ μέν, ἔφην αὐτῷ, μὴ περὶ τούτων καὶ[5] πολὺν λόγον πεποιήμεθα, κἂν ἀμφέβαλον μή τι οὐ συνίων[6] τοῦτο ἐρωτᾷς · ἐπειδὴ δὲ καὶ μετὰ ἀποδείξεως καὶ συγκαταθέσεως καὶ τοῦτο συνηγάγομεν τὸ ζήτημα, οὐ νομίζω σε ἀγνοεῖν μὲν τὰ προειρημένα οὐδὲ πάλιν φιλεριστεῖν, [fol. 176 v°: A] ἀλλὰ προκαλεῖσθαί με καὶ τούτοις τὴν αὐτὴν ἀπόδειξιν ποιήσασθαι.

8 Καὶ αὐτοῦ[7] διὰ τῶν ὀφθαλμῶν νεύματι συντιθεμένου · Πάλιν, ἔλεγον ἐγώ, ἐν τῷ Ἡσαΐᾳ[8], *ὠσὶν ἀκούοντες* εἰ ἄρα *ἀκούετε*, περὶ τοῦ Χριστοῦ λέγων ὁ θεὸς ἐν παραβολῇ *Ἰακὼβ* αὐτὸν καλεῖ καὶ [p. 275 : B] *Ἰσραήλ*. Οὕτω < δὲ >[9] λέγει · (*Is.* 42, 1 ; cf. *Matth.* 12, 18-21) *Ἰακὼβ ὁ παῖς μου, ἀντιλήψομαι αὐτοῦ · Ἰσραὴλ ἐκλεκτός*[10] *μου*[11], *θήσω τὸ πνεῦμά μου ἐπ' αὐτόν, καὶ κρίσιν τοῖς ἔθνεσιν ἐξοίσει.* (2)*Οὐκ ἐρίσει οὔτε κράξει, οὔτε ἀκούσεταί τις ἐν ταῖς πλατείαις τὴν φωνὴν αὐτοῦ ·* (3)*κάλαμον συντετριμμένον οὐ κατεάξει καὶ λίνον τυφόμενον οὐ μὴ σβέσει, ἀλλὰ εἰς ἀλήθειαν ἐξοίσει κρίσιν, ἀναλήψει*[12] (4)*καὶ οὐ μὴ θραυσθήσεται, ἕως ἂν*

1 Τοιγαροῦν · Ἐγερῶ *edd. ab* Otto, Troll. (σπερῶ *ex* LXX *et* Dial. 136, 2 Marc.) : τοιγαροῦν ἐγερῶ (= *itaque excitabo*) *codd.*, *cett. edd.* **2** Φησί : φησὶ κύριος Marc. (*ex* LXX) **3** Τρίτος Ἰσραὴλ : Ἰσραὴλ τρίτος LXX **4** Μου : –ου *ex corr.* A **5** Περὶ τούτων καὶ : καὶ περὶ τούτων *transp.* Marc. **6** Συνίων Goodsp., Marc. : συνιῶν Otto, Troll., Arch. συνιὼν *codd.*, *cett. edd.* (cf. 27, 3) **7** Αὐτοῦ (*vel* αὐτοῦ τῷ) *prop.* Otto, *coni.* Marc. (cf. 68, 4 : ὑμῶν ...συντιθεμένων) : τῷ *codd.*, *cett. edd.* **8** Ἡσαΐᾳ : Ἡσαΐα A **9** Δὲ *add.* Otto, Arch., Marc. (*ex* Iustino) : *om. codd.*, *cett. edd.* **10** Ἐκλεκτός *edd.*, ὁ ἐκλ. Marc. (*ex* LXX ; Dial. 135, 2) : ἐκλεκτοῦ *codd.* **11** *Post* μου Marc. *add.* προσδέξεται αὐτὸν ἡ ψυχή μου (*ex* LXX, Dial. 135) **12** Ἐξοίσει κρίσιν, ἀναλήψει Thirlb., Mar., Mign., Marc. (ἀναλάμψει LXX) : ἐξοίσει, κρ. Ἀναλήψει Otto, Arch., Goodsp. ἐξοίσει κρίσιν ἀναλήψει *codd.*

5 Aussi : [a]*Je susciterai*, dit-il, *pour Israël et pour Juda une semence d'hommes et une semence de bêtes*[16]. Et par l'intermédiaire d'Isaïe, sur un autre Israël, il s'exprime en ces termes : (*Is.* 19, 24)*En ce jour-là, il y aura un troisième Israël, parmi les Assyriens et les Égyptiens, béni dans la terre* (25)*qu'a bénie le Seigneur Sabbaoth, en disant : « Béni sera mon peuple qui se trouve en Égypte et chez les Assyriens, et mon héritage Israël ».* **6** Puisque Dieu, donc, [b]*bénit* ce *peuple*, qu'il l'appelle *Israël*, et le proclame son *héritage*, comment ne vous repentez-vous point de vous tromper vous-mêmes, en imaginant être à vous seuls *Israël*, et de maudire[17] le *peuple* qui est *béni* de Dieu ? Car lorsqu'il s'adressait à Jérusalem et aux contrées environnantes, il ajouta encore : [c]*J'engendrerai sur vous des hommes, mon peuple Israël, ils vous auront en héritage, et vous deviendrez leur possession*[18], *et vous ne continuerez pas à rester sans enfant de leur fait.*

7 — Quoi donc ? dit Tryphon, c'est vous qui êtes *Israël*[19], et c'est de vous qu'il dit cela ?

— Si nous n'avions pas, Tryphon, abondamment parlé de ces choses[20], je pourrais me demander si c'est parce que quelque point t'échappe que tu me poses cette question. Mais puisqu'après démonstration c'est sur un accord que nous avons conclu cette recherche aussi, je ne puis croire que tu veuilles ignorer ce qui a été dit, et chercher à nouveau un sujet de querelle ; j'aime mieux penser que tu m'invites à faire pour ceux-ci[21] également la même démonstration.

8 Il m'approuva d'un clin d'œil.

En Isaïe encore, repris-je – si du moins [d]pour *entendre* vous voulez bien faire usage de vos *oreilles* – Dieu, parlant du Christ, le nomme en parabole[22] *Jacob* et *Israël.* Voici ses paroles : (*Is.* 42, 1 ; cf. *Matth.* 12, 18-21)*Jacob est mon serviteur, je le soutiendrai ; Israël est mon élu. Je mettrai mon Esprit sur lui, et il apportera le jugement aux nations.* (2)*Il ne contestera ni ne se récriera, personne n'entendra sur les places sa voix.* (3)*Il ne brisera pas le calame froissé, et la mèche fumante il ne l'éteindra pas, mais pour la vérité, il produira le jugement ; il le rétablira,* (4)*et il ne ploiera pas, jusqu'à ce qu'il ait mis le jugement sur terre. Et en son nom espéreront les nations.*

a *Jér.* 31, 27 **b** cf. *Is.* 19, 25 **c** *Éz.* 36, 12 **d** cf. *Jér.* 5, 21.

θῇ ἐπὶ τῆς γῆς κρίσιν · καὶ ἐπὶ τῷ ὀνόματι αὐτοῦ ἐλπιοῦσιν ἔθνη. **9** Ὡς οὖν ἀπὸ τοῦ ἑνὸς *Ἰακὼβ* ἐκείνου, τοῦ καὶ *Ἰσραὴλ* ἐπικληθέντος, τὸ πᾶν γένος ὑμῶν προσηγόρευτο *Ἰακὼβ* καὶ *Ἰσραήλ*, οὕτω[1] καὶ ἡμεῖς ἀπὸ τοῦ *γεννήσαντος* ἡμᾶς εἰς θεὸν Χριστοῦ, ὡς καὶ Ἰακὼβ καὶ Ἰσραὴλ καὶ Ἰούδα καὶ Ἰωσὴφ καὶ Δαυΐδ, καὶ *θεοῦ τέκνα* ἀληθινὰ καλούμεθα καὶ ἐσμέν, οἱ τὰς ἐντολὰς τοῦ Χριστοῦ φυλάσσοντες.

124. **1** Καὶ ἐπειδὴ εἶδον αὐτοὺς συνταραχθέντας ἐπὶ τῷ εἰπεῖν με καὶ *θεοῦ τέκνα* εἶναι ἡμᾶς, προλαβὼν τὸ ἀνερωτηθῆναι εἶπον · Ἀκούσατε, ὦ ἄνδρες, πῶς τὸ ἅγιον πνεῦμα λέγει περὶ τοῦ λαοῦ τούτου, ὅτι *υἱοὶ ὑψίστου πάντες* [fol. 177 r° : A] εἰσὶ καὶ *ἐν* τῇ *συναγωγῇ* αὐτῶν παρέσται αὐτὸς οὗτος ὁ Χριστός, τὴν *κρίσιν* ἀπὸ[2] *παντὸς* γένους ἀνθρώπων ποιούμενος.

2 Εἴρηνται δὲ οἱ λόγοι διὰ Δαυΐδ, ὡς μὲν ὑμεῖς ἐξηγεῖσθε, οὕτως · (*Ps.* 81, 1)*Ὁ θεὸς ἔστη ἐν συναγωγῇ θεῶν, ἐν μέσῳ δὲ θεοὺς διακρίνει.* (2)*Ἕως πότε κρίνετε ἀδικίαν καὶ πρόσωπα ἁμαρτωλῶν λαμβάνετε ;* (3)*Κρίνατε ὀρφανῷ καὶ πτωχῷ καὶ ταπεινὸν καὶ πένητα δικαιώσατε.* (4)*Ἐξέλεσθε πένητα, καὶ πτωχὸν ἐκ χειρὸς ἁμαρτωλοῦ ῥύσασθε.* (5)*Οὐκ ἔγνωσαν οὐδὲ συνῆκαν, ἐν σκότει διαπορεύονται* · [p. 276 : B] *σαλευθήσονται πάντα τὰ θεμέλια τῆς γῆς.* (6)*Ἐγὼ εἶπα · Θεοί ἐστε καὶ υἱοὶ ὑψίστου πάντες* · (7)*ὑμεῖς δὲ ὡς ἄνθρωπος*[3] *ἀποθνήσκετε, καὶ ὡς εἷς τῶν ἀρχόντων πίπτετε.* (8)*Ἀνάστα ὁ θεός, κρῖνον τὴν γῆν, ὅτι σὺ κατακληρονομήσεις ἐν πᾶσι τοῖς ἔθνεσιν.*

3 Ἐν δὲ τῇ τῶν ἑβδομήκοντα ἐξηγήσει εἴρηται · *Ἰδοὺ δὴ ὡς ἄνθρωποι ἀποθνήσκετε, καὶ ὡς εἷς τῶν ἀρχόντων πίπτετε* · ἵνα δηλώσῃ καὶ τὴν παρακοὴν τῶν *ἀνθρώπων*, τοῦ Ἀδὰμ λέγω καὶ τῆς Εὔας, καὶ τὴν *πτῶσιν* τοῦ *ἑνὸς τῶν ἀρχόντων*, τουτέστι τοῦ κεκλημένου ἐκείνου ὄφεως, *πεσόντος πτῶσιν* μεγάλην διὰ τὸ ἀποπλανῆσαι τὴν Εὔαν.

4 Ἀλλ' ἐπειδὴ οὐ πρὸς τοῦτό μοι νῦν ὁ λόγος λέλεκται, ἀλλὰ πρὸς τὸ ἀποδεῖξαι ὑμῖν ὅτι τὸ πνεῦμα τὸ ἅγιον ὀνειδίζει τοὺς *ἀνθρώπους*, τοὺς καὶ θεῷ ὁμοίως ἀπαθεῖς καὶ ἀθανάτους, ἐὰν φυλάξωσι τὰ προστάγματα [fol. 177 v° : A] αὐτοῦ, γεγεννημένους[4], καὶ κατηξιωμένους ὑπ' αὐτοῦ *υἱοὺς* αὐτοῦ καλεῖσθαι, καὶ[5] οὗτοι ὁμοίως[6] τῷ Ἀδὰμ καὶ τῇ Εὔᾳ ἐξομοιούμενοι

1 Οὕτω : οὕτως Otto, Arch. **2** Ἀπὸ : περὶ *prop.* Sylb., ἐπὶ Otto ἀνθρώπων ἀπὸ παντὸς γένους *prop.* Mar., τῶν ἀπὸ π. γ. ἀνθρώπων Otto **3** Ἄνθρωπος *prop.* Mar. (= LXX cod. R.), *coni. edd. ab* Otto : ἄνθρωποι *codd.*, *cett. edd.* (= LXX) **4** Γεγεννημένους A, Goodsp., Marc. : γεγενημένους B, *cett. edd.* **5** Καὶ : καὶ ὅτι Marc. εἰ *vel* εἰ καὶ *prop.* Thirlb. **6** Ὁμοίως : ὅμως *prop.* Thirlb., Mar., *coni.* Marc.

9 De même donc qu'en procédant de ce seul [a]*Jacob*, surnommé également *Israël*, l'ensemble de votre race a été appelée *Jacob* et *Israël*, de même nous aussi, en procédant du Christ qui nous a [b]*engendrés* à Dieu, comme Jacob, Israël, Juda, Joseph[23] et David, nous sommes appelés et nous sommes [c]*des enfants* véritables *de Dieu*, parce que nous observons les préceptes du Christ[24].

Les chrétiens sont « enfants de Dieu » et « fils du très-Haut ».

124. 1 Comme je les voyais bouleversés de m'entendre affirmer que nous étions aussi [d]*enfants de Dieu*, prévenant leur question, je dis :

— Écoutez, amis, comment le Saint Esprit, en parlant de ce peuple, déclare qu'ils sont [e]*tous fils du Très-Haut*, et qu'en leur [f]*assemblée* sera présent ce Christ lui-même, pour tirer [g]*jugement* de *toute* race d'hommes.

2 Voici ces paroles proférées par l'intermédiaire de David, telles du moins que vous les traduisez : (*Ps.* 81, 1)*Dieu se tient dans une assemblée de dieux, et au milieu de dieux il juge :* (2)*Jusqu'à quand rendrez-vous des jugements iniques, et favoriserez-vous la cause des pécheurs ?* (3)*Rendez justice à l'orphelin et au pauvre ; à l'humble, à l'indigent, restituez leur droit.* (4)*Délivrez l'indigent, et arrachez le pauvre de la main du pécheur.* (5)*Ils n'ont point su ni compris ; ils marchent dans les ténèbres. Les fondements de la terre seront tous ébranlés.* (6)*J'ai dit : Vous êtes tous des dieux et des fils du Très-Haut ;* (7)*mais c'est ainsi qu'un homme*[1] *que vous, vous périssez, et comme l'un des chefs que vous tombez.* (8)*Surgis, Dieu, juge la terre, car tu hériteras en toutes les nations*[2].

3 Or dans la version des Septante, il est dit : [h]*Voici, c'est ainsi que des hommes que vous périssez, et comme l'un des chefs que vous tombez* : c'était pour indiquer la désobéissance des *hommes*, j'entends d'Adam et Ève, et la *chute* de l'*un des chefs*[3], c'est-à-dire [i]de celui qui est appelé serpent[4], [j]*tombé* d'une *chute* immense pour avoir égaré Ève.

4 Mais puisque ce n'est pas pour cela que je viens de citer ce passage, mais pour vous démontrer que l'Esprit-Saint fait le reproche aux [k]*hommes* – conçus[5] pour être impassibles et immortels[6], [l]ainsi que l'est Dieu, à condition toutefois d'observer ses préceptes[7], et par lui jugés dignes d'être appelés ses [m]*fils* –, d'œuvrer, en imitant l'exemple d'Adam et Ève, eux aussi, tout comme

a Cf. *Is.* 42, 1 **b** cf. *Ez.* 36, 12 **c** cf. *I Jn.* 3, 1-2 ; *Jn.* 1, 12 **d** *ibid.* **e** *Ps.* 81, 6 **f** *ibid.*, 1 **g** *ibid.*, 8 **h** *Ps.* 81, 7 **i** cf. *Apoc.* 12, 9 et 20, 2 ? **j** cf. *Ps.* 81, 7 **k** *ibid.* **l** cf. *Ps.* 81, 6 **m** *ibid.*

θάνατον ἑαυτοῖς ἐργάζονται, ἐχέτω καὶ ἡ ἑρμηνεία τοῦ ψαλμοῦ ὡς βούλεσθε · καὶ οὕτως[1] ἀποδέδεικται ὅτι *θεοὶ* κατηξίωνται γενέσθαι[2], καὶ *υἱοὶ ὑψίστου πάντες* δύνασθαι λεγέσθαι[3] [κατηξίωνται][4], καὶ παρ' ἑαυτοὺς καὶ κρίνεσθαι καὶ καταδικάζεσθαι μέλλουσιν, ὡς καὶ Ἀδὰμ καὶ Εὔα. Ὅτι δὲ καὶ *θεὸν* τὸν Χριστὸν καλεῖ, ἐν πολλοῖς ἀποδέδεικται.

125. 1 Ἐβουλόμην, λέγω, παρ' ὑμῶν μαθεῖν, ὦ ἄνδρες, τίς ἡ δύναμις τοῦ *Ἰσραὴλ* ὀνόματος. Καὶ ἡσυχαζόντων αὐτῶν ἐπήνεγκα · Ἐγὼ ὃ ἐπίσταμαι ἐρῶ · οὔτε γὰρ εἰδότα μὴ[5] λέγειν δίκαιον ἡγοῦμαι, οὔτε ὑπονοοῦντα [p. 277 : B] ἐπίστασθαι ὑμᾶς καὶ διὰ φθόνον ἢ δι' ἀπειρίαν τοῦ<το μὴ>[6] βούλεσθαι < λέγειν ὃ > ἐπίσταμαι αὐτός, φροντίζειν ἀεί, ἀλλὰ πάντα ἁπλῶς καὶ ἀδόλως λέγειν, ὡς ὁ ἐμὸς κύριος εἶπεν · *Ἐξῆλθεν ὁ σπείρων*[7] *τοῦ σπεῖραι τὸν σπόρον · καὶ ὃ μὲν*[8] *ἔπεσεν εἰς τὴν ὁδόν, ὃ δὲ εἰς τὰς ἀκάνθας, ὃ δὲ ἐπὶ τὰ πετρώδη, ὃ δὲ ἐπὶ τὴν γῆν τὴν καλήν*. **2** Ἐλπίδι οὖν τοῦ εἶναί που *καλὴν γῆν* λέγειν δεῖ · ἐπειδή γε ἐκεῖνος ὁ ἐμὸς κύριος, ὡς *ἰσχυρὸς* καὶ *δυνατὸς* τὰ ἴδια παρὰ πάντων ἀπαιτήσει *ἐλθών*, καὶ τὸν *οἰκονόμον* τὸν[9] ἑαυτοῦ οὐ καταδικάσει, εἰ γνωρίζοι αὐτόν, διὰ τὸ ἐπίστασθαι ὅτι *δυνατός* ἐστιν ὁ κύριος αὐτοῦ καὶ [fol. 178 r° : A] *ἐλθὼν* ἀπαιτήσει τὰ ἴδια, ἐπὶ πᾶσαν *τράπεζαν* διδόντα[10], ἀλλ' οὐ δι' αἰτίαν οἱανδηποτοῦν κατορύξαντα.

3 Καὶ τὸ οὖν Ἰσραὴλ ὄνομα τοῦτο σημαίνει · ἄνθρωπος νικῶν δύναμιν · τὸ γὰρ *ἴσρα* ἄνθρωπος < νικῶν >[11] ἐστι, τὸ δὲ *ἢλ* δύναμις. Ὅπερ καὶ διὰ τοῦ μυστηρίου τῆς πάλης, ἣν ἐπάλαισεν Ἰακὼβ μετὰ τοῦ φαινομένου, < ἀγγέλου >[12] μὲν ἐκ τοῦ τῇ τοῦ πατρὸς βουλῇ ὑπηρετεῖν, *θεοῦ* δὲ ἐκ τοῦ εἶναι τέκνον *πρωτότοκον τῶν* ὅλων *κτισμάτων*, ἐπεπροφήτευτο οὕτως καὶ *ἄνθρωπος* γενόμενος ὁ Χριστὸς ποιήσειν.

1 Οὕτως : οὕτως γὰρ Marc. **2** Γενέσθαι : λεγέσθαι *prop.* Thirlb. **3** λεγέσθαι Marc. : γενέσται *codd., cett. edd.* **4** Κατηξίωνται : *del.* Marc. **5** Μὴ : με μὴ Marc. **6** Τοῦτο μὴ βούλεσθαι λέγειν ὃ ἐπίσταμαι αὐτός *ego* : λέγειν οὐ βούλεσθαι ἐπίσταμαι αὐτός *prop.* Thirlb., *coni.* Otto λέγειν οὐ βούλεσθαι μὴ φροντίζειν, ἀλλὰ ἀεὶ πάντα ἃ ἐπίσταμαι αὐτός Marc. τὴν τοῦ βούλεσθαι ἀπατᾶν ἑαυτούς *prop.* Mar., *coni.* Arch. τὴν τοῦ βούλεσθαι ἐπίσταμαι αὐτός *codd., cett. edd.* **7** Σπείρων (*loc. cit.*) *edd.* : σπέρων *codd.* **8** Ὃ μὲν ...ὃ δὲ : ὁ μὲν... ὁ δὲ Otto, Mign., Arch. **9** Τὸν : *om.* Mar., Mign. **10** Διδόντα : δόντα Marc. (*ex* Lc. : ἔδωκας) **11** Νικῶν *prop.* Io Drusius (*Comment. min. ad voces Hebr. NT*, 1616, c. 8, p. 16), Mar., *add.* Troll., *edd. ab* Otto : *om. codd., cett. edd.* **12** Ἀγγέλου (*vel* ἀνδρός) *prop.* Sylb. : ἐν ἰδέᾳ ἀνθρώπου *prop.* Mar., Otto, *add.* Marc. (*ex* Dial. 58, 10 ; cf. 126, 3) *om. codd., cett. edd.*

eux, à leur propre [a]*mort*, qu'il en soit de la traduction du psaume comme vous le voulez. Même ainsi[8], il reste démontré qu'ils furent jugés dignes de devenir [b]*des dieux*, d'être appelés [c]*tous fils du Très-Haut*[9], et qu'ils seront jugés et condamnés individuellement, tout comme Adam et Ève[10]. Que d'autre part au Christ il donne aussi le nom de [d]*Dieu*, cela a donné lieu à de multiples preuves[11].

Signification du nom d'« Israël ».
Par le Christ-Jacob, les chrétiens sont « l'Israël béni ».

125. 1 Je voudrais bien, amis, dis-je, entendre de votre bouche[1] quelle est la puissance du nom d'*Israël*[2]. Et comme ils se taisaient, j'ajoutai :

— Pour moi, ce que je sais, je vais le dire. Car j'estime qu'il n'est juste ni de me taire lorsque je sais, ni, lorsque je soupçonne que vous-mêmes savez, et que par jalousie ou par inexpérience vous ne voulez point dire[3] ce que je sais moi-même, de m'en soucier toujours, mais qu'il l'est au contraire de tout dire simplement, et sans aucune ruse, comme mon Seigneur l'a déclaré : [e]*Le semeur sortit pour semer la semence : l'une tomba sur la route, l'autre sur les épines, celle-ci sur un terrain pierreux, celle-là sur la belle terre*[4]. **2** Dans l'espoir, donc, qu'il y ait quelque part une [f]*belle terre*[5], il faut parler. Car lui, mon Seigneur, qui est [g]*fort* et *puissant*[6], [h]réclamera à tous ce qui lui appartient, [i]*lorsqu'il reviendra*, et il ne condamnera pas son [j]*économe*, s'il reconnaît que, sachant que son Seigneur est [k]*puissant*[7] et qu'il doit réclamer ce qui lui appartient, [l]*lorsqu'il reviendra*, il l'a placé dans toutes sortes de *banques*, se gardant de [m]l'enfouir, quelle qu'en fût la raison[8].

3 Voici donc ce que signifie le nom d'*Israël* : « homme vainqueur d'une Puissance ». Car « Isra » veut dire « homme vainqueur », et « el », « Puissance »[9]. C'est encore cela qu'il fut prophétisé qu'une fois devenu *homme* le Christ devait faire, à travers le mystère du combat que Jacob livra contre celui qui, apparu ange[10] parce qu'il servait la volonté du Père, était néanmoins [n]*Dieu* en tant qu'enfant[11] [o]*premier-né de* l'ensemble *des créatures*[12].

a cf. *Ps.* 81, 7 **b** *ibid.*, 6 **c** *ibid.* **d** *ibid.*, 1.8 **e** *Matth.* 13, 3-8 ; *Lc.* 8, 5-8 ; cf. *Mc.* 4, 3-8 **f** cf. *Matth.* 13, 8.23 ; *Lc.* 8, 8 **g** cf. *Gen.* 32, 28 ; *Ps.* 23, 8 ? **h** cf. *Lc.* 12, 35, s. ; 16, 1 s. **i** cf. *Matth.* 25, 27.31 ; *Lc.* 19, 23 etc. **j** cf. *Lc.* 16, 1.3.8 **k** cf. *Matth.* 25, 24 ; *Lc.* 19, 21.22 **l** cf. *Matth.* 25, 27 ; *Lc.* 19, 23 **m** cf. *Matth.* 25, 18 **n** cf. *Gen.* 32, 28.30 **o** cf. *Col.* 1, 15 ; *Prov.* 8, 22.

4 Ὅτε γὰρ *ἄνθρωπος* γέγονεν, ὡς προεῖπον, *προσῆλθεν αὐτῷ ὁ διάβολος*, τουτέστιν ἡ *δύναμις* ἐκείνη ἡ καὶ ὄφις κεκλημένη καὶ Σατανᾶς[1], *πειράζων* αὐτὸν καὶ ἀγωνιζόμενος καταβαλεῖν διὰ τοῦ ἀξιοῦν *προσκυνῆσαι* αὐτόν. Ὁ δὲ αὐτὸν κατέλυσε καὶ κατέβαλεν, ἐλέγξας ὅτι πονηρός ἐστι, παρὰ τὴν γραφὴν ἀξιῶν προσκυνεῖσθαι ὡς θεός, ἀποστάτης τῆς τοῦ θεοῦ γνώμης γεγενημένος. *Ἀποκρίνεται* γὰρ αὐ-[p. 278 : B]-τῷ · *Γέγραπται · Κύριον τὸν θεόν σου προσκυνήσεις καὶ αὐτῷ μόνῳ λατρεύσεις*. Καὶ ἡττημένος καὶ ἐληλεγμένος ἀπένευσε τότε ὁ *διάβολος*. **5** Ἀλλ' ἐπεὶ καὶ *ναρκᾶν* ἔμελλε, τουτέστιν ἐν πόνῳ καὶ ἐν ἀντιλήψει τοῦ πάθους, ὅτε σταυροῦσθαι ἔμελλεν[2], ὁ Χριστὸς ὁ ἡμέτερος, καὶ τούτου προκήρυξιν ἐποίησε διὰ τοῦ *ἅψασθαι τοῦ μηροῦ* τοῦ Ἰακὼβ καὶ *ναρκῆσαι* ποιῆσαι. Ὁ δὲ Ἰσραὴλ ἦν ὄνομα [fol. 178 v° : A] αὐτῷ ἄνωθεν, ὃ ἐπωνόμασε τὸν μακάριον Ἰακὼβ εὐλογῶν τῷ ἑαυτοῦ ὀνόματι, κηρύσσων καὶ διὰ τούτου ὅτι πάντες οἱ δι' αὐτοῦ τῷ πατρὶ προσφεύγοντες *εὐλογημένος Ἰσραήλ* ἐστιν[3].
Ὑμεῖς δέ, μηδὲν τούτων νενοηκότες μηδὲ νοεῖν παρασκευαζόμενοι, ἐπειδὴ κατὰ τὸ σαρκικὸν σπέρμα τοῦ Ἰακὼβ τέκνα ἐστέ, πάντως σωθήσεσθαι προσδοκᾶτε. Ἀλλ' ὅτι καὶ ἐν τούτοις ἑαυτοὺς πλανᾶτε, ἀποδέδεικταί μοι ἐν πολλοῖς.

126. 1 Τίς δ' ἐστὶν οὗτος, ὃς καὶ *ἄγγελος μεγάλης βουλῆς* ποτε, καὶ *ἀνὴρ* διὰ Ἰεζεκιήλ, καὶ *ὡς υἱὸς ἀνθρώπου* διὰ Δανιήλ, καὶ *παιδίον* διὰ Ἡσαΐου, καὶ *Χριστὸς* καὶ *θεὸς προσκυνητὸς*[4] διὰ[5] Δαυΐδ, καὶ *Χριστὸς* καὶ *λίθος* διὰ πολλῶν, καὶ *σοφία* διὰ Σολομῶνος, καὶ *Ἰωσὴφ* καὶ *Ἰούδα*[6] καὶ *ἄστρον* διὰ Μωϋσέως[7], καὶ *ἀνατολὴ* διὰ Ζαχαρίου, καὶ παθητὸς καὶ *Ἰακὼβ* καὶ *Ἰσραὴλ*, καὶ *ῥάβδος* καὶ *ἄνθος* καὶ *λίθος ἀκρογωνιαῖος* πάλιν διὰ Ἡσαΐου[8] κέκληται, καὶ *υἱὸς θεοῦ* εἰ ἐγνώκειτε, ὦ Τρύφων, ἔφην, οὐκ ἂν ἐβλασφημεῖτε εἰς αὐτόν, ἤδη καὶ παραγενόμενον καὶ γεννηθέντα καὶ παθόντα καὶ ἀναβάντα εἰς τὸν οὐρανόν · ὃς καὶ πάλιν παρέσται, καὶ τότε *κόψονται* ὑμῶν αἱ δώδεκα *φυλαί*.

1 Τουτέστιν – Σατανᾶς : *in semicirculis* Marc. **2** Τουτέστιν – ἔμελλεν : *in semicirculis* Marc. **3** Ἐστιν : εἰσιν *coni.* Marc. **4** Προσκυνητὸς (cf. 68, 9) : καὶ προσκ. *prop.* Otto., *coni.* Marc. **5** Διὰ *prop.* Thirlb., *coni. edd. ab* Otto, Troll. : καὶ *codd., cett. edd.* διὰ Δαυΐδ, καὶ Δαυὶδ *prop.* Lange **6** Ἰούδα Otto, Arch., Marc. (*ex* Dial. 11, 3.5 ; 28, 3 ; 43, 1.6, etc.) : Ἰούδας *codd., cett. edd.* (= N.T.) **7** Μωϋσέως : Μωϋσέος *codd.* Μωσέως Arch. (*sic etiam infra in hoc cap.*) **8** Πάλιν διὰ Ἡσαΐου *huc transp.* Marc. : *post* Ἰσραὴλ *codd., cett. edd.*

4 Car lorsqu'il fut fait *homme*, comme j'ai déjà dit[13], le *diable*, c'est-à-dire cette *Puissance* qui s'appelle aussi Serpent ou Satanas[14], [a]*s'approcha de lui* afin de le tenter, et pour le renverser en luttant avec lui, avec l'intention de s'en faire *adorer*. Mais lui, il l'écrasa et il le renversa, tout en le convainquant de la perversité dont il avait fait preuve alors qu'il prétendait, à l'encontre de l'Écriture, être adoré comme dieu, devenu apostat de la volonté de Dieu. *Il lui répond* de fait : [b]*Il est écrit : C'est le Seigneur ton Dieu que tu adoreras, et à lui seul tu rendras un culte*. Dominé et confus, le *diable* alors se retira[15]. **5** Et comme d'autre part notre Christ devait [c]*tomber dans l'engourdissement*, c'est-à-dire dans la souffrance et dans la perception de la douleur, lors de sa crucifixion, de cela aussi il donna à l'avance proclamation en *touchant la cuisse* de Jacob et en la faisant *s'engourdir*. « Israël » était son nom depuis bien avant[16] : il en surnomma le bienheureux Jacob, lorsqu'il le bénit avec son propre nom, proclamant aussi par là que tous ceux qui par lui[17] se réfugient[18] auprès du Père sont [d]l'*Israël béni*[19].

Mais vous, qui de cela n'avez rien compris, et n'êtes pas davantage disposés à comprendre, parce que de Jacob vous êtes les enfants selon la descendance charnelle, vous vous attendez à être assurément sauvés[20]. En quoi vous vous trompez encore, je l'ai amplement démontré.

Le Verbe, Fils de Dieu, a reçu diverses dénominations dans l'Écriture. C'est lui qui s'est manifesté à Abraham, Jacob, et Moïse et qui est évoqué ailleurs.

126. 1 Mais quel est-il donc celui qui est nommé tantôt [e]*ange du grand dessein*, et [f]*homme* par l'intermédiaire d'Ézéchiel, [g]*comme un fils d'homme* par l'intermédiaire de Daniel, et [h]*enfant* par l'intermédiaire d'Isaïe, [i]*Christ* et [j]*Dieu digne d'être adoré* par l'intermédiaire de David, [k]*Christ* et [l]*pierre* par beaucoup, [m]*Sagesse* par l'intermédiaire de Salomon, [n]*Joseph*, [o]*Juda* et [p]*astre* par l'intermédiaire de Moïse, [q]*Levant* par l'intermédiaire de Zacharie, [r]souffrant, [s]*Jacob* et [t]*Israël*, ainsi que [u]*rameau*, [v]*tige*, [w]*pierre angulaire* par l'intermédiaire d'Isaïe encore, et [x]*Fils de Dieu*[1] ? Si vous le saviez, Tryphon, dis-je, vous ne

a Cf. *Matth.* 4, 1 s. ; *Lc.* 4, 1 s. **b** *Matth.* 4, 10 ; *Lc.* 4, 8 ; cf. *Deut.* 6, 13 **c** cf. *Gen.* 32, 25 **d** cf. *Is.* 19, 24-25 **e** cf. *Is.* 9, 6 **f** cf. *Éz.* 40, 3.4.5 ? ; *Zach.* 6, 12 et *Gen.* 18, 2 s. **g** *Dan.* 7, 13 **h** cf. *Is.* 7, 16 **i** cf. *Ps.* 44, 7 **j** cf. *Ps.* 44, 8.13 et 71, 11 **k** cf. *Ps.* 44, 7 **l** cf. *Dan.* 2, 34 **m** cf. *Prov.* 8 **n** cf. *Deut.* 33, 16 **o** cf. *Gen.* 49, 8 s. **p** cf. *Nombr.* 24, 17 **q** cf. *Zach.* 6, 12 **r** cf. *Is.* 53, 3-4 **s** cf. *Is.* 42, 1 **t** *ibid.* **u** cf. *Is.* 11, 1 **v** *ibid.* **w** cf. *Is.* 28, 16 **x** cf. *Ps.* 2, 7 et *II Rois* 7, 14.

2 ᾿Επεὶ [p. 279 : B] εἰ *νενοήκατε*[1] τὰ εἰρημένα ὑπὸ τῶν προφητῶν, οὐκ ἂν ἐξηρνεῖσθε αὐτὸν εἶναι *θεόν*, τοῦ μόνου καὶ ἀγεννήτου καὶ ἀρρήτου θεοῦ υἱόν. Εἴρηται γάρ που καὶ [fol. 179 r° : A] διὰ Μωϋσέως ἐν τῇ ᾿Εξόδῳ οὕτως · (*Exod.* 6, 2) *᾿Ελάλησε δὲ κύριος πρὸς* Μωσῆν[2], *καὶ εἶπε πρὸς αὐτόν* · (3) *᾿Εγώ εἰμι κύριος, καὶ ὤφθην πρὸς τὸν ᾿Αβραὰμ καὶ ᾿Ισαὰκ καὶ ᾿Ιακώβ, θεὸς*[3] *αὐτῶν, καὶ τὸ ὄνομά μου*[4] *οὐκ ἐδήλωσα αὐτοῖς,* (4)*καὶ ἔστησα τὴν διαθήκην μου πρὸς αὐτούς*. **3** Καὶ οὕτω πάλιν λέγει · *Μετὰ*[5] *᾿Ιακὼβ ἄνθρωπος ἐπάλαιε* · καὶ *θεόν* φησιν εἶναι. *Εἶδον γὰρ θεὸν πρόσωπον πρὸς πρόσωπον, καὶ ἐσώθη ἡ ψυχή μου*, λέγει εἰρηκέναι τὸν ᾿Ιακώβ. Καὶ ὅτι καὶ τὸν *τόπον*, ὅπου αὐτῷ[6] *ἐπάλαισε* καὶ ὤφθη καὶ *εὐλόγησε*, καὶ[7] *ἐκάλεσεν Εἶδος θεοῦ*, ἀνέγραψε. **4** Καὶ τῷ ᾿Αβραὰμ ὁμοίως, < ὡς >[8] Μωσῆς[9] φησιν, *῎Ωφθη ὁ θεὸς πρὸς τῇ δρυῒ τῇ Μαμβρῇ*[10], *καθημένου ἐπὶ τῆς θύρας τῆς σκηνῆς αὐτοῦ μεσημβρίας*[11]. Εἶτα ταῦτα εἰπὼν ἐπιφέρει · *᾿Αναβλέψας δὲ τοῖς ὀφθαλμοῖς εἶδε, καὶ ἰδοὺ τρεῖς ἄνδρες εἱστήκεισαν ἐπάνω αὐτοῦ. Καὶ ἰδὼν συνέδραμεν εἰς συνάντησιν αὐτοῖς*. Μετ᾿ ὀλίγον δὲ εἷς ἐξ αὐτῶν ὑπισχνεῖται τῷ ᾿Αβραὰμ υἱόν · (*Gen.* 18, 13) *...Τί ὅτι ἐγέλασε Σάρρα λέγουσα · ῏Αρά γε τέξομαι ; ᾿Εγὼ δὲ γεγήρακα.* (14)*Μὴ ἀδυνατεῖ παρὰ τῷ θεῷ ῥῆμα ; Εἰς τὸν καιρὸν τοῦτον ἀποστρέψω*[12] *εἰς ὥρας, καὶ ἔσται τῇ Σάρρᾳ υἱός*. Καὶ ἀπαλλάσσονται ἀπὸ ᾿Αβραάμ. **5** Καὶ οὕτω περὶ αὐτῶν πάλιν λέγει · *᾿Εξαναστάντες δὲ ἐκεῖθεν οἱ ἄνδρες κατέβλεψαν ἐπὶ πρόσωπον Σοδόμων*. Εἶτα πάλιν πρὸς τὸν ᾿Αβραὰμ ὃς [p. 280 : B] ἦν καὶ ἔστιν <οὔτ>ως[13] λέγει · *...Οὐ μὴ κρύψω ἀπὸ τοῦ παιδός μου ᾿Αβραὰμ* [fol. 179 v°: A] *ἐγὼ ἃ μέλλω ποιεῖν*[14].

Καὶ τὰ ἑξῆς ἀνιστορημένα ἀπὸ τῶν τοῦ Μωϋσέως καὶ ἐξηγημένα ὑπ᾿ ἐμοῦ πάλιν ἔλεγον, δι᾿ ὧν ἀποδέδεικται[15] ὑπὸ τῷ πατρὶ καὶ κυρίῳ τεταγμένος καὶ ὑπηρετῶν τῇ βουλῇ αὐτοῦ οὗτος[16] ὃς ὤφθη τῷ τε

1 Νενοήκατε : ἐνενοήκειτε *prop.* Thirlb., *coni.* Marc. **2** Μωσῆν : Μωϋσῆν Otto, Mign., Goodsp. **3** Θεὸς : θ. ὢν Marc. (*ex* LXX) **4** Τὸ ὄνομά μου οὐκ : τὸ ὄν. μου, κύριος, οὐκ LXX **5** Μετὰ (*loc. cit.* : μετ᾿ αὐτοῦ) : κατὰ Mar., Mign. **6** Αὐτῷ : –ῷ *ex corr.* A **7** Καὶ : *delendum* Otto, *del.* Marc. **8** ῾Ως *add.* Otto, Arch., Marc. (*ex* Dial. 3,7 ; 15, 1 ; 20, 1 ; 78, 11 ; 79, 2 ; 83, 4 ; 102, 7) : *om. codd., cett. edd.* « causa patet » Otto **9** Μωσῆς : Μωϋσῆς Otto, Mign., Goodsp. (*sic etiam infra*) **10** Μαμβρῆ Thirlb., *edd. ab* Otto : Μαμβρῇ *codd., cett. edd.* (cf. 56, 1) **11** Μεσημβρίας (*loc. cit.*) : μεσυμβρίας Steph. **12** ᾿Αποστρέψω (cod. 128) : ἀναστρέφω Dial. 56, 17 ἀνακάμψω Dial. 56, 6 ἀναστρέψω LXX ἐλεύσομαι Rom. 9, 9 **13** Οὕτως *prop.* Lange (οὕτω), Mar., *coni. edd. ab* Otto θεὸς *prop.* Thirlb. ὡς *codd., cett. edd.* **14** Ποιεῖν *corr. ex* ποιήσειν A : ποιεῖ Mar., *corr.* Mign. **15** ᾿Αποδέδεικται : ἀποδ. ὅτι Marc. **16** Οὗτος : οὗτός ἐστιν Marc.

blasphémeriez pas contre lui, qui déjà est venu, a été engendré, a souffert, est remonté au ciel, et paraîtra à nouveau : [a]alors vos douze *tribus se frapperont la poitrine.* **2** Si vous aviez compris ce qui est dit par les prophètes, vous ne nieriez pas qu'il est *Dieu*, fils de l'unique, inengendré et ineffable[2] Dieu.

Il est dit en effet, par Moïse aussi, quelque part dans l'Exode : (*Exod.* 6, 2)*Le Seigneur a parlé à Moïse, et lui a dit :* (3)*« Je suis Seigneur ; je suis apparu à Abraham, à Isaac et à Jacob ; je suis leur Dieu ; je ne leur ai pas découvert mon nom* (4)*et j'ai établi mon alliance avec eux... ».* **3** Il dit encore : [b]*Avec Jacob un homme combattait* ; il dit aussi que c'était un *Dieu*, puisque Jacob, déclare-t-il, s'est écrié : [c]*j'ai vu, en effet, Dieu face à face, et mon âme a été sauvée.* Et il écrit en outre [d]que *le lieu* où il avait *combattu* avec lui, où celui-ci lui était apparu et l'avait *béni, il l'appela forme-visible-de-Dieu.* **4** A Abraham de même, ainsi que le dit Moïse, [e]*Dieu se fit voir près du chêne de Mambré, tandis qu'il se tenait assis à l'entrée de sa tente, à midi.* Après quoi il ajoute : [f]*Ayant levé les yeux, il vit et voici : trois hommes se tenaient au-dessus de lui. Lorsqu'il eut vu, il courut à leur rencontre...* Peu après, l'un d'eux promet à Abraham un fils : (*Gen.* 18, 13)*...Pourquoi Sarah a-t-elle ri en disant : Enfanterai-je, à la vérité ? Je suis devenue vieille.* (14)*L'affaire est-elle impossible à Dieu ? A cette saison, dans un an, je reviendrai vers toi, et Sarah aura un fils.* Et ils quittèrent Abraham. **5** Et voici comment il reprend à leur sujet : [g]*S'étant levés de là, les deux hommes abaissèrent leurs regards vers Sodome...* Puis, celui qui était et qui est[3] s'adresse à nouveau à Abraham : [h]*...Je ne cacherai pas à Abraham, mon serviteur, ce que je m'en vais faire.*

Je répétai alors la suite du récit de Moïse, avec mes explications, celles par lesquelles, disais-je, il est démontré que celui qui, à la demande du Père et Seigneur, et en servant (ainsi) sa volonté, s'est fait voir à Abraham, à Isaac, à Jacob et aux autres patriarches, les Écritures le nomment *Dieu*[4].

a Cf. *Zach.* 12, 12-14 **b** *Gen.* 32, 24.25 **c** *Gen.* 32, 30 **d** *ibid.* **e** *Gen.* 18, 1 **f** *ibid.*, 2 **g** cf. *Gen.* 18, 16 **h** *ibid.*, 17.

Ἀβραὰμ καὶ τῷ Ἰσαὰκ καὶ τῷ Ἰακὼβ καὶ τοῖς ἄλλοις πατριάρχαις, ἀναγεγραμμένος[1] *θεός*, ἔλεγον.

6 Ἐπέφερον δέ, εἰ καὶ μὴ εἶπον ἐν τοῖς ἔμπροσθεν · Οὕτω δὲ καί, ὅτε *κρέας ἐπεθύμησεν ὁ λαὸς φαγεῖν* καὶ ἀπιστεῖ[2] Μωσῆς τῷ λελεγμένῳ κἀκεῖ *ἀγγέλῳ*, ἐπαγγελλομένῳ δώσειν αὐτοῖς τὸν θεὸν *εἰς πλησμονήν*[3], αὐτός, ὢν καὶ *θεὸς* καὶ *ἄγγελος* παρὰ τοῦ πατρὸς πεπεμμένος, ταῦτα εἰπεῖν καὶ πρᾶξαι δηλοῦται. Οὕτως γὰρ ἐπάγει ἡ γραφὴ λέγουσα · *Καὶ εἶπε κύριος πρὸς Μωϋσῆν*[4] · *Μὴ ἡ χεὶρ κυρίου οὐκ ἐξαρκέσει ; Ἤδη γνώσῃ εἰ ἐπικα<τα>λήψεταί*[5] *σε ὁ λόγος μου ἢ οὔ.* Καὶ πάλιν ἐν ἄλλοις λόγοις οὕτως[6] φησί · (*Deut.* 31, 2)*Κύριος δὲ εἶπε πρός με* · *Οὐ διαβήσῃ τὸν Ἰορδάνην τοῦτον.* (3)*Κύριος ὁ θεός σου, ὁ προπορευόμενος τοῦ*[7] *προσώπου σου, αὐτὸς ἐξολοθρεύσει τὰ ἔθνη*[8].

127. 1 Καὶ τὰ ἄλλα δὲ τοιαῦτά ἐστιν εἰρημένα τῷ νομοθέτῃ καὶ τοῖς προφήταις. Καὶ ἱκανῶς εἰρῆσθαί μοι ὑπολαμβάνω ὅτι[9], ὅταν που[10] ὁ θεὸς λέγῃ · *Ἀνέβη ὁ θεὸς ἀπὸ Ἀβραάμ*, ἢ *Ἐλάλησε κύριος πρὸς Μωσῆν*[11], καὶ[12] *Κατέβη κύριος τὸν πύργον ἰδεῖν ὃν ᾠκοδόμησαν οἱ υἱοὶ τῶν ἀνθρώπων*, ἢ ὅτε *Ἔκλεισεν ὁ θεὸς τὴν κιβωτὸν Νῶε ἔξωθεν*, μὴ ἡγῆσθε[13] αὐτὸν τὸν ἀγέννητον θεὸν *κατα*-[fol. 780 r° : A]-*βεβηκέναι* ἢ *ἀναβεβηκέναι* ποθέν.

2 Ὁ γὰρ ἄρρητος πατὴρ καὶ κύριος τῶν πάντων οὔτε ποι ἀφῖκται οὔτε πε-[p. 281 : B]-ριπατεῖ οὔτε καθεύδει οὔτε ἀνίσταται, ἀλλ' ἐν τῇ αὐτοῦ χώρᾳ, ὅπου ποτέ[14], μένει, ὀξὺ ὁρῶν καὶ ὀξὺ ἀκούων, οὐκ ὀφθαλμοῖς[15] οὐδὲ ὠσὶν ἀλλὰ δυνάμει ἀλέκτῳ[16] · καὶ πάντα ἐφορᾷ καὶ πάντα γινώσκει, καὶ οὐδεὶς ἡμῶν λέληθεν αὐτόν · οὔτε[17] κινούμενος, ὁ τόπῳ τε ἀχώρητος καὶ τῷ κόσμῳ ὅλῳ, ὅς γε ἦν καὶ πρὶν τὸν κόσμον γενέσθαι. **3** Πῶς ἂν οὖν οὗτος ἢ λαλήσειε πρός τινα ἢ *ὀφθείη* τινὶ ἢ ἐν ἐλαχίστῳ μέρει γῆς φανείη, ὁπότε γε οὐδὲ τὴν δόξαν τοῦ παρ' αὐτοῦ πεμφθέντος ἴσχυεν[18]

1 Ἀναγεγραμμένος : ὁ ἀναγ. Marc. **2** Ἀπιστεῖ : ἠπίστει *prop.* Thirlb. (*antea*) **3** Εἰς πλησμόνην : φαγεῖν εἰς πλ. Marc. **4** Μωϋσῆν : Μωσῆν Arch. **5** Ἐπικαταλήψεται *prop.* Thirlb., *coni. edd. ab* Otto (*ex* LXX) : ἐπικαλύψεται *codd.*, *cett. edd.* (= cod. 19, *def.* Smit Sibinga, p. 47-48) **6** Οὕτως : οὕτω Mign., Arch. **7** Τοῦ : πρὸ Marc. (*ex* LXX) **8** *Post* τὰ ἔθνη Marc. *lacunam indicavit* (*ex* Dt. 31, 3) **9** Ὅτι : ὥστε *prop.* Thirlb., ὡς Mar. ὅπως *coni.* Marc. **10** Που *prop.* Mar., *coni.* Marc. (cf. 122, 5 *et* 126, 2) : μου *codd.*, *cett. edd.* **11** Μωσῆν : Μωϋσῆν Otto, Mign., Goodsp. Μωσῇ Steph., Jebb **12** Καὶ : ἢ Marc. **13** Ἡγῆσθε *corr. ex* ἡγεῖσθε A, Marc. (ἡγῆσθε B) : ἡγεῖσθε *cett. edd.* ἡγεῖσθαι *prop.* Mar., οὐκ ἡγητέον Sylb. **14** Ποτέ : πότ' ἐστι Marc. **15** Ὀφθαλμοῖς B, *edd.* : ὀφαλμοῖς A **16** Οὐκ – ἀλέκτῳ *in semicirculis* Marc. **17** Οὔτε : οὐδ' ἔστι Marc. **18** Ἴσχυεν : ἴσχυσεν *coni.* Marc. (*ex* ἴσχυσεν *et* ὑμέμεινε *paulo post*).

6 Et j'ajoutais, bien que je ne l'eusse pas dit auparavant : Et il en était de même, lorsque [a]*le peuple désira manger de la viande*[5], et que [b]Moïse ne crut pas à celui qui là encore est appelé *ange*[6], et qui annonçait que Dieu leur en donnerait [c]*à satiété* : c'est lui-même, est-il indiqué qui étant aussi *Dieu* et *ange* envoyé d'auprès du Père, dit et fit ces choses. Car l'Écriture poursuit en ces termes : [d]*Le Seigneur dit à Moïse : « Est-ce que la main du Seigneur ne suffira pas ? Maintenant tu vas voir si mon Verbe t'atteindra ou non »*. Et dans un autre passage, il dit encore : (*Deut.* 31, 2)*Le Seigneur m'a dit : « Tu ne traverseras pas ce Jourdain.* (3)*Le Seigneur ton Dieu, celui qui marche devant ton visage, c'est lui qui anéantira les nations… »*[7].

Autres versets bibliques s'appliquant au Verbe, et non au Père, puisque celui-ci ne saurait être ni vu ni circonscrit.

127. 1 Il en va de même pour toutes les autres choses qui furent dites au Législateur et aux prophètes. Et je pense avoir suffisamment indiqué que[1], lorsque le Dieu auquel je me réfère dit : [e]*Dieu est monté d'auprès d'Abraham*, ou [f]*Le Seigneur a parlé à Moïse*, et [g]*Le Seigneur est descendu voir la tour qu'avaient bâtie les fils des hommes*, ou encore [h]*Le Seigneur a fermé de l'extérieur l'arche de Noé*[2], vous ne sauriez croire que le Dieu inengendré[3] soit lui-même *descendu* ou *monté* de quelque part.

2 Car l'ineffable Père et Seigneur de tout ne va nulle part, ne se déplace pas, ne dort ni ne se lève, mais en sa propre place, où qu'elle soit, il demeure ; perçante est sa vue, perçante est son ouïe, non point avec des yeux ni avec des oreilles, mais par une puissance qu'on ne peut exprimer. [i]Il surveille tout, connaît tout, et nul de nous ne lui échappe. Et il ne se meut point, celui qu'aucun lieu ne saurait circonscrire, pas même le monde entier[4] : il était avant même que le monde existât[5]. **3** Comment donc celui-là pourrait-il parler à quelqu'un, *se montrer* à quelqu'un[6], ou apparaître en un infime coin de la terre[7], [j]quand le peuple, au Sinaï, n'était pas assez fort pour soutenir la vue de la gloire de son envoyé ; [k]quand Moïse lui-même ne fut pas assez

a Cf. *Nombr.* 11, 4 s. **b** cf. *Nombr.* 11, 21-22 **c** cf. *Exod.* 16, 3.8 ? **d** *Nombr.* 11, 23 **e** *Gen.* 17, 22 **f** *Exod.* 6, 29 **g** *Gen.* 11, 5 **h** *Gen.* 7, 16 **i** cf. *Odyss.* 11, 109 **j** cf. *Exod.* 19, 21 **k** cf. *Exod.* 40, 29.

ὁ λαὸς ἰδεῖν ἐν Σινᾶ[1], οὐδ' αὐτὸς Μωσῆς[2] ἴσχυσεν *εἰσελθεῖν εἰς τὴν σκηνήν*, ἣν ἐποίησεν, εἰ μὲν[3] *ἐπληρώθη* τῆς παρὰ τοῦ θεοῦ *δόξης*, οὐδὲ μὴν ὁ ἱερεὺς[4] ὑπέμεινε κατενώπιον τοῦ ναοῦ *στῆναι*, ὅτε τὴν κιβωτὸν Σολομὼν εἰσεκόμισεν εἰς τὸν *οἶκον* τὸν ἐν Ἱερουσαλήμ, ὃν αὐτὸς ὁ Σολομὼν ᾠκοδομήκει ;

4 Οὔτε οὖν Ἀβραὰμ οὔτε Ἰσαὰκ οὔτε Ἰακὼβ οὔτε ἄλλος ἀνθρώπων εἶδε τὸν πατέρα καὶ ἄρρητον κύριον τῶν πάντων ἁπλῶς καὶ αὐτοῦ τοῦ Χριστοῦ, ἀλλ' ἐκεῖνον τὸν κατὰ βουλὴν τὴν ἐκείνου καὶ *θεὸν* ὄντα[5], *υἱὸν* αὐτοῦ, καὶ *ἄγγελον* ἐκ τοῦ ὑπηρετεῖν τῇ γνώμῃ αὐτοῦ · ὃν καὶ *ἄνθρωπον* γεννηθῆναι διὰ τῆς παρθένου βεβούληται, ὃς καὶ *πῦρ* ποτε γέγονε τῇ πρὸς Μωσέα[6] ὁμιλίᾳ τῇ *ἀπὸ* [fol. 180 v° : A] *τῆς βάτου*. **5** Ἐπεὶ ἐὰν μὴ οὕτω νοήσωμεν τὰς γραφάς, συμβήσεται τὸν πατέρα καὶ κύριον τῶν ὅλων μὴ γεγενῆσθαι τότε ἐν τοῖς οὐρανοῖς, ὅτε διὰ Μωσέως[7] λέλεκται · *Καὶ κύριος ἔβρεξεν ἐπὶ Σόδομα πῦρ καὶ θεῖον παρὰ κυρίου ἐκ τοῦ οὐρανοῦ* · καὶ πάλιν διὰ Δαυῒδ ὅτε λέλεκται οὕτως · *Ἄρατε* [p. 282 : B] *πύλας, οἱ ἄρχοντες ὑμῶν, καὶ ἐπάρθητε πύλαι αἰώνιοι, καὶ εἰσελεύσεται ὁ βασιλεὺς τῆς δόξης* · καὶ πάλιν ὅτε φησί · *Λέγει κύριος τῷ κυρίῳ μου · Κάθου ἐκ δεξιῶν μου, ἕως ἂν θῶ τοὺς ἐχθρούς σου ὑποπόδιον τῶν ποδῶν σου.*

128. 1 Καὶ ὅτι *κύριος* ὢν ὁ Χριστός, καὶ *θεὸς θεοῦ υἱὸς*[8] ὑπάρχων, καὶ[9] δυνάμει[10] φαινόμενος πρότερον ὡς *ἀνὴρ* καὶ *ἄγγελος*, καὶ *ἐν πυρὸς δόξῃ*, ὡς *ἐν τῇ βάτῳ*, πέφανται καὶ ἐπὶ τῆς κρίσεως τῆς γεγενημένης ἐπὶ Σόδομα, ἀποδέδεικται ἐν πολλοῖς τοῖς εἰρημένοις.

Ἀνιστόρουν δὲ πάλιν ἃ καὶ προέγραψα ἀπὸ τῆς Ἐξόδου πάντα, περί τε τῆς ὀπτασίας τῆς ἐπὶ τῆς *βάτου* καὶ τῆς ἐπικλήσεως τοῦ Ἰησοῦ ὀνόματος, καὶ ἐπέλεγον · **2** Καὶ μὴ νομίζητε, ὦ οὗτοι, ὅτι περιττολογῶν ταῦτα λέγω πολλάκις, ἀλλ' ἐπεὶ γινώσκω καί[11] τινας προλέγειν ταῦτα βουλομένους, καὶ φάσκειν τὴν δύναμιν τὴν παρὰ τοῦ πατρὸς τῶν ὅλων φανεῖσαν τῷ Μωσεῖ[12] ἢ τῷ Ἀβραὰμ ἢ τῷ Ἰακὼβ *ἄγγελλον* καλεῖσθαι ἐν τῇ πρὸς ἀνθρώπους προόδῳ, ἐπειδὴ δι' αὐτῆς τὰ παρὰ τοῦ πατρὸς τοῖς ἀνθρώποις *ἀγγέλλεται*[13], *δόξαν* δέ, ἐπειδὴ ἐν ἀχωρήτῳ ποτὲ φαντασίᾳ

1 Σινᾶ *codd.*, Thirlb., *edd. ab* Otto : Σινᾷ *cett. edd.* 2 Μωσῆς : Μωϋσῆς Otto, Mign., Goodsp. 3 Εἰ μὲν (*si quidem*) *prop.* Thirlb., *coni.* Otto, Troll., Arch., Goodsp. : εἰ *prop.* Thirlb. ἐπεὶ (*deleto* μὴ) *coni.* Marc. εἰ μὴ *codd.*, *cett. edd.* ὅτι LXX 4 Ὁ ἱερεὺς : οἱ ἱερεῖς LXX 5 Ὄντα : *post* υἱὸν *transp.* Marc. 6 Μωσέα : Μωϋσέα Otto, Mign., Goodsp. 7 Μωσέως : Μωϋσέως Otto, Mign., Goodsp. 8 Θεός θεοῦ υἱὸς ὑπάρχων : θεός, θεοῦ υἱὸς ὑπάρχων Marc. 9 Καὶ : *del.* Marc. 10 Δυνάμει : δύναμις *prop.* Thirlb. (*ex* 128, 2 : τὴν δύναμιν τὴν ...φανεῖσαν) 11 Καὶ : *del.* Marc. 12 Μωσεῖ : Μωϋσεῖ Otto, Mign., Goodsp. 13 Ἀγγέλλεται : *in ras.* A.

fort pour *entrer dans la tente* – qu'il avait construite – du moins lorsqu'elle était *remplie* de la *gloire* venue de Dieu ; quand de surcroît [a]le prêtre ne put *se maintenir* face au sanctuaire, lorsque Salomon introduisit l'arche dans la *Demeure* de Jérusalem que Salomon lui-même avait fait édifier[8] ?

4 Ni Abraham donc, ni Isaac, ni Jacob, [b]ni aucun autre parmi les hommes n'a vu le Père[9], ineffable Seigneur de toute chose absolument, et du Christ lui-même, mais bien celui qui, suivant la volonté de ce Père est en même temps *Dieu*, son *fils*[10], et *ange* parce qu'il sert son dessein : lui dont il a voulu aussi qu'il naisse *homme* par la vierge, lui encore [c]qui s'était jadis fait *feu* quand du *buisson* il s'adressait à Moïse[11]. **5** Car si nous n'entendons pas ainsi les Écritures, il en résultera que le Père et Seigneur de l'univers ne se trouvait pas alors dans les cieux[12], quand par l'intermédiaire de Moïse il était dit : [d]*Et le Seigneur fit pleuvoir sur Sodome et Gomorrhe du souffre et du feu d'auprès du Seigneur du haut du ciel* ; ou encore lorsqu'il était dit par l'intermédiaire de David : [e]*Levez vos portes, princes, levez-vous, portes éternelles, et le Roi de gloire entrera* ; et lorsqu'il dit aussi : [f]*Le Seigneur dit à mon Seigneur : « Assieds-toi à ma droite, jusqu'à ce que je fasse de tes ennemis l'escabeau de tes pieds »* [13].

Rappel de passages antérieurement cités.
Le Verbe n'est pas une puissance produite par segmentation,
mais une personne divine engendrée par la volonté du Père,
et numériquement distincte de lui.

128. 1 Que le Christ, étant *Seigneur*, et depuis toujours[1] *Dieu Fils de Dieu*, apparu en puissance, tout d'abord[2], comme *homme* et *ange*, et [g]*en gloire de feu* (au buisson par exemple), est apparu aussi [h]lors du jugement accompli sur Sodome, c'est dans ce que j'ai dit amplement démontré[3].

Je repris néanmoins l'exposé de tous les passages de l'Exode transcrits plus haut, tant sur la vision qui eut lieu au *buisson*, que sur [i]l'attribution du nom de Jésus[4], et j'ajoutai :

2 Ne pensez pas, vous autres, que je suis redondant, en rappelant souvent ces choses : c'est parce que je sais qu'il en est également, qui veulent prévenir ces explications, et affirment que la puissance venue du Père de l'univers, apparue à Moïse, à Abraham ou encore à Jacob, est appelée *ange* dans la rencontre des hommes, parce qu'à travers elle ce qui vient du Père

a Cf. *III Rois*, 8, 11 ; *II Chron.* 5, 14 **b** cf. *Jn.* 1, 18 **c** cf. *Exod.* 3, 2 s. **d** *Gen.* 19, 24 **e** *Ps.* 23, 7 **f** *Ps.* 109, 1 **g** cf. *Exod.* 3, 2 s. **h** cf. *Gen.* 18-19 **i** cf. *Nombr.* 13, 16.

[fol. 181 r° A] φαίνεται, *ἄνδρα* δέ ποτε καὶ *ἄνθρωπον* καλεῖσθαι, ἐπειδὴ ἐν μορφαῖς τοιαύταις σχηματιζόμενος φαίνεται αἷσπερ[1] βούλεται ὁ πατήρ · καὶ *Λόγον*[2] καλοῦσιν[3], ἐπειδὴ καὶ τὰς παρὰ τοῦ πατρὸς ὁμιλίας φέρει τοῖς ἀνθρώποις.

3 Ἄτμητον δὲ καὶ ἀχώριστον τοῦ πατρὸς ταύτην τὴν δύναμιν ὑπάρχειν, ὅνπερ τρόπον τὸ τοῦ ἡλίου φασὶ φῶς ἐπὶ γῆς εἶναι ἄτμητον καὶ ἀχώριστον ὄντος[4] τοῦ ἡλίου ἐν τῷ οὐρανῷ · καί, ὅταν δύσῃ, συναποφέρεται[5] τὸ φῶς · οὕτως [p. 283 : B] ὁ πατήρ, ὅταν βούληται, λέγουσι, δύναμιν αὐτοῦ προπηδᾶν ποιεῖ, καί, ὅταν βούληται, πάλιν ἀναστέλλει εἰς ἑαυτόν. Κατὰ[6] τοῦτον τὸν τρόπον καὶ τοὺς ἀγγέλους ποιεῖν αὐτὸν διδάσκουσιν.

4 Ἀλλ' ὅτι μὲν οὖν εἰσὶν ἄγγελοι, καὶ ἀεὶ μένοντες καὶ μὴ ἀναλυόμενοι εἰς ἐκεῖνο[7] ἐξ οὗπερ γεγόνασιν, ἀποδέδεικται · καὶ ὅτι δύναμις αὕτη, ἣν καὶ *θεὸν* καλεῖ ὁ προφητικὸς Λόγος, < ὡς >[8] διὰ πολλῶν ὡσαύτως[9] ἀποδέδεικται, καὶ *ἄγγελον*, οὐχ ὡς τὸ τοῦ ἡλίου φῶς ὀνόματι μόνον ἀριθμεῖται, ἀλλὰ καὶ ἀριθμῷ ἕτερόν τί ἐστι, καὶ[10] ἐν τοῖς προειρημένοις διὰ βραχέων τὸν λόγον ἐζήτασα, εἰπὼν τὴν δύναμιν ταύτην γεγεννῆσθαι ἀπὸ τοῦ πατρός, δυνάμει καὶ βουλῇ αὐτοῦ, ἀλλ' οὐ κατὰ ἀποτομήν, ὡς ἀπομεριζομένης τῆς τοῦ πατρὸς οὐσίας, ὁποῖα τὰ ἄλλα πάντα μεριζόμενα καὶ τεμνόμενα οὐ τὰ αὐτά ἐστιν ἃ καὶ πρὶν τμηθῆναι · καὶ παραδείγματος χάριν παρειλήφειν ὡς τὰ[11] ἀπὸ [fol. 181 v° : A] πυρὸς ἀναπτόμενα πυρὰ ἕτερα ὁρῶμεν, οὐδὲν ἐλαττουμένου ἐκείνου, ἐξ οὗ ἀναφθῆναι πολλὰ δύνανται, ἀλλὰ ταὐτοῦ μένοντος.

129. 1 Καὶ νῦν δὲ ἔτι καὶ οὓς εἶπον λόγους εἰς ἀπόδειξιν τούτου ἐρῶ.

Ὅταν[12] λέγῃ · *Ἔβρεξε κύριος πῦρ παρὰ κυρίου ἐκ τοῦ οὐρανοῦ*, δύο ὄντας ἀριθμῷ μηνύει ὁ Λόγος ὁ προφητικός, τὸν μὲν ἐπὶ γῆς ὄντα, ὅς φησι *καταβεβηκέναι ἰδεῖν τὴν κραυγὴν* Σοδόμων, τὸν δὲ ἐν *τοῖς οὐρανοῖς* ὑπάρχοντα, ὃς καὶ τοῦ ἐπὶ γῆς *κυρίου κύριός* ἐστιν, ὡς πατὴρ καὶ θεός, αἴτιός τε αὐτῷ τοῦ εἶναι καὶ *δυνατῷ* καὶ *κυρίῳ* καὶ *θεῷ*. **2** Καὶ πάλιν ὅταν λέγῃ ὁ Λόγος εἰρηκέναι τὸν θεὸν ἐν ἀρχῇ · *Ἰδοὺ Ἀδὰμ* [p. 284 : B]

1 Αἷσπερ *edd.* : οἷσπερ *codd.* **2** Λόγον καλοῦσιν : Λ. δὲ αὐτὴν καλ. Marc. **3** Καλοῦσιν : καλεῖσθαι *prop.* Thirlb. **4** Ὄντος : *post* τοῦ ἡλίου *transp.* Marc. **5** Συναποφέρεται : συναποφέρεσθαι *prop.* Otto **6** Κατὰ : καὶ *prop.* Thirlb. **7** Ἐκεῖνο *edd.* : ἐκεῖνα *codd.* **8** Ὡς *prop.* Sylb., Mar., *add.* Otto, Mign., Troll., Arch., Marc. : *om. codd.*, *cett. edd.* **9** Ὡσαύτως : σαφῶς *prop.* Sylb. **10** Καὶ : καὶ περὶ τούτου Marc. **11** Ὡς τὰ *prop.* Sylb., Mar., *coni. edd. ab* Otto : τὰ ὡς *codd.*, *cett. edd.* τὰ ὡς ἀπὸ πυρὸς ...πυρά, ἅ ἕτερα *prop.* Mar., τὰ ἑνὸς ἀπὸ πυρὸς (= τὰ ἀπὸ ἑνὸς πυρὸς) Troll. **12** Ὅταν : ὅταν οὖν Marc.

est *annoncé* aux hommes ; et *gloire*, parce qu'elle prend parfois une apparence qui ne peut être circonscrite ; qu'elle est appelée parfois *homme*, ou *être humain*, parce que, pour se manifester, il[5] a revêtu ces formes voulues par le Père ; et ils l'appellent encore *Verbe*, parce qu'il porte aux hommes les discours du Père.

3 Cette puissance, disent-ils, demeure[6] indivisible et inséparable du Père, de même que la lumière du soleil, sur la terre, est indivisible et inséparable du soleil, tandis que celui-ci se trouve dans le ciel : et lorsqu'il se couche, la lumière disparaît avec lui. Ainsi, disent-ils, le Père, lorsqu'il le veut, provoque une projection de sa puissance, et, lorsqu'il le veut, il la ramène à soi[7]. C'est de cette manière, enseignent-ils, qu'il fait[8] aussi les anges.

4 Mais il a été démontré qu'il existe bien des anges, qu'ils sont des êtres stables, ne se résolvant point en ce dont ils procèdent[9]. Quant à cette puissance que le Verbe prophétique appelle aussi *Dieu* – comme il a été de même amplement démontré[10] – et *ange*, elle n'est pas uniquement distincte par le nom, comme la lumière du soleil, mais elle est également autre chose par le nombre[11]. Dans ce qui précède, j'en ai fait également un bref exposé[12], pour dire que cette puissance avait été engendrée du Père par sa puissance et par sa volonté, et non par amputation, comme si l'ousie du Père eut été segmentée, à l'instar de toutes les autres choses qui, une fois divisées et segmentées, ne sont plus les mêmes qu'avant d'avoir été fragmentées. Et j'avais pris cet exemple : nous voyons d'autres feux allumés à un feu, sans que soit diminué celui auquel on en pourrait allumer de multiples : il demeure au contraire le même.

Preuves scripturaires que le Verbe est numériquement distinct du Père,
et engendré par lui de toute éternité.

129. 1 Je vais maintenant vous citer à nouveau les paroles que j'ai déjà citées[1] pour démontrer ce point.

Lorsqu'il dit [a]*Le Seigneur fit pleuvoir, du haut du ciel, du feu*[2] *d'auprès du Seigneur*, le Verbe prophétique indique qu'ils sont numériquement deux : l'un se trouve sur la terre, dont il dit qu'il est [b]*descendu* pour *voir* la *clameur* de Sodome[3] ; l'autre demeure dans le *ciel*, et, comme Père et Dieu, il est aussi *Seigneur* du *Seigneur* qui se trouve sur terre, et cause que celui-ci est à la fois [c]*puissant*, *Seigneur*, et *Dieu*. **2** Et lorsque le Verbe rapporte encore que Dieu a

a *Gen.* 19, 24 **b** cf. *Gen.* 18, 21 **c** cf. *Gen.* 32, 28.

γέγονεν ὡς εἷς ἐξ ἡμῶν, τόδε[1] · *Ὡς εἷς ἐξ ἡμῶν* καὶ αὐτὸ ἀριθμοῦ[2] δηλωτικόν ἐστιν, ἀλλ' οὐ τροπολογίαν χωροῦσιν οἱ λόγοι, ὡς ἐξηγεῖσθαι ἐπιχειροῦσιν οἱ σοφισταὶ καὶ[3] μηδὲ λέγειν τὴν ἀλήθειαν μηδὲ νοεῖν δυνάμενοι. **3** Καὶ ἐν τῇ Σοφίᾳ εἴρηται · (*Prov.* 8, 21) *Ἐὰν ἀναγγείλω ὑμῖν τὰ καθ' ἡμέραν γινόμενα, μνημονεύσω τὰ ἐξ αἰῶνος ἀριθμῆσαι.* (22)*Κύριος ἔκτισέ με ἀρχὴν ὁδῶν αὐτοῦ*[4] *εἰς ἔργα αὐτοῦ.* (23)*Πρὸ τοῦ αἰῶνος ἐθεμελίωσέ με, ἐν ἀρχῇ, πρὸ τοῦ τὴν γῆν ποιῆσαι* (24)*καὶ πρὸ τοῦ τὰς ἀβύσσους ποιῆσαι καὶ*[5] *πρὸ τοῦ προελθεῖν τὰς πηγὰς τῶν ὑδάτων,* (25)*πρὸ τοῦ ὄρη ἑδρασθῆναι · πρὸ δὲ πάντων βουνῶν γεννᾷ με.*

4 Καὶ εἰπὼν ταῦτα ἐπήγαγον · Νοεῖτε, ὦ ἀκροαταί, εἴ γε [fol. 182 r° : A] καὶ[6] τὸν νοῦν προσέχετε[7] · καὶ[8] ὅτι *γεγεννῆσθαι* ὑπὸ τοῦ πατρὸς τοῦτο τὸ γέννημα *πρὸ πάντων* ἁπλῶς *τῶν κτισμάτων* ὁ Λόγος ἐδήλου, καὶ[9] τὸ γεννώμενον τοῦ γεννῶντος ἀριθμῷ ἕτερόν ἐστι, πᾶς[10] ὁστισοῦν ὁμολογήσειε.

130. 1 Καὶ συντιθεμένων πάντων εἶπον · Καὶ λόγους δέ τινας, οὓς μὴ ἀπεμνημόνευσα πρότερον, εἴποιμ' ἂν ἄρτι · εἰσὶ δὲ εἰρημένοι ὑπὸ τοῦ *πιστοῦ θεράποντος* Μωσέως[11] ἐπικεκαλυμμένως. Εἴρηται[12] δὲ οὕτως · *Εὐφράνθητε οὐρανοὶ ἅμα αὐτῷ, καὶ προσκυνησάτωσαν αὐτῷ πάντες ἄγγελοι θεοῦ* · καὶ τὰ ἑξῆς τοῦ λόγου[13] ἐπέφερον ταῦτα · *Εὐφράνθητε ἔθνη μετὰ τοῦ λαοῦ αὐτοῦ, καὶ ἐνισχυσάτωσαν αὐτῷ πάντες ἄγγελοι θεοῦ, ὅτι τὸ αἷμα τῶν υἱῶν αὐτοῦ ἐκδικεῖται*[14]*, καὶ ἐκδικήσει, καὶ ἀνταποδώσει δίκην τοῖς ἐχθροῖς, καὶ τοῖς μισοῦσιν αὐτὸν ἀνταποδώσει, καὶ ἐκκαθαριεῖ κύριος τὴν γῆν τοῦ λαοῦ αὐτοῦ.*

2 Καὶ εἰπὼν[15] ταῦτα ἡμᾶς τὰ *ἔθνη* λέγει *εὐφραίνεσθαι*[16] *μετὰ τοῦ λαοῦ αὐτοῦ*, λέγω Ἀβραὰμ καὶ Ἰσαὰκ καὶ Ἰακὼβ καὶ τοὺς προφήτας [p. 285 : B] καὶ ἁπλῶς[17] τοὺς ἀπ' ἐκείνου τοῦ *λαοῦ* πάντας εὐαρεστοῦντας τῷ θεῷ, κατὰ τὰ προωμολογημένα ἡμῖν · ἀλλ' οὐ πάντας τοὺς ἀπὸ τοῦ γένους

1 Τόδε *prop.* Thirlb., *coni.* Troll., Mign., *edd. ab* Otto : τὸ δὲ *codd.*, *cett. edd.* **2** Αὐτὸ ἀριθμοῦ : αὐτὸ τοῦ δύο ἀρ. Marc. (*ex.* Dial. 129, 1.4 ; 62, 3) **3** Καὶ : οἱ *coni.* Marc. **4** Ὁδῶν αὐτοῦ *in textu* A (= LXX) : ὁδὸν αὐτοῦ *in marg.* A *in textu* B. Cf. 61, 3 **5** Καὶ : *del.* Marc. (*om.* LXX; Dial. 61, 3) **6** Καὶ : *del.* Marc. **7** Προσέχετε : προσείχετε *prop.* Thirlb., *coni.* Marc. (cf. 64, 3 : εἰ προσεσχήκειτε) **8** Καὶ : καὶ γὰρ Marc. **9** Καὶ : καὶ ὅτι *prop.* Lange, Mar., *coni.* Troll., Marc. **10** Πᾶς : ὡς πᾶς *prop.* Sylb., Thirlb. **11** Μωσέως : Μωϋσέως Otto, Mign., Goodsp. (*sic etiam infra*, 130, 3) **12** Εἴρηται = ὁ λόγος (*mox* τὰ ἑξῆς τοῦ λόγου) Otto, *vel* περικοπή Sylb. : εἴρηνται (= λόγους δέ τινας) *prop.* Sylb. **13** Τοῦ λόγου ἐπέφερον : τοῦ λόγου. Ἐπέφερον Steph., Lange καὶ ἐπέφερον *prop.* Sylb. **14** Ἐκδικεῖται : ἐκδικεῖ τε *prop.* Sylb. **15** Εἰπὼν : ἐπεῖπον *prop.* Sylb. **16** Εὐφραίνεσθαι : μέλλειν εὐφρ. Marc. **17** Καὶ ἁπλῶς *prop.* Thirlb., *transp. edd. ab* Otto (cf. 102, 5) : ἁπλῶς καὶ *codd.*, *cett. edd.*

dit au commencement : [a]*Voici, Adam est devenu comme l'un de nous…*[4], ce *comme l'un de nous* est aussi une évidente indication de nombre, et ces paroles ne comportent pas un sens figuré, comme tentent de l'expliquer les sophistes[5], et ceux qui ne peuvent ni dire ni comprendre la vérité. **3** Dans la *Sagesse*[6] encore, il est dit : (*Prov.* 8, 21)*Si je vous annonce ce qui arrive chaque jour, je me souviendrai aussi de dénombrer les choses de l'éternité.* (22)*Le Seigneur m'a établie principe de ses voies*[7] *pour ses œuvres.* (23)*Avant l'éternité, il m'a fondée, dès le début, avant que de créer la terre,* (24)*et avant que de créer les abîmes, avant que ne coulent les sources des eaux,* (25)*avant que les montagnes n'aient été formées ; avant toutes les collines, il m'engendre*[8].

4 Après quoi, j'ajoutai : Comprenez, vous qui m'écoutez, si du moins vous faites attention : le Verbe montrait (ainsi) que ce rejeton[9] avait été [b]*engendré* par le Père *avant* absolument *toutes les créatures*[10] ; or l'engendré est numériquement autre que celui qui engendre, n'importe qui en conviendrait.

L'Israël véritable est constitué des nations appelées par le Christ et de ceux qui, parmi les juifs, auront cru en lui. Témoignage du Deutéronome.

130. 1 Tous tombèrent d'accord, et je dis : Il est encore certaines paroles, que je n'ai pas encore rappelées dans ce qui précède ; j'aimerais les citer maintenant. Elles sont formulées de manière voilée par Moïse, le [c]*fidèle serviteur.*

Voici comment : [d]*Réjouissez-vous, cieux, avec lui, et que se prosternent devant lui tous les anges de Dieu.* Et j'ajoutais la suite du passage : [e]*Réjouissez-vous, nations, avec son peuple, et que se fortifient en lui tous les anges de Dieu, car le sang de ses fils est vengé, il (le) vengera ; il rendra le châtiment dû aux ennemis, et à ceux qui le haïssent il rendra leur dû, et le Seigneur purifiera la terre de son peuple.*

2 Par ces paroles, il déclare que nous autres, les [f]*nations*, sommes appelées à nous *réjouir avec son peuple*, je veux dire Abraham, Isaac, Jacob, les prophètes, et en somme, tous ceux de ce *peuple* qui sont agréables à Dieu, selon ce dont nous sommes déjà convenus[1] ; mais nous n'entendrons pas par là tous ceux de votre race, car nous avons appris aussi, par l'intermédiaire d'Isaïe, que

a *Gen.* 3, 22 **b** cf. *Prov.* 8, 24-25 et *Col.* 1, 15 **c** cf. *Nombr.* 12, 7 et *Hébr.* 3, 2.5 **d** *Deut.* 32, 43 **e** *ibid.* **f** *ibid.*

ὑμῶν ἀκουσόμεθα, ἐπειδὴ ἔγνωμεν καὶ διὰ Ἠσαΐου *τὰ κῶλα τῶν παραβεβηκότων* ὑπὸ *σκώληκος* καὶ *ἀπαύστου πυρὸς* διαβιβρώσκεσθαι μέλλειν, ἀθάνατα μένοντα, ὥστε καὶ εἶναι *εἰς* [fol. 182 v° : A] *ὅρασιν πάσης σαρκός*[1].

3 Ἐπειπεῖν δὲ ὑμῖν βούλομαι καὶ[2] πρὸς τούτοις, ὦ ἄνδρες, ἔφην, καὶ ἄλλους τινὰς λόγους ἀπ' αὐτῶν τῶν Μωσέως λόγων, ἐξ ὧν καὶ[3] νοῆσαι δύνασθε ὅτι ἄνωθεν μὲν πάντας τοὺς ἀνθρώπους ὁ θεὸς διεσκόρπισε καὶ τὰ[4] γένη καὶ γλώσσας · ἐκ πάντων δὲ τῶν γενῶν γένος ἑαυτῷ λαβὼν τὸ ὑμέτερον, γένος *ἄχρηστον* καὶ *ἀπειθὲς* καὶ *ἄπιστον*[5], ἔδειξε[6] τοὺς ἀπὸ παντὸς γένους αἱρουμένους *πεπεῖσθαι* αὐτοῦ τῇ βουλῇ διὰ τοῦ Χριστοῦ, ὃν καὶ *Ἰακὼβ* καλεῖ καὶ *Ἰσραὴλ* ὀνομάζει, τούτους καὶ Ἰακὼβ καὶ Ἰσραήλ, ὡς προέφην ἐν πολλοῖς, εἶναι δεῖ<ν>[7].

4 *Εὐφράνθητε* γάρ, *ἔθνη, μετὰ τοῦ λαοῦ αὐτοῦ* εἰπών, τὴν μὲν ὁμοίαν αὐτοῖς ἀπονέμει κληρονομίαν, καὶ τὴν ὁμοίαν ὀνομασίαν δίδωσιν[8] · *ἔθνη* δὲ αὐτοὺς καὶ *εὐφραινομένους μετὰ τοῦ λαοῦ αὐτοῦ* λέγων, εἰς ὄνειδος τὸ ὑμέτερον λέγει[9] ἔθνος[10]. Ὃν γὰρ καὶ ὑμεῖς τρόπον *πανωργίσατε*[11] εἰδωλολατρήσαντες, οὕτω[12] καὶ αὐτοὺς εἰδωλολάτρας ὄντας[13] κατηξίωσε γνῶναι τὴν βουλὴν αὐτοῦ καὶ κληρονομῆσαι τὴν κληρονομίαν τὴν παρ' αὐτῷ.

131. 1 Ἐρῶ δὲ καὶ τοὺς λόγους, δι' ὧν δηλοῦται μερίσας πάντα τὰ ἔθνη ὁ θεός.

Εἰσὶ δὲ οὗτοι · (*Deut.* 32, 7) *Ἐπερώτησον τὸν πατέρα σου, καὶ ἀναγγελεῖ σοι, τοὺς πρεσβυτέρους σου, καὶ ἐροῦσί σοι.* (8) *Ὅτε*[14] *διεμέριζεν ὁ ὕψιστος ἔθνη,* [p. 286 : B] *ὡς διέσπειρεν υἱοὺς Ἀδάμ, ἔστησεν ὅρια ἐθνῶν κατὰ ἀριθμὸν*[15] [fol. 183 r° : A] *υἱῶν Ἰσραήλ* · (9) *καὶ ἐγενήθη μερὶς κυρίου λαὸς αὐτοῦ Ἰακώβ, σχοίνισμα κληρονομίας αὐτοῦ Ἰσραήλ.*

Καὶ εἰπὼν ταῦτα ἐπήνεγκα λέγων ὅτι οἱ ἑβδομήκοντα ἐξηγήσαντο, ὅτι *Ἔστησεν ὅρια ἐθνῶν κατὰ ἀριθμὸν ἀγγέλων θεοῦ.* Ἀλλ' ἐπεὶ καὶ ἐκ

1 Πάσης σαρκὸς : πάσῃ σαρκί *prop.* Thirlb., *coni.* Marc. (*ex* LXX; Dial. 44, 3 ; 140, 3) **2** Καὶ : *del.* Marc. **3** Καὶ : *del.* Marc. **4** Καὶ τὰ : κατὰ *prop.* Thirlb., Mar., *coni.* Marc. **5** Ἄπιστον : ἄπ. ὄν Marc. **6** Ἔδειξε (*vel lacuna ante* δείξας) Marc. : δείξας *codd.*, *cett. edd.* **7** Εἶναι δεῖν *coni.* Marc. (= ἔδειξε ...τούτους ...δεῖν) : εἶναι δεῖ (= νοῆσαι δύνασθε ὅτι ...διεσκόρπισε [καὶ ὅτι] ...δεῖ Otto) *codd.*, *cett. edd.* **8** Δίδωσιν : οὐ δίδωσιν *prop.* Mar. **9** Λέγει : φέρει *coni.* Marc. **10** Ἔθνος : ὁ θεός *prop.* Thirlb. **11** Πανωργίσατε : παν. αὐτὸν Marc. **12** Οὕτω : οὕτως Otto **13** Ὄντας : πάλαι ὄντας Marc. **14** Σοι. Ὅτε ...Ἀδάμ, ἔστησεν Thirlb., Troll., *edd. ab* Otto : σοι, ὅτε... Ἀδάμ. Ἔστησεν *cett. edd.* **15** Ἀριθμὸν *prop.* Sylb., *coni.* Marc. (*ex* LXX ; Dial. 131, 1 : κατὰ ἀριθμὸν ἀγγέλων θεοῦ ; cf. Smit Sibinga, p. 99) : ἀριθμοὺς *codd.*, *cett. edd.*

[a]*les membres des prévaricateurs* doivent être consumés par un *ver* et un *feu inextinguible*, demeurant immortels, en sorte qu'ils deviennent *spectacle pour toute chair*[2].

3 Je veux encore pour vous ajouter à cela, dis-je, mes amis, quelques autres passages des paroles elles-mêmes que Moïse a dites. Vous pourrez d'après elles comprendre que dès le début, Dieu [b]a dispersé tous les hommes, avec leurs races et leurs langues ; que de toutes les races s'en étant pris une, la vôtre, race [c]*malveillante*[3], [d]*infidèle*, et [e]*sans foi*, il montra que ce sont ceux qui sont choisis en toute race, et qui ont *été fidèles* à sa volonté par le Christ – qu'il appelle Jacob et Israël –, qui, comme je l'ai déjà dit en maintes occasions[4], sont nécessairement Jacob et Israël[5].

4 Ainsi lorsqu'il déclare [f]*Réjouissez-vous donc, nations, avec son peuple*, il leur octroie un semblable héritage, et il leur attribue une semblable dénomination[6]. Et lorsqu'il les appelle *nations*, et dit qu'elles *se réjouissent avec son peuple*, c'est pour faire honte à votre nation qu'il[7] s'exprime ainsi. De même, en effet, que vous avez, par vos idolâtries, [g]*provoqué sa colère*, de même il a jugé, bien qu'elles fussent idolâtres, qu'elles aussi étaient dignes de connaître sa volonté et de recueillir l'héritage qui vient de lui.

La foi des nations est plus forte que celle des juifs
pour qui Dieu fit bien des miracles.

131. 1 Je rapporterai aussi les paroles qui montrent que Dieu a *partagé* toutes *les nations*.

Les voici : (*Deut.* 32, 7)*Interroge ton Père, et il te l'annoncera, tes anciens, et ils te le diront.* (8)*Lorsque le Très-Haut partageait les nations, lorsqu'il dispersait les fils d'Adam, il établit les frontières des nations suivant le nombre des fils d'Israël.* (9)*Et son peuple, Jacob, devint une part du Seigneur, et Israël une portion de son héritage.*

Après quoi j'ajoutai :

Les Septante ont traduit : *il établit les frontières suivant le nombre des anges de Dieu*[1]. Mais comme ici encore, cela n'affaiblit en rien mon propos, j'ai donné votre traduction[2].

a *Is.* 66, 24 **b** cf. *Gen.* 11, 6 s. et *Deut.* 32, 8 **c** cf. *Os.* 8, 8 ? **d** cf. *Is.* 30, 9 et 65, 2 **e** cf. *Deut.* 32, 20 **f** *Deut.* 32, 43 **g** cf. *Deut.* 32, 21.

τούτου πάλιν οὐδέν μοι ἐλαττοῦται ὁ λόγος, τὴν ὑμετέραν ἐξήγησιν εἶπον.
2 Καὶ ὑμεῖς δ', εἰ βούλεσθε[1] τὴν ἀλήθειαν[2] ὁμολογῆσαι, ὅτι πιστότεροι πρὸς τὸν θεόν ἐσμεν, οἵτινες διὰ τοῦ *ἐξουθενημένου* καὶ *ὀνείδους* μεστοῦ μυστηρίου τοῦ σταυροῦ κληθέντες ὑπὸ τοῦ θεοῦ, ὧν[3] καὶ τῇ ὁμολογίᾳ καὶ τῇ ὑπακοῇ καὶ τῇ εὐσεβείᾳ κολάσεις μέχρι θανάτου ὑπὸ τῶν δαιμονίων καὶ τῆς στρατιᾶς τοῦ διαβόλου, διὰ τῆς ὑφ' ὑμῶν ἐκείνοις γεγενημένης ὑπηρεσίας, προστετίμη<ν>ται[4], πάνθ' ὑπομένομεν ὑπὲρ τοῦ μηδὲ μέχρι φωνῆς ἀρνεῖσθαι τὸν Χριστόν, δι' οὗ ἐκλήθημεν εἰς *σωτηρίαν* τὴν προητοιμασμένην *παρὰ τοῦ πατρός*, **3** Ὑμῶν[5] τῶν *ἐν βραχίονι ὑψηλῷ* καὶ *ἐπισκοπῇ* μεγάλης *δόξης*[6] λυτρωθέντων ἀπὸ τῆς[7] Αἰγύπτου, *θαλάσσης* ὑμῖν τμηθείσης καὶ γενομένης ὁδοῦ *ξηρᾶς*, ἐν ᾗ τοὺς διώκοντας ὑμᾶς μετὰ δυνάμεως πολλῆς πάνυ καὶ ἐνδόξων ἁρμάτων, ἐπικλύσας αὐτοῖς τὴν δι' ὑμᾶς ὁδοποιηθεῖσαν θάλασσαν, ἀπέκτεινεν · οἷς καὶ *στύλος* φωτὸς[8] ἔλαμπεν, ἵνα[9] καὶ παρὰ τὸν πάντα ἄλλον λαὸν τὸν ἐν τῷ κόσμῳ ἰδίῳ καὶ ἀντελλιπεῖ[10] καὶ [fol. 183 v° : A] μὴ δύνοντι φωτὶ χρῆσθαι[11] ἔχητε · οἷς *ἄρτον* εἰς τροφὴν[12] δι' ἀγγέλων[13] οὐρανίων, τὸ *μάννα*, ἔβρεξεν, ἵνα μηδὲ σιτοποιΐας δεόμενοι ζητήσητε[14] · καὶ τὸ *ἐν Μερρᾷ*[15] *ὕδωρ ἐγλυκάνθη* ·
4 Καὶ *σημεῖον*[16] τοῦ σταυροῦσθαι [p. 287 : B] μέλλοντος καὶ ἐπὶ τῶν *ὄφεων* τῶν *δακόντων*[17] ὑμᾶς, ὡς προεῖπον, γεγένηται[18] (πάντα προλαμβάνοντος πρὸ τῶν ἰδίων καιρῶν τὰ μυστήρια χαρίζεσθαι ὑμῖν τοῦ θεοῦ, πρὸς ὃν ἀχάριστοι ἐλέγχεσθε ἀεὶ γεγενημένοι[19]) καὶ διὰ τοῦ τύπου τῆς ἐκτάσεως *τῶν χειρῶν Μωϋσέως*[20] καὶ Αὐσῆ[21] τοῦ *ἐπονομασθέντος* Ἰησοῦ

1 Εἰ βούλεσθε : εἰ βούλεσθε, δύνασθε *prop.* Mar. **2** Τὴν ἀλήθειαν ὁμολογῆσαι, ὅτι : τ. ἀλ. ὁμολογήσετε *vel* ὁμολογήσατε, ὅτι *prop.* Otto ὁμολογήσετε ὅτι *prop.* Nolte, *coni.* Marc. οἴδατε *vel* ἀρνεῖσθαι οὐ δύνασθε ὅτι *prop.* Thirlb. **3** Ὧν : οὗ (= τοῦ θεοῦ) Marc. **4** Προστετίμηνται *edd.* : προστετίμηται *codd.* ὧν (οὗ) – προστετίμηνται *in semicirculis* Otto, Mign., Marc. **5** Ὑμῶν *prop.* Thirlb., Mar., *coni. edd. ab* Otto : ἡμῶν *codd.*, *cett. edd.* **6** Ἐν βραχίονι ὑψηλῷ καὶ ἐπισκοπῇ μεγάλης δόξης : ἐν βρ. ὑψ. καὶ ἐν ὁράμασι μεγάλοις LXX **7** Τῆς : γῆς *coni.* Marc. (*ex* Dial. 11, 1 *et* Act. 13, 17) **8** Στυλὸς φωτὸς : στ. πυρὸς Exod. 13, 21.22 ; 14, 24 **9** Ἵνα : ἵνα μόνοι Marc. (*vel* καὶ *delendum*) **10** Ἀνελλιπεῖ (*qui non defecit*) : ἀνεκλιπεῖ *prop.* Thirlb. **11** Χρῆσθαι *edd.* : χρῆσθε *codd.* **12** Ἄρτον εἰς τροφὴν : εἰς τροφὴν καὶ ἄρτον Marc. ἄρτον, τροφὴν *prop.* Thirlb. **13** Δι' ἀγγέλων : ἴδιον ἀγγέλων (*panem proprium aggelorum*) *prop.* Mar., *coni.* Otto, Troll., Goodsp. ἀγγέλων *prop.* Thirlb. **14** Ζητήσητε : γογγύσητε *prop.* Thirlb. **15** Μερρᾷ *corr. ex* Μερᾷ A : Μερᾷ B **16** Σημεῖον : σ. δὲ ὑμῖν Marc. **17** Δακόντων (*vel* δακνόντων) *prop.* Sylb., Thirlb., Mar., *coni. edd. ab* Otto (*ex* Dial. 91, 4) : διδασκόντων *codd.*, *cett. edd.* δεδηχότων *prop.* Thirlb. **18** Γεγένηται *prop.* Périon, Sylb., Mar., *coni. edd. ab* Otto, Troll. : γεγενῆσθαι *codd.*, *cett. edd.* **19** Πάντα – γεγενημένοι : *in semicirculis edd. ab* Otto **20** Μωϋσέως : Μωσέως Arch. Μωϋσέος *codd.* **21** Αὐσῆ *prop.* Thirlb., Mar. : διὰ *vel* αὖ *prop.* Sylb., ἀνδρὸς (*olim*) *vel* ὀνόματος Otto *del. edd. ab* Otto ὡς *codd.*, *cett. edd.*

2 Si vous voulez bien admettre la vérité, (reconnaissez que) nous, que Dieu a appelés par le mystère [a]*abject* et chargé de *mépris*[3] de la Croix, nous à qui, pour notre confession, notre soumission et notre piété, des châtiments qui vont jusqu'à la mort sont infligés par les démons et l'armée du diable – et ce grâce au concours que vous leur apportez[4] –, et qui supportons tout plutôt que de renier, fût-ce en parole, le Christ à travers qui nous avons été appelés au [b]*Salut* préparé *auprès du Père*[5], nous avons en Dieu une plus grande foi[6] **3** que vous qui fûtes [c]*rachetés* d'Égypte [d]*par un bras élevé* [7] et la [e]*visite* d'une grande *gloire*, [f]la *mer* s'étant pour vous divisée et étant devenue un chemin *sec* où, en déversant sur eux cette mer qui pour vous s'était faite chemin, il extermina ceux qui vous poursuivaient avec une puissance vraiment considérable et de superbes chars[8] ; c'est pour vous que [g]brillait une *colonne* de lumière[9], en sorte qu'à la différence de tout autre peuple au monde, vous puissiez jouir d'une lumière qui vous fût propre, ne fît jamais défaut, et ne se couchât point[10] ; c'est encore pour vous que, [h]par les anges du *ciel*[11], il *fit* comme nourriture *pleuvoir* un *pain*, la *manne*, afin que le souci de pourvoir à votre subsistance vous soit épargné ; (c'est pour vous) que [i]l'*eau de Merrha se trouva adoucie*[12]. **4** Et, comme je l'ai dit plus haut[13], en cette circonstance où [j]les *serpents* vous *mordaient*, un *signe* fut donné de celui qui devait être crucifié (car dans sa Providence, Dieu vous faisait la grâce, avant leur propre temps, de tous les mystères ; or envers lui toujours, vous êtes convaincus d'avoir été ingrats) ; et de même par le type que formait [k]l'extension des *mains* de *Moïse* avec[14] le *combat* contre *Amalek* d'Ausès qui [l]avait *reçu le surnom* de

a Cf. *Ps.* 21, 7 **b** cf. *Is.* 52, 10 **c** cf. *Deut.* 4, 34 ; *Exod.* 6, 1 s. ; 13, 21 ; 16, 10 et *Act.* 13, 17 **d** cf. *Exod.* 6, 1.6 ; 32, 11 ; *Deut.* 5, 15 ; 6, 21 ; 7, 19 ; 9, 29 ; 11, 2 ; 29, 2 ; *Act.*, 13, 17 **e** cf. *Gen.* 50, 24.25 ; *Exod.* 13, 21.22 ; 16, 10 **f** cf. *Exod.* 14, 6 s. **g** cf. *Exod.* 13, 21-22, etc. **h** cf. *Exod.* 16, 4 s. ; *Nombr.* 11, 7-9 ; *Deut.* 8, 3 ; *Ps.* 77, 24 **i** cf. *Exod.* 15, 25 **j** cf. *Nombr.* 21, 6-10 **k** cf. *Exod.* 17, 8-13 **l** cf. *Nombr.* 13, 16.

πολεμούντων τὸν Ἀμαλήκ, περὶ οὗ εἶπεν ὁ θεὸς *ἀναγραφῆναι* τὸ γεγενημένον, φήσας[1] καὶ εἰς τὰς ὑμῶν ἀκοὰς *Ἰησοῦ παραθέσθαι τὸ ὄνομα*, εἰπὼν ὅτι οὗτός ἐστιν[2] ὁ μέλλων *ἐξαλείφειν ἀπὸ τῆς ὑπὸ τὸν οὐρανὸν τὸ μνημόσυνον τοῦ Ἀμαλήκ*. **5** Καὶ ὅτι *τὸ μνημόσυνον τοῦ Ἀμαλὴκ* καὶ μετὰ τὸν τοῦ Ναυῆ υἱὸν μένει, φαίνεται · διὰ δὲ τοῦ Ἰησοῦ τοῦ σταυρωθέντος, οὗ καὶ τὰ σύμβολα ἐκεῖνα προκηρύγματα ἦν τῶν κατ' αὐτὸν[3] ἁπάντων, ὅτι μέλλει ἐξολοθρευθήσεσθαι τὰ δαιμόνια καὶ δεδιέναι τὸ *ὄνομα* αὐτοῦ, καὶ πάσας τὰς *ἀρχὰς* καὶ τὰς *βασιλείας* ὁμοίως ὑφορᾶσθαι αὐτόν, καὶ ἐκ παντὸς γένους ἀνθρώπων θεοσεβεῖς καὶ εἰρηνικοὺς δείκνυσθαι εἶναι τοὺς εἰς αὐτὸν πιστεύοντας, φανερὸν ποιεῖ[4], καὶ τὰ προανιστορημένα ὑπ' ἐμοῦ, ὦ Τρύφων, σημαίνουσι[5].

6 Καὶ τοσαύτη δὲ *ὀρτυγομήτρα* [fol. 184 r° : A] ἐδόθη ὑμῖν *ἐπιθυμήσασι* κρεωφαγίας, ὅση ἀνάριθμος εἰπεῖν · οἷς καὶ ἐκ *πέτρας ὕδωρ* ἀνέβλυσε, καὶ *νεφέλη* εἰς σκιὰν ἀπὸ καύματος καὶ φυλακὴν[6] ἀπὸ κρύους εἵπετο, ἄλλου *οὐρανοῦ καινοῦ* τρόπον[7] καὶ προαγγελίαν ἀπαγγέλλουσα[8] · ὧν καὶ οἱ ἱμάντες τῶν *ὑποδημάτων* οὐκ ἐρράγησαν[9], *οὐδὲ* αὐτὰ *τὰ ὑποδήματα ἐπαλαιώθη, οὐδὲ τὰ ἐνδύματα κατετρίβη*, ἀλλὰ καὶ τὰ τῶν νεωτέρων συνηύξανε.

132. 1 Καὶ πρὸς τούτοις ἐμοσχοποιήσατε καὶ πρὸς *τὰς θυγα*-[p. 288 : B]-*τέρας* τῶν ἀλλογενῶν *πορνεῦσαι* καὶ εἰδωλολατρῆσαι ἐσπουδάσατε, καὶ μετὰ[10] ταῦτα πάλιν, τῆς γῆς ὑμῖν παραδοθείσης μετὰ δυνάμεως τοσαύτης, ὡς καὶ *τὸν ἥλιον* θεάσασθαι ὑμᾶς προστάξει τοῦ ἀνδρὸς ἐκείνου τοῦ ἐπονομασθέντος τῷ Ἰησοῦ ὀνόματι *σταθέντα* ἐν τῷ *οὐρανῷ* καὶ μὴ δύναντα[11] μέχρις[12] ὡρῶν τριάκοντα ἕξ[13], καὶ τὰς ἄλλας πάσας δυνάμεις τὰς κατὰ καιρὸν γεγενημένας ὑμῖν · ὧν καὶ ἄλλην μίαν

1 Φήσας : φθάσας *prop.* Thirlb. (*ex* προλαμβάνοντος) **2** Ὅτι οὗτός ἐστιν : ὁ τοιοῦτός ἐστιν *in marg.* A, *ad calcem* Steph. **3** Αὐτὸν *prop.* Thirlb., Mar., *coni. edd. ab* Otto : αὐτοῦ *codd., cett. edd.* **4** Φανερὸν ποιεῖ : *subaud.* τοῦτο (*res ea*) Lange, ἡ γραφὴ Mar., ὁ θεὸς Otto, τύπος *ego* (*ex* Dial. 131, 4) καὶ ἡ γραφὴ Marc. **5** Περὶ οὗ εἶπεν – σημαίνουσι *in semicirculis* Thirlb. **6** Καὶ φυλακὴν : καὶ στύλος πυρὸς εἰς φ. *prop.* Thirlb. (cf. *Const. apost.*, VIII, 12, 26 : στῦλον πυρὸς τὴν νύκτα πρὸς φωτισμὸν καὶ στύλον νεφέλης ἡμέρας πρὸς σκιασμὸν θάλπους) καὶ φλὸς εἰς φ. Marc. **7** Τρόπον : τύπον *prop.* Thirlb. **8** Ἀπαγγέλλουσα : –αι (νεφέλη καὶ φλὸξ) Marc. **9** Οὐκ ἐρράγησαν *in textu* A, *in marg.* B², *edd.* : οὐκ ἀνερράγησαν *in textu* B καὶ πόδες αὐτῶν οὐ διερράγησαν (Neh. 9, 21) **10** Μετὰ : *del.* Marc. **11** Δύναντα (cf. Aelian, *H. V.*, 4, 1 ; Pausan., II, 11, 7, *etc.* Otto) : δύνοντα *vel* δύσαντα *vel* δύντα *prop.* Sylb., Mar. (cf. 131, 3 : μὴ δύνοντι φωτὶ) **12** Μέχρις A (*corr. ex* μέχρι), Goodsp., Marc. : μέχρι Steph., Mar., Mign., Otto, Arch. **13** Τριάκοντα ἕξ : ση(μείω)σαι ὅπερ λέγει οὗτος περὶ τοῦ ἡλίου, ὅτι τριακονταὲξ ὥρας ἵστατο *in marg. codd.*

Jésus (Josué) : c'est à ce propos que [a]Dieu ordonna de *consigner par écrit* ce qui était arrivé, déclarant que le nom de *Jésus* était *confié* à vos *oreilles*, et affirmant que c'était là celui qui devait *effacer de dessous le ciel la mémoire d'Amalek*[15]. **5** Or la [b]*mémoire d'Amalek*, même après le fils de Navé, demeure : c'est évident. Par Jésus crucifié, en revanche, lui dont ces symboles aussi proclamaient à l'avance tout ce qui le concerne, il devait arriver que les démons fussent anéantis et [c]redoutent son *nom*[16], que toutes les [d]*Principautés* et les *Royautés* le considèrent avec appréhension, et que de toute race d'hommes ceux qui croiraient en lui se révèlent pieux et pacifiques. Voilà ce que (cette figure) donne clairement à comprendre et ce que signifient, Tryphon, les choses que j'ai rapportées plus haut.

6 Et quand [e]vous avait *pris le désir* de manger de la *viande*[17], si grande était la quantité de *cailles* qui vous fut accordée, qu'on l'aurait pu dire innombrable. C'est encore pour vous que [f]du *rocher* il fit jaillir *l'eau*[18] ; [g]une *nuée* vous suivait, ombre pour la chaleur, et abri pour le froid, annonçant figure et promesse d'un [h]autre *nouveau ciel*[19] ; et [i]les lanières de vos *sandales ne se rompaient point*, vos *sandales* elles-mêmes *ne vieillissaient pas*, ni vos *habits ne s'usaient*, et ceux de vos enfants grandissaient avec eux[20].

Ingratitude de ceux qui ont répondu à ces bienfaits, parfois annonciateurs du Christ, par le péché d'idolâtrie.

132. 1 En retour, vous avez [j]*fabriqué* un *veau*, vous avez mis vos soins à [k]vous *prostituer aux filles* des étrangers et à idolâtrer ; [l]et même par la suite, vous l'avez encore fait, alors que le pays vous avait été livré par une si grande Puissance, que vous avez pu voir, [m]sur l'ordre de cet homme surnommé Jésus, le *soleil s'arrêter* dans le *ciel*, et ne pas se coucher pendant trente-six heures[1] ; et tous les autres prodiges[2] encore qui en leur temps s'accomplirent pour vous.

a Cf. *Exod.* 17, 14 ; *Deut.* 25, 19 **b** *ibid.* **c** cf. *Lc.* 10, 17 **d** cf. *I. Cor.* 15, 24 ; *Éphés.* 1, 21 ; 3, 10 ; *Col.* 1, 16 ; 2, 15 **e** cf. *Exod.* 16, 1-13 ; *Nombr.* 11, 1-23 et 31-34 **f** cf. *Exod.* 17, 5-6 ; *Nombr.* 20, 7-11 **g** cf. *Nombr.* 9, 15-23 ; *Exod.* 13, 21 ; *Ps.* 77, 14 et 104, 39 **h** cf. *Is.* 65, 17 ; 66, 22 ; *Apoc.* 21, 1 ; *II Pierre*, 3, 13 **i** cf. *Deut.* 8, 4 et 29, 5 ; *Néh.* 9, 21 **j** cf. *Exod.* 32 **k** cf. *Nombr.* 25, 1 **l** cf. *Jug.* 2, 12 ; 3, 6, etc. **m** cf. *Jos.* 10, 12-13.

καταριθμῆσαι ταυῦν[1] εἶναί μοι δοκεῖ · συναίρεται γὰρ πρὸς τὸ καὶ ἐξ αὐτῆς συνιέναι ὑμᾶς τὸν Ἰησοῦν, ὃν καὶ ἡμεῖς ἐπέγνωμεν Χριστὸν υἱὸν θεοῦ, σταυρωθέντα[2] καὶ ἀναστάντα καὶ ἀνεληλυθότα εἰς τοὺς οὐρανούς, καὶ πάλιν παραγενησόμενον *κριτὴν* πάντων ἁπλῶς ἀνθρώπων μέχρις αὐτοῦ Ἀδάμ.

2 Ἐπίστασθε οὖν, ἔλεγον, ὅτι, τῆς σκηνῆς τοῦ μαρτυρίου ὑπὸ τῶν περὶ Ἀζωτίους πολεμίων [fol. 184 v° : A] ἁρπαγείσης καὶ πληγῆς αὐτοῖς γεγενημένης φοβερᾶς καὶ ἀνιάτου, ἐβουλεύσαντο ἐφ' *ἁμάξης*, ὑφ' ἧ δαμάλεις[3] νεοτόκους *ἔζευξαν*, ἐπιθεῖναι[4], εἰς πεῖραν τοῦ γνῶναι εἰ δυνάμει θεοῦ διὰ τὴν σκηνὴν πεπληγμένοι εἰσὶ καὶ βούλεται ὁ θεὸς ἀπενεχθῆναι αὐτὴν ὅθεν ἐλήφθη. **3** Καί, πραξάντων[5] τοῦτο, αἱ δαμάλεις, ὑπὸ μηδενὸς ὁδηγούμεναι ἀνθρώπων, οὐκ ἦλθον μὲν εἰς τὸν τόπον ὁπόθεν εἴληπτο ἡ σκηνή, ἀλλ' εἰς χωρίον τινὸς ἀνδρὸς καλουμένου Αὐσῆ, ὁμωνύμου ἐκείνου τοῦ μετονομασθέντος τῷ Ἰησοῦ ὀνόματι, ὡς προελέλεκτο, ὃς καὶ εἰσήγαγε τὸν λαὸν εἰς τὴν γῆν καὶ κατεκληροδότησεν αὐτοῖς αὐτήν · εἰς ὃ χωρίον ἐλθοῦσαι μεμενήκασι, δεικνυμένου ὑμῖν καὶ διὰ τούτων, ὅτι τῷ τῆς δυνάμεως ὀνόματι[6] ὡδηγήθησαν, ὡς [p. 289 : B] πρότερον ὁ περιλειφθεὶς λαὸς ἀπὸ τῶν ἀπ' Αἰγύπτου ἐξελθόντων διὰ τοῦ λαβόντος τὸ Ἰησοῦ ὄνομα, Αὐσῆ πρότερον καλουμένου, εἰς τὴν γῆν *ὡδηγήθη*.

133. **1** Καί, τούτων καὶ πάντων τῶν τοιούτων παραδόξων καὶ θαυμαστῶν ὑμῖν γενομένων[7] τε καὶ ὁρωμένων κατὰ καιρούς[8], ἐλέγχεσθε καὶ διὰ τῶν[9] προφητῶν μέχρι τοῦ καὶ τὰ ἑαυτῶν τέκνα τεθυκέναι τοῖς δαιμονίοις καὶ ἐπὶ τούτοις πᾶσι τοιαῦτα τετολμηκέναι εἰς τὸν Χριστὸν καὶ ἔτι τολμᾶν, ἐφ' οἷς πᾶσι γένοιτο ὑμῖν, ἔλεος παρὰ τοῦ θεοῦ καὶ τοῦ Χριστοῦ αὐτοῦ λαβοῦσι, σωθῆναι.

2 [fol. 185 r° : A] Διὰ γὰρ τοῦ προφήτου Ἡσαΐου προεπιστάμενος ὁ θεὸς ταῦτα μέλλειν ὑμᾶς ποιεῖν κατηράσατο[10] οὕτως · (*Is.* 3, 9)*Οὐαὶ τῇ ψυχῇ αὐτῶν · βεβούλευνται βουλὴν πονηρὰν καθ' ἑαυτῶν,* (10)*εἰπόντες · Δήσωμεν*

1 Ταυῦν : τὰ *νῦν* Goodsp., Marc. εὔκαιρον *vel* οὐκ ἄτοπον *addendum* Thirlb. (*ut* 18, 1 ; 85, 5), δίκαιον (*ut* 137, 4) *vel delendum* εἶναι Mar. καλὸν *add.* Marc. (*ex* II Apol. 11, 2) **2** Σταυρωθέντα : στ. καὶ ἀποθανόντα Marc. (*ex* Dial. 67, 6 ; 95, 2 ; I Apol. 21, 1) **3** Δαμάλεις : δύο δ. Marc. (*ex* LXX). δ. νεοτόκους *codd., edd.* βόας πρωτοτοκούσας (I Sam. 6, 7) **4** Ἐπιθεῖναι : ἐπ. αὐτὴν Marc. (*ex* LXX) **5** Πραξάντων (*scil.* ἐκείνων Otto) : αὐτῶν *add.* Marc. **6** Τῷ τῆς δυνάμεως ὀνόματι : τῇ τοῦ ὀνόματος δυνάμει *prop.* Thirlb., Mar. **7** Γενομένων : γινομένων *coni.* Marc. **8** Κατὰ καιρούς, ἐλέγχεσθε Thirlb., Mar., Troll., *edd. ab* Otto (cf. 132, 1 : δυνάμεις τὰς κατὰ καιρὸν γεγενημένας ὑμῖν) : κατὰ καιροὺς ἐλέγχεσθε *codd., cett. edd.* **9** Τῶν : *om.* Mar., Mign. **10** Κατηράσατο : κατ. ὑμᾶς Marc.

Parmi eux, il me semble devoir en rapporter ici encore un seulement : il contribuera lui aussi à vous faire comprendre Jésus, que nous avons reconnu comme Christ, Fils de Dieu, crucifié, ressuscité, monté au ciel, et devant revenir comme [a]*juge* de tous les hommes absolument, jusqu'à Adam lui-même[3].

2 Vous savez donc, dis-je, que, lorsque [b]les ennemis qui vivaient aux alentours d'Azot (Ashdod) se furent emparés de la tente du témoignage, et eurent été frappés d'un fléau terrible et incurable, ils décidèrent de la mettre sur un *char*, qu'ils *attelèrent* de vaches venant de mettre bas, et ce pour s'assurer qu'ils étaient bien frappés par la Puissance de Dieu à cause de la tente, et que Dieu voulait qu'on la reconduisît là où elle avait été prise. **3** Lorsqu'ils eurent exécuté ce dessein, les vaches, sans être guidées par aucun être humain, se dirigèrent non point vers le lieu où la tente avait été prise[4], mais vers le champ d'un homme appelé Ausès, homonyme de celui dont le nom – comme il a été dit[5] – avait été [c]changé en celui de Jésus (Josué), celui qui avait fait entrer le peuple dans le pays, et le leur avait partagé. Parvenues dans ce champ, elles y demeurèrent[6], ce qui une fois encore vous montre qu'elles avaient été guidées par le nom de la Puissance[7], de même qu'autrefois le peuple survivant[8] parmi ceux qui étaient sortis d'Égypte avait été [d]*guidé*[9] dans le pays par celui qui avait reçu le nom de Jésus (Josué), et qui auparavant s'appelait Ausès.

La malédiction des juifs non-repentis était annoncée par Isaïe.
En dépit de leurs violences contre le Christ et ses disciples, les chrétiens prient pour eux, comme cela leur a été prescrit.

133. 1 Et après que ces choses, avec tous les miracles et toutes les merveilles analogues furent advenues pour vous et offertes à vos yeux, chacune selon son temps, vous vous êtes encore vus accuser, par les prophètes, d'avoir été jusqu'à immoler vos propres enfants aux démons[1], et avec tout cela, d'avoir osé et d'oser encore de semblables atteintes contre le Christ. Puissiez-vous, malgré tout, obtenir miséricorde auprès de Dieu et de son Fils, et être sauvés. **2** Car par l'intermédiaire du prophète Isaïe, Dieu, qui savait d'avance que vous agiriez ainsi, vous a maudits en ces termes : (*Is.* 3, 9)*Malheur à leur âme : ils ont conçu un mauvais dessein contre eux-mêmes,* (10)*en disant :*

a Cf. *Dan.* 7, 26 et *Act.* 10, 42 ; *II Tim.* 4, 1 ; *I Pierre*, 4, 5, etc. **b** cf. *I Rois*, 5-6 **c** cf. *Nombr.* 13, 16 **d** cf. *Nombr.*, 24, 8 ; *Deut.* 1, 33 ; *Néh.* 9, 12.

τὸν δίκαιον, ὅτι δύσχρηστος ἡμῖν ἐστι. Τοίνυν τὰ γεννήματα τῶν ἔργων αὐτῶν φάγονται. (11)*Οὐαὶ τῷ ἀνόμῳ · πονηρὰ κατὰ τὰ ἔργα τῶν χειρῶν αὐτοῦ συμβήσεται αὐτῷ.* (12)*Λαός μου, οἱ πράκτορες ὑμῶν καλαμῶνται ὑμᾶς καὶ οἱ ἀπαιτοῦντες κυριεύσουσιν ὑμῶν.* **3** *Λαός μου, οἱ μακαρίζοντες ὑμᾶς πλανῶσιν ὑμᾶς καὶ τὴν τρίβον τῶν ὁδῶν*[1] *ὑμῶν ταράσσουσιν.* (13)*Ἀλλὰ νῦν καταστήσεται εἰς κρίσιν*[2] *τὸν λαὸν αὐτοῦ,* (14)*καὶ αὐτὸς κύριος εἰς κρίσιν ἥξει μετὰ τῶν πρεσβυτέρων τοῦ λαοῦ καὶ τῶν ἀρχόντων αὐτοῦ · Ὑμεῖς δὲ τί ἐνεπυρίσατε τὸν ἀμπελῶνά μου, καὶ ἡ*[3] *ἁρπαγὴ τοῦ πτωχοῦ ἐν τοῖς οἴκοις ὑμῶν ;* (15)*Ὑμεῖς τί ἀδικεῖτε τὸν λαόν μου καὶ τὸ πρόσωπον τῶν ταπεινῶν κατῃσχύνατε*[4] ;

4 Καὶ ἐν ἑτέροις πάλιν λόγοις ὁ αὐτὸς προφήτης εἰς τὸ αὐτὸ εἶπεν · (*Is.* 5, 18)*Οὐαὶ οἱ ἐπισπώμενοι τὰς ἁμαρτίας αὐτῶν ὡς ἐν σχοινίῳ μα*-[p. 290 : B]-*κρῷ καὶ ὡς ζυγοῦ ἱμάντι δαμάλεως τὰς ἀνομίας,* (19)*οἱ λέγοντες · Τὸ τάχος αὐτοῦ ἐγγισάτω, καὶ ἐλθέτω ἡ βουλὴ τοῦ ἁγίου Ἰσραήλ, ἵνα γνῶμεν.* (20)*Οὐαὶ οἱ λέγοντες τὸ πονηρὸν καλὸν καὶ τὸ καλὸν πονηρόν, οἱ τιθέντες τὸ φῶς σκότος* [fol. 185 v° : A] *καὶ τὸ σκότος φῶς, οἱ τιθέντες τὸ πικρὸν γλυκὺ καὶ τὸ γλυκὺ πικρόν.* (21)*Οὐαὶ οἱ συνετοὶ ἐν ἑαυτοῖς καὶ ἐνώπιον αὐτῶν ἐπιστήμονες.* **5** (22)*Οὐαὶ οἱ ἰσχύοντες ὑμῶν, οἱ τὸν οἶνον πίνοντες, καὶ οἱ δυνάσται, καὶ*[5] *οἱ κιρνῶντες τὸ σίκερα,* (23)*οἱ δικαιοῦντες τὸν ἀσεβῆ ἕνεκεν δώρων, καὶ τὸ δίκαιον τοῦ δικαίου αἴροντες.* (24)*Διὰ τοῦτο, ὃν τρόπον καυθήσεται καλάμη ὑπὸ ἄνθρακος πυρὸς καὶ συγκαυθήσεται ὑπὸ φλογὸς καιομένης*[6], *ἡ ῥίζα*[7] *ὡς χνοῦς ἔσται καὶ τὸ ἄνθος αὐτῶν ὡς κονιορτὸς ἀναβήσεται · οὐ γὰρ ἠθέλησαν τὸν νόμον κυρίου Σαβαώθ, ἀλλὰ τὸ λόγιον κυρίου τοῦ ἁγίου Ἰσραὴλ παρώξυναν.* (25)*Καὶ ἐθυμώθη ὀργῇ κύριος Σαβαώθ*[8], *καὶ ἐπέβαλε τὰς χεῖρας*[9] *ἐπ' αὐτοὺς καὶ ἐπάταξεν αὐτούς, καὶ παρωξύνθη ἐπὶ τὰ ὄρη, καὶ ἐγενήθη τὰ θνησιμαῖα*[10] *αὐτῶν ἐν μέσῳ ὡς κοπρία*[11] *ὁδοῦ · καὶ ἐν πᾶσι τούτοις οὐκ ἀπεστράφησαν, ἀλλ' ἔτι ἡ χεὶρ αὐτῶν ὑψηλή*[12].

6 *Ἔτι* γὰρ ἀληθῶς ἡ *χεὶρ* ὑμῶν πρὸς κακοποιΐαν *ὑψηλή*, ὅτι καὶ τὸν Χριστὸν ἀποκτείναντες οὐδ' οὕτως μετανοεῖτε, ἀλλὰ καὶ ἡμᾶς, τοὺς πιστεύσαντας δι' αὐτοῦ τῷ θεῷ καὶ πατρὶ τῶν ὅλων, *μισεῖτε* καὶ

1 Ὁδῶν (= T. M.) : ποδῶν LXX et Patres (Thirlb.) **2** *Post* κρίσιν *addendum* κύριος καὶ στήσει εἰς κρίσιν Thirlb. (*ex* LXX) *add.* Marc. **3** Ἡ : οἱ *vitiose* Steph. **4** Κατῃσχύνατε : καταισχύνετε Marc. (*ex* LXX) **5** Καὶ : *del.* Marc (*om.* LXX) **6** Καιομένης (= LXX cod. 407) : ἀνειμένης (= LXX) *vel potius* ἀνημμένης *prop.* Thirlb. **7** Ἡ ῥίζα : ἡ ῥ. αὐτῶν Marc. (*ex* LXX) **8** Κύριος Σαβαώθ : κ. Σ. ἐπὶ τὸν λαὸν αὐτοῦ Marc. (*ex* LXX) **9** Τὰς χεῖρας : τὴν χεῖρα Marc. (*ex* LXX) **10** Θνησιμαῖα *edd.* : θνησημαῖα *codd.* **11** Ἐν μέσῳ ὡς κοπρία : ὡς κ. ἐν μέσῳ *transp.* Thirlb., Marc. (*ex* LXX) **12** Ὑψηλή *edd.* : ὑψιλή *codd.*

« Lions[2] *le Juste, car il nous embarrasse ». C'est pourquoi ils mangeront les fruits de leurs œuvres.* (11)*Malheur à l'inique : selon l'œuvre de ses mains sera sa souffrance.* (12)*Mon peuple, tes exacteurs vous spolient, et ceux qui te pressurent vous domineront.* **3** *Mon peuple, ceux qui vous disent bienheureux*[3] *vous trompent et ils bouleverseront le sentier de vos voies.* (13)*Mais aujourd'hui, il mettra en jugement son peuple,* (14)*et lui-même, le Seigneur, viendra pour le jugement avec les anciens du peuple et ses chefs : « Et vous, pourquoi avez-vous mis le feu à ma vigne*[4]*, et gardez-vous en vos maisons le larcin pris au pauvre*[5] *?* (15)*Pourquoi êtes-vous injustes envers mon peuple, et avez-vous fait honte au visage des humbles ? ».*

4 Et en un autre passage encore, le même prophète dit dans le même sens : (*Is.* 5, 18)*Malheur à ceux qui tirent leurs péchés comme par une longue corde*[6]*, et leurs iniquités comme par la courroie d'un attelage de génisse*[7]*,* (19)*ceux qui disent : « Qu'approche sa promptitude ! Que vienne le dessein du saint d'Israël*[8]*, afin que nous le connaissions ! ».* (20)*Malheur à ceux qui disent que le mal est bien, et que le bien est mal, ceux qui changent la lumière en ténèbres et les ténèbres en lumière, l'amer en doux et le doux en amer*[9]*.* (21)*Malheur à ceux qui sont intelligents en eux-mêmes et savants à leurs propres yeux.* **5** (22)*Malheur aux forts qui sont parmi vous, à ceux qui boivent du vin, aux puissants, à ceux qui mélangent la boisson forte,* (23)*qui justifient l'impie à cause des présents et privent le juste de ce qui est juste.* (24)*C'est pourquoi, de même que le chaume sera brûlé par le charbon de feu, et brûlera entièrement par la flamme brûlante, leur racine sera semblable à du duvet, et leur fleur montera comme de la poussière. Car ils n'ont point voulu la Loi du Seigneur Sabbaoth, mais ont exacerbé la parole du Seigneur, Saint d'Israël.* (25)*Le Seigneur Sabbaoth s'est gonflé de colère, il a lancé ses mains sur eux, les a frappés, et il s'est irrité au-dessus des montagnes ; et au milieu d'eux furent jetés leurs cadavres, comme l'ordure des rues*[10] *; et malgré tout cela, ils n'ont point renoncé*[11]*, et leur main, encore, est levée.*

6 Maintenant [a]*encore*, en vérité, votre *main est levée* pour accomplir le mal : car même après avoir tué le Christ[12], vous ne vous repentez point[13] pour autant, mais nous aussi, qui croyons par lui[14] au Dieu et Père de l'univers, vous nous [b]*haïssez* et nous *mettez à mort*, chaque fois que vous en avez

a Cf. *Is.* 5, 25 **b** cf. *Matth.* 10, 21, 22 ; 24, 9 ; *Mc.* 13, 13 ; *Lc.* 21, 17.

φονεύετε, ὁσάκις ἂν λάβητε ἐξουσίαν, ἀδιαλείπτως δὲ καταρᾶσθε αὐτῷ τε ἐκείνῳ καὶ τοῖς ἀπ' αὐτοῦ, πάντων ἡμῶν εὐχομένων ὑπὲρ ὑμῶν καὶ ὑπὲρ πάντων ἁπλῶς ἀνθρώπων, ὡς ὑπὸ τοῦ Χριστοῦ ἡμῶν καὶ κυρίου ποιεῖν ἐδιδάχθημεν, παραγγεί-[fol. 186 r° : A]-λαντος ἡμῖν *εὔχεσθαι* καὶ ὑπὲρ τῶν *ἐχθρῶν* καὶ *ἀγαπᾶν τοὺς μισοῦντας* [p. 291 : B] καὶ *εὐλογεῖν τοὺς καταρωμένους*.

134. 1 Εἰ οὖν καὶ ὑμᾶς δυσωπεῖ τά τε τῶν προφητῶν διδάγματα καὶ τὰ ἐκείνου αὐτοῦ, βέλτιόν ἐστιν ὑμᾶς τῷ θεῷ ἕπεσθαι ἢ τοῖς *ἀσυνέτοις* καὶ τυφλοῖς διδασκάλοις ὑμῶν, οἵτινες καὶ μέχρι νῦν καὶ τέσσαρας καὶ πέντε ἔχειν ὑμᾶς γυναῖκας ἕκαστον συγχωροῦσι, καὶ[1] ἐὰν εὔμορφόν[2] τις ἰδὼν ἐπιθυμήσῃ αὐτῆς, τὰς Ἰακὼβ τοῦ[3] Ἰσραὴλ καὶ τῶν ἄλλων πατριαρχῶν πράξεις ἀνιστοροῦντες καὶ μηδὲν ἀδικεῖν λέγοντες τοὺς τὰ ὅμοια πράττοντας, τάλανες καὶ ἀνόητοι καὶ κατὰ τοῦτο ὄντες.

2 Ὡς προέφην γάρ, οἰκονομίαι τινὲς μεγάλων μυστηρίων ἐν ἑκάστῃ τινὶ τοιαύτῃ πράξει ἀπετελοῦντο. Ἐν γὰρ τοῖς γάμοις τοῦ Ἰακὼβ τίς οἰκονομία καὶ προκήρυξις ἀπετελεῖτο, ἐρῶ, ὅπως καὶ ἐν τούτοις ἐπιγνῶτε ὅτι οὐδὲν πρὸς τὸ θειωδέστερον, δι' ὃ ἑκάστη πρᾶξις γέγονεν, ἀπεῖδον ὑμῶν ἀεὶ[4] οἱ διδάσκαλοι, ἀλλὰ πρὸς τὰ χαμαιπετῆ καὶ τὰ διαφθορᾶς μᾶλλον πάθη. Προσέχετε τοιγαροῦν οἷς λέγω.

3 Τῆς ὑπὸ τοῦ Χριστοῦ μελλούσης ἀπαρτίζεσθαι πράξεως τύποι ἦσαν οἱ γάμοι τοῦ Ἰακώβ. Δύο γὰρ ἀδελφὰς κατὰ τὸ αὐτὸ οὐ θεμιτὸν γαμῆσαι τὸν Ἰακώβ · καὶ *δουλεύει* δὲ τῷ Λάβαν[5] ὑπὲρ τῶν θυγατέρων[6], καὶ ψευσθεὶς ἐπὶ τῇ *νεωτέρᾳ πάλιν* [fol. 186 v : A] *ἐδούλευσεν ἑπτὰ ἔτη*. Ἀλλὰ Λεία μὲν ὁ λαὸς ὑμῶν καὶ ἡ συναγωγή, Ῥαχὴλ δὲ ἡ ἐκκλησία ἡμῶν. Καὶ ὑπὲρ τούτων *δουλεύει* μέχρι νῦν ὁ Χριστὸς καὶ τῶν ἐν ἀμφοτέραις δούλων. **4** Ἐπεὶ γὰρ τοῖς δυσὶν υἱοῖς τὸ < τοῦ >[7] τρίτου σπέρμα εἰς δουλείαν ὁ Νῶε ἔδωκε, νῦν πάλιν εἰς ἀποκατάστασιν ἀμφοτέρων τε τῶν ἐλευθέρων τέκνων καὶ τῶν ἐν αὐτοῖς[8] δούλων Χριστὸς[9] ἐλήλυθε, τῶν αὐ-[p. 292 : B]-τῶν πάντας καταξιῶν[10] τοὺς φυλάσσοντας τὰς ἐντολὰς αὐτοῦ, ὃν τρόπον

1 Καὶ : καὶ ἑῶσιν Marc. **2** Εὔμορφον : εὔμ. τινά Marc. **3** Τοῦ Ἰσραὴλ : τοῦ καὶ Ἰσραὴλ Marc. **4** Ὑμῶν ἀεὶ : ἀεὶ ὑμῶν *transp.* Marc. **5** Τῷ Λάβαν : τ. Λ. ἑπτὰ ἔτη Marc. (*ex* LXX) **6** Τῶν θυγατέρων : μιᾶς τ. θ. Marc. τῆς νεωτέρας τ. θ. *prop.* Thirlb. **7** Τοῦ *edd. ab* Otto : *om. codd.*, *cett. edd.* **8** Ἐν αὐτοῖς : ἐν τοῖς οἴκοις αὐτῶν Marc. (*ex* Gen. 9, 27 *et* Dial. 139, 4) **9** Χριστὸς : ὁ Χρ. Marc. **10** Τῶν – καταξιῶν : τῶν – καταξιῶν τιμῶν Marc. (*ex* ὁμότιμοι *paulo post*, *et* I Apol. 26, 1).

le pouvoir ; et sans relâche, vous le maudissez, lui, et ses disciples[15], tandis que nous prions pour vous et tous les hommes absolument, ainsi que notre Christ et Seigneur nous a appris à le faire, lorsqu'il nous prescrivit de [a]*prier* même pour nos *ennemis*[16], d'*aimer ceux qui haïssent*, et de *bénir ceux qui maudissent.*

Les mariages de Jacob n'étaient pas une incitation à la polygamie, mais une figure du Christ et de son Église.

134. 1 Si donc les enseignements des prophètes et ceux de celui-là même vous troublent vous aussi, il vaut mieux que vous suiviez Dieu plutôt que vos didascales [b]*inintelligents*[1] et [c]*aveugles*[2] : eux qui, jusqu'à maintenant encore, vous permettent d'avoir quatre et cinq femmes[3], et qui, s'il arrive que quelqu'un en ait remarqué une dont la beauté a excité son désir, invoquent ce qu'ont fait Jacob-Israël et les autres patriarches, pour soutenir que ceux qui agissent de même ne sont en rien coupables d'injustice. Ils se montrent, là encore, misérables et insensés.

2 Car, comme je l'ai déjà dit[4], en chaque action de semblable nature, certaines dispositions[5] de grands mystères se trouvaient réalisées. Ainsi dans les mariages de Jacob, c'est une certaine disposition, une prédiction, qui se réalisait. Je vais vous l'exposer, pour que par là encore[6] vous vous rendiez compte que jamais vos didascales n'ont en rien regardé à ce qui est plutôt de l'ordre du divin, dans ce qui détermine chacune de ces actions, mais plus volontiers aux choses terre-à-terre, et aux passions qui mènent à la ruine. Prêtez-donc attention à ce que je vous dis.

3 Les [d]mariages de Jacob étaient des types de l'action qui devait, par le Christ, trouver son parfait achèvement. Il n'était pas conforme à la Loi, en effet, que Jacob épousât deux sœurs en même temps[7]. Il *sert* Laban pour ses filles, et, trompé sur la plus jeune, il *servit encore sept ans.* Or Léah, c'est votre peuple et la Synagogue, et Rachel c'est notre Église. C'est pour elles[8] qu'aujourd'hui le Christ *sert* encore, et pour les serviteurs qui sont en l'une et l'autre. **4** Car tandis que [e]Noé avait donné à deux de ses fils la descendance du troisième en servitude[9], maintenant au contraire, c'est pour rétablir à la fois les deux enfants libres et les serviteurs qui sont au milieu d'eux, que le Christ est venu[10], accordant les mêmes privilèges à tous ceux qui gardent ses

a Cf. *Matth.* 5, 44 ; *Lc.* 6, 27-28 ; 35-36 **b** cf *Jér.* 4, 22 **c** cf *Is.* 42. 18 **d** cf. *Gen.* 29, 15 s. **e** cf. *Gen.* 9. 25-27.

καὶ οἱ ἀπὸ τῶν ἐλευθέρων καὶ οἱ ἀπὸ τῶν[1] δούλων γενόμενοι τῷ Ἰακὼβ πάντες υἱοὶ[2] καὶ ὁμότιμοι γεγόνασι · κατὰ δὲ τὴν τάξιν καὶ κατὰ τὴν πρόγνωσιν, ὁποῖος ἕκαστος ἔσται, προλέλεκται.

5 *Ἐδούλευσεν* Ἰακὼβ τῷ Λάβαν ὑπὲρ τῶν *ῥαντῶν* καὶ πολυμόρφων θρεμμάτων · *ἐδούλευσε* καὶ τὴν μέχρι σταυροῦ *δουλείαν* ὁ Χριστὸς[3] ὑπὲρ τῶν ἐκ παντὸς γένους *ποικίλων* καὶ πολυειδῶν ἀνθρώπων, δι᾽ αἵματος καὶ μυστηρίου τοῦ σταυροῦ κτησάμενος αὐτούς · Λείας *ἀσθενεῖς* ἦσαν *οἱ ὀφθαλμοί* · καὶ γὰρ ὑμῶν σφόδρα οἱ τῆς ψυχῆς ὀφθαλμοί. *Ἔκλεψε* Ῥαχὴλ *τοὺς θεοὺς* Λάβαν καὶ *κατέκρυψεν αὐτοὺς* ἕως τῆς σήμερον ἡμέρας · καὶ ἡμῖν ἀπολώλασιν οἱ πατρικοὶ καὶ[4] ὑλικοὶ *θεοί*. **6** Τὸν χρόνον πάντα ἐμισεῖτο ὑπὸ τοῦ ἀδελφοῦ ὁ Ἰακώβ · καὶ ἡμεῖς *νῦν* καὶ αὐτὸς ὁ κύριος ἡμῶν μισεῖται ὑφ᾽ ὑμῶν [fol. 187 r° A] καὶ ὑπὸ τῶν ἄλλων ἁπλῶς[5] ἀνθρώπων, ὄντων πάντων τῇ φύσει ἀδελφῶν. Ἰσραὴλ ἐπεκλήθη Ἰακώβ · καὶ Ἰσραὴλ καὶ ὁ Χριστὸς ἀποδέδεικται, ὁ ὢν καὶ καλούμενος Ἰησοῦς[6].

135. 1 Καὶ[7] ὅταν ἡ γραφὴ λέγῃ *Ἐγὼ κύριος ὁ θεός, ὁ ἅγιος Ἰσραήλ, ὁ καταδείξας Ἰσραὴλ βασιλέα ὑμῶν* · οὐχὶ ἀληθῶς τὸν Χριστὸν τὸν *αἰώνιον βασιλέα* ἀκούσεσθε ; Καὶ Ἰακὼβ γάρ, ὁ τοῦ Ἰσαὰκ υἱός, ὅτι οὐδέποτε *βασιλεὺς* γέγονεν, ἐπίστασθε · καὶ διὰ τοῦτο ἡ γραφή, πάλιν ἐξηγουμένη ἡμῖν τίνα λέγει *βασιλέα Ἰακὼβ* καὶ *Ἰσραήλ*, οὕτως ἔφη · **2** (Is. 42, 1) *Ἰακὼβ ὁ παῖς μου, ἀντιλήψομαι αὐτοῦ · καὶ Ἰσραὴλ ὁ ἐκλεκτός μου, προσδέξεται αὐτὸν ἡ ψυχή μου. Δέδωκα τὸ πνεῦμά μου ἐπ᾽ αὐτόν, καὶ κρίσιν τοῖς ἔθνεσιν ἐξοίσει.* (2)*Οὐ κεκράξεται*[8], *οὐδὲ ἀκουσθήσεται ἔ*-[p. 293 : B]-*ξω ἡ φωνὴ αὐτοῦ* · (3)*κάλαμον τεθραυσμένον οὐ συντρίψει καὶ λίνον*[9] *τυφόμενον*[10] *οὐ σβέσει, ἕως οὗ νῖκος*[11] *ἐξοίσει*[12], *κρίσιν ἀναλήψει,* (4)*καὶ οὐ θραυσθήσεται, ἕως ἂν θῇ ἐπὶ τῆς γῆς κρίσιν · καὶ ἐπὶ τῷ ὀνόματι αὐτοῦ ἐλπιοῦσιν ἔθνη.*

3 Μήτι οὖν *ἐπὶ* τὸν Ἰακὼβ τὸν πατριάρχην οἱ ἀπὸ τῶν *ἐθνῶν ἐλπίζουσιν*, ἀλλ᾽ οὐκ *ἐπὶ* τὸν Χριστόν, καὶ ὑμεῖς δὲ αὐτοί ; Ὡς οὖν *Ἰσραὴλ* τὸν Χριστὸν καὶ *Ἰακὼβ* λέγει, οὕτως[13] καὶ ἡμεῖς *ἐκ τῆς κοιλίας*

1 Τῶν : *om.* Goodsp. **2** Πάντες υἱοὶ : υἱοὶ πάντες γνήσιοι Marc. **3** Ὁ Χριστὸς : καὶ ὁ Χρ. Marc. **4** Καὶ : *del.* Marc. **5** Ἁπλῶς : ἁπάντων *sive* πάντων ἁπλῶς *prop.* Otto **6** Ὁ ὢν : καὶ ὢν (*deleto* Ἰησοῦς) *prop.* Thirlb. **7** Καὶ : καὶ γὰρ *prop.* Thirlb. **8** Οὐ κεκράξεται : οὐ κ. οὐδὲ ἀνήσει Marc. (*ex* LXX) **9** Λίνον *p. corr. codd.* (= LXX) : λίθον *a. corr. codd.* **10** Τυφόμενον *edd.* (= Mt. ; Dial. 123, 8) : τυφώμενον *codd.* καπνιζόμενον LXX **11** Νῖκος : εἰς ν. Thirlb., Marc. (*ex* Mt.). **12** Ἐξοίσει, κρίσιν ἀναλήψει : ἐξοίσει κρίσιν, ἀναλάμψει *prop.* Thirlb. (*ex* Mt. 12, 20) ἀλλὰ εἰς ἀλήθειαν ἐξ. κρίσιν, ἀναλήψει (ἀναλάμψει LXX) *Dial.* 123, 8 **13** Λέγει, οὕτως καὶ *prop.* Thirlb., *coni. edd. ab* Otto : οὕτως λέγει, καὶ *codd.*, *cett. edd.*

préceptes, de même que [a]les fils qui naquirent à Jacob de ses femmes libres et de ses femmes servantes jouissaient eux aussi d'une égale dignité[11]. Selon l'ordre et la prescience, toutefois, [b]ce que chacun serait, cela était prédit.

5 [c]Jacob *servit* Laban[12] pour les troupeaux *tachetés* et de diverses sortes ; le Christ [d]*servit* aussi, jusqu'à la *servitude* de la Croix[13], pour les hommes de toute race, *aux diverses couleurs*, et aux traits variés ; et il les a acquis[14] par le sang et le mystère de la Croix[15]. Léah avait [e]*les yeux faibles* : pour vous les yeux de l'âme le sont assurément[16]. [f]Rachel *a dérobé* les *dieux* de Laban, et elle *les a cachés* jusques à aujourd'hui : pour nous aussi ils ont disparu les *dieux* matériels qui étaient ceux de nos pères. **6** Toujours, Jacob [g]était haï de son frère. Nous aussi, maintenant, ainsi que notre Seigneur lui-même, nous sommes haïs de vous et de tous les autres hommes absolument[17], qui sont tous frères par la nature[18]. Israël fut le surnom de Jacob ; et Israël, je l'ai démontré[19], est aussi le Christ, lui qui est et se nomme Jésus[20].

C'est dans le Christ, « roi », « Jacob », et « Israël » qu'espèrent les nations.
Les chrétiens sont la « véritable race israélite ».
Témoignages d'Isaïe.

135. 1 Et lorsque l'Écriture dit : [h]*Je suis le Seigneur Dieu, le Saint d'Israël*[1], *celui qui a montré Israël votre roi*[2], n'entendez-vous point qu'on parle en vérité du Christ, *roi éternel*[3]. Car Jacob, le fils d'Isaac, ne fut, vous le savez, jamais *roi*[4]. Aussi l'Écriture, une fois encore[5], expliquant quel *roi* elle appelle *Jacob* et *Israël*, s'exprime-t-elle ainsi : **2** (*Is.* 42, 1)*Jacob est mon serviteur, je le soutiendrai ; et Israël est mon élu, mon âme le recevra. J'ai donné mon Esprit sur lui, et il apportera le jugement aux nations.* (2)*Il ne se récriera pas, et sa voix ne sera pas entendue dehors.* (3)*Il ne froissera pas le calame brisé, et il n'éteindra pas la mèche encore fumante, jusqu'à ce qu'il remporte la victoire. Il rétablira le jugement,* (4)*et il ne ploiera pas jusqu'à ce qu'il ait mis le jugement sur terre. Et en son nom espéreront les nations.*

3 Est-ce donc [i]*en* Jacob, le patriarche, et non pas *dans* le Christ qu'*espèrent* ceux des *nations*, et vous-mêmes aussi ? De même donc qu'il appelle le Christ *Israël* et *Jacob*, de même nous aussi, comme [j]*pierres taillées du sein* du Christ[6], nous sommes la véritable[7] race israélite.

a Cf. *Gen.* 29, 28 s. **b** cf. *Gen.* 49. 1 s. **c** cf. *Gen.* 29-30 **d** cf. *Philipp.* 2. 7-8 **e** cf. *Gen.* 29, 17 **f** cf. *Gen.* 31. 19-34 **g** cf. *Gen.* 27, 41 s. **h** *Is.* 43, 15 **i** cf. *Is.* 42, 1.4 **j** cf. *Gen.* 25, 23 et *Is.* 51, 1.

τοῦ Χριστοῦ *λατομηθέντες* ἰσραηλιτικὸν τὸ ἀληθινόν ἐσμεν γένος. Αὐτῷ δὲ μᾶλλον τῷ ῥητῷ προσέχωμεν.

4 (*Is.* 65, 9)*Καὶ ἐξάξω*[1], φησί, *τὸ ἐξ Ἰακὼβ σπέρμα καὶ ἐξ Ἰούδα · καὶ* [fol. 187 v° : A] *κληρονομήσει τὸ ὄρος τὸ ἅγιόν μου, καὶ κληρονομήσουσιν οἱ ἐκλεκτοί μου καὶ οἱ δοῦλοί μου, καὶ κατοικήσουσιν ἐκεῖ ·* (10)*καὶ ἔσονται ἐν τῷ δρυμῷ ἐπαύλεις ποιμνίων, καὶ φάραγξ Ἀχὼρ εἰς ἀνάπαυσιν βουκολίων τῷ λαῷ*[2] *οἵ ἐζήτησάν με.* (11)*Ὑμεῖς δέ, οἱ ἐγκαταλείποντές με καὶ ἐπιλανθανόμενοι τὸ ὄρος τὸ ἅγιόν μου καὶ ἑτοιμάζοντες τοῖς δαιμονίοις τράπεζαν καὶ πληροῦντες τῷ δαίμονι κέρασμα,* (12)*ἐγὼ παραδώσω ὑμᾶς εἰς μάχαιραν · πάντες σφαγῇ πεπεῖσθε ὅτι ἐκάλεσα ὑμᾶς καὶ οὐχ ὑπηκούσατε, < ἐλάλησα καὶ παρηκούσατε >*[3], *καὶ ἐποιήσατε τὸ πονηρὸν ἐνώπιόν μου, καὶ ἃ οὐκ ἐβουλόμην ἐξελέξασθε.*

5 Καὶ τὰ μὲν τῆς γραφῆς ταῦτα · συννοεῖτε δὲ καὶ αὐτοὶ ὅτι ἄλλο τί ἐστι τὸ *ἐξ Ἰακὼβ σπέρμα* νῦν λεγόμενον, οὐχ[4] ὡς οἰηθείη τις ἂν περὶ τοῦ < ὑμετέρου >[5] λαοῦ λέγεσθαι. Οὐ γὰρ ἐνδέχεται τοῖς *ἐξ Ἰακὼβ* γεγεννημένοις ἀπολιπεῖν ἐπείσαξιν[6] τοὺς *ἐξ Ἰακὼβ* σπαρέντας, οὐδὲ ὀνειδίζοντα[7] τῷ λαῷ, ὡς μὴ ἀξίῳ τῆς *κληρονομίας*, πάλιν, ὡς ὑπολαβόμενος[8], τοῖς αὐτοῖς ὑπισχνεῖσθαι[9]. **6** Ἀλλ' ὅνπερ τρόπον ἐκεῖ [p. 294 : B] φησιν ὁ προφήτης · (*Is.* 2, 5)*Καὶ νῦν σὺ οἶκος τοῦ Ἰακώβ, δεῦρο καὶ πορευθῶμεν ἐν φωτὶ κυρίου ·* (6)*ἀνῆκε γὰρ τὸν λαὸν αὐτοῦ, τὸν οἶκον Ἰακώβ, ὅτι ἐπλήσθη ἡ χώρα αὐτῶν, ὡς τὸ ἀπ' ἀρχῆς, μαντειῶν καὶ κληδονισμῶν* · οὕτω[10] καὶ ἐνθάδε δεῖ νοεῖν ἡμᾶς [fol. 188 r° : A] δύο[11] σπέρματα Ἰούδα καὶ δύο γένη, ὡς[12] δύο *οἴκους Ἰακώβ*[13], τὸν μὲν[14] ἐξ *αἵματος* καὶ *σαρκός*, τὸν δὲ ἐκ πίστεως καὶ *πνεύματος* γεγεννημένον.

136. 1 Ὁρᾶτε γὰρ[15] ὡς πρὸς τὸν[16] λαὸν νῦν λέγει, ἀνωτέρω εἰπών · *Ὃν τρόπον εὑρεθήσεται ῥὰξ ἐν βότρυϊ, καὶ ἐροῦσι · Μὴ λυμανῇ αὐτόν, ὅτι εὐλογία ἐν αὐτῷ ἐστιν, οὕτω*[17] *ποιήσω ἕνεκεν τοῦ δουλεύοντός μοι ·*

1 Ἐξάξω *edd. ab* Otto (*ex* LXX, Dial. 136, 1) : ἐξαγάγω *codd., cett. edd.* **2** Τῷ λαῷ : τ. λ. μοῦ Marc. (*ex* LXX) **3** Ἐλάλησα καὶ παρηκούσατε *addendum* Thirlb., *add.* Otto, Troll., Arch., Marc. (*ex* LXX, *et* Dial. 136, 2 : οὔτε λαλοῦντος ἀκούετε) : *om. codd., cett. edd.* **4** Οὐχ : οὐδ' Marc. **5** Ὑμετέρου *add.* Marc. : *om. codd., cett. edd.* **6** Τοῖς – ἐπείσαξιν : τὸν τοῖς ἐξ Ἰακὼβ γεγεννημένοις ἀπειλοῦντα ἀπολιπεῖν αὐτοὺς ἔπειτα ἐξάξειν κτλ. Marc. **7** Ὀνειδίζοντα : τὸν ὀνειδ. Marc. ὀνειδίσαντα *prop.* Thirlb. **8** Ὑπολαβόμενος : ὑπολαβόμενον Marc. ἐπιλαθόμενος *prop.* Sylb. **9** Ὑπισχνεῖσθαι : αὐτὴν ὑπ. Marc. **10** Οὕτω : οὕτως Otto **11** Δύο : δύο ὄντα Marc. **12** Ὡς : ὡς καὶ ἐκεῖ Marc. **13** Ὡς – Ἰακώβ : *in semicirculis* Marc. **14** Τὸν μὲν ...τὸν δὲ : τὸ μὲν ...τὸ δὲ *prop.* Thirlb., Mar. (*alterum ...alterum*), *coni.* Marc. **15** Γὰρ : γοῦν Marc. **16** Τὸν : ἄλλον Marc. **17** Οὕτω : οὕτως Marc.

Mais considérons plutôt l'énoncé[8] lui-même : **4** (*Is.* 65, 9)*Et je ferai sortir*, dit-il, *la postérité de Jacob et de Juda, et elle héritera de ma montagne sainte*[9] *; et ils hériteront, mes élus comme mes serviteurs, et ils habiteront là.* (10)*Il y aura dans les forêts des parcs pour les troupeaux, et la gorge d'Achor sera comme un repos de bétail, pour le peuple de ceux qui me cherchaient.* (11)*Mais vous, qui m'avez abandonné, qui avez oublié ma montagne sainte, qui avez préparé une table aux démons*[10]*, et versé au démon le vin mélangé,* (12)*je vous livrerai, moi, à l'épée*[11] *: tous vous tomberez égorgés, car je vous ai appelés, et vous n'avez pas répondu, je vous ai parlé et vous avez refusé d'obéir, et vous avez commis le mal devant moi, et vous avez choisi ce que je ne voulais pas.*

5 Ce sont là les paroles de l'Écriture. Comprenez alors, vous aussi, qu'elle est d'une autre sorte la [a]*postérité de Jacob* dont on parle ici, et qu'il n'est point question de votre peuple, comme on le pourrait croire. Il n'est pas possible en effet que ceux qui sont la *postérité de Jacob* abandonnent le droit d'entrée à ceux qui sont issus *de Jacob*[12], ni que celui qui fait au peuple le reproche de n'être point digne de [b]l'*héritage*, paraisse, à nouveau, l'accueillir, et aux mêmes personnes adresser des promesses. **6** Mais de même que le prophète dit là : (*Is.* 2, 5)*Et maintenant, toi, maison de Jacob, allons et marchons dans la lumière du Seigneur,* (6)*car il a rejeté son peuple, la maison de Jacob, parce que le pays était rempli, comme au commencement, d'oracles et d'augures*, de même ici[13] il nous faut entendre qu'il y a deux postérités de Juda et deux races, comme deux *maisons de Jacob*[14], [c]l'une née du *sang* et de la *chair*, l'autre de la foi et de l'*Esprit*[15].

En refusant le Christ, c'est Celui qui l'a envoyé que les juifs rejettent.

136. 1 Voyez en effet comment il parle alors au peuple, disant dans ce qui précède[1] : [d]*De même que lorsqu'on trouve du grain dans une grappe*[2]*, on dit : « Ne la rejetez pas, car sur elle il y a une bénédiction », de même je ferai à cause de mon serviteur. A cause de lui, je ne les détruirai pas tous.* Puis il ajoute : [e]*Et je ferai sortir ce qui vient de Jacob et de Juda.*

a Cf. *Is.* 65, 9 **b** *ibid.* **c** cf. *Jn.* 1, 13 ; *Gal.* 4, 29 **d** *Is.* 65, 8 **e** *ibid.*, 9.

τούτου ἕνεκεν οὐ μὴ ἀπολέσω πάντας · καὶ μετὰ τοῦτο ἐπιφέρει[1] · *Καὶ ἐξάξω τὸ*[2] *ἐξ Ἰακὼβ καὶ ἐξ Ἰούδα.*

Δῆλον οὖν[3], εἰ ἐκείνοις οὕτως[4] ὀργίζεται καὶ ὀλιγοστοὺς καταλείψειν ἀπειλεῖ, ἄλλους τινὰς *ἐξάξειν* ἐπαγγέλλεται οἳ *κατοικήσουσιν ἐν τῷ ὄρει* αὐτοῦ. **2** Οὗτοι δέ εἰσιν οὓς εἶπε *σπερεῖν* καὶ *γεννήσειν* · ὑμεῖς γὰρ οὔτε *καλοῦντος* αὐτοῦ ἀνέχεσθε οὔτε *λαλοῦντος* ἀκούετε, ἀλλὰ καὶ *τὸ πονηρὸν ἐποιήσατε ἐνώπιον κυρίου.* Τὸ δὲ ὑπερβάλλον ὑμῶν τῆς κακίας τὸ καὶ[5] *μισεῖν,* < ὃν > ἐφονεύσατε, *δίκαιον*[6] καὶ τοὺς ἀπ' αὐτοῦ λαβόντας εἶναι ὅπερ εἰσίν, εὐσεβεῖς καὶ δίκαιοι καὶ φιλάνθρωποι. Τοιγαροῦν (*Is.* 3, 9)*Οὐαὶ τῇ ψυχῇ αὐτῶν,* λέγει κύριος, *διό<τι>*[7] *βεβούλευνται βουλὴν πονηρὰν καθ' ἑαυτῶν,* (10)*εἰπόντες* · *Ἄρωμεν τὸν δίκαιον, ὅτι δύσχρηστος ἡμῖν ἐστιν.*

3 Οὐ γὰρ καὶ[8] ὑμεῖς *τῇ Βάαλ* ἐθύετε, ὡς οἱ πατέρες ὑμῶν, οὐδὲ ἐν συσκίοις ἢ μετεώροις τόποις πέμματα ἐποιεῖτε *τῇ στρατιᾷ τοῦ οὐρανοῦ,* ἀλλ' ὅτι οὐκ ἐδέξασθε [fol. 188 v° : A] τὸν Χριστὸν αὐτοῦ. Ὁ γὰρ τοῦτον ἀγνοῶν [p. 295 : B] ἀγνοεῖ καὶ τὴν βουλὴν τοῦ θεοῦ, καὶ ὁ τοῦτον ὑβρίζων καὶ μισῶν καὶ τὸν πέμψαντα δηλονότι[9] καὶ μισεῖ καὶ ὑβρίζει · καὶ εἰ οὐ πιστεύει τις εἰς αὐτόν, οὐ πιστεύει τοῖς τῶν προφητῶν κηρύγμασι τοῖς αὐτὸν εὐαγγελισαμένοις καὶ κηρύξασιν εἰς πάντας.

137. 1 Μὴ δή, ὦ ἀδελφοί, κακόν τι εἴπητε εἰς ἐκεῖνον τὸν ἐσταυρωμένον, μηδὲ χλευάσητε *αὐτοῦ τοὺς μώλωπας,* οἷς *ἰαθῆναι* πᾶσι δυνατόν, ὡς καὶ ἡμεῖς *ἰάθημεν.* Καλὸν γάρ, ἣν πεισθέντες τοῖς λόγοις *περιτμηθῆτε τὴν σκληροκαρδίαν,* οὐχὶ ἣν[10] δι' ὑμῶν ἐγγινομένην γνώμην ἔχετε, ἐπειδὴ *εἰς σημεῖον* ἦν δεδομένη, ἀλλ' οὐκ εἰς δικαιοπραξίας ἔργον, < ὡς >[11] οἱ λόγοι ἀναγκάζουσι[12]. **2** Συμφάμενοι οὖν μὴ λοιδορῆτε ἐπὶ τὸν υἱὸν τοῦ θεοῦ, μηδὲ Φαρισαίοις[13] πειθόμενοι διδασκάλοις τὸν βασιλέα τοῦ Ἰσραὴλ ἐπισκώψητέ ποτε, ὁποῖα διδάσκουσιν[14] οἱ ἀρχισυνάγωγοι ὑμῶν, μετὰ τὴν

1 Ἐπιφέρει : ἐπιφέρων Marc. **2** Τὸ : τὸ σπέρμα LXX *et* Dial. 135, 4 **3** Δῆλον οὖν, εἰ : *pro* δῆλον οὖν ἐστιν ὅτι, εἰ Otto **4** Οὕτως : *corr. ex* οὕτω A **5** Καὶ : *del.* Marc. **6** Μισεῖν ὃν ἐφονεύσατε δίκαιον *prop.* Thirlb., Mar., *coni.* Otto, Troll., Arch., Goodsp. : μισεῖν τὸν δίκαιον ὃν ἐφ. Marc. μισεῖν, ἐφονεύσατε δίκ. *codd., cett. edd.* μισεῖν καὶ φονεῦσαι *prop.* Thirlb. **7** Διότι *edd. ab* Otto (*ex* LXX; Dial. 17, 2) : διὸ *codd., cett. edd.* ὅτι Dial. 137, 3 *om.* Dial. 133, 2 **8** Καὶ : ὅτι καὶ Marc. **9** Δηλονότι : δῆλον ὅτι Goodsp., Marc. **10** Οὐχὶ ἣν (*scil.* περιτομὴν) *prop.* Mar., Reith : ἣν οὐχὶ *codd., edd.* ἣν περιτομὴν οὐχὶ ἀπ' ἀρχῆς, ἀλλὰ δι' ὑμῖν Marc. (*ex* Dial. 19, 3) **11** Ὡς *addendum* Sylb., *add. edd. ab* Otto, Troll. : *om. codd., cett. edd.* **12** Ἀναγκάζουσι : ὁμολογεῖν ἀν. Marc. (*ex* Dial. 23, 4) **13** Φαρισαίοις Mor., Troll., Mign., *edd. ab* Otto : Φαρισσαίοις *codd., cett. edd.* **14** Διδάσκουσιν : ποιεῖν δ. Marc.

C'est donc clair : s'il est à ce point irrité contre eux et les menace de n'en laisser qu'un très petit nombre, il promet d'en [a]*faire sortir*[3] certains qui *habiteront sur* sa *montagne.* **2** Les voilà bien, ceux qu'il a dit qu'il [b]*sèmerait*[4] et [c]*engendrerait*[5] : car vous, vous ne l'avez ni [d]toléré lorsqu'il *appelait*, ni entendu lorsqu'il *parlait* ; mais vous avez été jusqu'à [e]*commettre le mal en face* du Seigneur. Et ce qui met un comble à votre perversité, c'est qu'avec cela, vous [f]*haïssiez le juste*, lui que vous avez *tué*[6], et ceux qui de lui ont reçu d'être ce qu'ils sont, pieux, justes, et animés d'amour pour les êtres humains. Aussi, (*Is.* 3, 9)*Malheur à leur âme*, dit le Seigneur, *car ils ont conçu un mauvais dessein contre eux-mêmes,* (10)*disant : « Enlevons le juste, car il nous embarrasse »*[7].

3 Vous n'avez pas, c'est vrai, [g]sacrifié vous aussi *à Baal*, comme vos pères[8], ni [h]offert, en des lieux ombragés ou élevés, des gâteaux destinés *à l'armée du ciel* ; mais (*malheur à votre âme*) car vous n'avez pas accepté son Christ. [i]Or, qui ne le connaît pas ne connaît pas non plus la volonté de Dieu, et celui qui l'outrage et lui voue de la haine, c'est aussi, sans conteste, celui qui l'a envoyé qu'il hait et qu'il outrage. Et si l'on ne croit pas en lui, c'est que l'on ne croit pas aux proclamations par lesquelles les prophètes avaient annoncé et proclamé à tous la bonne nouvelle de sa venue.

Exhortation à la pénitence.
Le second jour touche à sa fin.

137. 1 Ne dites donc, frères, rien de mal contre ce crucifié, ne raillez pas [j]*ses blessures*, *par lesquelles* tous peuvent *être guéris*, comme nous-mêmes avons été *guéris.* Ce serait beau si, croyant aux paroles (de l'Écriture)[1], vous vous [k]*circoncisiez* de votre *dureté de cœur*, et non point de cette circoncision que vous avez du fait de vos dispositions naturelles[2], puisque c'était *en signe*[3] qu'elle était donnée, et non en œuvre de justice, selon le sens qu'imposent les paroles de l'Écriture. **2** Reconnaissez-le donc, et n'insultez pas au Fils de Dieu ; ne vous laissez pas entraîner par les didascales pharisiens à persifler jamais le [l]*Roi* d'Israël[4], comme l'enseignent vos archisynagogues, à l'issue de la prière.

a Cf. *Is.* 65, 9 **b** cf. *Jér.* 31, 27 **c** cf. *Éz.* 36, 12 **d** cf. *Is.* 65, 12 **e** *ibid.* **f** cf. *Is.* 57, 1 ; *Jacq.* 5, 6, etc. **g** cf. *Rom.* 11, 4 ; *III Rois*, 19, 18 **h** cf. *Jér.* 7, 18 **i** cf. *Jn.* 5, 23.46 **j** cf. *Is.* 53, 5 **k** cf. *Deut.* 10, 16 **l** cf. *Matth.* 27, 29 ; *Mc.* 15, 18 ?

προσευχήν. Εἰ γὰρ *ὁ ἁπτόμενος* τῶν μὴ[1] εὐαρέστων τῷ θεῷ *ὡς ὁ ἁπτόμενος κόρης τοῦ θεοῦ,* πολὺ[2] μᾶλλον ὁ τοῦ *ἠγαπημένου* καθαπτόμενος. Ὅτι δὲ οὗτος αὐτός ἐστι, καὶ[3] ἱκανῶς ἀποδέδεικται.

3 Καὶ σιγώντων αὐτῶν εἶπον · Ἐγώ, ὦ φίλοι, καὶ τὰς γραφὰς λέγω νῦν ὡς ἐξηγήσαντο οἱ ἑβδομήκοντα · εἰπὼν γὰρ αὐτὰς πρότερον ὡς ὑμεῖς αὐτὰς ἔχετε, πεῖραν ὑμῶν ἐποιούμην πῶς διάκεισθε [fol. 189 r° : A] ἤδη τὴν γνώμην.

Λέγων γὰρ τὴν γραφήν, ἣ λέγει · (*Is.* 3, 9)*Οὐαὶ αὐτοῖς, ὅτι βεβούλευνται βουλὴν πονηρὰν καθ' ἑαυτῶν* (10)*εἰπόντες...* · ὡς ἐξηγήσαντο οἱ ἑβδομήκοντα ἐπήνεγκα · *Ἄρωμεν τὸν δίκαιον, ὅτι δύσχρηστος ἡμῖν ἐστιν* · ἐμοῦ ἐν ἀρχῇ τῆς ὁμιλίας καὶ[4] εἰπόντος ὅπερ ὑμεῖς εἰρῆσθαι βούλεσθε, εἰπόντες · *Δήσωμεν τὸν δίκαιον, ὅτι δύσχρηστος ἡμῖν ἐστιν.* **4** Ἄλλα δέ τινα ἐπράξατε, καὶ οὐ δοκεῖ-[p. 296 : B]-τέ μοι ἐνηκόως[5] τῶν λόγων ἐπακηκοέναι. Ἀλλ' ἐπεὶ καὶ νῦν ἤδε[6] ἡ ἡμέρα πέρας ποιεῖσθαι μέλλει, πρὸς δυσμὰς γὰρ ἤδη ὁ ἥλιός ἐστι, καὶ[7] ἕν τι προσθεὶς τοῖς εἰρημένοις παύσομαι · τοῦτο δ' αὐτὸ καὶ ἐν τοῖς εἰρημένοις[8] μοι ἐρρέθη[9], ἀλλὰ πάλιν αὐτῷ[10] ἐπεξεργάσασθαι ἂν δίκαιον εἶναί μοι δοκεῖ.

138. 1 Γινώσκετε οὖν, ὦ ἄνδρες, ἔφην, ὅτι ἐν τῷ Ἡσαΐᾳ λέλεκται ὑπὸ τοῦ θεοῦ πρὸς τὴν Ἱερουσαλήμ, ὅτι *Ἐπὶ τοῦ κατακλυσμοῦ τοῦ*[11] *Νῶε ἔσωσά σε.* Τοῦτο δέ ἐστιν ὃ ἔλεγεν ὁ θεός, ὅτι τὸ μυστήριον τῶν *σωζομένων* ἀνθρώπων *ἐπὶ τοῦ κατακλυσμοῦ* γέγονεν. Ὁ *δίκαιος* γὰρ Νῶε μετὰ[12] τῶν ἄλλων ἀνθρώπων *ἐπὶ τοῦ κατακλυσμοῦ,* τουτέστι τῆς τε *γυναικὸς* τῆς αὐτοῦ καὶ τῶν τριῶν τέκνων αὐτοῦ[13] καὶ τῶν *γυναικῶν* τῶν *υἱῶν* αὐτοῦ, οἵτινες[14] ἀριθμῷ ὄντες ὀκτώ, σύμβολον εἶχον τῆς ἀριθμῷ μὲν ὀγδόης ἡμέρας, ἐν ᾗ ἐφάνη ὁ Χριστὸς ἡμῶν ἀπὸ νεκρῶν ἀναστάς, δυνάμει δ' ἀεὶ πρώτης [fol. 189 v° : A] ὑπαρχούσης.

2 Ὁ γὰρ Χριστός, *πρωτότοκος πάσης κτίσεως* ὤν, καὶ[15] *ἀρχὴ* πάλιν ἄλλου γένους γέγονε, τοῦ *ἀναγεννηθέντος* ὑπ' αὐτοῦ δι' ὕδατος καὶ

1 Μὴ : *delendum* Sylb., *del.* Lange, *hamis inclusit* Mor. **2** Πολὺ *edd.* : πολλὺ *codd.* **3** Καὶ : *del.* Marc. **4** Καὶ : *del.* Marc. **5** Οὐ ...ἐνηκόως *coni.* Otto, Arch., Goodsp. ἀνηκόως (*deleto* οὐ) *prop.* Mar., *coni.* Marc. οὐ ...ἀνηκόως *codd., cett. edd.* **6** Καὶ νῦν ἤδε *ego* : νῦν καὶ ἤδε *prop.* Thirlb., *coni.* Marc. (*paulo post* : ἤδη ὁ ἥλιος) καὶ νῦν ἤδη *codd., cett. edd.* **7** Καὶ : κἂν *coni.* Marc. **8** Εἰρημένοις : προειρημένοις *coni.* Marc. **9** Ἐρρέθη *in marg.* A, *in textu* B (*corr. ex* ἐρρήθη ?), *edd. ab* Otto : ἐρρήθη *in textu* A (*corr. ex* ἐρρέθη ?), *cett. edd.* **10** Αὐτῷ ἐπεξεργάσασθαι (= ἐπ' αὐτῷ ἐξεργάσασθαι Mar.) : αὐτὸ ἐπ. *prop.* Sylb., *coni. edd. ab* Otto **11** Τοῦ : *om.* Troll. **12** Μετὰ : διεσώθη μετὰ Marc. (*ex* Dial. 138, 2 *et* I Pt. 3, 20) **13** Αὐτοῦ Otto, Mign., Arch., Marc. (*mox enim* : υἱῶν αὐτοῦ) : αὐτῶν *codd., cett. edd.* (cf. 118, 4 : περὶ αὐτοῦ) **14** Οἵτινες : πάντες *prop.* Lange, Thirlb. **15** Καὶ : καὶ αὐτὸς (*scil. ut* Noe) Marc.

Car si [a]*celui qui touche* à ceux qui ne sont pas agréables à Dieu est *comme s'il touchait à la pupille de Dieu*, cela est plus vrai encore[5] pour qui s'attaque à son [b]*bien-aimé*. Or celui-là est bien tel, c'est aussi suffisamment démontré[6].

3 Et comme ils se taisaient, je dis :

Je vais à présent, chers amis, citer aussi les Écritures telles que les ont traduites les Septante, car en les rapportant d'abord comme vous les avez vous-mêmes, je voulais éprouver en quelle disposition d'esprit vous vous trouviez alors.

En mentionnant l'Écriture qui dit : (*Is.* 3, 9)*Malheur à leur âme, car ils ont conçu un mauvais dessein contre eux-mêmes,* (10)*disant*..., je viens d'ajouter[7], comme ont traduit les Septante : *Enlevons le juste, car il nous embarrasse* ; tandis qu'au début de notre entretien[8] j'avais rapporté ce que vous-mêmes voulez y lire, c'est-à-dire : *Lions le Juste, parce qu'il nous embarrasse*[9]. **4** Mais vous étiez occupés à autre chose, et, me semble-t-il, vous n'avez pas écouté avec attention ce que je disais. Mais puisque désormais ce jour touche à sa fin (car le soleil déjà est près de se coucher), je vais encore ajouter une chose à ce que j'ai dit, et je terminerai. Cela aussi, à vrai dire, je l'ai déjà évoqué dans ce qui précède[10], mais il me semble juste d'y revenir.

Noé, le Déluge et l'arche sont des figures du Christ, du baptême et de la Croix. Témoignage d'Isaïe.

138. 1 Vous savez donc, amis, poursuivis-je, qu'en Isaïe, il est dit par Dieu à Jérusalem : [c]*Lors du déluge de Noé, je t'ai sauvé(e)*[1]. Or ce que Dieu disait, c'est que le mystère du *Salut* des hommes s'était opéré *lors du déluge*[2]. Car *lors du déluge*, le [d]*juste* Noé, avec les autres hommes, c'est-à-dire [e]sa *femme*, ses trois enfants et *les femmes de* ses *fils*, [f]formaient le nombre huit[3], constituant ainsi un symbole du jour, qui, étant le huitième – jour auquel notre Christ apparut ressuscité des morts – est également toujours, en puissance[4], le premier.

2 Le Christ, en effet, étant [g]*premier-né de toute création*, est aussi devenu, en un nouveau sens, *Principe* d'une autre race[5], celle qui a été [h]*régénérée*[6] par lui, à travers l'eau, la foi, et le bois[7], celui qui est empreint du mystère de

a Cf. *Zach.* 2, 8 **b** cf. *Éphés.* 1, 6 **c** cf. *Is.* 54, 8-9 ? **d** cf. *Gen.* 6, 9 **e** *ibid.*, 18 **f** cf. *I Pierre*, 3, 20 **g** cf. *Col.* 1, 15 **h** cf. *I Pierre*, 1, 3.23 ?

πίστεως καὶ ξύλου, τοῦ τὸ μυστήριον τοῦ σταυροῦ ἔχοντος, ὃν τρόπον καὶ ὁ Νῶε ἐν ξύλῳ *διεσώθη* ἐποχούμενος τοῖς ὕδασι μετὰ τῶν ἰδίων. Ὅταν οὖν εἴπῃ ὁ προφήτης · *Ἐπὶ Νῶε ἔσωσά σε*, < ὡς >[1] προέφην, τῷ ὁμοίως πιστῷ λαῷ πρὸς θεὸν ὄντι καὶ τὰ σύμβολα ταῦτα[2] ἔχοντι[3] λέγει. Καὶ γὰρ *ῥάβδον* ἔχων ὁ Μωσῆς[4] μετὰ *χεῖρα*[5] διὰ τῆς *θαλάσσης* διήγαγεν ὑμῶν τὸν λαόν.

3 Ὑμεῖς δὲ ὑπολαμβάνετε ὅτι τῷ γένει ὑμῶν μόνον[6] ἔλεγεν ἢ τῇ γῇ. Τί γάρ ;[7] πᾶσα ἡ γῆ, ὡς ἡ γραφὴ λέγει, κατεκλύσθη, καὶ [p. 297 : B] *ὑψώθη τὸ ὕδωρ* ἐπάνω *πάντων ὀρέων πήχεις δεκαπέντε*, ὥστε[8] οὐ τῇ γῇ φαίνεται εἰρηκώς, ἀλλὰ τῷ λαῷ τῷ πειθομένῳ αὐτῷ, ᾧ καὶ ἀνάπαυσιν προητοίμασεν ἐν Ἱερουσαλήμ, ὡς προαποδέδεικται διὰ πάντων τῶν *ἐπὶ τοῦ κατακλυσμοῦ* συμβόλων · εἶπον δέ, δί ὕδατος καὶ πίστεως καὶ ξύλου οἱ προπαρασκευαζόμενοι καὶ μετανοοῦντες ἐφ' οἷς ἥμαρτον ἐκφεύξονται τὴν μέλλουσαν ἐπέρχεσθαι τοῦ θεοῦ κρίσιν.

139. 1 Καὶ γὰρ ἄλλο μυστήριον ἐπὶ τοῦ Νῶε προεφητεύθη τελούμενον, ὃ οὐκ ἐπίστασθε.

Ἔστι δὲ τοῦτο · Ἐν ταῖς εὐλογίαις, αἷς εὐλόγει ὁ Νῶε τοὺς δύο υἱοὺς αὐτοῦ, καὶ τὸν υἱὸν τοῦ υἱοῦ[9] αὐτοῦ κατα-[fol. 190 r° : A]-ρᾶται · τὸν γὰρ υἱόν, συνευλογηθέντα ὑπὸ τοῦ θεοῦ, τὸ προφητικὸν πνεῦμα καταρᾶσθαι οὐκ ἔμελλεν, ἀλλ', ἐπεὶ δι' ὅλου τοῦ γένους τοῦ ἐπιγελάσαντος τῇ γυμνώσει υἱοῦ αὐτοῦ[10] ἡ προστίμησις τοῦ ἁμαρτήματος εἶναι[11] ἔμελλεν, ἀπὸ τοῦ υἱοῦ[12] τὴν κατάραν πεποίηται.

2 Ἐν δὲ οἷς εἶπε προέλεγεν ὅτι καὶ[13] οἱ ἀπὸ Σὴμ[14] γενησόμενοι διακαθέξουσι τὰς κτήσεις καὶ οἰκήσεις τοῦ Χαναάν, καὶ πάλιν οἱ ἀπὸ τοῦ Ἰάφεθ αὐτάς, ἃς διακατέσχον παρὰ τῶν τοῦ Χαναὰν οἱ ἀπὸ Σὴμ

1 Ὡς *addendum* Mar., *add.* Otto, Troll., Arch., Marc. : *om. codd., cett. edd.* **2** Ταῦτα : ταὐτὰ *prop.* Reith. **3** Ἔχοντι *prop.* Lange, Sylb., Mar., *coni. edd. ab* Otto, Troll. : ἔχοντα *codd, cett. edd.* **4** Μωσῆς : Μωϋσῆς Otto, Mign., Goodsp. **5** Χεῖρα : χεῖρας *prop.* Thirlb., *coni.* Marc. (*ex* Dial. 86, 1) **6** Μόνον *prop.* Thirlb., *coni.* Otto, Arch., Marc. : μόνων *codd., cett. edd.* (cf. 11, 2 : ὑμῶν μόνων ; 19, 2.5 : ὑμῖν μόνοις ; 80, 3 : ἐφ' ὑμῶν μόνων) **7** Τί γάρ ; *prop.* Nolte : καὶ γὰρ *prop.* Sylb., ἐπίγνωτε *aut* φανερόν ἐστι ὅτι Troll. ὅτι δὲ *coni.* Marc. ὅτι γὰρ *codd., cett. edd.* **8** Ὥστε : ὁ θεὸς *edd. ab* Otto **9** Τοῦ υἱοῦ : τοῦ τρίτου υἱοῦ Marc. **10** Υἱοῦ αὐτοῦ : τοῦ πατρὸς αὐτοῦ *vel* αὐτοῦ υἱοῦ *prop.* Thirlb. τοῦ πατρὸς υἱοῦ αὐτοῦ Marc. **11** Εἶναι : = ἰέναι Sylb. (*ut* Lange : *quia ...peccati mulcta itura fuerat*) **12** Ἀπὸ τοῦ υἱοῦ : ἀπὸ τοῦ υἱοῦ αὐτοῦ *vel* τοῦ υἱωνοῦ *prop.* Otto ἀπὸ τοῦ υἱοῦ τοῦ υἱοῦ Marc. **13** Καὶ : *del.* Marc. **14** Σὴμ *prop.* Sylb., *coni. edd. a* Mar. : Σὴθ *codd., cett. edd.* (*hic et infra*).

la Croix, de même que Noé fut *sauvé* dans le bois (de l'arche)[8], quand avec les siens il était porté[9] sur les eaux. Lors donc que le prophète dit : [a]*Au temps de Noé, je t'ai sauvé*, comme je l'ai rapporté, il s'adresse au peuple[10] qui partage une même foi[11] envers Dieu, et possède ces symboles. Car c'est aussi avec un *bâton* à la *main* que Moïse, conduisit votre peuple à travers la *mer*.

3 Mais vous, vous présumez qu'il s'adressait uniquement à votre race ou à la terre. Comment donc ! c'est [c]toute la terre[12], selon l'Écriture, qui fut submergée, et au-dessus de *toutes*[13] *les montagnes* que *l'eau monta de quinze coudées* ; en sorte que ce n'est évidemment pas à la terre qu'il s'est adressé, mais au peuple qui lui obéit[14], auquel il a aussi préparé un lieu de repos à Jérusalem[15], comme c'est démontré à l'avance à travers tous les symboles [d]*du temps du déluge* ; je l'ai dit : à travers l'eau, la foi et le bois, ceux qui sont préparés et se repentent de leurs péchés échapperont au jugement de Dieu qui doit survenir.

Les bénédictions et les malédictions prononcées par Noé annonçaient la possession de Canaan par les descendances de Sem et de Japhet, et l'appel du Christ à un héritage éternel.

139. 1 Un autre mystère a été prophétisé au temps de Noé, qui s'est accompli, mais que vous ignorez. Le voici :

Dans les [e]bénédictions par lesquelles il bénit ses deux fils, Noé maudit aussi le fils de son (troisième) fils. Car le fils qui, au même titre que les autres, avait été béni par Dieu, l'Esprit prophétique n'allait pas le maudire[1]. Mais puisque, pour le péché commis, le châtiment devait s'exécuter à travers toute la lignée[2] de celui de ses fils qui avait ri de sa nudité, c'est à partir du fils (de ce dernier) qu'il fait porter la malédiction.

2 Dans ses paroles il prédisait que [f]les futurs descendants de Sem occuperaient[3] aussi les possessions et les demeures de Canaan, et qu'à leur tour les descendants de Japhet[4] s'empareraient de celles que les descendants de Sem avaient enlevées à ceux de Canaan, et les occuperaient, dépouillant (ainsi) les descendants de Sem de la même façon que ces derniers, pour les occuper, en avaient eux-mêmes dépouillé les fils de Canaan.

a Cf. *Is.* 54, 8-9 ? **b** cf. *Exod.* 14, 16 **c** cf. *Gen.* 7, 19-20 **d** cf. *Is.* 54, 8-9 **e** cf. *Gen.* 9, 18-27 **f** cf. *Gen.* 9, 27.

παραλαβόντες [καὶ ἀπὸ τοῦ Ἰάφεθ][1], διακαθέξουσιν, ἀφελόμενοι τοὺς ἀπὸ Σὴμ γενομένους, ὃν τρόπον ἀφαιρεθέντων αὐτὰ[2] τῶν υἱῶν Χαναὰν αὐτοὶ διακατέσχον.

3 Καὶ ὅτι οὕτω γέγονεν, ἀκούσατε. Ὑμεῖς γάρ, οἱ ἀπὸ τοῦ Σὴμ κατάγοντες τὸ γένος, ἐπήλθετε κατὰ τὴν τοῦ θεοῦ βουλὴν τῇ γῇ τῶν υἱῶν Χαναὰν καὶ διακατέσχετε αὐτήν. Καὶ ὅτι οἱ υἱοὶ Ἰάφεθ, κατὰ τὴν τοῦ θεοῦ κρίσιν ἐπελθόντες καὶ αὐτοὶ ὑμῖν, ἀφείλοντο ὑμῶν τὴν γῆν καὶ διακατέσχον αὐτήν, φαίνεται. [p. 298 : B] Εἴρηται δὲ ταῦτα οὕτως · (*Gen.* 9, 24) *Ἐξένηψε δὲ Νῶε ἀπὸ τοῦ οἴνου, καὶ ἔγνω ὅσα ἐποίησεν αὐτῷ ὁ υἱὸς αὐτοῦ* [3] *ὁ νεώτερος.* (25)*Καὶ εἶπεν · Ἐπικατάρατος Χαναὰν παῖς, οἰκέτης*[4] *ἔσται τοῖς ἀδελφοῖς αὐτοῦ.* (26)*Καὶ εἶπεν · Εὐλογητὸς κύριος, ὁ θεὸς Σήμ, καὶ ἔσται Χαναὰν παῖς αὐτοῦ.* (27)*Πλατύναι κύριος τῷ* [fol. 190 v° : A] *Ἰάφεθ, καὶ κατοικησάτω ἐν τοῖς οἴκοις Σήμ, καὶ γενηθήτω Χαναὰν παῖς αὐτοῦ.*

4 Δύο οὖν λαῶν *εὐλογηθέντων*, τῶν ἀπὸ τοῦ Σὴμ καὶ τοῦ Ἰάφεθ, καὶ πρώτων κατασχεῖν τοὺς *οἴκους* τοῦ Χαναὰν ἐγνωσμένων τῶν ἀπὸ Σήμ, καὶ πάλιν διαδέξασθαι παρ' αὐτῶν τὰς αὐτὰς κτήσεις τῶν ἀπὸ Ἰάφεθ προειρημένων, καὶ τοῖς δυσὶ λαοῖς τοῦ ἑνὸς λαοῦ τοῦ ἀπὸ Χαναὰν εἰς *δουλείαν* παραδοθέντος, ὁ Χριστὸς κατὰ τὴν τοῦ παντοκράτορος πατρὸς δύναμιν δοθεῖσαν αὐτῷ παρεγένετο, εἰς φιλίαν[5] καὶ *εὐλογίαν* καὶ μετάνοιαν καὶ *συνοικίαν καλῶν*, τὴν ἐν τῇ[6] αὐτῇ γῇ τῶν ἁγίων πάντων μέλλουσαν γίνεσθαι, < ἧς >[7], ὡς προαποδέδεικται, διακατάσχεσιν[8] ἐπήγγελται. **5** Ὅθεν οἱ πάντοθεν ἄνθρωποι, *εἴτε δοῦλοι εἴτε ἐλεύθεροι*, πιστεύοντες ἐπὶ τὸν Χριστὸν καὶ ἐγνωκότες τὴν ἐν τοῖς λόγοις αὐτοῦ καὶ τῶν προφητῶν αὐτοῦ ἀλήθειαν, ἐπίστανται ἅμα αὐτῷ ἐν τῇ γῇ ἐκείνῃ γενησόμενοι καὶ τὰ αἰώνια καὶ ἄφθαρτα κληρονομήσειν.

140. 1 Ὅθεν καὶ Ἰακώβ, ὡς προεῖπον, τύπος ὢν καὶ αὐτὸς τοῦ Χριστοῦ, καὶ τὰς δύο δούλας τῶν δύο ἐλευθέρων αὐτοῦ γυναικῶν ἐγεγαμήκει, καὶ ἐξ αὐτῶν ἐτέκνωσεν υἱούς, εἰς τὸ προμηνυθῆναι ὅτι ὁ Χριστὸς προσλήψεται καὶ τοὺς ἐν γένει τοῦ Ἰάφεθ ὄντας ἀπὸ τοῦ Χαναὰν πάντας ὁμοίως τοῖς

1 Καὶ – Ἰάφεθ (καὶ = οἱ) *delendum ut glossema* Mar., *del.* Otto, Arch., Goodsp. ἃς – Ἰάφεθ *ut glossema del.* Marc. **2** Αὐτὰ : αὐτὰς *prop.* Thirlb., *coni.* Marc. **3** Αὐτοῦ Sylb., Mor., Jebb, *edd. a* Mar. (= LXX) : αὐτῷ *codd.*, Steph., Thirlb. **4** Χαναὰν παῖς, οἰκέτης : Χαναάν. Παῖς οἰκ. Thirlb., Marc. (*ex* LXX) **5** Εἰς φιλίαν : καὶ εἰς φ. *prop.* Mar., Reith. **6** Τὴν ἐν τῇ : καὶ τὴν ἐν τῇ *prop.* Troll., τὴν τ' ἐν τῇ Nolte **7** Ἧς *addendum* I. Donaldson (*A crit. Hist. of Christ. Lit.*, Londini 1866, vol. II, p. 259), *add. edd. ab* Otto : *om. codd.*, *cett. edd.* **8** Διακατάσχεσιν : *hapax legomenon* (*ex* διακατέχειν) Otto.

3 Et c'est bien ainsi qu'il en est advenu. Ecoutez donc : vous-mêmes, qui par filiation êtes descendants de Sem, vous avez envahi, selon la volonté de Dieu, la terre des fils de Canaan, et vous vous en êtes emparés. Puis les fils de Japhet, vous ayant à leur tour envahis selon le jugement[5] de Dieu, vous ont enlevé la terre[6], et s'en sont emparés : cela est évident. Voici de quelle façon ces choses-là sont dites : (*Gen.* 9, 24)*Noé fut dégrisé de son vin, et il sut ce que lui avait fait son fils le plus jeune.* (25)*Et il dit : « Maudit soit l'enfant Canaan, il sera serviteur*[7] *pour ses frères ».* (26)*Et il dit : « Béni soit le Seigneur Dieu de Sem, Canaan sera son serviteur.* (27)*Que Dieu donne un large espace à Japhet, il s'établira dans les demeures de Sem*[8]*, et que Canaan devienne son serviteur ».*

4 Deux peuples, donc, étaient [a]*bénis*, ceux qui descendent de Sem et de Japhet. Il était décidé que ceux qui descendent de Sem posséderaient les premiers les [b]*demeures* de Canaan ; et il était prédit qu'à leur tour les descendants de Japhet recevraient d'eux les mêmes possessions. Et quand à ces deux peuples, l'unique peuple issu de Canaan eut été livré en *servitude*[9], le Christ est venu[10], selon la Puissance du Père omnipotent qui lui fut donnée, pour [c]*appeler* à l'amitié, à la *bénédiction*, à la conversion et à [d]la *vie commune*, laquelle doit être celle de l'ensemble des saints en cette terre dont, comme je l'ai démontré, la possession est annoncée[11]. **5** C'est pourquoi tous les hommes de quelque lieu qu'ils soient, [e]*fussent-ils esclaves ou libres*[12], s'ils ont foi dans le Christ, et s'ils ont reconnu la vérité qui est en ses paroles et celles de ses prophètes, savent qu'avec lui en cette terre-là[13] ils se réuniront, et qu'ils hériteront des biens [f]éternels et incorruptibles[14].

Tous les hommes sont libres et cohéritiers dans le Christ.
La véritable descendance d'Abraham n'est point celle qu'enseignent les didascales.
Témoignages d'Isaïe, de Jérémie, et de Jésus.

140. 1 Voilà pourquoi Jacob, comme je l'ai dit plus haut[1], étant lui aussi[2] une figure du Christ, [g]prit également en mariage les deux servantes de ses deux femmes libres ; et il en eut des fils, pour qu'il fût à l'avance indiqué que le Christ se gagnerait aussi, de même que des hommes libres, tous ceux qui, dans la descendance de Japhet, se trouvent être de Canaan[3], et les considérerait comme enfants cohéritiers.

a Cf. *Gen.* 9, 26 **b** *ibid.*, 27 **c** cf. *I Pierre*, 3, 9 **d** *ibid.*, 7 **e** cf. *Éphés.* 6, 8 ; *Gal.* 3, 28
f cf. *I Cor.* 15, 50 s. **g** cf. *Gen.* 30, 1 s.

ἐλευθέροις καὶ τέκνα συγκληρονόμα ἕξει · ἅπερ ἡμεῖς ὄντες[1] [p. 299 : B], συνιέναι ὑμεῖς οὐ δύ-[fol. 191 r° : A]-νασθε, διὰ τὸ μὴ δύνασθαι ἀπὸ τῆς τοῦ θεοῦ *ζώσης πηγῆς* πιεῖν, ἀλλὰ ἀπὸ τῶν *συντετριμμένων λάκκων* καὶ *ὕδωρ μὴ δυναμένων συνέχειν*, ὡς ἡ γραφὴ λέγει. **2** Εἰσὶ δὲ *λάκκοι συντετριμμένοι* καὶ *ὕδωρ μὴ συνέχοντες*, οὓς ὤρυξαν ὑμῖν οἱ διδάσκαλοι ὑμῶν αὐτῶν[2], ὡς καὶ ἡ γραφὴ διαρρήδην λέγει, *διδάσκοντες διδασκαλίας, ἐντάλματα ἀνθρώπων*. Καὶ πρὸς τούτοις ἑαυτοὺς καὶ ὑμᾶς βουκολοῦσιν, ὑπολαμβάνοντες ὅτι πάντως τοῖς ἀπὸ τῆς σπορᾶς τῆς κατὰ σάρκα τοῦ Ἀβραὰμ οὖσι, κἂν ἁμαρτωλοὶ ὦσι καὶ ἄπιστοι καὶ ἀπειθεῖς πρὸς τὸν θεόν, ἡ *βασιλεία* ἡ *αἰώνιος δοθήσεται*, ἅπερ ἀπέδειξαν αἱ γραφαὶ οὐκ ὄντα.

3 Ἦ[3] γὰρ τοῦτο οὐκ ἂν εἶπεν Ἡσαΐας · *Καὶ εἰ μὴ κύριος Σαβαὼθ ἐγκατέλιπεν ἡμῖν σπέρμα, ὡς Σόδομα ἂν καὶ Γόμορρα ἐγενήθημεν* · καὶ Ἰεζεκιήλ · *ὅτι Κἂν Νῶε καὶ Ἰακὼβ*[4] *καὶ Δανιὴλ ἐξαιτήσωνται υἱοὺς ἢ θυγατέρας, οὐ μὴ δοθῇ αὐτοῖς · ἀλλ' οὔτε πατὴρ ὑπὲρ υἱοῦ οὔτε υἱὸς ὑπὲρ πατρός, ἀλλ' ἕκαστος τῇ ἁμαρτίᾳ αὐτοῦ ἀπολεῖται καὶ ἕκαστος τῇ ἑαυτοῦ δικαιοπραξίᾳ σωθήσεται* · καὶ πάλιν Ἡσαΐας · *Ὄψονται τὰ κῶλα τῶν παραβεβηκότων · ὁ σκώληξ αὐτῶν οὐ παύσεται*[5], *καὶ τὸ πῦρ αὐτῶν οὐ σβεσθήσεται, καὶ ἔσονται εἰς ὅρασιν πάσῃ σαρκί*. **4** Καὶ ὁ κύριος ἡμῶν κατὰ τὸ θέλημα τοῦ πέμψαντος αὐτὸν πατρὸς καὶ δεσπότου τῶν [fol. 191 v° : A] ὅλων οὐκ ἂν εἶπεν · (*Matth.* 8, 11 ; cf. *Lc.* 13, 28-29) *Ἥξουσιν ἀπὸ δυσμῶν καὶ ἀνατολῶν, καὶ ἀνακλιθήσονται μετὰ Ἀβραὰμ καὶ Ἰσαὰκ καὶ Ἰακὼβ ἐν τῇ βασιλείᾳ τῶν οὐρανῶν* · (12)*οἱ δὲ υἱοὶ τῆς βασιλείας ἐκβληθήσονται εἰς τὸ σκότος τὸ ἐξώτερον*. Ἀλλὰ καὶ ὅτι οὐκ αἰτίᾳ [p. 300 : B] τοῦ θεοῦ οἱ προγινωσκόμενοι καὶ γενησόμενοι ἄδικοι, εἴτε ἄγγελοι εἴτε ἄνθρωποι, γίνονται φαῦλοι, ἀλλὰ *τῇ ἑαυτῶν ἕκαστος* αἰτίᾳ[6] τοιοῦτοί εἰσιν ὁποῖος *ἕκαστος* φανήσεται, ἀπέδειξα καὶ ἐν τοῖς ἔμπροσθεν.

141. 1 Ἵνα δὲ μὴ πρόφασιν ἔχητε λέγειν ὅτι ἔδει τὸν Χριστὸν σταυρωθῆναι, ἢ καὶ ἐν τῷ γένει ὑμῶν[7] εἶναι τοὺς *παραβαίνοντας*, καὶ οὐκ ἂν ἄλλως ἐδύνατο γενέσθαι, φθάσας διὰ βραχέων εἶπον, ὅτι βουλόμενος[8] τοὺς ἀγγέλους καὶ τοὺς ἀνθρώπους ἕπεσθαι τῇ βουλῇ αὐτοῦ ὁ θεὸς ἐβουλήθη ποιῆσαι τούτους αὐτεξουσίους πρὸς δικαιοπραξίαν, μετὰ λόγου

1 Ἡμεῖς ὄντες : ἡμᾶς ὄντας *vel* ἡμᾶς εἶναι *prop.* Sylb., Otto, *coni.* Marc. **2** Αὐτῶν : αἱ διδασκαλίαι αὐτῶν Marc. **3** Ἦ *edd. ab* Otto : ἢ *codd.*, *cett. edd.* (cf. 122, 1) **4** Ἰακώβ : Ἰώβ *prop.* Lange, *coni.* Sylb., Mor. (cf. 44, 2) **5** Παύσεται : παυθήσεται Otto, Arch. (*ex* I Apol. 52, 8) οὐ τελευτήσει LXX ; Dial. 44, 3 **6** Αἰτίᾳ : αἰτία *edd. ante* Mar. **7** Ὑμῶν *prop.* Lange, *coni.* Thirlb., Mar. (trad.), Troll., *edd. ab* Otto : ἡμῶν *codd.*, *cett. edd.* **8** Βουλόμενος : κἂν β. Marc.

C'est nous qui sommes ces enfants, mais vous êtes incapables, vous, de le comprendre, car vous ne pouvez boire à la [a]*source vive* de Dieu, mais seulement aux [b]*citernes fissurées qui ne peuvent retenir l'eau*[4], comme le dit l'Écriture. **2** Ce sont bien des [c]*citernes fissurées ne retenant point l'eau* qu'ils ont *creusées* pour vous, vos propres didascales, ainsi que l'Écriture le dit expressément[5] : [d]*ils enseignent préceptes et enseignements d'hommes.* Bien plus, ils se séduisent eux-mêmes et vous aussi, lorsqu'ils s'imaginent que sans réserve aucune, à ceux qui sont [e]de la semence d'Abraham selon la chair, fussent-ils pécheurs, sans foi et rebelles à Dieu, il sera [f]*fait don* de l'*éternel royaume*[6] : les Écritures montrent qu'il n'en est pas ainsi.

3 Car Isaïe n'aurait certes pas dit : [g]*Si le Seigneur Sabbaoth ne nous avait laissé un germe, nous aurions eu le sort de Sodome et Gomorrhe*[7]. Et Ézéchiel : [h]*Même si Noé, Jacob ou Daniel intercèdent pour leurs fils ou leurs filles, cela ne saurait leur être accordé*[8] *; car le père n'est pas au-dessus du fils, ni le fils au-dessus du père, mais chacun sera perdu pour son propre péché, et chacun sera sauvé pour sa propre justice.* Ou Isaïe encore : [i]*Ils verront les membres des prévaricateurs ; leur ver ne cessera pas, et leur feu ne s'éteindra point : ils seront en spectacle pour toute chair.* **4** Et notre Seigneur n'aurait point dit, selon la volonté du Père et Maître[9] de l'univers qui l'a envoyé, (*Matth.* 8, 11 ; cf. *Lc.* 13, 28-29)*Ils viendront de l'Occident et de l'Orient, et ils prendront part au festin avec Abraham, Isaac, et Jacob, dans le royaume des cieux ;* (12)*mais les fils du royaume seront rejetés dans les ténèbres extérieures*[10]. Et ce n'est point par la faute de Dieu si ceux qu'il prévoit devoir être – et qui seront – injustes, anges ou hommes, deviennent mauvais : c'est par la faute propre à [j]*chacun* pour *lui-même*, qu'ils sont tels que *chacun* d'entre eux apparaîtra : je l'ai montré aussi dans ce qui précède[11].

Comme les anges, les hommes disposent du libre arbitre :
Ils sont responsables de leurs actes et appelés à la pénitence. Exemple de David.

141. 1 Et pour que vous n'ayez point l'excuse de dire qu'il fallait que le Christ fût crucifié, et que les [k]*prévaricateurs* fussent en votre race, qu'il était impossible qu'il en fût autrement[1], j'ai dit en quelques mots[2], pour vous prévenir, que Dieu, voulant que les anges et les hommes suivent sa volonté, a voulu[3] les créer autonomes envers la pratique de la justice[4], doués de

a Cf. *Jér.* 2, 13 **b** *ibid.* **c** *ibid.* **d** *Is.* 29, 13 ; cf. *Matth.* 15, 9 ; *Mc.* 7, 7 **e** cf. *Rom.* 9, 7 ; *Matth.* 3, 9 ; *Lc.* 3, 8 ; *Jn.* 8, 39 ; *Gal.* 3, 7 **f** cf. *Dan.* 7, 27 **g** *Is.* 1, 9 **h** cf. *Éz.* 14, 14.16.18.20 ; 18, 4.20 ; *Deut.* 24, 16 **i** *Is.* 66, 24 **j** cf. *Deut.* 24, 16 **k** cf. *Is.* 66, 24.

τοῦ ἐπίστασθαι αὐτοὺς ὑφ' οὗ γεγόνασι[1], καὶ δι' ὅν εἰσὶ πρότερον οὐκ ὄντες, καὶ μετὰ νόμου τοῦ ὑπ' αὐτοῦ κρίνεσθαι[2], ἐὰν παρὰ τὸν ὀρθὸν λόγον πράττωσι · καὶ δι' ἑαυτοὺς ἡμεῖς, οἱ ἄνθρωποι καὶ οἱ ἄγγελοι, ἐλεγχθησόμεθα πονηρευσάμενοι, ἐὰν μὴ φθάσαντες μεταθώμεθα.

2 Εἰ δὲ ὁ Λόγος τοῦ θεοῦ προμηνύει πάντως τινάς, καὶ ἀγγέλους καὶ ἀνθρώπους, κολασθήσεσθαι μέλλοντας, διότι προεγίνωσκεν αὐτοὺς ἀμεταβλήτως[3] γενησομένους πονηρούς, προεῖπε ταῦτα, ἀλλ' οὐχ ὅτι αὐτοὺς ὁ θεὸς τοιούτους [fol. 192 r° : A] ἐποίησεν. Ὥστε, ἐὰν μετανοήσωσι, πάντες βουλόμενοι[4] τυχεῖν τοῦ παρὰ τοῦ θεοῦ ἐλέους δύνανται, καὶ *μακαρίους* αὐτοὺς ὁ Λόγος προλέγει εἰπών · *Μακάριος, ᾧ οὐ μὴ λογίσηται*[5] *κύριος ἁμαρτίαν* · τοῦτο δέ ἐστιν, ὃς[6] μετανοήσας ἐπὶ *τοῖς ἁμαρτήμασι* τῶν ἁμαρτημάτων παρὰ τοῦ θεοῦ λάβῃ *ἄφεσιν*, ἀλλ' οὐχ, ὡς ὑμεῖς ἀπατᾶτε ἑαυτοὺς καὶ ἄλλοι τινὲς ὑμῖν ὅμοιοι κατὰ τοῦτο, οἳ λέγουσιν ὅτι, κἂν ἁμαρτωλοὶ ὦσι, θεὸν δὲ γινώσκουσιν[7], *οὐ μὴ λογίσηται* αὐτοῖς *κύριος ἁμαρτίαν*.

3 Μαρτύριον δὲ τούτου τὴν μίαν τοῦ Δαυὶδ διὰ τὴν [p. 301 : B] καύχησιν αὐτοῦ γενομένην παράπτωσιν ἔχομεν, ἥτις τότε ἀφείθη[8], ὅτε οὕτως ἔκλαυσε καὶ ἐθρήνησεν ὡς γέγραπται. Εἰ δὲ τῷ τοιούτῳ ἄφεσις πρὶν μετανοῆσαι οὐκ ἐδόθη, ἀλλ' ὅτε τοιαῦτα[9] ἔκλαυσε καὶ ἔπραξεν ὁ μέγας οὗτος βασιλεὺς[10] καὶ χριστὸς καὶ προφήτης, πῶς οἱ ἀκάθαρτοι καὶ πάντα ἀπονενοημένοι, ἐὰν μὴ θρηνήσωσι καὶ *κόψωνται* καὶ μετανοήσωσιν, ἐλπίδα ἔχειν δύνανται ὅτι *οὐ μὴ λογίσηται* αὐτοῖς *κύριος ἁμαρτίαν* ;

4 Καὶ ἡ μία δὲ αὕτη τῆς παραπτώσεως τοῦ Δαυὶδ πρὸς τὴν τοῦ Οὐρίου γυναῖκα πρᾶξις, ὦ ἄνδρες, ἔφην, δείκνυσιν ὅτι οὐχ ὡς πορνεύοντες πολλὰς ἔσχον γυναῖκας οἱ πατριάρχαι, ἀλλ' οἰκονομία τις καὶ μυστήρια πάντα[11] δι' αὐτῶν ἀπετελεῖτο · ἐπεὶ εἰ συνεχωρεῖτο, ἣν βούλεταί τις καὶ ὥς βούλεται καὶ ὅσας βούλεται, λαμβάνειν [fol. 192 v° : A] γυναῖκας, ὁποῖον πράττουσιν οἱ ἀπὸ τοῦ γένους ὑμῶν ἄνθρωποι, κατὰ πᾶσαν γῆν, ἔνθα ἂν ἐπιδημήσωσιν ἢ προσπεμφθῶσιν, ἀγόμενοι ὀνόματι γάμου γυναῖκας[12], πολὺ μᾶλλον ἂν[13] τῷ Δαυὶδ τοῦτο συνεχωρεῖτο πράξειν[14].

1 Γεγόνασι : γ. γεγονότας Marc. **2** Κρίνεσθαι : τοῦ κρ. Marc. **3** Ἀμεταβλήτως *prop.* Sylb., Wolf, Arcerius (cf. I Apol. 21, 3 : ὁμοίους *pro* ὁμοίως), *coni. edd. ab* Otto : ἀμεταβλήτους *codd.*, *cett. edd.* **4** Βουλόμενοι : οἱ β. Marc. **5** Λογίσηται : λογήσηται *codd.* **6** Ὅς *prop.* Sylb., Thirlb., *coni. edd. ab* Otto : ὡς *codd.*, *cett. edd.* **7** Γινώσκουσιν : γινώσκωσιν *coni.* Marc. εἰ *supplendum* Otto **8** Ἀφείθη : A *corr. ex* ἀφήθη **9** Τοιαῦτα : τοσαῦτα *coni.* Marc. **10** Ἀλλ' – βασιλεύς : ἀλλ' ὅτε τοιαῦτα ἔπραξε καὶ οὕτως ἔκλαυσεν ὁ μέγας οὗτος βασιλεύς. Ἦν ἂν κάλλιον *in marg. codd.* **11** Πάντα : πάντως *prop.* Marc. **12** Ὁποῖον – γυναῖκας : *in semicirculis* Marc. **13** Ἂν *codd.*, Mar., Mign., *edd. ab* Otto : ἐν *cett. edd.* **14** Πράξειν : πρᾶξαι *prop.* Sylb.

raison pour savoir de qui ils tiennent d'être, et par qui ils existent alors qu'auparavant ils n'existaient pas, et dotés d'une loi pour pouvoir être jugés par lui[5], s'ils agissent contrairement à la droite raison[6]. C'est nous-mêmes, hommes et anges, qui nous ferons reproche d'avoir mal agi, si nous n'avons, avant, su faire pénitence[7].

2 Et si le Verbe de Dieu a indiqué à l'avance que certains, anges et hommes, seraient assurément châtiés, c'est parce qu'il savait déjà qu'ils deviendraient irrémédiablement mauvais, et non point parce que Dieu les avait créés tels. Ainsi, pourvu qu'ils fassent pénitence, tous ceux qui le veulent peuvent obtenir la miséricorde de Dieu[8], et le Verbe de Dieu prédit qu'ils seront *bienheureux* en déclarant : [a]*Bienheureux celui à qui le Seigneur n'imputera pas de faute*[9], autrement dit celui qui ayant fait pénitence de ses [b]*péchés*, en aura reçu de Dieu *rémission*. Vous vous trompez vous-mêmes, donc, comme quelques autres encore qui partagent sur ce point les mêmes opinions[10], et prétendent que, même s'ils sont pécheurs, pourvu qu'ils connaissent Dieu *le Seigneur ne* leur *imputera pas* de *faute*.

3 En témoignage de cela, nous avons[11] [c]l'unique égarement de David, dû à la présomption[12] : [d]Il lui fut remis dès lors qu'il eut pleuré et gémi, ainsi qu'il est écrit. Or si à un tel homme la rémission (de son péché) ne fut pas accordée avant sa pénitence, mais (seulement) lorsque ce grand roi, oint et prophète, eut pleuré et agi comme vous le savez, comment les gens impurs[13] et entièrement perdus peuvent-ils, à moins qu'ils ne gémissent, ne se [e]*frappent la poitrine*[14] et ne fassent pénitence, avoir l'espoir que *le Seigneur ne* leur [f]*imputera point* leur *faute*[15] ?

4 Et cet unique acte d'égarement de la part de David envers la femme d'Urie montre aussi, mes amis, dis-je, que ce ne fut point fornication de la part des patriarches, d'avoir plusieurs femmes, mais qu'une certaine disposition[16] et des mystères de toutes sortes se trouvaient à travers eux réalisés. Car s'il était permis que l'on prît pour femme qui l'on veut, comme on veut, et en aussi grand nombre qu'on le veut – à l'instar de ce que font ceux de votre race, lesquels en tout pays, où qu'ils viennent s'établir ou bien soient envoyés, se choisissent des femmes au nom du mariage[17] –, pour David plus encore cette pratique aurait été permise[18].

a *Ps.* 31, 2 **b** *ibid.*, 1 **c** cf. *Ps.* 26, 2 s. **d** cf. *II Rois*, 12, 13 **e** cf. *Zach.* 12, 12 **f** cf. *Ps.* 31, 2.

5 Ταῦτα εἰπών, ὦ φίλτατε Μάρκε Πομπήϊε, ἐπαυσάμην.

142. 1 – Ἐπὶ ποσὸν δὲ ὁ Τρύφων ἐπισχών · Ὁρᾷς, ἔφη, ὅτι οὐκ ἀπὸ ἐπιτηδεύσεως γέγονεν ἐν[1] τούτοις ἡμᾶς συμβαλεῖν. Καὶ ὅτι ἐξαιρέτως ἥσθην τῇ συνουσίᾳ, ὁμολογῶ, καὶ τούτους δὲ οἶμαι ὁμοίως ἐμοὶ διατεθεῖσθαι · πλέον γὰρ εὕρομεν ἢ προσεδοκῶμεν καὶ[2] προσδοκηθῆναί ποτε δυνατὸν ἦν. Εἰ δὲ συνεχέστερον ἦν τοῦτο ποιεῖν ἡμᾶς, μᾶλλον ἂν ὠφεληθεῖμεν[3], ἐξετάζοντες αὐτοὺς τοὺς λόγους · ἀλλ' ἐπειδή, φησί[4], πρὸς τῇ ἀναγωγῇ εἶ καὶ καθ'[5] ἡμέραν πλοῦν ποιεῖσθαι[6] προσδοκᾷς, μὴ ὄκνει[7] ὡς [p. 302 : B] φίλων ἡμῶν μεμνῆσθαι ἐὰν[8] ἀπαλλαγῇς.

2 – Ἐμοῦ δὲ χάριν, ἔφην, εἰ ἐπέμενον, καθ' ἡμέραν ἐβουλόμην[9] ταὐτὸ γίνεσθαι · ἀναχθήσεσθαι δὲ ἤδη προσδοκῶν, ἐπιτρέποντος τοῦ θεοῦ καὶ συνεργοῦντος, ὑμᾶς προτρέπομαι, ἐνστησαμένους[10] ὑπὲρ τῆς ἑαυτῶν σωτηρίας μέγιστον τοῦτον ἀγῶνα, τῶν διδασκάλων ὑμῶν σπουδάσαι προτιμῆσαι μᾶλλον τὸν τοῦ παντοκράτορος θεοῦ Χριστόν.

3 Μεθ' ἃ ἀπῄεσαν λοιπὸν εὐχόμενοί τέ μοι σωτηρίαν καὶ ἀπὸ τοῦ πλοῦ καὶ ἀπὸ πάσης κακίας · ἐγώ τε ὑπὲρ αὐτῶν εὐχόμενος [fol. 193 r° : A] ἔφην · Οὐδὲν ἄλλο μεῖζον ὑμῖν εὔχεσθαι δύναμαι, ὦ ἄνδρες, ἢ ἵνα, ἐπιγνόντες διὰ ταύτης τῆς ὁδοῦ δίδοσθαι παντὶ ἀνθρώπῳ <εὐδαιμο>νεῖν[11], πάντως καὶ αὐτοὶ ἡμῖν ὅμοια πιστεύσητε[12] τὸν ἡμῶν[13] εἶναι τὸν Χριστὸν τοῦ θεοῦ[14].

ΤΕΛΟΣ
ΤΟΥ ΠΡΟΣ ΤΡΥΦΩΝΑ ʻΙΟΥΔΑΙΟΝ ΔΙΑΛΟΓΟΥ
ΤΟΥ ʻΑΓΙΟΥ ʼΙΟΥΣΤΙΝΟΥ

1 Ἐν : ἐπὶ *coni.* Marc. **2** Καὶ : ἢ *vel* ἢ καὶ *prop.* Thirlb. **3** Ὠφεληθεῖμεν : ὠφελήθημεν *codd.*, Goodsp. **4** Φησί *prop.* Thirlb., *coni. edd. ab* Otto, Troll. : φημί *codd.*, *cett. edd.* (cf. 4, 1) **5** Καθ' : μεθ' *coni.* Marc. **6** Πλοῦν ποιεῖσθαι *edd. ab* Otto, Troll. (cf. Herod., *Hist.*, VI, 95 : διὰ νήσων τὸν πλόον ἐποιεῦντο, *etc.*) : πλοῦν γενέσθαι *prop.* Mar., ναυτιλεῖσθαι Thirlb., Orelli (*Iust. M. loc. aliq. sel.*, p. 38) τὶ λογιεῖσθαι *codd.*, *cett. edd.* **7** Ὄκνει *edd.* : ὤκνει *codd.* **8** Ἐὰν : ἐπὰν *coni.* Marc. **9** Ἐβουλόμην : ἂν ἐβ. Marc. **10** Ἐνστησαμένους : ἐνστησομένους *coni.* Marc. **11** Ἀνθρώπῳ εὐδαιμονεῖν Otto, Arch., Goodsp. (*ex* Dial. 8, 2 : ἐπιγνόντι σοὶ τὸν Χριστὸν τοῦ θεοῦ ...εὐδαιμονεῖν ; 4, 2 : τοὐντεῦθεν ἤδη εὐδαιμονεῖν ; Plat. *Phileb.*, 11d : ἀνθρώποις πᾶσι τὸν βίον εὐδαίμονα παρέχειν) : ἀνθρώπῳ τὸν νοῦν *prop.* Mar. ἀνθρώπῳ ἐναρέτως βιοῦν *coni.* Marc. ἀνθρώπινον νοῦν *codd.*, *cett. edd.* **12** Πιστεύσητε *prop.* Mar., *vel* ὅμοιον (*scil.* τὸν νοῦν) ποιήσητε : ὅμοια ποιήσητε *codd.*, *edd.* **13** Τὸν ἡμῶν *ego* : τῷ ἡμῶν *prop.* Thirlb., τὸν Ἰησοῦν Mar., *coni.* Otto, Troll., Arch., Marc. τὸ ἡμῶν *codd.*, *cett. edd.* **14** *Post* τοῦ θεοῦ Marc. *add.* ὁμολογοῦντες.

5 Après ces paroles, très cher Marcus Pompeius[19], je m'arrêtai.

Adieux de Tryphon et de Justin, qui s'apprête à prendre la mer.
Ultime appel à la pénitence.

142. 1 Après un temps de silence, Tryphon déclara :

— Ce n'est pas à dessein, vois-tu, qu'il nous est arrivé d'échanger sur ces choses. Mais j'avoue avoir pris un rare plaisir à notre entretien, et je crois que ceux-là partagent mon sentiment. Car nous avons trouvé plus que nous n'attendions, et qu'il fût jamais possible d'attendre. Et s'il nous était donné de le faire d'une manière plus suivie, nous pourrions tirer plus de profit encore à scruter les paroles mêmes (de l'Écriture)[1]. Mais, dit-il, puisque tu es sur le point de t'embarquer, et que d'un jour à l'autre tu t'attends à prendre la mer[2], ne crains pas de te souvenir de nous comme de tes amis, quand tu seras parti.

2 — Pour ce qui me concerne, dis-je, si je restais, je voudrais qu'il en soit de même chaque jour. Mais comme je m'attends à embarquer bientôt, avec la permission et avec l'aide de Dieu, je vous exhorte à livrer ce suprême combat[3] pour votre propre Salut, en ayant soin de préférer à vos didascales le Christ du Dieu tout-puissant[4].

3 Après quoi ils s'éloignèrent, priant pour qu'à l'avenir, je demeure préservé des dangers de la navigation et de toute sorte de mal. Priant aussi pour eux, je leur dis pour ma part : Il n'est pas de meilleure prière que je puisse faire pour vous, mes amis, que de vous voir reconnaître que c'est par cette voie-là[5] qu'à tout homme est donné de trouver le bonheur, et croire sans réserve, vous aussi comme nous, que c'est à nous qu'appartient[6] le Christ de Dieu[7].

FIN
DU DIALOGUE DE SAINT JUSTIN
AVEC LE JUIF TRYPHON